中国古代四大发明
——源流、外传及世界影响

潘吉星 ◎ 著
By Pan Jixing

The Four Great Inventions of Ancient China:
Their Origin, Development, Spread and Influence in the World

中国科学技术大学出版社
University of Science and Technology of China Press

有著作权ⓒ，潘吉星，2002

图书在版编目(CIP)数据

中国古代四大发明：源流、外传及世界影响/潘吉星著．—合肥：中国科学技术大学出版社，2002，12
ISBN 7-312-01201-9
("十五"国家重点图书)

Ⅰ．中…　Ⅱ．潘…　Ⅲ．技术史-中国-古代　Ⅳ．N092

中国版本图书馆CIP数据核字(2002)第092789号

责任编辑　郝诗仙
封面设计　吕敬人

出版发行
中国科学技术大学出版社
(安徽省合肥市金寨路96号，230026)

照排
南京理工排版校对有限公司

印刷
合肥远东印务有限责任公司

经销
全国新华书店

开本
880×1230/16

印张
42.5

字数
980 千

版次
2002年12月第1版

印次
2002年12月第1次印刷

印数
1～3 000 册

定价
98.00 元

自　　序

　　中国古代科学技术素称发达,近代世界所赖以建立的各种基本发现和发明有一半以上来自中国,中国对世界科学技术发生影响的重要发现和发明至少有100项,因此在中世纪漫长岁月里中国在科技方面一直居于世界领先地位。①其中造纸、印刷、火药和指南针就其对社会历史进程和科学、文化发展的影响而言,可以说是近两千年来震撼世界的、具有革命性的超级发明。16世纪英国学者弗朗西斯·培根(Francis Bacon,1561~1626)认为这些发明已改变了世界的面貌和万事万物的原有状态,其波及范围不限于某一局部地区,而是整个世界;其影响所及不是一时一世,而是持续达数百年之久,这是世界上任何帝国、宗教和伟人都做不到的。②中国的四大发明内容丰富,每一大项都包括一系列单项发明,如印刷包括木版印刷、铜版印刷、活字印刷和彩色印刷等,火药包括炸药、发射药、引爆药和各种火器,指南针有水罗盘、旱罗盘,还涉及航海技术,研究四大发明史应当说是科学文化史的一项重大课题。

　　过去中外学者对造纸、印刷、火药和指南针的历史虽有专著出版,但都只限于其中一项或至多两项,将四大发明史放在一起加以深入而系统研究的学术专著,国内外还一直没有出现。人们所能看到的综论四大发明的书,多是篇幅很小的通俗性作品,且其中有些观点现在已显得过时,需要有这方面新的专著问世。有鉴于此,1998年中国科学技术大学出版社约笔者写出这样一部书,由他们出版,这是个有创意的出版选题,遂不揣冒昧欣然承诺。经过近两年的努力,2000年完成初稿,再经修订于2002年5月定稿,名之为《中国古代四大发明——源流、外传及世界影响》(*The Four Great Inventions of Ancient China: Their Origin, Development, Spread and Influence in the World*)。

　　本书分3部分,共13章。第一部分含7章(第一至七章),主要研究造纸、印刷、火药和指南针技术在中国的起源和早期发展,同时追溯其历史源流,分析完成发明的社会和科技背景,探讨为什么这些发明完成于中国而非其他国家或地区,揭示其赖以实现的工作原理,对各工艺技术及相关器物作出一系列技术复原研究。第二部分含4章(第八至十一章),主要研究四大发明何时及如何从中国

---

　　① Temple R. China—Land of Discovery. Wellingborough, UK: Patrick Stephens, 1986. passim

　　② Bacon F. Novum Organum(1620), bk 1, Aphorisim 129. In: Ellis, Spedding, eds. Bacon's Philosophical Works. London: Routledge, 1905

传向东西方其他国家或地区的历程，同时论述这些发明在东西方各国的早期发展。用摆事实、讲道理的方式驳斥四大发明起源于其他国家的错误观点，同时发展了有关技术传播的理论和对中外技术比较研究的方法。第三部分含两章（第十二、十三章），是第二部分的续篇，研究四大发明如何促进了东西方各国乃至整个世界文明的发展，又如何改变了世界的面貌。全书近百万字，有黑白插图 305 幅。为使外国读者了解本书梗概，在中文目次后载有全书的英文目次，并在附录中载有全书内容的英文提要。书末有中外文参考文献和综合索引。

在研究和写作过程中，我们综合东西方文献考证、出土实物研究、模拟实验、至保留传统技术的作坊调查、用现代科学知识对古代事物作学理分析和中外技术比较等多种研究方法，吸取古今中外各种研究成果，尤其近年来国内外最新研究成果和考古新发现资料，以反映 21 世纪的最新研究水平，对四大发明史向世人作出明确的交待。当然，像这样一项涵盖面广、涉及人文科学和自然科学多学科，又时跨千年、触及东西方各国历史的研究课题，对我们来说是新的尝试，受知识和能力所限，难免有不周及失误之处，恳请海内外读者不吝赐教。

潘吉星

2002 年 7 月 2 日于京华不息斋

目　次

第一章　造纸术的发明 …………………………………………………… 1
　第一节　有关纸的一般概念 …………………………………………… 1
　　一、纸未出现前的古代书写纪事材料 ……………………………… 1
　　二、论纸的定义 ……………………………………………………… 7
　　三、成纸的科学原理 ………………………………………………… 10
　第二节　从西汉纸的出土看造纸术的起源 …………………………… 21
　　一、为什么造纸术起源于中国？ …………………………………… 21
　　二、造纸术起源于西汉 ……………………………………………… 24
　　三、论蔡伦的历史作用 ……………………………………………… 43
　第三节　评造纸起源于外国之说 ……………………………………… 50
　　一、造纸起源于欧洲或埃及吗？ …………………………………… 50
　　二、评造纸起源于中美洲或印度说 ………………………………… 52

第二章　中国造纸术的发展 ……………………………………………… 55
　第一节　魏晋南北朝的造纸技术 ……………………………………… 55
　　一、麻纸的改进与普及 ……………………………………………… 55
　　二、纸的新原料和新用途的开拓 …………………………………… 60
　　三、纸的施胶、涂布和染色技术 …………………………………… 66
　第二节　隋唐五代的造纸技术 ………………………………………… 69
　　一、皮纸的发展和竹纸的兴起 ……………………………………… 69
　　二、纸的产地和用途的扩大 ………………………………………… 75
　　三、造纸技术和加工技术的进步 …………………………………… 80
　第三节　宋元、明清时的造纸技术 …………………………………… 85
　　一、宋元时期的造纸技术 …………………………………………… 85
　　二、明清时期的造纸技术 …………………………………………… 92

第三章　雕版印刷术的发明 ……………………………………………… 103
　第一节　印刷术发明前的古典复制技术 ……………………………… 103
　　一、纸上钤印对印刷术的影响 ……………………………………… 103
　　二、碑石文字拓印技术 ……………………………………………… 107
　第二节　木版印刷和铜版印刷的发明 ………………………………… 112

一、木版印刷起源于隋 …………………………………………………… 112
　　　二、唐初有关印刷的记载和实物资料 …………………………………… 115
　第三节　唐至北宋木版印刷的发展 ………………………………………… 121
　　　一、唐中叶至唐末的印刷 ………………………………………………… 121
　　　二、五代十国及北宋的印刷 ……………………………………………… 126
　　　三、传统木版印刷技术 …………………………………………………… 130
　第四节　版画和多色印刷的发展 …………………………………………… 139
　　　一、版画的起源和发展 …………………………………………………… 139
　　　二、彩色印刷的起源和发展 ……………………………………………… 149
　第五节　评木版印刷起源于外国说 ………………………………………… 154
　　　一、为什么印刷术起源于中国？ ………………………………………… 154
　　　二、评印刷术起源于印度说 ……………………………………………… 157
　　　三、评木版印刷起源于韩国说 …………………………………………… 158

第四章　活字印刷技术的发明 ……………………………………………… 162
　第一节　非金属活字技术的发明 …………………………………………… 162
　　　一、木活字印刷的发明 …………………………………………………… 162
　　　二、木活字印刷在元代以后的发展 ……………………………………… 168
　　　三、泥活字或陶活字印刷的发明 ………………………………………… 174
　第二节　金属活字印刷的发明 ……………………………………………… 182
　　　一、铜活字印刷起源于北宋 ……………………………………………… 182
　　　二、铜活字印刷在宋以后的发展 ………………………………………… 188
　　　三、锡活字印刷的起源和发展 …………………………………………… 202
　第三节　评韩国发明金属活字说 …………………………………………… 206
　　　一、评此说所据的物证 …………………………………………………… 206
　　　二、评此说所据的文献证据 ……………………………………………… 209

第五章　火药技术的发明 …………………………………………………… 213
　第一节　火药出现前的古代纵火武器 ……………………………………… 213
　　　一、古代以弓弩发射的纵火箭 …………………………………………… 213
　　　二、古代的火炬、飞炬、火禽、火兽 …………………………………… 215
　　　三、五代和北宋的猛火油机 ……………………………………………… 218
　第二节　火药的定义和燃烧理论 …………………………………………… 223
　　　一、火药的定义 …………………………………………………………… 223
　　　二、古代火药燃烧理论 …………………………………………………… 226
　　　三、近代火药燃烧理论 …………………………………………………… 228
　第三节　为什么火药发明于中国 …………………………………………… 231
　　　一、中国最早利用和提纯硝石的史实 …………………………………… 231
　　　二、中国最早发现火药混合物的史实 …………………………………… 240

第四节 中国火药技术的发明和早期火器 …… 246
- 一、10世纪以来出现的北宋早期火器 …… 246
- 二、10世纪出现的最早的军用火药方 …… 251

第五节 评外国发明火药说 …… 255
- 一、评印度发明火药说 …… 255
- 二、评拜占庭发明火药说 …… 260
- 三、评欧洲发明火药说 …… 264

第六章 中国火药和火器技术的早期发展 …… 269

第一节 高硝粒状火药的制造 …… 269
- 一、两宋之际的烟火和爆仗 …… 269
- 二、南宋出现的铳炮和火枪 …… 273

第二节 南宋出现的突火枪、火箭和硬壳炸弹 …… 277
- 一、1259年的突火枪 …… 277
- 二、火箭和火箭弹 …… 280
- 三、硬壳手榴弹和炸弹 …… 284

第三节 元明时火药和火器技术的发展 …… 286
- 一、元代的金属火铳 …… 286
- 二、明代的金属火铳、火炮和火铳箭 …… 293
- 三、火箭、集束火箭、二级火箭和火箭飞行 …… 298
- 四、炸弹、定时炸弹、地雷和水雷 …… 303

第七章 指南针的发明和早期发展 …… 310

第一节 指南针发明前古人定方位之法 …… 310
- 一、战国以来以圭表测日影的定位方法 …… 310
- 二、观看北极星确定方位之古法 …… 314
- 三、中国古代用于天文导航的牵星术 …… 317

第二节 指南针的前身司南仪的发明 …… 321
- 一、磁石指极性的发现和司南仪的制成 …… 321
- 二、司南的形制和用法 …… 324
- 三、晋至唐期间对司南仪的技术改进 …… 330

第三节 指南针的发明和早期发展 …… 335
- 一、唐末堪舆用水浮式罗盘针的发明 …… 335
- 二、北宋水罗盘的构造和复原 …… 340
- 三、南宋时发明的旱罗盘 …… 344
- 四、明清的水、旱航海罗盘 …… 347

第四节 指南针在航海中的应用 …… 349
- 一、宋代的航海罗盘和航海图 …… 349
- 二、元代的航海罗盘和航海图 …… 352

三、明代郑和航海针路图和清代的旱罗盘 …………………………………………… 355

第八章　中国造纸术的外传 …………………………………………………………… 360
第一节　造纸术在朝鲜和日本的传播 ………………………………………………… 360
一、造纸在朝鲜半岛的起源和早期发展 …………………………………………… 360
二、高丽朝和朝鲜朝的造纸 ………………………………………………………… 363
三、造纸在日本的起源和早期发展 ………………………………………………… 367
四、奈良朝以后日本的造纸 ………………………………………………………… 371

第二节　中国造纸术在亚非其他国家的传播 ………………………………………… 375
一、造纸术在越南的传播 …………………………………………………………… 375
二、造纸术在南亚和东南亚国家的传播 …………………………………………… 377
三、造纸术在中亚、西亚和北非的传播 …………………………………………… 381

第三节　中国造纸术在欧美的传播 …………………………………………………… 385
一、西班牙、意大利和法国造纸之始 ……………………………………………… 385
二、造纸术在欧美其他国家的传播 ………………………………………………… 387
三、18世纪欧美从中国引进的造纸技术 …………………………………………… 392
四、中国造纸技术对19世纪欧洲的影响 …………………………………………… 397

第九章　中国印刷术的外传 …………………………………………………………… 403
第一节　印刷术在日本和朝鲜半岛的传播 …………………………………………… 403
一、日本木版印刷之始 ……………………………………………………………… 403
二、日本活字印刷之始 ……………………………………………………………… 407
三、朝鲜半岛木版印刷之始 ………………………………………………………… 409
四、朝鲜半岛活字印刷之始 ………………………………………………………… 411

第二节　印刷术在亚非其他国家的传播 ……………………………………………… 417
一、越南印刷术的早期发展 ………………………………………………………… 417
二、菲律宾和泰国印刷术之始 ……………………………………………………… 419
三、波斯印刷术之始 ………………………………………………………………… 423
四、北非埃及印刷术之始 …………………………………………………………… 427

第三节　中国印刷术在欧洲的传播 …………………………………………………… 429
一、欧洲木版印刷之始 ……………………………………………………………… 429
二、欧洲木活字印刷之始 …………………………………………………………… 435
三、欧洲金属活字印刷之开端 ……………………………………………………… 437

第十章　中国火药技术的外传 ………………………………………………………… 446
第一节　中国火药术在阿拉伯地区的传播 …………………………………………… 446
一、阿拉伯人关于硝石和火药的早期记载 ………………………………………… 446
二、伊利汗国枪手哈桑兵书中的火药知识 ………………………………………… 449
三、《焚敌火攻书》和《诸艺大全》中的火药、火器知识 ………………………… 452

第二节 中国火药术在欧洲的传播 ………………………………………… 457
    一、蒙古军西征导致火药和火器的西传 ……………………………… 457
    二、传播火药知识的欧洲先驱者 ……………………………………… 459
    三、欧洲早期的火器 …………………………………………………… 466
第三节 中国火药术在东亚、东南亚和南亚的传播 ………………………… 472
    一、中国火药术在朝鲜半岛的传播 …………………………………… 472
    二、中国火药术在日本的传播 ………………………………………… 475
    三、中国火药术在东南亚的传播 ……………………………………… 478
    四、中国火药术在南亚印度次大陆的传播 …………………………… 481

第十一章 中国指南针在国外的传播 …………………………………… 487
第一节 中国指南针在阿拉伯世界的传播 ………………………………… 487
    一、阿拉伯文献有关磁石的最早记载 ………………………………… 487
    二、指南针是阿拉伯人最先使用的吗？ ……………………………… 488
    三、阿拉伯早期的水罗盘 ……………………………………………… 490
第二节 中国指南针技术在欧洲的传播 …………………………………… 491
    一、指南针在欧洲的起源 ……………………………………………… 491
    二、中国技术对欧洲航海罗盘的影响 ………………………………… 493
    三、13世纪欧洲的旱罗盘和航海图 …………………………………… 497
第三节 中国指南针在东亚的传播 ………………………………………… 499
    一、朝鲜国关于指南针的记载 ………………………………………… 499
    二、朝鲜朝后期的指南针和磁学知识 ………………………………… 500
    三、日本江户时代的指南针 …………………………………………… 502

第十二章 纸和印刷术对世界文明发展的影响 ………………………… 506
第一节 纸在推动中外文化发展中的作用 ………………………………… 506
    一、纸的出现是文字载体发展史中的革命 …………………………… 506
    二、纸在推动中国文化发展中的作用 ………………………………… 508
    三、纸在阿拉伯文化发展中的作用 …………………………………… 511
    四、纸在中世纪欧洲文化发展中的作用 ……………………………… 515
第二节 印刷术对世界文明发展的影响 …………………………………… 518
    一、印刷术对中国教育和科学发展的影响 …………………………… 518
    二、印刷术促进中国儒学和文史的发展 ……………………………… 522
    三、印刷术在文艺复兴时期欧洲教育和科学发展中的作用 ………… 524
    四、印刷术促进欧洲人文主义思想和民族文学的发展 ……………… 528
第三节 印刷术在东、西方产生的政治和经济效应 ……………………… 532
    一、印刷术对东、西方考试制度所产生的影响 ……………………… 532
    二、印刷术与欧洲宗教改革运动 ……………………………………… 537
    三、印刷术在中外产生的经济效应 …………………………………… 540

第十三章　火药和指南针对世界文明发展的影响 …… 546
　第一节　火药和火器对世界文明发展的影响 …… 546
　　一、火药和火器在武器、战争中引起的革命 …… 546
　　二、火药、火器对社会政治、经济的影响 …… 548
　　三、火药和火器对近代科学技术发展的影响 …… 555
　第二节　指南针对世界文明发展的影响 …… 562
　　一、指南针引起航海技术革命和地理大发现 …… 562
　　二、指南针与航海技术引出的政治、经济后果 …… 566
　　三、指南针对近代科学技术发展的影响 …… 570

简短的结论 …… 575

附录 …… 582
　一、本书使用的西文缩略语说明 …… 582
　二、主要参考文献 …… 583
　　（一）1911年以前的中国、日本、朝鲜、韩国和越南古书 …… 583
　　（二）1911年以后的中国、日本、朝鲜、韩国和越南书籍、论文、译著 …… 588
　　（三）西文书籍和论文 …… 595
　三、英文提要（ABSTRACT） …… 606
　四、综合索引 …… 618

Contents

Chapter I The invention of papermaking ········· 1
  § 1 General concepts about paper ········· 1
    1 Ancient materials for writing before the appearance of paper ······ 1
    2 On the definition of paper ········· 7
    3 The scientific principles of forming paper ········· 10
  § 2 On the origin of papermaking in the light of the excavations of paper made in the Western Han (−2nd century) ········· 21
    1 Why was paper invented in China? ········· 21
    2 Paper was originated in the Western Han ········· 24
    3 On the historical role of Cai Lun ········· 43
  § 3 Comments on theories that paper was invented in foreign countries ········· 50
    1 Was paper invented in Europe or Egypt? ········· 50
    2 Comments on theories that paper was originated in Central America or India ········· 52

Chapter II The development of papermaking in China ········· 55
  § 1 Papermaking technique during the 3rd to the 6th centuries ········· 55
    1 The improvement and popularization of hemp paper ········· 55
    2 The development of new raw materials and uses of paper ········· 60
    3 Sizing, coating and dyeing techniques of paper ········· 66
  § 2 Papermaking technique during the 6th to 10th centuries ········· 69
    1 The development of bark paper and the rise of bamboo paper ········· 69
    2 The expansion of production places and uses of paper ········· 75
    3 The progress of papermaking and processing techniques of paper ········· 80
  § 3 Papermaking technique during the 10th to 19th centuries ········· 85
    1 Papermaking during the Song and Yuan dynasties ········· 85
    2 Papermaking during the Ming and Qing dynasties ········· 92

Chapter III The invention of block printing ········· 103
  § 1 Classical replication techniques before the invention of printing ······ 103

1	The influence of impression of seal inscriptions on printing	103
2	The rubbing technique of stone inscriptions	107

§ 2   **The invention of block printing and copper plate printing**   112
     1   Wood block printing was originated in Sui (6th century)   112
     2   Literary records and material evidence concerning printing in the early Tang (since the 7th century)   115

§ 3   **The development of block printing from Tang to Northern Song (7th-10th centuries)**   121
     1   Printing during the middle to the later Tang (715~907)   121
     2   Printing in the Five Dynasties and Northern Song (10th-12th centuries)   126
     3   Traditional block-printing technique   130

§ 4   **The development of printed pictures and multicolour printing**   139
     1   The origin and development of printed pictures   139
     2   The origin and development of multicolour printing   149

§ 5   **Comments on theories that block printing originated in foreign countries**   154
     1   Why was printing invented in China?   154
     2   Comment on the theory that printing was originated in India   157
     3   Comment on the theory that block printing was originated in Korea   158

Chapter Ⅳ   The origin of movable type printing   162
   § 1   **The invention of movable non-metal-type printing**   162
     1   The invention of wooden-type printing   162
     2   The development of wooden-type printing after the Yuan or the 13th century   168
     3   The invention of earthenware or pottery-type printing   174

   § 2   **The invention of movable metal-type printing**   182
     1   Movable bronze-type printing was originated in the Northern Song (960~1126)   182
     2   The development of bronze-type printing after the Song   188
     3   The origin and development of tin-type printing   202

   § 3   **Comment on the theory that metal-type was invented in Korea**   206
     1   Comment on the material proof for this theory   206
     2   Comment on literary evidence for this theory   209

Chapter Ⅴ   The invention of gunpowder technique   213
   § 1   Ancient incendiary weapons before the appearance of

	gunpowder ·· 213
1	Ancient incendiary arrow launched by bow and crossbow ········ 213
2	Ancient torch, "fire birds" and "fire animals" ······················ 215
3	*Menghuoyouji* (petroleum flame-thrower) in the Five Dynasties and Northern Song (10th century) ·································· 218

§ 2 The definition of gunpowder and the theory of combustion ······· 223
   1 The definition of gunpowder ·· 223
   2 Ancient theory of combustion ·· 226
   3 Modern theory of combustion ·· 228

§ 3 Why was gunpowder invented in China? ···································· 231
   1 The historical facts of early use and purification of saltpetre in China ·· 231
   2 The historical facts of early discovery of gunpowder mixture in China ·· 240

§ 4 The invention of gunpowder and early firearms in China ············ 246
   1 Early firearms in the Northern Song since the 10th century ······ 246
   2 Earliest military gunpowder prescriptions appeared in the 10th century ·· 251

§ 5 Comments on theories that gunpowder was invented in foreign countries ·· 255
   1 Comment on the theory that gunpowder was invented in India ··· 255
   2 Comment on the theory that gunpowder was invented in Byzantine ··· 260
   3 Comment on the theory that gunpowder was invented in Europe ······ 264

Chapter VI The Early development of gunpowder and firearm techniques in China ·· 269

§ 1 The manufacture of powdered gunpowder of high nitrate ········· 269
   1 Fireworks and firecrackers in the 10th century China ·············· 269
   2 Bombard and fire lance appeared in the Southern Song (1127～1279) ·· 273

§ 2 Erupter, rocket and bomb of hard shell in the Southern Song ··· 277
   1 *Tuhuoqiang* (flame-spurting lance or erupter) made in 1259 ······ 277
   2 Rocket and rocket-propelled bomb ·· 280
   3 Grenade and bomb of hard shell ·· 284

§ 3 The development of gunpowder and firearms during the Yuan and Ming (13th to 17th centuries) ·· 286
   1 *Huochong* or handgun in the Yuan ·· 286
   2 Handgun, cannon and *huochongjian* (arrow launched from

handgun) in the Ming (1368~1644) ·················· 293
 3 Rocket, multiple rockets launcher, two-stage rocket and rocket flight ·················· 298
 4 Bomb, time bomb, mine and submarine mine ·················· 303

Chapter VII The invention and early development of the compass ·················· 310

 § 1 **Ancient method for determination of directions before the invention of the compass** ·················· 310

  1 The method for measuring the sun's shadow length by using the sundial since the Warring States period (−5th to −3rd centuries) ··· 310

  2 Ancient method for determining the directions by observation of pole star ·················· 314

  3 The *qianxingshu* (guiding star stretching-out art) used for celestial navigation in ancient China ·················· 317

 § 2 **The invention of the *si-nan-yi* (south-pointer), the predecessor of the compass** ·················· 321

  1 The discovery of the polarity of lodestone and the manufacture of *si-nan-yi* (south-pointer) ·················· 321

  2 The shape and usage of the south-pointer ·················· 324

  3 The technical improvement of the south-pointer during the Jin to the Tang (3rd to 9th centuries) ·················· 330

 § 3 **The invention and early development of the compass** ·················· 335

  1 The invention of the geomantic floating-compass in the late Tang (9th century) ·················· 335

  2 The construction and reconstruction of the floating-compass of the Northern Song (960~1126) ·················· 340

  3 The dry compass invented in the Southern Song in 12th century ······ 344

  4 The wet-and-dry compasses in the Ming and Qing ·················· 347

 § 4 **The use of the compass in navigation** ·················· 349

  1 The mariner's compass and navigation diagrams in the Song ·········· 349

  2 The mariner's compass and navigation diagrams in the Yuan ·········· 352

  3 Zheng He's diagram of navigation course set by the needle in the Ming and the dry compass of the Qing ·················· 355

Chapter VIII The spread of China's papermaking technique in foreign countries ·················· 360

 § 1 **The spread of China's papermaking in Korea and Japan** ············ 360

  1 The origin and early development of papermaking in the Korean

	Peninsula	360
2	Papermaking in the Koryo and Chosan dynasties	363
3	The origin and early development of papermaking in Japan	367
4	Papermaking after the Nara period (8th century) in Japan	371

§ 2 The spread of China's papermaking technique in other Asian and African countries ······ 375
   1 The spread of papermaking technique in Viet Nam ······ 375
   2 The spread of papermaking technique in South Asia and Southeast Asia ······ 377
   3 The spread of papermaking technique in Central Asia, West Asia and North Africa ······ 381

§ 3 The spread of China's papermaking technique in Europe and America ······ 385
   1 The beginning of papermaking in Spain, Italy and France ······ 385
   2 The spread of papermaking technique in other European and American countries ······ 387
   3 The introduction of China's papermaking technique into Europe and America in the 18th century ······ 392
   4 The influence of China's papermaking technique on Europe in the 19th century ······ 397

Chapter IX The spread of China's printing technique in foreign countries ······ 403
  § 1 The spread of China's printing technique in Japan and Korea ······ 403
    1 The beginning of wood block printing in Japan ······ 403
    2 The beginning of movable type printing in Japan ······ 407
    3 The beginning of wood block printing in Korea ······ 409
    4 The beginning of movable type printing in Korea ······ 411
  § 2 The spread of China's printing technique in other Asian and African countries ······ 417
    1 The early development of printing in Viet Nam ······ 417
    2 The beginning of printing in Philippines and Tailand ······ 419
    3 The beginning of printing in Persia ······ 423
    4 The beginning of printing in North Africa (Egypt) ······ 427
  § 3 The spread of China's printing technique in Europe ······ 429
    1 The beginning of wood block printing in Europe ······ 429
    2 The beginning of movable wooden-type printing in Europe ······ 435
    3 The beginning of movable metal-type printing in Europe ······ 437

Chapter X The spread of China's gunpowder technique in foreign countries 446

§1 The spread of China's gunpowder technique in Arabian area 446
1. The early Arabian records on saltpetre and gunpowder 446
2. Gunpowder knowledge in Al-Hassan al-Rammah's military work in the Il-Khanate 449
3. Knowledge of gunpowder and firearms in Arabian manuscripts, the *Book on fire for burning enemies* and the *Collections combining the various branches of the art* 452

§2 The spread of China's gunpowder technique in Europe 457
1. The western expedition of the Mongol army led to the spread westward of gunpowder and firearms 457
2. The European pioneers of introducing gunpowder knowledge 459
3. Early firearms in Europe 466

§3 The spread of China's gunpowder technique in East Asia, Southeast Asia and South Asia 472
1. The spread of China's gunpowder technique in Korean Peninsula 472
2. The spread of China's gunpowder technique in Japan 475
3. The spread of China's gunpowder technique in Southeast Asia ... 478
4. The spread of China's gunpowder technique in India 481

Chapter XI The spread of the China's compass in foreign countries 487

§1 The spread of the China's compass in Arabian world 487
1. The earliest Arabian records on lodestone 487
2. Was the compass first used by the Arabs? 488
3. The earliest Arabian wet compass 490

§2 The spread of the China's compass in Europe 491
1. The origin of the compass in Europe 491
2. The influence of the Chinese technique upon the European mariner's compasses 493
3. The dry compass and navigation diagrams in 13th century Europe ... 497

§3 The spread of the China's compass in East Asia 499
1. The records on the compass in Korea 499
2. The compass and magnetic knowledge in the late Chosan Dynasty 500
3. The compass in the Edo Period in Japan 502

Chapter XII The influence of paper and printing on the development of the world civilization ············ 506

§ 1 The promotive role of paper in the development of the culture in China and foreign countries ············ 506

1 The appearance of paper led to the revolution in the history of the development of scripts carriers ············ 506

2 The promotive role of paper in the development of Chinese culture ··· 508

3 The role of paper in the development of Arabian culture ············ 511

4 The role of paper in the development of the medieval European culture ············ 515

§ 2 The influence of printing on the development of the world civilization ············ 518

1 The influence of printing on the development of education and science in China ············ 518

2 Printing promoted the development of Confucianism, the history and literature in China ············ 522

3 The role of printing in the development of education and science during the Renaissance Period in Europe ············ 524

4 Printing promoted the development of humanist thought and national literature in Europe ············ 528

§ 3 The political and economical effect caused by printing in the East and West ············ 532

1 The influence of printing on the examination system in the East and West ············ 532

2 Printing and the Reformation movement in Europe ············ 537

3 The economical effect caused by printing in the East and West ······ 540

Chapter XIII The influence of gunpowder and compass on the development of the world civilization ············ 546

§ 1 The influence of gunpowder and firearms on the development of the world civilization ············ 546

1 Gunpowder and firearms led to the revolution in the war ········ 546

2 The influnce of gunpowder and firearms on the politics and economy in the society ············ 548

3 The influence of gunpowder and firearms on the development of modern science and technology ············ 555

§ 2 The influence of the compass on the development of the world civilization ············ 562

1 The compass led to the revolution in nautical technique and great geographical discoveries ·················· 562
2 The political and economical consequence caused by the compass and nautical technique ·················· 566
3 The influence of the compass on the development of modern science and technology ·················· 570

Short conclusion ·················· 575

Appendixes ·················· 582
  1 Abbreviations ·················· 582
  2 Main bibliography in Chinese and foreign languages ·················· 583
  3 English abstract ·················· 606
  4 General index ·················· 618

插图目次

第一章 造纸术的发明

图 1　秘鲁境内印第安人结绳纪事遗物 ……………………………………… 1
图 2　西安半坡新石器时代(前 4800～前 3600)遗址彩陶上的纪事符号 …… 1
图 3　商代甲骨文拓片 ………………………………………………………… 2
图 4　周无专鼎及铭文拓片,铸于周宣王十六年(前 812) ………………… 2
图 5　1973 年甘肃居延遗址出土的西汉时新王朝地皇三年(22)木简册 … 4
图 6　巴比伦人刻在黏土柱的楔形文字(前 686) …………………………… 5
图 7　罗马人的青铜板军事文凭(246) ……………………………………… 5
图 8　欧洲中世纪制造羊皮板(左)和羊皮板写本抄写、装订(右)图 ……… 5
图 9　古埃及人制莎草片方法 ………………………………………………… 6
图 10　树皮毡与纸纤维物理结构的区别 …………………………………… 9
图 11　中国古代常用造纸植物纤维图谱 …………………………………… 12
图 12　纤维打浆前后对比 …………………………………………………… 19
图 13　纸张施胶前后对比 …………………………………………………… 20
图 14　粉料涂布纸横切面微观图 …………………………………………… 20
图 15　中国古代漂絮图 ……………………………………………………… 22
图 16　1933 年新疆罗布淖尔出土的西汉麻纸(前 49) …………………… 25
图 17　1942 年内蒙古查科尔帖出土的西汉字纸 ………………………… 26
图 18　1957 年西安灞桥出土的西汉麻纸(前 140～前 87) ……………… 27
图 19　1973 年甘肃居延金关出土的西汉麻纸(前 52) …………………… 28
图 20　1979 年敦煌马圈湾出土的西汉麻纸 ……………………………… 29
图 21　1986 年天水市放马滩出土的西汉地图纸(前 176～前 140) …… 30
图 22　1990～1992 年敦煌悬泉置出土的西汉字纸 ……………………… 30
图 23　西汉纸麻纤维细胞纵剖面显微分析景象 ………………………… 36
图 24　西汉纸麻纤维细胞横切面显微分析景象 ………………………… 36
图 25　西汉灞桥纸纤维在扫描电子显微镜下的照片×100 ……………… 38
图 26　西汉灞桥纸纤维在扫描电子显微镜下的照片×100 ……………… 38
图 27　西汉金关纸纤维在扫描电子显微镜下的照片×300 ……………… 38
图 28　西汉马圈湾纸纤维在扫描电子显微镜下的照片×100 …………… 39
图 29　切麻工具 ……………………………………………………………… 40
图 30　浸渍草木灰水设备 …………………………………………………… 40
图 31　汉代造纸用蒸煮锅 …………………………………………………… 41
图 32　舂捣麻料设备 ………………………………………………………… 41

图33	抄纸槽	42
图34	汉代两种抄纸帘	42
图35	砑光纸操作	42
图36	汉代造麻纸工艺流程图	43
图37	新疆出土东汉书信	47

第二章　中国造纸术的发展

图38	活动帘床纸模	56
图39	编帘原理示意图	56
图40	编帘操作图	56
图41	敦煌出土魏甘露元年(256)麻纸写经《譬喻经》	58
图42	南北朝经生抄写佛经图	59
图43	东晋书法家王羲之书法	59
图44	新疆出土东晋写本《三国志》	59
图45	1964年新疆吐鲁番出土东晋民间纸绘设色人物图	60
图46	桑树	61
图47	构树	61
图48	中国发明的雨伞	63
图49	纸鸢	65
图50	1959年新疆出土的高昌6世纪剪纸	65
图51	新疆出土的高昌忍冬纹团花剪纸(567)	66
图52	北京国家图书馆藏《律藏初分》(416)及所用麻料施胶纸显微分析图	67
图53	东晋写本《三国志》麻料涂布纸显微分析图	68
图54	唐代画家韩滉用桑皮纸彩绘的《五牛图》	72
图55	唐代造皮纸工艺流程图	74
图56	冯承素705年临《兰亭叙》	77
图57	颜真卿758年写《祭侄季明稿》	77
图58	唐武周长安二年(702)刻印《无垢净光大陀罗尼经》	78
图59	吐鲁番出土的唐代纸冠	79
图60	唐代多人抄造巨型匹纸示意图	82
图61	7世纪唐初用麻料硬黄纸写《妙法莲华经》	83
图62	北宋书法家米芾《珊瑚帖》竹纸本法书	86
图63	元至元六年(1269)竹纸刻本《事林广记》插图	87
图64	元代画家李容瑾纸本山水画《汉宛图》	88
图65	纸糊走马灯	89
图66	元人王祯《农书》(1313)中的连碓机	90
图67	连三纸抄纸设备	91

图 68	清乾隆年宫内印有绿色花鸟图案的粉笺壁纸	95
图 69	碾、磨皮料图	96
图 70	石灰水浸皮料	97
图 71	蒸煮	97
图 72	抄纸过程图	97
图 73	压榨去水	98
图 74	《天工开物》(1637)中砍竹、沤竹、蒸煮图	99
图 75	《天工开物》(1637)中荡帘、翻帘、压纸图	99
图 76	《天工开物》(1637)中烘纸图	99

第三章 雕版印刷术的发明

图 77	中国古代印章的各种形式	104
图 78	历代印章的印文	105
图 79	汉代以印章封泥的实物	105
图 80	东汉熹平四年(175)刻石经	107
图 81	魏正始年(240~248)刻三体石经	108
图 82	唐永徽五年(654)拓太宗御笔《温泉铭》	110
图 83	梁简文帝陵墓碑正、反体碑文(556)	111
图 84	1974年西安柴油机械厂出土7世纪初梵文陀罗尼咒单页印本	118
图 85	1974年西安唐墓出土的梵文陀罗尼印本咒文排列及环读方向图	119
图 86	唐大和八年(834)铸千佛像铜印版拓片	120
图 87	1975年西安出土的唐中期《佛说随求即得大自在神咒经》单页印本	122
图 88	敦煌石室发现的唐乾符四年(877)刊的历书	123
图 89	1907年敦煌石室发现的唐咸通九年(868)刻《金刚经》	124
图 90	敦煌发现的9世纪唐刻本《一切如来尊胜佛顶陀罗尼》	125
图 91	敦煌发现的五代(950)印单张《大圣文殊师利菩萨像》	127
图 92	1925年杭州发现的975年印《宝箧印陀罗尼经》	128
图 93	北宋宣和元年(1119)寇约校勘的《本草衍义》	129
图 94	南宋绍熙二年(1191)建安余仁仲刊《春秋穀梁传》	129
图 95	烧取松烟图	132
图 96	刻版用工具	134
图 97	刻版操作图	134
图 98	书籍刷印(上)和装订(下)操作图	135
图 99	卷轴装	136
图 100	经折装	137
图 101	旋风装	137
图 102	蝴蝶装	138

图103	包背装	138
图104	线装	139
图105	北宋刻本《武经总要》(1044)中的版画水平仪图	141
图106	北宋刻本《证类本草》(1108)中的海盐图	141
图107	元刻本《饮膳正要》(1331)中插图	142
图108	金代(12世纪前半叶)平阳印年画《四美人图》	142
图109	北宋大观二年(1108)重刻《开宝藏》太宗御制序时加的四幅插图之一	143
图110	明代徽州刻工刻版画用的工具	144
图111	明万历年杭州刻《列仙全传》(1600)中的郭琼像	145
图112	明顾曲斋刻《梧桐雨》杂剧插图(1619)	145
图113	1603年明杭州刻《历代名公画谱》中的文房图	146
图114	清顺治五年(1648)安徽刻萧云从绘《太平府山水图》	148
图115	清康熙三十五年(1696)内府刊印《御制耕织图》	148
图116	元至元六年(1340)刻《金刚经注》朱墨双色印本	150
图117	金平阳刻《东方朔偷桃图》三色版画(不晚于1158)	151
图118	明崇祯元年(1633)南京胡正言刻彩色套印本《十竹斋画谱》菊谱图	152
图119	明天启六年(1626)南京颜继祖刻彩色套印本《萝轩变古笺谱》	153
图120	清康熙四十年(1701)南京沈因初刻彩色套印本《芥子园画谱》	154

第四章 活字印刷技术的发明

图121	1991年宁夏贺兰发现的12世纪西夏文木活字本《吉祥遍至口和本续》	165
图122	西夏木活字印本《大方广佛华严经》	166
图123	1908年敦煌发现的12～13世纪之际的回鹘文木活字	167
图124	1298年王祯著《造活字印书法》书影	169
图125	1298年王祯发明的活字贮存转盘	169
图126	依王祯《农书》所述而绘制的木活字操作图	170
图127	明万历十四年(1586)浙江刻木活字本《唐诗类苑》	171
图128	清乾隆四十一年(1776)武英殿版木活字本《武英殿聚珍版程式》	172
图129	《武英殿聚珍版程式》中木活字操作图	173
图130	《梦溪笔谈》(1088)关于毕昇发明活字技术的记载	175
图131	中国历史博物馆藏毕昇泥活字版复制件	176
图132	1965年浙江温州白象塔内发现的北宋(1103)泥活字本《无量寿佛经》	177
图133	13世纪西夏文木活字本及木活字	179
图134	1844年安徽泾县翟金生烧制的泥活字和泥活字本书	180

图135 清康熙五十八年(1719)山东泰安出版的白陶活字本《周易说略》 … 181
图136 中国历史博物馆藏北宋(10世纪~11世纪)济南刘家针铺铸广告铜印版 … 184
图137 南宋行在会子库1161~1168年印发的壹贯会子铜印版 … 186
图138 《蜀中广记》(约1600)引元人费著《楮币谱》(约1360)载宋交子印版版式 … 188
图139 金代1215~1216铸贞祐宝券五贯铜印版 … 190
图140 金代陕西东路1215年铸壹拾贯交钞铜印版 … 192
图141 金泰和年(1201~1209)铸三百贯交钞铜印版残版及部分复原图 … 192
图142 元中统元宝交钞壹贯现钞 … 193
图143 明洪武八年(1376)开铸的大明宝钞壹贯铜印版正面(A)及背面(B) … 196
图144 印制大明宝钞所用的铜活字字体(1376年铸) … 196
图145 明弘治八年(1495)无锡华燧会通馆印铜活字本《容斋随笔》 … 198
图146 明嘉靖三年(1524)无锡安国刊铜活字本《吴中水利通志》 … 198
图147 明嘉靖三十一年(1552)福建芝城姚奎刊铜活字蓝印本《墨子》 … 199
图148 清雍正四年(1726)内府铸铜活字本《古今图书集成》 … 200
图149 清康熙二十五年(1686)常州吹藜阁刊铜活字本《文苑英华律赋选》 … 201
图150 1957年杭州西湖出土的南宋1186年铸《大圆满陀罗尼》锡印版 … 203
图151 1983年安徽东至县发现的南宋1264年发行关子的锡制试样版 … 204
图152 清道光末年(1850)广东佛山唐氏铸的锡活字 … 206
图153 1913年日本古董商售出的铜字块 … 208
图154 1958年朝鲜开城发现的铜字块 … 208
图155 汉城中央图书馆一山文库藏《南明证道歌》后世木刻本之崔怡跋 … 211

第五章 火药技术的发明

图156 古代的纵火箭 … 214
图157 古代纵火武器燕尾炬 … 216
图158 火禽 … 217
图159 火兽 … 218
图160 《武经总要》(1044)所载猛火油机及附件 … 220
图161 猛火油机工作原理示意图 … 221
图162 1973年长沙马王堆三号西汉墓出土的《五十二病方》 … 233
图163 西汉炼丹术著作《三十六水法》中用硝石之方 … 234
图164 1972年甘肃武威出土医药汉简中用硝石之方 … 235
图165 马志《开宝本草》(974)论硝石与芒硝、朴硝之区别 … 238
图166 唐炼丹家清虚子论《伏火矾法》(808) … 242
图167 唐炼丹家论"伏火硫黄法" … 243

图 168 《真元妙道要略》(9世纪~10世纪)关于火药燃烧的记载 …………… 244
图 169 10世纪中国的火药纵火箭 ………………………………………… 249
图 170 《武经总要》(1044)所载火球、火蒺藜等火器 …………………… 250
图 171 投射火药包的抛石机单梢砲、双梢砲 ………………………………… 251
图 172 《武经总要》(1044)所载最早的三种军用火药配方 …………… 253
图 173 10世纪中国的火药鞭箭及投射方式 ………………………………… 254
图 174 古印度《摩奴法典》有关原文及正误英译文对比 ………………… 258
图 175 拜占庭人以希腊火与阿拉伯人在海上作战图 …………………… 262

第六章 中国火药和火器技术的早期发展

图 176 宋代起火结构示意图 ……………………………………………… 270
图 177 宋代的大型成架烟火 ……………………………………………… 272
图 178 地老鼠和旋转型烟火结构图 ……………………………………… 273
图 179 四川大足石窟内南宋建炎二年(1128)石刻的铳炮和手榴弹形象 …… 274
图 180 南宋建炎二年(1128)铸金属瓶状铳炮内部构造复原图 ……… 275
图 181 南宋绍兴二年(1132)的火枪复原图 …………………………… 277
图 182 南宋开庆元年(1259)的突火枪复原图 ………………………… 279
图 183 杨万里《海鳅赋后序》(1170)书影 ……………………………… 280
图 184 南宋绍兴三十一年(1161)采石战役中使用的霹雳砲复原图 … 281
图 185 南宋出现的火箭及结构示意图 …………………………………… 282
图 186 1232年金、蒙开封府战役中金兵使用的飞火枪 ………………… 283
图 187 金代所制的陶壳炸弹"蒺藜手砲"和铁壳炸弹"震天雷" ……… 285
图 188 合药图 ……………………………………………………………… 287
图 189 1970年黑龙江阿城出土的元代至元二十七年(1290)铸铜火铳 …… 289
图 190 1974年西安出土元大德年(1297~1307)铸铜火铳 …………… 290
图 191 元至顺三年(1332)铸的喇叭口铜火铳 ………………………… 290
图 192 元至顺三年(1332)铸铜火铳操作图 …………………………… 291
图 193 元至正年(1351)铸铜火铳 ……………………………………… 292
图 194 明洪武十年(1377)铸铜火铳 …………………………………… 295
图 195 明洪武五年(1372)铸铜火铳 …………………………………… 295
图 196 山西省博物馆藏明洪武十年(1377)平阳铸铁火炮 …………… 296
图 197 《武备志》(1621)载生铁铸成的飞云霹雳砲 …………………… 297
图 198 明初1388年使用的火铳神机箭 ………………………………… 297
图 199 1241年蒙古军队在波兰莱格尼查战役中使用的集束火箭 …… 298
图 200 火箭飞弹("神火飞鸦") …………………………………………… 299
图 201 明代的二级火箭"火龙出水箭"工作示意图 …………………… 300
图 202 明代二级往复火箭"飞空砂筒" …………………………………… 301

图 203　明代二级往复火箭"飞空砂筒"飞行示意图 …… 302
图 204　15 世纪明初火箭飞行试验者万虎及其飞行器 …… 302
图 205　无敌地雷砲示意图 …… 304
图 206　伏地冲天雷砲 …… 304
图 207　明代水雷"水底龙王砲"复原图 …… 307
图 208　《武备志》载引爆地雷的钢轮发火装置 …… 308
图 209　《武备志》载 3 种钢轮发火装置复原图 …… 309

第七章　指南针的发明和早期发展

图 210　《考工记》所述立表定方向示意图 …… 312
图 211　《淮南子》所述立表定方位示意图 …… 313
图 212　1877 年内蒙古托克托出土的西汉初(前 2 世纪)晷仪 …… 313
图 213　加拿大安大略皇家博物馆藏西汉晷仪 …… 314
图 214　从北斗星找北极星示意图 …… 315
图 215　覆矩仪示意图 …… 316
图 216　牵星板 …… 317
图 217　牵星板操作图 …… 318
图 218　《郑和航海图》中的牵星图 …… 318
图 219　1925 年乐浪遗址出土的东汉漆木式盘复原件 …… 326
图 220　1972 年甘肃武威出土的西汉末占卜用漆式盘(A)及释文(B) …… 327
图 221　清人刘心源著录的汉代"四门方镜"拓片(A)及释文(B) …… 327
图 222　汉代式盘上的二十四方位排列图 …… 328
图 223　中国古代式盘及罗盘二十四方位与近代指南针 360 度刻度对照图 … 329
图 224　汉代司南及地盘复原图 …… 329
图 225　汉代司南的新复原图 …… 330
图 226　悬针法指南针图 …… 332
图 227　堪舆罗盘上表示磁偏角的"三针图" …… 338
图 228　唐末 10 世纪《九天玄女青囊海角经》中的浮针方气图 …… 339
图 229　《武经总要》(1044)载水罗盘"指南鱼"复原图 …… 341
图 230　《梦溪笔谈》(1088)及《本草衍义》(1116)所载指南针复原图 …… 344
图 231　南宋 1198 年墓出土的持旱罗盘的瓷俑"张仙人"(A)及临绘件(B) …… 345
图 232　南宋(12 世纪)墓出土瓷俑中旱罗盘复原图 …… 346
图 233　《事林广记》所述宋人魔术道具指南鱼复原图 …… 347
图 234　《事林广记》所述宋人魔术道具指南龟复原图 …… 347
图 235　明代八卦正针铜制水罗盘构造图 …… 348
图 236　清康熙(18 世纪初)时的航海用旱罗盘 …… 349

图 237　元代人周达观航海路线图 …………………………………………… 354
图 238　元代(14世纪初)北洋《海道指南图》………………………………… 354
图 239　明宣德五年(1430)郑和下西洋航海路线图 …………………………… 356
图 240　郑和下西洋航海针路图 ………………………………………………… 358
图 241　清代远洋航船"封舟",船尾有"针房" ………………………………… 359

第八章　中国造纸术的外传

图 242　《枯杭集》(1668)有关日本早期造纸的记载 ………………………… 369
图 243　日本天平八年(740)麻纸写本《大宝积经》 …………………………… 371
图 244　《纸漉重宝记》(1798)中的抄纸图 ……………………………………… 374
图 245　印度北部以草秆编的抄纸帘 …………………………………………… 379
图 246　中亚人313年用粟特文写在麻纸上的书信 …………………………… 381
图 247　8世纪中国纸工在阿拉伯地区传授造纸技术图 ……………………… 383
图 248　11世纪巴格达的胡尔万(Hulwan)拥有20万卷书的图书馆 ………… 384
图 249　1390年德国纽伦堡兴建的斯特罗姆(Stromer)纸场 ………………… 388
图 250　欧洲最早的造纸图 ……………………………………………………… 389
图 251　1680年荷兰人发明的打浆机结构图 ………………………………… 390
图 252　18世纪法国纸厂内景 …………………………………………………… 393
图 253　1765年德人谢弗论造纸原料专著卷一扉页 …………………………… 399
图 254　中国造纸技术外传图 …………………………………………………… 401

第九章　中国印刷术的外传

图 255　日本770年造百万塔及塔内所置百万枚印本陀罗尼 ………………… 404
图 256　日本正平年(1364)僧道祐刊《论语集解》 ……………………………… 406
图 257　1384年福建人俞良甫在京都刊《传法正宗纪》(左)和1287年刊《柳文集》(右) ……………………………………………………………… 407
图 258　1616年骏府版铜活字本《群书治要》 …………………………………… 408
图 259　日本骏府版铜活字 ……………………………………………………… 408
图 260　1007年高丽刊印的《宝箧印陀罗尼经》 ………………………………… 410
图 261　高丽版《大藏经》 ………………………………………………………… 411
图 262　1377年高丽刊铜活字本《佛祖直指心体要节》 ………………………… 413
图 263　1403年朝鲜刊铜活字本《十七史纂古今通要》 ………………………… 414
图 264　1438年朝鲜以1434年铸甲寅铜活字("卫夫人字")刊《柳文集》 …… 416
图 265　1593年中国人龚容在马尼拉出版的汉文木刻本《无极天主正教真传实录》 ……………………………………………………………………… 420
图 266　1606年龚氏在马尼拉刊铜活字本《新刊僚氏正教便览》 ……………… 421

图 267　埃及出土的 1300~1350 年雕印的阿拉伯文《古兰经》残页 ……… 428
图 268　丝绸之路上新疆出土的 14 世纪中国印的纸牌 ……………… 432
图 269　1423 年德国木刻单页宗教画《圣克里斯托夫与基督渡水图》…… 433
图 270　欧洲木刻画《默示录》，约印于 1425 年 …………………… 434
图 271　1455 年谷腾堡在美因茨用铅活字出版的拉丁文《四十二行圣经》… 439
图 272　1457 年富斯特与舍弗合作印刷出版的《圣诗篇》朱墨双色本 …… 440
图 273　1468 年在科隆出版的《怡情少女颂》中出现的活字形象 ……… 440
图 274　欧洲活字印刷的螺旋压印装置 ……………………………… 441
图 275　中国印刷技术外传图 ……………………………………… 445

第十章　中国火药技术的外传

图 276　1320 年阿拉伯文手稿中火箭、烟火及火铳(midfa)图 ……… 456
图 277　1320 年阿拉伯文手稿中喷火筒、炸弹及火铳图 …………… 456
图 278　蒙古骑兵使用火铳示意图 ………………………………… 458
图 279　15 世纪欧洲写本中检验火药燃烧图 ……………………… 465
图 280　1327 年德米拉梅特手稿中的瓶状铳炮图 ………………… 467
图 281　1327 年欧洲最早的铳炮复原图 …………………………… 467
图 282　1396 年拉丁文手稿所绘欧洲早期喷火枪 ………………… 468
图 283　14 世纪拉丁文手稿所绘火铳 ……………………………… 468
图 284　凯泽尔(Kyeser)手稿中的炸弹 …………………………… 469
图 285　16 世纪哈斯(Haas)手稿中的火箭 ………………………… 469
图 286　14 世纪后半叶欧洲出现的后膛装火炮"佛朗机" ………… 471
图 287　朝鲜朝火铳图 ……………………………………………… 475
图 288　18 世纪时印度的火箭 ……………………………………… 484
图 289　中国火药及火器技术外传图 ……………………………… 486

第十一章　中国指南针在国外的传播

图 290　17~18 世纪朝鲜木制罗盘 ………………………………… 501
图 291　中国指南针技术外传图 …………………………………… 505

第十二章　纸和印刷术对世界文明发展的影响

图 292　拉兹《秘中之秘书》(912)的阿拉伯文本书页 ……………… 513
图 293　水运仪象台 ………………………………………………… 521
图 294　《天体运行论》中的日心说图示 …………………………… 526
图 295　木桶装运书籍 ……………………………………………… 530

图296　马丁·路德从希腊文译成的德文版《圣经》扉页 …………………… 539

第十三章　火药和指南针对世界文明发展的影响

图297　17世纪初明将领康迪乾与清兵交战时火器营布阵图 …………… 551
图298　1537年欧洲壁画上描述以火炮攻城的场面 ……………………… 553
图299　17世纪欧洲使用火器的战争中挖掘地壕工事图 ………………… 554
图300　18世纪欧洲浮雕上描绘以火药开矿情况 ………………………… 555
图301　研究弹道学的欧洲科学著作(1606)插图,从不同仰角发射的炮弹
　　　　轨道 ……………………………………………………………………… 557
图302　动力机的早期形式 …………………………………………………… 559
图303　1405～1433年郑和率领的远洋船队 ………………………………… 566
图304　16世纪尼德兰的安特卫普交易所 …………………………………… 569
图305　1600年吉尔伯特试验磁石两极及小磁石对球形磁石的反应 ……… 572

第一章 造纸术的发明

第一节 有关纸的一般概念

一、纸未出现前的古代书写纪事材料

人类自有文字以来,所用的书写纪事材料,经历了几千年的历史演变。在远古时代,人们在没有创造文字以前,相互间交流思想主要通过语言和手势来进行,口耳相传,凭记忆逐代传授往事。后来有结绳纪事,将绳打成大小、形状和数目不同的结,再配合其他实物,用以代替语言,传递并记录各种事件。人们看到绳结,便知道结绳人的心意。这种情况在各民族中都曾发生过(图1)。但结绳还得辅之以记忆,遇有复杂事件便难以表达,于是发明以图画和文字画来表达或记录较复杂的事件。文字画除图形外,还有些抽象符号,绘写在树皮或石头上,亦可刻画在陶器上。古人所用的这类实物至今仍有遗存(图2)。

图1
图2 

图 1
秘鲁境内印第安人结绳纪事遗物,取自 Ilin (1936)

图 2
西安半坡新石器时代(前4800~前3600)遗址彩陶上的纪事符号,取自《文物与考古》,1980(3)

文字画后来又演变成象形文字,今天的汉字就是从象形文字发展出来的。史载仓颉(jié)造字,如荀况(前313~前238)《荀子·解蔽》篇称,"故好书者众矣,而仓颉独传者,一也"①。仓颉传为黄帝时的史官,可能对象形文字作过系统整理,不一定是始造字者,因为文字是长期间形成的,不可能是某一人所创。至夏代(前2070~前1600)*时,象形文字比仓颉时代更为进步。由夏至商

---

① 荀况[战国].荀子·解蔽,章诗同简注本.上海:上海人民出版社,1974.237
* 书中中国古代历史纪年,依据方诗铭《中国历史纪年表》(上海辞书出版社,1980),共和前纪年依据《夏商周年表》——作者

(前 1600~前 1046)时,所用汉字已有遗存,并能辨认,已处于较高的发展水平。20 世纪初,考古学家在河南安阳殷代都城遗址发掘中,发现许多用刀刻在龟甲或牛肩胛骨上的文字,距今已三千多年,称其为"甲骨文"(图 3)。商代和殷代统治者行事前,要通过巫史向鬼神问卜吉凶。其方法是在平滑的甲骨上用钻或凿做出一些孔,用火烤之,于是出现纵横、粗细不同的裂纹,巫史据其形状断定吉凶。再用利刀将占卜结果以文字形式刻在裂纹附近,这就是卜辞。将有卜辞的龟甲片穿起来作为档案保管,称为典册。《周书·多士》云,"惟殷先人,有册有典"。每片甲骨一般有

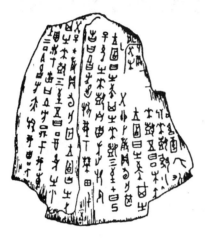

图 3
商代甲骨文拓片,取自董作宾(1945)

字 50 左右,多者达百余字。据统计,现存甲骨卜辞含 4 500 单字,多是武丁(前 1250~前 1192)至纣辛(前 1075~前 1046)时之物,从中可看到有关当时社会政治、经济、军事和科学技术等方面的史料。商、殷典册是现存最早的书籍形式之一。

距今 4 000 年前,在冶炼红铜技术的基础上发展到用铜、锡(有时还有铅)合金冶铸青铜器的技术,到商、殷得到很大发展,此后一直沿续下来。其用途很广,从日常用品、兵器、生产工具到礼器等。古人常将历史事件铸在青铜器钟、鼎上,铭文多少不等,多者达三四百字,称为钟鼎文或金文,这种文字显然是从甲骨文发展过来的。除青铜器外,有时还将文字铸在铁器上。这类实物遗存很多(图 4)。古代还将文字刻或写在石、玉之上,作为文献记录保存。如 1965

图 4
周无专鼎及铭文拓片,铸于周宣王十六年(前 812),载《金石索》

年山西侯马东周(前770~前256)遗址出土数百件用朱砂写在玉片上的盟书①,即古时所说的丹书。有的玉片上有220字,除朱书外还有墨书。而公元前771年秦国刻有文字的石鼓,于7世纪在陕西凤翔发现。秦始皇嬴政(前259~前210)统一中国后,外出巡视时总要刻石纪念,此后石刻一直流传到现在。

上述甲骨、金石都是重型硬质材料,所占容积又大,既不便携带,也不便保管,一般说这些材料上的文字很少通过书写形式表现出来,通常要镂刻,这就费时费力。针对这种情况,古人又以竹木片作为书写纪事材料。经过整治的长方形平滑竹片称竹简,木片称木牍,合称简牍。简牍用毛笔蘸漆汁或墨汁可直接写出字来,再逐片用皮条或绳编连在一起,称为册或策,用时展开,不用时卷起,因而成了早期的正规书籍形式之一。简牍从殷代甲骨演变而来,经西周(前1046~前771)、春秋(前770~前476)到战国(前475~前221)已经盛行。史书说孔子(前551~前479)读《易经》,"韦编三绝",指的就是以皮条编连简牍所构成的书。其重量轻于金石,又廉价易得,阅读和携带较甲骨为便,因而长期内是主要书写材料。每简字数不一,一般22~25字,简片高24 cm~48 cm。多年来各地有大量简牍实物出土(图5)。

中国是养蚕术和丝绸的发源地,丝绸用作高级衣料,还自古向国外出口。至迟在春秋时期已用丝绢为书写材料,称为缣帛。这是高质量书写材料,轻便、柔软,依文章长短可随意剪裁,装裱后以轴卷起,称为卷。墨翟(前468~前376)在《墨子·兼爱》篇说:"知先圣六王之亲行之也。子墨子曰,吾非与之并世同时,闻其声见其色也。以其所书于竹帛,镂于金石,琢于盘盂,得遗后世子孙者知之。"②这里墨子列举了古时所用的好几种书写纪事材料。

秦(前221~前206)、西汉(前206~公元25)以来由于文化的发展,长篇作品相继出现,简牍的局限性愈益突出。如将万字书写在简上,需400片,《史记·秦始皇本纪》(前90)说,秦始皇在位时每日批阅的简牍呈文以石(120斤或72 kg)计。同书《滑稽列传》载西汉武帝(前140~前87)时,齐人东方朔(约前161~前87)至长安上书,用三千奏牍,由两人抬至殿前,读之二月乃尽。这些实例说明简牍用来书写字数较多的文书时,就显得笨重而不便。丝织物虽比竹木材料好用,最大问题是价格昂贵,汉代一匹(2.2尺×40尺或6.7 m²)绢值600铜钱或720斤(432 kg)米的价格③,一般人是用不起的,故有"贫不及素"之语,缣帛不能成为面向大众的书写材料。到公元前2世纪的秦汉之际,甲骨早已淘汰,金石不堪书写,只剩帛、简两种材料了。

外国最早通用的纪事材料是石,古埃及人像中国人一样将其象形文字用刀

---

① 陶正刚,王克林.侯马东周盟誓遗址.文物,1972(4):27
② 墨翟[战国].墨子·兼爱篇,百子全书本,第5册,卷八.杭州:浙江人民出版社,1984.4
③ 陈直.两汉经济史料论丛.西安:陕西人民出版社,1958.86,95

刻在石碑上。石碑呈四方长柱状，四面都有字，称方尖石碑（obelisks），其他民族也用石刻记录历史事件。古代亚述人和迦勒底人（Chaldeans）还将文字用尖笔刻在粘土上，再烧成硬砖，称为砖刻。其文字如箭头，称为楔形文字，通行于亚述、巴比伦和中东，又称巴比伦砖刻（Babylonian tablets），现存公元前686年实物（图6）。中国也曾用砖板书写纪事，或在砖坯上刻写后烧硬，如出土的汉代画像砖和砖刻。

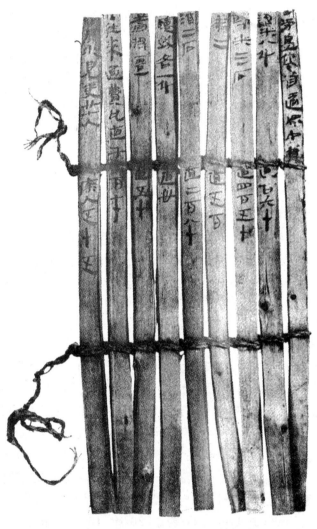

图 5
1973年甘肃居延遗址出土的西汉时新王朝地皇三年(22)木简册，取自《文物》，1978(1)

外国古代还以青铜、铅等金属材料保留文献和纪事，如古罗马人在公元前451年至公元前450年将罗马成文法和其他文件镂刻在铜板上（图7）。欧洲一些民族还用铅板刻法典、盟约和《圣经》。公元前9世纪荷马时代起，欧洲以木板为书写材料。其他地区许多民族用树叶为书写材料，如亚洲印度、巴基斯坦、斯里兰卡、泰国、缅甸等国用棕榈科（*Palmaceae*）树的阔叶书写，每叶作成长方形，穿两孔，以绳穿连，称为贝叶经。树皮是古代不少民族通用的书写材料，中国人、美洲印第安人用桦树皮，古代拉丁人也用树皮写字，称为 liber，此词在拉丁文中成为"书"的同义词，此词又演变成 library（图书馆）。

羊皮(parchment)和犊皮(vellum)是西方古人长期使用的书写材料(图8)。将 parchment 译成"羊皮纸"是不妥的,因为不是纸,最好译成"羊皮片",此词导源于 Pergamum,为小亚细亚米西(Mysia)的古代城市名,但更与帕加姆王(King Pergamum, 197~159 BC)之名有关。他想制出与埃及莎草片对抗的书写材料,因埃及一度禁止出口莎草片,于是便以羊皮代之,此后在欧洲一直盛行到18世

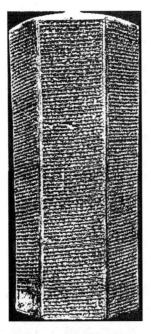

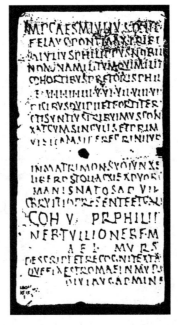

图6　　　　　　　　图7

图6
巴比伦人刻在黏土柱的楔形文字(前686),取自 Hunter(1947)

图7
罗马人的青铜板军事文凭(246),取自 Hunter(1947)

图8
欧洲中世纪制造羊皮板(左)和羊皮板写本抄写、装订(右)图,取自 Sandermann(1988)

纪。中国汉代以皮革作货币,但较少用来写字。写一部书需几百张羊皮,费用甚高,一般人是用不起的。

埃及尼罗河流域古代生长莎草科(Cyperaceae)多年生草本莎草(Cyperus papyrus),高达2 m～3 m,其茎实心,呈三棱形。据罗马学者普利尼(Pliny the Elder,23～79)《博物志》(Naturalis Historia,73)所述,将莎草茎秆砍下,除去根部及顶端,切成0.6 m小段,从中心部分劈成两半,压扁。再纵横交错放在平板上(图9),共放两层,滴醋后以槌打平,即可写字。公元前几百年间埃及象形文字就写在这上面,后来希腊、罗马帝国和阿拉伯帝国也继续使用。Papyrus成为paper的词源,但译成"莎草纸"或"纸草纸"同样不妥,因将茎秆茎髓部直接打压成片,表面有经纬纹,与造纸不同,可译成"莎草片"。

图9
古埃及人制莎草片方法,取自 Sandermann (1988)

美洲玛雅人和阿兹台克人至迟从10世纪起将树皮内皮撕成2.5 cm宽的长条,在锅内加草木灰煮沸,再在平板上纵横交错地叠起,以捶打成薄片,用作书写材料或衣料,称为 *huun* 或 *amatl*。太平洋各岛如夏威夷、斐济、印尼、日本北海道和中国台湾等原土著居民也用同法制成衣料,称为 *tapa* 或 *kapa*,意思是捶打。这类材料可称为"树皮毡",不能称为"树皮纸"或"树皮布",因与纸、布制法完全不同。

由此可见,自有文字以来,人类在近3 000年间先后用过十几种不同材料,使历史和文化财富得以保存下来。大体说可归纳为三大类[①]:

第一类是**重质硬性材料**,如甲骨、金石、简牍、木板和黏土砖等,都笨重,不能卷曲,不便携带,所占体积大,不便贮存。但优点是坚固耐用,在易得性和性能上各异。金属材料造价高、制造难,实际上不能写字,只能纪事。甲骨不是随处易得。石料廉价易得,但不能写字。只有竹、木廉价易得,更可书写,是使用时间较长的材料。

第二类是**轻质脆性材料**,如树叶、树皮及莎草片等,都来自植物界,坚固性不及第一类材料,但重量小、容字多,可串成册,且廉价易得,使用时间也较长。其缺点是脆而不耐折,不能舒卷,也难随意用笔书写。

第三类是**轻质柔性材料**,如缣帛、羊皮板和树皮毡等,表面较平滑受墨,容字多,可舒卷、裁剪,装成书后较轻,耐久性和强度上大于第二类材料。树皮毡厚度

---

① 潘吉星.中国造纸史话.济南:山东教育出版社,1991.2～3

大,柔性差。缣帛和羊皮板质优,主要缺点是造价高。

上述材料在使用过程中,甲骨、金石、黏土砖因不便书写与携带首先被淘汰。最后只剩简牍、缣帛、羊皮板、莎草片和贝叶等5种书写材料。它们中某些也逐步暴露出局限性,最后都被纸所取代。

与古典材料相比,纸有下列优越性:(1)表面平滑,洁白受墨。适于柔软的毛笔和硬笔写字。(2)幅面大、容字多,体质轻、柔软耐折,便于携带。(3)寿命长,抗氧化性强,着色性强,适于深加工。(4)用途最广,可用于书写、印刷、包装,在工农业和日常生活中可制成各种用品。(5)最大优点是物美价廉,原料到处都有,世界各地都可以制造。总之,纸是万能材料,任何其他材料都不能与之相比,被人类使用的时间最长,两千多年来一直常盛不衰。纸成为全人类的通用材料,它的出现是书写纪事材料史中具有划时代革命性意义的重大发明。当印刷术发明后,纸又成为印刷品的物质载体。纸在书写和印刷方面的应用,在推动人类文明和社会发展方面起了巨大作用。

二、论纸的定义

"纸"字在汉文中是个晚出的字,据汉人许慎《说文解字》,"纸"在小篆中作"𦆦"。从现有材料看,有报道说在居延出土的西汉中晚期(前1世纪)木简上有"官写氏"之字句,"氏"为"纸"字之省文,则西汉木简已有用纸写字的最初记载①。居延在今内蒙古额济纳旗境内,是西汉(公元前206~公元25)王朝与匈奴作战的西北驻军之要地,在这样的边关地区有"官写纸"记载,则以首都长安为中心的京畿地区用纸当会更早,因此"纸"字在中国西汉前期(前2世纪)就已出现,用以表达一种不同于"简牍"和"缣帛"的新型书写材料。那么什么是纸呢?中国早期的纸是何形制、用什么材料制成的呢?如何理解古代文献中此字的含义呢?这些问题必须弄清。

在没有对纸的定义作出科学规定以前,古人对纸的概念有不同于我们现在的理解。现代科学发达,又有地下考古发掘的西汉古纸可供研究,使我们能足以判断"纸"字最初出现时表达该字的那种材料究竟是什么,并进而判断有的古人对纸的概念的理解是否准确。今人研究纸史,应从现代概念出发,否则就失去判断的基准。这里不妨列举一些由当代专家执笔的百科全书、专业著作中对纸所下的定义。1963年版《美国百科全书》认为,纸是"从水悬浮液中捞在帘上,形成由植物纤维交结成毡的薄片"②。1966年《韦氏大词典》认为,"纸是由破布、木浆和其他材料制成的薄片,用于书写、印刷、糊墙和包装之物"③。1951年版《大苏维埃百科全书》认为,"纸是基本上用特殊加工,主要由植物纤维层组成的纤维物,这些植物纤维加工

---

① 陈直. 汉书新证. 天津:天津人民出版社,1979. 467~468
② The Encyclopaedia American, vol. 21. New York, 1963. 258~259
③ Webster's World University Dictionary. Washington, 1966. 702

时借纤维间产生的联结力而相互交结"①。1979年版中国《辞海》将纸定义为"用以书写、印刷、绘画或包装等的片状纤维制品。一般由经过制浆处理的植物纤维的水悬浮液在网上交错组合,初步脱水,再经压榨、烘干而成"②。

美国纸史家亨特(Dard Hunter, 1883～1966)对纸下的定义是:"在平的多孔模具上,由成浆的植物纤维形成粘结起来的薄片状物质……作为真正的纸,此薄片必须由打成浆的植物纤维制成,使每个细纤维成为单独的纤维个体;再将纤维与水混合,利用筛状的帘将纤维从水中提起,形成薄层,水从帘的小孔流出,在帘的表面留着交结成片的纤维。此相互交结的纤维薄层就是纸。"③日本纸史家町田诚之谈到纸的定义时指出,"从植物体中提取纤维质,经切断、捣细后在水中分散,通过帘提取出纤维薄层,再干燥而成者"④。概括起来看,各种说法虽不尽同,但各家一致认为纸必须是由植物纤维制成的薄片。有的专家还描述了纸的形成机制和用途。

在吸取各家的定义要点后,我们认为**传统上所谓的纸**,指植物纤维原料经机械、化学加工得到纯的分散的植物纤维,与水配成浆液,使其流经多孔模具帘面,滤去水后,纤维在帘面形成湿的薄层,干燥后获得有一定强度的由纤维素靠氢键缔合(hydrogen-bonds association)而交结成的纤维薄片,具有书写、印刷和包装等用途。这个定义适用于古今中外一切手工纸。判断某物是否为纸,要以此定义为基准,还要考虑以下四点:(1)它表面是否平滑受墨,可用于包装、书写等;(2)基本成分是否为较纯的分散植物纤维;(3)多数纤维是否作较紧密的异向交结;(4)纤维是否被切短、打碎且有帚化(fibrillation)现象;(5)纤维是否经历过成浆、抄造及干燥等工序处理。

由于古往今来人们没有弄清或规定纸的正确定义,将一些不是纸的古代材料当成纸,造成概念上的混淆和造纸起源上的种种误解。比如有人认为太平洋沿岸各地民族用的 *tapa*(树皮毡)是纸,将造纸起源与"树皮布文化"联系在一起,甚至以为宋代名纸金粟笺也是"树皮布制成"⑤。但树皮布是将树皮捶打而成,没有成浆抄造,基本成分是韧皮部纤维束,因而不是纸,也与造纸起源没有关联。否则,为什么很早以来太平洋沿岸其他民族善于制 *tapa*,却不会造纸?《史记·货殖列传》(前90)所载"榻布"虽与 *tapa* 音同,但榻布乃粗厚之布或白叠(棉布),并非 *tapa*,亦非纸也。将纸与 *tapa* 的微观结构一对比(图10),就会看到有明显区别。有人提出墨西哥是造纸的起源地⑥,就因将 *tapa* 当成纸的错误观念所误导。

---

① Bol'shaya Sovetskaya Entsiklopediya. 2oe izd., tom 6. Moskva, 1951
② 辞海. 1979年版合订本. 上海:上海辞书出版社, 1981. 1 156
③ Hunter D. Papermaking: The History and Technique of An Ancient Craft(1947). 2nd ed. New York: Dover, 1978. 4～5
④ 町田誠之. 紙と日本文化. 東京:NHKブックス, 1989. 180*
⑤ 凌纯声. 中国古代的树皮布与造纸术的发明. 台湾南港, 1963. 30, 81～82
⑥ Lenz H. Cosas del Papel en Mesoamerica. Mexico, 1984. 74
* 书中引用日本及朝、韩、越南文献时,以其当时国内通用的日文汉字及汉字繁体字注释出处;正文行文表述时,使用规范的汉字简体字——作者

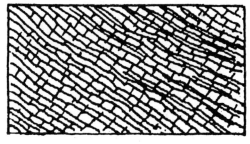
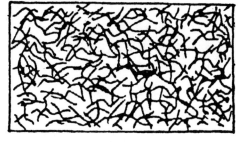

A. 树皮毡(tapa)　　B. 纸(paper)

图 10
树皮毡与纸纤维物理结构的区别,潘吉星绘(1998)

现存最早的汉字字典《说文解字》,由东汉(25~221)学者许慎(约58~147)*编于和帝永元十二年(100)。他在收录纸字并解释其字义时说:"纸,絮一苫也。从糸,氏声。"①这是说,纸字会意从丝,发声从氏(zhī),"絮一苫"即一苫絮之意。絮就是**纤维**,通指次等丝绵的动物纤维,也指外观类似绵丝的植物纤维,如麻絮或麻纤维。苫(shàn)与箦(zé)字通用,指竹帘或竹席。因之在许慎看来,纤维的水悬浮液通过竹帘滤水后,在竹帘上形成的纤维薄片谓之纸。在他著书立说的时代,麻纸已大行于世,他应能知道纸的原料和制法,则他所说的絮(纤维),应指麻纤维。这是《说文解字》之本义所在,在定义中他提到纸的原料纤维(麻絮)和抄纸的主要工具(竹帘)。这使人想起前引1963年版《美国百科全书》的定义:"纸是从水悬浮液中捞在帘上,形成由植物纤维交结成毡的薄片。"这样理解许慎的用词,便可使他给出的定义与现代定义接轨,也符合史实。

反之,如果将"絮"理解为丝类动物纤维,对许慎的定义便有了另外的解释,从而与纸的现代定义冲突,也不符合史实。历史上有"絮纸"、"蚕茧纸"的名称,服虔(128~192在世)《通俗文》也有"方絮曰纸"的说法,并不意味纸由丝纤维制成,而是对植物纤维纸的美称。纸字从糸旁,因为由纤维所组成,而纤维外观又像丝絮。经调查研究后得出的结论是,历史上并没有由丝纤维制成的絮纸②。三国时魏太和六年(232)河间人博士张揖(190~254在世)在其《古今字诂·巾部》内称,古代以素帛为书写材料,名为幡纸,故纸字从糸。东汉和帝元兴元年(105)宦官蔡伦(约61~121)以故布捣剉做纸,与古纸不同,应称为今纸或帋,其字从巾③。此说虽新,但并无根据,先秦时虽以帛素之类丝织物为书写材料,但并不将其称为纸。凡纸皆以植物纤维借抄造之法制成,在原料及制造原理上并无古今之分。

张揖建议用"帋"称呼纸是可取的,此字正确反映出它由破布所造,帋字也

---

* 书中人物纪年,生年或卒年未知者,以"?"表示;生年或卒年不确定者,于生年或卒年前加"约"字说明;生年和卒年俱不确定,仅知活动年份者,于已知活动年份起止时间后加"在世"说明。西文人物纪年以相应的西文缩略语表示,缩略语含义见书后附录——作者

① 许慎[汉]著.说文解字(100).段玉裁[清]注本,卷十三上.上海:文盛书局,1914.9
② 潘吉星.历史上有絮纸吗?见:技术史丛谈.北京:科学出版社,1987.80~87
③ 张揖[三国].古今字诂(232).见:李昉[宋].太平御览(983),卷六〇五,第3册.北京:中华书局,1960.2 724

曾一度用过。但他认为"纸"字代表先秦帛素,并无文献依据。"幡纸"一词最早出现于东汉末秘书监荀悦(148~209)《汉记》,此作者几乎与张揖是同时代人,这时已有了麻纸。汉以前文献中很少见有"纸"字,有人认为"纸"字代表先秦使用的丝织物书写材料,这种说法便失去成立的前提。吾人从先秦文献中可见"帛素"、"缣帛"这类专有名词代表丝织物用于书写者,"纸"字是在有植物纤维纸之后出现的,用以表示这种新型书写材料。如认为纸字从糸旁,便说早期纸由丝絮所造,亦无根据。查《说文解字》,糸字根的字固然不少与丝有关,但也有无关者。如"繝"(jǐ)指羊毛制品,"绤"为细葛布,"纻"为麻类,"绖"为丧服用麻料,等等。南北朝人范晔(398~445)沿用张揖之说,认为古时"其用缣帛者谓之纸"①,更是错上加错。缣帛是丝织物,不能说成纸。将纸的定义弄错,就不可能正确解决造纸起源问题。

　　纸字的字根来源于其所取代的原有书写材料,这种情况在中外都曾发生过,不足为奇。例如纸在日本语中读作カミ(kami),导音于カン(kan),即简,古汉语读作 kam。纸在英语中作 paper,法、德及荷兰语作 papier,西班牙语为 papel,均源自希腊语 παπυροζ 或拉丁语 papyrus,而 papyrus 则是古埃及莎草(Cyperus papyrus)茎秆打压而成的莎草片之古名。意大利语称纸为 carta,源自拉丁语 charta,也指莎草片,但非音译,而是意译。这并不说明莎草片就是纸或欧洲纸以莎草制成。

　　俄罗斯人称纸为 bumaga,从 bombuk 演变而来,后者又源自波斯语 bambak,本义是棉。8~9世纪叙利亚班毕城(Bambycina)盛产麻纸,于是班毕纸(charta Bambycina)成为欧洲人称呼纸的代名。后来将 Bambycina 讹称为 bombycina(棉),于是欧洲人将阿拉伯纸称为"棉纸",认为以麻料代棉料造纸从欧洲开始。直到19世纪末,维也纳大学植物学家威斯纳(Julius von Wiesner,1853~c.1913)对中国魏晋3~4世纪古纸和早期阿拉伯纸作了显微分析后,证明都由麻类破布所造,这才消除因"棉纸"之误称所带来的各种不正确认识②。由此可见中外对纸这个词义的认识,都经历过同样的曲折过程。西汉先民造纸字时,以糸旁表示它是取代缣帛的新型书写材料,以氏表示其表面平滑如砥石(磨石),构成发音(zhī)部分,这是合乎造字原理的。后人根据糸旁将纸误解成缣帛,现在应是消除这种误解的时候了,不能再贻误下去了。

三、成纸的科学原理

1. 传统造纸原料

还可在原料的加工处理、制造工艺和原理等方面,对纸与其他古代书写纪事

---

① 范晔[刘宋].后汉书(445),卷一〇八,二十五史缩印本,第2册.上海:上海古籍出版社,1986.262

② Carter T F. The Invention of Printing in China and Its Spread Westward. 2nd ed. New York: Ronald, 1955.98

材料的区别作进一步分析,以论述这种新型材料究竟新在何处、有何优越性。如前所述,纸出现前的书写纪事材料,如树叶、树皮、莎草片、羊皮板、甲骨、石料和简牍等,都是对原料作简单加工处理而成,用不着费更多心思,而且原料的物理特性和化学成分始终没有发生变化,属于初级加工产品,而且都有使用上的不便。青铜器和缣帛是对原料作较复杂技术处理而成的产品,但金属器物只是纪事材料,不是书写材料,既笨重又昂贵;缣帛是较好的书写材料,丝质原料杂质较少,而且纤维分散,较易加工,但因其产量小,又昂贵,一直无法在全社会各阶层普及。

造纸与制造莎草片、树皮毡、贝叶、羊皮片、简牍以及缣帛等有根本不同,实际上是对原料进行化学处理和机械处理相结合的深加工过程。造纸的植物原料不但经历了外观形态上的物理学变化,而且还经历了组成结构上的化学变化。纸工像魔术师那样,使废旧脏乱的破布变成洁白、平滑、受墨的纸。战国时哲学家庄周(前369～前286)称"臭腐复化为神奇"①,而纸就是根据"化腐朽为神奇"这一中国传统思想指引下造出的。

纸的发明反映了汉代化学和机械工程所取得的综合成就,其所实现的技术过程和相关设备的设计,蕴藏着一系列深刻的科学原理,这些原理只是在近百年来,特别是近五十年来,才得以充分阐明。两千多年前的造纸技术先辈在科学实验和生产实践中发展起来的工艺过程、操作技术和设备构造,完全符合现代科学理论原理,必是在先进的技术思想的指引下进行的。事先没有完整的技术构思和周密考虑,就设计不出精巧的造纸设备和工艺流程。因此可以说,纸与其他古代书写材料相比,属于更高技术发展阶段的产物。

造纸原料取自植物纤维,但自然界中并没有现成的植物纤维可供直接利用,必须从植物资源中人工提取纤维并提纯;而古代其他书写材料的原料基本上利用自然界的现成物,如树皮、树叶、莎草茎、木材、羊皮等,稍事加工即可,不存在化学提纯过程,而且原料来源单一。造纸用的原料品种繁多,据《中国造纸植物原料志》(1959)不完全统计,草木类87种、竹类49种、皮料类74种、麻类32种、废料类10种,共252种②。实际上可用的品种多达500～1 000种。

古代造纸主要用植物的韧皮纤维和茎秆纤维。韧皮纤维存在于草本和木本植物的韧皮部。草本如各种麻类,多为一年生植物;木本为多年生植物,如构(楮)、桑、藤、结香、青檀等。茎秆纤维多存在于单子叶植物基本组织的维管束(bundles of fibers)即纤维与导管结合而成的束状组织中,不易用机械方法将维管束与基本组织分开。这一类也有一年生(如稻、麦及草类)与多年生(各种竹类等)。因而纸与其他古代书写材料不同的是,其原料来自于对自然资源的更深一个层次的发掘,且原料品种多样化,是对植物资源作更深入认识与研究的结果。

---

① 庄周[战国].庄子(约前290),内篇,知北游.百子全书本,第8册.杭州:浙江人民出版社,1984

② 孙宝明,李钟凯.中国造纸植物原料志.北京:轻工业出版社,1959

贝叶、莎草只分布于局部地区，但造纸原料散布于世界各地区，这也是纸能成为全人类通用材料的原因之一。现将有代表性的造纸用植物纤维微观形态示之于图11，而将纤维的长宽度列于表1中。

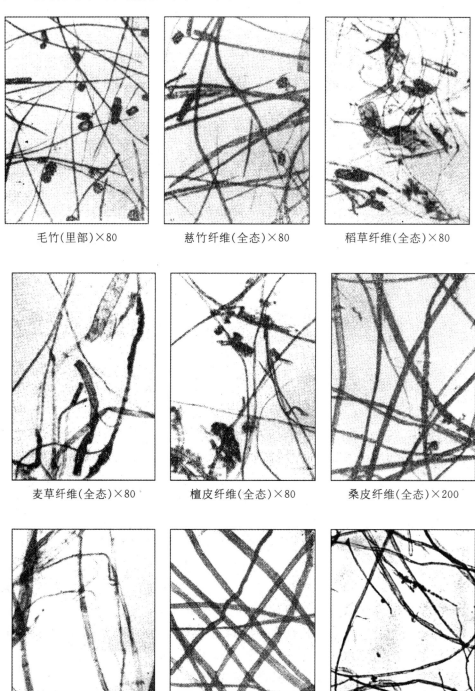

毛竹(里部)×80　　慈竹纤维(全态)×80　　稻草纤维(全态)×80

麦草纤维(全态)×80　　檀皮纤维(全态)×80　　桑皮纤维(全态)×200

构皮纤维(全态)×80　　大麻纤维(全态)×150　　瑞香皮纤维(全态)×80

图11
中国古代常用造纸植物纤维图谱，取自《中国造纸原料纤维图谱》(1965)

表1 中国古代常用造纸原料纤维长宽度测定数据①

序号	种类	长度(mm)			宽度(mm)			平均长宽比(倍)
		最大	最小	大部分	最大	最小	大部分	
0	I	II	III	IV	V	VI	VII	VIII
1	大 麻	29.0	12.4	15.0~25.5	0.032	0.007	0.015~0.025	1 000
2	苎 麻	231.0	36.5	120.0~180.3	0.076	0.009	0.024~0.047	3 000
3	楮 皮	14.0	0.57	6.0~9.0	0.032	0.018	0.024~0.028	290
4	桑 皮	45.2	6.5	14.0~20.0	0.038	0.005	0.019~0.025	463
5	黄瑞香皮	5.8	0.95	3.1~4.5	0.030	0.004	0.015~0.019	222
6	青檀皮	18.0	0.72	9.0~14.0	0.034	0.007	0.019~0.023	276
7	毛 竹	3.20	0.34	1.52~2.09	0.030	0.006	0.012~0.019	123
8	慈 竹	2.85	0.34	1.33~1.90	0.028	0.003	0.009~0.019	133
9	稻 草	2.66	0.28	1.14~1.52	0.028	0.003	0.006~0.009	114
10	麦 秆	3.27	0.47	1.30~1.71	0.044	0.004	0.017~0.019	102

不同原料的纤维长宽度各异,所造出的纸的品质也有别。一般说,长纤维造纸比短纤维好,长宽比越大越好。细长纤维成纸时,组织紧密,纸的拉力强度大。值得注意的是,中国从一开始起就选中至今仍堪称优质原料的麻类纤维。大麻纤维平均长宽比为1 000,苎麻3 000。其次是皮料,楮皮纤维长宽比290,桑皮463,青檀皮276。再次是竹类,纤维平均长宽比为123~133。最次的是草类,稻草114,麦秆102。苎麻纤维长宽比是麦秆的29倍。因此,古代造文化纸用麻类及皮料纤维;草纸作包装纸、卫生纸及葬仪用"火纸";竹纸是短纤维纸,以其便宜,广为用之。中国将长纤维与短纤维混合制浆,既保证质量,又降低成本,是最佳选择,此后为各国所效法。

2. 成纸的化学机理

如果对纸再作深入一步的微观观察,就会发现纸的基本成分植物纤维由纤维素(cellulose)构成,而纤维素是植物细胞壁的基础成分。从分子层次来看,纤维素由许多 d-葡萄糖基(d-glucoside, $C_6H_{10}O_5$)相互间以 1-4-β 甙键(1-4-β-glucosidic bonds)联结而成的高分子多糖体(polysaccharide)②③。因此可以将纤维素视为葡萄糖基的长链状高聚物,一般可用通式$(C_6H_{10}O_5)_n$表示。式中 n 值称为聚合度,它标志分子链的长短。如苎麻(Boehmeria nivea)纤维素分子的聚合度为 8 580,就是说其每个纤维素分子由 8 580 个葡萄糖基(glucocyls)聚合成一长链状高聚物。不同原料的平均聚合度有大有小,聚合度越大,纤维越长。聚

---

① 张永惠,李鸣皋. 中国造纸原料纤维的观察. 造纸技术,1957(12):9;中国造纸原料纤维图谱. 北京:轻工业出版社,1965.8
② 陈国符等. 植物纤维化学. 北京:中国财政经济出版社,1961.261
③ 杨之礼. 纤维素化学. 北京:轻工业出版社,1961.161

合度还与纤维素的分子量成正比,聚合度大者,分子量越大。如亚麻(*Linum usitatissimum*)平均分子量为335 000,即33.5万。这也说明为什么在尺寸、厚度相同时,麻纸较重,皮纸次之,竹纸较轻。纤维素分子的化学结构可以不同式子表之,此处用霍沃思(Walter Norman Haworth, 1883～1950)给出的式子(式1):

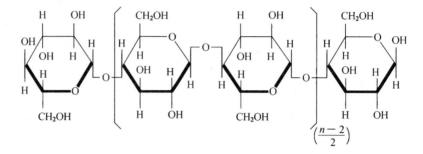

式1
纤维素分子结构式,Haworth式

从上式中可以看到,纤维素链状高分子中,每个葡萄糖基结构单元都有3个羟基(hydroxyl, —OH),因此每一纤维素分子含三倍于聚合度的羟基。如苎麻纤维素分子含 $3 \times 8580 = 25740$ 个羟基,接近2.6万个。这些羟基有很大的亲水性,当植物纤维被提纯并分散在水中时,其纤维素分子中所含无数羟基就会吸引水分子,而使纤维润胀(式2-B)。当纤维素分子相互靠近时,相邻的两个分子中羟基的氧原子O就把水分子H—O—H拉在一起,水分子像是把两个纤维素分子联结起来的纽带那样,在纤维素分子之间架起无数"水桥"(式2-C)。这就是纸浆用帘子捞出,并滤去、压去多余水分后,在帘上形成湿纸层时所处的状态。以水桥联结纤维素分子,并不很牢固,因此湿纸层的机械强度不大。

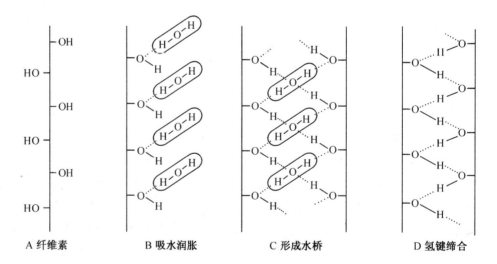

式2
纤维成纸过程机理示意图,载《中国造纸技术史稿》(1979)

A 纤维素　　B 吸水润胀　　C 形成水桥　　D 氢键缔合

可是将湿纸通过干燥过程而使水蒸发掉以后,纤维组织受到一种强大的表面张力作用,大大缩小纤维素分子相互间的距离。当距离缩小到2.75埃(Å, angstrom, 10^{-8} cm)以下时,纤维素分子间就不靠水桥联结了,而是靠其分子中无数羟基—OH间形成的氢键(hydrogen bonds)而缔合(式2-D)。所谓氢键,是在化合物中所含极性羟基中的氧原子吸引另一羟基的氢原子而形成的一种**化学键**。氢键的键能为 5 kcal/g·mol～8 kcal/g·mol（千卡/克分子），比一般分子间力即范德华力（Van der Waal force）的能量大 2～3 倍，是纤维素分子间发生的主要作用形式。原则上说，纤维分子的所有羟基都能形成氢键，靠氢键缔合使纤维素分子相互间紧密交结成具有一定强度的薄片，即纸。湿纸干燥脱水过程就是氢键形成过程，从这个意义上看，成纸过程是个化学过程，氢键的形成是成纸机理的关键。

造纸之所以包括化学过程，还表现在对植物纤维原料的化学提纯方面。从理论上看，为使纤维素分子借氢键缔合成纸不受干扰，需除去纤维中所含有害杂质，如灰分、果胶质（pectin）、木素（lignin）、蛋白质、半纤维素或多缩戊糖（poly-pentose）和色素等。这些杂质还对成品纸的质量有不良影响。表 2 列出了一些常见造纸原料的化学成分[1][2][3]。原料中含纤维素越多越好，含非纤维素杂质越少越好。主要杂质是果胶和木素，木素最有害而难以除去。从表 2 可见麻类含纤维素70%～83%，木质为 2%～4%，成分最理想。其次是皮料，含纤维素40%～55%，木素 9%～14%。竹类及草类最次，纤维素含 36%～45%，木素高达 14%～31%。不同原料中化学成分的优劣次序与物理指标（长宽度及长宽比）的优劣次序一致，也与纸制成后的质量高低一致，更与技术处理的易难有关。不管从哪种标准来看，原料等级次序总是麻类→皮料→竹类→草类。

表 2　中国古代若干常用造纸原料化学成分

序号	原料	水分	灰分	抽提物				聚戊糖	蛋白质	果胶	木素	纤维素
				冷水	热水	乙醚	1%NaOH					
0	I	II	III	IV	V	VI	VII	VIII	IX	X	XI	XII
1	大麻	9.25	2.85	6.45	10.50		30.76			2.06	4.03	69.51
2	苎麻	6.60	2.93	4.08	6.29		16.81			3.46	1.81	82.81
3	楮皮	11.25	2.70	5.85	18.92	2.31	44.61	9.46	6.04	9.46	14.32	39.08
4	桑皮	～	4.40	～	2.39	3.37	35.47	10.42	6.13	8.84	8.74	54.81
5	青檀皮	11.86	4.79	6.45	20.18	4.75	32.45	8.14	4.23	5.60	10.31	40.02
6	毛竹	12.14	1.10	2.38	5.96	0.66	30.98	21.12		0.72	30.67	45.50
7	慈竹	12.56	1.20	2.42	6.78	0.71	31.24	25.41		0.87	31.28	44.35
8	稻草	9.87	15.50	6.85	28.50	0.65	47.70	18.06	6.04	0.21	14.05	36.20
9	麦秸	10.65	6.04	5.36	23.15	0.51	44.56	25.56	2.30	0.30	22.34	40.40

---

[1] 孙宝明，李钟凯．中国造纸植物原料志．北京：轻工业出版社，1959
[2] 隆言泉等．制浆造纸工艺学．北京：中国财政经济出版社，1961
[3] 河北轻工学院化工系制浆造纸教研室．制浆造纸工艺学，上册．北京：轻工业出版社，1961

3. 对造纸过程的理论解释

造纸原料所有非纤维素成分原则上都应除去。其中半纤维素由不同的单糖(monoses)基构成,主要是 β-吡喃式木糖基的聚合物(polymers of xylose of β-pyrone type)。当它在纸浆中增加时,使纸强度下降。其化学结构如式3所示。果胶是部分或完全甲氧基化的多半乳糖酸(methoxylized galactonicacids),或曰果胶酸(pectic acid),结构如式4。果胶会使纤维粗硬成束,不易分丝帚化,且在原料蒸煮时消耗碱液和时间。果胶易被碱性溶液分解,也可被丝状菌类微生物通过发酵的生物化学作用而降解。其贰键裂开后,降解成半乳糖(galactose)、阿拉伯胶糖(arabinose)和醛酸等。因此造纸前原料要经脱胶处理。

式3 半纤维素结构式

式4 果胶结构式

古代一般将原料在水池内沤制,通过生物发酵法脱除果胶。如织布的麻类剥下皮后,放水池内沤一段时间,通过发酵除去果胶外,还通过石灰水或草木灰水蒸煮,除去单宁、色素、蛋白、半纤维素和木素等杂质。以皮料等生纤维造纸亦必须沤制。发酵经几个阶段:(1)准备阶段:原料在池内吸水膨胀,部分有机物和无机物溶于水中,池水呈浅黄色。同时原料中带入的孢子菌开始发酵,水中发出气泡,池水颜色渐深,温度上升。(2)果胶发酵阶段:孢子菌繁殖,放出果胶酶(pectinase)分解果胶,温度继续上升。(3)终止阶段:此时原料变软,分离出纤维,水呈棕至棕灰色。

几天后原料皮壳松动,池水以中性($pH = 6 \sim 7$)为好,温度为 $37℃ \sim 42℃$。原料应以石压在水下,不宜外露。水量以没过物料为度,约为物料重的10倍。如事先对原料以清水煮过,沤制效果更好。发酵液可循环使用,亦可放走一部分,留一部分,起发酵助剂作用。所需时间因季节而定,一般7~10天。果胶在果胶酶作用下,先降解为半乳糖、阿拉伯胶糖、醛酸,再发酵为可溶性丁酸、乙酸及二氧化碳,反应是放热反应:

$$C_{48}H_{68}O_{10}(果酸) + 10H_2O$$

$$\longrightarrow 4CHO(CHOH)_4 \cdot COOH(醛酸) + C_6H_{10}O_5(阿拉伯胶糖)$$

$$+ C_5H_{10}O_5(木糖) + C_6H_{12}O_6(半乳糖) + CH_3OH + 2CH_3COOH$$

$$C_6H_{12}O_6 \longrightarrow CH_3(CH_3)_2 \cdot COOH + 2CO_2 + 2H_2 + x \text{ kcal}$$

$$C_6H_{10}O_5 \longrightarrow CH_3(CH_3)_2COOH + 2CO_2 + H_2O + x \text{ kcal}$$

皮料和竹料中有可观量的木素,后者将大大降低纸的强度和寿命,又易氧化形成色素,造不出白纸。现在大体知道木素是含一些芳香基苯环的大分子,分子量为840,化学结构可用不同式子表达,此处用弗劳登伯格(K. Freudenberg)的式子:

式 5
木素的化学结构,Freudenberg 式,Me = CH_3

原料脱胶后,还要在碱性溶液中蒸煮,使木素被破坏降解成可溶性物。蒸煮还可溶解原料中所含油脂,破坏天然色素,溶解单宁、蛋白质及淀粉等。再通过洗涤,将这些杂质排入河水中。蒸煮的主要目的,是用化学降解法除去木素。中国从汉代以来就用草木灰水和石灰水蒸煮原料,以达到提纯目的,后来被各国所效法。古人不知道现代化学原理,但懂得如何提纯纤维。将草类、树枝晒干,堆起烧成灰,用热水浸渍,即得草木灰水。以稻草灰为例,其总碱量(以氧化钾 K_2O 计)为 59.7 g/l,氢氧化物(以氢氧化钾 KOH 计)36.6 g/l,碳酸盐(以碳酸钾 K_2CO_3 计)42.5 g/l[①]。石灰水是将石灰石或青石煅烧后得到的石灰,以适量清水消化而成,含氢氧化钙 $Ca(OH)_2$。草木灰含氢氧化物和碳酸盐,再以石灰水苛化,可提高总碱量,反应式如下:

---

① 河北轻工学院化工系制浆造纸教研室.制浆造纸工艺学,上册.北京:轻工业出版社,1961,255

$$K_2CO_3 + Ca(OH)_2 \longrightarrow 2KOH + CaCO_3 \downarrow$$

中国古代造纸通常将草木灰与石灰合用于蒸煮过程,其妙处就在于此。如表3所示,蒸煮后原料内木素由 25%～28% 降至 1.5%～2%,半纤维素由 25%～28% 降至 11%～12%,纤维素则由 55%～58% 提高到 88%～89%。古代造高级纸有时经两次蒸煮,再加上日光漂白,则木素等杂质几乎可以尽除,得到 99%～100% 纯的纤维素。蒸煮时间各地不一,一般 7 天,不停地举火。蒸煮后锅内溶液呈黑色,原料在河水内漂洗成白色。但将杂质排入河中,势必造成污染周围环境,纸的洁白,以河流污染为代价,中外都是如此。造纸还要砍伐竹、木及其他植物,这都是负面效果,所以古代文人提倡节约用纸,以保护资源。

表3 造纸原料蒸煮前后成分对照表

序号	化学成分	蒸煮前%	蒸煮后%	漂白后%	纯制后%
1	纤 维 素	55～58	88～89	89～88	92～98
2	木 素	25～28	1.5～2.0	0.4～0.5	0.3
3	脂肪及树脂	1～1.5	0.6～0.8	0.2～0.3	0.06～0.2
4	多缩戊糖	10～11	4～6	4～5	1～3
5	半纤维素	25～28	11～12	12～13	2～8
6	灰 分	0.2～0.3	0.2～0.3	0.15～0.2	0.05～0.15

据 Rogovin & Shorygina(1958)

古代制高级纸在蒸煮纸料后,还要天然漂白,将原料摊放在山坡上或河边,任其日晒、雨淋,持续几十天,目的是脱去残存木素及有色杂质。日光漂白是利用大气中臭氧 O_3 的氧化作用,使木素、色素氧化或降解成可溶物。也可将原料浸以石灰浆,再堆起,日晒一段时间,称为灰沃。总之,古人用人工造成的化学力和自然产生的化学力对杂质作双重处理,得到纯纤维造纸。[①]

原料提纯后,还要经过打浆的机械处理,使纤维素润胀和细纤维化。因原料中有许多缠绕的纤维束并留有光硬的外壳,纤维素中的羟基被束缚在内,不能充分暴露出来发挥其作用。欲抄出紧密的纸,要使过长的纤维断裂和帚化(fibrillation)。打浆的原理是用机械力将纤维细胞壁和纤维束打碎,将长纤维切短,提高纤维柔软性和可塑性,增加比表面和游离的羟基数。实验证明,纤维间结合力与打浆度成正比,打浆前后纤维结合力相差 10 倍。中国古代以杵臼、踏碓、石碾、水碓为打浆工具,分别以人力、畜力和水力为动力。水碓以水激转轮,通过传动装置带动石碓,连碓机可使数碓同时捣料。在 18 世纪荷兰打浆机出现以前,这是最先进的工具。舂捣后,纤维表面起毛,发生分丝帚化(图12),增加比表

[①] Rogovin Z A, Shorygina 著. 中国科学院应用化学研究所译. 纤维素及其伴生物化学. 北京:科学出版社,1958. 105

面,使更多的极性羟基暴露出来,便于形成氢键。精工细作的纸,有时对原料要反复舂捣。

打浆前硬光的纤维

打浆后分丝帚化,柔软可塑

图 12
纤维打浆前后对比,
潘吉星绘(1979)

捣碎的分散纤维与水在槽内配成纸浆后,才能抄纸。因纤维不溶于水,纸浆是悬浮液,为使槽内纸浆均匀,需不断搅拌。尽管如此,仍难免发生纤维絮聚(flocculation)现象,有的部分浓度大,有的部位稀薄,抄不出厚度均一的纸。为此古人最初向纸浆中加淀粉汁或糊剂,改善纤维悬浮状态。继而易之以植物黏液,作为纤维的悬浮剂,多取自植物根、茎或叶部。常用植物黏液为杨桃藤或猕猴桃藤(*Actinidia chinensis*)和黄蜀葵(*Hibiscus manihot*)的浸出液,其主要成分是 d-半乳糖醛酸(d-galacturonic acid)及鼠李糖(rhamnose)构成的聚糖醛酸甙(polyuronide),在水中呈丝状高分子电解质之性状[1],可防止纤维絮聚[2]。

中国纸工将植物黏液称为"纸药",将纸药水加入纸浆后,抄纸便可减少纸病。多孔帘状抄纸器抄入纸浆后提起、荡帘滤水,形成湿纸层,此时无数纤维素分子间架起水桥。压去多余水并干燥后,纤维素分子间借氢键缔合形成纸。抄纸器有固定型罗面或帘面纸模和折合型帘面纸模(帘床),都是平面形抄纸器。中国至迟在 17 世纪康熙年间发明圆筒形铜网旋转抄纸器,成为 19 世纪欧洲出现的圆网造纸机的先驱[3]。1597 年刊本《江西省大志》卷八造纸篇云:造纸工"虽隆冬炎夏,手足不离水火。谚云:'片纸非容易,措手七十二'"。[4]距今两千多年前,中国纸工用水与火、机械力和化学力的交互作用以植物纤维造出了纸。

纸制成后,一般说可直接用于书写、包装和印刷等。但如果用毛笔作水墨画、工笔设色画或写小楷字时,有时发生走墨、洇彩现象。因为纸的微观结构表明,在纤维间存在空隙和毛细管系统,只有将其堵塞才不致走墨,因此要作加工处理。最简单的方法是以光滑细石压擦纸面,将空隙处压紧,古称砑光,今为抛光。亦可用粉浆将纸润湿,再以木槌反复捶之,古称浆硾。但更有效措施是施胶(sizing),可增加纸对液体透过的阻抗力,分纸表施胶及纸内施胶,最初的施胶剂为淀粉糊,后来用动物胶。

---

① 町田誠之,内野規之.トロロアオイの黏質物の研究,第 4 報.日本化學雜誌(東京),1953,73(3):183~184;小栗捨藏.日本紙の話.東京:早稻田大學出版部,1953.81~82
② 潘吉星.中国科学技术史·造纸与印刷卷.北京:科学出版社,1998.218~219
③ 潘吉星.中国科学技术史·造纸与印刷卷.北京:科学出版社,1998.252~255;潘吉星.从圆筒侧理纸的制造到圆网造纸机的发明.文物,1994(7):91~93
④ 王宗沐[明]著.陆万垓[明]补.江西省大志重刊本,卷八,楮书.南昌,1597.5

魏晋南北朝及隋唐用纸,常将施胶剂用毛刷均匀刷于纸面,形成一层覆膜,再予砑光,则运笔自如。缺点是逐张处理费工,薄膜易裂脱。将施胶剂放入纸浆中,抄出之纸自然施胶,此法简易。唐宋以来又将淀粉糊易之以动物胶水,加入明矾为沉淀剂,将胶矾水配入纸浆中搅匀,抄出纸后胶粒沉淀在纤维间隙中。图13表示施胶前后对比,施胶后胶粒充满纤维空隙,这样处理的纸称熟纸,未施胶纸叫生纸。有的画家画山水,用生纸泼墨,但作工笔白描或设色宜用熟纸。

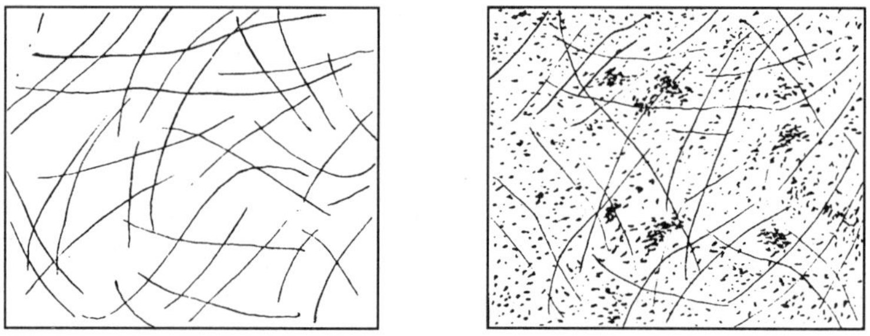

图 13
纸张施胶前后对比,潘吉星绘(1979)

施胶前　　　　施胶后

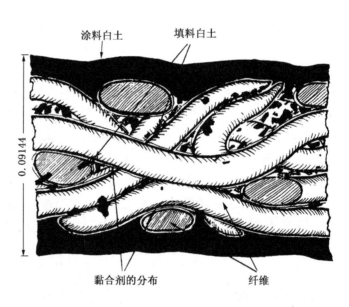

图 14
粉料涂布纸横切面微观图,载《中国造纸技术史稿》(1979),单位为 mm

为增加纸的外观美或改善其某种性能,古人用各种植物染料将纸染成五色或十色笺。如用黄柏(*Phellodendron amurense*)染成黄纸,因染料内含小柏碱(berberine),还使纸兼有抗蛀性。为提高纸的白度、平滑性、不透明性,减少吸湿性,古时还以白色矿物细粉以胶水涂于纸表,形成外表一层保护层(图14),此即涂布纸,古称粉笺。涂料用白垩(碳酸钙,$CaCO_3$)、石膏(硫酸钙,$CaSO_4$)等。在纸上涂蜡,可增加其防水性。在色纸上涂蜡,称蜡笺。纸上涂白粉,再上色,最后涂蜡,便成彩色粉蜡笺。古代还将金粉、金片用胶固定在色纸上,便成洒金笺。如在色纸上用泥金画出图案,则称金花纸。还在抄纸帘上用线编成凸起的图案,便与帘纹一起出现在纸上,称为花帘纸,西方叫水纹纸(watermarks paper)。亦可用木板雕刻出复杂图案,用力压在纸上,便成砑花纸。唐代以后,加工纸品种繁多。纸的加工含有下列目的:(1)改善纸的性能,扩大应用范围;(2)增加外观及内在的美,向艺术品发展;(3)采取保护性措施,延长纸本寿命。①

第二节 从西汉纸的出土看造纸术的起源

一、为什么造纸术起源于中国?

最早的纸是由麻头、破布造成的麻纸,而麻布由中国原产的大麻和苎麻织成。其他国家或地区有亚麻、黄麻,亦可织布,破布亦可造纸。但为什么造纸术发明于中国,而非别的地区?这个问题需要讨论。促成人们造纸的因素是社会对新型书写材料的实践需要,而这又与社会经济、文化、教育和技术背景有关。公元前几个世纪内世界上只有少数几种材料供书写用,即简牍、缣帛、莎草片、羊皮片、贝叶和树皮。这时希腊、波斯、埃及、罗马和印度等国仍处于奴隶社会,战争频仍,版图不断变换,或处于割裂的动荡时期。奴隶主统治集团只求掠夺财富、土地和争霸,对发展文教事业并不关心,古典书写材料足以满足社会需要,没有对新材料的需求。

造纸术作为新型书写材料和文教事业发展的产物,不可能产生于奴隶社会,只有比奴隶社会进步、社会生产力和文教较发达的封建社会才能促进造纸的发明。中国早在公元前5世纪的战国时期已进入封建社会,比其他国家早。当时世界其他地区,奴隶主贵族在发动战争,公元前525年埃及被波斯征服,前330年波斯又被希腊马其顿王国征服,前146年罗马又臣服了希腊。东方的印度于前323年遭希腊亚历山大的蹂躏,至阿育王在位(前273～前232)时,印度才建成统一的奴隶制国家,他死后又陷入分裂状态。一些古老文明国家一个接一个被外国征服,文化遭到破坏,甚至连原有的文字都没能保留下来。

反之,中国于前221年由秦始皇建立了统一的封建制帝国,统一了文字。接下是西汉,而"汉承秦制",至文帝(前179～前157)、景帝(前156～前141)时出现治平之世,社会全面繁荣。武帝(前140～前87)雄才大略,在位时仍保有这个势头。国家的统一,社会经济、文化教育和科学技术的发展,需要大量书写材料,人们深感缣帛昂贵、简牍笨重,使用不便,探索廉价易得、能代替帛简的新材料,造纸就在这时问世。其次,世界所有的古典书写材料中,只有缣帛与纸有关,"纸"字有"糸"旁就是证明。纸与绢有共性:平滑受墨、质轻柔软,可折叠、舒卷,易剪裁,都由纯纤维制成。最初的纸是作为帛的替身出现的。帛在制造过程中

---

① 潘吉星.中国古代加工纸十种.文物,1979(2):38～48;Pan Jixing. Ten kinds of modified paper in ancient China. Bulletin of the International Association of Paper Historians (Basel), 1983(4):151～155

有一道漂絮工序,将丝纤维放在竹席上于水中击打,击碎的丝絮落在席上晒干取下后,形成类似纸的薄片,弃而不用。这个工序暗含打浆和捞纸的原始动作,容易激发人们产生以麻絮代丝絮而造纸的技术联想。

北京故宫博物院藏清代画家吴嘉猷(字友如,约 1818～1893)《蚕桑络丝织绸图说》画册,是清光绪十七年(1891)应召入宫作画时的粉本(画稿)。其中漂絮图(图 15)画出两个妇女蹲在河边,手持竹棍击打丝絮,可帮助我们了解古代漂絮操作。古代制丝前要择茧,取圆正的独头茧为良茧,制成丝后织上等帛料。双头茧、病茧为次茧,用以作絮,制次等绵料以御寒。制丝绵前,将次茧以草木灰水煮之,使之脱胶,水浸,再剥开漂洗,边洗边敲打。将次茧与煮茧时剩下的外衣和缫丝剩下的茧衣一起捣烂,晒干后捻成绵线或作绵絮。这些过程在古书中有不少记载,如《庄子·逍遥游》称,宋国(前 858～前 476)人有善于制不使手裂口的药者,世代以漂絮为职业。这种劳动多由妇女从事。

图 15
中国古代漂絮图,取自吴嘉猷粉本(1891)

漂絮制绵,将纤维原料以草木灰水煮沸和水浸以除去丝胶,得到纯丝纤维。又将纤维束以水润胀,再借机械敲打使之分散。这两项操作都是造纸的必要环节。丝絮还在竹席上敲打并于水中漂洗,这时丝渣落在席上,晒干后取下,即成一似纸非纸的薄片。这向人们暗示,将在水中分散的纤维通过多孔竹席而荐存,可无需用纺织途径形成似绢的薄片。如果将丝纤维易之以麻纤维,就能形成原始纸。秦汉之际的工匠正是想要改变原料,制出缣帛代用品的。因此段玉裁(1735～1815)在《说文解字注》(1807)卷十三上说:"**按造纸昉(起始)于漂絮,其初丝絮(纤维)为之,以箔(竹席)荐而存之。今用竹质、木皮为纸,亦有致密竹席荐之是也。**"* 我们想稍加修正,使此说更为有力:"按造纸昉于漂絮,初以麻絮代丝絮为之,以箔荐而存之。后用木皮、竹质为纸,亦以致密竹帘荐之是也。"

关键是"以麻絮代丝絮为之"。只有完成原料上的这一取代,才能按漂絮原

---

* 书中征引文献,原文疑有脱、漏处或为连缀文意所加字、词以"( )"补出;需要略作解释的字词,解释性词语于该字词后亦以"( )"给出;表示强调的字词以黑体排版——作者

理和技术操作制成新型书写材料纸。众所周知,中国是养蚕术和丝织技术的起源地,早已闻名于东西方。罗马帝国学者普利尼(Pliny the Elder, 23~79)《博物志》(Historia Naturalis, 73)就提到赛里斯人(Seres)善制丝,"织成锦绣文绮,贩运至罗马……由地球东端运至西端"①。赛里斯人或丝国人,即指中国人。1958年浙江吴兴钱山漾新石器时代遗址出土一批丝织品,遗址年代为公元前2750±100年,树轮校正距今5260±135年。1980年河北正定县阳庄仰韶文化遗址出土两件陶蚕蛹,经专家鉴定为家蚕蚕蛹;同时出土的有理丝、打纬的骨匕70件。该遗址距今5400年。考古发现证明中国距今五千多年前已养蚕缫丝②。商代甲骨文中还有这方面的一些文字资料。这说明中国人从事漂絮作业的历史最为悠久,是其他国家不能相比的。

早在新石器时代,大麻和苎麻纤维已在中国用来作织布的原料。距今6000~7000年的仰韶文化遗址出土的陶器底部常发现布纹,安特生(Johann Gunnar Anderson, 1874~1960)认为是大麻布。1958年浙江吴兴钱山漾遗址出土的麻织物,经鉴定为苎麻布③,其年代为公元前2750±100年。这说明北方种大麻、南方种苎麻,再纺线织布的历史,与养蚕缫丝一样古老。为了将麻类韧皮部中的纤维提出,需要对麻类原料作沤制处理,使其柔软、洁白,然后再纺线织布。而沤麻很早就见诸记载,如《诗经·国风·陈风》(约前5世纪)云:"东门之池,可以沤麻……东门之池,可以沤苎……"郑玄(127~200)注曰:"于池中柔麻,使可绩绩作衣服。"④

西汉的《氾胜之书》(约前10年)称,"夏至后二十日沤枲(雄麻),枲和如丝",提到麻经池沤、提纯处理后所得纤维像丝那样柔和⑤。欲得这样效果,从技术上分析,除池沤外,还要有石灰水或草灰水蒸煮的后处理过程,才能得到可供纺织用的麻纤维,总称为"沤制"。沤制由两个过程构成,是自古以来中国先农遗留下来的技术。这种技术在王祯(1260~1330在世)《农书》(1313)及徐光启(1562~1633)《农政全书》(约1628)中被详细记载下来。虽然此二书成于元、明两代,但其中所载对麻料沤制技术必由来已久。

根据二书所述,大麻和苎麻的沤制方法是:第一步在麻类植物长成后,将其割下,去叶及根,打成捆,在水池中沤(发酵)一段时间,通过霉菌的生物化学作用,除去韧皮部中的果胶及其他可溶性杂质,并使麻料润胀松软。一般需一两周

---

① 张星烺.中西交通史料汇编,第一册,古代中国与欧洲之交通.北平:京城印书局,1930. 31~32
② 梁家勉主编.中国农业科学技术史稿.北京:农业出版社,1989.39~41
③ 梁家勉主编.中国农业科学技术史稿.北京:农业出版社,1989.22
④ 毛亨[汉]传.郑玄[汉]笺.孔颖达[唐]疏.毛诗正义(642),卷七,国风·陈风.十三经注疏本,上册.上海:世界书局景印,1935.377
⑤ 引自贾思勰[北魏].齐民要术(约540),种麻第八.石声汉选读本.北京:农业出版社,1961.85,87

时间。第二步是捶打沤后的麻秆,剥下韧皮,因其较硬,且纤维没有提出,需再将皮料折成细线,拌上石灰放置数日,更以石灰水煮之,放竹筐中以清水洗涤,再摊放在席子上边浸边晒。这样处理的目的是,用**化学手段**进一步除去杂质,得到纯的麻纤维,并使其柔软、洁白如丝,就可以纺线织布了①②。上好的麻布,只有经这两道程序对原料处理后才能织出。

从以上所述可知,中国在发明造纸以前,早已积累了提纯麻类植物纤维的技术经验,沤制过程正是造纸过程的预备阶段。中国古代特有的漂絮制绵技术又为造纸提供技术暗示。西汉以来国家空前统一,社会安定,经济和文化繁荣,科学技术发达,对书写材料的需要与日俱增,而中国又是唯一用缣帛为书写材料的大国,这种材料的昂贵使人们急于探索用更便宜的纤维原料制出缣帛的代用品。所有这些因素综合在一起,导致以麻纤维原料按漂絮原理和技术操作制成了纸。在公元前2世纪的世界,只有中国拥有造纸所需要的社会经济、文化背景和技术条件,因而成为造纸术的起源地。其他国家则没有这些**综合条件**或只有部分条件,不足以完成纸的发明。

二、造纸术起源于西汉

1. 1930~1950年代出土的西汉麻纸

虽然造纸术的起源地是中国,但关于其起源时间却有不同说法,这是学者之间的内部意见分歧。分歧的焦点是发明时间先后和发明人是谁,并不涉及起源地是否为中国。概括起来有两种不同意见。第一种意见以前述张揖和范晔为代表,范晔认为纸是东汉宦官蔡伦于105年发明的③。张揖将先秦缣帛当成古纸,主张蔡伦以植物原料造纸,称为今纸。但缣帛由丝质纤维借纺织方法制成,并不是纸,也不得称为古纸,而纸由植物纤维借抄造方法制成,古今都是如此。蔡伦前汉代人用纸记载已见于史书,且其同时代人并不认为造纸始自蔡伦。

因此又出现第二种意见,以唐人张怀瓘(686~758在世)和宋人史绳祖(1204~1278在世)为代表。张怀瓘(guàn)《书断》(约735)卷一称:"汉兴,有纸代简。至和帝时,蔡伦工为之。"史绳祖《学斋占毕》(约1255)卷二指出:"纸、笔不始于蔡伦、蒙恬……但蒙、蔡所造,精工于前世则有之,谓纸、笔始此二人,则不可也。"陈槱(1161~1240在世)《负暄野录》(约1210)也认为,"盖纸,旧亦有之。特蔡伦善造尔,非创也"。这些唐宋学者认为西汉(前2世纪)已有纸,蔡伦不是纸的发明者,而是改良者。他们的意见符合历史发展观点,今天看来原则上是正

---

① 王祯[元].农书(1313).缪启愉译注.上海:上海古籍出版社,1994.439~440,748
② 徐光启[明].农政全书(约1628),石声汉校注本,卷卅六,中册.上海:上海古籍出版社,1979.994
③ 范晔[刘宋].后汉书(445),卷一〇八,蔡伦传.二十五史缩印本,第2册.上海:上海古籍出版社,1986.262

确的,而且还得到考古实践的证实。

按实践是检验真理的唯一标准来看,古人的记载是否正确,要看能否经受考古实践的检验。从理论上讲,造纸是一种集体劳动,不是一个人能完成的,也不可能由某个个人在某一天突然发明。纸应当是秦汉之际先民寻找替代帛简的新型书写材料的技术探索过程中产生的。由于在封建社会工匠社会地位低下,很少能载入史册,他们的技术创造常被系在某些王侯将相之名下,如毛笔被认为是秦代将军蒙恬所发明,纸的发明便归于东汉龙亭侯蔡伦,诸如此类。但1954年湖南长沙楚墓中发现战国时代的毛笔,近些年来蔡伦前古纸又陆续出土,《千字文》中"伦纸恬笔"之说就需要根据考古发现加以修正。今天已很少有人再相信蒙恬发明笔,却仍有人信奉蔡伦发明纸,这就不可不辨。

20世纪以来,由于中国境内考古发掘工作的开展,为解决造纸术起源问题提供了大量实物资料,这是南北朝至唐宋时人所不曾看到的。因此能用实物资料判断关于造纸起源的两派学术观点间千年争议之是非。1933年,考古学家黄文弼(1893～1966)博士在新疆罗布淖尔汉代烽燧亭遗址的考古发掘中,首次发现一片西汉所造的古纸(图16)。他在《罗布淖尔考古记》(1948)中,谈到该出土纸时报道说:

> 麻纸:麻质,白色,作方块薄片,四周不完整。长约4.0 cm,宽约10.0 cm。质甚粗糙,不匀净,纸面尚存麻筋,盖为初造纸时所作,故不精细也。按此纸出罗布淖尔古烽燧亭中,同时出土者有黄龙元年(前49)之木简,黄龙为汉宣帝(前73～前49)年号,则此纸亦当为西汉故物也。①

图 16
1933 年新疆罗布淖尔出土的西汉麻纸(前49),取自黄文弼(1948)

黄先生接下引范晔《后汉书·蔡伦传》及同书《外戚传》后,做出结论说:"据此,是西汉时已有纸可书矣。今予又得实物上之证明,是西汉有纸,毫无可疑。

---

① 黄文弼. 罗布淖尔考古记. 北平,1948. 168

不过西汉时纸较粗,而蔡伦所作更为精细耳。"①黄文弼根据这一考古发现最先做出蔡伦前西汉已有植物纤维纸的科学结论。可惜,1937年抗日战争爆发后,这批新疆出土文物从南京原中央博物馆迁至武汉时皆毁于日军战火,幸而发掘报告底稿和纸的照片尚存黄先生手中,至1948年才付印发表。

1942年秋,考古学家劳榦博士和石璋如两先生在甘肃额济纳河沿岸汉代居延地区(今内蒙古额济纳旗境内)清理瑞典人贝格曼(Folke Bergman)发掘过的遗址时,在查科尔帖烽燧下挖出一张汉代字纸。这里是贝格曼发现78枚汉简之处,木简大部分为永元五至七年(93~95)兵器册,还有永元十年(98)邮驿记录②。纸埋在未掘过的土下面,"其埋到地下比永元十年的简要早些"③。此纸经同济大学生物学系主任吴印禅鉴定为植物纤维纸。劳先生将其称作"居延纸";考虑到后来居延又出土纸,为免混淆,我们改称其为"查科尔帖纸"。纸上有50字,共8行,可辨者为"不……石巨/每囗器……/掾公(?)囗迺(乃)……/县官转易又囗善/是囗……挂(?)……意(?)……也……"(图17)。

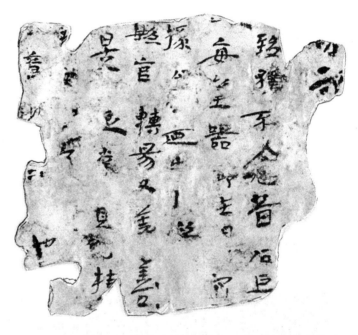

图17
1942年内蒙古查科尔帖出土的西汉字纸,台北历史语言研究所藏

看来这是讨论兵器转运的公事文件,因公元前后二百年间汉与匈奴长期交兵,而查科尔帖是汉作战前线士兵屯驻重要地点。1975年劳榦指出:"与其讨论居延纸(查科尔帖纸)的时代,下限可以到永元(93~98),上限还是可以上溯至昭、宣(前89~前49)……因为居延这一带发现过的木简,永元兵器册是时代最晚的一套编册。其余各简的最大多数都在西汉时代,尤其是昭帝和宣

---

① 黄文弼. 罗布淖尔考古记. 北平,1948. 168
② Bergman F. Archaeological researches in Sinkiang. In: Reports of the Sino-Swedish Expedition to Northwest China, vol. 4. 1939. 140
③ 劳榦. 论中国造纸术之原始. 历史语言研究所集刊. 1948(19):489~498

帝时期。"①因此劳榦和黄文弼这两位考古界前辈学者对造纸时间的意见是一致的。

1957年5月,陕西西安灞桥区砖瓦厂工地发现铜镜、铜剑等物,次日省博物馆派人前往调查,将近百件文物收归馆藏,查清这批文物出于一南北向土室墓中。在三弦纽青铜镜下粘有麻布,布下有数层纸,揭下已裂成碎片,较大者8 cm×12 cm。布与纸均有铜锈绿斑②。这就是闻名的灞桥纸(图18)。除此墓外,周围无其他墓葬和建筑遗址,考古学家根据出土器物组合与其余已知年代的墓葬器物对比,认为灞桥墓葬器物年代不会晚于西汉武帝(前140～前87)③。但最初发表简报时,未及对纸化验,一度认为"类似丝质纤维作成的纸"。1964年我们对该纸化验后,确认是麻类植物纤维纸④,从而表明它是当时最早的纸。

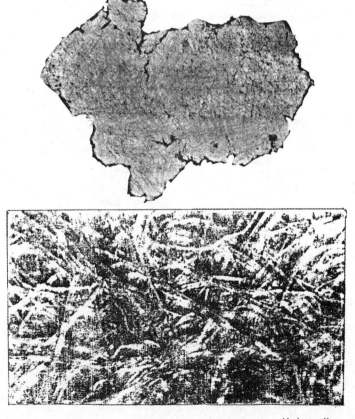

放大10倍

图18
1957年西安灞桥出土的西汉麻纸(前140～前87),上图取自程学华(1957),下图由潘吉星提供(1987)

---

① 劳榦.中国古代书史后序.见:钱存训.中国古代书史.香港:中文大学出版社,1975.183～184
② 田野(程学华).陕西省灞桥发现西汉的纸.文物参考资料,1957(7):78～81
③ 程学华.西汉灞桥纸的断代与有关情况的说明.科技史文集,第15辑.上海:上海科学技术出版社,1989.17～22
④ 潘吉星.世界上最早的植物纤维纸.文物,1964(11):48～49;化学通报,1974(5):45～47

2. 20世纪70~90年代出土的西汉麻纸

1973年,甘肃省长城考古队在该省北额济纳河东岸汉代肩水金关军事哨所遗址,作有计划的科学发掘,清理出纪年木简、绢片、麻布、笔砚和麻纸等物。这里从汉武帝时就有大规模军事活动,一直延续到西汉末才废置。出土古纸两片,一号纸(原编号EJT1:11)出于居住区,白色,展平后为21 cm×19 cm,同土层木简多昭、宣时期,最晚为宣帝甘露二年(前52),纸薄而质匀(图19)。二号纸(原编号EJT30:3)出于居室东侧,暗黄色,11.5 cm×9 cm,较粗糙,土层属于平帝建平年(前6)①。金关纸出于西汉驻军遗址,考古界认为出土地点清楚,遗址中各部位明确,文物堆积有土层层位关系②,又是专业考古队有计划发掘,各文物断代是科学的。

图19
1973年甘肃居延金关出土的西汉麻纸(前52),取自《文物》,1979(1)

1978年12月,陕西扶风县太白乡中颜村兴修水利时,发现汉代建筑遗址,在瓦片堆积层下圆形坑穴内有一窖藏陶罐,其中装满铜器、半两钱、四铢钱和五铢钱等九十多件文物。铜器中包括漆器装饰件铜泡(圆帽铜钉),其中塞有古纸,展平后最大片为6.8 cm×7.2 cm,白色,柔韧,带铜锈绿斑。经专家对器物鉴定后,认为盛窖藏的大陶罐为宣帝(前73~前49)前后之物,铜币属文帝至平帝之间,而纸的年代上限为宣帝至平帝之间,不迟于平帝(1~5)。中颜纸考古发掘的土层明确,又是完整的西汉窖藏文物,没受任何外来扰动,依然保持窖藏时的原有状态。③

1979年10月,甘肃省长城联合调查组在古丝绸之路上的名城敦煌西北95 km处的马圈湾西汉驻军遗址,作了大规模发掘。此处驻军始自汉武帝,宣帝时为最盛期,到新莽(8~23)地皇二年(21)尽行废弃。遗址保存完好,出土文物337种,包括丝毛织物、五铢钱、铁器、铜箭头、取火器、印章、木尺、笔砚、麻纸及

---
① 初师宾,任步云. 居延汉代遗址和新出土的简册文物. 文物,1979(1):6
② 徐苹芳. 居延考古发掘的新收获. 文物,1978(1):26
③ 罗西章. 陕西扶风县中颜村发现西汉窖藏铜器和古纸. 文物,1978(9):17~20

木简1 217枚。麻纸5件8片(图20)。纸Ⅰ(原编号 T12:47)为黄色粗纸，32 cm×20 cm，四边清晰，是迄今发现最完整的一张汉纸，同一土层木简年代为前65～前50年。纸Ⅱ(原编号T10:06)及纸Ⅲ(T9:26)共4片，质地细，但被畜粪污染成土黄色，同一探方纪年木简为公元前32～公元5年。纸Ⅳ(T9:25)白色，质地匀细；纸Ⅴ(T12:18)共2片，质地好。与后二纸同出纪年木简属新莽(8～23)时期①。

图 20
1979年敦煌马圈湾出土的西汉麻纸，取自《文物》，1981(10)

1986年6～9月，甘肃考古学家在天水市郊放马滩的战国、秦汉墓群近11 000 m²的大面积发掘中，在5号汉墓中发现陶器、漆器、木器及纸等文物。纸上绘有地图(M5:5)，残存5.6 cm×2.8 cm，置于死者胸部②。纸呈黄色，表面沾有污点，用细黑线条绘有山川、道路等，绘法接近1973年长沙马王堆三号汉墓(前168)出土的帛质地图③。放马滩5号汉墓墓葬结构与秦墓同，葬器特点接近陕西、湖北云梦等地早期汉墓之同类物，因此考古学家将该墓时代定为文、景时期(前179～前141)。这是迄今最早的纸质地图(图21)。

1990年10月至1992年12月，甘肃省考古研究所考古学家在敦煌东北64 km处甜水井一带的戈壁大沙漠中，在汉悬泉置遗址进行大规模发掘。只在2.25万m²范围内的发掘中就发现木简3.5万枚、纸460片，另有陶器、漆器、木器及丝绸等近7万件④。所有文物堆积的土层层次十分清晰，土层中的纸有纪

---

① 岳邦湖，吴礽骧. 敦煌马圈湾汉代烽燧遗址发掘简报. 文物，1981(10):1～8
② 何双全. 甘肃天水放马滩秦汉墓群的发掘. 文物，1989(2):1～11,31
③ 马王堆汉墓帛书整理小组. 长沙马王堆三号汉墓出土地图的整理. 文物，1975(2):35～48
④ 何双全. 甘肃悬泉置遗址的发掘简报. 文物，2000(5):4～20

年木简伴出,可准确断代。有字的西汉纸有数片,其中 T0212④:1 号的纸白色,18 cm×12 cm,写有隶书"付子"二字,年代为武、昭(前 140～前 74)时期(图 22 上)。编号 T0114③:609 的纸黄间白色,3.5 cm×7 cm,写有草隶"☒持书来//☒致啬☒",质细而薄,年代为宣、成(前 73～前 7),表面平滑(图 22 下)。

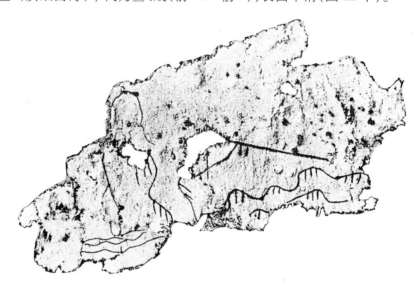

图 21
1986 年天水市放马滩出土的西汉地图纸(前 176～前 140),取自《文物》,1989(2)

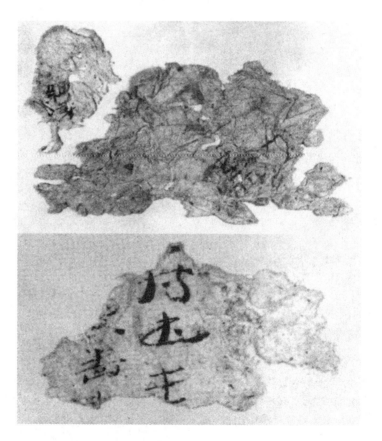

图 22
1990～1992 年敦煌悬泉置出土的西汉字纸,取自《文物》,2000(5)

现将西汉纸出土情况汇总于下表:

表 4　西汉古纸历年出土情况

序号	纸名	纸的年代（公元）	出土年代	出土地点	尺寸(cm)	外观描述
Ⅰ	Ⅱ	Ⅲ	Ⅳ	Ⅴ	Ⅵ	Ⅶ
1	罗布淖尔纸	前73～前49	1933	新疆罗布淖汉烽燧遗址	4×10	白色，薄纸，质地粗糙，纸上纤维束及未打散的麻筋较多
2	查科尔帖纸	前89～公元77	1942	甘肃额济纳河东岸查科尔帖汉烽燧遗址	10×11.3	纸上有文字8行，共50字，可辨认出20字，纸黄间灰色
3	灞桥纸	前140～前87	1957	陕西西安灞桥汉代葬区	8×12	浅黄色，薄纸，多层叠压在铜镜下，揭裂成88片，纤维束较多，交织不匀，纸上有铜锈绿斑
4	金关纸-Ⅰ	前52	1973	甘肃额济纳河东岸汉金关屯戍遗址	21×19	白色，质地细，强度大，纤维束较少
5	金关纸-Ⅱ	前6	1973	甘肃额济纳河东岸汉金关屯戍遗址	11.5×9	暗黄色，质地较粗糙
6	中颜纸	1～5	1978	陕西扶风中颜村汉建筑遗址	6.8×7.2	白色柔韧，纸较好，纸上可见帘纹，此纸与其他文物为窖藏品
7	马圈湾纸-Ⅰ	前65～前50	1979	甘肃敦煌马圈湾汉屯戍遗址	32×20	黄色，较粗糙，四周有自然边缘，是最完整的一张纸，尺寸为原大
8	马圈湾纸-Ⅲ	前32～前1	1979	甘肃敦煌马圈湾汉屯戍遗址	9.5×16	共2片，原白色，污染成土黄色，个别部位仍色白，制作精细
9	马圈湾纸-Ⅳ	1～5	1979	甘肃敦煌马圈湾汉屯戍遗址	9×15.5	白色，质细，纤维束少，纸帘纹明显
10	马圈湾纸-Ⅴ	8～23	1979	甘肃敦煌马圈湾汉屯戍遗址	17.5×18.5	白色，质细，纤维束少，强度较大
11	放马滩纸	前179～前141	1986	甘肃天水放马滩汉代墓葬区	5.6×2.8	出土时黄色，现褪成黄间浅灰色，纸薄而软，纸上绘有地图，表面有污点
12	悬泉置纸-Ⅰ	前140～前74	1990～1992	甘肃敦煌甜水井汉悬泉置遗址	18×12	白色，质地好，写有文字
13	悬泉置纸-Ⅱ	前73～前7	1990～1992	甘肃敦煌甜水井汉悬泉置遗址	3.5×7	白色间浅黄色，纤维细，质地好，纸上有文字，纸面有帘纹，帘条纹粗0.3 mm，纸薄，厚0.286 mm
14	悬泉置纸-Ⅲ	前140～前74	1990～1992	甘肃敦煌甜水井汉悬泉置遗址	13.5×7	浅黄色，稍厚，纸上有文字，纸较好
15	悬泉置纸-Ⅳ	前140～前74	1990～1992	甘肃敦煌甜水井汉悬泉置遗址	3.7×4	浅黄色，稍厚，纸上写有文字

说明：查科尔帖纸年代上限为公元前89年，下限为公元97年，即西汉中后期至东汉初期。

综上所述,20世纪以来中国在1933,1942,1957,1973,1978,1979,1986及1990年先后8次在新疆、甘肃、陕西等省、区不同地点出土蔡伦前的古纸,从汉文帝、景帝以下到新莽为止,几乎西汉历代皇帝在位时的纸都可看到。除空白纸外,还有绘出地图和写有字的纸,无字纸亦当能书写。这些实物资料证明公元前2世纪中国已发明纸,并非蔡伦于公元2世纪所发明。

3. 蔡伦前中国用纸的文献记载

除考古发现外,还有一些关于蔡伦前用纸的文献记载,可供参考。唐宋人引用过的4世纪晋人所著《三辅旧事》或《三辅故事》,曾提到汉武帝时用纸的故事。其中说:

> 卫太子大鼻。武帝病,太子入省。江充曰:上恶大鼻,当持纸蔽其鼻而入。①

此事发生于武帝晚年之征和二年(前91),帝病于甘泉之时。内侍江充与太子刘据(前128～前91)平时有隙,为谋害太子,让他探父皇时以麻纸遮住鼻子入内,但武帝并未因此而发怒,太子遂杀江充。这是古书有关用纸的早期记载。考虑到汉初放马滩纸、灞桥纸的出土,上述记载不能说是无稽之谈,汉代正是帛、简与纸、简并用时期。如前所述,已故汉代史专家陈直在居延西汉中晚期(前1世纪)木简中,发现有一枚简上写着"官写氏"之字句,他认为"氏即纸字省文"②,这句应读作"官写纸"。就是说,在西汉木简上已有用纸写字的最早文献记载了。陈先生做出一个重要发现,他的解释是正确的。中国最早的字典《说文解字》(100)就称"纸"从"糸"旁,发声从"氏",按六书中形声原则造出的。"氏"或氐读 zhǐ,确是"纸"的简体字。前1世纪木简上出现"纸"的简体,则纸字在西汉初(前2世纪)便已使用,用来表示放马滩纸这类新型书写材料。

《汉书·外戚传》载,鸿嘉三年(前18)汉成帝立赵飞燕为皇后,她与妹赵昭仪却多年无子。元延元年(前12)后宫曹伟能却早生皇子,遭赵昭仪嫉恨。儿生十日,便将产妇打入后宫狱中,并遣狱丞籍武将两丸毒药用小张薄纸包好,装入小绿箧中,强令曹伟能服之,将其害死。原文说:"客复持诏,记封如前,予(籍)武。中有封小绿箧,记曰:告武,从箧中物、书予狱中妇人。武自临饮之(监视曹伟能饮之)。武发(打开)箧,中**有裹药二枚赫蹏**(tí),书曰:告伟能,努力饮此药,不可复入,汝自知之。"③东汉人应劭(140～206 在世)《汉书集解音义》解释说:"**赫蹏,薄小纸也**。"蹏为蹄的异体字,汉代将薄麻纸裁成小幅作便条用,称为"赫

---

① 张澍[清]辑.三辅故事.二酉堂丛书本,1820.7
② 陈直.汉书新证.天津:天津人民出版社,1979.467～468
③ 班固[汉]著.颜师古[唐]注.汉书(83),卷九十七下,孝成赵皇后传.二十五史缩印本,第1册.上海:上海古籍出版社,1986.370

蹄",这可能是方言。"裹药二枚赫蹄"应读作"赫蹄裹药二枚"。公元前12年使用的这种赫蹄纸既能包装又能写字。过去人们猜测它是"絮纸"是缺乏根据的,历史上并无"絮纸"①。此处乃指麻纸,比马圈湾纸Ⅲ薄些,都制于成帝时期。

西汉宣帝至王莽时期麻纸文书档案已有一定积累,以至东汉开国皇帝刘秀(前61~公元57)及时接收这些比黄金还珍贵的文化财富,运往洛阳宫中。《汉书·光武帝纪》载,建武元年六月二十二日(公元25年8月5日)刘秀即帝位于鄗(今河南高邑),"冬十月癸丑(11月27日),车驾入洛阳,幸南宫却非殿,遂定都焉。"②但没说明车队载的是什么。唐人马总《意林》卷四引东汉人应劭《风俗通义》(175)对此作了补充:"光武车驾徙都洛阳,载素、简、**纸**经凡二千辆。"③这些分别写在缣帛、简牍和麻纸三种材料上的西汉典籍和文书档案用2 000辆车于公元25年11月运入洛阳宫中,作为内府的第一批藏书。光武帝之所以看重这批典籍,是因他在新王朝制订典章制度、法令,发展文教方面要加以参考。

光武帝像王莽一样喜欢用纸为书写材料。他即位初设置尚书台,便与用纸有关。西汉成帝初(前32)将掌管诏令、文书的尚书令分为吏、民、客等四曹,光武帝于公元25年对此加以扩充,提高其职能作用,增为六曹,由六曹尚书组成尚书台,成为国家政务中枢机构。因处于宫内殿阁中,又称中台或台阁。据《后汉书·百官志》,协助尚书令的右丞"假署印绶及**纸**、笔、墨诸财用库藏",掌管印章及宫内库藏纸、笔、墨等物调拨。少府还设守宫令,"主御用**纸**、笔、墨及尚书财用诸物及封泥"。④ 这说明东汉自建国时(公元25年)起即明文规定以纸为皇帝和内府书写材料,掌管供应纸的守宫令一人,俸600石(dàn),右丞一人,俸400石。注意:这是在蔡伦出生三十多年前发生的事,因为在《后汉书》中明确说这是世祖(光武帝)在开国初时下令作的。

光武帝去世后,皇太子刘庄即位,是为明帝(57~75)。明帝及章帝(76~88)都继承光武事业,整顿吏治,减轻赋税,兴修水利,发展文教,东汉初六十多年似乎是西汉初兴盛局面的再现。史载明帝时贾逵(29~101)献上《左氏传》及《国语解诂》,受到重视,帝命写藏于秘馆。章帝建初元年(76)诏贾逵入讲北宫白虎观,又"令逵自选公羊、严、颜(之学)及诸生高材者二十人,教以《左氏(传)》,与简、**纸**经传各一通"⑤。唐章怀太子李贤(654~684)注曰:"竹简与**纸**也"。此处讲公元76年章帝命经学家贾逵以战国人公羊高、西汉人严彭祖及颜安乐注释的《春秋左氏传》编成教材,教诸生高材者20人习之,给每

---

① 潘吉星. 历史上有絮纸吗? 见:技术史丛谈. 北京:科学出版社,1987. 80~87
② 范晔[刘宋]. 后汉书(445),卷一上,光武帝纪. 二十五史缩印本,第2册. 上海:上海古籍出版社,1986. 7
③ 马总[唐]. 意林. 卷四,笔记小说大观本,第1册. 扬州:广陵古籍刻印社,1983. 201
④ 范晔[刘宋]. 后汉书(445),卷卅六,百官志. 二十五史缩印本,第2册. 上海:上海古籍出版社,1986. 80~81
⑤ 范晔[刘宋]. 后汉书(445),卷六十六,贾逵传. 二十五史缩印本第2册. 上海:上海古籍出版社,1986. 152~153

人以竹简和纸写成的经传各一套,以表示注重这门学问。可见东汉初儒家典籍已有纸写本。

以上所述1933~1990年历次考古发掘的西汉纸,都有考古学家执笔的发掘报告正式发表。报告中叙述了纸的出土情况、断代依据,并公布了纸的照片。除灞桥纸不是有意发掘而属工地清理外,其余各纸都是考古学家用科学方法对汉代遗址、墓葬有计划发掘的产物,且依遗址地层、墓葬结构、同出纪年木简、铜钱及其余伴出器物形制,结合文献考证、与已知年代其余墓葬器物组合的比较,而对各纸做出断代的。这些断代在历史、文物和考古界已达成共识,当无可怀疑。

而以上所引的蔡伦前用纸的文献记载,来自出土木简、汉人及魏晋人史书,还包括《汉书》《后汉书》这类"正史"。文献记载和考古发现证明,蔡伦之前已有纸。张揖、范晔及其观点的追随者,其实也意识到蔡伦以前有纸,不过他们认定这种纸只能是缣帛,而这种将丝织物当成纸是认识上的错误。蔡伦前的纸究竟是否为缣帛?这个问题通过对出土古纸的显微分析化验,即可解决。

4. 对出土西汉纸的分析化验

上述历次出土的西汉纸的年代,已由考古学家用考古学方法确定。为解决造纸术起源问题,还需将考古发掘与对出土古纸的分析化验结合起来,才能奏效。以往的纸史争议之所以长期未得满意结果,就是因为没有条件实现这一结合。而分析化验所得出的结果,还要根据纸的定义和判断是否为纸的技术特征,来判断化验样品是否为纸。这些工作可对考古学家发掘的古纸做出科学鉴定,提供其何以为纸的论据。对出土古纸的化验在中国已于20世纪40年代开始,但只针对个别样品。对出土纸的深层次研究是从60年代初展开的。

笔者有幸,从1964年以来对1957~1990年间6次出土的西汉纸做了系统分析化验,每次都是与有关考古学家密切配合进行的。化验时,又与其他科学工作者共同合作。采用的方法是,先用相关仪器对各纸样作宏观检测,求得其平均厚度、白度、基重及紧度等技术数据,以高倍放大镜观察纸的外观形态特征。再将纸样上的纤维剥离出来,染色后制成封片,进行微观检测。以高倍光学显微镜或扫描电子显微镜观察纤维离析景象,判断纤维种类,测出纤维最大最小长宽度、平均长宽度、打浆度,拍摄纤维显微离析图片。每种样品事先作秘密编号,检测者只知编号,不知检测对象是什么,只记录仪器显示结果。每种检测都至少重复两次,由不同人员轮换操作,且有人从旁监测。

与此同时,还以同样手续对已知的并经专家鉴定过的大麻、苎麻、亚麻、黄麻、楮皮、桑皮等纤维样品及已知年代的古代麻纸、皮纸以及现代纸样品作平行对比化验。对样品同样作秘密编号,检测者认号不认物。对以上各项重要检测内容,我们分别在国内外5个专业研究所进行检测,对检测结果进行校正处理。之所以采取这一措施,是为了避免主观因素,以便对样品做出客观检测。现将检测结果公布如下：

表5　蔡伦前出土古纸之分析化验结果

序号	纸名	纸的年代（公元）	原料	厚度（mm）	基重（g/m²）	紧度（g/cm³）	白度（%）	纤维平均长（mm）	纤维平均宽（$\mu=10^{-3}$mm）
		I	II	III	IV	V	VI	VII	VIII	IX
1	灞桥纸	前140～前87	麻	0.10	29.2	0.29	25	0.88	25.55
2	金关纸-I	前52	麻	0.22	61.7	0.28	40	2.10	18.73
3	中颜纸	1～5	麻	0.22	61.9	0.28	43	2.12	20.26
4	马圈湾纸-V	8～23	麻	0.29	95.1	0.33	42	1.93	18.18
5	模拟西汉纸	1965	麻	0.14	38.9	0.28	42	2.85	22.10
6	凤翔麻纸	1980	麻	0.10	38.5	0.45	45	1.56	20.89

表6　三种出土西汉纸的分析化验结果

序号	纸名	纸的年代（公元）	原料	厚度（mm）	基重（g/m²）	紧度（g/cm³）	白度	纤维平均长（mm）	纤维平均宽（$\mu=10^{-3}$mm）
		I	II	III	IV	V	VI	VII	VIII	IX
1	灞桥纸	前140～前87	麻	0.085	21.0	0.25	25	1.05	18
2	金关纸	前52	麻	0.25	63.8	0.26	40	1.03	17
3	中颜纸	1～5	麻	0.23	58.4	0.262	40	1.29	19

从纵剖面、横切面和纤维整装的高倍显微景象中，我们看到纸样纤维细胞中多呈单横轴移位(axial dislocation)节，双边缘及双中心轴移位少见。细胞中水平横裂隙(horizontal transverse crevasse)有规则地、约等距离地出现，水平横裂隙之间有少数单向裂隙，轴移位节上有少数不规则裂隙(图23 A及B)，纵裂隙(longitudinal crevasse)较多而显著。纹孔稀少，与裂隙相混。纤维细胞宽度的变化中，除轴移位节这个特点外，中部宽度匀一，几乎无变化，但至两端开始变尖，呈钝尖形(图23 D)，这是另一特点[①]。

---

① Sindall R W. Paper Technology: An Elementary Manual on the Manufacture, Physical Qualities and Chemical Constituents of Paper and Papermaking Fibres. 3rd ed. London: Griffin, 1920. 201

另一方面,纤维横向切面多呈三角形(图 24A~F),间亦有多角形(图 24 G~P)。细胞壁较厚,具层次结构,各层中有多数小纤维(图 24 A,G,J)。胞腔形状多样,但以椭圆形为多(图 24 A~C,G~I,O~P)。在多角形横切口上,有一棱突出于周边之外,形成平面观显著可见的轴线。所有上述特点,都与桑科一年生草本大麻(*Cannabis sativa*)纤维的特征相符①。纤维平均宽 18μ~26μ ($1\mu = 10^{-3}$ mm),这个数据也符合大麻宽度的变化幅度(7μ~32μ)。但还发现有些纤维特征与作平行对比观察的已知荨麻科多年生草本苎麻(*Boehmeria nivea*)纤维相同。因此可以说,古纸原料成分为大麻及苎麻纤维。不但经详细化验的灞桥纸如此,其余西汉纸都是如此。大麻和苎麻自古以来产于中国。

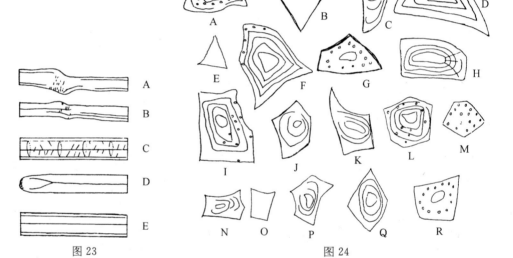

图 23
西汉纸麻纤维细胞纵剖面显微分析景象,潘吉星提供(1964)

图 24
西汉纸麻纤维细胞横切面显微分析景象,潘吉星提供(1964)

各种纸样经中国纺织科学研究院专家复查,没有发现任何样品中含有丝纤维,只观察到麻纤维。我们还注意到各纸样上都有未打散的小麻线头,与纸上纤维成分相同,说明造纸原料是破麻布。显微镜下观察,麻纤维纯度较高,杂细胞较少,与含有大量杂质的生麻纤维不同,说明原料经过提纯。纸样纤维也不同于一般麻布纤维,因织布前经沤制脱胶后未经蒸煮,仍含杂质。将西汉麻纸与唐代麻纸纤维在显微镜下作对比观察,发现西汉纸纤维在纯度上与后世纸相差不大。镜下所见非纤维颗粒多为砂土粒,是出土时随纸带入的。白度指标测定表明,灞桥纸及部分马圈湾纸白度低些(25%),其他西汉纸白度为 40%~45%。这说明已排除原料中的有色杂质或染色质。纤维纯度及白度的提高有赖于对原料破布以草木灰水蒸煮。我们的模拟实验也证明,麻料不经草木灰水蒸煮,白度是很难提高的。白度低的纸是因蒸煮效率不高所致②。

---

① 潘吉星. 中国造纸技术史稿. 北京:文物出版社,1979.165~168
② 潘吉星,苗俊英,张金英等. 对四次出土西汉纸的综合分析化验. 天津:天津造纸研究所,1981-08

西汉纸纤维平均长 0.9 mm～2.2 mm,最大长(占 1‰)10 mm,0.5 mm～1.9 mm长的纤维占 50%以上。未经处理过的大麻生纤维平均长 15 mm～25 mm,苎麻生纤维平均长 120 mm～180 mm。两相对比,有几十倍至几百倍之差,说明造纸用的纤维是经切断、打短手续处理过的。不可能因自然腐溃而变短,我们没有观察到这种现象。纸上虽有未打散的麻绳头,但都被切短,显微镜下甚至能看到切口。在被观察的所有西汉纸上,没有见到任何样品上有长于 15 mm 的纤维束或绳头。即令有短纤维束或麻头,也只是少数。

在放大镜和显微镜下观察出土西汉纸整个表面,不管是正面还是背面,都可以发现构成其基本结构成分是分散的单独纤维,作纵横不定向交织(图 25～28)。这是植物纤维纸的重要微观物理结构特征,而与缣帛、莎草片和树皮毡(tapa)根本不同。虽然在个别部位上可以看到纤维作同向排列的,但这只属于局部现象,不能以此代替整体。各纸的平均厚度为 0.1 mm～2.9 mm,一般 0.2 mm～0.25 mm。都有一定的机械强度,从样品上剥离纤维时,要施力才能剥开,将样品撕碎也要施力。其紧度为 0.28 g/cm^3～0.33 g/cm^3),而现代陕西凤翔手工造麻纸紧度为 0.44 g/cm^3。这都说明西汉出土纸符合手工纸的技术要求,不是所谓纤维自然堆积物。后者不可能有 0.2 mm～0.25 mm 的平均厚度,也不可能有 0.28 g/cm^3～0.33 g/cm^3 的紧度和机械强度[1]。

在显微镜下观察各西汉纸样,灞桥纸纤维细胞未遇强力机械破坏,总的说帚化(fibrillation)或细纤维化程度不高,但仍能看到样品中有压溃、帚化纤维的存在(图 26)。其余西汉纸纤维都有明显的帚化现象。如金关纸、马圈湾纸和中颜纸已帚化的纤维占纤维总度的 40%,打浆度约 50°SR(图 27、28)。从技术上判断,其所以如此,是因为麻纤维原料事先经切短,再经草木灰水蒸煮而变得柔软,最后又受到强力机械舂捣,才能帚化。否则,就不可能产生这种现象。灞桥纸在制造过程中经受切短和舂捣,但蒸煮不足,因而白度及帚化度低。

有时人们习惯于用后世手工纸帘纹衡量西汉纸,似乎帘纹不显就意味着未经抄造。这是个认识误区。其实不论是早期还是后世,抄纸都可用两种工具进行:一是用织纹纸模(woven mould)抄纸,则不见帘纹,而有明显或不明显的织纹。二是用帘纹纸模,则抄出之纸呈帘纹。如金关纸有明显织纹,是以织纹模抄造。中颜纸、马圈湾纸、悬泉置纸有**帘纹**,是帘纹模抄造。我们在编号 57-540 的 **16 片灞桥纸**中,发现有三四片呈**粗帘纹**,每纹粗 2 mm,**这就是抄造的铁证**。有的纸看不清模纹,或因过薄、过厚,或因受到研光所致,不等于说未经抄造。

借用当代检测手段对出土西汉纸样品逐一并反复地客观检验,获得一系列技术数据。观察到上述各种现象后,再将这些数据和现象综合在一起,从造纸工艺学角度加以通盘思考与解释,使我们导出以下化验结论:所有西汉古纸都是以

---

[1] 潘吉星.从考古发现看造纸术起源.中国造纸,1985,4(2):56～59;Pan Jixing. On the origin of papermaking in the light of newest archaeological discoveries. Bulletin of the International Association of Paper Historians (Basel),1981,15(2):38～47

图 25
西汉灞桥纸纤维在扫描电子显微镜下的照片×100,潘吉星提供(1988)

图 26
西汉灞桥纸纤维在扫描电子显微镜下的照片×100,潘吉星提供(1988)

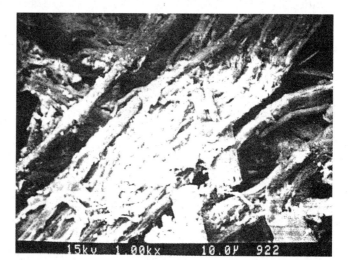

图 27
西汉金关纸纤维在扫描电子显微镜下的照片×300,潘吉星提供(1988)

破麻布为原料,经过切碎→洗涤→草木灰水蒸煮→洗涤→机械舂捣→以织纹或帘纹模具抄造→干燥等基本工序而制成,因而从其外观、物理结构、技术指标和性能上看,都是真正的植物纤维纸。它们在各工序加工过程中有精粗之别,因而质地分高下,各有不同用途,但都属纸的范畴①。灞桥纸纤维帚化及白度低,自有其所用,仍不失为纸。国内其他专家②③化验后,得出与此基本相同的结论。

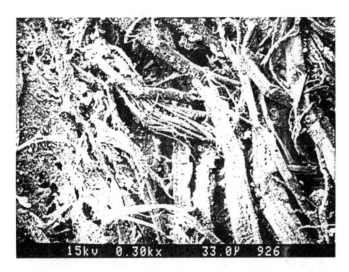

图 28
西汉马圈湾纸纤维在扫描电子显微镜下的照片×100,潘吉星提供(1988)

5. 早期造纸技术

从公元前 2 世纪起的近千年间,麻纸是主要的纸种,根据对出土西汉纸的分析化验结果,已能对其制造技术做出基本的判断。由于古书中对麻纸制造技术的记载甚少,如需了解其技术过程细节和所需工具、设备,进而复原其工艺,还需要对尚存于民间用手工方式造麻纸的技术作实地调查,因为民间麻纸技术是从古代发展过来的,必定包含古代的某些基本因素,了解事物的现在有助于了解其过去。为此,1965 年我们从陕西凤翔手工麻纸厂得知其制造工序如下:

(1)浸湿破麻布→(2)切碎→(3)碾料→(4)水洗→(5)将麻料与石灰水共碾→(6)麻料与石灰浆堆放一段时间→(7)麻料与灰浆共行蒸煮→(8)水洗→(9)碾细→(10)水洗→(11)配纸浆→(12)捞纸→(13)压榨去水→(14)晒纸→(15)揭纸→(16)整理打包。

上述工艺流程有 16 道工序。早期麻纸未必有这么多工序,但有些工序却是必不可少的,如切碎、舂捣、抄造等。因为原料破布、麻绳的大小、形状不一,不事先切成大体一致的小块难以作任何处理。但只靠切碎得不到造纸用的分散纤维,必须以石臼、踏碓等将麻料捣碎,才能最后成浆。由于原料破布有不同颜色,必须实行脱色,对造纸有害的杂质必须除去,而原料只有经过化学腐蚀才能捣

---

① 潘吉星.中国科学技术史·造纸与印刷卷.北京:科学出版社,1998.57～60,64～69
② 刘仁庆,胡玉熹.中国古纸的初步研究.文物,1976(5):74～79
③ 许鸣岐.中国古代造纸起源史研究.上海:上海交通大学出版社,1991.69

细,这就要对麻料进行碱液蒸煮,同时,纸浆不经抄造是不能成纸的。因此早期纸至少需经历下列步骤才能制成:

(1)浸湿破麻布→(2)切碎→(3)水洗→(4)麻料以草木灰水蒸煮→(5)水洗→(6)舂捣→(7)水洗→(8)配纸浆→(9)抄纸→(10)晒纸→(11)揭纸→(12)整理打包。

以上工艺流程包括12道工序,我们按照这一工序,1965年在陕西凤翔麻纸厂做了模拟实验。为与实际生产状况接近,取用破麻布、绳头20 kg~25 kg,以手工方式实际生产用的工具和设备操作,所造出的纸与出土西汉纸接近,应是当时所用的生产过程。用比这简单或复杂的过程所造的纸,都较西汉纸粗糙或精细,或者没有进入纸的范畴,或者接近后世纸。因此上述含12道工序的工艺流程,应当是最能反映早期纸的制造过程①。现将其操作细节及所需工具设备叙述于下:

(1) 原料的机械预处理(浸湿、切碎、水洗):取废旧破麻布、绳头等,称重后放入筐中,在水中浸泡,洗去尘土及泥砂。将浸湿的麻料以利斧切成小块(图29),随时剔除其中金属物、木屑、羽毛、皮革等杂物及腐烂物。切好后,放入筐中,在河水中洗之。

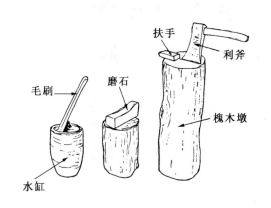

图29 切麻工具,潘吉星绘(1979)

(2) 原料的化学处理(浸草木灰水、蒸煮、水洗):将草木烧成灰,装入竹篮中,以热水浸渍、过滤,即得草木灰水(图30),具有弱碱性。将切碎的麻料以草木灰水浸透,再放入蒸煮锅中,也可再淋入一些石灰水。蒸煮锅为铁制(图31),内装水,锅上放箅子,再在其上置上下开口的木桶。将麻料装入桶中,桶上口以草木灰及麻袋片封之,燃柴薪蒸煮。其目的是脱色、除杂质、提纯纤维,并使之腐蚀变软,以便于舂捣。蒸煮后,将麻料取出,放筐内于河水中洗净,锅内黑液弃去。蒸煮锅分单锅及双锅,后者另有一小锅,利用余热烧成热水,汉代锅灶曾有实物出土。

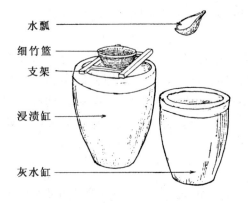

图30 浸渍草木灰水设备,潘吉星绘(1979)

---

① 潘吉星. 从模拟实验看汉代造麻纸技术. 文物,1977(1):51~58

(3) 捣碎麻料(捣料、水洗)：蒸煮后,洗净之料已松软变白,分批放入石臼中捣细(图32),边捣边翻动,直到捣细为止。可用杵臼,也可用踏碓,后者较为省力。舂捣的目的是将纤维轧短、分散成细纤维,抄成紧密的纸。纤维分散情况影响纸的质量,此工序费时、费力。捣碎的麻料还要在河水中漂洗,除去残存的灰粒、泥土等夹杂物。

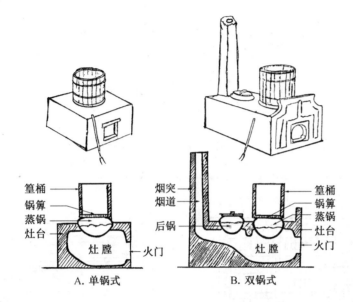

图 31
汉代造纸用蒸煮锅,潘吉星绘(1979)

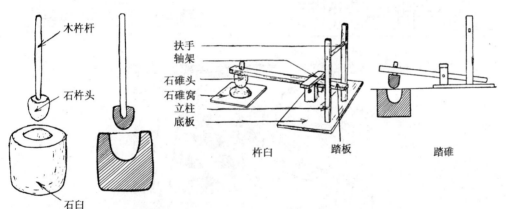

图 32
舂捣麻料设备,潘吉星绘(1979)

(4) 制浆与捞纸：麻料经捣、洗后,呈白色棉絮状,放入长方形木槽中(图33),加入清净的井水或泉水,制成适当稠度的悬浮液即纸浆。再以棍充分搅拌,使纤维在水中漂浮。纸浆太稠或太稀都不好,可取出一勺纸浆,慢慢倒回槽内,以液流中纤维丝丝相联为适度。亦可临时捞出一张纸,看厚度是否合适,再补加纸料或水。模拟实验用的纸模是临时设计的,制成长方形木制框架,再将马尾编成的罗面或竹帘固定在框架上(图34)。以双手持纸模斜向插入浆液(不可太深),来回摇荡,再提起滤水,即成一张湿纸。其厚度取决于浆液稠度及抄造手法。这道工序由经验丰富的工人承当。

(5) 晒纸和揭纸：湿纸成型滤水后，仍保有水分，没有足够强度，必须干燥脱水。用上述固定式纸模捞造，不脱水无法揭下，所以要将其放在外面日晒，自然干燥后揭下。这样造出的纸表面不一定光滑，还要用细石砑光，才能成为成品纸（图 35）。如果造包装纸，当然无需砑光。

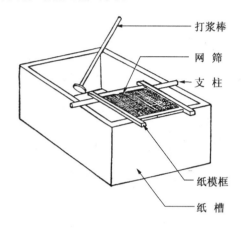

图 33 抄纸槽，潘吉星绘(1979)

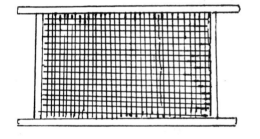 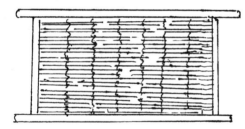

图 34 汉代两种抄纸帘，潘吉星绘(1979)

图 35 砑光纸操作，引自林贻俊(1983)

早期麻纸大体说由这些步骤造成，因操作精粗不同，所造纸的质地也有高下。但从一开始起，纸就通过对原料的机械和化学处理相结合的方法生产。西汉造麻纸的这一技术模式被历代用以造皮纸、竹纸，也被其他国家所效法。用草木灰水作为化学处理的试剂由来已久，先秦时即用于处理蚕丝和洗衣，将其用于造纸是顺理成章的。出土汉纸有帘纹，表明是以竹帘抄造的，但也有的纸呈罗纹。纸帘大小取决于所要造出的纸的幅度，一般说直高为 24 cm～25 cm，横长为 35 cm～55 cm。用固定式纸模，一次只抄一张纸，因此需备许多纸模。后来用活动帘床，使纸帘与框架可合可离，则用一个帘床即可抄千万张纸。现将汉代造麻纸的工艺过程绘制如下：

图 36

汉代造麻纸工艺流程图,潘吉星设计、张孝友绘(1979)

1,3 洗料　2 切料
4 烧制草木灰水
5 蒸煮　6 捣料
7 打槽　8 抄造
9 晒纸、揭纸

三、论蔡伦的历史作用

1. 蔡伦发明纸之说难以成立

通过考古发掘和古纸化验将造纸起源时间由公元 2 世纪初的东汉上溯到公元前 2 世纪的西汉,这本是件好事,说明中国这项发明源远流长,也是对西汉无名的造纸先辈创造性劳动成果的一种应有的肯定。因而,唐宋以来关于造纸起源的千年争议,至此应当划上句号。剩下要讨论的问题是如何重新评价蔡伦的历史作用。

然而考古学家发掘出蔡伦前古纸和我们对古纸的化验结果,受到中国造纸界中某些人的非难,他们由于职业习惯,一直信奉蔡伦是本行业的祖师,不肯放弃其传统观点。为此,要求以《后汉书·蔡伦传》为最高真理准则,来抹杀考古学家对历次出土古纸的断代研究和我们的化验结果,以适应他们的观点需要和行业信仰。他们指责考古学家据葬式葬具、遗址地层关系和有年代特征的伴出器物对出土物断代的通用方法是"不科学的",企图将所有出土西汉纸年代都断在蔡伦之后,理所当然地遭到考古学家的拒绝。还有人宣称灞桥纸和中颜纸上"写有东晋人字体的字迹",以此否定其为西汉纸①,而事实上这纯属虚构。他们还认为灞桥纸是考古人员将一堆乱麻夹在玻璃片中伪制而成②,这是毫无事实根据的诬控。他们用这些手法立论,抗拒考古发现,不但无济于事,反而有失水准和治学的诚信之本,只能产生负面影响。

否定西汉有纸说的人,将目标集中于年代较早的灞桥纸。说其断代只是某位考古人员的个人意见。纤维定向排列者居多,没有帚化现象,"因而不是纸",只是"纤维堆积物"③。而事实上将此纸断为西汉产物,是陕西省文物、考古专家集体讨论的意见,不是个人意见。1964~1988年间,海内外10个科研机构二十多位科学人员化验此纸达10次,一致认为是麻纸,并非一团废麻絮。而金关纸、中颜纸、马圈湾纸、放马滩纸更是典型的植物纤维纸④。关于灞桥纸,日本专家写道:

> 关于世界上最早的纸类实物西安市灞桥出土的纸,学者们有不同意见。有的学者认为它是粗糙的麻纸……另有的学者主张是麻纤维的堆积物……我认为**灞桥纸是纸**,至少我认为它是"纸"这个字创立之际表达该字的那种物。理由是,观察此纸显微照片时,指责它不是纸的人认为多数纤维是长的、按平行的方向排列,但我们可以断定,整体的纤维是杂乱排列的,其中一部分纤维有明显的被切断的痕迹,而纤维被打溃的地方也是可以观察到的……反之,楼兰文书纸确实是用于书写的纸,观察其显微照片也可以看到没有打溃的纤维和原封不动的麻线的纤维。在比灞桥纸晚三百年(魏晋)的纸上还保留着不是纸的部位,可见早期纸加工程度低,因此观察到似乎不是纸的部位,乃是当然的事⑤。

上述论断是科学工作者对古纸化验结果的最为客观的陈述,根据中外多数学者的研究,对历次出土的西汉古纸可以说已没有争论的余地。尤其放马滩地图纸和悬泉置西汉字纸的发现,甚至无需化验就可判断为早期书写用纸。放马滩纸比灞桥纸还早,但质量更好(图21)。日本学者对否定西汉有纸的人有下列评论:自从西汉有纸说在中国发表以来,有人对此说加以缺乏根据的反驳,无非要维护蔡伦是纸的发明者。这是对蔡伦教带有感情的信徒之所作所为。由于感情问题作祟,反对纸的西汉起源说之要旨,只好说"灞桥纸不能以纸定论"⑥。

---

① 荣元恺.西汉麻纸质疑.江西大学学报(社会科学版),1980(2):56~60
② 轻工业部造纸局及中国造纸学会纸史委员会调查组.关于灞桥纸的调查报告.纸史研究,1987(4):11~13
③ 王菊华,李玉华.考古新发现不能否定蔡伦造纸.光明日报,1979-11-06;从几种汉纸的分析鉴定试论中国造纸术的发明.文物,1980(1):80~84
④ 久米康生.出土紙が證言する前漢造紙.百萬塔(東京),1988(70):1~5;又见潘吉星的报道,自然科学史研究.1989,8(4):368
⑤ 增田勝彦.灞橋紙の化驗結果に関する討論.見:樓蘭文書紙と紙の歷史.東京:1988.3;潘吉星への書信(1980-12-08,東京)
⑥ 中山茂.市民のための科学論.東京:社会評論社,1984.44~47

还有人利用我们分析化验的数据,说出土的蔡伦前纸一些技术指标接近现代手工纸,因此怀疑西汉人是否能造出这种纸。我们的回答是,千万不要低估古代工匠的聪明才智和高超技能。只要精工细作,他们造出的精美文物常令现代人叹为观止。如汉人造的鱼洗和透光镜,是现代物理学家很难设计出来的,他们费尽心思才弄清其制造原理。造纸起源是个严肃的学术问题,提出或反驳某种观点,必须以证据为基准,不能带着行业的感情情绪,以虚构和推断代替论据,更不能用行政手段压制不同意见。在科学昌明和提倡学术民主的今天,西汉有纸说虽受到某些人的非议,仍挡不住它获得海内外更多学者的支持。

科学检验已经证明,蔡伦前的西汉书写用纸皆为麻类植物纤维纸,与蔡伦后的纸并没有本质上的不同。而且考古学家又根据考古学研究方法对各个纸样作了科学断代。分析化验还证明,蔡伦前的书写用纸根本不含丝纤维,当然与缣帛有本质上的区别。这就推翻了张揖、范晔等人所谓蔡伦前的古纸为缣帛,而只有到蔡伦才开创以植物纤维造纸的错误说法。我们近40年来对数以千件古纸的系统检验表明,中国的书写用纸从没有以丝质动物纤维为原料,而从西汉初起就一直用植物纤维造纸。对这一历史事实不容有任何怀疑。

纸虽非以丝絮制成,但最初的造纸者却从制丝过程获得技术启示,他们决定以麻絮代替丝絮仿制出类似缣帛的廉价代用品。这是促成造纸的技术思想,原料的取代是关键,只有以麻纤维代替丝纤维,才能使产品便宜下来,并能制成缣帛的替代物。而麻类等植物纤维由于其高分子具有无数羟基(—OH)的化学结构特点,容易产生氢键缔合,使纤维薄片有一定强度并具有可用性。丝素高分子动物纤维的化学结构单元氨基酸(amino acid),相互间以肽键(peptide bonds,

$$-\overset{O}{\underset{\|}{C}}-\overset{H}{\underset{|}{N}}-$$

)相联,与植物纤维不同,形成不了有强度的薄片,除非借胶质粘合。但胶质在加工过程中已被除去,所以用丝絮造不出纸的类似物[1][2][3]。讨论造纸起源时,必须考虑到这些学理。

2. 蔡伦对造纸术的贡献

西汉麻纸制成后不断改进,到东汉中期进入新的发展阶段。汉和帝刘肇(89～105)即位后,永元十四年(102)立邓绥(81～121)为皇后,她是东汉开国功臣邓禹(2～58)孙女,自幼读经史,志在典籍,喜欢用纸。《后汉书》载,"是时万国贡献,竞求珍丽之物。自后即位,悉令禁绝,岁时但供纸、墨而已。"[4]比这更早的记载还有东晋史家袁宏(328～376)的《后汉纪》,其中说:"永元十四年冬十月辛卯立皇后邓氏。后不好玩弄,珠玉之物不过于目。诸家岁供纸、墨,通殷勤而

---

[1] 上村六郎. 支那古代の製紙原料. 和紙研究(京都),1950(14):2
[2] Renker A. Papier und Druck in Fernen Osten. Mainz,1936.9
[3] Alibaux H. L'invention du Papier. Gutenberg-Jahrbuch. Mainz,1939.24
[4] 范晔[刘宋]. 后汉书(445),卷十上,和熹邓皇后传. 二十五史缩印本,第2册. 上海古籍出版社,1986.34～36

已。"①东汉人刘珍(约67~127)、延笃(约97~167)等所修《东观汉纪》(约147~167)亦曰:"和熹邓后即位,万国贡献悉禁绝,惟岁供纸、墨而已。"②此处所说贡献纸墨的"万国",指今河南、陕西、山西、山东、安徽等省,可见永元初年(89~100)中国产纸区域已经扩大,而献给宫中的应当是好纸、好墨。

邓皇后被册封时,值和帝晚年。元兴元年(105)十二月和帝卒,婴儿刘隆即位,尊邓后为皇太后,临朝听政。但殇帝刘隆不足一岁又死,立皇叔清河王刘庆之子刘祜为帝,是为安帝(107~125),仍由邓太后临朝。她在位20年,称制终身。中国发展造纸二百多年后,在这时蔡伦才登上历史舞台。《后汉书》对其生平有如下记载:

蔡伦字敬仲,桂阳(今湖南耒阳)人也。以永平末(75)始给事宫掖,建初(76~86)中,为小黄门。及和帝即位(89),转中常侍,豫参帷幄……

后(91)加位尚方令,永元九年(97)监作秘剑及诸器械,莫不精工坚密,为后世法。

自古书契多编以竹简,其用缣帛者谓之纸。缣贵而简重,并不便于人。伦乃造意,用树肤、麻头及敝布、鱼网以为纸。元兴元年(105)奏上之,帝善其能,自是莫不从用焉,故天下咸称"蔡侯纸"。

元初元年(114),邓太后以伦久在宿卫,封为龙亭侯,邑三百户,后为长乐太仆……

伦初(78)受窦后讽旨,诬陷安帝祖母宋贵人。及(邓)太后崩(121),安帝始亲万机,敕使致廷尉,伦耻受辱,乃沐浴整衣冠,饮药而死,国除。③

对上述记载需做出解说。公元75年蔡伦入宫后为宦者,76~86年始为小黄门侍郎,掌宫内外公事传达、引诸王朝见等事。章帝时,窦皇后因为无子,78年指使蔡伦诬陷有子的宋贵人,逼其自杀。待窦后临朝,以蔡伦有前功,88年擢其为中常侍,过问政事,历史上宦官预政始于此。89年和帝即位,蔡伦仍保原职,因邓皇后喜欢纸,他便于105年监造佳纸献上。和帝卒,邓后临朝,仍重用蔡伦,114年封其为龙亭侯,封地在今陕西洋县,食邑300户。再加封为长乐太仆,相当于大千秋,位列三公之下、九卿之上,其权位至此达到顶峰。121年邓太后卒,安帝亲政,因蔡伦曾诬陷其生母宋贵人致死,敕廷尉传审蔡伦。他自知罪大,遂服毒自杀。朝廷削其侯位,除其封地。他因卷入后宫夺位斗争,最后死得很惨。

从公元91年中常侍蔡伦兼任尚方令起,作过有益于工艺技术发展的好事。尚方令为少府官员,掌皇帝御用刀剑诸好器物制造,蔡伦在任时,尚方所造有铭文的刀剑、弩镫曾有出土,制造精良。他在任中常侍和尚方令时,还前往纸厂调查造纸技术,发现能工巧匠,网罗到尚方作坊精工造出御用麻纸,建议朝廷推广用纸。

---

① 袁宏[晋].后汉纪,卷十四,和帝纪.四部丛刊史部影印本.上海:商务印书馆,1926.12
② 刘珍等[汉].东观汉纪.见:太平御览(983)卷六〇五,第3册.北京:中华书局,1960.2 726
③ 范晔[刘宋].后汉书(445),卷七十八,蔡伦传.二十五史缩印本.第2册.上海:上海古籍出版社,1986.262

东汉纸也时有出土,如 1901 年斯坦因(Aurel Stein,1862~1943)在新疆罗布淖尔发掘的两片字纸皆东汉所造。其中一片 12 cm×4.6 cm,书有"书浮叩头言//囡薛用思起居平安"等字(图 37);另一片 9 cm×9 cm,白麻纸,书以父兄教子弟的四字一句韵语,"笔意亦极古拙,当为东汉末人所书"①。1959 年新疆民丰东汉夫妻合葬墓内发现一揉成团的纸,粘满黛粉,可能是供妇女描眉用的②。1990~1992 年出土的敦煌附近汉悬泉置遗址除西汉纸外,也发现有东汉纸。这些纸尚有待分析化验,从文献记载来看,麻纸原料除破麻布、绳头外,还以旧鱼网为原料。张华(232~300)《博物志》(约 290)称"桂阳人蔡伦始捣故鱼网造纸",可能有据。因以鱼网造纸较难,据我们模拟实验,必须强化蒸煮及舂捣过程。

蔡伦的最大贡献是他主持研制以木本韧皮("树肤")纤维造出皮纸。三国时魏博士董巴(200~275在世)《大汉舆服志》曰:"东京(洛阳)有'蔡侯纸',即(蔡)伦(纸)也。用故麻名麻纸,木皮名榖纸,用故鱼网作纸名网纸也。"③这是一条重要记载。榖(gǔ)即楮(chǔ)或构,为桑科落叶乔木构(*Broussonetia papyrifera*),其韧皮部含有优质造纸纤维。自古以来此树就生在中国,产于南北各地。《史记·殷本纪》云:"帝太戊(前 1637~前 1563)立伊陟为相,亳(商都)有祥,桑、榖共生于朝。"④古时以楮皮纤维纺线织布料,1907 年斯坦因在新疆发掘出西汉中期(前 1 世纪)制成的很细的黄色布料,经化验"内含桑科植物的树皮纤维,很可能是楮树"⑤。

图 37
新疆出土东汉书信,取自《流沙坠简》第一册(1914)

从西汉至东汉前期(公元前 2 世纪~公元 1 世纪)造麻纸时,在收集原料破布的过程中,无意间将楮皮纤维织成的破布混入麻布内,因而造出含少量楮纤维的麻纸,质量更好。因楮树既可栽培,又有野生,含纤维多,而物美价更廉。蔡伦便将无意识用楮皮纤维造纸转为有意识过程,从而完成一项技术突破。楮皮纸的制造应当看成是一项发明,因为以楮皮生纤维为原料要附加一些工艺过程,引入一些新的工具,而比麻纸制造更为复杂。这项发明的完成应归功于蔡伦,是他

---

① 罗振玉.流沙坠简,第 2 册,简牍释文·释三,6~9;第 1 册,图片,3,39.上虞罗氏宸翰楼印本,1914

② 李遇春.新疆民丰县北大沙漠中古遗址区东汉合葬墓清理简报.文物,1960(6):6~12

③ 董巴[三国].大汉舆服志.见:李昉[宋].太平御览(983),卷六〇五,第 1 册.北京:中华书局,1960.2 724

④ 司马迁[汉].史记(前 90),卷三,殷纪.二十五史缩印本,第 1 册.上海:上海古籍出版社,1986.15

⑤ Stein A. Serindia. Detailed Report of Exploration in Central Asia and Westernmost China. Oxford: Clarenden, 1921. 650

于公元105年第一次主持制成楮皮纸。由此又引出后来桑皮纸、藤皮纸、瑞香树皮纸等一系列皮纸的生产,扩大了造纸原料来源。因楮纸质优价廉,很快推广各地,7世纪时已成中国国纸。

汉和帝元兴元年(105),蔡伦将尚方所造麻纸和楮纸献给朝廷,又提出推广造纸的奏议,受到首肯,"自是而莫不从用焉"。虽然在他以前早已有纸,但他的贡献仍不可没,归纳起来有以下各点:第一,他总结了西汉、东汉初期和同时期人造麻纸的技术经验,组织生产优质纸;又以旧鱼网为原料,扩大麻纸制作原料,改进了麻纸技术。第二,他倡议以楮皮造纸,完成以木本韧皮纤维造纸的技术突破和发明,开辟造纸新的原料来源,导致皮纸系列新品种纸的出现。第三,他提出在国内推广造纸生产的建议,受到朝廷支持,各地纷纷建起纸厂,促进了造纸工业的迅速发展。因此蔡伦是承前启后的造纸技术革新家。

证明造纸术起源于西汉,又给东汉的蔡伦以应有的评价,是根据事实还历史本来面目,不是有意与蔡伦作对,也并未因此使中国这项发明黯然失色,反而受到海内外学者的认同。美、英、法、德、日等国出版物近年来都注意到中国国内纸史争议的现状,大多赞成西汉有纸说。美国芝加哥大学钱存训教授写道:"近年来在中国各地发现了一批公元前2世纪以来的古纸实物,证明纸是在汉代发明和发展起来的……西汉有了植物纤维纸,又为考古发掘中出土的其他几种古纸所证实……蔡伦以前有了纸,与正史所载蔡伦的功绩不一定抵触,他可能是在造纸中采用新原料的革新家。"①

日本京都大学薮内清(1906～2000)教授列举近年中国古纸发现后写道:"中国造纸术起源于前汉时代,这是很明确的。根据1965年的显微镜检验,这类纸由大麻为原料制成。因而蔡伦不是最初造纸的人物,毋宁说是以树肤、麻头、敝布及鱼网造纸的改良者。"②德国纸史家桑德曼(Wilhelm Sandermann)教授援引《后汉书·蔡伦传》、蔡伦前用纸的文献记载和中国近年西汉纸出土的资料后,得出结论说,造纸术发明于公元前2世纪的西汉,因而纸不是蔡伦发明的③。法国东方学家戴仁(Jean-Pierre Drège)研究了近30年来关于造纸起源的不同观点后认为:"结论是,蔡伦可能并非纸的发明者,但他约于105年改进了当时使用的造纸术。"④海外学者的这些评论说明,西汉纸的出土在国际上并没有将人们对纸史的认识引向混乱,也没有人因此怀疑中国发明纸。

3. 蔡伦造纸说是怎样形成的

虽然蔡伦对造纸术有贡献,功不可没,但他毕竟不是造纸术的发明者。那么

---

① Needham J. Science and Civilization in China, vol. 5, pt. 1, Paper and Printing Volume by Tsien Tsuen-Hsuin. Cambridge University Press, 1985. 35～38

② 藪内清. 科學史からみた中國科學文明. 東京:NHKブックス社,1982. 105～106

③ Sandermann W. Die Kulturgeschichte des Papiers. Berlin: Springer-Verlag, 1988. 45～47

④ Drège J P. Les Bétuts au Papier en Chine. Comptes Rendus de l'Académie des Inscription et Bulles-Lettres (Paris), 1987, Jullet-Octobre: 642～650

主张纸由蔡伦发明之说在历史上是怎样并于何时形成的呢？这个问题需要分析。范晔在蔡伦之后三百多年执笔《后汉书》时，主要史料抄自蔡伦同时代人博士刘珍(约67~127)等以及以后累朝修史官所修《东观汉记》，此书成于桓帝之世(147~167)，是东汉官修的国史。唐及唐以前《东观汉记》104篇被视为正史，与《史记》、《汉书》并列为"三史"，为士人必读。但五代(10世纪)以后逐渐散佚，宋元时乃以范著替补。唐人引《东观汉记·蔡伦传》，皆曰"黄门蔡伦，**典作**尚方造纸"，即**主管**尚方造纸，并没有说他发明造纸，这是蔡伦同时代人的看法。

在蔡伦去世后三百多年，南北朝史学家范晔将《东观汉记·蔡伦传》中的"典作尚方造纸"改成"造意用树肤、麻头及敝布、鱼网以为纸"。于是偏离了东汉正史中对蔡伦的原有评定，把西汉人的发明和蔡伦的新贡献混在一起，而且都归在蔡伦一人之名下，这种"史裁"欠妥。范晔这样作，必是受到三国时魏人张揖的思想影响。张揖在《古今字诂》这部字典的《巾部》将纸分为"古纸"与"今纸"，认为蔡伦前的古纸是丝织物用于书写者，又名"幡纸"；所谓"今纸"是蔡伦以破麻布制造的，又称"㡀"(zhí)。但张揖此说既无文献依据，也无实物证据，是他个人在玩弄字眼。因自春秋、战国至汉魏期间，丝织物用于书写者通称为"帛"、"素"或"缣帛"，从不称为"纸"或"幡纸"。而以破麻布造纸并不始于蔡伦，蔡伦前的西汉早已有之。纸与缣帛为不同物，也无名称上的混淆，没有必要以今纸(或㡀)与古纸相称，这样反而添乱。

张揖关于"纸"字的文字学解释本来就是不正确的，445年范晔写《后汉书·蔡伦传》时，不加分析地援引了张揖的观点，并且说古代人"其用缣帛者谓之纸"，弄错了纸的定义，将缣帛与纸等同；又说因缣帛昂贵，蔡伦乃造意以麻料造纸，于是蔡伦发明植物纤维纸之说由此形成。唐宋学者之所以对范说提出异议，因为他们从《东观汉记》、《风俗通义》、《后汉纪》等汉晋人书中看到蔡伦前用纸的明确记载，这些早期史书都没有说纸是蔡伦发明的。现存《东观汉记》辑本，据《后汉书》辑出，已失其原貌，不足为据。读辑本需与其他古本校核，不能将辑本当原本。《后汉书》作者范晔为蔡伦立传时，没有处理好前人留下的各种史料。他一方面在《百官志》、《邓皇后传》及《贾逵传》中列举了蔡伦前用纸的记载，另一方面又在《蔡伦传》中认为蔡伦发明了纸，因而陷入自相矛盾之中，不能自圆其说。

唐章怀太子李贤(654~684)注《后汉书·蔡伦传》时，又对范晔之说加以渲染，补入庾仲雍《湘州记》所说"耒阳县北有汉黄门蔡伦宅，宅西有一石臼，云是伦舂纸臼也"①。郦道元(约469~527)《水经注》(约525)也引了这条材料。按古时选幼童入宫为宦者，蔡伦于公元75年入宫前，则在耒阳县时还是10岁左右的幼童，岂能挥动石臼舂纸料造纸？这种说法实属附会，并非信史。主张蔡伦发明纸之说所依据的文献记载并不可靠。范晔《后汉书》自有其独到与可取之处，但在《蔡伦传》中确有败笔。

---

① 范晔[刘宋]著.李贤[唐]注.后汉书(445)，卷一〇八，蔡伦传.二十五史缩印本，第2册.
上海：上海古籍出版社，1986.262

由此看来,东汉人执笔的《东观汉记·蔡伦传》是有关蔡伦的最早的原始记载,作为东汉国史此书具有权威性,但其中并未提及纸是蔡伦发明的。范晔写蔡伦传时,抄录了《东观汉记》,但为增加新的内容,他又将魏人《古今字诂》中有关纸的错误论调补入,结果作出蔡伦发明纸的误论,引发了一场有关造纸起源问题的不同意见的长期论争,且持续到现代。今天看来,范晔写的《蔡伦传》观点只是一家之言,既非原始记载,亦无权威性,与持不同意见的唐宋人观点处于同等地位,不能作为判断诸家是非的最高标准,只有考古实践才能充当这一角色。而考古实践证明,主张蔡伦前有纸的唐宋人观点是正确的。

第三节 评造纸起源于外国之说

一、造纸起源于欧洲或埃及吗?

19世纪以前很长一段时期内,欧洲学术界流行一种说法,认为以破布造麻纸是文艺复兴时于14~15世纪德国人或意大利人发明的,在这以前似乎中国人以丝造纸,而阿拉伯人则以棉代丝造纸。例如西班牙耶稣会会士胡安·安德烈斯(Juan Andrés, 1740~1817)1782年用意大利文在意大利帕尔马(Parma)城发表的七卷本《论各国文学的起源、发展和现状》(*Dell'origin dei Progressi, dello Stato Attuale d'Ogni Letteratura*)卷1写道:"中国古代以丝造纸,造这种纸的方法约于652年传到波斯……阿拉伯人用棉代丝,并把造纸术传入非洲和西班牙。"[1]他认为意大利人于13~14世纪最先以破麻布造纸。

1818年,德国学者格鲁伯(J. G. Gruber, 1774~1851)及艾尔施(J. S. Ersch, 1768~1828)合编的《学艺大全》(*Allgemeine Enzyklopädie der Wissenschaften und Künste*)一书卷1"纸"(*Papier*)条,也认为阿拉伯人用生棉造纸,而以破布造纸是14世纪末德国人或意大利人发明的。今天看来,这些说法都是与史实不符的,是出于对中国造纸史和东西方交通史缺乏了解。因为事实是,在所有欧洲人还不知纸为何物之前,中国人已于公元前2世纪用破麻布造纸了,而且至今还能看到出土实物。然而在17~18世纪,甚至19世纪初,主张麻纸为欧洲人所发明,却成了西方学术著作中的正统观点。

欧洲人误认中国古代以丝造纸,看来是受17世纪在华法国耶稣会会士李明(Louis Daniel le Comte, 1655~1728)的影响。李明1687年来华,受清初康熙皇帝接见,后据多年间在华见闻用法文写成《中国现状新志》(*Nouveaux Mémoires sur l'État Présent de la Chine*, 2 vols, Paris, 1696),其中卷1按中国古书关于

---

[1] Andrés J. Dell'origin dei Progressi, dello Stato Attuale d'Ogni Letteratura, vol. 1. Parma, 1782. Cited by Thomas I. The History of Printing in America. Worcester: Mass, 1818. 37~38

"絮纸"、"蚕茧纸"之类误传和对植物纤维纸的误称,说中国古代以丝造纸①。这正是西班牙人安德烈斯的立论依据。但康熙帝早已明确指出,所谓丝纸实为对楮皮纸之误称②。但那时欧洲人看不到中国和阿拉伯古麻**纸**,因而便以讹传讹,这种情况在18世纪80年代之后才开始改观。

1877~1878年埃及法尤姆(el-Faijum)等地古墓中出土大量写本,分别写在莎草片和纸上,年代跨时2 700年(公元前14世纪~公元14世纪),共10万件。1887年这批文物归奥匈帝国的莱纳大公(Erzherog Rainer)收藏,后转归奥地利国家图书馆。1887年,卡拉巴塞克(Joseph Karabacek)对其中阿拉伯文纸写本研究后,将其中回历纪年换算成公历,有公元874、900及909年者,纸是8~10世纪造于撒马尔罕(Samarkand)的,这时欧洲还没有纸。同时,维也纳大学植物学教授威斯纳(Julius von Wiesner)对这批纸作分析化验,证明阿拉伯纸以亚麻破布及树皮纤维所造,而不是用棉料③④。1900年斯坦因在新疆、甘肃又发现唐代纸本文书,有成于781及782年者。1906~1907年又发现年代为公元260及312年的魏晋纸本文书,经威斯纳化验也确认是由破麻布和楮皮所造。

欧洲史家通过进一步研究揭示了唐玄宗天宝十年(751)在怛逻斯(Talaz)战役中中国战俘将造纸技术传到阿拉伯地区的史实⑤。阿拉伯人再将从中国学到的造麻纸技术于12~13世纪传到西班牙(1151)及意大利(1276),再由此逐步传到德国等其他欧洲国家,传播的细节详见本书第八章。从20世纪初以来,欧洲人发明破布造纸之说便成为历史陈迹。关于"棉纸"之说,乃出于一种误会。675年叙利亚被阿拉伯哈里发占领后,大马士革成为阿拉伯倭马亚王朝(Umayyads,661~750)首都,10世纪在这里建立新纸厂,大马士革纸远近闻名。此后,叙利亚境内班毕城(Bambycina)也有了纸厂,班毕纸(charta Bambycina)甚至超过大马士革纸。因Bambycina发音与bombycina(棉花)相近,欧洲人一度将班毕纸误称为"棉纸",而其实是班毕城产的麻纸⑥。

19世纪后半期以来,还有人将埃及尼罗河沿岸所产的莎草片(papyrus)当成纸,认为西方造纸比中国早几百年。例如英国在华传教士艾约瑟(Joseph Edkins,1823~1906)在讨论希腊、罗马古代用"纸"和墨后写道:"为什么不再提出纸和墨都是从西方传入中国呢?这两项文化成就在中国知道它们几百年前,已

---

① le Comte L D. Memoirs and Observations ... Made in a Late Journey through the Empire of China. Translated from the French. London, 1697. 191

② 玄烨[清]. 康熙几暇格物编. 卷下,盛昱[清]手写体石印本,1889

③ Hoernle A F R. Who was the inventor of rag-paper? Journal of the Royal Asiatic Society (London), 1903, Arts 22:663~684

④ 姚士鳌. 中国造纸术输入欧洲考. 辅仁学志(北平),1928,1(1):1~85

⑤ Hirth F. Die Erfindung der Papier in China. T'oung Pao, 1890,1:1~14; Chinesische Studien. Berlin, 1890. Bol. 1:259~271

⑥ Carter T F. The Invention of Printing in China and Its Spread Westward (1925). 2nd ed. Revised by Goodrich L C. New York: Ronald Press Co., 1955. 98

在欧洲使用了。"①遗憾的是,有的中国史家也一度附和这种说法,认为"纸在安息(波斯)和亚历山大城(埃及)存在,比中国早四百年"②。如果莎草片真是纸,岂止比中国早几百年,而是早一千多年,因为公元前1400年的莎草片已经在19世纪于埃及古墓中出土。

问题在于,虽然英文 paper、法文与德文 papier 和西班牙文 papel 这些表示纸的词导源于 papyrus,但从造纸科学原理观之,paper 与 papyrus 是两个完全不同的技术概念,不能混为一谈。莎草片物理结构及制法、性能与纸截然不同,并不是纸。当中国纸或以中国技术制造的阿拉伯纸在中世纪最初传入欧洲后,欧洲人已意识到这是与莎草片完全不同的新型书写材料,可以取代莎草片,因此宁愿付出硬币进口纸。为了使纸与莎草片相区别,欧洲人创造了一个新词 paper 来称呼纸,这是完全正确的。在早期欧洲人心目中,paper 是纸,papyrus 是莎草片,他们在市场上购物是分辨得很清楚的。

因此,将莎草片当成纸的后期作者,比起早期欧洲人来说,是一种认识上的倒退。令人惊奇的是,时至1952年,英籍捷克作者塞尔尼(Jaroslav Černy)还声称:"不管怎样,中国人约于100年发明的纸,还是受到了埃及莎草片的影响。"③这位作者将他的书称为《古代埃及的纸与书》(*Paper and Books in Ancient Egypt*),这个书名本身就存在概念上的错误,因为 papyrus ≠ paper。同时,没有任何证据证明公元前2世纪西汉初中国人发明麻纸时,受西方莎草片任何影响。只是在8世纪以后,中国纸与莎草片在西方相遇,但注定要将其取而代之。对塞尔尼的错误说法,钱存训先生已有驳斥④。

二、评造纸起源于中美洲或印度说

我们还注意到,墨西哥学者伦斯(Hans Lenz)1984年用西班牙文发表的《中美洲的纸产品》(*Cosas del Papel en Mesoamerica*, Mexico, 1984)一书中,同样将树皮毡(*tapa*)当成纸,并认为是墨西哥境内尤卡坦(Yucatán)地区的玛雅人(Mayas)发明的。玛雅人曾用 *tapa*(*huun* or *amatl*)作衣料,也用来写玛雅文象形文字⑤。如前所述,这种材料在环太平洋东西部一些岛上由不同民族使用,其物理结构、制法及性能上都与植物纤维纸有本质上的不同(图10),不能当成纸。从其显微分析照片上可以看到,树皮纤维以束状出现,不是单独分散纤维,均未

---

① Edkins J. On the origin of papermaking in China. Notes and Queries on China and Japan. (Hong Kong), 1867,1(6):68
② 翦伯赞. 中国史纲,卷二. 上海:生活出版公司,1947. 511
③ Černy J. Paper and Books in Ancient Egypt. London: H. K. Lewis. 31,note 2
④ Tsien Tsuen-Hsuin. Written on Bamboo and Silk. Chicago: University of Chicago Press, 1962. 142
⑤ Lenz H. Cosas del Papel en Mesoamerica. Mexico: Editorial Libros de Mexico, 1984. 74,110

帛化,且作规则排列,没有纸的特征。其次,玛雅文化及文字形成较晚,大约在中国西汉末以后,而西汉初中国已用纸绘制地图了。玛雅人和美洲印第安人其他部族用纸,是在欧洲人到达新大陆以后的事。

1981年,印度作者戈索伊(Pratibha Prabhakar Gosaui)女士致信《加拿大制浆造纸》(Pulp and Paper Canada)杂志,信中只是列举文献,说公元前327年印度就已能造出质量相当好的纸,因而声称纸最初由印度人所发明[1]。但她所说印度在公元前所造的"纸",除贝多罗树叶之外,不会是别的材料。而贝叶与莎草片虽同为书写材料,却并不是真正的纸。莎草片和树皮毡还经受过较多的机械加工,而印度古代的贝叶加工程度较欠缺。贝叶经在梵文中称 *pattra*,本义是树叶,倒是名符其实的。此词见于公元前300～前200年成书的《摩奴法典》(*Manusmarti* or *Code of Laws of Manu*)。这是戈索伊引用年代最早的印度文献。

然而近代西方译者译梵文经典时,习惯于将梵文古词现代化,将表示贝叶的 *pattra* 译成了 paper(纸),造成一种错觉,似乎公元前300年印度已有了纸。无独有偶,笔者研究火药史时,也发现西方译者将《摩奴法典》中的梵文 *agni astra* 译成 firearms,将 *vāna* 译成 rocket,于是有人做出公元前300年印度已有火药武器和火箭的错误结论。其实这些词本义是 incendary weapon,即纵火武器,与火药没有任何关系[2]。根据梵文经典的不准确的译文做出技术史结论,当然不可能是准确的,只能牵强附会。

戈索伊没有注意到,梵文中真正的纸字是 *kākali*,这个词只是从7世纪才出现的[3],而且此词由阿拉伯文 kāgad、波斯文 kāgaz 表示纸的词有同一语源。德国汉学家夏德(Friedrich Hirth,1845～1927)认为共同的语源来自汉语"谷纸",古音读作 kok-dz[4],即楮纸。此说被阿拉伯学家卡拉巴塞克接受。看来波斯文 kagaz 的语音最与汉语古音接近,因而波斯人可能最早引入了这个词,而后在阿拉伯文、梵文中稍有音变,回鹘文中纸也是 kagas,印度乌尔都语称 kāgaz[5]。这些词不管是"谷纸"之音译,还是"皮纸"之义译,都与中国纸有关,这在国际汉学界已形成共识。在印度,不管是过去的梵文,还是后来的印地语、乌尔都语、泰米尔语中,"纸"字都是个外来语,不是印度固有的,而且使用的时间很晚,归根到底与中国纸有关,这就很难使人相信印度在公元前就有了纸。

戈索伊还引巴内特(L. P. Barnett)1913年发表的《印度古代史》(*Antiqui*-

---

[1] Gosaui P P. Did India invent paper? Pulp and Paper Canada, 1981(4):14

[2] 潘吉星. 中国火箭技术史稿. 北京:科学出版社,1987. 23～28;Pan Jixing. On the origin of rocket. T'oung Pao (Leyden), 1987,73:2～15. On Two Problems in the History of Science. Kyoto: Doshisha University Press, 1986. 5～7

[3] 季羡林. 中印文化关系史论文集. 北京:三联书店,1982. 34～36

[4] Hirth F. Die Erfindung des Papier in China. T'oung Pao, 1890,1:1～14

[5] Laufer B. Sino-Iranica. Chinese Contributions to the History of Civilization in Ancient Iran. Chicago, 1919. 557

ties of India)说,造纸术是随佛经和梵文从印度传到中国的。查梁代僧人慧皎(497~554)《高僧传》(519)卷一,汉明帝(57~75)闻西域有佛,遂遣蔡愔(yīn)等人赴天竺(印度),至月氏(Indoscythia,今印度西北)邀竺法兰来汉,永平十一年(68)在洛阳建白马寺,译《四十二章经》,是为印度佛教传入中国之始。事实上在这以前二百多年,中国已用纸写字了,那时中、印之间还很少往来,巴内特之说法是没有根据的。至于莫里斯(Dumas Mauris)1969 年在《历代技术与发明史》(*History of Technology and Invention, Progresses through Age*)中说公元前 3 世纪亚洲用不同原料造纸之说,也证据不足。

直到 6~7 世纪,到印度求法的中国僧人还未见到那里有纸。如玄奘(602~664)《大唐西域记》(646)卷十一谈到在恭建那补罗国(Konkanapura,今印度卡纳塔克邦,Karnataka)看到,诸国书写,莫不采用多罗树叶①。义净(635~713)《大唐西域求法高僧传》卷下说:他为抄写梵文佛经,在印度各地都找不到纸,后来在印尼只好写信到中国广州求纸墨,"净于佛逝[Vijaya,今印尼苏门答腊的巨港(Palembang)一带]江口,升舶附书,凭信广州,见求纸墨,钞写梵经"。玄奘说印度诸国当时都以多罗树叶书写,义净说在印度各地求纸不得,这都证明在 7 世纪至 8 世纪初时印度还不能造纸,否则何必还要向广州求纸墨。

最后,戈索伊又引穆勒(Max Müller,1823~1900)《古代梵文文学史》(*History of Ancient Sanskrit Literature*,1859)说,公元前 327 年希腊马其顿国王亚历山大入侵印度时,驻旁遮普(Punjab)的全权代表尼尔楚斯(Nearchus)叙述过印度人用杵臼捣棉或破布造纸。这是她将印度造纸起源时间定为公元前 327 年的主要依据。关于亚历山大入侵印度旁遮普之事,我们听到过不少故事,除造纸外,还有旁遮普的当地人用"霹雳"或"火药武器"吓跑了希腊马其顿军队等等。但提出这些说法的西方作者,没有举出任何可信的证据支持其论点。"纸"字在梵文中从 7 世纪才出现,公元前 327 年怎么会有呢?如果在那时早就发明纸,为什么一千多年后印度人还用树叶写字?这显然是自相矛盾的,不足为信。

信的作者还说,不需施胶的纸只有孟加拉和尼泊尔能造,中国想造这种纸,但总失败。这又是出于无知,事实上中国早期麻纸多不施胶,这个传统直到现代还保留着。孟加拉和尼泊尔等地的不施胶纸倒是从中国传入的。施胶技术是中国发明的,有一系列早期实物为证,分纸内施胶和纸表施胶,施胶剂又有多种②。对每种纸是否施胶,取决于具体需要。印度女士这封信发表时,笔者正在美国,加拿大朋友索尔特(Michael Sault)博士来信说:"There is no any convincing argument in her letter."事实上埃及、印度、欧洲、美洲和亚洲的朝鲜等国造纸时间都晚于中国,而且归根到底是利用中国技术发展造纸的。中国是世界上造纸术的起源地。

---

① 玄奘[唐].大唐西域记(646),卷十一,恭建那补罗国.章巽校点本.上海:上海人民出版社,1977.261

② 潘吉星.中国科学技术史·造纸与印刷卷.北京:科学出版社,1998.121,166

第二章 中国造纸术的发展

第一节 魏晋南北朝的造纸技术

一、麻纸的改进与普及

两汉是造纸术起源和造纸业奠基时期,主要生产麻纸,而且仍处于纸、简并用阶段。魏晋南北朝(3世纪~6世纪)则是造纸术的发展阶段,在这一阶段除西晋(265~316)统一了黄河、长江两大流域的大片地区外,其余时期全国处于不同民族的各个政权的割据状态。但与西方罗马帝国灭亡后的分裂局面不同,中国的分裂主要是政治上的,各政权仍保有共同的文化、文字和主要思想,又存在各民族的融合和各地区之间经济、文化交流。整个中国的形象仍清晰可辨,分裂中有统一的因素。中国没有经受过西方世界的那种彻底分裂过程,因此不影响科学技术的照常发展,在造纸技术领域内尤其如此,因为南北各族政权统治的地区都需要纸,而这就促进了造纸术的发展。

魏晋南北朝造纸术是直接继承两汉麻纸技术而发展的,而且在技术上有明显的改进。这一时期麻纸仍是主要纸种,但对该时期出土纸的系统分析化验表明,麻纸的白度增加,纸表较平滑,纤维交结紧密,纤维束较少,纸上普遍可见帘纹。打浆度明显提高,有的晋纸高达 70°SR。南北朝纸厚度薄至 0.1 mm~0.15 mm,而汉纸一般厚 0.2 mm~0.3 mm。从技术上分析,这时的纸由类似现今传统手工纸厂用的可折合的帘床抄纸器抄造的,比固定式抄纸器先进而功效大。其优越性在于能抄出紧薄、匀细的纸,可连续抄造千万张而无需另换抄纸器,这是有划时代意义的发明。用这种先进工具抄纸,要求对麻料打浆度高,因而促使蒸煮、捣料方面采取强化措施。

可折合的帘床抄纸器的使用,还在造纸过程中增加了对湿纸的压榨工序,并改变晒纸方式。汉代用固定抄纸器抄纸后,直接放在日光下晒干,需用抄纸器多,又费时间。用活动帘床抄纸后,取下带有湿纸的竹帘,将纸从帘上转移至木板上,层层堆起。经压榨去水后,将半干的纸揭下,用刷子将其转移到木板或涂有细石灰面的墙上干燥,能很快晒干,且形成单面平滑纸。贴板面或墙面的纸表光滑,称正面,不必研光即可写字,另一面称背面。对大量魏晋南北朝纸的观察和测试,都有可见的正、背面,这就证明上述判断是正确的。抄纸器由木床、帘子及边柱三个部件构成(图38),帘子一般由细竹条编成(图39)。每 1 cm 内有9根以上帘条者(9根/cm～15根/cm)为较细竹帘。每1cm有5～7根帘条者(大多是5根)为粗竹帘。北方无竹地区用芨芨草(Achnatherum)或萱草(Hemerocallis fulva)秆编帘。

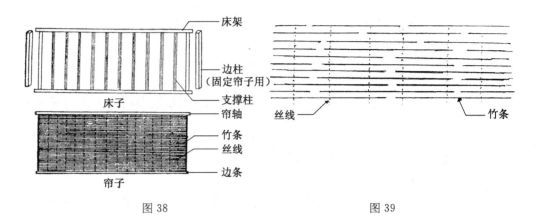

图 38
活动帘床纸模，潘吉星绘(1979)

图 39
编帘原理示意图，潘吉星绘(1979)

图 40
编帘操作图，潘吉星绘(1998)

据我们对几十种魏晋南北朝纸的实际测量中，求得其长、宽幅度变化值，列表于下：

表7　魏晋南北朝纸幅和抄纸器尺寸

时代	魏 晋		南 北 朝	
类型	甲种(小纸)	乙种(大纸)	甲种(小纸)	乙种(大纸)
直高(cm)	23.5～24.0	26～27	24.0～24.5	25.5～26.5
横长(cm)	40.7～44.5	42～52	36.3～55.0	54.7～55.0

从纸的幅度可以看出当时抄纸帘的大小,总的说,幅度比汉代纸加大。根据需要,有大纸、小纸之分。1972 年 2 月新疆吐鲁番出土的前秦(350～394)墓葬中有建元二十年(384)文书,用未经剪裁的原抄纸写成,经实测为 23.4 cm × 35.5 cm,差不多相当今天《中国电视报》、《北京晚报》一版那样大,这还是小纸。大纸应像今天的《光明日报》或《纽约时报》(*The New York Times*)一版那样大。晋代书法家王羲之已经可以在这种纸上写很多字了。1500 年前,一个人荡帘造出这么大的纸,已经不容易了。当时人对纸的称赞,为我们对古纸的检验也提供了注解。如西晋时任尚书左丞的文人傅咸(239～294)在《纸赋》中写道:

盖世有质文,则治有损益。故礼随时变,而器与事易。既作契以代绳兮,又造纸以当策。犹纯俭之从宜,亦惟变而是适。夫其为物,厥美可珍。廉方有则,体洁性贞。含章蕴藻,实好斯文。取彼之弊,以为此新。揽之则舒,舍之则卷。可屈可申,能幽能显。若乃六亲乖方,离群索居,鳞鸿附便,援笔飞书。写情于万里,精思于一隅。①

傅咸用兼有诗和散文的赋体歌颂纸,是纸文学的最早代表作,其文词较难理解,我们将其试译成下列语体:

低级文书成高级,著述方式各不一。
典籍制度随时变,书写材料亦更移。
甲骨书契代结绳,简牍终为纸张替。
佳纸洁白质且纯,精美方正又便宜。
妙文华章跃其上,文人墨客皆好喜。
楚楚动人新体态,原料却为破旧衣。
可屈可伸易开卷,使用收藏甚随意。
独居远处思亲友,万里鸿书寄情谊。

傅咸的《纸赋》曾译成英文②。南朝梁元帝萧绎(508～554)《咏纸诗》也同样赞美了纸:

皎白犹霜雪,方正若布棋。
宣情且记事,宁同鱼网时。

汉魏时书写材料是帛简与纸并用,纸只作为新型材料异军突起,晋(4 世

---

① 傅咸[晋].纸赋(3 世纪).见:严可均[清]编.全上古三代秦汉三国六朝文·全晋文,卷五十一.北京:中华书局,1958.5
② Hunter D. The Literature of Papermaking. Ohio:Mountain House, 1925.14

纪)以后因造出大量洁白平滑而方正的纸,人们就不必再用昂贵的缣帛和笨重的简牍写字,而是习惯用纸,以至成为起支配地位的书写材料。统治者已明令凡朝廷奏议不得用简牍,一律以纸为之。东晋(317～420)以来,用纸抄写经史子集四部书籍、公私文书、契约和宗教经典,抄书之风盛行(图 42)。书籍取卷轴装,有固定书写格式,每纸 400～500 字,粘连成长卷,由轴卷起,可屈可伸,方便使用。公私藏书猛增,南朝刘宋元嘉八年(431)内府藏书 6.4 万卷,梁元帝在江陵有书 7 万卷,梁武帝(502～549)时“四海之内,家有文史”。纸本书的猛增大大促进了社会文化、教育和科学技术的发展,也使宗教繁荣。敦煌石室发现的这一时期的写本书和地下出土的纸本文书,经检测多以较好的麻纸写成。

现存最早的纸写本是敦煌发现的魏甘露元年(256)写的《譬喻经》(图 41),为佛教十二部经中的第八部,梵言阿波陀那(Avadāna)。现存其第三十品《出地狱品》,总长 166 cm,由七纸联成,每纸 23.6 cm×30.3 cm ,麻纸,卷尾题“甘露元年三月十七日(256 年 4 月 28 日),于酒泉(今甘肃酒泉)城内斋丛中写讫。此月上旬,汉人及杂类(少数民族)被诛。向二百人蒙愿解脱,生生信敬三宝,无有退转。”纸白而泛黄,写以楷隶,纸表面较平滑,粗帘条纹,每纹径 0.2 cm,为西北当地所造,现藏东京书道博物馆。

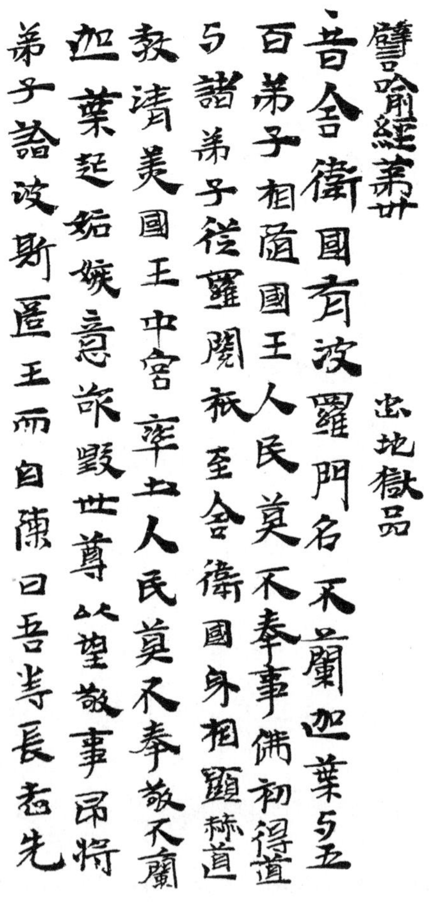
譬喻經第卅
出地獄品
昔舍衛國有波羅門名不蘭迦葉五
百弟子相隨國王人民莫不奉事佛初得道
与諸弟子從羅閱祇至舍衛國身相顯赫道
教清美國王中宮率土人民莫不奉敬不蘭
迦葉起妬嫉意欲毀世尊以望敬事昂將
弟子詣波斯匿王而白陳曰吾等長老先

图 41
敦煌出土魏甘露元年(256)麻纸写经《譬喻经》,取自中村不折(1934)

纸的质量的改进和幅面的加大，使魏晋南北朝的书法和绘画艺术创作进入新的意境，又引起汉字字体的变迁。在坚硬简牍上写字，毛笔笔锋受书写材料空间和质料限制，难以充分施展，写字速度也无法加快，写十几字需另换一简。但在洁白受墨的大幅平滑纸上挥毫，即可笔走龙蛇，任情发挥书法魅力。汉代书体以小篆及隶书为主，小篆起于秦，各笔画粗细均一，而隶书笔画已有粗细变化，增加艺术发挥余地。魏晋南北朝则盛行楷隶和行书，书写速度明显加快，笔锋更加流利奔放，这正反映书写材料从简向纸的过渡。前述《譬喻经》

图 42
南北朝经生抄写佛经图，张孝友绘(1979)

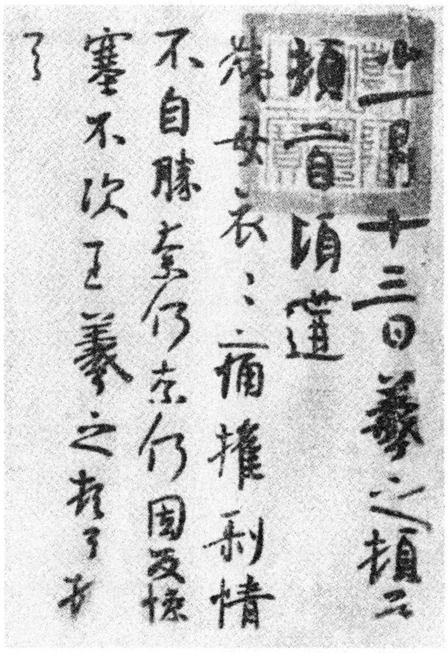

图 43
东晋书法家王羲之书法，取自《文物》，1965(11)

图 44
新疆出土东晋写本《三国志》，取自《文物》，1972(8)

图 43　　　图 44

和新疆出土西晋元康六年(296)写《诸佛要集经》、东晋写本《三国志》(图44)等都代表该时期流行的书法艺术走向。晋代能出现王羲之、王献之那样的大书法家,在很大程度上归因于纸的普遍使用(图43)。二王书体以楷隶及行书为主,为历代楷模。

在纸上作画,同样能表现出更好的艺术效果,晋代画家顾恺之(345～406)等人都带头以纸挥毫,作人物、鸟兽、草木、虫鱼画,但没有流传下来,只见于张彦远《历代名画记》(约874)著录。1964年新疆吐鲁番出土东晋时的设色地主生活图,出于民间艺人之手。全长106.5 cm,高47 cm,由六张联成,经我们化验为麻纸。这是现存最早的纸本绘图(图45),反映当时人以纸作画的新的时尚。

图45
1964年新疆吐鲁番出土东晋民间纸绘设色人物图,取自《新疆出土文物》(1975)

二、纸的新原料和新用途的开拓

汉代主要以破麻布造麻纸,东汉时蔡伦在总结麻纸技术经验后,又开创以野生的构树皮纤维造楮皮纸,从而开辟了新的原料来源,但楮皮纸制造工艺较麻纸复杂,不易造出白纸,因此未能推广。晋以后,由于造纸技术的发展,皮纸产量逐步增加,原料进一步扩大。宋人苏易简(958～998)《文房四谱》(986)卷四写道:

> 雷孔璋曾孙穆之,犹有张华(232～300)与祖雷焕(230～290在世)书,所书乃桑根皮(纸)也①。

---

① 苏易简[宋].文房四谱(986),卷四,纸谱.丛书集成本,第1493册.北京:商务印书馆,1960.51

此处"桑根皮"中之"根"字,或系衍文,或系误字,因为用桑树根是不能造纸的,只有用桑枝皮可造纸。张华为西晋学者,他给友人雷焕的书信用桑皮纸写的,可见西晋时以桑皮纤维造纸。中国自古以桑叶养蚕,各处都有桑树,取其枝条嫩皮,剥下造纸,并不影响桑树生长,却又增加其新的用途。1901年奥地利植物学家威斯纳(Julius von Wiesner, fl. 1853~1913)化验新疆罗布淖尔出土的3~5世纪魏晋公文用纸,发现其中有桑皮纸。1972年新疆吐鲁番阿斯塔那第169号墓中出土高昌(531~640)建昌四年(558)、延昌十六年(576)字纸,经笔者化验亦为桑皮纸。纸薄而白,纤维匀细、交结情况好,有帘纹,横长42.6 cm,直高残①。我们还偶尔检验到麻类与树皮纤维混合制浆造出的纸。这类纸可兼收各纤维原料之所长,降低生产成本,是原料配合上的新突破,有很大技术经济意义。

图46
桑树,取自《中国高等植物图鉴》(1987)

图47
构树,取自《中国高等植物图鉴》(1987)

如果说东汉楮皮纸从黄河流域的中州地区(今河南洛阳)发端,则至魏晋南北朝已迅速扩散到长江流域的南方广大地区,再转移到华南粤江三角洲(今广东)一带,一直到越南北部,而在北方则扩展到今北京地区。三国吴人陆玑(字元恪,210~279在世)《毛诗草木鸟兽虫鱼疏》(约245)写道:

---

① 潘吉星. 新疆出土古纸研究. 文物,1973(10):52~60

> 榖,幽州(今北京)人谓之榖桑,或曰楮桑。荆(今湖北)、扬(今江苏扬州)、交(交州,今越南北部)、广(今广州)谓之榖。中州(今河南)人谓之楮桑。……今江南人绩(织)其皮以为布,又捣以为纸,谓之榖皮纸。①

吴人陆玑注释《毛诗》时,列举产楮皮纸的地区荆州、扬州、交州和广州都是吴(222~280)控制区,他的记载可信度很大。宋人唐慎微(1056~1163)《证类本草》(1108)卷十二引魏晋时成书的《名医别录》(3 世纪)云:

> 楮,此即今构树也……南人呼榖纸亦为楮纸。武陵(今湖南常德)人作榖皮衣,又甚坚好尔。②

构树(Broussonetia papyrifera)古称榖(gǔ)树,为桑科木本,其叶类似桑叶,故称榖桑或楮桑。汉以来即以其韧皮纤维织衣,更用以造纸。魏晋时楮皮纸产量、产区进一步扩大。南北朝更对构树栽培种植,专门用以造纸。后魏农学家贾思勰(473~545 在世)《齐民要术》(约 540)有专门一章介绍种楮。贾思勰(xié)曾任高阳(今河北高阳)太守,他的书反映 6 世纪黄河中下游地区的农业生产状况,在卷五《种榖楮第四十八》写道:

> 楮宜涧谷间种之,地欲极良。秋上楮子熟时多收(种),净淘,曝令燥。耕地令熟,二月耧耩之……明年正月初,附地芟(shān)杀(贴近地面割下),放火烧之。一岁即没人,三年便中斫。斫法,十二月为上,四月次之……指地卖者,省功而利少。**煮剥卖皮者,虽劳而利大。自能造纸,其利又多**。种二十亩者,岁斫十亩,三年一遍(循环),岁收绢百匹。③

这说明 6 世纪已有专为造纸而种植构树的农业专业户和城内收购楮皮的中介商"楮行"。贾思勰指出,如果种楮者"自能造纸,其利又多"。1973 年敦煌千佛洞土地庙出土的北魏兴安三年(454)写《大悲如来告疏》用纸,就是楮皮纸。1972 年新疆吐鲁番阿斯塔那高昌时期古墓中出土的建昌四年(558)及延昌十六年(576)有字纸 3 张,为楮皮纸及桑皮纸。

从晋代开始在今浙江嵊(shèng)县南曹娥江上游剡溪一带以野生藤皮纤维造纸。这一带盛产藤本植物,而剡溪水清又适于造纸,历史上名噪一时的剡藤纸便发源于此。后来在其他产藤区也接着造藤皮纸。唐初虞世南(558~638)《北堂书钞》(630)卷一〇四引东晋范宁(339~401)在浙江任地方官时对属下命令说:"土纸不可以作文书,皆令用藤角纸。"可见东晋时浙江藤纸被视

---

① 陆玑[吴].毛诗草木鸟兽虫鱼疏(约 245).丛书集成本.上海:商务印书馆,1935.29~30
② 唐慎微[宋].证类本草(1108),卷十二,木部.1205 年刻本景印本.北京:人民卫生出版社,1957.300
③ 贾思勰[北魏].齐民要术(约 540),石声汉选读本.北京:农业出版社,1961.280

为良纸,由范宁推广使用。此处"土纸"不可像现在那样理解为草纸,而是范宁时代当地出的较差的麻纸。"藤角纸"肯定指藤皮纸。"角"字是量词,指枚、张等义。

据调查,嵊县产青藤、紫藤、葛藤等,其中防己科多枝藤本植物青藤(*Cocculus trilobus*)分布较广,可造纸,其次是豆科木本紫藤(*Wisteria sinensis*)。藤纸制造显然也是在已知其皮纤维可织成绳索和纺织品后才完成的。因此,晋代纸工从实践中发现一条科学规律:**凡可用于纺织的一切植物纤维都可造纸**。这条规律是从汉代造麻纸的经验中悟出的。运用此规律造出代替麻纸的楮皮纸、桑皮纸和藤皮纸等皮纸系列,所以虽然用纸量逐代增加,中国从未发生过原料供应不足的现象,而欧洲则长期只生产麻纸,终于在18世纪爆发了原料危机。皮纸因原料纤维细而柔韧,且不过长,因而纸质柔韧、紧密,适合作高级文化纸。尤其是书法、绘画用纸,也是好的印刷用纸。

随着纸产量的增加,在满足社会上对书写材料的需要后,纸的用途进一步扩展到日常生活的其他方面,以取代丝绢等昂贵材料。魏晋南北朝时期出现了纸伞、纸鸢、纸花、剪纸、折纸和卫生纸等纸制品。人们在雨天外出时广泛使用的雨伞,至迟从北魏(386~534)时就已出现了。伞旧称繖(sǎn),其面原用绢,但不能防水。以纸作伞面,再刷以桐油制成雨伞,不但便宜,还能防雨。过去士大夫乘车有车盖,北魏时将车盖以篾条为骨,用油纸作成伞,便于步行、骑马,雨伞的制成也标志防水纸的出世。《魏书》(554)卷六十九《裴延俊传》载,世宗宣武帝即位初(500),山胡"以妖惑众,假称帝号,服素衣,持白伞、白幡,率众于云台郊抗拒"①。

图48
中国发明的雨伞,取自清代彩画

史载拓跋珪(408~452)建立的北魏用纸制雨伞。唐人杜佑(735~812)《通典·职官典》(801)更载:"按晋代诸臣皆乘车有盖,无伞。元魏自代北(晋北)有

---

① 魏收[北齐].魏书(554),卷六十九,裴延俊传.二十五史缩印本,第3册.上海:上海古籍出版社,1986.2 346

中国，北俗便于骑耳。疑是后魏时制，亦古以帛为缴之遗事也。齐高(帝)始为之等差云，今天子用红、黄二等，而庶僚用青。"由此可见，北方鲜卑族拓跋部北魏王朝始有纸伞之制，脱胎于车盖，以其轻便，易于开启和折闭，适于骑兵雨天行军。因而一改汉人旧俗，将车盖小型化，帛面易以油纸。北齐文宣帝高洋(529～559)鉴于上下皆用伞，遂建立等级，天子用红、黄伞，臣民用蓝伞。纸伞由北方少数民族地区传入中原，唐宋以后遍及全国(图48)，以伞面颜色区分等级的制度也沿用下来。后来雨伞又传遍世界其他国家。

风筝古时以竹条扎成，再糊以绢面。纸糊风筝从南北朝见于记载，称为纸鸢(yuān)。北齐统治者高洋在邺城(今河南临漳三台村)宫外建26丈高木台，名金凤台。高洋强迫东魏皇室后裔"世哲从弟(元)黄头，使与诸囚自金凤台各乘纸鸢以飞，黄头独能飞至紫陌乃坠"①。这是说，550年高洋推翻东魏(534～550)后，迫害东魏皇室后裔，令魏皇子元黄头与囚犯登金凤台，各乘纸鸢从台上跳下。但元黄头在空中滑翔一段时间后，安全降落在离高洋宫殿不远之处。他必定乘很大的风筝，而成为世界上借风筝实现空中飞行的第一人，虽然这个实验是很冒险的。一千年后，英国人巴顿·史密斯(Baden F. Smyth, 1860～1937)1894年成功实现以风筝载人的飞行实验，因此元黄头乘纸鸢飞行在航空史中有原则性意义②。

纸鸢既然可升空(图49)，便不是简单玩具，而还具有科学研究价值和其他实用价值。史载梁武帝讨叛臣侯景(503～552)，但侯景却连下梁数城，渡长沙围台城(今南京)，太清三年(549)双方激战。被围在城内的梁军放出风筝向城外求援③，可见纸鸢还用于军事目的。

纸还成为艺术家作剪纸的材料，剪纸有强烈民族艺术风格，其起源可溯至魏晋，至南北朝已趋成熟。将彩色纸剪成几何图案、人物、鸟兽、花草等造型，式样美观大方，置于门窗或墙壁上，有时在特定节日中使用。1959年10月～11月新疆吐鲁番阿斯塔那4～7世纪古墓中有剪纸出土，其中第306号墓(59TAM306)有剪成菱形和束腰形纸片。另有圆形剪纸2件，一件为蓝纸，剪成有几何图案的八角形团花，外周为锯齿状圆形，中间以菱形、三角形构成花纹，属于辐射式折叠剪纸(图50A)④。另一件为黄纸，已残，仅存部分(图50B)按剪纸原理复原后，成一对鹿团花(图50D)，外周为齿形圆圈，中间六角形，每边各有两背而立的鹿，尾部相连，共12匹鹿。墓内文书写于章和十一年(541)⑤。

---

① 李延寿[唐].北史(659),卷十九,彭城王勰传.二十五史缩印本.第4册.上海:上海古籍出版社,1986.2 967
② Needham J. Aeronautics in ancient China, Shell Aviation News, 1962(274):2;(280):15; Science and Civilization in China, vol. 4, pt. 2. Cambridge University Press, 1965.588～590
③ 司马光[宋].资治通鉴(1084),卷一六二,梁纪十八,上册.上海:上海古籍出版社,1987.1 068
④ 新疆博物馆.新疆吐鲁番阿斯塔那北区墓葬发掘简报.文物.1959(6):13～21
⑤ 陈竞.从新疆古剪纸探中国民间剪纸的渊源.见:陈竞主编.中国民间剪纸艺术研究.北京:北京工艺美术出版社,1992.146～147

1959年阿斯塔那第303号墓发掘中,也出土黄纸剪成的圆形图案,为对猴团花剪纸,其年代为和平元年(551),为高昌国(531~640)年号。阿斯塔那古墓

图 49
纸鸢,取自吴嘉猷(1890)

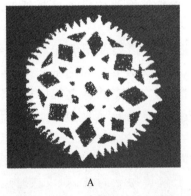

A

B

C

D

图 50
1959年新疆出土的高昌6世纪剪纸,取自《文物》,1959(6)
A 八角形团花
B 对鹿团花残片
C 菱形剪纸
D B的复原图

群还发现忍冬纹团花剪纸(图51),由圆心向外作菱形辐射,外层绕以忍冬花纹,最外圈有31个连续相接的三角形,四层图案相叠,线条匀称。同墓墓志年代为延昌七年(567)。西北高昌剪纸艺术,无疑是从中原传入的。唐代诗人李商隐(813~858)《人日诗》云:"缕金作胜传荆俗,剪彩为人起晋风。"魏晋兴起的剪纸和以纸剪成"人胜"(纸人形),用来招魂的荆(今湖北)俗,也在高昌盛行。

图 51
新疆出土的高昌忍冬纹团花剪纸(567),取自《新疆出土文物》(1975)

与剪纸有关的还有人造纸花。将纸染成不同颜色,再经剪、揉、折等处理,分别作成枝、叶、花朵,再经拼接而成花束,可供室内装饰。晋人孙放(330~370)《西寺铭》称:

> 长沙西寺层构倾颓,谋欲建立。某日有童子持纸花插地,故寺东西相距十余丈,于是建刹,正当(童子插)花处。①

孙放字齐庄,晋秘书监孙盛之子,后任长沙(今湖南长沙)相,其《西寺铭》所载童子插纸花故事,发生于他在长沙任职期内,可见纸花在晋代已经有了,约与剪纸同时或稍迟时出现。由此看来,将方纸或长方纸折叠或适当剪裁制成各种造型的折纸艺术,也应有很早的起源,因为在作纸的过程中已包括折纸的一些工序。

纸在日常生活中另一广泛用途是作卫生纸,包括大便用纸和妇女月经用纸。这对广大群众的卫生保健、防止感染疾病,至关重要。因为纸洁净、柔软,吸湿性强,又是一次性使用,比其他任何材料都好。南齐人颜之推(531~591)《颜氏家训》(589)卷五写道:"其故纸有《五经》词义及贤达姓名,不敢秽用也。"②他告诫子孙,不可将写有儒家经典文字和圣贤姓名的旧纸当卫生纸用,这是对圣贤的不敬。"秽(huì)器"即便器,秽用即解大便。对卫生纸的记载,史料中不多见,但魏晋南北朝已用上了。至于包装物品的纸,则汉代时已用,消耗量也相当大。

三、纸的施胶、涂布和染色技术

为了改善纸的性能,晋代已采用施胶技术,早期施胶剂是植物淀粉糊,将它掺入纸浆中,抄出之纸即实现纸内施胶,写字时便不至洇纸,亦可作设色画。此法行之简便,但在湿纸压榨时有部分施胶剂流失。另一方法是将施胶剂用刷子

---

① 李昉[宋].太平御览(983),卷六〇五,纸部,第3册.北京:中华书局,1960.2 724
② 颜之推[南齐].颜氏家训(589),第五篇,四部丛刊本.上海:商务印书馆,1936.13

逐张刷在纸上,再以细石研光,此法为纸表施胶。上述二法根据具体情况和要求,交互使用。施胶技术是中国古代纸工发明的,但始于何时,长期难以定夺。关于施胶的早期记载,见于唐人张彦远的《历代名画记》(约874),欧洲记载见于17世纪法国人安贝尔迪(J. Imberdi)的《纸或造纸技术》(*Papyrus sive Ars Conficiendae Papyri*,1693)①,欧洲施胶纸不会早于13世纪。1886年威斯纳化验9~10世纪阿拉伯纸,发现经施胶处理,早于欧洲,但阿拉伯人造纸技术是从中国引进的。

1900年斯坦因(Aurel Stein,1862~1943)在新疆和田、尼雅考古时发掘一些魏晋木牍和唐代纸本文书,其年代最早者为大历三年(768),比前述阿拉伯纸早一百多年,经化验为施胶纸。此后,甘肃又出土北魏太平真君十一年(450)文书,经威斯纳化验为施胶纸,因此人们又将此技术上溯到公元450年②。1964年笔者对北京图书馆藏西凉建初十二年(416)写本《律藏初分》用纸作了化验,发现纸浆中含有淀粉糊剂,显微镜下可见分散的淀粉粒子(图52),因此我们将施胶技术上溯到东晋-十六国(304~439)时期③。1973年我们又检验新疆出土的后秦白雀元年(384)衣物疏(墓内随葬品清单)用纸,注意到该麻纸经表面施胶后,又经研光。实际上在3世纪后半期魏晋之际已有了施胶技术。

图52
北京国家图书馆藏
《律藏初分》(416)及
所用麻料施胶纸显微
分析图,潘吉星提供
(1998)

纸以淀粉剂处理后,虽改善纸的写字效果,但其抗蛀性不好、脆性大等负面性随之而来。为克服这些不足,出现了表面涂布技术,这是加工纸技术的一项发明。其方法是将白色矿物粉用胶刷于纸表,再予研光。从技术发展脉络上看,这是对表面施胶的改进,以矿物粉代替淀粉。表面涂布后,增加纸的白度、平滑度,减少透光性,使纸表面紧密、吸墨性好。1764年英国人卡明斯(George Cummings)将铅白、石膏、石灰和水混合,涂刷在纸上,获得发明专利,但美国的纸史

---

① Hunter D. Papermaking: The History and Technique of an Ancient Craft(1947). 2nd ed. New York: Dover, 1978. 194
② 中村長一. 紙のサイズ. 大阪:北尾書局,1961. 7
③ 潘吉星. 新疆出土古纸研究. 文物,1973(10):52~60

家亨特(Dard Hunter,1883～1966)认为此技术为中国人首先使用①。20世纪初,威斯纳化验新疆出土晋、南北朝纸后,发现其中有的表面涂有一层石膏。

1974年新疆吐鲁番哈拉和卓古墓出土前凉(317～376)建兴三十六年(348)绢写柩铭,同墓更发现王宗写在纸上的书信,经笔者化验为麻料涂布纸,比英国人卡明斯涂布纸至少早一千四百多年。我们又检验吐鲁番出土的陈寿著《三国志》东晋麻纸写本(图44),每纸23.3 cm×48 cm,纸质洁白,表面平滑,纤维叩解度70°SR,纸表涂一层白色矿物粉,再经砑光(图53)②。纸上写以秀丽的楷隶,墨迹至今仍漆黑发光,犹如新作。1977年,我们检验1959年吐鲁番阿斯塔那古墓群第305号墓出土衣物疏用纸,直高23.4 cm,横长35.5 cm,是完整而未剪裁的原始尺寸麻纸,色白,单面涂以白粉。同墓出土有前秦建元二十年(384)字纸。基于上述,中国涂布技术起源于魏晋(3世纪后半叶),4世纪前半叶实物已有出土,古称"粉笺"。

图53
东晋写本《三国志》麻料涂布纸显微分析图,潘吉星提供(1979)

表面涂布所用白色矿物粉原料,通常为白垩,主要成分为碳酸钙;其次是石膏($CaSO_4 \cdot 2H_2O$),还有石灰、瓷土($Al_2O_3 \cdot 2SiO_2 \cdot 2H_2O$)等。将原料碾成细粉,过筛,与水配成乳状悬浮液,搅拌,去掉漂浮的杂质。将淀粉或胶在水中煮之,与白粉悬浮液混合,搅拌。用排笔蘸匀,涂布于纸面,干后,再砑光。如果单面涂布,白粉用量为纸重的27%,双面涂面时涂料为纸重的30%。涂层过厚使纸耐折度降低,又无谓加大纸重。所用纸皆为好纸,因此涂布纸售价较高,多用作文化纸。

对纸的另一加工方法是染色,可增添其外观美感,改善其性能,扩大其用途。色纸始自汉代,东汉人刘熙(66～141在世)《释名》(约100)解释"潢"字时,说此乃染纸也。魏晋南北朝以后,继承了这种手法,并发扬光大。最流行的黄色纸,称为染潢纸。用这类纸写成书,再作成卷子,叫"装潢"。敦煌石室写经大部分是这类黄纸经卷,纸呈浅黄色,以舌试之有苦味。这类纸用起来有下列效果:(1)防蛀;(2)遇有笔误,可用雌黄(orpiment,As_2S_3)涂后改写;(3)有庄重之感,黄色表示神圣。晋代染潢有两种方式,一是先写后潢,二是先潢后写,后种方法可取。

---

① Hunter D. Papermaking: The History and Technique of an Ancient Craft(1947). 2nd ed. New York: Dover, 1978. 194

② 潘吉星. 新疆出土古纸研究. 文物,1973(10):52～60

《晋书》(635)卷三十六《刘汴传》载，刘汴至洛阳，入太学试经，考官"令写黄纸一鹿车。汴曰：刘汴非为人写黄纸者也。"这是讲先潢后写。

从出土古纸写本观之，先潢后写者占绝大多数，黄纸多用于官府文书、儒家典籍和宗教经书。所用染料为黄柏，古称黄檗(bò)。取自芸香科落叶乔木黄柏之干内皮，呈黄色，味苦，气微香。常用者为关黄柏(*Phellodendrom amurense*)和川黄柏(*Phellodendrom sachalinense*)。春秋时选十年以上老树，剥去外面老皮，取下内皮，晒至半干，压平，洗净晒干，再碾成细粉。化学分析表明，黄柏皮内含生物碱，主要成分是小檗碱(berberine, $C_{20}H_{19}O_5N$)，色黄、味苦，溶于水。它既是黄色植物染料，又是杀虫防蛀剂，还可以入药①。宋人赵希鹄(gǔ)《洞天清录集》(约1240)说古纸"染以黄檗，取其辟蠹(dù)"，是正确的。后魏人贾思勰《齐民要术·杂说第三十》有专门一节谈染黄：

> 凡潢纸，灭白便是（涂上染液不见白底即可），不宜太深，深则年久色暗也。人浸檗熟（人们将黄柏浸煮得到汁后），即弃滓，直用纯汁，费而无益。檗熟后，漉滓捣而煮之，布囊压讫，复捣煮之。凡三捣三煮，添和纯汁者，其省四倍，又弥明净。②

1964年我们以麻纸和楮皮纸作染纸实验，取川黄柏煮液染之，效果甚佳。色度深浅依染液浓度、染料含量而定，不宜染得太深。正如贾思勰所说，这种纸存放越久，颜色越黄。由此可见，敦煌石室魏晋南北朝黄纸写经所用的纸，最初是染成浅黄色，写出字后也不刺眼，但年久后才变得颜色深了。

除黄纸外，这时期还生产其他各种色纸。《太平御览》卷六〇五引晋人应德詹《桓玄伪事》云，桓玄(369～404)称帝后，"令平准（经济官员）作青、赤、缥、绿、桃花（色）纸，使极精，令速作之"。这包括蓝、红、浅蓝、绿和粉红等五色纸。十六国后赵(319～351)统治者石虎(295～349)333年也下令在都城制五色纸。所用染料多为植物染料，染红用红花、苏木，染蓝用靛蓝，由红、黄、蓝染料相配，又可得到各种间色，如绿、紫、橘色等，染紫亦可用紫草。

第二节　隋唐五代的造纸技术

一、皮纸的发展和竹纸的兴起

南北朝之后，北周(557～581)已作了统一的努力，拥有黄河流域及长江下

---

① 南京药学院编.药材学.北京：人民卫生出版社，1960.347～351
② 贾思勰[北魏].齐民要术(约540)，石声汉选读本.北京：农业出版社，1961.196

游。581年,北周相国杨坚夺取北周政权,建立隋朝(581~618),进一步结束南北朝分裂局面,中国重新统一。继隋之后,李渊(565~635)、李世民(599~649)父子建立的唐朝(618~907),巩固了大一统局面,把社会经济、文化发展推向新的高峰。尤其在杰出政治家唐太宗(626~649)李世民的开明统治下,形成了历史上有名的"贞观之治",此后又有玄宗李隆基(685~762)的"开元中兴"。但755年"安史之乱"后,政权渐衰,唐末藩镇分权导致五代十国的封建割据重演,但为时不长。隋唐五代为时379年,其中有326年是统一时期。

隋唐时期因政治统一,黄河流域经济在各民族融合基础上已从恢复转向大发展;长江流域经过南北朝时的开发,已接近黄河流域发展水平,且继续上升。这时真正实现了两大流域的经济结合为一体的优势,大运河是这种结合的纽带之一。在这一时期,农业、手工业和科学技术都获得全面而均衡的发展,人文科学和宗教也是如此。这是中国史中的盛世。隋唐已先于欧洲近千年"开始了中国的文艺复兴"。英国史家韦尔斯(Herbert George Wells,1866~1946)认为,"在唐初诸帝时代,中国的温文有礼、文化腾达和威力远被,同西方世界的腐败、混乱和分裂对照得那样鲜明",以致中国在世界上处于全面领先的地位[①]。造纸术就在这一大的背景下处于进一步大发展阶段。

从中国造纸技术史角度观之,原料来源的扩大是技术进步的一个标志,因为某种新原料的引用常常伴随着一套新的工艺过程的出现。隋唐五代所用原料有麻类、楮皮、桑皮、藤皮、瑞香皮、木芙蓉皮和竹类,比魏晋南北朝又增加了好几种。竹纸初露头角,制造过程复杂,势必要发展出一套新的工艺流程。麻纸制造已达到登峰造极的阶段,仍是主要纸种,但皮纸产量比前代显著增加,在质量上与麻纸争夺主导地位。用野生植物纤维造纸是新的技术趋势,除单一原料造纸外,混合原料纸比以前增加。用废纸回槽造再生纸,也起于此时。在自然资源的开发利用上这时显得丰富多彩,保证了造纸业成为国民经济中继续繁荣兴旺的手工业部门。

唐代造麻纸除以破布为原料外,还直接用野生麻类纤维造纸。唐人张彦远《法书要录》(847)卷六及窦臮(jì,760~820在世)《述书赋》(约790)卷下都记载说,开元年间(713~741)萧诚(683~751在世)用西山野麻和虢(guó)州(今河南灵宝)土穀造五色斑纹纸。用野生麻造纸比用破布造纸要增加好几道工序,因原料取之即来,整个生产成本大为降低。中国野生麻丰富,如田麻(*Corchoropsis tomentosa*)和罗布麻(*Apocynum venetum*)等,都可造纸。从晋代兴起的藤纸,在唐代达到全盛期,且产地由嵊县扩至外地。《新唐书·地理志》载婺州(今浙江金华)、杭州余杭都产藤纸。李吉甫《元和郡县图志》(814)卷廿六载开元时婺州贡藤纸,元和时(806~820)信州(今江西上饶)贡藤纸。

因藤纸品质高,唐代皇帝用于宫中,内府作为高级公文纸。唐人李肇(791~830在世)《翰林志》(819)称:"凡赐与、征召、宣索、处分曰诏,用白藤纸。慰抚军

---

① Wells H G. 世界史纲. 吴文藻等译. 北京:人民出版社,1982.629

旅曰书,用黄麻纸……凡道观荐告词文,用青(蓝)藤纸。"唐代饮茶之风盛行,陆羽(733～804)《茶经》(约765)卷二《器用》指出,好茶要用白而厚的剡藤纸包起来烘烤,以免走味。很多诗人如白居易、顾况等喜欢用藤纸写诗。由于藤纸用量猛增,藤的资源有限,以至舒元舆(约760～835)来到剡溪时发现,绵连450里的藤林几被砍光,遂写了《悲剡溪古藤文》。自唐以后,藤纸生产越来越少,以至绝迹,这是个历史悲剧。

与藤纸相反,楮皮纸因构树分布广、长势快,既有种植,又有野生,发展势头正旺,产量猛增,成为高级书画用纸和重要经典著作用纸。唐初僧人法藏(643～712)《华严经传记》(702)卷五载僧人德元"修一净园,种诸穀楮,并种香花、杂草,洗濯入园,溉灌香水。楮生三载,馥气氤氲……剥楮取衣(皮),浸以沉(香)水,护净造纸,毕岁方成。"然后以此楮纸敬写《华严经》[1]。同书又载永徽年(650～655)定州(今河北定县)僧修德(585～680在世)"别于净院种楮树凡历三年,兼之花、药,灌以香水,洁净造纸……招善书人妫州王恭……下笔含香"写《华严经》。可见德元、修德不但自行种楮,还自行造纸,用来写《华严经》。灌以香水,使楮园充满香气,表示庄重。

北京国家图书馆藏隋开皇二十年(600)写的《护国般若波罗蜜经》写于黄色楮纸,每纸25.5 cm×53.2 cm,纸质甚佳。同馆藏开元六年(718)道教经典《无上秘要》也写以黄色楮纸,表面涂蜡,属于黄蜡笺[2]。新疆阿斯塔那出土开元四年(716)《西州营名簿》,写以白色楮纸[3]。唐人写经用楮纸还有染成紫色者[4]。我们化验的四十多种隋唐写经中,楮纸本约占25%,这个比例是较高的。楮皮纤维纤细而发亮光,能抄成紧密的薄纸,表面平滑,外观有如蚕丝,因而被美称为"蚕茧纸"。唐代文人特别喜爱楮纸,大文豪韩愈(768～824)称之为"楮先生"。唐初书法家薛稷(649～713)尊楮皮纸为"楮国公",为众纸之首,就像后世人将火炮尊为"大将军"那样。楮纸身价的提高,使其早在唐代已成为中国国纸,"楮"字成为"纸"字的代名词,"楮墨"即纸墨。楮纸在众纸中处于至高无上的地位,唐人自会促进其大力发展。

桑皮纸也比前代多起来了,如敦煌石室发现的隋唐之际(7世纪初)《妙法莲华经》写以黄色桑皮纸,每纸26.7 cm×43.5 cm,细帘条纹。新疆阿斯塔那出土的唐代户籍簿钤有"敦煌县之印"印章,为白色桑皮纸。同处出土总章三年(670)白怀洛借钱契、载初元年(689)宁和才授田户簿,都是很好的白色桑皮纸。唐麟德二年(665)卜老师借钱契用麻纤维与桑皮纤维混料纸抄写。故宫博物院藏唐代画家韩滉(723～787)设色画《五牛图》也画在桑皮纸上(图54)。

---

[1] 法藏[唐].华严经传记(702),卷五.见:高楠顺次郎主编.大正新修大藏经,第51册.東京:大正一切経刊行會,1928.155,170～171
[2] 潘吉星.敦煌石室写经纸研究.文物.1966(3):39～47
[3] 潘吉星.新疆出土古纸研究.文物.1973(10):52～60
[4] 加藤晴治.敦煌出土寫経とその用紙について.紙パ技協誌(東京),1963,17(9):28～34

唐代推出的新型皮纸有瑞香皮纸和芙蓉皮纸。刘恂(860~920在世)《岭表录异》(约890)写道：

> 广管罗州多栈香树，身似柜柳，其花白而繁，其叶如橘皮，堪作纸。皮白色，有纹如鱼，雷(州)、罗州、义宁、新会县率多用之。其纸漫而弱，沾水即烂，不及楮皮者。

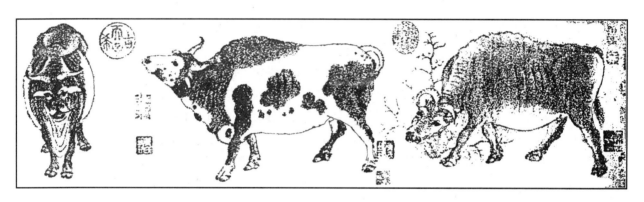

图 54
唐代画家韩滉用桑皮纸彩绘的《五牛图》，北京故宫博物院藏

段公路(840~895在世)《北户录》(895)亦称，"香皮纸，罗州多笺香树，身如柜柳，皮堪捣纸，土人号为香皮纸"。此处所说罗州、雷州、义宁、新会，都在今广东境内，唐时属岭南道。据《本草纲目》(1596)引唐人苏敬《新修本草》(659)曰，沉香木似榉柳，树皮青色，叶似橘叶，经冬不凋，夏生花白而圆[1]。按柜柳又名榉柳，为胡桃科落叶乔木枫杨(*Pterocarya stenoptera*)，叶互生，树皮呈黑灰色起裂。与此外形类似的栈香树，当是瑞香料沉香属的沉香(*Aquilaria agallocha*)，为常绿乔木，叶互生，开白花，树皮灰褐色，产于广东、广西及福建，其木质部分泌出树脂作香料，韧皮纤维可造纸。

沉香属的白木香(*Aquilaria sinensis*)，又名土沉香，亦产于岭南，可作香料，韧皮纤维可造纸。除花色为黄绿外，其余形态特征也与唐人描述的栈香树同[2]，因此这种纸严格说应称为沉香皮纸。唐代人还用瑞香科其他植物纤维造纸，20

---

[1] 李时珍[明].本草纲目(1596),卷三十四,木部,下册.北京:人民卫生出版社,1982.1 937
[2] 孙宝明,李钟凯.中国造纸植物原料志.北京:轻工业出版社,1959.376

世纪初在新疆出土,原料可能是白瑞香(*Daphne papyracea*)①。瑞香科植物在中国分布很广,种类也很多。一旦掌握以韧皮纤维造纸的技术经验,唐代纸工就会到野外寻找各种原料进行试验,因此选中了瑞香科植物是很自然的。敦煌石室唐人写经纸中也有瑞香皮纸,厚 0.13 mm~0.16 mm,粗帘条纹,每条径 0.25 cm,纸面有淀粉剂②。

在开辟以野生植物原料造纸的过程中,唐人还以锦葵科植物木芙蓉(*Hibiscus manihot*)皮为原料,著名的薛涛笺即以此造成。明人宋应星《天工开物》(1637)说:"四川薛涛笺亦芙蓉皮为料,煮糜,入芙蓉花末汁,或当时薛涛(768~831)所指,遂留名至今。其美在色,不在质料也。"③特别值得注意的是,新疆出土唐大历三年至贞元三年(768~787)的 5 种有年款的文书纸中,有用破布和桑皮、月桂(laurel)皮纤维混合原料纸④。月桂(*Laurus nobilis*)为樟科常绿乔木,叶互生,花黄色,树皮黑褐色,果含芳香油,分布于江南,外观与沉香树有些类似。因此新疆出土的这类纸必来自内地。

由此可见,唐代造皮纸原料来自桑科、瑞香科、锦葵科、豆科、樟科、防己科等六大科植物,远远超过南北朝。鉴于唐代近 300 年皮纸获得长足发展,根据对该期纸样的分析化验和模拟实验,有可能将皮纸制造的工艺过程理清,下列工序是必不可少的(图 55):

(1)砍伐→(2)剥下树皮→(3)沤制脱胶→(4)剥去外表青皮→(5)水洗→(6)浆灰水→(7)蒸煮→(8)漂洗→(9)除去残余青皮→(10)切碎→(11)舂捣→(12)水洗→(13)制浆液→(14)捞纸→(15)压榨去水→(16)烘干→(17)揭纸→(18)整理包装。

因原料为野生植物纤维,其中含果胶 8.84%~9.46%、木素 8.94%~14.32%及其他有害杂质,韧皮部外还包着一层青皮,都必须除去,才能造出白纸。为此,剥下树皮后,先要在水池中沤,有时亦可用清水蒸煮。这样能脱去果胶、半纤维素等,并使皮层松动而易于剔除。剥去青皮较费时间,可用槌打或石碾碾之,再在河水中洗涤,边洗边踩,剩下较白的皮料。将皮料打成捆,以石灰水浸透,堆放一个时间,再放入蒸煮锅中蒸煮,同时将草木灰水从上淋下,木素、色素等成为黑液,纤维变软,河水中洗净,黑液弃之。将残存青皮再剔除,再洗。然后将白皮叠成束,以刀切成碎块,用碓捣成细泥,放布袋中洗之。洗毕,放入纸槽中,加水配成纸浆,搅拌,再加米汤或植物黏液。以下是捞纸、压榨、烘晒、揭纸。现将这些工序以图表述如下:

---

① von Wiesner J. Ueber die altesten bis jetzt aufgefundenen Handerpapiere. Sitzungsberichte der Kaiserlichen Akademie der Wissenschaften Wien. Philosophischen und Historischen Klasse, 1911, 168(5)

② Harders-Steinhauser M. Mikroskokische Untersuchung enger frueher, Ostasiatischer Tun-Huang Papiere. Das Papier (Darmstadt), 1968, 23(3):210~216

③ 宋应星[明]著. 潘吉星译. 天工开物译注. 上海:上海古籍出版社,1992. 156,293

④ Stein A. Preliminary Report on a Journey of Archaeological and Topographical Exploration in Chinese Turkestan. London, 1901. 39~40

唐代纸工对造纸史所作的另一伟大贡献,是发明竹纸。唐翰林学士李肇(791~830在世)《国史补》(约829)卷下《叙诸州精纸》条载:

> 纸则有越之剡藤、苔笺,蜀之麻面……扬之六合笺,韶之竹笺。①

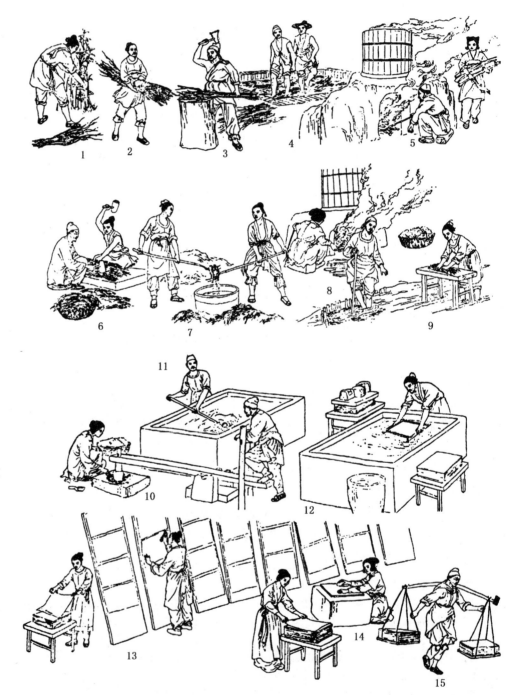

图55
唐代造皮纸工艺流程图,潘吉星设计、张孝友绘(1979)
1 砍伐
2 剥皮、打捆
3 切短 4 沤制
5 清水蒸煮
6 剥青皮 7 浆灰水
8 蒸煮 9 洗料
10 捣料 11 配浆
12 抄纸、压榨
13 晒纸 14 整理
15 运货

① 李肇[唐].国史补(约829),卷下.笔记小说大观本,第31册.扬州:广陵古籍刻印社,1984.17

韶州属唐岭南道,即今广东北部韶关,这一带自古盛产竹,尤其是禾本科毛竹(*Phyllostachys edulis*)。《国史补》约成于唐文宗大和三年(829),可知 9 世纪初竹纸已兴起于南方产竹区。另一唐人段公路(840~895 在世)《北户录》(895)谈到广东罗州沉香皮纸时,指出其"不及桑根、竹膜纸",即不如桑皮纸和竹纸。唐末(10 世纪)人崔龟图注《北户录》时,说竹纸"睦州出之"。睦州即今浙江淳安,则浙江亦产竹纸。唐末、五代时人冯贽《云(雲)仙散录》(926)卷三写道:

  姜澄十岁时,父苦无纸。澄乃烧糠、㸐竹为纸,以供父。澄小字洪儿,乡人号洪儿纸。①

烧糠是提供草木灰用,㸐(xuè)竹即蒸煮竹,此处也是讲造竹纸。竹纸与麻纸、皮纸不同,不是以植物茎皮纤维为原料,而是以茎秆纤维为原料,即取用整个竹竿造纸,为后世欧洲木浆纸开启绪端,因木浆纸也是以整个木杆为原料。竹浆造纸较困难和复杂,但因中国是产竹大国,以竹造纸开辟了一个全新的原料来源。只有在造纸技术高度发达的唐代,才能完成这项突破,为宋代竹纸大发展打下基础。英国人鲁特利奇(Thomas Routledge)1875 年在西方首次以竹造纸成功②,晚于中国一千多年。

二、纸的产地和用途的扩大

隋唐时期全国统一,各地区之间、汉族与其他兄弟民族之间的经济、文化交流空前活跃,水陆交通网将各地区联系得很紧密,造纸技术在全国遍地开花,产纸区迅速扩大,从业人员剧增,一些高级知识分子也成了业余造纸家。据李吉甫《元和郡县图志》(814)、《新唐书·地理志》(1061)、杜佑《通典·食货典》(812)、李林甫《唐六典》(739)、李肇《国史补》(约 829)等书记载,参考近 50 年来考古发掘资料,这一时期造纸产地有西都长安、东都洛阳、许昌、凤翔(陕)、幽州(今北京)、蒲州(山西永济)、兰州、沙州(甘肃敦煌)、肃州(甘肃酒泉)、莱州(山东黄县)、西州(新疆吐鲁番)、常州(今江苏武进)、江宁(今南京)、扬州(江苏六合)、衡州(湖南衡阳)、均州(湖北均县)、荆州(湖北江陵)、罗州(广东廉江)、韶州(广东韶关)、广州、益州(四川成都)、杭州、越州(浙江绍兴)、婺州(浙江金华)、衢州(浙江衢县)、剡县(浙江嵊县)、睦州(浙江金华)、宣州(安徽宣城)、歙州(安徽歙县)、池州(安徽贵池)、江州(江西九江)、信州(江西上饶)、抚州(江西临川)、逻些(西藏拉萨)、长乐(福建福州)、泉州等 36 处③。

上述纸产地分属今陕西、河南、北京、山西、甘肃、山东、新疆、江苏、湖南、湖

---

  ① 冯贽[五代].云(雲)仙散录(926),卷三.丛书集成本,第 2 836 册.北京:商务印书馆,1960.22
  ② Hunter D. Papermaking: The History and Technique of an Ancient Craft(1947). 2nd ed. New York: Dover, 1978.571~572
  ③ 潘吉星.中国科学技术史·造纸与印刷卷.北京:科学出版社,1998.149

北、广东、浙江、安徽、江西、西藏和福建等17个省、市和自治区。这当然还是不完全的统计，但大体反映了产纸区的基本分布情况，其中浙江、江苏、江西、安徽和四川等省是重要产区,反映经济重心从黄河流域转向长江流域。在这五省有官营大型纸坊,精工细作,不惜工本,同时也有民间中小纸坊。除麻纸外,有皮纸、藤纸、竹纸和混合原料纸,还有各种加工纸,品种繁多。西南和西北边远的少数民族地区,也有了纸坊。各地所产的纸除供国内使用外,还作为商品通过陆路和海路贩运至东西方其他国家,导致造纸术的外传。

隋唐五代时期所造的纸,主要是供抄写书籍和文书的文化用纸,总产量还难以估算出,但从个别实例中可见一斑。据王溥《唐会要》(961)卷卅五载,大中三年(849)一年内集贤书院抄写365卷书,需益州麻纸1.2万张。而刘昫(xū)《旧唐书·经籍志序》(945)及李林甫《唐六典》(739)卷九称,开元(713~741)时命集贤书院抄写内府所藏甲乙丙丁(经史子集)四部书12.6万卷,当需益州麻纸414.2万张。除正本外,还要抄成副本及贮本,共三副。只集贤书院一个机构就消耗这么多纸,全国耗纸量之大就可想而知了。敦煌石室一个藏经洞内就有各种著作三四万卷,其中多为隋唐五代时期纸本,其他宗教及文化中心的公私藏书当数百倍于此。这使中国纸产量肯定居全球之冠,超过所有其他国家的总产量。

书法家和画家所用的纸有更高的要求,传世作品也比前代增加。隋以后汉字书体由楷隶向楷体转变,此后成为长期固定的字体。楷体分正楷、行书及草书三种写法。传世书法家作品有冯承素(650~710在世)705年临《兰亭叙》(图56),颜真卿(709~785)758年写《祭侄季明稿》(图57)、780年写《自书告身帖》,杜牧(803~853)《张好好诗》和杨凝式(873~954)《神仙起居法》等。传世的名画作品有吴道子(685~758在世)《送子天王图》和韩滉(723~787)《五牛图》等。1969年新疆吐鲁番还出土唐代设色花鸟画,直高201 cm,横长141 cm,幅面很大,由数纸联成,表面涂布白粉,经砑光。上述作品多用麻纸,亦有用桑皮纸者。文献中著录的书画名家作品更多,如隋画家展子虔(约550~604)《法华变》等,但没有流传下来。

除抄写书籍、文件外,隋唐之际兴起的雕版印刷业是消耗大批纸的另一行业。印刷术起自民间,受到广大信徒参加的宗教活动的刺激。隋唐时佛教有很大的发展,所有佛经都要求信徒按佛祖教导,多次诵读、抄写经咒、经文,并将其供养于佛塔、佛寺中,这样可受佛保佑,消灾纳福。许多信徒便从专门抄写这种佛经的僧人("经生")那里买来佛经,实践佛祖的教导。由于抄经费很多时间,而又供不应求,因此出现以雕版印刷复制佛经的技术,缓解了这一矛盾,因此早期印刷品多是佛像、经咒和佛经。唐初武周前期(690~699)刊行的《妙法莲华经》,1903年在新疆吐鲁番出土。武周长安二年(702)刊行的《无垢净光大陀罗尼经》,1966年在韩国庆州佛国寺佛塔中发现①②(图58),二者均刊于洛阳。

---

① 潘吉星.论韩国发现的印本无垢净光大陀罗尼经.科学通报(北京),1997,42(10):1 009~1 028
② Pan Jixing. On the origin of printing in the light of new archaeological discoveries. Chinese Science Bulletin (Beijing), 1997,42(12):976~981

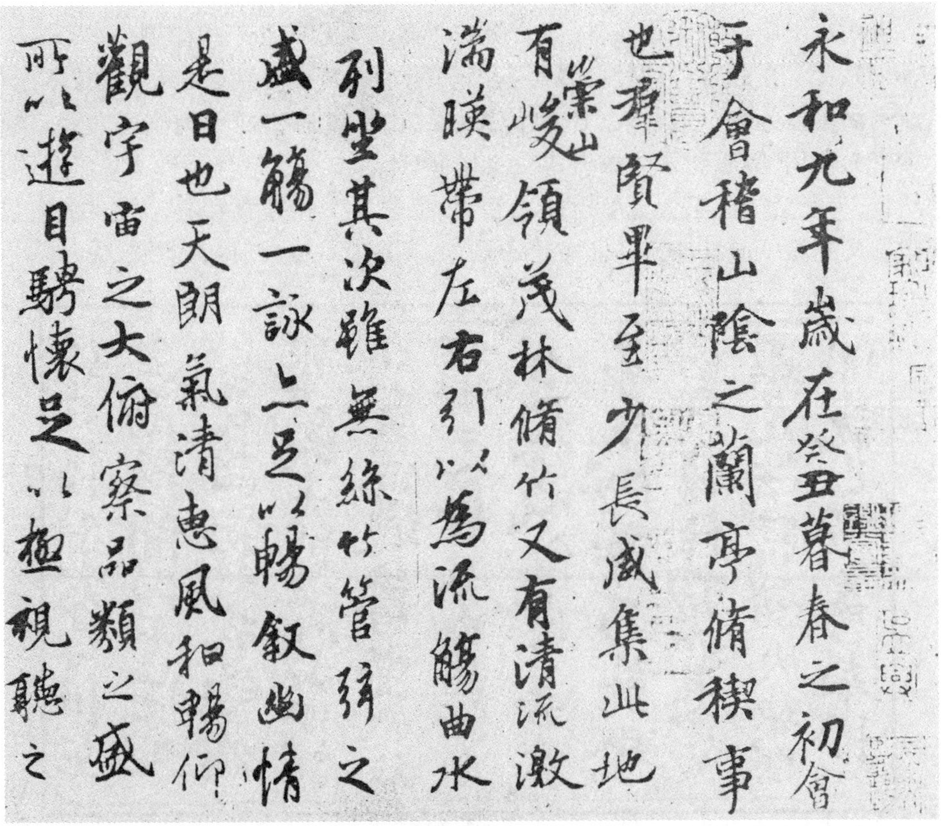

图 56　冯承素 705 年临《兰亭叙》，北京故宫博物院藏

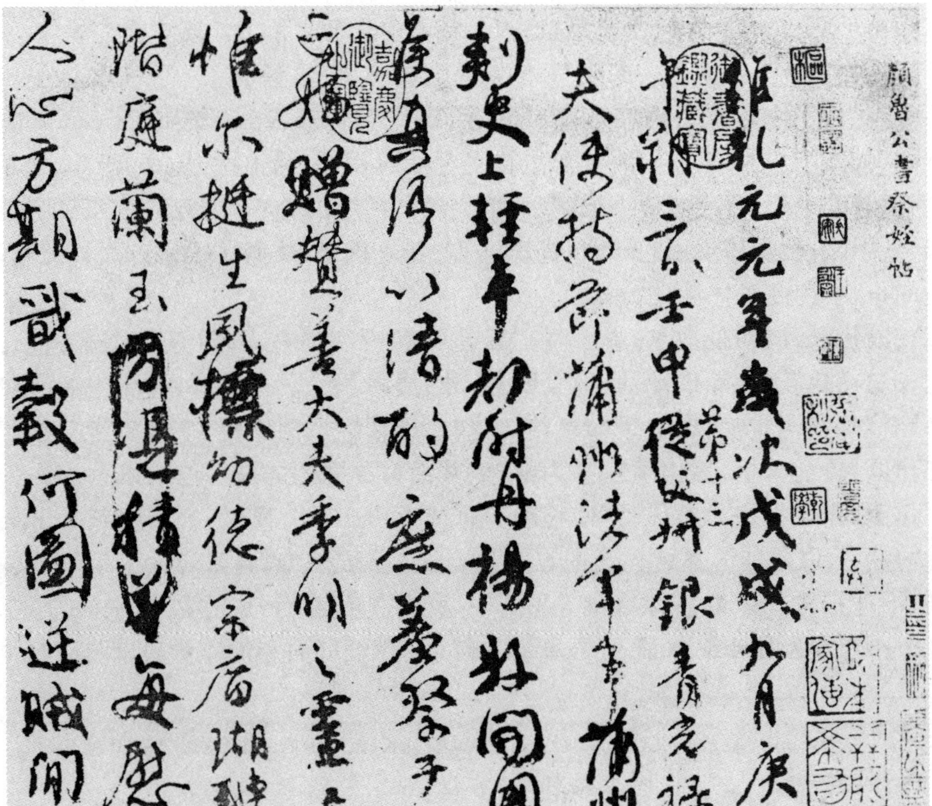

图 57　颜真卿 758 年写《祭侄季明稿》，取自《书法》，1978(2)

唐代除出版佛教印刷品外，还出版一些面向大众的非宗教印刷品，如语文字典、历书、文学作品等。这时仍属写本书和印本书并存时期，机械复制技术未能迅速淘汰手抄劳动。但五代(10 世纪)以后，由于政府出面刊刻儒家九经，供广大读书人使用，雕版印刷才获得进一步发展，印本书逐步取代手抄本。纸和印刷术结合，为社会提供了大量廉价的书籍，也促进了文化教育和科学技术的发展，而印刷又刺激了造纸的兴旺。关于印刷术，将在下一章中详细讨论。

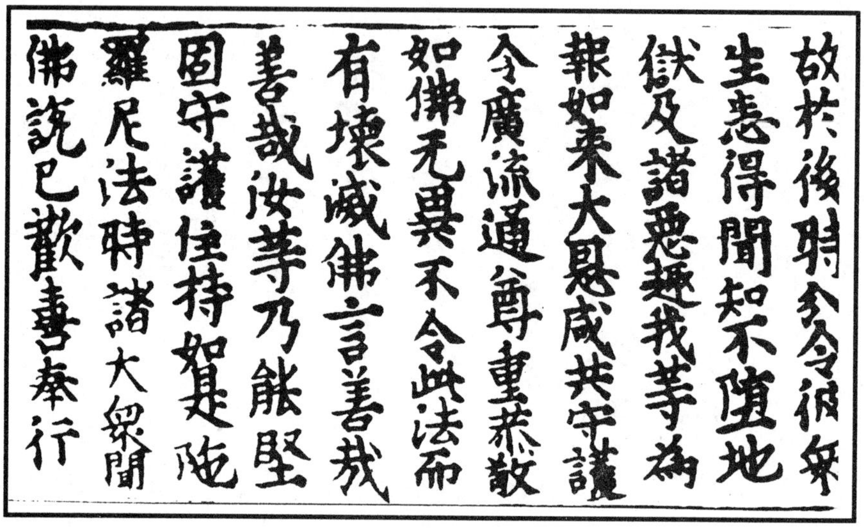
故於後時分令彼衆
生悉得聞知不墮地
獄及諸惡趣我等為
報如來大恩咸共守護
令廣流通尊重恭敬
如佛无異不令此法而
有壞滅佛言善哉
善哉汝等乃能堅
固守護住持如是陀
羅尼法時諸大衆聞
佛說已歡喜奉行

图 58
唐武周长安二年(702)刻印《无垢净光大陀罗尼经》，取自 The UNESCO Courier (December, 1972)

由于原料来源扩大，产量增加，唐代纸比前代便宜得多。斯坦因在敦煌一个寺院内发现 8 世纪前后一本账簿，纸以帖为单位，每帖售价 35 文、50 文及 60 文不等，50 文的一帖纸可糊灯笼 19 个有余，每支毛笔 15 文①；建中元年(780)每匹绢 3 000 文。人们用廉价的纸作成许多生活日用品，除前代已有的雨伞、风筝、纸花、剪纸之外，唐代还使用纸扇、纸帽、名刺(名片)、纸灯笼、纸蚊帐、纸衣、纸屏风、纸甲、宗教及葬仪用的纸钱、糊窗纸等，名目繁多，从而在很多方面代替较昂贵的布、绢和金属材料。

冯贽《云(雲)仙散录》卷二说："杨炎(729～781)在中书(任中书舍人)，后阁糊窗用桃花纸，涂以冰油，取其明甚。"白居易《长庆集》(823)卷十七《晚寝集诗》有"纸窗明觉晚，布被暖知春"之诗句。早期屏风用木板，下有底座，板面涂漆作画，较为笨重，后出现以木为框架、以绢为屏面的屏风。但以纸为屏面，既可作画，作成折叠式屏风，更便移动。唐诗人白居易一反时俗，以白纸为屏面，称"素屏"，以养其浩然之气。他在《素屏谣》内写道："素屏素屏胡为乎，不文不饰、不丹不青……欲尔保真而全白……我必久养浩然气，亦欲与尔表里相辉光……今**木为骨兮纸为面**，舍吾草堂欲何之。"②纸屏面和纸窗价廉，而且破后极

① Chavannes E. Les Documents Chinois Decouverts par Aurel Stein dans les Sables du Turkestan Oriental. Oxford, 1913. 969～971

② 白居易[唐]. 素屏谣. 见：全唐诗，下册. 上海古籍出版社影印康熙年扬州刻本，1986. 1 171

易修补。

唐人陆长源(709~757在世)《辨疑志》载:"大历(766~779)中,有一僧称为苦行,不衣缯絮、布绐之类,常衣纸衣,时人呼为纸衣禅师。"纸衣为较厚的楮皮纸揉绉后缝制而成,或染色或本色。纸衣防风寒,透气性好,又轻便。1964~1965年新疆吐鲁番阿斯塔那古墓中还发现一些唐代纸冠①。《新唐书》卷一一三《徐商传》称,宣宗时徐商(847~894在世)领兵与突厥兵作战,"置备征军凡千人,襞纸为铠,劲矢不能洞"。以多层硬厚纸板作成护体铠甲,能以柔克刚,可防箭射,又轻便,为后世所沿用。

图 59
吐鲁番出土的唐代纸冠,取自《文物》,1973(10)

现时世界各国社交用的名片(visiting card),是中国发明的。唐人元稹(779~831)《长庆集》卷廿三《重酬乐天诗》中说:"最笑近来黄叔度,自投**名刺**占陂湖。"名刺即纸制名片,一般宽二三寸,有红、白二色。黄叔度为东汉名士黄宪(75~122),陂湖为东汉会稽太守马臻建的蓄水工程。元稹诗中讽刺时人以名片炫耀,自比东汉名士黄宪,如同以姑苏(今苏州)小池塘比作东汉陂湖那样。名片于唐代传入日本,至今日语仍称"名刺"(めいし,meishi),与唐代古名一致。

现时中外各国流行的带有文字和图案的纸牌,也来自中国,唐代称为叶子戏。唐人苏鹗(850~930在世)《杜阳杂编》卷下云:"咸通九年(868)同昌公主出降(出嫁),宅于(长安)广化里,赐钱五百万贯……一日大会韦氏之族于广化里……韦氏诸家好为**叶子戏**。"②此事发生于869年。《太平广记》(978)卷一三六引《咸定录》曰:"唐李郃(tái)为贺州刺史,与妓人叶茂莲江行,因撰骰子选,谓之叶子戏。"可见基层人也玩纸牌。清人赵翼(1727~1814)《陔余丛考》(1750)卷卅三《叶子戏》云:"纸牌之戏,唐已有之。今之以《水浒》人物分配者,盖沿其式而易其名耳。"纸牌以厚纸板制成长方形,图案手绘,后来印成图案后手工加彩。

古时葬礼隆重,常将金属货币和实用品随葬墓中。隋唐以后,金属货币易之

---

① 李征.吐鲁番县阿斯塔那-哈拉和卓古墓群发掘简报.文物,1973(10):7~27
② 苏鹗[唐].杜阳杂编,卷下.笔记小说大观本,第1册.扬州:广陵古籍刻印社,1983.150~151

以纸钱,实用车马及仆人皆以纸扎成,或火化,或放入墓内,葬风为之一变,虽然耗费大量纸,总比随葬铜钱节省用费。唐人封演(约726~790)《封氏闻见记》(约787)卷六《纸钱》条云:"今代送葬,为凿纸钱,堆积如山,盛加雕饰,舁(yú)以引柩。按古者祀鬼神有圭璧、币帛,事卒则埋之。历代既宝钱货,遂以(纸)钱送死。"①僧人道世《法苑珠林》(668)卷四十八云:"剪白纸钱,鬼得银钱用;剪黄纸钱,鬼得金钱用。"1964年新疆阿斯塔那64 TAM:34号墓出土唐代送葬用纸钱。造纸钱用次等纸,以其供火化,又称此纸为"火纸"。大量焚烧纸钱,是迷信浪费活动,但只在产纸富裕的国家才有此举。

有趣的是,供死者在地下用的楮钱,还成为活人在经济流通领域内的铜钱替代物,此即唐代启用的"飞钱"。这是后来影响整个人类经济生活的纸币的前奏。《新唐书·食货志》载:

> 宪宗(806~820)以(铜)钱少,复禁用铜器。时商贾到京师,委钱(存钱)(于)诸道进奏院(各省驻京办事处)及诸军、诸使、富家,以轻装趋四方,合券乃取之,号飞钱。京兆尹请禁与商贾飞钱者。②

这是说,唐宪宗时外地商人在长安将货物卖出后,如不愿自己携带大量铜钱回去,可将钱交给要去的某道(省)驻京办事处,或某军府、节度使在京代表机构,或富家钱庄,换得一张票券,载明存钱人姓名、籍贯、钱数等,由双方画押盖印。此票券分为两联,一联交存钱人,另联寄至某道。商人到达某道后,凭票据合券校核无误,即可取回原来的存钱。因此合券存钱之法,可使商人"轻装趋四方",故称飞钱或便换,实际上类似现在的汇票(bill of exchange)。由于方便,付出少量费用,人乐为之。但后来政府部门以此向商人"贷钱"(实为掠夺),引起不信任,京兆尹(长安行政长官)遂奏而废止。飞钱始于宪宗元和四年(809),为北宋发行正式纸币交子开启绪端。

三、造纸技术和加工技术的进步

在大唐帝国,纸和纸制品已进入千家万户,成为上自天子、下至臣民的日常必用品。与此同时,造纸技术和纸的加工技术取得新的进步。我们对这一时期纸的分析化验表明,麻纸和皮纸纤维分散度普遍提高,纤维束少见,纤维交结紧密,表面平滑。厚度一般在0.05 mm~0.14 mm之间,较厚的纸为0.15 mm~0.16 mm,再厚的少见。而魏晋南北朝纸厚度为0.15 mm~0.2 mm,因此隋唐纸比前代更薄,欧洲人甚至在18世纪还造不出唐代的薄纸。但造厚纸易,

---

① 封演[唐].封氏闻见记(约787),卷六.北京:中华书局,1958.55
② 欧阳修[宋].新唐书(1061),卷五十四,食货志.二十五史缩印本.第6册.上海:上海古籍出版社,1986.152

而造薄纸难,因造薄纸时纸浆浓度低,要求纤维高度分散,还要能编出细密抄纸帘,用熟练的技术抄纸,压榨后揭湿纸时又不致揭破,需要有一系列技术保证。

我们对历代百种古纸帘纹的实测表明,帘条纹可分为四个等级:(1)粗纹,每纹径 0.2 cm;(2)中等纹,每纹粗 0.15 cm;(3)细纹,每纹径 0.1 cm;(4)特细纹,每纹粗 0.05 cm[①]。编粗帘条纹帘易,抄纸也易;编细帘条纹帘难,抄纸也难。隋唐起始见有中等帘纹及少数细帘纹,唐以前纸多粗帘条纹,说明唐以后制浆技术进入新的台阶。抄纸帘虽以比前代更细的竹条编成,却能抄出更大幅面的纸。以写经纸而言,唐纸直高 30 cm 左右,横长一般 36 cm~55 cm,个别达到 76 cm~86 cm,晚唐写本《般若波罗蜜经》横长 94 cm。

唐代后期还能造出巨型匹纸,有一匹绢那样长,确是造纸技术史中一项创举。陶穀(903~970)《清异录》(约 950)说:"先君蓄纸百幅,长如一匹绢,光紧厚白,谓之鄱阳白。"陶穀之父陶涣为唐昭宗(889~904)时人,任过刺史,收藏纸制于此时。1 匹纸至少应长 1 丈(3m)。唐代技术可造出这样大的纸。苏易简(958~996)《文房四谱》云:

> 江南伪主李氏,常较举人毕,放榜日给会府纸一张,可长一丈,阔一尺,厚如缯帛数重(层),令书合格人姓名。每纸出,则缝掖者(富贵者)相庆,有望子成名也。仆顷使江表(南京),睹环楼之上,犹存千数幅。[②]

此处"江南伪主"指李昪(biàn)建立的南唐(937~975),辖宣州、歙州、常州、信州、池州及抚州等地,都是产纸区,能造宽一尺、长一丈(31.1 cm×311 cm)的榜纸,是在唐末基础上制成的。北宋时苏易简在南京南唐内府旧楼内还能见到 1 000 张,可见曾大规模地生产的。这样的纸要由多人同时举帘捞纸,动作要协调(图 60)。原料为楮皮,因纸幅达 3m 长,自然要抄得厚重一些。

唐代抄造大幅薄纸需细密竹帘,但抄出湿纸经压榨去水后,要将半干的纸揭下转移到木板或墙面上烘晒,只有保证纸在揭下时不破,造纸过程才能完成。为此唐代纸工将从植物中提取的黏液掺入纸浆,以增加湿纸的润滑性,易于揭开而不破。这就是后世所谓的纸药水或滑水。周密(1232~1298)《癸辛杂识》(约 1290)说:

> 凡撩(抄)纸,必用黄蜀葵梗叶,新捣方可撩。无,(纸)则黏结,不可以揭。如无黄葵,则用杨桃藤、槿叶、野葡萄皆可,但取其不黏(纸)也[③]。

---

① 潘吉星.中国造纸技术史稿.北京:文物出版社,1979.199
② 苏易简[宋].文房四谱(986),卷四,纸谱.丛书集成本.上海:商务印书馆,1960.54
③ 周密[元].癸辛杂识(约1290),续集下,津逮秘书本,第十四集.上海:博古斋影印本,1922.43

周密一语道破了揭纸不破的秘密。魏晋南北朝造麻纸时,以淀粉糊加入纸浆,除有施胶效果外,兼对湿纸起滑润作用。我们的模拟实验证明,造皮料薄纸时必须加植物黏液,才能揭开湿纸。1901年威斯纳化验新疆出土唐代文书纸时,发现纸内有从地衣(lichen)中提取的黏性物质,实际上即植物黏液。使用后的效果是改善纤维在纸浆中的悬浮性,增加湿纸纸面的润滑性,使之易于彼此分离。常用的植物黏液从锦葵科黄蜀葵(*Abelmoschus manihot*)和猕猴桃科中华猕猴桃(*Actinidia chinensis*)的枝叶中提取,后者古称杨桃藤。由唐代开始使用植物黏液的传统,为此后历代所继承,也为日本、朝鲜所沿用。

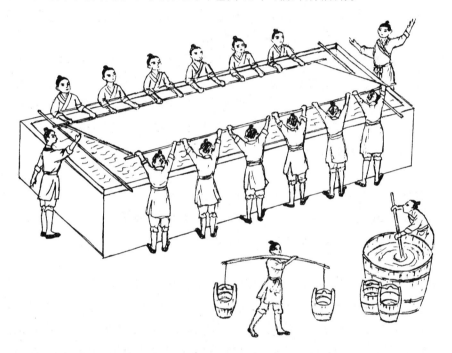

图 60
唐代多人抄造巨型匹纸示意图,潘吉星绘(1998)

为适应不同用途的需要,唐代将文化用纸明确分为生纸与熟纸。生纸指从纸槽抄出后经烘干而成的纸,未作任何加工处理;熟纸是对生纸作若干加工处理的纸,或在纸浆中加入某种试剂。广义说,熟纸包括经施胶、涂布、加蜡、填料、染色等加工处理的纸,狭义说指染色、施胶纸。一般说,生、熟纸都能写字,但写小楷工笔字或作设色画宜用熟纸,官方文书、敕命及内府藏书用熟纸。因此内府各部门都设有熟纸匠、装潢匠若干人对生纸加工。施胶是使生纸变熟的方法之一,以前用淀粉剂,唐以后以动物胶加明矾配入纸浆,效果比用淀粉好。宋人米芾《十纸说》(1100)载:"川麻(纸)不浆,以胶作黄纸,唐诏敕皆是。"

隋唐生产的各种染色纸大大超过前代,尤其黄纸用途最广,传世实物很多。在黄纸上再涂以黄蜡,便成黄蜡笺,白纸上涂蜡则成白蜡纸。在唐代称为硬黄或硬白。张彦远《历代名画记》卷三称:"赵国公李吉甫(758~814)家云,背书要黄硬。余家有数帖黄硬,书都不堪。"这种纸呈浅黄色,以手触之有清脆之声,比一般纸硬而光滑,半透明,故名硬黄,多以好纸为之。此纸宜写字或拓写,不宜作书画本幅裱背用,故宰相李吉甫家这样作,皆不堪。张世南《宦游纪闻》(1233)卷五说:"硬黄(纸),谓置纸热熨斗上,以黄蜡涂匀。"敦煌石室唐人写经少数用这种纸,如 7 世纪写《妙法莲华经·法师功德品第十九》(图 61)等。这种纸多制于初唐及中唐(7 世纪~8 世纪),唐末及五代少见。北京故宫博物院藏唐卷子本《刊谬补缺切韵卷》为白麻纸,双面加蜡、砑光,为硬白之标本。还可将其他颜色的纸涂蜡,这种纸的另一特性是防水。

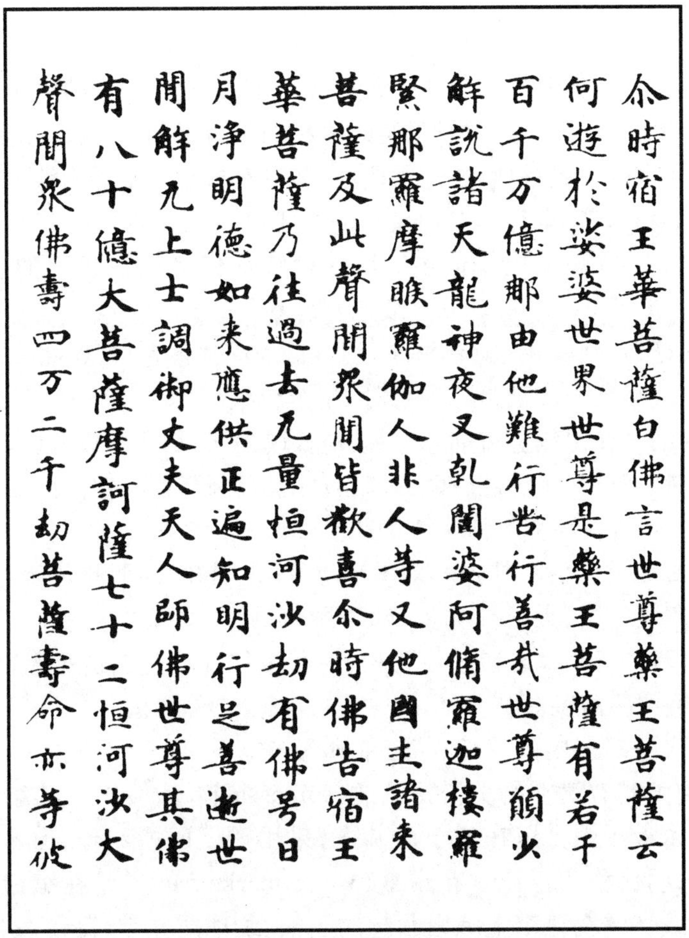

图 61
7 世纪唐初用麻料硬黄纸写《妙法莲华经》,潘吉星藏

唐代纸工还将白色矿物粉以胶水涂于纸面,再涂蜡,最后砑光,兼有粉笺及蜡笺的特点,是创新之举,称为粉蜡纸,属双料涂布纸。米芾《书史》载,"唐中书令褚遂良(596~658)《枯木赋》,是粉蜡纸拓";又说"智永(560~620 在世)《千(字)文》,唐粉蜡纸拓。书内一幅麻纸是真迹"。[①]唐代纸工还吸取了漆工和织工的装饰艺术手法,在红、蓝纸上装饰金银片和金银粉,称为金花纸、银花纸。以金花纸为例,将金打成薄片并剪成形状不同的小碎片。再在色纸上刷以胶水,将金片撒在纸上,平整纸面。也可将胶水与染液混合,刷在纸上,再撒以金片。所用的纸是较厚的皮纸,可单面或双面撒金,最后在纸上写字。这种纸昂贵,多是内

---

① 米芾[宋].书史(1100).丛书集成本.上海:商务印书馆,1937.71

府和富贵人家使用。唐人李肇(791～830在世)《翰林志》(819)写道：

> 凡将相告身(任命状)，用金花五色绫纸，(钤)所司印。凡吐蕃赞普(西藏地方统治者)及别录，用金花五色绫纸，上白檀香木，珍珠、瑟瑟钿函银锁。回纥可汗(新疆地方统治者)、新罗、渤海王王书及别录，并用金花绫纸，次白檀香木，瑟瑟钿函银锁……①

金花五色绫纸，是指在五色纸上装饰碎金片，再在纸的四边镶上织有图案的绫罗绢料以加固之。朝廷用这种纸写对将相的任命书和致西藏、新疆、渤海地方统治者以及新罗国王的书信，并加盖印玺，装在有银锁的檀香木漆盒中发出。

唐人写信和写诗，有时用专门设计的加工纸。例如段成式(803～863)在九江设计一种云(雲)蓝纸用作信笺。用这种纸写信寄给在襄阳的友人温庭筠(812～870)。纸长9寸(29.7 cm)，纸上有浅蓝色的云(雲)纹。温庭筠很喜欢这种纸，段成式赠他50枚②。其制法是，用靛蓝配成浅蓝色染液，将白色皮纸染成蓝纸，再捣烂成泥状配成纸浆。抄纸时，将蓝色纸浆倾入湿纸适当部位，轻轻地水平荡帘，则纸浆在湿纸上流动，形成波浪云(雲)状，晒干即成云(雲)蓝纸。

唐代女诗人薛涛(字洪度，768～831)幼随父薛郧(yūn)宦蜀而居成都。元和年间(806～820)她在城郊岷江支流浣花溪设计一种红色短笺，用以写八行诗，而与当时诗人白居易、元稹、杜牧和刘禹锡等28人唱和，因而此诗笺名著京内外，遂被称为薛涛笺。据《天工开物》(1637)所载，此纸以芙蓉皮为料，染以芙蓉花汁。李商隐(813～858)《送崔珏往西川》中写道："浣花笺纸桃花色，好好题词咏玉钩。"浣花笺即薛涛笺。

隋唐五代还制造出砑花纸、花帘纸和彩色砑花纸，迎光看能显出除帘纹以外的图案，使纸具有潜在的美。砑花纸(embossing paper)是将刻有凸面反体纹理或图案的木板用强力压在纸上而制成，采用雕版印刷原理，但不用墨，可称为无墨印刷，明代称为拱花。花帘纸(water-marks paper)是在编帘时，以粗细不等的丝线或马尾在竹帘上编出凸起的图案、纹理或文字，荡帘后自然显现出图案的纸。明人杨慎《丹铅总录》(1542)称："唐世有蠲(juān)纸，一名衍波笺，盖纸文如水文也。""衍波"即许多波纹，衍波笺即花帘纸，古代多用作信纸或书画纸。

李肇《国史补》(829)卷下所载蜀中出产的鱼子笺，是一种砑花纸。苏易简《文房四谱》(986)谈到这种纸时说，"又以细布先以面浆胶令劲挺，隐出其文者，谓之鱼子笺，又谓之罗笺"。五代时陶穀(903～970)《清异录》(约950)载：

---

① 李肇[唐].翰林志(819).见：黄奭[清]辑.知不足斋丛书，第十三集.清道光年甘泉黄氏刊本

② 见：全唐诗，下册.上海古籍出版社影印本，1986.1 487～1 488

姚颛(yǐ)子侄善造五色笺,光紧精华。砑纸板上,乃沉香(木)刻山水、林木、折枝花果、狮凤、虫鱼、寿星、八仙、钟鼎文,幅幅不同,文绣奇细,号砑光小本。

姚颛(866～940)字万真,长安人,举进士,历任后梁、后唐及后晋三朝要职。其子姚惟和与其族弟在开封府第内造出彩色砑花纸,时间在934～936年。他们先请画师画出山水、草木、狮凤、虫鱼、寿星、八仙及钟鼎文画稿,再由刻工刻在沉香木雕版上。再将五色纸覆在雕版上强压之,则所有图案都转移到纸上。在欧洲,最早的花帘纸1282年出现于意大利,1796年英国造出最早的砑花纸①,都晚于中国几百年。

最后,五代南唐(937～975)造出历史上有名的澄心堂纸。澄心堂是南唐统治者在金陵(今南京)宫内一殿名,961～970年南唐后主李煜(937～978)下令监造的这些御用书画用纸,在北宋初从库内流散出来,到文人士大夫手中。刘敞(字原父,1019～1068)、梅尧臣(字圣俞,1002～1060)、欧阳修(字永叔,1007～1072)和宋敏求(字次道,1019～1079)等人都有诗相咏,蔡襄(1012～1067)认为澄心堂纸为天下第一纸。根据宋人诗中所述,此纸造于歙(shè)州、池州(今安徽歙县、贵池),原料为楮皮,以腊月敲冰水配纸浆捞造。纸质洁白、厚重,纤维匀细放出丝光。双面砑光,表面平滑如玉版,坚韧而又受墨,由纸工精工细作而成。李后主喜欢用此纸挥毫作画、写诗,并赏赐群臣。产量很大,至北宋尚存数千枚,但每枚值百金以上。从宋代起,历代对此纸都加以仿制,奉为上品,且主要供皇家御用。综上所述,隋唐五代造纸技术确实多所创造,达到前所未及的技术高峰。

第三节　宋元、明清时的造纸技术

一、宋元时期的造纸技术

隋唐三百多年间的造纸和纸的加工技术基本上已形成完整的技术体系,纸产地遍及南北各地,用途扩及各个方面,为后世造纸的发展打下坚实的基础。经过五代十国的短期分裂,中原地区很快由北宋(960～1127)所统一。北方边疆有几个少数民族政权,即契丹族建立的辽(907～1125)、党项族建立的西夏(1038～1227)和女真族建立的金(1115～1234),金于1125年灭辽,并于1126年灭北宋,宋统治者南迁建立南宋(1127～1279)。蒙古族1206年建蒙古汗国,继而灭金及

---

① Hunter D. Papermaking: The History and Technique of an Ancient Craft. New York: Dover, 1978. 474, 519

南宋,建立元朝,全国实现空前统一。宋元持续408年(960~1368),全面继承了唐代造纸技术成果,且有新的发展。

汉唐以来获得千年发展的麻纸,从宋代起开始衰落,只在北方少数民族地区使用,主要是因为在价格上比麻纸便宜的竹纸和在质量上比麻纸优越的皮纸获得了很大的发展。9世纪唐末在广东、浙江一带兴起的竹纸生产技术,很快就向各地扩散,到北宋初产地和产量迅速增加。因长江流域和江南广大地区盛产各种竹类,适于造竹纸的至少有50种,竹竿纤维细胞含量占细胞总面积比的60%~70%,这就提供了廉价而丰富的纤维来源,因此竹纸迅速崛起。竹纤维细而短,造出的纸没有麻纸、皮纸坚韧,且早期竹纸呈淡黄色,但其最大优点是便宜,故人乐用之。北宋人苏易简(958~996)《文房四谱》(986)卷四称:"今江浙间有以嫩竹为纸,如作密书,无人敢拆发之,盖随手便裂,不复粘也。"①

宋人施宿(约1147~1213)嘉泰《会稽志》(1202)载,苏轼(字东坡,1036~1101)被贬自海南岛归来后,1100年托人买越州(今浙江绍兴)纸二千张,十之七八为竹纸。王安石(1021~1086)、米芾(1050~1107)等名公也爱用竹纸,北京故宫博物院藏米芾《珊瑚帖》即写以竹纸(图62)。他的《寒光帖》用竹与楮皮混料纸。印刷术发展后,宋元很多书都印以竹纸,如北京图书馆藏北宋元祐五年(1090)福州刻梵夹装《鼓山大藏》中的《菩萨璎珞经》、南宋乾道七年(1171)刊《史记集解索隐》、元至元六年(1269)建阳郑氏积诚堂刊《事林广记》(图63)等都印以竹纸。北宋明道二年(1033)兵部尚书胡则印施的《大悲心陀罗尼经》,用精良的竹纸。

图62
北宋书法家米芾《珊瑚帖》竹纸本法书,北京故宫博物院藏

宋代还开创以稻麦秆造纸,比竹纸还便宜,用作包装纸、火纸和卫生纸。苏易简《文房四谱》卷四载,"浙人以麦茎、稻秆为之(纸)者脆薄焉。以麦稿、油藤为之者尤佳。"为使物尽其用,宋代还以故物回槽,掺入新纸浆中重新造纸,名还魂

---

① 苏易简[宋].文房四谱(986),卷四,纸谱,丛书集成本.北京:商务印书馆,1960.53~55

纸(reborn paper)。中国历史博物馆藏北宋乾德五年(967)写《救诸众生苦难经》，经检验为还魂纸。马端临(约1254～1323)《文献通考》(1309)卷九《钱币考》称，南宋在湖广发行纸币会子时，用落榜举人试卷和废用的茶引(贩茶许可证)回槽造的还魂纸印造。

与前代相比，宋元皮纸处于全面大发展时期，而且取代麻纸成为第一大纸种，产量、幅面和质量都超过过去，可满足各种需要。皮纸居于主导地位，是这一时代的最大特色。书法家、画家以皮纸创作成为时尚，但传世作品很少。如故宫博物院藏苏轼《三马图赞》、黄公望(1269～1345)《溪山雨意图》(29.5 cm×105.5 cm)均用很好的桑皮纸。李建中(945～1018)《贵宅帖》、苏轼《新岁未获帖》、宋徽宗赵佶《夏日诗》、法常(1176～1239)《水墨写生图》等都用楮皮纸。据我们不完全统计，传世唐画画面650 cm²，宋画2 412 cm²，元代画2 937 cm²，画面幅度直线上升。辽宁省博物馆藏宋徽宗草书《千字文》长3丈(近10 m)，幅面创历史新记录。巨幅山水和工笔设色图能得以发展，都与皮纸生产技术的进步有关。

图63
元至元六年(1269)竹纸刻本《事林广记》插图，北京国家图书馆藏

宋元出版的面向大众的读物多以竹纸印刷，而较讲究的书还是用皮纸。如国家图书馆藏北宋刊《开宝藏》中的《佛说阿维越致遮经》(973年刻)用高级桑皮纸，双面加蜡、染黄。同馆藏南宋廖氏世采堂刊《昌黎先生集》用细薄白桑皮纸。南宋景定元年(1260)江西吉州刊本《文苑英华》、元大德九年(1305)茶陵刊《梦溪笔谈》等用楮皮纸。1978年苏州瑞光寺塔发现的北宋天禧元年(1017)刻本《妙法莲华经》用桑皮及竹混料纸。宋人叶梦得(1107～1148)《石林燕语》(1136)说："今天下印书，以杭州为上，蜀次之，福建最下。"因杭州本多经国子监校刊，印以桑皮纸，质最优。闽本多私家坊刻，印以竹纸，以便宜取胜，并非善本。蜀本介于浙、闽之间，印以皮纸及麻纸。

纸在印刷领域内另一新的用途是纸币的印发。北宋仁宗天圣元年(1023)首先印发纸币，名曰交子，大观元年(1107)改交子为钱引，南宋时又易名为会子。与北宋并存的金，从贞元二年(1154)起仿北宋制度亦印发纸币，名曰交钞。元代从中统元年(1260)发行宝钞。纸币发行需要大规模的印刷。纸币以铜版和铜活字组成版面(图142)，均以桑皮纸印刷。纸币的发行是货币史中的革命，促进了社会商品经济的发展。关于纸币,详见本书第四章。宋代发展起来的火药制造业也是大量消耗纸的新行业,火药筒、药线一律以竹纸和皮纸为之。烟火和火器用量很大,药线要求纸薄而坚韧,必须用上好皮纸。农业用的育蚕纸一般用粗制而厚重的桑皮纸。

图 64
元代画家李容瑾纸本山水画《汉宛图》,取自渡邊明義(1997)

唐代在日常生活中使用的各种纸制品,如纸衣、纸伞、纸灯笼、糊窗纸、风筝、剪纸、纸牌、纸扇、名片、纸冠、火纸、卫生纸、纸屏风、纸甲等等,继续在宋元时期发展和改进,用量进一步增加,而且在品种和花样上又有翻新。纸被是从宋代见于记载的,朱熹(字元晦,1130～1200)曾将纸被赠给陆游(1125～1210),他在《谢朱元晦寄纸被》诗中说:"纸被围身度雪天,白于狐貂软于绵。"真德秀(1178～1235)《西山集》卷卅三《纸衾(qīn)铭》中谈到纸衾(纸被)时写道:"朔风(北风)怒号,大雪如席。昼其难胜,况于永夕(夜间)……一衾万线,得之曷由。不有此君,冻者成丘。"苏易简《文房四谱》卷四还介绍一种养生的纸枕头。前代纸扇多团扇,宋元出现便于携带的折叠纸扇。宋元纸牌多印刷而成。元代印制的纸牌曾于新疆出土,蒙古军队曾将纸牌传到欧洲。

宋人吴自牧(1231～1309 在世)《梦梁录》(1274)卷二十《百戏技艺》载北宋民间流行的影戏,最初弄影戏者在开封用厚的白纸雕成人物,后来才用羊皮雕之,加上彩饰,不致损坏。宋代剪纸技术有新发展,除继承前代剪花草、动物、人物图案手法外,还能剪出名家字迹,非常逼真。杨万里(1127～1206)有赠剪纸道人诗，序中说："道人取义山《经年别远公诗》，用青纸剪作米元章字体逼真。"这是说，艺人用蓝纸剪出唐代诗人李商隐的《经年别远公诗》诗句，而字体与本朝大书法家米芾的字迹逼真，可谓一绝。周密《武林旧事》（约1270）卷二论灯品时说，杭州有人用五色蜡纸剪成人物骑马在影戏灯中"旋转如飞"，俗称走马灯。范成大（1126～1193）《石湖居士诗集》卷廿三《上元（正月十五日）纪吴中（苏州）节物俳谐体三十二韵》中有"转影骑纵横"之句，自注曰"马骑灯"，宋人又玩出了新花样。

走马灯（hot-air zoetrope）是含有深刻科学原理的特殊纸灯笼，其构造原理是，在立轴上装一叶轮，立轴下置一烛，燃气上升推动叶轴旋转。立轴中部平放四根细铁丝，各粘一五色蜡纸剪的人马。将以上放入纸灯笼内（图65），夜间燃烛，剪纸人马随叶轮旋转，其影子投射到灯笼纸上，旋转如飞①。它启示一种思想：用燃气驱动叶轮旋转，使热能变成动能。15世纪后半叶欧洲人用同样原理将叶轮、立轴放入烟筒中旋转，通过齿轮带动烤肉叉旋转。李约瑟博士认为西方利用上升热气流的这种装置"极有可能导源于中国较早期的走马灯"（It seems extremely likely that this use of ascending hot-air currents derived from the earlier zoetropes of China）②。走马灯起源还可上溯到唐代，但宋以后用得更为普遍。

图 65
纸糊走马灯，取自刘仙洲（1962）

宋元造纸和加工纸技术在唐代原有基础上也有推进。在水力资源多的地方，普遍以水力驱动的水碓舂捣纸料，以代替人力和畜力，提高打浆功效。水碓借水流的力量使叶轮旋转，通过十字头（曲柄）、连杆和齿轮系统，将旋转运动变成上下方向的直线运动，带动石制碓头捣料。用水碓捣料是中国人发明的打浆方法，早在汉代已经出现，多用于舂米，后用于造纸。宋元更加普遍。王祯（1260～1330在世）《农书》（1313）卷十九介绍连机碓（a battery of hydraulic trip-hammers），机上主轴可同时带动四个碓操作。他说：

> 今人造作水轮，轮轴长可数尺，列贯横木，相交如滚枪之制。水激转轮，则轴向横木间打所排碓梢，一起一落舂之，即连碓机也……凡在流水岸边，俱可设

---

① 刘仙洲. 中国机械工程发明史. 北京：科学出版社, 1962. 71～72
② Needham J., Wang Ling. Science and Civilization in China, vol. 4, pt. 2, Mechanical Engineering. Cambridge University Press, 1965. 125

置,须度水势高下为之。①

图 66
元人王祯《农书》(1313)中的连碓机,取自明嘉靖九年(1530)刻本

王祯在书中还给出了连碓机的插图(图 66),它是舂米和舂纸料的两用机,用于造竹纸和皮纸的纸坊中。元人费著(约 1303~1363)《蜀笺谱》(约 1360)谈到四川成都等地造纸时说:"江旁凿臼为碓,上下相接。凡造纸之物,必杵之使烂,涤之使洁。"讲的就是以水碓捣纸料。同时,宋元纸工抄纸时普遍向纸浆中加入植物黏液,除黄蜀葵、杨桃藤外,还发现一些其他植物也可提取植物黏液,如蛇葡萄(*Ampelopsis brevipedunculata*)、木槿(*Hibiscus syriacus*)②等。在施胶技术中,以动物胶与明矾掺入纸浆,以代替淀粉剂,成为这一时期通用的作法。米芾《十纸说》(约 1100)称,"川麻(纸)不(施米)浆,以胶(矾)作黄纸",即指此而言。北京故宫博物院藏北宋画家李公麟(1049~1106)工笔白描《维摩演教图》、赵昌(998~1022)工笔设色《写生蛱蝶图》等,都用以胶、矾处理过的皮纸作画。

在编制抄纸用竹帘方面,宋元时期也有创新。元人费著《蜀笺谱》称,"凡

---

① 王祯[元].农书(1313),卷十九,农器图谱·机碓.明嘉靖九年(1530)刻本.16
② 周密[元].癸辛杂识(约 1290),续集下.明毛氏汲古阁刊本.47~48

纸皆有连二、连三、连四纸。"这类纸的名目不见于宋以前,连四纸在明清又名连史纸。过去有人认为是连氏兄弟造的,以此得名。这可能是出于附会,缺乏文献及实物依据。费著谈连四纸时加注说,卖纸者将连四纸又称"船笺",可见不是以姓氏得名,而以编帘及抄造方法得名。以往造纸都是一帘抄一纸,如编帘后将棉布条缝在长纸帘中间,将竹帘帘面一分为二,则抄纸时因棉布条阻止滤水,在这里不能形成湿纸层,于是一帘便抄出两张湿纸,故名连二纸。如加两枚布条(图67),就成连三纸,加三个布条成连四纸。但布条不能再加了,至连四为止。用这种纸帘抄纸,要求纸工有熟练技巧。抄成之纸不必再裁剪,保持自然边缘。

图 67
连三纸抄纸设备,潘吉星绘(1998)

因宋元两代在制浆、编帘和抄造等方面有综合的技术改进,所以能造出比前代更大的纸,刷新记录。《文房四谱》卷四载:

> 黟(yī)、歙间多良纸,有凝霜、澄心之号。复有长者,可五十尺为一幅。盖歙民数日理其楮,然后于长船中以浸之。数十夫举抄(应作帘)以抄之,旁一夫以鼓而节之。于是以大熏笼周而焙之,不上于墙壁也。自是自首至尾,匀薄如一。①

---

① 苏易简[宋].文房四谱(986),卷四,纸谱.丛书集成本,第1 493册.北京:商务印书馆,1960.53

唐、五代只能造一丈长巨纸,而在 10 世纪北宋在今安徽南部的黟县、歙县能造出长五丈(约 15 m)的楮皮纸,为唐代纸的 5 倍,而且整纸厚匀如一,这是个重大技术成就,最能反映造纸的综合技术水平。明人文震亨(1585～1645)《长物志》(约 1640)卷七也指出宋代"有匹纸,长三丈至五丈"[1],北京故宫博物院藏南宋画家法常(1176～1239)《写生蔬菜图》长三丈(近 10 m)有余。前述北宋徽宗草书《千字文》用纸也三丈多长。二纸均厚薄匀一,表面平滑。抄这样大的纸需用长船式巨型纸槽,由几十人同时举帘抄纸,有人指挥众人协调动作。滤水后,在湿纸周围以烘笼烘干,从帘上揭下。为使纸各处厚度均一,纤维打浆度要高,在纸浆中悬浮要匀。

前代纸工以加工技术制造的各种纸,如染色纸、黄白蜡笺、粉蜡笺、金花纸、砑花纸、花帘纸、澄心堂纸、薛涛笺等,在宋元时期都继续发展,此处毋庸赘述,只介绍新推出的某些特殊纸。从淳熙三年(1176)官刊《春秋经传集解》的书末木刻印文中知道,为防蛀蚀,此书以芸香科花椒(Zanthoxylum bungeanum)果实水浸液处理纸,再用以印书,这是一种防虫纸。明人谢肇淛《五杂俎》(1616)卷十二谈到宋纸时,指出"常州有云(雲)母纸"。这是指将白云母细粉涂布于纸面上,使其呈银白色光泽的涂布纸。宋元两朝内府用纸,有在彩色粉蜡纸上再用泥金绘成龙凤纹或其他图案者。

二、明清时期的造纸技术

明(1368～1644)、清(1644～1911)是中国史中最后两个封建王朝,这时期的造纸技术是在宋元的基础上发展的,处于传统技术的总结性阶段。纸的产地、产量、质量和用途都超过前代,还出现了专门记载造纸和加工技术的著作,为前代所少见。这一时期在原料方面基本沿用前代已有的,没有新的开发,但竹纸产量已跃居首位,皮纸居第二位,尽管如此,皮纸产量仍大于宋元。书写纸、书画纸和印刷用纸仍在纸的消费中占最大份额,这与前代相同。现流传下来的实物数量比任何一个朝代都多得不可计数,这里没有必要具体介绍。虽然纸产地已遍及全国各地,但主要产区仍集中于南方的江西、福建、浙江、安徽、广东、四川等省,北方则以山东、山西、陕西、河北、河南等省为主,其他省区产量较小。麻纸只有北方地区有少量生产。

明代江西以楮皮造的宣德纸和清代皖南以青檀(Pteroceltis tartarinowii)皮造的泾县宣纸,为一时之甲,用作高级文化用纸。这两种纸都超过了历史上各种名纸,而且品种繁多、加工方式不一,形成两大系列纸,成为领导时代技术潮流的产品,因而体现了造纸技术中的高水平。浙江桑皮纸质量也相当好。竹纸以福建、江西所产连史、毛边最有代表性,由于技术改进,

---

[1] 文震亨[明].长物志(约 1640),卷七,器具·纸.丛书集成本,第 1 508 册.上海:商务印书馆,1936.60

竹纸已呈白色,用于印书。明清时纸的名目甚多,都是各地纸坊根据产品特点、外观、用途等取的商品名,归根到底,原料仍不外竹类及皮料,或本色纸及加工纸之别,制造、加工技术都大体一致。

日常所用的纸制品,凡前代有的,都保存下来,继续生产和使用。明清时新推出的纸制品也不少,如纸砚、纸杯、纸箫、纸织画和比前代更为流行的壁纸(wall-paper)等,这里值得介绍。清人邱菽园(1874~1941)《菽园赘谈》(1897)卷一写道:"抑吾又闻贵州出纸砚,用之历久不变。余杭(今浙江余杭)葵冶山得纸杯注酒,不渗不漏。"①在这以前,浙江海宁县北寺巷的程氏也能作纸砚,据同郡人吴骞(1733~1818)《尖阳丛笔》称:"北寺巷旧有程姓,工为纸砚,以诸石砂和漆成之,色与端溪龙尾(砚)无异,且历久不蔽,故艺林珍之,然前此未闻也。"②与此同理,料想纸杯也是以纸为填料,再加漆而成。

清人周亮工(1612~1672)《闽小记》(约1650)卷下云:"闽开元寺前,旧有卷纸为箫者,予得其一,是三年外物。色如黄玉,叩之铿铿。以试善箫者,云:外不泽而中不干,受气独全其音,不窒不浮,品在好竹(箫)上。后赠刘公勇,公勇为赋《纸箫诗》。云间潘君仲,亦能以纸制奕子,状如滇式,色莹亦然,且敲之有声。其为五瓣梅花香盒,蒙之以饰,不可觅其联缝之迹,皆奇技也。"按周亮工于顺治年(1644~1661)累官至福建左布政使,他当于此时在福州开元寺附近买到纸箫。他所说云间(江苏松江)人潘仲以纸作围棋子,与闽人以纸作箫一样,之所以能叩之有声,皆因和漆所致,同样可作成纸胎漆盒。

明清时福建工匠发明的纸织画,是中国民间工艺美术中新开的花朵。其方法是将薄而坚韧的皮纸染成各种颜色后,剪成同样宽的长纸条,再搓成细绳。用纸绳编织成书画复制品,与原件相似,而无需笔墨及颜料。王士禛(1634~1711)《分甘余话》卷下写道:"闽中纸织画,山水、花卉、翎毛皆工,设色亦佳。或言近日中始创为之,余按《留青日札》,嘉靖中(1565)没入严嵩(1480~1567)家赀,有刻丝、衲纱、纸织等画之名,则其来久矣。"明人田艺蘅(1535~1605在世)《留青日札》(1579)载1565年朝廷抄奸臣严嵩家时发现有纸织画,可见明代即已有之。瑞典斯德哥尔摩一收藏家藏有清初《耕织图》(1690)的纸织画,黑白二色,共48幅,每幅24.5 cm×28.1 cm,插图及康熙帝御笔题诗与刻本很逼真③。

明清时流行在室内装饰壁纸。所谓壁纸一般指绘出或印出彩色图案,用以糊墙补壁的纸,作底的纸可能是白色或其他颜色,有时还在白色底纸上涂布白粉。这种纸在官府和民居内广泛使用,还出口到欧洲受到欢迎。明人陆容

---

① 邱菽园[清].菽园赘谈(1897),卷一.香港:光绪廿三年原刊本.18~19
② 吴骞[清].尖阳丛笔.引自:李放.中国艺术家徵传,卷五,第4册.天津,1914.12
③ Strechlneek E A. Chinese Pictorial Art. Shanghai: Commercial Press, 1914. 238~257

(1436~1494)《菽园杂记》(1475)卷十二写道：

> 浙之衢州,民以抄纸为业。每岁官纸之供,公私糜费无算,而内府、贵臣视之初不以为意也。闻天顺间(1457~1464)有老内官(宦官)自江西回,见内府以官纸糊壁,面之饮泣。盖知其成之不易,而惜其暴殄之甚也。①

这条史料说明,在1457~1464年明代内府以地方运来的高级加工纸作壁纸用,其中包括描金彩色粉笺,这种纸很昂贵,以之糊墙,是个浪费,而补壁只用一般壁纸即可。万历四十六年(1618)八月,俄国沙皇遣哥萨克军官别特林(Ivan Petrin, fl. 1583~1646)探访中国,返国后他在报告中说,在今张家口、宣化附近的白城看到"房舍、亭榭顶下皆饰以各种鲜明颜色。墙上有花纸,纸甚厚。"②讲的也是壁纸。明代湖广临湘人沈榜(1551~1596在世)于万历十八年(1590)任顺天府宛平(今北京境内)县令,任内(1590~1593)据档案编写《宛署杂记》(1593)20卷,卷十三至十四介绍万历十六年(1588)"糊窗、糊墙栾纸八刀,价四钱八分,裱背一钱五分。"③当时明神宗谒皇陵,众官至北京阜成门外接驾,于公馆小停,室内以壁纸粉刷一新。戏曲家李渔(1610~1680)《笠翁偶寄》(1671)更叙述一种独特的壁纸制法：

> 糊书房壁,先以酱色纸一层,糊墙作底。后用豆绿云母笺,随手裂作零星小块。或方或扁,或短或长,或三角或四五角,但勿使圆,随手贴于酱色纸上。每缝一条,必露出酱色纸一线。务必大小错杂、斜正参差。则贴成之后,满房皆水裂碎纹,有如哥窑美器。其块之大者,亦可题诗作画,置于零星小块之间,有如铭钟勒卣盘上作铭,无一不成韵事矣。④

据李渔所说,将酱色纸、豆绿云母纸用艺术手法交错糊墙,使满室有如哥窑美器,再在大块纸上题诗作画,确是颇具匠心。北京故宫清旧宫室内还可见17~18世纪的各种壁纸(图68)。1550年中国壁纸由西班牙和荷兰商人引入欧洲⑤,17世纪以后欧洲进口大量中国壁纸,英、法、德等国起而仿制⑥。因此有人怀疑壁纸起源于中国的说法⑦,应予修正。

---

① 陆容[明].菽园杂记(1475),卷十二.北京:中华书局,1985.153
② 张星烺.中西交通史料汇编,第2册.北平:京城印书局,1930.543
③ 沈榜[明].宛署杂记(1593),卷十五.北京:北京出版社,1961.118
④ 李渔[清].笠翁偶寄(1671).见:缠堂偶编.重订通天晓,卷二.同治二年木刻本,1863.46
⑤ Hunter D. Papermaking: The History and Technique of an Ancient Craft. 2nd ed. New York: Dover, 1978.479
⑥ Reichwein A. China and Europe: Intellectual and Cultural Contacts in the 18th Century. Powell J C, tr. New York: Rococo, 1925.
⑦ Labarre E J. Dictionary and Encyclopaedia of Paper and Papermaking. 2nd ed. Amsterdam: Swets & Zeitlinger, 1952.309

前代各种纸制品,如纸伞、纸牌、纸灯笼、纸风筝、纸扇、糊窗纸、名刺、纸甲等,多有文献记载,较少有实物流传下来,但明清时期这类实物和实物形象资料有不少至今还可看到,有助于我们对这些纸制品加深形象认识。不止如此,明清人还写出相关著作,对技艺加以总结,这是以前少见的。例如明代寓居南京的歙县人潘之恒(约 1536~1621)写过有关纸牌的专著《叶子谱》,清代文学家曹雪芹(1715~1763)写过有关纸风筝的专著《南鹞北鸢考工志》,清代安徽全椒艺人江舟(1734~1789 在世)著有关于剪纸、剪字的专著《艺圃碎金录》,等等。

图 68
清乾隆年宫内印有绿色花鸟图案的粉笺壁纸,潘吉星藏

更重要的是,明清人留下了有关造纸和加工纸的宝贵科学著作,值得注意。这些著作都是根据作者至造纸生产现场作实地考察后写出的第一手记录,真实地反映了传统技术实态。有关皮纸制造的著作有《江西省大志·楮书》篇、《菽园杂记》、弘治《徽州府志·物产志》和《天工开物》等,有关竹纸制造的有《天工开物》、《三省边防备览》、《造纸说》和《造竹纸图谱》等。

明初成祖永乐元年(1403)敕命于江西南昌府新建县西山翠岩寺旧址兴建大型官办纸厂,遣宦官监造高级楮皮纸,供内府御用。同年,大学士解缙(1369~1415)奉旨主编万卷本大百科全书《永乐大典》(1408)即以此纸抄写。经笔者检验,纸质匀细、厚实,洁白受墨,看来以南唐澄心堂纸为标本。至明宣宗宣德年(1426~1435)西山纸又演变成有名的宣德纸。自隆庆、万历之际(16 世纪后半叶)纸厂移至江西广信府铅山县,仍以原法造纸①。王宗沐(1523~1591)编修《江西省志》(1556)时,叙述了江西特产瓷器,但未提及纸。因此陆万垓(1515~1600 在世)万历二十五年(1597)增补《楮书》作为《江西省大志》中新的一卷(第八卷)。陆万垓(gāi)为王宗沐同时人,浙江平湖人,隆庆二年(1568)进士,任江西地方官,对该省铅山官办纸厂技术作了叙述。现将其原文以语体文解述于下:

---

① 潘吉星.中国科学技术史·造纸与印刷卷.北京:科学出版社,1998.227~228

(1)将剥下的楮皮打捆,于河中浸数日→(2)用脚踏去部分青外壳,打捆捞起→(3)清水蒸煮→(4)捶去外壳皮,将内皮扯成丝→(5)刀切成小段→(6)以石灰浆浸皮料,堆放月余→(7)将浸石灰的料蒸煮→(8)将料放布袋内,以流水洗数日用脚踏去石灰水→(9)将料摊放河边,自然漂白→(10)将料舂捣成细泥→(11)将料垒起,以滚烫的草木灰水淋透,阴干半月→(12)再行蒸煮→(13)在河水内依前法洗涤→(14)将料摊放河边,任从日晒雨淋,作第二次自然漂白→(15)以手逐个剔去残存杂质及有色物→(16)将一搓即碎之料放布袋中以河水洗净→(17)放石板制纸槽中,以山上引来的清水配成纸浆→(18)加入植物黏液(纸药水)搅拌→(19)按设定纸幅尺寸,以黄丝线将绝细竹条编成抄纸帘,制成帘床,将帘在其上绷紧→(20)持帘在纸槽捞纸。帘有大小,大者6人操作,帘床两边各立3人,面对面协调举帘。较小帘需2人→(21)捞出纸后在纸槽上滤水,湿纸层层垒在一起→(22)以木榨压去多余水分,静置过夜→(23)将半干的纸逐张揭起,以毛刷摊放在砖砌火墙上烘干。火墙中空,两面以细石灰刷成平滑墙面。由一端烧柴,以烟及火烘热墙面→(24)揭下烘干的纸,堆齐→(25)打捆包装,每百张为一刀①。

陆容(1436～1494)《菽园杂记》(1475)卷十三所载浙江衢州府常山、开化二县上贡的楮皮纸生产过程如下:

(1)砍伐楮枝,剥皮打捆→(2)清水蒸煮→(3)趁热捶去外表皮→(4)以石灰浆浸皮3日,踏踩、揉搓,除去外壳皮→(5)河中洗去石灰→(6)皮料在水池中沤7天→(7)取出后(浸以石灰浆或淋以草木灰水)再蒸煮→(8)河水中洗去灰水及有色物→(9)将料摊放河边或山坡,曝晒十多日,作日光漂白→(10)捣细纸料→(11)放布袋内,河水洗之→(12)纸料入纸槽,加水配成浆,搅拌→(13)加杨桃藤浸出液作为纸药→(14)荡帘捞纸→(15)(将湿纸层层叠起,压榨去水)→(16)将半干纸逐张揭起,放在刷有石灰的砖面上以火烘之→(17)将烘干的纸揭下→(18)修整包装②。

图69
碾、磨皮料图,取自潘吉星(1979)

---

① 详见:陆万垓[明].楮书(1556).见:王宗沐[明].江西省大志,卷八.南昌:万历二十五年重刊本,1597

② 陆容[明].菽园杂记(1475),卷十三.北京:中华书局,1985.157

明人汪舜民(1440~1507在世)编弘治《徽州府志·物产志》(1502)所述安徽徽州地区造楮皮纸技术,与《菽园杂记》所记浙江衢州府楮纸技术大致相同,互为表里,而《天工开物》则记载较为简略。清代著作多抄袭明人,没有新意。由于江西、安徽和浙江是皮纸主要产区,三省技术具有代表性,现将三者作一比较。《江西省大志》所述,反映江西官局造内府御用纸的工艺,流程复杂,共25道主要工序,包括三次蒸煮,第一次用清水,第二次用石灰水,第三次用草木灰水;还有两次自然漂白、三次洗涤和多次剔除有色外皮。过程周期长,人力、物力消耗大,不计工本,所造之纸自然洁白、匀细,属最上等纸,但成本势必很高,只有御用品生产才有这种派头。

图70

图71

图70
石灰水浸皮料,潘吉星提供(1979)

图71
蒸煮,取自林贻俊(1983)

A

B

图72
抄纸过程图,取自林贻俊(1983)
A 举帘抄纸
B 湿纸脱帘

而《菽园杂记》、《徽州府志》则反映浙江及安徽地方纸坊的造纸工艺,含18个主要工序,比江西官局少了7道工序,皮料经过两次蒸煮、一次自然漂白,也能造出较好的楮纸。因此江西官局造纸有浪费现象,有的重复工序本可省去。有些处理从技术经济学观点看是不合理的,如自然漂白"无论月日"、"曝晒不计遍数",只这道工序便将过程无限期拉长,民间纸坊决不肯这样作。

图 73
压榨去水,潘吉星提供(1979)

最理想而又最经济的生产方案,应是介于江西与浙江、安徽之间的折衷处理方式,或将后二者的各步骤作更精细的操作,而明清时有名的民间纸坊生产的泾县宣纸,就是这样制成的。

宣纸主要以榆科青檀(Pteroceltis tartarinowii)皮为原料,明清时产于安徽泾县,因此地旧属宣州,故纸又称宣纸。宋元之际曹氏家族见当地盛产类似楮的青檀,遂开槽造纸,明清时进一步发展,操此业者多曹姓。明清文人喜欢此纸,因其可与澄心堂纸、宣德纸相比。清代以后,前明在江西设的官办纸局衰落,泾县纸成为进贡纸,乾隆三十八年(1773)诏开四库全书馆,四十七年(1782)大型丛书《四库全书》成,即以泾县宣纸书之,此纸自然已成清内府用纸。从技术上讲,澄心堂纸→宣德纸→泾县宣纸之间,有清晰可查的遗传基因传递关系[①]。其成功秘诀在于吸取了江西明官局造宣德纸中精工细作的优点,简化其不计工本的繁杂工序,对浙江、徽州皮纸技术作了改进。其制造工艺如下:

(1)砍伐树枝,剥皮打捆→(2)清水蒸煮→(3)捶皮,扯成细丝,脱去青皮→(4)捆皮、池沤→(5)石灰浆浸皮,堆放一月→(6)将浸石灰的料成捆地放入锅内蒸煮→(7)河水中洗料,边洗边踩→(8)将料摊放河边或山坡上,自然漂白3~6个月,随时翻动→(9)取回水洗,去杂物→(10)将料捣细成泥→(11)放布袋内于河中漂洗,边洗边揉→(12)白料入纸槽,注山间水配成纸浆→(13)加杨桃藤、毛冬青等植物黏液为纸药,搅匀→(14)荡帘捞纸,按纸大小,由2人、4人或多人举帘→(15)滤水后,湿纸脱帘,层层堆起→(16)压榨去水,静置过夜→(17)揭开半干纸,以毛刷摊放在火墙上烘干→(18)揭纸、堆齐,切平四边,盖印、打包,以百张为一刀[②]。

明代科学家宋应星(1587~约1666)《天工开物》(1637)《杀青》章对竹纸制造技术作了详尽的叙述,且提供6幅插图(图74~76),其反映的地区以福建为主。其制造过程可概述于下:

(1)六月砍竹,打捆→(2)在池塘内沤竹百日→(3)河水内边洗边捶,使成丝

---

① 潘吉星.中国科学技术史·造纸与印刷卷.北京:科学出版社,1998.249~250
② 潘吉星.中国科学技术史·造纸与印刷卷.北京:科学出版社,1998.251

图 74
《天工开物》(1637)中砍竹、沤竹、蒸煮图

图 75
《天工开物》(1637)中荡帘、翻帘、压纸图

图 76
《天工开物》(1637)中烘纸图

状,剔除壳皮→(4)以石灰浆浸竹料(堆放10日)→(5)将浸石灰的料蒸煮8日→(6)取料,在河中边洗边踩→(7)以草木灰水浸料,再蒸煮10日→(8)(取料入布袋或竹筐内,于河中洗之)→(9)将料在水碓内捣成泥→(10)将白料放纸槽中与山间泉水配成纸浆→(11)以杨桃藤枝黏液配入纸浆,搅匀→(12)荡帘捞纸→(13)湿纸滤水后,脱帘,层层堆起至千张→(14)压榨去水,过夜→(15)以铜镊将半干纸一角揭开,以手及毛刷拖起纸,摊放在火墙上烘干→(16)揭纸,整齐堆起→(17)切齐四边,每百张为一刀,打包[①]。

清代人严如熤(1759～1826)道光元年(1821)奉旨赴陕西、四川、湖北三省交界处查勘边防,历时半载,据见闻及前人有关著作写成《三省边防备览》14卷,次年刊行,十年(1830)再版。该书卷十《山货》篇记载了作者在陕南洋县、定远及西乡等县所见造纸情况,指出三县有民间槽户140～150家,"厂大者匠作雇工必得百数十人,小者亦得四五十人",已具备资本主义工场手工业生产规模。他所反映的北方黄河流域的造竹纸情况,可与江南竹纸相对照。陕南竹纸生产过程可概述于下:

(1)六七月进山砍竹,打捆→(2)沤竹10日→(3)河水洗竹,捶碎打捆→(4)浸石灰浆,堆放十多天→(5)蒸煮5～6天,过夜→(6)河水洗料→(7)将料入锅,以草木灰水再蒸煮3日→(8)河水洗之→(9)将料与大豆、白米磨成的浆搅匀,第三次蒸煮7～8日→(10)洗料→(11)捣料成泥→(12)将料与清水配成纸浆→(13)加入白米汁,搅匀→(14)举帘捞纸,滤水→(15)将湿纸从帘上脱离,堆放至1尺高→(16)压榨至3寸高,过夜→(17)将半干纸逐张揭起,以毛刷摊放烘墙上→(18)揭纸,叠起→(19)将纸裁齐,打包,每捆5～6合,每合200张[②]。

将明人宋应星论江南造竹纸与清人严如熤论陕南造竹纸过程比较后发现,二者同中有异,各有千秋。都在六月砍竹、沤竹,但沤制时间长短不同,100天略长,10天略短,一般说30天即足。都以石灰水及草木灰水对竹料作两次蒸煮,但时间不一。江南向纸浆加杨桃藤黏液是可取的;陕西加淀粉液乃过时之古法,不可取,且烘墙以竹条编成,抹石灰面,不如砖砌火墙有效。相比之下,清代陕南技术不及明代江南先进。清人黄兴三(1850～1910在世)《造纸说》(约1885)记载浙江常山造竹纸技术,看来他未至现场调查,只听山人所述,与《天工开物》比步骤大体一致,但增加自然漂白工序[③],与杨澜《临汀汇考》(约1885)谈福建汀州竹纸一致,自然漂白工序有助于使竹纸白度提高。18世纪清乾隆时画家画了24幅描写造竹纸过程的工笔设色组画,传到欧洲后产生广泛影响。

明清两代集历史上加工纸之大成,而江西宣德纸和安徽泾县宣纸产区又形成综合造纸体系,成品纸品种、规格齐全,能造形制不同的抄纸帘。除本色纸外,

---

① 宋应星[明]著.潘吉星注.天工开物译注.上海:上海古籍出版社,1992.151～154,292
② 严如熤[清].三省边防备览(1822),卷十,山货·纸.道光十年来鹿堂重刊本,1830.5～7
③ 黄兴三[清].造纸说(约1885).见:杨钟羲.雪桥诗话·续集(1917),卷五.民国年求恕斋丛书本.39～40;邓之诚.骨董琐记全编.北京:三联书店,1955.207

还能生产各种染色纸和加工纸。北京、南京、苏州、杭州等地也有官办和私营加工纸作坊。各种加工纸名目和制法在前述唐宋造纸部分已经提及，一些特殊加工纸制法见于明人屠隆(1542～1605)的《考槃馀事》(1600)，现有各种传本。明清加工纸在各大博物馆、图书馆均可看到原件，甚至还能在古物市场上买到。

需要指出的是，清初康熙年间(1662～1722)以铜网抄花帘纸。徐康(1820～1880在世)《前尘梦影录》(1879)卷上写道："老友陈柏君大令(县令)，曾觅得康熙年间阔帘罗纹纸数页，周围暗花边，皆六尺匹。托杭城造笺纸良工王诚之为之加推染色，同于古制。诚之云，今仅有狭帘罗纹，纸料虽小，皆出于竹帘。阔帘乃铜线织成……"此处所说以铜线编织成能抄出暗花的大幅抄纸帘，应是铜网，在铜网上再以铜线编出图案，用铜线不能在竹帘上编图案。康熙时还将铜网制成筒形抄纸帘，再以粗铜线在网上编成凸起斜纹，抄成所谓圆筒侧理纸。戏曲家孔尚任(1648～1718)《享金簿》(约1712)云："侧理纸方广丈余，纹如磨齿，一友人赠予者。"①此纸还曾献给康熙帝。

吴振域(1792～1871)《养吉斋丛录》(约1863)卷廿六云："乾隆丁丑(1757)高宗南巡，得圆筒侧理纸二番，藏一，书一，作歌纪之。后检旧库，复得五番。壬寅(1782)，浙江新制侧理纸成。进御，先后皆有题咏。此纸囫囵无端，每番重沓(dá)如筒，故有圆筒之称。尝以颁赐诸臣，彭公元瑞(1731～1803)有《恭和御制元韵纪恩诗》。"②这是说，1757年清高宗赴浙江，有人献上康熙年制圆筒侧理纸二张，帝甚喜欢，一张收藏，另一张用以写字，且作《咏侧理纸》诗。后来检查内府旧库，又得康熙时造此纸五张。浙江地方官知道皇帝喜爱此纸，命当地纸工仿制，乾隆四十七年(1782)制成进御。乾隆再以诗题咏，且赏赐群臣。工部尚书彭元瑞得纸后，步御制原韵，写谢恩诗。大学士阮元(1764～1849)《石渠随笔》(1793)载："乾隆年间，又仿造圆筒侧理纸，色如苦米，摩之留手，幅长至丈余者。"③

1965年笔者在四川大学博物馆看到李宗仁(1891～1969)先生旧藏圆筒侧理纸残件，1973年又在中国历史博物馆保管部见到清乾隆年仿圆筒侧理纸完整的一件，为张伯驹(1897～1982)先生旧藏，系民国初年从故宫内流出。细审此纸，似机制，外观深肤色，纸质厚重，表面凸凹不平，有斜侧帘条纹，不是由竹帘抄成，原料为树皮纤维，打浆度高。整个纸呈圆筒形，未见中缝，幅度很大，展开后确长丈余。证实文献所载准确，称其为圆筒侧理纸十分恰当，西文可译为 tube-shaped paper with oblique screen marks。

康熙年间(1662～1722)的圆筒侧理纸如何制造出的呢？从技术上分析，它由筒形铜网抄出，网上以粗铜丝编成斜线纹理，凸出于网面，只有用这样的抄纸帘，才能抄出具有斜侧帘纹的圆筒形纸。而要在这样的纸帘上形成湿纸，只有使

---

① 孔尚任[清].享金簿(约1712).见：美术丛书初集，第七集.上海：神州国光社，1936
② 吴振域[清].养吉斋丛录(约1863)，卷廿六.北京：北京古籍出版社，1983.274
③ 阮元[清].石渠随笔(1793)，卷八.笔记小说大观本，第24册.扬州：广陵古籍刻印社，1987.396

它呈旋转状态,将纸浆从高位槽内通过鸭嘴形出料口流入正在转动的纸帘,边灌浆边滤水,转动一周后形成湿纸。在筒形铜网内部有流水槽道,将滤出之水排出。同时,另一能转动的圆辊,外面包上柔软材料,使此辊贴近抄纸帘,但沿相反方向旋转,这样就能使湿纸中水分压榨出去,且保证纸面厚薄均匀。再经干燥,分别从纸的两端揭起纸,再用长的薄片向前探揭,直到整个纸筒脱离铜网。

因此,制成圆筒侧理纸必须解决三个技术关键问题:(1)圆筒形铜网抄纸器的设计与制造;(2)使圆筒形抄纸器转动抄纸的技术构想和转动装置的制造;(3)利用榨糖机(古称糖车)原理,使抄纸圆筒与另一辊筒贴近,通过二者反向转动以压榨脱水。这三点正是构成近代单缸圆网造纸机(mono-cylinder paper-machine)的基本要素,而这种机器在欧洲迟至1809年才由英国人迪金森(John Dickinson, 1782~1871)所发明并取得专利[1],后用于世界各地。而中国的圆筒形抄纸器与狄金森的圆网造纸机在结构原理上相当类似,也说明为什么圆筒侧理纸粗看起来像是机制纸的原因。康熙年间中国能研制出圆网造纸机的原型,这是个技术奇迹。

---

[1] Sindall R W. Paper Technology: An Elementary Manual on the Manufacture, Physical Qualities and Chemical Constituents of Paper and of Papermaking Fibres. 3rd ed. London: Griffin, 1920. 256

第三章 雕版印刷术的发明

第一节 印刷术发明前的古典复制技术

一、纸上钤印对印刷术的影响

雕版印刷或木版印刷,是印刷术的最早发展形式,在它的基础上又引出活字印刷和彩色印刷等其他印刷形式。因此,讨论印刷术起源,首先就意味着讨论雕版印刷的起源。中国自公元前2世纪西汉有了纸以后,纸作为文字载体,在传播思想、发展科学文化方面起了重大的推进作用。但在相当长的时间内,大约八百多年间(公元前2世纪～公元6世纪),纸本读物仍靠手写而成,而每次只能写出一种书的一份,欲得副本,仍需重新从头抄写;欲拥有许多种书,需由人抄写许多次。随着文化的发展,书的种类越来越多,其篇幅也逐渐加大,这就迫使成千上万的人每天埋头于案边逐字逐句地抄写,花费了无数时间和劳动。为了从这种繁琐的劳动中解放出来,吃透了这种劳动之苦的中国人,便发明了雕版印刷术,它是一种快速的机械复制技术,将书籍的产生由手工抄写变成由机械复制的生产活动。

印刷术的出现,是继造纸术之后,人类制造精神文化产品过程中的又一次划时代的革命,它使手工抄写书籍被机械复制所代替。使用这种技术后,不但免除了人们的抄书劳动之苦,还降低了书的价格,使其变便宜,也缩短产生一部书所花费的必要劳动时间,使社会上书籍的供应量爆炸性地猛增,由此产生的文化后果是可以想像到的。在这里有必要对雕版印刷术给出一个确切的定义。雕版印刷术是将原作品上的文字或图画在木版上刻成凸面反体,于板面上涂以着色剂,将纸覆盖于板上,用刷的压力施于纸的背面,从而在纸的正面显示正体文字或图画的多次复制技术。一般说,每块雕版可连印一万次,每个工人每天可印1500～2000印张,每张约400～500字,可见这种复制技术的工作效率远远超过手抄劳动。

对上述雕版印刷的定义,有三点需要说明:(1)印刷材料:印刷品的物质载体主要是纸,印版版材为木或金属,主要是木材。着色剂主要是墨汁,彩色印刷用各种染料。(2)过程和方法:在整块木板上按书稿上的文字或图画刻成凸面反体,再在板上涂墨、覆纸和刷印。(3)目的:印刷品主要用作读物,一次可复制出内容与形象完全相同的成千上万份副本;其次用作装饰材料、纸币、证件、票据、广告、商标、文件和契约等,其中大部分也具有可读性。印刷与造纸不同,主要以物理学的力作用于原材料,很少有化学力起作用,因此原材料加工过程中只有形态上的变化,没有本质上的变化。但印刷业要消耗大量硬质木材,造成大批树木被砍伐。

拥有广大信徒的宗教,是刺激印刷术发展的动力之一,因为他们需要大量的宗教经典和宗教画,构成印刷品的巨大的消费市场。读书人对工具书、各种教材和参考读物的需要,是刺激印刷术发展的另一动力。对文字或图像进行复制的思想和实践,由来已久。所谓复制,是用同一字模或图模用着色剂反复、多次再现模上文字或图像的过程。为此模型上的文字或图像必须呈反体,复制后才能成为正体。在木版印刷出现以前,已经有古典复制技术存在,如钤盖印章、碑文拓印等,它们对用木版印刷技术复制书籍有启示作用。

印章在中国从商代(前17世纪～前11世纪)以来就已使用,一直持续用到现代。印章的制造成为一个专门行业,多以硬质材料制成,如玉、石、木、金属、牛角及象牙等,呈方柱形、长方柱形、圆柱形等(图77),一般只有几个字,多者几十字,表示姓名、官职或机构等,有官印和私印之分。印文均为反体,因文字凹凸于印面不同,分为阴文和阳文(图78)。在文书、契约上钤印表示负责、信用和权威,也有防伪功能。在图书钤印表示所有权,书信上加印表示郑重。印文多用篆字,刻印成为独特艺术。在中国各地,多年来地下出土周、秦及汉以来的各种印章,河南安阳商代墓葬遗址中也发现有印章。早期印章多钤加于缣帛文书或密封文件用的泥上,或将印章盖在陶器坯、黏土铸模上,烧成陶器或铸出青铜器后,呈现许多同样图案。

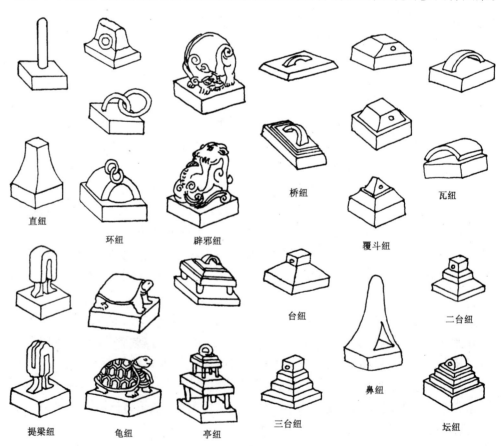

图77
中国古代印章的各种形式,取自《中国的印章与篆刻》(1991)

在没有纸或纸未通用前,以简牍为书写材料期间,在需要传递的重要公文或私人信件写好后,将简牍卷起,最外用空白简片护封,写上姓名、官职、收件地点或文件名,再以绳扎好。在结扎处放黏土制成的泥,将印章盖在泥上,干固后其他人就无法私下拆开,称为封泥(图79)。战国、西汉以来的封泥实物时有出土。在国外,以埃及莎草片为书写材料的文件上也同样将印盖在封泥上,而欧洲则以蜡代替泥,将印盖在蜡上,对羊皮板或莎草片文书或信件实行蜡封。

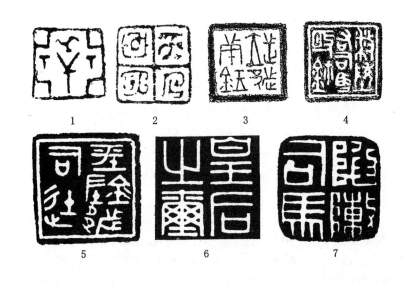

图 78
历代印章的印文,取自王志敏(1991)
1,2 商代铜印
3,4 周代印
5 战国"平阴都司徒"印
6 汉代"皇后之玺"玉印
7 汉代"陷阵司马"印

图 79
汉代以印章封泥的实物,取自钱存训(1975)

中国在有了纸和纸通用之后,简牍逐步被淘汰,因而简牍上的封泥便演变成"封纸",即在以若干张纸粘连成的文件接缝处盖印,以防伪制,或在装有文件的纸袋密封处加印,防止别人拆看。这一演变应开始于两汉之际(1世纪)的纸、简并用时期,封泥和封纸并行。从晋代(4世纪)以后,纸在全国范围内取代了简牍而成为主导书写材料,封泥便消失,印章多盖在纸或帛上。新疆出土的魏晋(3世纪~5世纪)纸本文书上已发现有加盖墨印的。后来注意到墨印易与纸上墨迹混淆,于是以朱砂制成红色印泥,加盖朱色印文。至迟在南北朝(5世纪~6世纪)已用朱印,但中间有朱、墨并用的过渡时期①②。杜佑(735~812)《通典》(801)载,北齐(550~577)时专用大木印盖在公文纸的接缝处③,这对木版印刷是一种技术上的暗示。

纸上盖印与木版印刷有某种共性,但功用及操作有所不同,区别是印章印面小、容字少,因此将纸放在印下,以手的压力将蘸墨汁或印泥的印施于纸上,印出正体印文。而木版因版面大、容字多、重量大,总是在版面上墨,将纸放在印版上,再将刷子的压力施于纸的背面,最后印出字迹。只要使印面加大,将钤印方式颠倒过来,便是木版印刷,实现这一颠倒再容易不过了。如果印章印面大、容字多、重量大,有时也会将纸放在印面上施力,这样可省力,而这就导致木版印刷。

4世纪以后,随着道教和佛教的发展,使印章技术出现两个走向木版印刷的新方向。一是道家做成容字多的大木印用来印符咒,二是佛教徒做成刻有反体佛像的木印。晋代著名道家兼炼丹家葛洪(约281~341)《抱朴子》(约324)《内篇》卷十七云:"凡为道、合药及避乱隐居者,莫不入山……入山而无术,必有患害……古之人入山者,皆佩黄神越章之印,其广四寸,其字一百二十,以封泥著所住之四方各百步,则虎狼不敢近其内也。"④谈到入山佩符时,葛洪解释说,"百鬼及蛇蝮、虎狼神印也,以枣之心木、方二寸刻之"。

葛洪所说"黄神越章之印",可能就是唐人徐坚(659~729)《初学记》(700)卷廿六引《黄君制使虎豹法》中所述:"道士当刻枣心作印,方四寸也。"⑤用枣木刻成方四寸(13.5 cm×13.5 cm)有120字的木板,就面积而言相当一块小型雕版。葛洪所说"古之人",指魏至晋初(3世纪~4世纪)人,这时道家已用大型木印封泥了。当纸广泛通用时(4世纪~5世纪),道家又将木印上的符箓印在纸上作护身符,向木版印刷又前进一步。1959年新疆吐鲁番阿斯塔那墓葬中发现6世纪写在纸上的护身符和图案⑥,符箓是一般人看不懂的从汉字演化的宗教字符或神秘文字。印在纸上的古代符箓虽有待发现,不能说历史上并不存在。

与道教同时兴起的佛教要求信徒书写并念诵佛经,佛教徒为使佛经生动,常将木刻佛像和有关图案用墨印在写经卷首或经文上方,收图文并茂之效。卡特说:"模印的小佛像标志着由印章至木刻之间的过渡形态。在敦煌、吐鲁番和新疆的其他各地,曾发现几千这样的小佛像,有时见于写本的行首,有时整个手卷都印满佛像。不列颠博物馆有一幅手卷,全长17英尺(518.16 cm),印有

---

① Carter T F. The Invention of Printing in China and Its Spread Westward(1925). 2nd ed. Revised by Goodrich L C, chap. 2. New York: Ronald Press Co., 1955.13, note10
② 钱存训.造纸与印刷.见:李约瑟.中国科学技术史,卷5,第1册.科学出版社-上海古籍出版社,1990.122~124
③ 杜佑[唐].通典(801).十通本.上海:商务印书馆,1937.3 586
④ 葛洪[晋].抱朴子(约324),内篇,卷十七,登涉.丛书集成本,第4册.上海:商务印书馆,1936.311,352,346
⑤ 徐坚[唐].初学纪(700).卷廿六;第3册.中华书局,1962.624
⑥ 新疆博物馆.新疆吐鲁番阿斯塔那北区墓葬发掘简报.文物,1960(6)

佛像468个。"①虽是以手逐个按印,但比手绘迅速、方便得多。如将佛像易之以文字,木刻佛像印就变成木雕版。刻印实践表明,使印章有更多图像和文字,必须将它由立方体形或长方体形制成平板形,而这就成为木雕版形状。

二、碑石文字拓印技术

与儒学发展有关的古典复制技术是石经碑文的拓印。石刻历史很久,汉以后刻石多为长方形厚石板,用以纪念死去的人物事迹或重要事件。以碑刻出儒家经典供士子阅读,是东汉一大创举。因抄写儒经所据底本不同,文字常有出入,为使学者有标准文本,安帝永初四年(110)临朝听政的邓太后诏令刘珍(约67～127)及博士、仪郎五十余人于东观校订《五经》、诸子传记及百家书,再缮录之,藏诸秘府②。汉灵帝熹平四年(175),蔡邕(132～192)上疏朝廷,将秘府藏经书刻石,公之于众,被朝廷采纳,是为石刻儒家经典之始。由蔡邕以汉隶书写稿,由工匠刻石(图80),立于洛阳太学门外,使后学晚儒咸取正焉③。

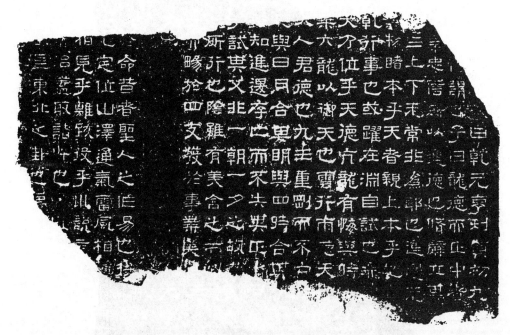

图 80
东汉熹平四年(175)刻石经,引自郑诵先(1962)

唐章怀太子李贤(654～684)注《后汉书》时引晋人陆机(261～303)《洛阳记》载,石刻内容包括《尚书》、《周易》、《诗经》、《仪礼》、《春秋》、《公羊传》及《论语》7部儒经,置于洛阳城南开阳门外。选好石料后,制成碑形,磨平表面,加蜡上墨划

---

① Carter T F. 中国印刷术的发明和它的西传. 吴泽炎译. 北京:商务印书馆,1957. 43～44
② 范晔[刘宋]. 后汉书(445),卷十上,邓皇后传. 二十五史缩印本,第2册. 上海:上海古籍出版社,1986. 35
③ 范晔[刘宋]. 后汉书(445),卷九十下,蔡邕传. 二十五史缩印本,第2册. 上海:上海古籍出版社,1986. 216

格,以朱砂和胶写出碑文。再由刻工刻成阴文正体字。七经共 20.9 万字,刻于 46 块碑上,每碑高 175 cm,宽 90 cm,厚 20 cm,容字 5 000,每字 2.5 cm 见方,碑正背双面有字。因自熹平四年开刻,故称《熹平石经》,至光和六年(183)全部刻成,呈 U 字形排列,开口处向南,碑上有盖保护,周围有木栅,有专人看管①。自此四方学者齐集观阅,每日于太学门前停车至千辆,附近街道为之阻塞,成为学术界盛举。

三国时魏正始年间(240～248)又在洛阳石刻三经,即《古文尚书》、《春秋》和《左传》,后称《正始石经》,是中国史上第二次出现的石经。共用 35 块石碑,每碑高 192 cm,宽 96 cm。文字与《熹平石经》的单一隶书不同,而是刻以三种字体:古文、小篆及隶书(图 81),因此又称"三体石经"或"三字石经"。每碑有字 4 600,计 14.7 万字。同样立于洛阳太学讲堂之东,成 L 形。由于朝廷将儒经标准经文刻石,置于公共场所,颇便学者。但在 3～6 世纪魏晋、南北朝的朝代更替期间,

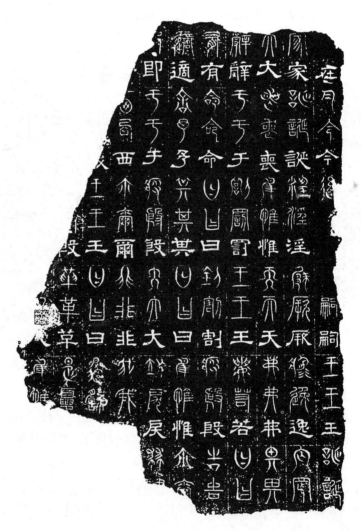

图 81
魏正始年(240～248)刻三体石经,取自郑诵先(1962)

---

① 钱存训.中国古代书史.周宁森译.香港:中文大学出版社,1975.69～70

各朝都城时而在洛阳,时而迁到别处。石经的看管开始松懈,或无人看管,甚至遗失,在搬迁过程中也损失很多,以致没有一块完整的能保存到现在,这是很可惜的。现所见者,只是出土的一些残片。①

在石经看管不严或无人看管的南北朝(420~589)期间,有人便趁机将经文拓印下来,或自用,或出售。所谓拓印,是将薄而坚韧的麻纸或楮纸稍微润湿,用刷附着在碑面上,再以拍子敲打纸,使纸透入碑面文字凹下处。纸干后,以内装丝绵的小包蘸墨汁,均匀拍在纸面上,揭下后即成黑地白字的碑文拓片,再将拓片装订成拓本。如果一张纸不够大,用几张纸拓印不同部位,再予拼接。这是对文字材料进行多次复制的另一方法。拓印技术与雕版印刷共同点是产物供阅读用,都是将大幅硬质平面材料上刻的字或图像借用墨汁以压力转移到纸上。不同点是,石碑碑面文字刻成阴文正体,将纸放在碑面上,以墨在纸上捶击,成品是黑纸白字;雕版版面文字则刻成阳文反体,将墨涂在版面上,再覆纸刷印,成品是白纸黑字。

拓印技术出现于木版印刷发明之前,这是很明显的,但在有了木版印刷之后,碑石、金属和陶器铭文拓印技术仍继续发展,一直持续到今天。像印刷术一样,拓印技术也是中国的一项独特的发明。它能将造型复杂的器物上的铭文、图案和各部件从立体展现成平面,而严格保持原有景观,是保留古代金石文献原貌的有效手段,起到近代摄影技术出现以前相当于今天照相机的作用,拓片相当于照片。现存年代较早的石碑碑文拓片,是20世纪初在敦煌石室发现的唐初贞观六年(632)的《化度寺塔铭》,更著名的碑文拓片是唐高宗永徽五年(654)的《温泉铭》(图82),其碑文为唐太宗御笔。这件珍贵文物现藏巴黎国家图书馆(Bibliothèque Nationale)。

唐初人魏徵(580~643)《隋书》(636)《经籍志》载,"隋开皇三年(583),秘书监牛弘(545~610)(上)表,请分遣使人搜访异本。每书一卷,赏绢一匹。校写既定,本即归主,于是民间异书往往间出。及平陈(589)以后,经籍渐备"。②《隋志》在"小学类"书中列举了标为"**一字石经**"的《周易》一卷、《尚书》六卷、《诗经》六卷、《春秋》一卷、《公羊传》九卷、《仪礼》九卷及《论语》一卷,合七经33卷。又列举标为"**三字石经**"的《尚书》九卷、《尚书》五卷、《春秋》三卷③。我们疑心其中第二个《尚书》五卷或为《左传》五卷之误笔。因而合三经18卷。接下《隋志》写道:"后汉镌刻《七经》,著于石碑,皆蔡邕所书。魏正始中,又立三字石经*,相承以为《七经》正字。"

---

① 张国淦.历代石经考,第2册.北平,1930.16;钱存训.中国古代书史.周宁森译.香港:中文大学出版社,1975.71
② 魏徵[唐].隋书(636),卷卅二,经籍志一.二十五史缩印本,第5册.上海:上海古籍出版社,1986.115
③ 魏徵[唐].隋书(636),卷卅二,经籍志一.二十五史缩印本,第5册.上海:上海古籍出版社,1986.119
* 现传本此处作"一字石经",误,我们校改为"三字石经",以与上文"三字石经"呼应——作者

根据以上所述，可以做出结论说，《隋书》作者魏徵所说的"一字石经"应是后汉熹平石经的拓印本，而"三字石经"是魏正始石经或三体石经的拓印本，这应是没有疑问的。理由是，魏徵明确说这些残缺的儒经都是"**相承传拓之本**"，根据后汉石经及魏正始石经拓印成手卷的形式。它们不是原石刻残件，因为原石碑已损失大半，甚而用作建筑材料，而且也不会以卷计之。其次，"一字"指用一种字体刻的经文，正是蔡邕用隶书写的熹平石经，"三字"则是用三种字体刻的正始石经。魏徵将这些石经拓本列入"小学"类，是将其作为书法作品看待的，人们通过它们研究古代文字之写法，所以没有列入经部儒经类。他还告诉我们，这些拓片是583～589年间隋文帝派人从民间得到的，则其拓印时间必在这以前，因此中国拓印技术的发明时间，应不迟于南北朝或5世纪。南北朝除拓印石经外，还拓印其他石刻，如《秦始皇东巡会稽刻石文》，这些拓本在唐初犹藏之于秘府。及至唐代(618～907)，拓印继续盛行。

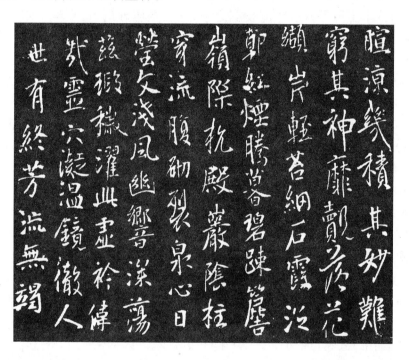

图82
唐永徽五年(654)拓太宗御笔《温泉铭》，巴黎国家图书馆藏

前面提到，如果将刻字多的大型印章在纸上盖印的通常方式颠倒过来，就容易导致雕版印刷。此外，如果将刻石、拓印技术中的某些程序颠倒过来，也会产生同样效果。最重要的颠倒是将碑面上的字刻成反体并改变拓印方法，因为如只刻出反体碑文，而不改变拓印通常操作方式，距雕版印刷还有一段距离，只是距离缩小了。南北朝人已经做出了这种颠倒，以南京近郊所存梁简文帝萧纲(503～551)陵前神道碑(约556)为例(图83)，正面碑文刻阳文正体，背面的字刻成阴文反体①。在皇帝陵碑上这样作，可以说是个大胆的颠倒。按通常拓印程

---

① 中央古物保存会编.六朝陵墓调查报告,图版11,图20.南京,1935

序,则正面拓片为黑纸白字正体,背面为黑纸反体白字。如果在背面涂墨,再将纸放在上面捶拓,就会得到黑纸正体白字,这就接近雕版印刷了,只是产品有黑地、白地之分。

图 83
梁简文帝陵墓碑正、反体碑文(556),取自《六朝陵墓调查报告》(1935)

对通常碑刻的另一改变是将碑文刻成阳文正体,如北魏(386~534)太和年(477~499)在河南龙门石雕上的刻文即如此[1],拓印后可得白纸体黑字,注意:这已是不同于传统拓片的黑地了,在效果上与雕版印刷品类似。如用印刷方式复制,也得到白地反体黑字。欲图碑面刻阳文,又得白地正体黑字,就只能刻阳文反体,再在碑上刷墨,覆纸捶拓,结果拓印技术就一下子变成印刷。我们用各种可能有的刻石碑拓印方式作了实验后,得到下列结果:

(1) 碑刻阴文正体,以通常拓印方式,得黑地阴文正体白字,即通常拓片。
(2) 碑刻阴文反体,拓印后,得黑地阴文反体白字,产物不适用。
(3) 碑刻阴文正体,上墨,纸覆墨上捶拓,得黑地阴文反体白字,产物不适用。
(4) 碑刻阴文反体,上墨,覆纸捶拓,得黑地阳文正体白字,产物可用。
(5) 碑刻阳文正体,以通常方式拓印,得白地阳文正体黑字,产物可用。
(6) 碑刻阳文反体,以通常方式拓印,得白地阳文反体黑字,产物不适用。
(7) 碑刻阳文正体,上墨,覆纸刷压,得白地阳文反体黑字,产物不适用。
(8) 碑刻阳文反体,上墨,覆纸刷压,得白地阳文正体黑字,产物有印刷品特征。

上述第(1)种方式是南北朝刻石、拓印典型方式,一直持续到现在。第(2)种刻石方式,有南北朝实物,但以通常拓印法,得拓本为黑地反体白字,并不通用。如在碑面上墨,覆纸刷压,得黑地阴文正体白字,有适用性,是通向印刷的途径,此即第(4)种方式。第(3)种方式只有理论探讨意义,第(5)种方式刻石见于南北

---

[1] 苏莹辉.论铜器铭文为石刻行格及胶泥活字之先导.故宫季刊(台北),1969,3(3):22

朝实物,只有用通常拓印法得可用性产物。如改变拓印法即第(7)种方式,产物不适用。第(6)种方式刻石未见出土实物,用一般拓印亦不适用,但在碑面上墨、覆纸捶压后,拓本就是印刷品,这种方式已是雕版印刷了,此即第(8)种方式。南北朝时既然能刻出阴文反体碑文,当亦能刻出阳文反体碑文,就碑刻、拓印而言,这一时期有两条通向印刷的途径。

古代织物印染技术也是一种复制技术。中国印染有凸纹版及镂空版两种版型,前者称木板印花,后者古称"夹缬"。板型印花在秦汉以来得到迅速发展,如1972年湖南长沙马王堆一号汉墓(前165)中出土印花纱二件,呈现云纹[①]。据1979年江西贵溪崖墓所出板形印花织物形制而言,这种技术可追溯至战国[②]。如将织物印花技术用于印纸,就导致木版印刷,如壁纸等,但这类印刷品并不是读物,而是装饰品。如果用印花技术制成凸面印版或具有镂空图案的印版,将花纹图案改成佛像,则产品便成宗教画印品。实际上敦煌和新疆吐鲁番就发现唐代凸版及镂空版的纸印佛像,其起源自然应在唐以前。

第二节 木版印刷和铜版印刷的发明

一、木版印刷起源于隋

1. 印刷起源的时间上限和下限

过去人们考察印刷起源时,主要根据古书中的一、两句话立论,很少从考古发掘、社会经济、文化背景和印刷技术发展规律角度加以综合考虑,由于人们对古书文义理解的不同,一度出现众说纷纭的局面。近五十年来,随着研究的深入和资料的积累,已经到了结束这种局面的时候了。首先,木版印刷不是在某一天突然出现的,应当将其起源看成是一个过程的产物,即人们探索代替手抄劳动的新型复制技术的过程,或古典复制技术向机械复制技术演变的过程,达到某一成熟阶段后,自然出现了印刷术。因此不能将印刷起源时间锁定在某一具体年份,而应划定在一个适当时期内,找出时间上限和下限,再依文献记载、出土实物和技术推理,在上下限之间定出接近实际情况的起源时间。这样做,比先前单依古书某一句话来研究印刷起源时间可能更稳妥些。

按上一节所述,从技术上看可以将南北朝(5世纪～6世纪)当作印刷术起源的时间上限,因为这时造纸、制墨技术足以能提供满足印刷需要的纸和墨,从印章和碑拓技术向印刷术过渡的技术准备都在这时成熟。对印刷起刺激作用的佛教也在南北朝获得发展,历史表明,印刷技术最初来自民间,与广大佛

---

① 张宏源.长沙西汉墓织绣品的提花和印花.文物,1972(9):50～51
② 陈维稷主编.中国纺织科学技术史.北京:科学出版社,1984.269

教信徒的宗教信仰有关,因此早期印刷品多是佛经、经咒和佛像。几乎所有佛经都传达佛祖的教导:反复诵读、抄写和供养经、咒,可积善根、消灾纳福,死后更免遭地狱之苦。人们疲于抄写经、咒,很多人不识字,只好花钱请经生代笔,以表达其虔诚。敦煌石室数以万卷的写经就是如此。以雕版技术复制经、像,可提供大量廉价印本,信徒只要填上自己名字或发愿词,就似乎可得到菩萨保佑,故乐为之。印刷品就这样在民间盛行起来。中外前贤不少人倾向印刷术源于这个时期,虽然所用史料可以商榷,而结论本身最好不要轻易否定,南北朝以前的可能性就很小了。但证明南北朝有印刷活动的直接证据还需继续收集,所以眼下还不能贸然做出结论,有待今后的考古发现。研究起源的务实办法是从时间下限入手,因为这时已拥有一系列证据了。这些证据显示隋至唐初或6～7世纪之交(590～640)这50年间是导致早期印刷品问世的关键时期。

2. 隋朝有关印刷的记载

先从文献记载谈起。早在明代就有人提出木版印刷始于隋代(581～618)的观点,陆深(1477～1544)在《河汾燕闲录》中写道:

> 隋文帝开皇十三年十二月八日(594年1月5日),敕废像遗经悉令雕撰,此印书之始,又在冯瀛王(冯道,882～954)先矣。

明代版本目录学家胡应麟(1551～1602)《少室山房笔丛》(约1598)《甲部·经籍会通四》也认为:

> 载阅陆子渊(陆深)《河汾燕闲录》云,隋文帝开皇十三年十二月八日,敕废像遗经悉令雕撰,此印书之始。据斯说,则印书实自隋朝始,又在柳玭(848～898在世)先,不特先冯道、毋昭裔(约902～967)也……余意隋世所雕,特浮屠经像,盖六朝崇奉释教致然,未及概雕他籍也。唐自中叶以后,始渐以其法雕刻诸书,至五代而行,至宋而盛,于今(明)而极矣……遍综前论,则**雕本肇自隋时,行于唐世,扩于五代,精于宋人**。此余参酌诸家,确然可信者也。

陆、胡二位提出上述见解时,显然依据隋人费长房(557～610在世)《历代三宝记》(597)卷十二所述:

> 开皇十三年十二月八日,隋皇帝、佛弟子姓名(杨坚,541～604)敬白……属周代(北周,557～581)乱常,侮蔑圣迹,塔宇毁废,经、像沦亡……做民父母,思拯黎元,重显尊容,再崇神化。颓基毁踪,更事庄严,**废像遗经,悉令雕撰**……再日设斋,奉庆经、像,日十万人,香汤浴像。①

---

① 费长房[隋].历代三宝记(597),卷十二.见:高楠顺次郎主编.大正新修大藏经,第49册.東京:大正一切經刊行會,1924.108

费长房上述原始记载中所说"周代乱常",指北周武帝建德三年(575)下令禁佛、道二教,捣毁寺观经像,强令沙门、道士还俗之举,许多宗教文物、出版物毁于一旦。推翻北周政权,建立统一的隋王朝的杨坚,笃信佛法,在国家经济状况好转,社会文化和宗教进一步发展后,于开皇十三年十二月八日(594年1月5日)在佛前敬白,他希望使周武帝时被毁坏的塔宇、佛像、佛经和所损失的佛像、佛经都恢复起来,重振佛教。于是在佛前当众做出承诺:"废像遗经,悉令雕撰",并与皇后当众布施,待铜像铸成后,集众人香汤浴佛。因而此处所说的"像",主要指铜铸佛像,"经"主要指纸本佛经。按雕者刻也,撰者造也①,"雕撰"此处当训为"雕造",是没有疑问的。"撰"此处不应释为著述。"废像遗经,悉令雕撰",实即"废像遗经,悉令雕造"。"造"指铸造佛像和刻版印造佛经(包括扉画佛像)。

在费长房用语中,"雕撰"或"雕造"是两个及物动词,其补语为佛像和佛经。对佛像而言,意味着通过铸造而重显其尊容;而对佛经而言,意味着通过刻版印造而再崇神化。因此,我们赞同明代学者陆深、胡应麟等人的观点,可将《历代三宝记》所述作为隋朝有关雕版印刷的记载,不能因其用词简略而加以非议。在研究这一记载时,应当将它放在当时社会的大背景中加以分析,还要考虑到与此后不久唐初出现的印刷文献和印刷品的衔接。如前所述,南北朝时已有了发展印刷所需要的技术和物质前提,到隋朝时更应如此。隋文帝时全国统一,海内殷富,社会稳定,统治阶级大力扶植佛教,为尽快使前朝毁失的佛经重新流通,用刻版印造的方法是最便捷的途径,也有这种可能。

但清代人王士禛(1634～1711)《居易录》卷廿五谈到明人陆深的观点时,写道:"予详其文义,盖雕者乃像,撰者乃经,俨山(陆深)连读之误耳。"近时也有人指出像是像,经是经,是两回事,怀疑隋朝雕印佛经②。这样理解《历代三宝记》的原话,未必令人信服,反而造成新的误解。如果像怀疑论者所说的那样,"悉令雕撰"中的"雕",专指佛像而言,问题就出现了。因为赞宁(919～1001)《僧史略》卷上释寺院浴佛时,多用于铜佛像,而铜佛像皆铸造而成,岂能雕造?《历代三宝记》所说"香汤浴佛",同样指铜铸佛像,同样是不能雕刻而成的。"雕者乃像"之说是不正确的,因其不合原文本义。对费长房的原文宜作整体理解,不能割裂。

隋朝另一条史料亦值得注意。《隋书》卷七十八载,卢太翼(548～618在世)字协昭,河间(今河北河间)人,博览群书,兼及佛、道,受隋文帝赏识,"其后目盲,**以手摸书**而知其字"。大业九年(613)从炀帝至辽东,后数载卒于洛阳③。王仁俊(1866～1914)《格致精华录》对此解释说,"以手摸书而知其字,按此摸书之版

---

① 张玉书[清].康熙字典(1716),卯集中,手部.北京:中华书局,1958.46
② 张秀民.中国印刷术的发明及其影响.北京:人民出版社,1958.33
③ 魏徵[唐].隋书(656),卷七十八,卢太翼传.二十五史缩印本.第5册.上海:上海古籍出版社,1986.212

耳……此时书有其版甚明,故知所摸为书版"①。书版上字为反体,由反体而知正体,才显出卢太翼聪明。有人说他摸的是石碑碑文,以此否定这条史料,亦未必见妥。史料明确说卢太翼摸的是书,石碑不能称为书,且碑文多正体文字,显不出卢氏过人之处。将其所摸之书释为书版,仍然是有理由的。印刷术就这样在隋朝出现于地平线上。

二、唐初有关印刷的记载和实物资料

唐初以来,印刷记载史不绝书。僧人彦悰(625～690在世)在《大慈恩寺三藏法师传》(688)卷十为其恩师玄奘(602～664)大法师写传时指出,由于太宗敬重玄奘,高宗嗣位(650)后也对大法师礼敬甚隆,遣朝使慰问不绝,且施帛锦万段、法衣数百。玄奘接受后,则分赠贫苦之人及外国僧人,而在他晚年于**高宗显庆三年至龙朔三年**(658～663)五年间"**发愿造十俱胝像,并造成矣**"②。俱胝或拘胝为梵文量词 koṭi 之音译,汉言亿,指十万或万万,从技术上判断,此处指十万,"十俱胝"指百万。"造"字在唐人用语中指印造,即印刷,如868年刊《金刚经》题记云:"王玠为二亲敬造普施"。因此据彦悰记载,658～663年间玄奘发愿印造百万枚单张佛像,并造成矣。

10世纪金城(今兰州)人冯贽《云(雲)仙散录》(926)卷五云:"玄奘以回锋纸印普贤菩萨像,施于四众,每岁五驮无余。"③谈的是同一件事,但具体指出玄奘印造的佛像是普贤菩萨像。普贤(Samantabhadra)为释迦牟尼的右胁侍,司理德,与司智慧的左胁侍文殊师利(Manjuśri)并称,为中国佛教四大菩萨之一。"四众"指僧、尼、善男和信女,人数以百万计,玄奘以其所印之普贤像布施给这些人。彦悰和冯贽的记载可相互补充与印证。过去有人怀疑《云(雲)散录》为北宋人王铚(1090～1161在世)"伪作",但并未举出有力反证,此书有开禧元年(1205)郭应祥刻本,书首有作者冯贽于后唐天成元年(926)写的自序。在此以前,此书还为孔传《孔氏六帖》(1161)所引,其中所记玄奘印佛像之事依然可信。

唐初统治者武则天(624～705)笃信佛法,在位时(689～704)不但出版一些佛经,还将印刷术用于印发文件上。唐人刘肃(770～830在世)《大唐新语》(807)载,则天武后称帝之初,天授二年(691)九月,凤阁舍人张嘉福指使洛阳人王庆之等人联名上表,请立武后之侄武承嗣为皇太子,而废其生子李旦,使政权成为名符其实的武氏天下。但武后未予采纳,王庆之"覆地以死请。则天务遣之,**乃以内印印纸**谓之曰:持去矣,须见我以示门者当闻也。庆之持纸,来去自

---

① 王仁俊[清].格致精华录,卷二,刊书.上海石印本,1896.14
② 慧立,彦悰[唐].大慈恩寺三藏法师传(688),卷十.见:高楠順次郎主编.大正新修大藏經,第50册.東京:大正一切経刊行會,1927.275
③ 冯贽[五代].云(雲)散录(926),卷五.文渊阁四库全书景印本,1355册.台北:商务印书馆,1983.666

若,此后屡见,则天亦烦而怒之。"①《资治通鉴》(1084)卷二〇四《唐纪二十》有同样记载②,盖皆取材于宫内实录。所谓"内印印纸",此处指宫内以纸印成的入宫通行证。唐人用语中"印纸"指具有特定用途的印刷品,如《旧唐书·食货志》载德宗建中四年(783)以印纸为抽税单据,宋初仍推行唐代印纸制度。

武周时,华严宗理论体系创始人法藏奉制在洛阳宫内外宣讲《大方广佛华严经》(Buddhā-vatam-saka-mahā-vaipulya-sūtra)421年译六十卷本。当时关于此经"八会说时",即佛祖成道后在八次法会上向弟子说法内容的形成机制,各宗有不同观点。天台宗认为八会分前后,前七会是佛祖成道后的前三个七日间的说法,第八会是在这以后的说法。华严宗的法藏不同意此观点,认为成道后的头七日没有说法,而在第二个七日内说出全部佛法,为此,他提供各种证据,同时还以印刷术作为比喻阐述他的观点。法藏在仪凤二年(677)前后成书的《华严五教章》中写道:

  是故依此普闻,一切佛法并于第二七日一时前后说,前后一时说。**如世间印法,读文则句义前后,印之则同时显现**。同时、前后,理不相违,当知此中道理亦尔。③

法藏在垂拱三年至如意元年(687～692)之间写的《华严经探玄记》中再次谈到这个问题并重申:

  二摄前后有三重,一于此二七之时即摄八会,同时而说。若尔,何故会有前后?答:**如印文,读时前后,印纸同时**。④

这两条重要史料是日本印刷史家神田喜一郎博士首先发现的,他还考证了法藏这两部书的成书时间⑤。显然,在法藏看来,《华严经》各品经文排列顺序有前后,但其中一切佛法都是佛祖成道后同时悟出的,并于第二个七日内说出。正如印本书那样,读时文句排列有前后,但在印版上墨、刷印时,则同时显现于纸上。"前后"与"同时"在道理上并不矛盾,二者间有辩证关系。唐初高僧法藏以印刷术为例讲解《华严经》经义,说明木版印刷技术在7世纪中国已相当普及了。

上述文献记载还被考古发现所印证。清光绪三十二年(1906),新疆吐鲁番

---

① 刘肃[唐].大唐新语(807),卷九.笔记小说大观本,第1册.扬州:广陵古籍刻印社,1983.48
② 司马光[宋].资治通鉴(1084),卷二〇四,唐纪二十,下册.上海:上海古籍出版社,1987.1379
③ 法藏[唐].华严经探玄记(687～692),卷二.见:高楠顺次郎主编.大正新修大藏经,第35册.東京:大正一切経刊行會,1926.127
④ 法藏[唐].华严五教章(约677),卷一.见:高楠顺次郎主编.大正新修大藏経,第42册.東京:大正一切経刊行會,1926.482
⑤ 神田喜一郎.中国における印刷術の起源について.日本学士院紀要,1981,34(2):89～102

出土唐代印本《妙法莲华经》(Saddharma-pundarīka-sūtra)残卷,含其中卷五《如来寿佛品第十六》及《分别功德品第十七》的内容,作卷轴装,现存共194行,版框直高13 cm,无界行,每行19字,字径5 mm～7 mm,故称小字本,印以黄色麻纸,字迹为唐人写经楷体。经卷虽无刊记及年款,但出土地点在唐西州高昌故地,高昌10世纪五代以后与中原隔绝,因此高昌故地出土物皆为唐及唐以前遗物,此《妙法莲华经》为唐刻本无疑。

此经出土后,初归清末新疆布政使王树楠(1851～1936)珍藏,但不久即易手于前往新疆访古的日本人江藤涛雄,最后由东京画家兼书画收藏家中村不折(1868～1943)以高价购入,藏于他在东京都台东区创建的书道博物馆中。有报道说中村氏1936年曾影印此经,但将其定为隋刻本,可能有误①,因为当时没有注意到经文中有武周制字。武周制字是则天武后称帝期间(689～704)于689～698年间创制并颁行的18个特殊的汉字,如 兓(天)、埊(地)、〇(日)、卍(月)、秊(年)等。武则天死后,唐中宗李显即位,神龙元年(705)废除武周制字及武后其他改制,因而在唐代写本及刻本中,武周制字的出现是判断武周产物的标志之一。1952年,版本目录学家长泽规矩也(1902～1980)博士对中村氏藏本《妙法莲华经》作了仔细研究后,写道:

> 故中村不折画翁收藏的《妙法莲华经·分别功德品第十七》一卷,据称为吐鲁番发现之物。印以古色黄麻纸,每行十九字,版面直高四寸三分(13 cm)。经文文字较小,混用则天武氏之异体字。因此虽无刊记,必是距则天武氏之世最近的刊本。如果这样的话,此当为现存最早的刊本。②

长泽氏这个判断是正确的。由于此经是中国佛教天台宗的主要经典,译出时间很早,又有天台宗四祖智顗(538～597)《法华文句》、五祖灌顶(561～632)《法华玄义》及法相宗始祖窥基(632～682)《法华经玄赞》等对经义加以诠释和阐发,使此经成为则天武后佐高宗预政以来唐初最为流行的佛典之一。武后称帝时,佛教勃兴,印刷术有发展,武后又喜欢佛经,便出现印本。其刊行时间当在武周前期(689～696),不会拖至武周后期(697～704),刊行地点为洛阳,是现存最早的卷子本印刷品。继新疆出土武周前期刻印的《妙法莲华经》之后,武周末期长安二年(702)洛阳刊印的密宗典籍《无垢净光大陀罗尼经》(图58),于1966年在韩国庆州佛国寺释迦塔中发现,也从实物上证明武周时期的印刷活动。

比武周刻本更早的唐初刻本,近年来也在中国出土。1974年西安西郊柴油机械厂内出土梵文陀罗尼咒单页印刷品,出自唐墓中。出土时置于死者佩带的铜臂钏(臂镯)中,呈方形,原大27 cm×26 cm,印以麻纸,展开后已残破。印纸中央有空白方框,7 cm×6 cm,其右上角有竖行墨书"吴德(冥)福"4字,表明墓

---

① 秃氏祐祥.東洋印刷史研究.日文版.東京:青裳堂書店,1981.20
② 長沢規矩也.和漢書の印刷とその歴史.東京:吉川弘文館,1952.5～6

主是吴德(图 84A)。方框外四周印以持明密宗(Vidya-dhāraṇi-yāna)典籍中的梵文陀罗尼(dhāraṇi)或咒文,四面皆 13 行,印文四边围以边框,内外边框间距 3 cm,其间有莲花、花蕾、法器、手结印契(mudra)等,版框最外围印以绢索。这些图案与隋唐之际中国持明密教的菩萨造像相符,因为这一时期菩萨造像多持法器、花卉、绢索、臂钏,多结手印①。

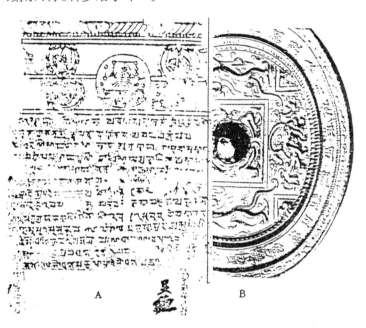

图 84
1974 年西安柴油机械厂出土 7 世纪初梵文陀罗尼咒单页印本,取自韩保全(1987)

与印本经咒同时出土的文物还有铜臂钏(chuān, arm biacelet made of copper)和规矩四神铜镜(图 84B),前者是佩在死者臂部的葬具,在西安近郊唐墓中屡有发现。臂钏的形象还见于四川广元佛崖莲花洞内唐初石刻造像中,河南龙门东山万佛沟北壁千手观音像亦佩臂钏。四神铜镜直径 19.5 cm,厚 0.3 cm,沿高 0.8 cm,有铭文,具有隋唐之际墓葬镜的形制特征。因此考古学家韩保全将这批文物定为唐初(7 世纪初叶)之物,认为此梵文陀罗尼咒印本是"当前世界上已知最古的印刷品"②。1996 年 11 月 20 日陕西省文物鉴定委员会组织专家集体鉴定的结果,再次确认了这一结论。此后,梵文专家蒋忠新对此陀罗尼咒中印出的梵文与已知年代的梵文出土物作了比较研究,确认其所用字体至迟从 6 世纪以来即已流行。我们对其印刷用纸检验后,认为是唐初麻纸,同时解释了印本上图案在中国出现的年代,证明对印本断代是正确的。7 世纪初叶在唐初首都长安刊刻此经咒,是密教在中国长期发展后的产物。

经我们进一步研究后查明,此经咒取自唐高祖武德(618～626)年间从印度传来的《千手观音陀罗尼经》(Sabacrabhuja-sahasraneta-aralokiteśavara-

---

① 吕建福. 中国密教史. 北京:中国社会科学出版社,1995. 188～195
② 韩保全. 世界最早的印刷品——西安唐墓出土印本陀罗尼经咒. 见:石兴邦主编. 中国考古学研究论集. 西安:三秦出版社,1987. 404～410

dhāraṇī-sūtra)中的《大身咒》梵文原文。而且将经咒排成方坛形并置入臂钏中配带,也从唐初就已开始,从高祖、太宗一直持续到武周。1974年西安出土的梵文经咒就是根据唐初从印度传来的这类梵文写本而刻版印成单页的,主要供生者和死者佩带,起护身作用。将咒文排成方形字阵,周围加以不同数目的栏线,表示选定的一种坛法。据高宗永徽四年(653)译《陀罗尼集经》所述,西安出土的印本咒文选用四肘坛、三重院之坛法。版框中心的空白部分唐人称为"咒心",可随时加绘不同内容,以实现信徒不同愿望。如求雨,则画一九头龙;如妇女欲生男孩,则画一童子等。如什么都不画,则起护身作用,死者佩带可入天堂。我们还弄清了梵文咒文排列方式并作出复原(图85),因条件所限,此处不能逐一将梵文字母显示出来。综合研究后,我们认为此本在长安刊行年代为太宗贞观后期至高宗显庆年之间(640～660)①。与前述玄奘刊印单页菩萨像差不多是同时或略早些。陕西省文物鉴定委员会将其评为一级文物是理所当然的。

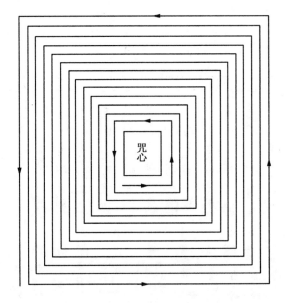

图 85
1974年西安唐墓出土的梵文陀罗尼印本咒文排列及环读方向图,潘吉星复原(2000)

以上所述文献记载和考古发现都证明在7世纪初中国就有了印刷活动,由此上溯到隋文帝开皇十三年(594)"废像遗经,悉令雕撰",尚不到半个世纪。唐初印刷活动总应有个事前的胎动时期,才合乎技术发展规律。因此明代学者胡应麟所倡"雕本肇自隋时,行于唐代"之说,今天看来有新的内容得到加强。因而先前主张印刷术起源于唐玄宗时(712～755)、7～8世纪及唐穆宗长庆四年(824)等说法,现在看来都应当修正。

木版印刷在唐初发展后不久,中国又出现了铜版印刷,它像木版印刷一样,属于整版印刷(mono-block printing)范畴,即以整块印版加墨印刷。铜版虽比木版昂贵,但坚固耐久,多铸造而成,不用时可重铸新版,这是木版做不到的。叶

---

① 潘吉星.1974年西安发现的唐初梵文陀罗尼印本研究.广东印刷(广州),2000(6):56～58;2001(1):63～64

昌炽(1847～1917)积 20 年收集历代石刻拓片八千多种,深入研究后写成《语石》(1909)10 卷。卷九谈到反文石刻时写道:"此外,尚有宋熙宁八年(1075)君山铁锅及唐开元(713～741)《心经》铜范、蜀刻韩(愈)文书范,亦皆反文。"《心经》为玄奘译《般若波罗蜜多心经》(Prajñā-pāramitāhṛdaya-sūtra)之简称,共一卷,实际上是此经的提要,篇幅较小。叶昌炽所记唐玄宗开元年遗留下来的有阳文反体经文的《心经》"铜范",经研究并非作书范之用,而是直接用以印刷该经的铜质印版①。这是 8 世纪前半期中国铜版印刷的最早实物资料。

唐代用作印佛像的铜版,二十多年前在陕西宝鸡发现。这是唐文宗大和八年(834)铸千佛像铜版(图 86),呈长方形,直高 14.8 cm,横长 11.5 cm,厚 0.7 cm,重 455.8 g②。版面正中有三尊主佛像,其四周 9 层为 105 尊小佛像,总共 108 尊。版的背面弓形把手上刻有金刚真言和发愿文:"《金刚抵命真言》:'唵,缚曰啰,庚晔,娑婆诃。'//大和八年四月十八日,为任家铸造佛印,永为供养。"版面相当现在 36 开本书页那样大,其直高比五代吴越杭州刻本《宝箧印陀罗尼经》(Dhātū-kāraṇḍa-dhāraṇī-sūtra)版面还要高出 9.4 cm。这是迄今世界上现存最早的铜版实物资料,说明中国不但发明木版印刷,还发明铜版印刷。

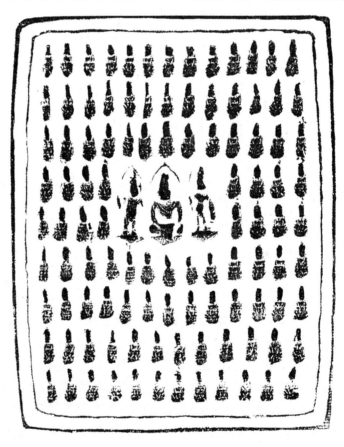

图 86
唐大和八年(834)铸千佛像铜印版拓片,取自高次若(1986)

---

① 庄葳.唐开元心经铜范系铜版辨.社会科学(上海),1979(4):151～153
② 高次若.宝鸡市博物馆收藏铜造像介绍.考古与文物(西安),1986(4):71～73

上述铜版虽图像很多,但线条清晰,每尊佛像轮廓分明,需用相当熟练的铸造技术才能制成。现在保存状态较好,仍可印像。经笔者研究,此佛像是依唐代僧人不空(Amoghavajra, 705~774)译密宗典籍《金刚顶经》(*Vajraśekhara-sūtra*)所述故事而铸成。该经称,密宗本尊毗卢遮那(Mahā-vairocana)或大日如来有108尊法身,故版上表示108尊佛像,正中间大佛为毗卢遮那,其左右各为普贤和观音,周围小佛则是主尊之法身。《金刚抵命真言》由9字组成,为梵文陀罗尼之汉字译音,其义难解,但大义是求佛保佑。我们已解读其中一些字,因属于专门问题,此处不作细叙。

第三节 唐至北宋木版印刷的发展

一、唐中叶至唐末的印刷

唐中叶至五代(8世纪~10世纪)应是印刷术的早期发展时期,有关文献记载和出土实物也较多。1975年西安西郊冶金机械厂内发现《佛说随求即得大自在神咒经》内神咒的单页印本,出自唐墓中。出土时它放在小盒中,已粘成团,展平后呈方形,35 cm×35 cm,印以麻纸,中央有一方框咒心,5.3 cm×4.6 cm,内有彩绘二人,一站一跪。框外四周环以神咒的刻印文字,每边18行,共72行,行间有界线。咒文外有边线,四周印有手结契印(mudra),这些不同手势用以招引不同菩萨相护(图87)。纸色微黄,经咒文字残缺,经名仅留《佛□□□□得大自在神咒经》8字,所缺者当为"说随求即"4字。此经为罽宾(Kashmir)人宝思惟(Ratnacina, 625~721)武周长寿二年(693)译于洛阳天宫寺,经名及经文与此后不空(Amoghavajra, 705~774)译本不同。考古学家将此本定为盛唐(713~779)遗物[①]。

我们对此本进一步研究后,弄清咒心内画的站立者是金刚持菩萨(Vajradhara),为佛祖讲说密法时的现身相,以手按在跪着的佛僧头顶,使其死后升天。因而此唐墓墓主当是一僧人。由于画面上有部分脱落,僧人头部已看不到了。版框外围印出姿式不同的手印,寓意可招请各菩萨降临。这件文物可帮助我们了解唐代流行的密法。此咒有各种功能,咒心画上不同图像,可使不同愿望得到满足。此本刊印时间上限为693年,下限不会晚至玄宗以后。因为肃宗乾元元年(758)时,不空(Amoghavajra)亦据梵本译出同一佛经,但易名为《普遍光明焰鬘清净炽盛如意宝印无能胜大明王大随求陀罗尼经》,经名长达27字之多,从此该译本开始盛行。因此出土的印本应在不空本出现前问世,其刊行年代应为玄宗时期。在这以后刊经,应当用不空的新本,不会用六十多年前的宝思惟旧

---

① 韩保全.世界最早的印刷品——西安唐墓出土印本陀罗尼经咒.见:石兴邦主编.中国考古学研究论集.西安,1987.404~410

本。有人说,似乎只有"开元三大士"之后才有密宗刊本,但《佛说随求即得大自在神咒经》印本的出土,证明此说是不正确的。

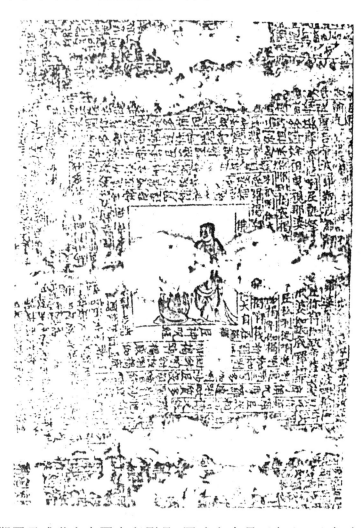

图87
1975年西安出土的唐中期《佛说随求即得大自在神咒经》单页印本,取自韩保全(1987)

唐中期开元盛世应有更多印刷品,因武宗会昌五年(845)发动反佛,使这以前出版的大量佛经被毁,而早期印刷品又多是佛教出版物。但印刷也用于非宗教目的,如德宗建中四年(783)户部所发"印纸"是用于经济活动的印刷品。《旧唐书·食货志》载,该年六月为解脱经济困难,提出住房税("税间架")和所得税("算除陌")两种增税法,以印纸为收税凭证。据《算除陌法》,凡公私所得及贸易收入,每缗(mín,一千文钱)由官府留50钱为税收,掌管财务的市衙各给印纸,将抽税项目、收入额、税额及纳税人等栏事先印在纸上,临时填写、交税,再盖官印为证[①]。有隐而不纳税者罚以重款,且处以杖刑。此法一行,天下怨声载道,两年后不得不废止。由此想到宪宗元和(806~820)初发行的具有汇

---

① 刘昫[五代].旧唐书(945),卷四十九,食货志下.二十五史缩印本,第5册.上海:上海古籍出版社,1986.254~255

票性质的"飞钱"①,也应是印制而成。因在各道(省)使用,"合券乃取之",必须要统一格式,用量又大,必用印纸才成。

唐代后期印刷品多样化,除佛经外,有关汉语字典、音韵等语文工具书,相宅、算命书和历书等面向大众的书相继出版。历书本由礼部奏准颁行天下,但刻书商为求获利,常私印之。因此,文宗太和九年十二月丁丑(835年12月29日)"敕诸道府,不得私置历日板"②。四川成都、淮南、扬州是民印私历的集中地,由商人贩至各地,至腊月前已满天下。不列颠图书馆藏敦煌石室发现的唐僖宗乾符四年(877)历书残页(图88),印得相当精美。版面复杂,有图有表,每个项目

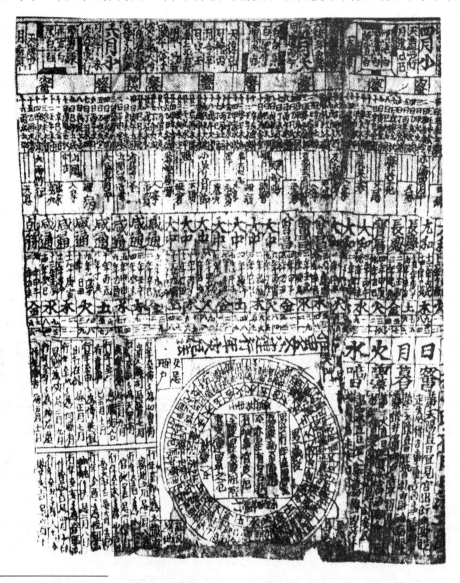

图 88
敦煌石室发现的唐乾符四年(877)刊的历书,不列颠图书馆藏

---

① 欧阳修[宋].新唐书(1061),卷五十五,食货志.二十五史缩印本,第6册.上海:上海古籍出版社,1986.152
② 刘昫[五代].旧唐书(945),卷十七下,文宗纪.二十五史缩印本,第5册.上海:上海古籍出版社,1986.76

由纵横细线界栏。残页只有四月至八月内容,除历日、节气外,还有算命的"十二相属灾厄法"及十二生肖图,"五姓安置门户井灶图"属相宅之类。"宫男、宫女推游年八卦法"也讲算命。此历书内容很多,几乎与清代历书相近。

宋人王说(1075～1145 在世)《唐语林》载:"僖宗入蜀,太史历本不及江东,而市有印卖者,每差互朔晦,货者各征节候,因争执。"①这是说,僖宗于中和元年(881)正月为避黄巢攻打,从长安逃至成都。私人趁机印历,除川人外,江东(江南东道)也有人印私历,为太史官历所不及。江南相当于今苏南、浙江及闽台,印历地点为扬州、苏杭及越州(今绍兴)等。因商家私历推算方法不一,朔望、节候互异,故而发生争执。僖宗前朝懿宗的咸通年间(860～873)木版印刷技术已高度成熟,所印的版画最能体现技术水平。1907年斯坦因在敦煌石室发现咸通九年(868)刻印的整卷《金刚经》,全名为《金刚般若波罗蜜经》(*Vajracchedikā-prajñā-pā-ramita-sūtra*),作卷轴装(图89),现藏伦敦不列颠博物馆。

图 89
1907 年敦煌石室发现的唐咸通九年(868)刻《金刚经》,不列颠博物馆藏

此经全长 525 cm,由 7 纸连成,起首印有一幅精美的插图,描写佛祖释迦牟尼(Śākyamuni)在孤独园内坐在莲花座上对弟子须菩提(Subhūti)等说法情景,刻工精湛,刀法圆熟。接下 6 张纸印有楷体经文,每纸 26.67 cm × 75 cm ②③。

---

① 王说[宋].唐语林(约1107),卷七.上海:上海古籍出版社,1978.256

② Giles L. Dated Chinese manuscripts in the Stein Collection. Bulletin of the London School of Oriental and African Studies, 1933～1935,7:1 030～1 031

③ Carter T F. The Invention of Printing in China and Its Spread Westward, chap. 8. New York: Columbia University Press, 1925; 2nd ed. Revised by Goodrich L C, New York: Ronald Press Co., 1955

卷尾有题记:"咸通九年四月十五日(868 年 5 月 11 日),王玠(jiè)为二亲敬造普施"。1982 年 10 月,笔者旅居英国时对此经用纸作了检验,确认为麻纸,白间肤色,表面平滑,纤维交结紧密。此经在用纸、刻工和刷墨方面均属上乘之作,是有明确年代的最早的插图本印刷品。

唐末文人司空图(字表圣,837~908)《司空表圣文集》卷九《为东都(洛阳)敬爱寺讲律僧惠确募雕刻律疏》称:

> 今者以日光旧疏龙象弘持,京寺盛筵……自洛阳罔遇,时交乃焚,**印本渐虞散失,欲更雕锼**。

此处"日光旧疏"指唐初相州(今河南安阳)日光寺僧法砺(569~635)的《四分律疏》①。从司空图所述可知,武宗 845 年反佛前此《四分律疏》已有印本,由洛阳敬爱寺僧惠确所讲授。845 年此经被焚,寺院被毁,宣宗(847~859)后,禁佛令止,惠确托司空图写募捐书,以便重刻。募捐书约写于 874 年,注曰:"印本共八百纸",指此传单印 800 份,广为散发。唐末(9 世纪)刊《一切如来尊胜佛顶陀罗尼》咒,曾于敦煌石室发现(图 90),现藏巴黎国家图书馆。同时期江西观察使纥干众(817~884)研究炼丹术多年,大中(847~859)时刊《刘弘传》数千份,寄赠同道者,事见范摅(840~912 在世)《云(雲)溪友议》(约 870)卷下。

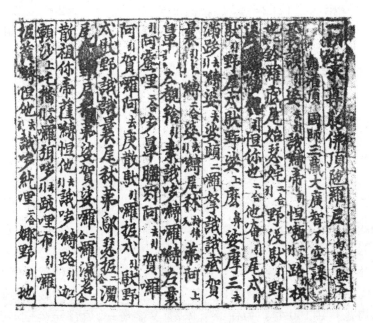

图 90
敦煌发现的 9 世纪唐刻本《一切如来尊胜佛顶陀罗尼》,巴黎国家图书馆藏

咸通年四川成都还印过《唐韵》、《玉篇》等语文工具书,并传往日本。咸通三年(862)来华的日本学问僧宗睿,3 年后(865)随唐商李延孝之船返日,随带许多

---

① 周一良.纸与印刷术.见:李光璧,钱君晔编.中国科技发明和科技人物论集.北京:三联书店,1955.1~20

中国书,他在《书写请来法门等目录》中开出下列书目录:

> ……西川印子《唐韵》一部五卷,西川印子《玉篇》一部三十卷。右杂书等,虽非法门,世者所要也。①

"西川印子"即四川印本,这些书是865年日本留学僧圆载在长安访求的,交宗睿带回日本,同年带到奈良东大寺。唐人柳玭(848～898在世)《柳氏家训》说,中和三年(883)他在陪都成都书肆上看到阴阳、占梦、相宅、九宫、五纬之类书"率雕版印纸",数量甚多,仅次于小学书。而巴黎国家图书馆藏敦煌石室发现的唐刻本《大唐刊谬补缺切韵》(编号P-5531)残卷,就属于小学书。

二、五代十国及北宋的印刷

明人胡应麟(1551～1602)《少室山房笔丛》(约1598)卷一一四《甲部·经籍会通四》说,"雕本肇自隋时,行于唐世,扩于五代,精于宋人",简明而准确地概括了中国木版印刷前六百年发展史。五代确是印刷扩展时期,上承唐,下启宋。这里先从五代北方印刷谈起,重要转折点是从这时起开始由政府主持刊行士子必读的儒家《九经》,从而使印本书登入大雅之堂。发起这项印刷的是后唐(923～936)宰相冯道(882～954)。据北宋人王钦若(962～1025)等奉敕撰《册府元龟》(1013)卷六〇八所载,冯道于长兴三年(932)向后唐明宗李嗣源(867～933)奏曰:

> (臣等)尝见吴、蜀之人,鬻印板文字,色类绝多,终不及经典。如经典校定,雕摹流行,深益于文教矣。

冯道鉴于南方吴、蜀之国印刷很多读物,但未曾刊儒家经典。为振兴北方文教事业,他建议以长安《开成石经》为底本,由国子监诸经博士校定文字,刻版刊行《九经》。明宗准奏,令太子宾客马缟(854～约938)主持。值得注意的是,北方虽更换四个朝代,冯道始终保持相位,他所倡导的刊经工作一直没有停止。原参与此事的官员因年迈退休或过世,但田敏(约881～972)始终未离岗位。从后唐长兴三年起至后周广顺三年,全部工程告成,共用21年(932～953),计印出《易经》、《尚书》、《诗经》、《春秋左氏传》、《春秋公羊传》、《春秋穀梁传》、《仪礼》、《礼记》、《周礼》,共130卷。为使经版体例、文字统一,后晋开运三年(946)国子监再刊《五经文字》、《九经字样》各一卷,规定刊印过程各工序操作则例及标准印刷字体,此二书从印刷技术史角度看有重要意义,可惜宋以后失传。五代官刊《九经》对后世印刷有深远影响。

---

① 木宫泰彦.日中文化交流史.胡锡年译.北京:商务印书馆,1980.202

此时私人刊书也有所扩展,巴黎国家图书馆藏敦煌石室所出刻本佛像一大包(编号 P-4514),内有:(1)开运四年(947)归义军节度使曹元忠(约 905~980)刊观音菩萨像单页印本 5 份,匠人雷延美刻;(2)开运四年曹元忠刊《大圣毗沙门天王像》11 枚;(3)《大圣文殊师利菩萨像》单页印本 11 枚,每本 31 cm × 20 cm;(4)《阿弥陀菩萨像》5 份;(5)《地藏菩萨像》印页 1 枚。以上皆上图下文(图 91),刊印地点在敦煌。天福十五年(己酉,947)曹元忠还刊《金刚般若波罗蜜经》,雷延美刻,为册叶装,亦现藏巴黎国家博物馆(编号 P-4515)。编号 P-4516 刻本与 P-4515 为同一佛经的上下部,合在一起即成全帙。曹元忠作为陇右地方官在发展造纸、印刷以及保护敦煌石窟方面作过重要贡献。

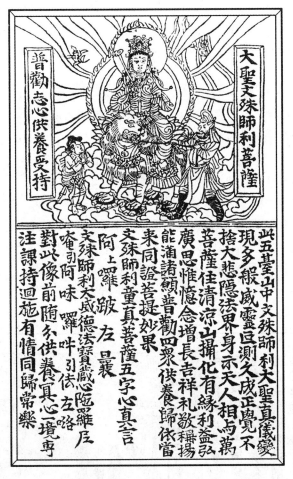

图 91
敦煌发现的五代(950)印单张《大圣文殊师利菩萨像》,北京国家图书馆藏

《旧五代史》卷一二七《和凝传》载词曲家和凝(898~955)于后晋天福五年(940)拜相,其作品流行于开封、洛阳两京,"有集百卷,**自篆于板,模印数百帙**,分惠于人焉"。后晋高祖石敬瑭好道教,《旧五代史》卷七十九《高祖纪》载帝令道士张荐明将道教典籍《道德经》"雕上印板,命学士和凝别撰新序于卷首,俾颁行天下"。

五代是北方黄河流域南北地区连续交替的 5 个朝代。与此同时,南方建立 10 个政权,称为十国,彼此较少有时间上的连续性,辖区大小不同,相对说战争较少,经济、文化得以发展,为印刷业扩展创造了条件。在唐代印刷中心四川建立的前蜀(907～925)、后蜀(934～965)印刷过儒、释、道各种读物。前蜀于909～913年间印过道士杜光庭(850～933)的《道德经广圣义》30卷,用460馀版。前蜀乾德五年(923)佛僧贯休(832～912)的《禅月集》,由其弟子昙域在成都出版,其中收入诗稿千首。前蜀还刊过历书。

据宋人王明清(1127～1216)《挥麈馀话》卷二所载,后蜀宰相毋昭裔(902～967)少时贫贱,向友人借《文选》读,遭拒绝,遂"发愤异日若贵,当板以镂之,以遗学者。后仕王蜀为宰相,遂践其言刊之"。广政七年(944)毋昭裔居相后,"令门人勾中正、孙逢吉书《文选》、《初学记》、《白氏六帖》镂板"①,行于世。地处今苏南、浙江和闽东的吴越(907～978),以首府杭州为中心发展印刷。吴越王钱俶(929～988)以皮纸和竹纸刊印《宝箧印陀罗尼经》(*Dhātū-Kāraṇḍa-dhāraṇī-sūtra*)8.4万份,此经全名《一切如来心秘密全身舍利宝箧印陀罗尼经》,共1卷,现有印本3种②。

第一种刊本1917年于浙江湖州天宁寺塔内首次发现,每纸7.5 cm×60 cm,经文341行,行8～9字,起首有插图绘佛祖及其左右胁侍,还有礼佛者,线条及造型简朴。插图前有题记:"天下都元帅、吴越国王钱俶印《宝箧印经》八万四千卷,在宝塔内供养。显德三年(956)丙辰岁记。"这是后周年号,当时吴越奉后周正朔。第二种刊本1971年在浙江绍兴涂金舍利塔中发现,置于长10 cm竹筒中,行11～12字,与第一种有类似插图及题记,但刻工较好,印以白皮纸,题记中无年号,只题"乙丑",即公元965年,相当于宋太祖乾德三年。第三种印本1925年于杭州雷峰塔中发现,印以竹纸,直高3.6 cm,横长190.5 cm,271行,行10或11字。经首插图有王后及侍女礼佛像。题记为:"天下兵马大元帅、吴越国王钱俶造此经八万四千卷,舍入西关砖塔,永充供养。乙亥八月日记。"(图92)乙亥合公元975年。

图92
1925年杭州发现的975年印《宝箧印陀罗尼经》,北京国家图书馆藏

---

① 脱脱[元].宋史(1345),卷四七九,毋守素传.二十五史缩印本,第8册.上海:上海古籍出版社,1986.1573
② 钱存训.纸和印刷.见:李约瑟.中国科学技术史,卷5,第1册.中文版.科学出版社-上海古籍出版社,1990.141

从956年起至975年,钱俶用19年时间印《宝箧印陀罗尼经》,分放吴越各地佛塔中。而杭州灵隐寺僧延寿(904～975)印过十多种经文、经咒和佛像,总共40万份,其中16万份印在绢上①。吴越西邻南唐(937～975),辖今江苏大部、皖、赣及闽西,是个大国,首府江宁(今南京),该国以产澄心堂纸闻名于世。明藏书家丰坊(1510～1567在世)《真赏斋赋》云:“及乎刘氏《史通》、《玉台新咏》,则南唐之初梓也。”注中说这些书中有“建业文房之印”牌记。南唐继吴(919～936)而建,前述冯道奏文中称“臣等尝见吴、蜀之人,鬻印板文字,色类绝多”,说明吴也出版许多书,贩运到后唐的洛阳等地。

结束五代十国割据而建立的北宋(960～1126),是统一全国的新兴王朝,南北经济和科学文化此时又汇合在一起,获得一体化的发展。印刷术在前代基础上此时进入黄金时期,印本书已居于主导地位,木版印刷获得前所未有的大发展,印刷品内容扩及儒、释、道及诸子百家所有领域,甚至应用于经济领域,如纸币的发行。宋代出版中心分布各地,形成官刻、坊刻和私刻印刷网络。在木版印刷基础上,又出现了活字印刷;除单色印刷外,又出现复色印刷。各少数民族地区也发展了印刷,中国成为世界上头号造纸和印刷大国。由于印刷技术的普及和进步,使这一时期的印刷品趋于完美的境界,堪为后世楷模。装订方面也有新的突破,结束了卷轴装而转向适合印刷术特点的装订形式。元、明、清三朝基本上是沿着宋代的模式发展印刷的,此处不再叙述。宋版书(图93、94)以刻、印、校严谨,被后世视为善本,传世者较多。宋以后木版印刷,详见各有关著作,此处从略。

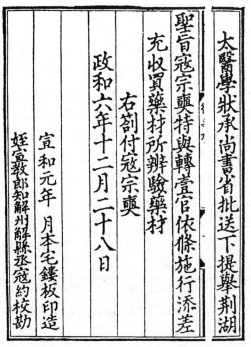

太醫學狀承尚書省批送下提舉荊湖
聖旨寇宗奭特與轉壹官依條施行添差
充收買藥材所辨驗藥材
右劄付寇宗奭
政和六年十二月二十八日
宣和元年　月本宅鏤板印造
姪宣教郎知解州解縣丞寇約校勘

图93

春秋穀梁傳隱公第一　○隱公名息姑惠公之子周文王八世孫平王四十九年即位
范甯集解
元年。春。王正月　隱公之始年周王之正月也杜預曰凡人君即位欲其體元以居正故不言一年一月也○正音征又如字後皆放此　雖無事必舉正月謹始也　謹君即位之始　公何以不言即位　據文公言即位　成公志也　成隱讓桓之志　焉成之言君之不取爲公也　言隱意不取爲魯君也公君也上言君下言公互辭○焉於虔反　君之不取爲公何也將以讓桓也讓桓正乎。曰不正　隱長桓幼○長丁丈反又作丈音同　春秋成人之美不成人之惡隱不正而成之何也將以惡桓也　不明讓者之善則取者之惡不顯○之惡烏各反下注之惡同惡桓烏路反下其惡桓同　其惡桓何也隱將讓而桓弒之則桓惡矣桓弒而隱讓則隱善矣善則其不正焉何也　據善無不正○弒申志反又作殺如字後

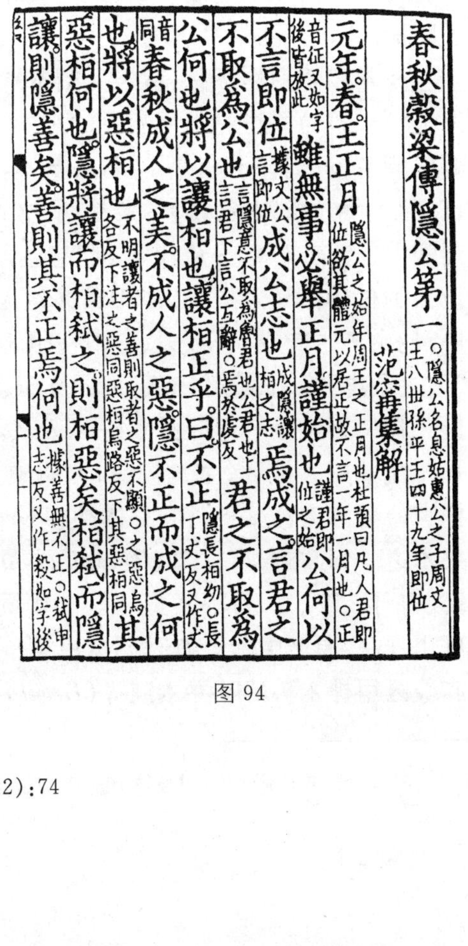

图94

图93
北宋宣和元年(1119)寇约校勘的《本草衍义》,取自中山久四郎(1930)

图94
南宋绍熙二年(1191)建安余仁仲刊《春秋穀梁传》,取自中山久四郎(1930)

---

① 张秀民.五代吴越国的印刷.文物,1978(12):74

三、传统木版印刷技术

1. 印刷生产中的原材料：版木、纸和墨

木版印刷中的主要原材料是版材、墨和纸，有了这些材料后，通过一系列工序，运用各种工具处理，才能最后制成印刷品。关于纸，本书第一章已有讨论，此不赘述。但要指出，印刷用纸还是有技术要求的，应当平滑受墨、纤维束少，有足够的白度、紧密度和适中的厚度。中国习惯于单面印刷，早期印本为卷轴装，要求纸稍厚些，宋以后将印页对折，再装成书册，要求纸薄些，不能硬涩而过厚。一般说 0.1 mm～0.15 mm 厚的纸适合印刷。隋唐、五代印刷多用麻纸，其次用皮纸，宋以后多用皮纸和竹纸，皮纸是最好的印刷用纸。由于印刷用纸量大，不一定非用佳纸，这与书画用纸有所不同。五代和宋国子监本是有雄厚财力的出版者，常用好纸、好墨，私刻本要根据经济上的考虑选用什么纸。印刷厂通常要贮存大量纸，保证所出的书用纸一致，也便于计价。

雕版版材多选取粗壮而挺拔的乔木，可得到足够大的版面。木料硬度要求适中，既易于下刀雕刻，又有足够强度。木质宜细密均匀，纹理规则，没有或少有疤节，且受墨性好。树木品种应分布较广，能充足供应，又不能太昂贵。稀见的贵重树木不宜作制版用，这是一种浪费。考虑到这些技术、经济条件后，一般选用梓木、梨木和枣木等，各地根据具体情况还可用其他树木，但松木、杨木虽分布广、价廉易得，却不能制印版，因为其木质松软，且松柏科乔木含树脂多，也不适于印刷。

梓木广泛用作版材，从宋元刻本题记中就有记载，宋以前也应如此。如宋乾道七年（1171）福建建阳蔡梦弼的东塾刻本《史记集解索隐》卷二题记内称"蔡梦弼傅卿亲校、刻梓于东塾"。淳祐十年（1250）江西上饶郡县刻本朱文公（朱熹）订、门人蔡九峰《书集传》卷二吕遇龙《跋》云，"遂从考质，锓梓学宫"，都讲以梓木刻版[①]。金初 1140～1178 年刻《赵城藏》中《阿毗昙毗婆娑论》卷卅一题记称，万全县荆村杨昌等人捐梨树 50 棵供刻版用。中国历史博物馆藏北宋版画印版两块，均由枣木制成。梓、梨、枣木在印刷业中用得如此普遍，以致"梓行"、"付梓"、"付之梨枣"等词成了"出版"的同义词。

梓树为紫葳科落叶乔木梓（*Catalpa ovata*），高 6 m，分布于中国东北南部至长江流域广大地区，生长较快，木质硬，纹理直，耐朽。还可制棺木，皇帝棺材叫梓宫。梨树为蔷薇科落叶乔木梨（*Pyrus sinensis*），早在两千多年前已成为中国果木之一，分布很广。枣（*Ziziphus vugaris*）为鼠李科落叶乔木，原产中国，以冀、鲁、豫、陕、甘、晋等省最多。与梨同科的落叶乔木杏（*Prunus armeniaca*）也可用，同样原产中国。有时偶尔用桑科的榕（*Ficus microcarpa*）等。四川德格藏族地区用桦木科落叶乔木红桦（*Betula albo-sinensis*）制版。

---

① 北京图书馆（赵万里执笔）编. 中国版刻图录，第 3 册. 北京：文物出版社，1961. 图版 163

印刷用墨主要成分炭黑(carbon black),是含碳物在供氧不足时不完全燃烧产生的轻松黑色粉末,化学上称为无定形碳(amorphous carbon),由许多细小石墨(graphite)晶体组成,微观结构复杂。中国以炭黑制墨由来已久,初以炭黑与胶汁制成墨汁,在此基础上制成固体墨块。陈梦家《殷墟卜辞综述》(1956)报道,河南安阳殷墟出土甲骨片上有黑字,这类甲骨文盛行于武丁时期(前1250~前1192)。对甲骨文黑字色料的显微化学分析证明成分为炭黑[1],已进入用墨的史前期。西周(前1046~前771)、春秋(前770~前477)以来,墨书文字时有发现[2]。

战国哲学家庄周(前369~前286)《庄子》(约前290)《外篇·田子方第廿一》称,宋国统治者宋元公(前530~前516)要画图,臣下"皆至受揖而立,舐笔和墨",讲的是调和墨,而非研墨,指墨汁。出土春秋、战国帛书、简牍,用墨块还是用墨汁写,有待研究才能判断。显然墨块易于保存、携带,但制造较复杂。1975~1976年湖北云梦发现战国末至秦(前4世纪~前3世纪)的墨块[3]。西汉以来墨块、石砚出土较多[4],且1953年河北望都西汉墓壁画还绘有主簿写字用砚和墨块[5],出土西汉纸上有墨迹,也证明这一点。《后汉书·百官志》载,守宫令"主御用纸、笔、墨及尚书财用诸物及封泥"。汉人应劭(140~206)《汉官仪》(197)载:"尚书令、仆丞郎月赐隃糜大墨一枚、小墨一枚。"以枚计,说明是墨块。隃糜(yúmí)墨指今陕西千阳所产之墨,以其质优,后世以"隃糜"为"墨"的同义语。

中国制炭黑用松木和桐油,汉唐以来多以松木烧成松烟炭黑制墨,称松烟墨,隃糜墨即以终南山松木为原料。宋人晁(cháo)贯之(1050~1120在世)《墨经》(约1100)列举诸山所产之松,因含丰富树脂,可制炭黑。松烟墨成本低,便于大量制造。以桐油烧成油烟炭黑,制成油烟墨,一般认为是从宋代开始发展的,所用方法、设备不同于松烟墨。因唐宋以来印刷多用松烟墨,此处着重叙述其制法。晁贯之介绍说,烧松烟用立式及卧式两种烧窑,宋以前多用立式,窑高1丈(310 cm)多,窑膛腹宽、口小,灶面上没有烟筒,窑上盖一大瓮,大瓮上再连叠5个大小相差的瓮。从下向上放的5瓮,越往上的瓮越小,一个套一个。上面的瓮在底部有开孔,与下面瓮联通,接缝处以泥密封。将松木放窑膛内点燃,气流和松烟向上沿各瓮流动,可适当控制气流量,冷却的松烟颗粒留于各瓮中,逐个收取。

整个立窑造成缺氧的不完全燃烧气氛,气流经6个瓮上升,每瓮像一挡板,

---

[1] Benedetti-Pichler A. Microchemical analysis of pigments used in the fossae of the incisions of Chinese oracle bones. Industrial and Engineering Chemistry: Analytical Edition, 1937, 9: 149~152

[2] 蔡运章. 洛阳北窑西周墓墨书文字略论. 文物,1994(7):64~69

[3] 孝感地区考古短训班. 湖北云梦睡虎地十一座秦墓发掘简报. 文物,1976(9):53,图版2,图5

[4] 麦英豪,黄展岳. 西汉南越王墓,上册. 北京:文物出版社,1991.142

[5] 河北省博物馆. 望都汉墓壁画. 北京:中国古典艺术出版社,1955.3~14

又受冷却作用。每瓮内积厚厚一层松烟时，停火，冷却后以鸡毛扫取炭黑。最上一瓮内颗粒最细，质量最好，往下颗粒渐粗，最下瓮内颗粒最大，可制次等墨或黑颜料。依粒度大小作分级，最细者制上等墨。此法设备易操作，但烟道短，炭黑粒易散逸，生产率小，不能得到大量炭黑。

宋以后又出现卧式烟窑，晁氏《墨经》载"今用卧窑"即指此，山岗上依地势建斜坡式卧窑，总长100尺(31 m)，脊高3尺(93 cm)，宽5尺(155 cm)，由若干节烟室接成，内设挡板。灶膛在窑的最低处，灶口1尺(31 cm)见方，放入松木燃之。灶膛与烟室间有咽口相通，2尺见方，烟气沿烟道逐步上升，经各节烟室到尾部。松木每次加3~5枚点燃，随时续入，烧7日。冷却后，入窑扫取松烟。对元代画上松烟墨迹的扫描电子显微分析，证明炭黑粒为0.1 μ以下，达到近代炭黑粒度水平①。

明代科学家宋应星《天工开物·朱墨》章(1637)也介绍卧式窑，与宋人所述一致。明代制墨松烟占90%，油烟占10%。烟窑以竹条作成圆顶棚屋，如船上雨篷，逐节接成10丈多长。其内外及各节接缝处以席子与纸糊固，竹棚下接地处盖上泥土，内以砖砌成挡板，留出烟道。"隔位数节，小孔出烟"，这样可减少气流阻力，使之均匀散热及流动，隔一段距离开孔，可控制气流量及流动速度，有利于炭黑分级沉降。《天工开物》未提窑高、宽及灶口尺寸，应与宋窑相同。从原书插图看，灶口画得过大，应是一尺见方小口，我们已稍作改绘(图95)。烧7日后停火，冷定入窑扫取松烟。近火处二节称烟子，是粒大的次等炭黑，可供印书用，仍要研细。远火处最上二节内松烟称清烟，粒最细，制上等墨。头、尾之间称混

图95
烧取松烟图，取自《天工开物》(1637)

---

① Winter J. Preliminary investigation on Chinese ink in Far Eastern paintings. In: American Chemical Society. Advances in Chemistry, Series 138. Washington, 1975. 209, 213~214

烟,作一般的墨或印书。

欲制固体墨,要将炭黑与胶等添加剂混合,捣细、成形。《齐民要术》(约538)载合墨法,将松烟捣细、过筛,防止飞散出去。1斤松烟与5两动物胶配合,二者重量比为100:31,墨内含炭黑67%～77%、动物胶23%～33%。历史上长期采用这一配比,此后胶量时减时增,总的说炭黑与胶重量比为100:30～100:50。《齐民要术》还提到加入梣皮汁、蛋白、朱砂及麝香等,以改善墨的性能,调整墨色。

2. 刻板和刷印技术

选好版材后,将木料外表皮剥去,断成适当长段,每段顺着纹理锯成长方形木板,根据书籍版面大小决定木板尺寸,每板相当一块印版,或书的2页。木板通常厚2.5 cm,直高20 cm,横长30 cm。将表面及四边刨光,放水中浸一段时间,除去木内胶质等。时间视季节而定,一般为一个月左右,必要时对木板进行蒸煮。木板阴干后,用细刨刨平板面,擦上大豆油、菜子油之类植物油,用苋科节节花(*Alternanthera sessilis*)茎将板面磨光。板面如有硬节,必须挖去,补入木块,刨平。

请书法高手将书稿工整地写在皮纸的红色行格内(图97-1),字体及字的大小事先规定。还要划出四周栏线、行格及版框中线。写样完成,要与原稿作校对,将错、漏之字标上。如改动之处较多,需另行书写,并经校对。再将写样上的字以反体转移到木板上(图97-2)。在板上均匀刷一层薄的熟米浆,将写样反贴在木板上,使有字的一面贴在板上,用细棕毛刷刷平。再以粗毛刷刷纸背,使其成茸,刷去毛茸,令干。于是木板上出现反体墨迹。

写样转移到木板后,即可刻字,由技术熟练的刻字工完成。以不同形式的刻刀(图96)将板上反体墨迹刻成凸起的阳文,将无字的空白部分剔除,使之凹陷。刻工用斜口刀及平口刀在板上每字周围刻划出线,先划直线,再划横线,使每字在四方形刀线内刻成。下刀时左手按尺,右手持刀,逐线刻出刀痕,手重时刻二刀,手轻刻三刀,再将木板翻转90°角划刀痕。下刀方向均由外向内,向刻工方向进刀。先从板的左边刻起,对每字的横(一)、撇(丿)、捺(乀)、直(丨)和点(丶)逐一下刀刻之(图97)。刀不宜直立,亦不宜平下,应使刀与板面呈一斜角,以斜向刻字。

刻字时遇不同形状线条,可用大小、形状不同的刻刀,有的刀口宽而平或窄而平,有的刀口斜呈不同斜角,有的两头都有刀口。刻刀为钢制,有木柄。刻出字后,用大小不同的剔空刀将字的周围空白部分除去,使字凸起。如空白大,用圆口凿铲去,持木槌击圆口凿背,斜向推进,将多余木料挖去,使字凸出周围空白板面1 mm～2 mm,刻出的字在板上呈梯形隆起。最后用平口凿铲除线条附近多余木料,将无字处的木料剔除在板面之下,这属挖空工序。再留出四周边框,锯去板的四边多余木料,铲刀修理,使与原线粗细相符,上下左右匀称。以刻刀逼直尺,将每行字两侧刻出行线修齐。刻完后,以热水冲洗雕版,洗去木屑等残留物。

下一工序是打印样,在刻完字的版上上墨、覆纸,印出若干张作为印样,校对文字,对校出的错字作挖补。错误较多,要整版重刻,这种情况较少。挖补只限于个别字,在错字周围挖出方块,将错字取出,另作同样的木钉,嵌入方槽内,刻出新的反字。校对后,正式印刷。所用墨汁炭黑与胶量配比为 100∶20～100∶25,混合炭黑与胶水,搅成稠粥状,加少量酒,放置半月,液体成黑色糊状。在缸中贮存、发酵①。

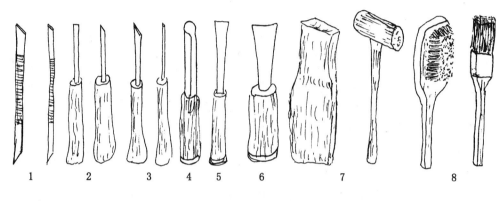

图 96
刻版用工具,潘吉星绘(2001)
1 双刃刀　2 单刃刀
3 单刃凿
4 半圆刃凿
5 平凿　6 刮刀
7 木槌　8 毛刷

图 97
刻版操作图,潘吉星提供(2001)
1. 写字样
2. 将字样反体字转移到板上
3. 刻字

---

① 卢前. 书林别话(1949). 见:张静庐编. 中国现代出版史料,丁编,上卷. 北京:中华书局,1959.627

印书时，将印版固定在木桌上，放置裁齐的纸、墨汁及毛刷等。将一叠纸以夹子卡在印版一边，对好位置（图98上）。用圆柱形平底刷蘸墨汁，均匀刷于版上，将纸覆在有墨的版上，纸的正面贴近版面，以平底刷擦拭纸背，便印出文字。将纸翻起，将另一张纸再覆于版面刷印，随时上墨。如此反复操作，直到印至所需份数为止，再将各印张按次序装订成书（图98下）。印书要求每纸墨色一致，避免字旁出现斑点，此操作决定产品成败。一般说一人一天可印1 500~2 000印张，每块印版可连印万次①。印毕之版应妥为贮存，以备重印。

图98
书籍刷印（上）和装订（下）操作图，潘吉星提供（2001）

因此木版印刷包括下列工序：(1)版材准备→(2)写书稿印样→(3)校改文字→(4)将写样以反体上板→(5)刻字制成版→(6)清理版面→(7)制出印样→(8)校对→(9)挖错补正→(10)再次校对→(11)上墨刷印→(12)整理印张→(13)装

---

① Needham J. Science and Civilization in China, vol. 5, pt. 1, Paper and Printing Volume by Tsien Tsuen-Hsuin. Cambridge University Press, 1985. 201

订→(14)打包装运。有的工序下包括若干步骤。有关制版操作所占工序在整个工序中占一半以上,可见其在印刷中的重要性。

3. 印本书装订技术

每个印张印出后,只有通过装订才能成为印本书的成品,而装订形式又几经变化才成为最终的固定形式[①]。隋唐五代早期印本中单页的不需装订,可直接使用,或托裱以加固。但多页的书则作**卷轴装**,这是最早的装订形式。如1903年新疆吐鲁番出土的唐武周前期刊《妙法莲华经》,1966年韩国庆州发现的唐武周晚期(702)刊《无垢净光大陀罗尼经》,1907年敦煌石室发现的唐咸通九年(868)刊《金刚经》,以及咸通年四川成都刊《唐韵》、《玉篇》,五代官刊《九经》等,都是卷子本,甚至北宋初开宝四年(971)蜀刊《开宝大藏经》也是如此。卷轴装源自唐以前纸写本书装订形式。

印页需直高一致,用特制浆糊粘连成一长卷,长达几米至十几米,卷尾处空页加上卷轴。卷轴多为木料,有时髹朱漆,讲究的用玉、象牙等材料。沿轴从左向右卷起,便成书卷。最右为卷首,以纸或绢加护,粘有带别针的细绳,可将卷子捆起。卷子外贴上书签,横放在书架上,卷轴还可悬上另一书签(图99)。这种形式书的版框四周有边,每版20~30行不等,每行十几字至二十几字,每行字间有界线或没有界线。卷首印书名、卷次或篇名、作者姓名,接下来是正文,注文用双行小字。卷尾有题记,标明刻书人及刊出年代,有时也在书首印出。

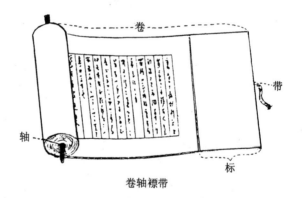

卷轴褾带

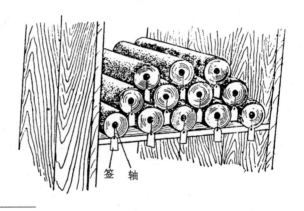

图99
卷轴装,取自刘国钧(1962)

---

① 蒋元卿.中国书籍装订技术的发展.图书馆学通讯,1957(6):20~25

最初的印本书完全取写本卷子的形式,但阅读时要卷来卷去,颇感不便,因而出现另一装订形式,将长幅印页反复折成同样宽(约 10 cm)的一叠,露在最外的书首、书尾以厚纸板保护,纸板上糊以绢面,贴上书签,写出书名、篇次,因而书外形由圆柱形变成狭长立方体,呈扁平状。大约唐末(9 世纪中叶)出现这种形式,现存实物有敦煌石室所出五代写本佛经,这种装订形式经宋元一直持续到明清。这种形式与佛教有关,佛经多以此装订,称为叶子,又称**经折装**或梵夹装(图 100)。此形式可能模仿成印度贝叶经的外形,是中国从事印刷的僧人设计的,但只形似,实际装订方法与贝叶经并不相同。经折装整部书由若干册组成,各册(古时仍称卷)叠起,外加函套,函套由厚纸板作成,包上布或绢,可横放或竖放,外加书签。

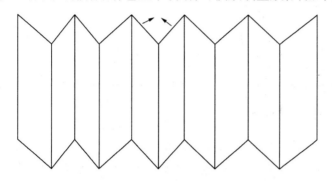

图 100
经折装,潘吉星据国家图书馆藏品临绘(1998)

经折装,像手风琴那样阅读时逐页翻动,比卷轴装用起来方便。阅读停止,夹一书签,下次继续阅读。宋代 1112~1172 年福州开元寺刻《毗庐大藏》、1116~1117 年福州东禅寺刻《崇宁万寿大藏》、1231~1321 年平江(今苏州)刻《碛砂藏》等及元明佛经多取这种装订形式。一些碑帖拓印本也如此,但非宗教著作很少用这种形式。经折装缺点是印纸折缝都露在外面,易于断裂,而卷轴装则少有断裂现象。

作为卷轴装的改进形式,唐代(9 世纪中叶)出现旋风装(图 101)。宋人张邦基(1090~1166 在世)《墨庄漫录》(1131)卷三云:"(唐)吴彩鸾善书小学,尝书《唐韵》鬻(卖)之……今世所传《唐韵》,犹有回旋风叶。"北京故宫博物院藏旧题吴彩鸾写《刊谬补缺切韵》卷,即张邦基所说之实物。其用纸较厚,双面涂蜡,双面书写,作卷轴装。每卷由 4~5 张纸构成,以一长的厚纸为底,以每张字纸右边空白处逐张向左糊在底纸上,像鱼鳞那样相错排列,再以木轴置于卷首,向卷尾卷去。开卷后,可逐页翻动、读双面文字,翻动书页如旋风(图 101)。但印本书是否也用此法装订,颇有疑问,不见实物遗存。另一种说法是,将长卷书页按经折装方式折叠起来,再用厚纸作封面将其包起。这种解释也无实物为证。实际上旋风装只徒有其名,印本书是否以此方式装订是大有问题的。

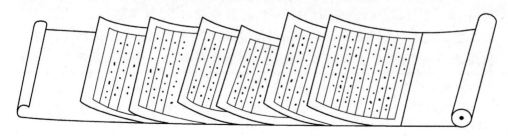

图 101
旋风装,潘吉星据国家图书馆藏品临绘(1998)

印本书的装订演变趋势,应当是从圆柱形向扁平形发展,**蝴蝶装**或蝶装的出现正适应这一趋势。蝶装是将每块印版印成的单独书页沿中缝对折,让有字的两个半页在内面面相对,无字的背面两半页朝外。将折好的印张折口对齐,用浆糊粘起,以包背纸包着粘在一起的折边。这是册页型书的最初形式,首尾两面以厚纸为书皮,有时以绢护起。封面书名标签贴于左上角。这种形式使纸的折缝包护起来,避免经折装缺点。打开书后遇到有字或无字书页,翻动书页像蝴蝶双翼,故称蝶装(图102)。蝶装写本在10世纪唐末至五代出现,而印本见于宋代。国家图书馆藏宋景定元年(1260)刊《文苑英华》、金刻本《尚书正义》即为蝶装。1908年黑水城(Kharahoto)出土的西夏仁宗(1140～1193)时出版的木刻本《圣观自在大悲心总持功能依经录》

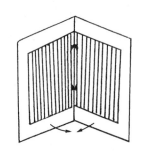

图102
蝴蝶装,取自刘国钧(1962)

也是蝶装①,这说明至迟从北宋起已有蝶装印本。

蝶装书阅读比卷子本方便,也易存放与携带,又克服经折装书页易断裂的缺点,是适合印刷业特点的装订形式。但翻阅时常遇无字的空白页,急查某一段文字所需时间反比阅卷子本还长,因此元代以后被**包背装**所代替。包背装起于宋,与蝶装正相反,将印纸沿中缝对折,让有字的两个半页在外,无字之面向内。对齐折口、叠成一册,将散开的书背切齐,用浆糊粘在一起,或用纸绳订起,再以厚纸将书首页、书背、尾页都包封起来,故称包背装(图103)。讲究的书也可用纸衬绢面,再贴书名标签。阅读甚便,宜在架上横放。有时将一部书各册放在硬壳函套内,既保护书页,又可竖放。这类书从元一直盛行于明中叶(16世纪中叶),至清代被线装所取代。

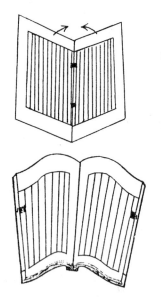

图103
包背装,取自刘国钧(1962)

元刊包背装印本有至元十八年(1281)日新堂重刊《朱文公校昌黎文集》、至元二十四年(1289)武夷月崖书堂刊《黄氏补千家注纪年杜工部诗史》等。包背装以纸绳订书,于书脊刷以浆糊,但纸绳易断,造成书页散离,订书工索性以丝线或麻绳代替纸捻,打孔穿绳订书,就难散开了。因此包背装演变成**线装**。这样书背无需浆糊和包背,只在书的前后加上封面即成,也是软封面,用黄或蓝纸,左上角贴书名标签。当然也可将若干册装入函套内护起来。

---

① Menshikov L N. 黑水出土汉文遗书叙录. 王克孝译. 银川:宁夏人民出版社,1994.

人们认为线装起于明中叶,只能理解从这时大为普及。笔者在敦煌石室所出五代写本中,就见过原始的线装书,以麻线装订成册,每纸双面书写,可见线装思想由来已久,明清以来线装成为主要形式。

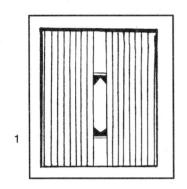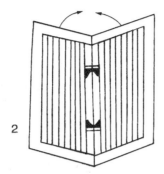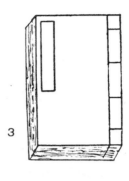

图 104
线装,取自钱存训(1990)
1 印页
2 印页对折方向
3 装订后

前引蒋元卿先生文章,综合叙述了线装技术,大体分为以下步骤:(1)折页,逐页沿中线对折,有字部分朝外→(2)分页,按书页次序分摊叠起,压之→(3)齐线,将分好的书页对准中缝,夹压→(4)添副页,每册前后各添副页2~3张→(5)草订,以纸捻订书→(6)加书皮,在副页外以黄纸或蓝纸为封面,衬一层薄纸→(7)裁书,用刀将书上下及书脊裁齐→(8)打磨,以砂纸磨光刀纹→(9)包角,以绫绢包书角→(10)钉眼,靠近书背处打4孔或6孔→(11)穿线,以丝线或细麻线在孔眼中来回穿订(图98)→(12)贴书签。包背装采用以上前五个步骤,以下是浆书背、裹书皮等。为使书竖着上架,可用两块木板将书夹起,木板上穿布带将书捆紧。也可以厚纸板包以布或绢,作成函套,将书包起。

第四节　版画和多色印刷的发展

一、版画的起源和发展

中国古代写本和印本时期的读物通称为"图书",图文并重、图文并茂一向是中国书籍文化的传统特色。所谓"图",是以绘画形式和艺术语言来表达某种思想或传递某种信息的叙述方式,它和文字表述有异曲同工之妙,相得益彰。有时用一幅图描述某一事物,比用很多文字描述更能使读者得到要领。对于不大识字的人和爱好艺术的人来说,图所表现的艺术形象及其含义,更为易懂和乐见,更有感染力。用木版印刷方法出版的图,称为版画,是画家画稿的机械复制品。画家在纸上作画,每次只完成一件作品,但将画稿转移到木板上刻印后,每次却得到成千上万份同一作品,其传播效应顿时提高千万倍。版画印刷作为与文字印刷并列的系列,此处有单独介绍之必要。

中国版画有悠久历史,与整个木版印刷相始终,甚至在木版文字印刷结束后的今天,木刻画仍作为艺术创作形式继续在中外发展,足可见其具有极大的生命力和魅力。中国是版画的起源地,前述隋开皇十三年十二月八日(594年1月5日)文帝杨坚于佛前发愿"废像遗经,悉令雕撰",表明这位开国皇帝为振兴佛教,下令将后周时捣毁的佛像重新铸造,将被焚的佛经加以印造,这自然也包括印造佛像,以"重显尊容,再崇神化"。唐初大法师玄奘于高宗显庆三年至龙朔三年(658~663)"发愿(印)造十俱胝(百万)(菩萨)像,并造成矣"。可见最早出现的版画多是宗教画,与拥有广大信徒的佛教在中国的发展有密切关系。隋唐、五代时的版画以佛像为主,对弘扬佛法有很大促进作用。

唐咸通九年(868)刻《金刚经》卷的扉画《佛祖说法图》(图89),是这一时期的重要代表作。此经于敦煌石室中发现,扉图中刻画出21个人物形象,形态各异,栩栩如生,布局紧凑,线条流畅,刻工精熟。画稿显然出于高手,与唐画家阎立本工笔白描《送子天王图》有类似画风,受阎派人物画法影响。经刻工精雕细刻,画稿神韵充分体现出来。唐代这类版画当为数很多,可惜能流传下来的甚少。五代时的版画是在唐的基础上发展的,可见者以北京国家图书馆藏《大圣文殊师利(Mañjuśri)菩萨像》(图91)为代表,此为单张印刷品,31 cm×20 cm,上半部是图,下半部为文字,是散发给信徒供养的,出自敦煌石室,为当地归义军节度使曹元忠发愿捐刻于947~950年间,由刻工雷延美(910~975在世)刻版。巴黎国家图书馆藏开运四年(947)刻《大圣毗沙门天王(Vaiśravaṇa)像》(编号P-4514)等,与《文殊像》属同类单页印本。两者刻工都好,只因画面所限,未能充分展开。

宋代(960~1279)以后,由于手工业、商业和科学技术的发达,社会出现繁荣景象,印本书进入大发展阶段,创作题材进一步扩大,画稿艺术水平和刻工技术都比前代有所提高。除原有的宗教画继续发展外,版画已进入文学艺术、经史、医学、科学技术等领域,作为这类著作中的插图,能说明深奥的专业问题,对知识的普及起了促进作用,也使版画的功能为之扩大。宋代的版画技术对同时期的辽(916~1125)、金(1115~1234)和西夏(1038~1227)等少数民族建立的朝代和此后的元代版画有很大影响,使这一时期整个中国版画技术进入大发展阶段。有关实物流传下来的也比以前多,现就有代表性的作品作如下介绍。

首先应指出医学和自然科学、技术科学著作中的插图的大量出现,是宋元刻本书的一大特点。例如北宋仁宗庆历四年(1044)出版的《武经总要》,是一部军事技术百科全书式的学术著作,内有约239幅插图(图105),有重要学术价值,被中外学术界高度重视。崇宁二年(1103)刊《营造法式》是一部建筑技术专著,内有建筑工程图样193幅。嘉祐五年(1060)成书的《嘉祐本草》是一部药物学专著,但无图。后来作者掌禹锡(990~1066)等根据从各地采集的药材标本完成

《本草图经》,嘉祐七年(1062)刻版刊行,是最早的插图本药物学印本。此本今不传,但以它为底本编成的插图本《证类本草》(1108年刊)及《政和本草》(1116年刊,1249年重印),今有传本(图106)。元代天历四年(1331)北方刊行的《饮膳正要》为蒙古族人忽思慧(1289～1355在世)所著,是营养保健和以食物疗病的专著,有185幅精美插图(图107)。这些版画专业性很强,要求准确表达文字叙述内容,为后世科技著作树立了楷模。

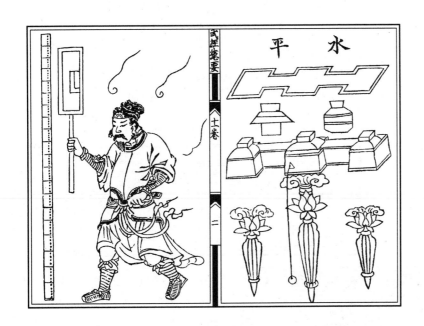

图 105
北宋刻本《武经总要》(1044)中的版画水平仪图

图 106
北宋刻本《证类本草》(1108)中的海盐图,取自1248年重印本

图 107
元刻本《饮膳正要》(1331)中插图

图 108
金代(12世纪前半叶)平阳印年画《四美人图》，圣彼得堡 Ermitazh 博物馆藏

有关文史、考古方面的人文科学著作有北宋嘉祐八年(1063)福建建安余靖安勤有堂刊行的《列女传》，原书为汉人刘向(前77～前6)撰，有123幅图描写贤明、仁智、节义等不同类型的妇女形象，都是上图下文。宋徽宗宣和三年(1121)出版的《宣和博古图》，描述宋代皇宫在宣和殿所藏商周、秦汉以来古铜器839件、铜镜113件，是当时古器物集大成之作。每图皆据原件摹绘而成，并加以说明，此书是重要考古工具书。聂崇义(910～975在世)的《三礼图》(962)，是有关古代服饰、风俗、起居和器物的重要图解资料，现有淳熙二年(1175)刊本，内有大小插图377幅。

这一时期还印有纯粹美术作品，如1909年俄国人科兹洛夫(Peter Kuzmich Kozlov, 1863～1935)从中国掠走的12世纪金代平阳(今山西临汾)姬氏刻印的单幅《四美人图》，描写汉晋时王昭君、班姬、赵飞燕和绿珠等四妇形象，印以黄纸，直高 2.5 尺（77.8 cm），横宽 1 尺（31 cm），工笔白描画法，与北宋白描《八十七神仙卷》很相似，是现存最早的年画印刷品（图 108）。嘉熙二年（1238）刊宋人宋伯仁的《梅花喜神谱》，是一部画谱，介绍梅花的各种画法。在戏曲、小说等文学作品中加配插图，会更加引人入胜。现存元代至治年（1321～1323）刻印的插图本《三国志平话》、《武王伐纣平话》等，是与宋代出版的同类书一脉相承的。

自唐以来宗教版画已有几百年历史，到宋元时已结下丰硕成果，散见于各种佛经。其中值得注意的是，大观二年（1108）重刻宋初《开宝藏》时，将太宗为此藏写的序《御制秘藏诠》配上四幅插图，虽然描述的是宗教故事，但人物在画中所占画面甚小，整个画面突出气势磅礴的山水。因徽宗长于丹青，此官刊佛藏版画在绘制和刻印方面都极尽精妙之能事（图 109）①。而大观年印发的纸币会子，也在票面上印出彩色图画。北宋、辽和金所刊许多佛经中的扉画，也都堪称上品。

图 109
北宋大观二年（1108）重刻《开宝藏》太宗御制序时加的四幅插图之一，美国哈佛大学福格艺术博物馆（Fogg Art Museum）藏

中国版画到明、清时期已进入黄金时代。插图本非宗教著作成为该时期印本书中的主流，广大读者需要的戏曲、小说和其他大众通俗读物的流行，是推动版画发展的社会动力。明中叶（16 世纪）以后，同一部戏曲小说在各地出现不同版本，刻书商为加强竞争，极力在书中增加插图，提高其趣味性、艺术性，有时插图多至几十，甚至上百幅。版画形式变化多端，除上图下文小幅外，占整版或半版的大幅版画和更大幅的年画多了起来，有时版画逐幅相连，形成连环画，还有以图为主的画册。儒家经典、史地、科学技术和文学艺术作品中的版画在数量和质量上已超过宗教画。

明代版画之所以是高水准的，除有专业画家提供画稿外，还因涌现一大批一

---

① Loehr M. Chinese Landscape Woodcuts from an Imperial Commentary to a 10th Century Printed Edition of the Buddhist Canon (the Tripitaka). Cambridge, Mass., 1968

流专业刻工,画家与刻印工匠密切结合。版画中心为南京、北京、苏州、杭州、建阳、湖州、徽州和吴兴等地。现存较早明版插图戏曲作品,是弘治十一年(1498)北京岳家刻《奇妙全相注释西厢记》,"全相"指插图,此书共150幅图。明初本插图仍未脱元代版画风格,但嘉靖(1522～1566)以后,工笔白描插图渐多,至万历(1573～1620)时大增。徽州府的黄、汪、刘氏三家刻工在这方面处于技术领先地位,而黄氏家族在一个世纪左右形成刻版画的专业集团①,在全国各地卖艺,几乎垄断了重要版画作品的制作,这就是著名的徽派版画。他们使用一套适于刻工笔白描的刀具(图110)和雕刻方法。

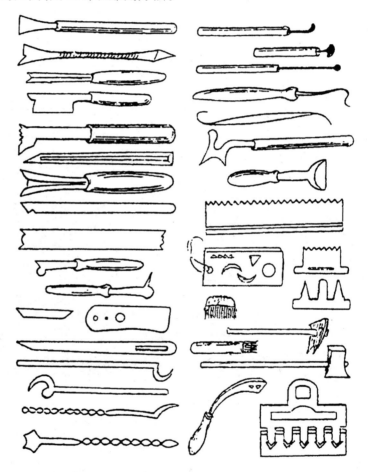

图 110
明代徽州刻工刻版画用的工具,取自《中国版画史》(1961)

北京国家图书馆藏万历二十七年(1599)休宁刻本《人镜阳秋》中插图为当地画家汪耕(1556～1621在世)供稿,由黄应祖(1563～约1633)刻版,所述人物故事以工笔白描图说明,人物活灵活现,器物有立体感;万历三十八年(1610)刊《坐隐图》等,画工及刻工同前。汪耕还为同年起凤馆刊《王凤洲李卓吾评北西厢记》配图,由黄一楷(1580～1622)刻于杭州。明代画家陈洪绶(字老莲,1599～1652)绘画册《博古叶子》、《水浒叶子》及《九歌图》,由黄建中(1611～?)刻版,前二者是

---

① 张秀民.明代徽派版画黄姓刻工考.图书馆,1964(1):61～65

纸牌图案，崇祯十三年(1640)刊于杭州。

徽州制墨专家程大约(1541~1616)滋兰堂万历三十三年(1605)刊《程氏墨苑》，为精美彩色套印本，有图录14卷、诗文四卷。由画家丁云鹏(字南羽，1547~1628)提供，由黄鏻(1564~?)、黄应泰(1583~1642)刻版。徽州人汪云鹏玩虎轩于万历十八年(1600)刊王世贞(1526~1590)辑《列仙全传》九卷，收入581人，配像222幅(图111)，每幅半版，人物形态各异。由黄一木(1576~1641)刻版。他还与黄一凤(1583~?)、黄一楷合刻《元人杂剧》，由杭州顾曲斋于万历四十七年(1619)刊行，共80幅图，绘刻精致(图112)。上述玩虎轩还于万历二十五年(1597)出版《琵琶记》，有图38幅，也是徽刻上乘之作。崇祯年(17世纪后半叶)刊《金瓶梅词话》，也有百幅插图，由黄建中等刻版。黄姓刻工达三十多人，刻插图本书47种。

图111
明万历年杭州刻《列仙全传》(1600)中的郭琼像，黄一木刻

徽州汪、刘二姓也刻出一些优美版画作品，如万历二十八年(1600)刊《唐诗

图112
明顾曲斋刻《梧桐雨》杂剧插图(1619)

画谱》,以画配诗,一版中手书体唐诗及画各半版,由汪士珩刻版。明刊《忠义水浒传》含120幅精刻插图,由刘君裕刻版。汪、刘、黄三家有时共同合刻同一部书,如前《金瓶梅词话》即为例。徽派刻工刀法精湛,线条纤细流畅,一丝不苟,又寓居各印刷中心,带动其他地区版画技术发展,将古代版画技术推向新的高峰。

明代画册有画家高松(1510~1575)《高松画谱》,刊于嘉靖三十四年(1555),包括菊、鸟、竹等画法。宫廷画家顾炳(1555~1615在世)将历代设色名画以墨色摹绘,凡106家106幅,山水、花鸟、人物一应俱全,辑成《历代名公画谱》,万历三十一年(1603)由虎林(杭州)双桂堂出版,每图占半版(图113)。前述《程氏墨苑》及万历十七年(1589)徽州另一制墨家方于鲁(1548~1613在世)出版的《方氏墨谱》,在某种意义上说都是画册,均出徽派刻工之手。

图 113
1603年明杭州刻《历代名公画谱》中的文房图

明代传统科学技术获得总结性发展,植物学、本草学、医学、农学、工艺技术、数理科学和军事技术书中多配有插图,专业性较强,技术要求高,不可随意画出,形成版画的另一系列。如永乐四年(1406)刊朱橚(1362~1425)《救荒本草》载414种救荒野生植物写生图。万历二十四年(1596)金陵(南京)刊李时珍《本草纲目》有1160幅动植物及矿物图。弘治七年(1494)吴县刊行的邝璠(1465~1505在世)《便民图纂》,有农桑络织图31幅,上文下图,每版两幅。天启元年(1621)南京出版的茅元仪(约1570~1637)著军事科学百科全书《武备志》240

卷,插图达数百幅,皆占半版,高梁刻版。科学家宋应星著《天工开物》为技术百科全书,崇祯十年(1637)刊于南昌府,插图123幅,有很高的科学价值。

王圻(1540～1615在世)父子合编的《三才图会》,万历三十七年(1609)刊于南京,计106卷,是包括人文与自然知识的百科全书,据笔者统计,插图多至四千多幅,为前代所罕见,同时期外国出版物也没有这么多版画,只历代人物就有596幅像,由南京刻工陶国臣等刻版。在世界版画史上,此书以插图之多、题材之广创空前记录。清代出版的大百科全书《古今图书集成》,很多插图取自《三才图会》。崇祯年间,朱一是(1600～1664在世)在邓志谟(1565～1630)《蔬果争奇》跋中说:

> 今之雕印,佳本如云,不胜其观,诚为书斋添香,茶肆添闲。佳人出游,手捧绣像,于舟车中如拱璧。医人有术,捡阅编章,索图以示病家。凡此诸百事,正雕工得剞劂(jījué,刻版用具)之力,万载积德,岂逊于圣贤传道授经也。①

这一席话歌颂了刻工创造文化财富的功绩,也反映当时插图本书籍的流行。中国历代出版插图本书约四千余种,刊于明代者几占一半,相当明以前所刊版画之总和。清初顺治、康熙近80年间的版画,是在晚明基础上发展起来的。明清之际有抗清意识的画家陈洪绶的画法,对清初版画创造有很大影响。其《水浒叶子》刻画具有反抗精神的梁山英雄形象,清初重刊。在此影响下,清初出现歌颂英雄、烈女和卓越历史人物为题材的版画新潮。而反映神州大好山河的山水写真版画,则激起爱国爱乡意识,唤起人们思念大明江山之情。清初画家萧云从(1596～1673)《离骚图》刊于顺治二年(1645),共64幅,由徽派的汤复刻版,其《太平府(今安徽当涂)山水图》(图114)顺治五年(1648)刊于当涂,共43幅,由徽派刻工旌德刘荣、汤尚、汤义刻版。

康熙七年(1668)苏州桂笏堂刊《凌烟阁功臣图》画法受陈洪绶影响,画家为刘源(1621～1689),苏州刻工朱圭(1643～1718在世)刻版。具有萧云从画法的山水版画,还有康熙五十三年(1714)休宁出版的《白岳凝烟图》,40幅画册描述休宁城外30里处的白岳风光,吴镕(1674～1734在世)供稿,休宁人刘功臣刻版。康熙中后期至乾隆年(18世纪)清统治巩固,反清作品渐少,反映皇清盛世的作品增多。"钦定"版画由宫廷画家供稿,内府刊行,为明代少见。康熙三十五年(1696)内府刊《御制耕织图》(图115),由宫廷画师焦秉贞(1650～1727在世)据宋人楼璹(约1090～1162)《耕织图》(1145)改绘,收入23幅,每幅有康熙帝御笔题诗一首,苏州人朱圭刻版。

康熙五十二年(1713)内府刊行《万寿盛典》120卷,描述为圣祖玄烨祝寿的盛大场面,148幅图由宫廷画师王原祁(1642～1715)主持精绘而成,刻工朱圭刻版。乾隆三十一年(1766)殿版《南巡盛典》反映高宗弘历四次南巡情况,画内场面很大。还有反映皇室文物的《皇朝礼器图式》(1759),《皇清职贡图》(1751)反

---

① 朱一是[明].蔬果争奇跋.见:邓志谟[明].蔬果争奇.1642年清白堂刊本

映各民族关系和对外关系,六百多幅人物画出于画师门庆安、戴汲等人之手。

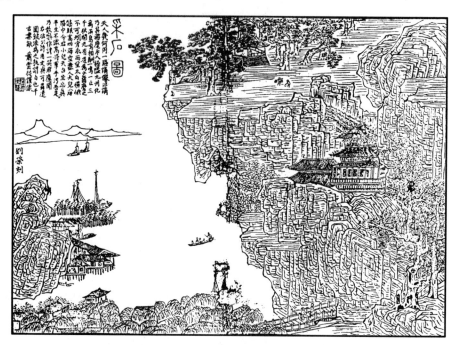

图 114
清顺治五年(1648)安徽刻萧云从绘《太平府山水图》,北京国家图书馆藏

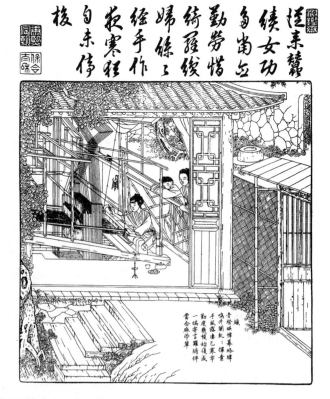

图 115
清康熙三十五年(1696)内府刊印《御制耕织图》,取自原版

民间人物画册有闽派画家上官周(1665~约1749)的《晚笑堂画传》(1743),收入120个历史人物,一人一像。各种戏曲、小说如《水浒》、《红楼梦》、《封神演

义》《隋唐演义》《三国演义》等都有插图。各种科学书也如此,如《钦定授时通考》(1742)、《钦定武英殿聚珍版程式》(1776),尤其《古今图书集成》(1726)插图之多之精为历史之最。吴其浚(1789~1847)《植物名实图考》(1848)绘图精细准确,足可为植物学家作分类依据。这里只举出一些有代表性作品,不可能逐一列举。除此,明清时南北各地年画有很大发展,节日时张贴于壁上,增加吉祥气氛。

二、彩色印刷的起源和发展

早期印刷品都是以墨汁为着色剂的单色印刷品,由于各种需要,希望出现两种或多种颜色的文字和画面,这就导致复色印刷技术的发明。在唐、五代,人们为增加佛经中版画的美感,常在线条轮廓内手工添上二三种或多种颜色,同一颜色还可能有浓淡之别。巴黎基迈博物馆(Musée Guimét)藏出自敦煌石室的五代后晋开运四年(947)印《大慈大悲救苦观世音菩萨像》,各部位添以红、蓝、黄、绿、橙等色。可以想像隋唐时佛像也会以同样方式处理。如印墨后精心添色,冷眼看如同手绘,天津杨柳青版画就用这种古老方法制出。但手工填彩需逐张处理,耗费很多时间和人力,这是此法的局限性。

使单色印刷品呈现多色的另一方法,是将不同色料刷在同一印版的各个部位,再一次印在纸上,此即单版复色印刷。最初是红、黑二色,后来增至三四种颜色,显然比手工添色便捷,缺点是在各色交接处易发生相互渗透而变色,且不能印三四种以上颜色,而手工添色可在任何部位添任何色。两种方法各有短长,长期并存。单版复色印刷至迟在北宋(11 世纪)即已处于实用阶段。宋代绘画史家郭若虚(1039~1095 在世)在《图画见闻志》(约 1075)卷六写道:

> 景祐初元(1034),上(宋仁宗)敕待诏高克明等图书三朝(太祖、太宗、真宗)盛德之事,人物才及寸余,宫殿、山川、銮舆、仪卫咸备焉。命学士李淑等编次、序赞之。凡一百事,为十卷,名《三朝训鉴图》。图成,**复令传模,镂板印染**,颁赐大臣及近上宗室。

南宋人王明清(1127~1216)《挥麈后录》(1195)记《章宪太后命儒臣编书,镂板禁中》条称,仁宗即位(1023)方 10 岁,刘太后临朝,太后素多智谋,分命儒臣冯元、孙奭、宋绶等采历代君臣事迹编为《观文览古》,后来又以三朝先帝故事编为《三朝宝训》10 卷,每卷一事。"诏翰林待诏高克明等绘画之,极为精妙……镂板于禁中。元丰末(1085)哲宗以九岁登极……亦命取板摹印,仿此为帝学之权舆,分赐近臣及馆殿。"可见 1023 年《三朝宝训》文字稿写出后,再由画家高克明补绘插图,而于 1034 年"复令传模,镂板印染",名为《三朝训鉴图》,这当是彩色印刷而成,1085 年再次取版重印。这部内府印的彩色图版书没有流传下来,用了几种颜色印出难以断定,估计色调不会太多。

北宋徽宗赵佶是画家,他在位时印发的纸币钱引,票面绘有图画,印以黑、红、蓝三色。元代人费著(约 1303~1363)《楮币谱》(约 1360)载：

> 大观元年(1107)五月,改交子务为钱引务,铸印凡六,曰敕字,曰大料例,曰年限,曰背印,皆以墨。曰青面,以蓝。曰红团,以朱。六印皆饰以花纹,红团、背印则(饰)以(人物)故事。

"铸印凡六"不可理解为铸造六块钞币铜印版,而是指印版的 6 项内容:敕字、料例、年限、背印皆印以墨、青面印以蓝、红团印以朱。青面是装饰性花纹,红团是人物故事图。由于钱引票面双面印刷,因此共需两块印版,这属于单版三色印刷,即在一块印版不同部位涂上黑、蓝和红三色,再刷印之。宋人李攸(1101~1171 在世)《宋朝事实》(约 1130)卷十五谈到南宋绍兴三十年(1160)至嘉定七年(1214)印发的 4 种纸币会子时写道:"同用一色纸印造,印文用屋木、人物。铺户押字,各自隐密题号,**朱、墨间错**。"这是鉴于徽宗时印三色钱引较费事,遂改成双色印刷,"朱、墨相杂",即在一块版上涂双色,再付印。

宋代朱墨双色或朱蓝黑三色印刷品虽未流传下来,但继承此技术的元代同类印本则有传世。1941 年南京图书馆发现元至元六年(1340)中兴路(今湖北江陵)资福寺刻印无闻和尚注的《金刚般若波罗蜜经》(图 116),插图中有黑、红二色。钱存训先生观看现存台北的原本后,注意到二色交接处颜色相混,如用两块版分别上色刷印,就不会如此①。这说明是单版双色印刷。比这更早的三色印刷品也相继发现,1973 年陕西省博物馆在碑林石碑空穴中发现一民间版画、女真文残页:碑文拓片及铜币,最晚铸于正隆三年(1158),因而这批文物为金代遗

图 116
元至元六年(1340)刻《金刚经注》朱墨双色印本,取自钱存训(1990)

---

① 钱存训. 中国书籍、纸墨及印刷史论文集. 香港:中文大学出版社,1992.144

物①。版画为《东方朔偷桃图》(图117),原题唐画家吴道子绘,画面由浓、淡墨及浅绿三色印在浅黄色麻纸上,为12世纪初印于金平阳府(今山西临汾)。其印刷方法与元代朱墨双色印《金刚经注》相同。这些实物证明文献所述**单版多色印刷起于北宋**,是无疑的。

在单版多色印刷操作过程中,为减少着色剂交接区,通常将某种色料集中于某一部位,但结果引起呆滞之感。为增加颜色并避免色料相遇而相互渗透,古人想到分版着色、分次印刷,这就导致多版多色印刷或套版印刷、套色印刷。所谓套印技术,是以大小不同的几块印版分别上不同色料,再分次印于同一纸上的技术。每次只印一种颜色,干后再印另一颜色,积多色为整幅画面。欲使各版色料转移到纸的给定部位,不同色料印版版框应吻合、对齐,使不同颜色印在纸上正确部位,故称套版。

图117
金平阳刻《东方朔偷桃图》三色版画(不晚于1158),取自《文物》,1979,(5)

我们认为木版印刷经历了:(1)**单版单色印刷→**(2)**单版多色印刷→**(3)**多版多色印刷**或**套色印刷**这三个阶段②。从第二阶段向第三阶段过渡,不会晚于元代,因为明代多版多色印刷已获得很大发展。以上所述后两个发展阶段,实际上也构成彩色印刷的两种基本形式。彩色印刷和木版印刷、活字印刷一样,是中国在印刷领域内的三项重大发明之一,具有深远历史意义。彩色印刷使印本书和版画进入争奇斗艳的彩色世界。

明清时期的彩色印刷在宋元基础上进一步发展,尤其从万历(1573~1620)以后处于黄金时代。胡应麟《少室山房笔丛》(约1589)卷一一四《经籍会通四》说:"凡印,有朱者,有墨者,有靛者。有双印者,有单印者。双印与朱,必贵重用之。""有靛印者",指以蓝靛汁印成的书,如成化十四年(1478)印的《灵棋经》、弘治十一年(1498)印的《安老怀幼书》。朱印者指以朱砂汁印的书,而"双印者"指朱、墨双色印本。浙江人闵齐伋(1580~约1650)、凌濛初(1580~1644)两个家族出版不少朱墨双色本,如前者在万历四十四年(1616)刊《春秋左氏传》时,将经传正文印以墨,将当代名家的评点放在版框上部,以小字印以朱。他在万历四十五年(1617)刊《孟子》则是墨、朱及黛(墨绿)三色印本。再多颜色印的书成本必更高,且读之令人眼花缭乱,全无必要。

然而版画却有所不同,色调越多越好看。北京国家图书馆藏万历二十八年

---

① 刘最长,朱捷元.西安碑林发现女真文书及版画.文物,1979(5):1~6
② 潘吉星.中国科学技术史·造纸与印刷卷.北京:科学出版社,1998.322~324

(1600)刊《花史》,分春、夏、秋、冬四集,是印四季之花写意画的画册,今存秋、冬二集。每幅画上的花、叶皆印不同颜色,各色交接处有颜色相混现象,因而是单版多色印刷。万历三十三年(1605)徽州制墨家程大约滋兰堂刊《程氏墨苑》,有50幅图用四色或五色印出,如画家丁云鹏绘《巨川舟楫图》以墨、黄、墨绿、蓝及褐五色印出。将此书与《花史》比较,我们发现前者颜色交接处很多,却无混色现象,说明是多版多色印刷。万历三十四年(1606)徽州刊《风流绝畅图》,黄一明刻版,也是五色套印本。

明代多版多色印刷或多色套印,当时印刷行业称为"饾(dōu)版"。此名导源于"饾钉",这是将不同形状的五色饼堆在盘中供陈设的面食品名。饾版作为多版多色叠印的方法,操作时先按画稿上设色深浅、浓淡和阴阳向背的不同进行分色,将各色调部分勾描于纸上,再转移到板上,分别刻成多块印版,每版只有部分画面,再将事先调好的各种色料涂在不同印版上,一一在纸上套印或叠印。这样,各种色料拼凑而成完整的彩色版画。一种色料需一块印版,因此要刻几块至十几块版,着色时由浅至深、由淡至浓地依次叠印。色料多是水溶性的,照画稿颜色配制,因此饾版后来又称木版水印,但"木版水印"这个词未能准确表达此技术特征。

明代还将多版套色印刷与所谓"拱花"结合起来。拱花即砑花,砑花纸起于唐代,在木板上刻出凸面反体图案或文字,再将其压在纸上,类似近代的凸版印刷。将这种技术引入印刷生产,可使印刷品有无色的凹纹图案,增加立体感。明末徽州书画家胡正言(1584～1674)寓居南京郊区,庭内种竹十余株,故斋名称十竹斋。他从天启七年(1627)起至崇祯六年(1633)6年间用饾版和拱花技术主持出版了著名的《十竹斋画谱》四卷,订为4册,作蝴蝶装,使人可见全整版面。该画谱分为八类,包括他本人、古人和同时代人30家作品中的花鸟、山水、怪石、竹木画及博古器物、书法等,总共180幅画和140件书法作品,大部分图是五色套印(图118)。

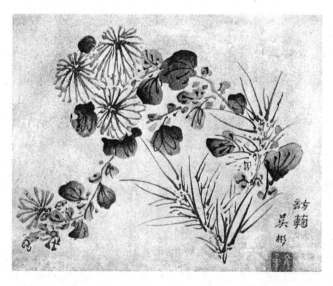

图 118
明崇祯元年(1633)南京胡正言刻彩色套印本《十竹斋画谱》菊谱图

在刊印上述画谱过程中,胡正言还准备《十竹斋笺谱》的编辑、出版工作。此书收集并设计具有图案的各种信纸,仍以饾版、拱花技术印出,共四卷,订为四册,每卷分若干类,包括的图案有古器物、岩石、花木、山水和人物等,图有彩色的,也有无色砑花,总共画页289幅。书首有崇祯甲申十七年(1644)序文,说明此书是在明代最后一年出版,可以说是《画谱》的姊妹篇。这两者是套色印刷达到登峰造极的经典杰作。胡正言的同乡友人李克恭(1595~1665在世)在《十竹斋笺谱序》中评论说:"十竹诸笺汇古今之名迹,集艺苑之大成。化旧翻新,穷工极变,勿乃太盛乎,而犹有说也。盖拱花、饾版之兴,五色缤纷,非不烂然夺目。"虽谈的是《笺谱》,但也同样适用于《画谱》。李克恭指出,胡正言的书在画稿取材、雕刻和刷印三方面均称完美结合,"合成三绝",不为过分。

与此同时,在南京的福建人颜继祖(字萝轩,约1590~1639)天启六年(1626)编辑、出版《萝轩变古笺谱》(图119),分上、下二册,收录笺纸图案182幅,像胡正言的《笺谱》一样,每幅都有诗、书、画。各图也以饾版、拱花技术印出,由南京应天府江宁人吴发祥(1578~约1652)刻版。此书现藏上海博物馆,刊毕时间比《十竹斋笺谱》早18年,比《十竹斋画谱》早一年。将二人编印的书对比,发现颜本插图着色部分先勾出轮廓,色调浓淡变化较少,而胡本着色部分用宋人无骨画法,没有勾出轮廓,且色调浓淡变化大,故制作较难。

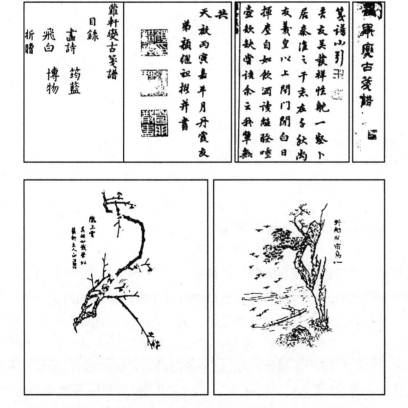

图119
明天启六年(1626)南京颜继祖刻彩色套印本《萝轩变古笺谱》

清代彩色印刷继续发展,如乾隆年刊《雍正朱批谕旨》112册,为朱墨双版套印本。道光十四年(1834)涿州卢坤刊《杜工部集》25卷为六色印本,计紫、蓝、朱、绿等色,表示明清各家评点,正文用墨印。康熙十八年(1679)沈因初(1631~1701在世)在南京出版《芥子园画谱》。因书版在沈因初的岳父李渔(1610~

1680)在南京的别居芥子园内刻印,又得李氏资助,故以芥子园冠书名。初集五卷为山水画谱,共133幅,供初学者习画用,康熙十八年(1679)以彩色套印出版。二集八卷,包括兰、竹、梅、菊四谱,康熙四十年(1701)出版。三集四卷,有花木、鸟虫等谱,与二集同时出版,皆彩色套印。人物画谱是百年后,嘉庆二十三年(1818)苏州小酉山房补刊的,名《芥子园画谱四集》,实际上是由另一个班子编、印的,也是彩色套印。这套书培养了一代又一代画家。

图 120
清康熙四十年(1701)
南京沈因初刻彩色套
印本《芥子园画谱》

第五节　评木版印刷起源于外国说

一、为什么印刷术起源于中国?

本章第一节讨论印刷发明前的古典复制技术时指出,中国南北朝以来印章、碑拓和木版印花等进一步发展有可能最终导致木版印刷术的出现。但木版印刷不是在它以前的任何古典复制技术基础上的单纯改进或革新,而是一项新的技术发明,因为在使用材料、工具、过程和产品用途等方面,木版印刷不同于以往的复制技术。它的出现不是偶然产物,而是长期历史酝酿的结果,除受已有的复制技术的诱发之外,还要有适当的社会、经济、文化、技术和物质基础等综合条件,甚至与历史传统、语言文字、宗教信仰等人文因素有密切关系。

为什么印刷术起源于中国,而非其他国家或地区? 这个问题需要思考[①]。

[①] 潘吉星.为什么雕版印刷术发明于中国? 中国印刷(北京),1994,12(1):52~57

主要原因是中国充分具备促成印刷术的所有上述那些条件,而在其他国家则不具备,或只具备部分条件,不足以诱发印刷术的发明。印章、封泥、碑刻和印花板在东西方其他国家古代都有,为什么在其他国家或地区这些古典复制技术未能走向印刷术,而只有在中国完成这决定性的一步?这恐怕是与中国最先拥有印刷品的物质载体即植物纤维纸有密切关系。印刷品是离不开纸的,纸是印刷术发展的必要物质前提,而中国还是造纸术的起源地,待其他国家或地区有了纸的时候,中国早就用上印刷品了,而且这些印刷品和印刷技术已传播于海外,用不着别的地区再重新发明了。有了纸以后,特别是以纸抄写读物的时间持续很久之后,才有对新型复制技术的实际要求,而最先造纸的地方总是近水楼台先得月,拥有优先发展印刷的可能性。外国的古典书写材料如莎草片、树皮、贝叶等不适合印刷,不能成为印刷品的物质载体,羊皮板虽可印刷,但过于昂贵,且供应不足,不能与纸相比。

除物质载体这一因素外,还可从古典复制技术在其他国家使用的情况作进一步分析。虽然东西方一些国家或地区古代也使用印章并以其封泥、封蜡,但由印章向印版演变必须经历两个过渡阶段,一是将反体印文通过墨汁或色泥印在纸上,中国在魏晋(3世纪~4世纪)已经实现这一过渡,但这时东西方其他国家还没有纸。古希腊人、罗马人和埃及人很少用着色剂将印文印在书写材料上。柏林博物馆只是例外地发现有一件公元85年莎草片文书上钤以朱印,维也纳博物馆藏有1250~1257年在麻布上钤印的文物,从埃及出土。但无论在欧洲或近东,以着色剂钤印的事例是很少发生的,"而且也不像中国那样起着促成雕版印刷的作用"①。在亚洲,韩国、日本和越南都在中国影响下使用以汉字刻成的印章,除用作密封外,也用于文书和书信等,但都晚于中国很长时间。印度较少将印章盖在贝叶经上。由印章向印版演变的另一过渡阶段,是将刻有许多文字的木印印在纸上,这种过渡发生于中国的晋至南北朝,早于其他国家。

石刻虽在东西方都有,但以纸拓印碑文则是中国特有的发明,日本和韩国拓印技术出现很晚,已在中国印刷品问世之后。埃及、欧洲石刻记录历史事件,只供人们观看,且只刻正体,从不刻成反体,而且也没有将石刻内容用拓印技术复制成副件或拓本的实践,因而阻塞了通向木版印刷之路。中国以纸拓印石刻儒家经典至迟发生于南北朝,从拓印技术通向印刷的途径只存在于中国。有人将古代亚述、巴比伦地区的先民在黏土坯上用刀笔刻成楔形文字(arrowlike characters),烧固后的黏土书版(clay tablets)称为"无墨印刷"或"无纸印刷"(inkless or paperless printing)②,现在看来是不确切的,因为一无纸二无墨,又不是复制过程,怎能称为印刷呢?欧洲人、古埃及人和印度人的版型印花技术,长期用于

---

① Carter T F. 中国印刷术的发明和它的西传. 吴泽炎译. 北京:商务印书馆,1957. 2,8

② 参见庄司浅水. 世界印刷史年表. 日文版. 東京:ブックドム社,1936

纺织物图案装饰,主要将图案印染在麻布和棉布上,但没有更早地将这种印花技术用在纺织业以外的宗教和文化事业方面;欧洲将宗教画印在布和纸上,都比中国佛教徒晚了很久。

印刷术作为对文字读物进行机械复制的新技术,是在社会经济和文教获得较大发展时的产物。中国从公元前221年秦始皇建立空前统一的封建大帝国后,经过汉、晋至隋、唐盛世,社会经济、文教和科学技术都获得长足发展,识字的人数迅速增加,拥有最大的印刷品消费市场。自秦统一文字以来,汉字由小篆、隶书演变到书写简便的楷书,魏晋以后逐步成为流通各地的稳定的文字字体,俗称方块字。它比以前字体易认、易写又易刻,这是适于木版印刷的文字条件。

汉以后,新字和新词不断出现,汉字字数猛增。东汉字典《说文解字》(100)收字9 353个,重文1 163个,至南北朝《玉篇》(343)成书时已收字达2.2万,后来增至4万~5万字。汉字是表意文字,一字一音,每字由若干笔画组成。南北朝至隋唐时,各地学校、佛寺、道观兴起,儒学、佛经及诸子百家书越来越多,抄写这些书籍费去人们很多时间和精力,这是促成代替手抄的印刷技术出现的因素。隋至唐初,除经济、文化昌盛外,社会也相对安定,物资供应充足,纸、墨产量和质量超过前代,对读物的需要量大增。《隋书·经籍志》(636)载,仅内府嘉则殿藏书就达37万卷,开皇元年(581)民间所拥有的佛经更多于儒家《六经》数十至百倍,数目之大是惊人的。用印造之法为全社会提供便利阅读与便宜的耗量大的读物,已是势在必行。

反观西方各国,欧洲奴隶制持续时间很长,比中国晚一千年才进入封建社会。西罗马帝国的灭亡(476)标志奴隶制的瓦解,但早期封建制仍带有奴隶制残余。中国在社会制度上比西方先进达千年,这决定中国在经济、文化和教育等方面处于领先地位,一些重大技术发明也在西方以前出现[1],其中就包括印刷。欧洲中世纪社会裹足不前,经济发展缓慢,社会上识字的人少,又没有纸,有些书籍由奴隶抄写在羊皮板或莎草片上,已足够满足社会需要了,没有对新型复制技术的迫切要求。其他古代文明区如埃及、印度、两河流域,一些古代文字失传,用纸都比中国晚千年以上,没有发展印刷所需要的条件。

在东亚,隋唐社会经济、文化和科学技术水平,都高于同时期的日本、朝鲜半岛上的高句丽、百济和新罗三国,这些国家不断派留学生、留学僧来中国吸收先进的文化。半岛三国长期间互相混战,社会处于不安定状态,668年新罗统一半岛后,有较长时间需要医治战争的创伤,恢复生产。从隋唐帝国与日本、新罗在社会经济、文化教育、宗教等发展水平对比中可以看出,日本和新罗不可能早于隋唐完成像印刷术这样的重大发明。事实上,这两个国家有关印刷的文献记载都大大晚于中国,其早期印刷品都是根据从中国传入的技术制成的。在7世纪

---

[1] Needham J. Science and Civilization in China, vol. l. Cambridge University Press, 1954. 241~242

以前的日本飞鸟朝和朝鲜半岛的三国时代,没有发展印刷术所需的社会经济、文化和技术等综合条件,8世纪以后拥有这些条件时,中国印刷术早已发明在前,且传入这两个国家。

二、评印刷术起源于印度说

我们说佛教是促进印刷术发展的一个动力,这是就中国情况而言的。在佛教起源印度是否也如此?日本学者藤田丰八(1869~1929)提出印刷术起源于印度之说①,其主要依据是671~695年赴印度求法的唐代僧人义净(635~713)《南海寄归内法传》(约689)卷四提到"造泥制底及拓模泥像,或印绢纸,随处供养……西方法俗,莫不以此为业"②。"制底"为梵文 *caitya* 音译,即小佛塔。印度古代佛教信徒以泥造大量小佛塔,并用模子造泥佛像,行法舍利活动。"或印绢纸",指以印花板在绢上印染佛像。在义净旅印期间,那里并不产纸,绢也很少,只能将印花板印在布上。但用印花板印在绢上显出图案,中国秦汉即已行之,而且有公元100年印在帛上的实物出土③。

将印按在泥上,属于古典复制技术,在远古时已经这样作了,这与印刷术是不能等同的。因此不能将义净在7世纪印度看到的以印在泥上印出佛像,看成是印刷活动。其次,绢和纸都不原产于印度,印度所需的纸、绢从中国进口,比较昂贵,民间不可能用来大量按印佛像,因为7世纪时的印度还不能就地造纸与织绢④。义净说他那时印度人将佛像印在绢、纸上,或出于误传,也与他在另一著作中所述相矛盾。即令以刻有佛像的印章按在纸、绢上,其产物也不能视为印刷品。钤印毕竟不是印刷技术。

当义净在《南海寄归内法传》谈到印度以刻有佛像的印章按在纸、绢上时,他又在《大唐西域求法高僧传》卷下说,他为抄写梵文佛经,在印度各地找不到纸,只好托人向中国广州求纸⑤,可见他本人的记载也是前后不一的。事实上在义净赴印度以前,中国已有了印刷品,而印度直到16世纪之前的漫长时间内,**从没有**发展过木版印刷,中国僧人赴印度取经,带回的都是写在贝叶上的梵文经典,因此认为印刷术起源于印度的说法是没有根据的。印度以木板为模将佛像复制在泥上的作法,会不会对中国印刷术发明产生技术影响呢?回答是否定的。因

---

① 藤田丰八著.中国印刷起源.杨维新译.图书馆学季刊(北平).1932,6(2):249~253
② 义净[唐].南海寄归内法传(约689),卷四.见:高楠顺次郎主编.大正新修大藏经,第54册.東京:大正一切経刊行會,1928.226
③ Tsien Tsuen-Hsuin. Written on Bamboo and Silk. Chicago: University of Chicago Press, 1962. pl. Ⅷe
④ 季羡林.中印文化关系史论文集.北京:三联书店,1982.37,96
⑤ 义净[唐].大唐西域求法高僧传,卷下.见:高楠顺次郎主编.大正新修大藏经,第51册.東京:大正一切経刊行會,1927.11

印度人的作法在原理和操作上与封泥是一致的,而封泥早在先秦时已在中国使用,那时中、印之间还很少来往。封泥也为埃及人使用,可以说这是不同地区各自发展的。印度的法舍利活动对中国有影响,但在中国得到革新,最大的革新是将印造的经、像供养在佛塔中,这从玄奘时即已开始。

三、评木版印刷起源于韩国说

中国法舍利后来随佛教一起传到新罗和日本。1966年10月13日,在韩国新罗朝(668～935)古都庆州佛国寺释迦塔内发现一卷印本《无垢净光大陀罗尼经》(Aryaraśmi-vimalvi-śuddha-prabhā-nāma-dhāranī-sūtra),印在12张粘接的楮皮纸上,全长643.5 cm,经文为唐人写经楷体,刀法工整,作卷轴装,版框直高5.4 cm,上下单边,行7～9字,一般8字,共5 280字。据笔者研究,此密宗典籍由唐代沙门法藏及吐火罗国(Tukhara)僧人弥陀山(Mitrasanda, fl. 667～720)奉则天武后之命于长安元年(701)译于洛阳佛授记寺翻经院,长安二年刊于洛阳。因行法舍利时,需将此经供养于塔内,故作小型卷轴装。当时新罗国僧人明晓于圣历三年(700)入唐求法,专习密宗,宿于佛授记寺,因得此印本,长安三年(703)携归新罗。同年,则天武后遣使至庆州为孝昭王吊丧,再携此本祭奠。因而佛国寺释迦塔供养之本,当为从中国传入的武周刊本[1][2]。

但韩国某些学者未对此经作仔细研究,便在其发现后不足三日,匆忙宣称它是新罗朝出版的"世界上现存最早的印刷品"[3][4][5],于是便提出木版印刷起源于韩国的主张[6]。而在以前,他们还一直承认其印刷术起于11世纪初高丽朝(936～1392)前期[7]。韩国学者对此经刊年断定的依据是:(1)唐人智昇(695～750在世)《开元释教录》(730)卷九载,此经由法藏及弥陀山译于"天后末年"[8],他们理解为武周最后一年(704)。(2)庆州皇福寺过去发现的金铜舍利函盖铭文称,神

---

[1] 潘吉星.论韩国发现的印本无垢净光大陀罗尼经.科学通报(北京),1997,42(10):1009～1028;中国、韩国与欧洲早期印刷术的比较.北京:科学出版社,1997.34～42,205～248,英文见284～292

[2] Pan Jixing. On the origin of printing in the light of new archaeological discoveries. Chinese Science Bulletin (Beijing), 1997, 42(2):976～981

[3] 黄善必[韩].世界最古木版印刷本發見(朝文).東亞日報(漢城),1966-10-15(1)

[4] 金夢述[韩].世界最古木版印刷物發見(朝文).朝鮮日報(漢城),1966-10-16(7)

[5] 金庠基[韩].関於世界最古木版本陀羅尼經(朝文).東亞日報(漢城),1966-10-20(5)

[6] 孫寶基[韩].韓国印刷技術史.朝文版.見:韓国文化史大系,第6卷.漢城:高麗大學民族文化研究所,1981.974～977

[7] 全相運[韩].韓国科学技術史.朝文版.漢城:科学世界社,1966.161～163

[8] 智昇[唐].开元释教录(730),卷九.见:高楠順次郎主編.大正新修大藏経,第55册.東京:大正一切経刊行會,1928.566

龙二年(706)新罗圣德王为超度王母、王兄,将此经供养于寺内石塔中①。(3)《佛国寺古今历代记》载,该寺建于天宝十载(751)。由此韩学者断定此经是704～751年或706～751年新罗刊行的现存世界最早的印刷品,而将韩国印刷起源时间也定在706～751年。

不难看出,上述观点显然出于误断和推测,与史实不符。《开元释教录》称《无垢净光大陀罗尼经》(以下简称《无垢经》或此经)译于"天后末年",应理解为武周后期的长安年间(701～704),不能将 last years 理解为 last year。细查中国史料得知,702～703年间,参译此经的弥陀山已返回吐火罗国,而法藏从洛阳移师长安从事《金光明经》(*Svarṇa-prabhā-sottama-sūtra*)的翻译,《无垢经》不可能迟至704年才译出。因韩学者将译经时间弄错,就不可能定出其正确刊行年代。在唐中宗至玄宗在位期间(705～755),唐帝国已废除武周制字,无论在唐代,还是在与唐政治关系密切的新罗,此时都不能使用制字,但庆州发现的《无垢经》中却印出制字,说明它应刊印于705年以前。既然韩学者多将其本国印刷起源的时间上限定在706～751年,则此经刊行地点自非中国莫属。

前已述及,早在《无垢经》出现前一百多年的6～7世纪,中国就有了一系列关于印刷活动的明确记载,同时期的佛教印刷品也在中国境内相继出土,说明《无垢经》不是现存最早印刷品,印刷术也不可能起源于韩国。整个新罗王朝二百多年间,没有留下任何一条有关印刷的可信记载和其他印本实物。至于《无垢经》,它虽然在韩国发现,实际上是传入新罗的唐武周刻本。主张它刊于新罗的依据是很难成立的,这里没有必要逐一罗列,因为已被中国②③④和外国学者所驳斥。美国印刷史家富录特(Luther Carrington Goodrich,1894～1986)教授,谈到庆州发现本和某些韩国学者观点时指出:

> 这个发现为我们可称之为印刷史的大厦增添了重要的一块砖,但它并没有根本改变大厦面貌。所有这一切,在我看来仍然表明,**印刷术发明于中国,并从中国向外传播**,而佛教是其主要媒介之一。
>
> [This find adds one important brick to the edifice we may call the history of printing. But it does not fundamentally change the edifice. Everything still points, in my opinion, to the **beginnings of the invention in China and its spread outward from there**, Buddhism being one of the principal

---

① 梅原末治. 慶州皇福寺塔発見の捨利容器. 美術研究(東京),1944(156);黄壽永. 韓国金石遺文. 朝文版. 漢城:一誌社,1976.140

② 张秀民. 南朝鲜发现的佛经为唐朝印本说. 图书馆工作与研究(天津),1981(4):1～4;张秀民印刷史论文集. 北京:印刷工业出版社,1988.51～54

③ 钱存训. 现存最早的雕版印刷品(1988年11月在台北的学术报告). 见:钱存训著. 中国书籍、纸墨及印刷史论文集. 香港:中文大学出版社,1992.127～136

④ 潘吉星. 印刷术的起源地:中国还是韩国? 中国文物报,1996-11-17(3)

vehicles for its distribution.]①

当韩国报纸声称庆州发现的《无垢经》是"现存世界最早印刷品"时,美国《纽约时报》(*The New York Times*)在报道中对"最早"一词特意加上引号,表示对这种提法持保留或存疑态度②。美国专家们认为,虽然此本年代较早,却并非最早,因为最早印刷品是在中国出现的。富录特是在对中、韩、日三国印刷史作比较研究后做出上述结论的。日本印刷史家长泽规矩也教授写道:

> 1966年秋,关于庆州佛国寺发现早期印刷品《无垢净光大陀罗尼经》的消息,通过韩国《中央日报》社[1966-10-18(3)]传到日本。此本刻工较好,从使用则天武后新字这一点来看,日本也藏有同类刊本,即据称在吐鲁番发现的《妙法莲华经·分别功德品第十七》,现藏书道博物馆,没有确实证据能断言庆州发现本是世界最早印刷品。
>
> [昭和四十一年(1966)秋、韓国《中央日報》社を介しにわが国に伝えられた、慶州佛国寺から発見された《無垢浄光大陀羅尼経》にしても、初期の印刷物としては文字が整い過ぎているし、則天武后の新字が使われているというだけでは、わが国に同類の吐魯番発見といわれる《妙法蓮華経·分別功德品第十七》が伝わっている(書道博物館)点からも、明証ある世界最古の印刷物であるとは断言しがたい。]③

在长泽氏看来,新疆吐鲁番出土的《妙法莲华经》的刊行年代比庆州发现本早。显然他认为韩国印刷术起始时间不可能早于中国。从他行文的字里行间还可以看到,他对《无垢经》刊于新罗的说法表示怀疑。

可靠的证据显示,朝鲜半岛的木版印刷始于高丽朝前期(10世纪~11世纪之交),现存半岛出版的最早印刷品是1007年总持寺刊《宝箧印陀罗尼经》,现藏东京国立博物馆,此经是据中国五代时杭州刊行的同名佛经(956)翻刻的。韩国学者安春根教授对某些人将皇福寺塔706年供养《无垢经》之年当成其刊年或将751年供养此经的佛国寺塔建成之年当成其刊年的说法存疑,认为这"只不过是出于推定、假设和推测……此经刊行年代与佛塔供养此经年代、塔的建成年代是否同时,是很难判断的。"又指出,在此经没有刊记载其刊年、刊地和刊行人的情况下,"便将它看作是新罗时代的印刷品,是不正确的"。他仍然主张"1007年出版的《宝箧印陀罗尼经》是我国(韩国)最早的印刷品"④。据了解,韩国仍有些学者不同意韩国发展印刷早于中国的主张,因此印刷术起于韩国之说是不能得到

---

① Goodrich L C. Printing: Preliminary report of a new discovery. Technology and Culture (Washington, D. C.), 1969,8(3):376~378
② Sulivan W. Korea finds "oldest" printed text. The New York Times, February 4,1967
③ 長沢規矩也. 圖解和漢印刷史,卷1. 日文版. 東京:汲古書院,1976.1
④ 安春根[韓]. 新羅時代的印刷出版問題——關於推定751年印刷的陀羅尼經(朝文). 古書研究(漢城),1990(7):42~51

国际承认的。

1997年10月在汉城举办的"东西方印刷史国际讨论会"(International Symposium on Printing History in the East and West)上,想将韩国发明木版印刷的主张推向国际会议的作法,受到会议的冷落和联合国教科文组织(UNESCO)官员婉言回绝,也说明问题。这次会后,某些韩国学者已放弃他们将《无垢经》定为706~751年刊本的原有观点,而将其刊年或韩国印刷起源时间推前到8世纪初,且仍坚持此本是刊于新罗的现存最早印刷品。但主张半岛印刷始于8世纪初的观点,仍只有《无垢经》这一个孤证,再举不出其他证据。

我们同韩国学者的学术争论焦点,现下已不再是《无垢经》刊行地点问题,而是木版印刷技术究竟起于中国还是韩国的问题。我们说中国是木版印刷的起源地,主要证据并非只是此经,而是比它更早的一系列其他文献证据和实物资料,详见本章第二节,其中有些证据是无可争议的。韩国并不拥有8世纪初以前关于印刷的文献和实物证据,退一步说,即令《无垢经》刊于韩国,印刷术起源地仍是中国,这才是问题的实质所在。只要韩国学者举不出证明该国8世纪前有印刷活动的证据,印刷术起源韩国说就无法成立,因此这里没有必要再论争《无垢经》刊行地的问题。

第四章　活字印刷技术的发明

第一节　非金属活字技术的发明

一、木活字印刷的发明

鉴于印刷技术在世界文明史中所起的非常重要的作用,有必要用两章篇幅加以研究。上一章主要讨论了印刷术的最早发展形式木版印刷的发明,同时也谈到铜版印刷的起源。本章则讨论活字印刷的发明,活字包括非金属活字和金属活字。活字的发明是从非金属活字开始的,由此导致金属活字的出现。活字印刷是在木版印刷的基础上于北宋(11世纪)发展起来的,而且是其发展的必然产物。中国从雕版到活字版的演变,耗费了四五百年时间。从技术发展阶梯角度来看,中国印刷史经历了雕版印刷→非金属活字印刷→金属活字印刷三个技术阶梯,且在11世纪北宋完成了三步跨越。中国这一技术发展模式在世界印刷史中起了典型的示范作用,因为东亚和西欧一些国家也沿着与中国同样的轨迹发展印刷,但从一个阶梯向另一阶梯跨越所需的时间却大为缩短,因为这些国家已借鉴了中国现成的经验。这体现了早期印刷史中印刷形式发展演变的技术规律,也体现了过去几百年间中外技术交流的成果。

活字印刷与木版印刷的主要区别是制版方式上不同,在上墨、刷印和装订等方面仍基本使用同样的工艺技术。但是,制版是印刷技术中的一道关键工序,活字版以不同于雕版的程序制成,采用不同的操作方法和工具,因此活字印刷可以看作是一项发明,而不单只是木版印刷的一种革新。活字印刷是继雕版印刷之后印刷技术发展史中的又一里程碑,活字印刷的高级发展形式是金属活字印刷,而金属活字印刷又是近代世界印刷的发展起点,因而活字印刷的发明具有划时代意义。中国比其他国家或地区领先发展木版印刷、铜版印刷达几百年之久,因而活字印刷,包括非金属活字印刷和金属活字印刷都最先发明于中国,是自然而然的。

11世纪以前的印刷业,是木版印刷的一统天下,虽然它比手抄劳动优越得多,但时日一久,刻工就感到终日辛勤劳动所刻出的版,只有一次性使用价值,即令重印,仍是同一内容,如想印另外内容,就得重刻新版。对经营印刷的商人来说,刻书消耗大量版木和时间,生产周期长,印出的书不欲再版时,印版即无用处;如欲再版,大量印版的贮存与保管也是问题。木版印刷到北宋达到黄金时代,然而其不足之处也更加突现出来。为克服这些不足,需要探索新的制版技术。木版上的字是逐个刻出的,如果将版上的字用细锯逐个锯下,就成单个字块,再将单个字块组合成版,印刷后取下,还可重排新版。这样,一套字块就可实现多套雕版的功能。于是死的印版变成活的印版,活字技术便由此产生。

有关活字的思想和实践由来已久,商周青铜器铸造有时就使用这种原理。例如1920年代甘肃出土的东周(前7世纪)铸的青铜饮食器秦公簋(guǐ),有铭文50字,从拓片上可以看到是一字一范,合多范而成文。铭文字与字间相接的边线分明①②③,显然是先将刻有单个字的模逐个按压在陶范上,再行浇铸。19世纪末,山东临淄出土的陶器上印有秦始皇二十六年(前221)诏书40字,每行2字,每2行(含4字)为一范,合10范而成④。先秦的这些实践,可能为宋代将活字原理运用于印刷提供思想灵感,但不能被认为是活字印刷,因为先秦没有发展印刷所需的社会和技术条件。

活字技术只能出现于木版印刷之后,它能提高制版过程的时效,节省版材和工费,活字印完印件后还可拆版取下,再继续使用,这就提高了材料的再利用率。活字因体积小,便于贮存、转移。从技术发展规律观之,木活字是最早的活字之一,它直接脱胎于木雕版,因为我们可以将木活字看成是只含一个字的木雕版,既然能刻出含许多字的木雕版,就能很容易刻出单个木活字,用于印刷。中国最初从何时以木活字印书,需要重新研究,但绝不会像人们过去通常认为的那样晚。至迟在五代末至北宋初(10世纪)当雕版印刷获得很大发展时,即着手木活字的最初试验,至11世纪前半叶已处于实用阶段。

北宋初以来,各州县发行数量相当大的田契,由政府制定统一的格式,以木版印成。元代史家马端临(约1254~1323)《文献通考》(1307)卷十九载,绍兴五年(1135):

> 初,令诸州通判印卖田宅契纸……县典自掌印板,往往多印私卖。今欲委诸州通判,**立千字文号印造**,每月给付诸县。遇民买契,当官给付。

就是说,民间买卖土地、房产,须先至官府买来印制好的田宅契纸。双方商定条件后,在契纸上填写、画押或钤上私印,再由官府查验、盖章后方为有效。但因县官掌握印版,往往多印私卖。为杜绝此弊,政府决定由各州第二号长官通判印造契纸,每纸以"千字文"编号,每月发至各县,这样,契纸印量受到控制。因梁人周兴嗣(470~521在世)次韵的《千字文》(约515)虽由1 000字编成,却无一字重复,通过字字组合,可连续编号,每纸编号都不同。

---

① 罗振玉.松翁近稿,卷一.上虞罗氏石印本,1925.32
② 容庚.商周彝器通考,第1册.北平:燕京大学哈佛燕京学社,1941.158,图35
③ 某日人.世界最古周代の活字版として秦公敦.史潮(东京),1931,1(1):1
④ 傅振伦.中国活字印刷术的发明和发展.史学月刊(北京),1957(8):3~7

宋人谢深甫(1145~1210在世)《庆元条法事实》(1202)卷三十《经总制》称：

> 人户请买印纸，欲乞依旧，令逐州通判立**料例，以千字文为号**。每季给下属县委(县)丞收掌，听人请买。

所谓料例、料号、字料或字号，都指印契上的千字文编号。《宋会要·食货》二十五之十三乾道七年(1171)二月一日条更称：

> 降指挥专委诸路通判即造契纸，以千字文号置簿，送诸县出卖。可令各路提举司**立料例，以千字文号印造契纸**，分下属诸郡，令民请买。

可见诸路通判以千字文号印造的契纸，在发至各县出卖之前，还要登记入簿，以便事后查验。上述制度可溯源到北宋初太宗(976~997)、雍熙(984~987)及端拱(988~989)年间发行的盐钞及茶引之法。后来庆历八年(1048)及熙宁七年(1074)依此法印发盐引、茶引(government licence for sale of salt and tea)。官府收取商人现钱后，发给以千字文字号印造的贩卖许可证("引")，且登记入簿。既然11世纪北宋以来各路(相当于省)或户部提举司通过各州通判发至诸县的官契，皆以木雕版印成，而且每契都有千字文编号，那么最简便的方法是在印版相应部位留出凹槽，将需要出现的字号以木活字嵌入其中，印好后取出，再换上另一字号。因而整个印版大部分文字不变，而字号、料例则随时变化，不必千万次临时填写。因此田宅契纸、盐引和茶引等实际上是木版印刷和木活字印刷结合后的产物。

既然北宋时以木活字印官契之类单张印刷品，当然也能用于印佛经和其他读物，而且木活字印刷技术很快由北宋传到西夏(1032~1227)。西夏政权由党项族建立于西北，境内除党项人外，还有汉、吐蕃、回鹘和契丹等族。党项人李元昊(1003~1048)执政时，仿汉制称帝，国号大夏，因在宋西北，故称西夏。当时野利仁荣(？~1042)任中书令及模宁令，以汉字笔画制订记录本民族语言或翻译汉文典籍用的文字，称为蕃文或西夏文，广运三年(1036)颁行，与汉文共同通用于境内。西夏造纸和印刷发达，佛教兴盛。由于不断与北宋交流并引进技术，生产力水平几乎与中原接近。境内有纸工院和刻字司，负责官用纸和印刷品的制造，除发展木版印刷外，对活字印刷也很重视，且有实物出土。这些实物对了解11~13世纪中国早期活字印刷是很有帮助的。

1991年9月，西夏故地、今宁夏贺兰县拜寺沟西夏方塔内，发现西夏文印本《吉祥遍至口和本续》(*Mahā-lakṣmi-dhāranī-sūtra*)。此为佛教密宗典籍，由藏文译出，相当汉文《大吉祥陀罗尼经》的异本，共9册，作经折装，总220页，约10万字，印以白麻纸(图121)。每半页版框直高23.6 cm，横宽15.5 cm，四周双边，版心白口，无鱼尾，有页码。大字径20 mm，小字径6 mm~7 mm。各字笔画粗细不一，墨色浓浅不匀，个别字倒置。版框栏线四角不衔接，版心左右行线长短不一。页码用字错排、漏排多,页内残存有作界行的竹片印迹。这些现象说明是木活字本。经中用西夏文印有"印本勾管作者沙门释子高、法慧"等字,而印页及版心出现汉文数字"四"、"廿七"、"二十二"等,有的字倒置,说明主持印刷者为僧人子高和法慧,刻工为汉人,植字工为党项人。其刻印年代为 12 世纪后半叶(1150~1180),相当西夏仁宗(1140~1193)时①。此结论由 1996 年 11 月 6 日文化部科技司主持的专家鉴定会所确认,是为现存最早木活字印本。

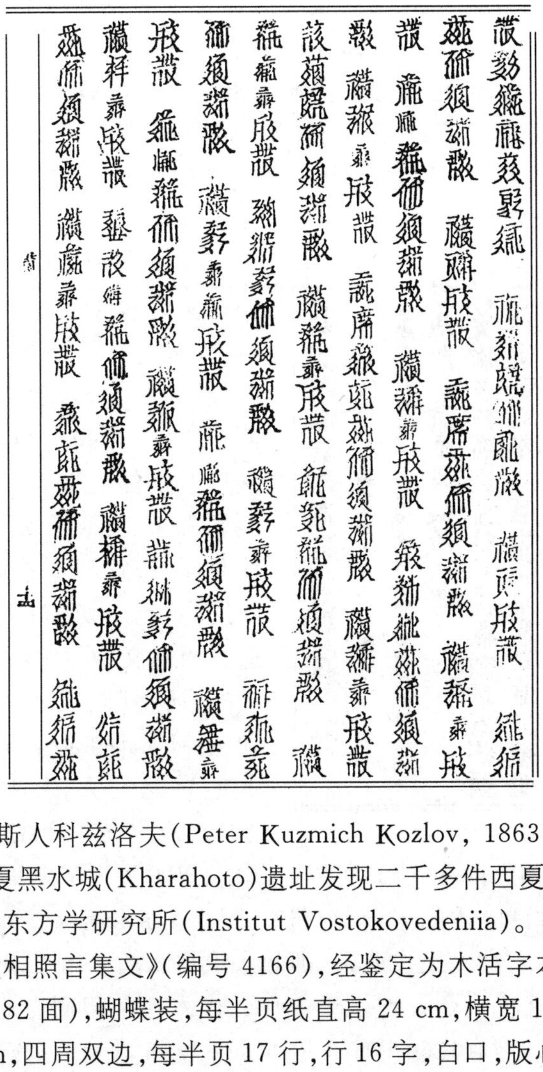

图 121
1991 年宁夏贺兰发现的 12 世纪西夏文木活字本《吉祥遍至口和本续》,取自牛达生(1994)

1907 年俄罗斯人科兹洛夫(Peter Kuzmich Kozlov, 1863~1935)在内蒙古额济纳河沿岸西夏黑水城(Kharahoto)遗址发现二千多件西夏文、汉文写本和印本,现藏圣彼得堡东方学研究所(Institut Vostokovedeniia)。其中有 12~13 世纪西夏文印《三代相照言集文》(编号 4166),经鉴定为木活字本②。此本为非宗教著作,共 41 页(82 面),蝴蝶装,每半页纸直高 24 cm,横宽 15.5 cm,版框直高 17 cm,宽 11.5 cm,四周双边,每半页 17 行,行 16 字,白口,版心内有西夏文和汉文字码,卷尾有发愿文,汉译为"清信发愿者节亲主慧照……清信发愿相沙道慧//字活新印者陈集金"。文内"字活"当读作"活字",而此木活字本刻工为陈集

---

① 牛达生.中国最早的木活字印刷品——西夏文佛经《吉祥遍至口和本续》.中国印刷(北京),1994,12(2):38~46

② 史金波.现存世界上最早的活字印刷品——西夏活字印本考.北京图书馆馆刊,1997(1):67~80

金,显然是汉人。西夏文专家史金波认为"节亲主"是西夏皇族的称谓,相当于汉文中的亲王,则发愿印造此本者为皇族慧照,姓嵬名氏。

圣彼得堡东方学研究所藏科兹洛夫1907年在黑水城发现的西夏文印本《德行集》(编号799,3 947)也是木活字本,蝴蝶装,共26页(52面),每半页7行,行14字,四周单边,白口,版心下方有汉文及西夏文字码。卷尾刊记中有"印校发起者番学大学院学正、学士节亲文高",这是由皇族文高发愿出版的,此人为学士,任番学大学院学正。1917年宁夏灵武县发现西夏文刊本《大方广佛华严经》(*Buddhā-vatam-saka-mahā-vaipulya-sūtra*),后流散到中外各地。中外专家一致认为这是木活字本,但在刊行年代上有不同意见。史金波等认为刊于西夏晚期(1162~1227),还在北京国家图书馆藏本见到担任排印工作的盛律、美能和慧共等僧人名字①。灵武在西夏首都中兴府(今宁夏银川市)附近,则这部大型木活字本佛经当刊于中兴府。

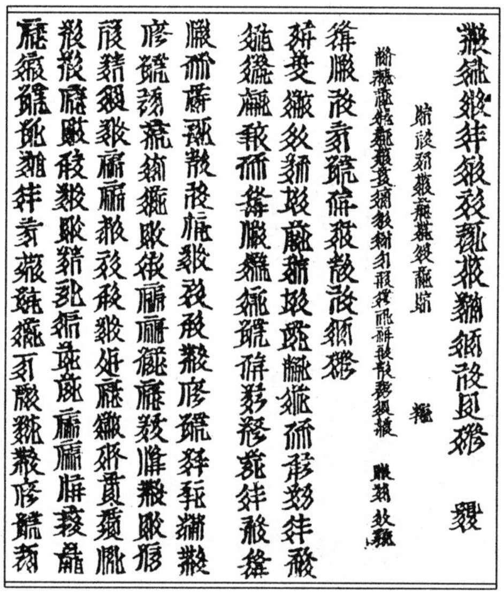

图 122
西夏木活字印本《大方广佛华严经》,北京国家图书馆藏

1970年代宁夏博物馆征集到两包西夏文印本佛经,经西夏文专家王静如鉴定,认为是译自汉文的《大方广佛华严经》的木活字本残卷(图122),其中有西夏仁宗(1140~1193)尊号。王先生从日本京都大学人文科学研究所藏该经卷五末,发现有发愿文:"一院发愿,使雕碎字,管印造事者都罗慧性,并共同发愿,此一切随喜者,皆当共同成佛道。"西夏文中"碎字"或"字碎"与汉字中的"活字"同义。从这个发愿文中可知主持印刷的是党项人都罗慧性。此本定为元初大德(1297~1307)年刊本②。总之,《华严经》西夏文本刊于12世纪末至14世纪初之间,应当是可以肯定的,仍不失为早期木活字本。

上述西夏文木活字本的出土,为研究中国早期木活字技术提供了重要的实物资料。西夏木活字技术来自北宋,则北宋除将木活字用于印契纸外,亦应用于印书,但这类印本还仍有待发现。南宋和元代木活字印刷在北宋基础上进一步发展。元初科学家王祯(1260~1330在世)在1298年写成的《造活字印书法》一文内,对宋以来的木活字技术作了系统总结和详细叙述。此文收入其著名的《农书》(1313)卷尾,作为附录。他本人在1295~1298年间任旌德县尹时,从事印刷活动,制出3万木活字出版他所编的6万字的《旌德县志》,同时他还发明转盘式贮字装置。

---

① 史金波,黄润华.北京图书馆藏西夏文佛经整理记.文献(北京),1985(4):238~251
② 王静如.西夏文木活字版佛经与铜牌.文物,1972(11):8~18

在中国少数民族地区,除西夏之外,新疆维吾尔族地区也很早发展木版和木活字印刷。1908 年法国人伯希和(Paul Pelliot,1878~1945)在甘肃敦煌千佛洞一地窟内发现一桶维吾尔族古代通用的回鹘文木活字 960 枚①。卡特报道说:"伯希和根据它们存放的地点(第 181 号窟,今 464 号)和其他因素,断定此为 1300 年之物。总数有数百枚之多,大部分处于完好状态。此木活字由硬木刻成,以锯锯成同一高度及宽度,与同时代的王祯所述的要求完全一致。"②这些木活字现藏巴黎基迈博物馆(Musée Guimet),少数流入纽约大都会艺术博物馆(Metropolitan Museum of Art)和私人手中,木活字曾被维吾尔人用过(图 123)。

上述回鹘文木活字高 2.2 cm,宽 1.3 cm,长 1.0 cm~2.6 cm 不等,形制与汉文活字略有不同。因汉字为表意文字,一字一音,故每个活字高、宽、长都相同,而回鹘文为拼音文字,每个活字以音节为单位时,含不同数目的字母,故长度不等。为省木料,回鹘文木活字上下两面都刻有字。中国回鹘文专家雅森·吾守尔对基迈博物馆藏活字研究后,发现其中还有排版时用的标点符号、栏线和隔开词用的夹条。考虑到语法变化,还为一些活字刻出前缀、后缀,其制作时间为 12 世纪末至 13 世纪前期③。回鹘文木活字为从汉文活字过渡到拼音文活字提供了借鉴,其出土还揭示了中国活字技术经新疆西传的路线。

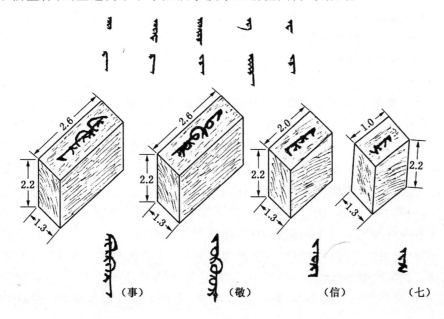

图 123
1908 年敦煌发现的 12~13 世纪之际的回鹘文木活字,取自 Carter(1925)及吾守尔(1998),单位为 cm

---

① Pelliot P. Une bibliothèque médiévale retrouvée au Kansou. Bulletin de l'Ecole Française d'Extrême-Orient (Hanoi),1908,8:525~527

② Carter T F. The Invention of Printing in China and Its Spread Westward. New York: Columbia University Press,1925.167

③ 雅森·吾守尔.敦煌出土回鹘文活字及其在活字技术西传中的意义.见:叶再生主编.出版史研究(北京),1998(6):1~12

在西夏文木活字印本的版心中，常能看到少许汉字，说明西夏的木活字技术发展中有汉人工匠的参与。但汉文木活字印本流传下来的却比西夏文本少，1999年3月笔者在台湾故宫博物院宋版书展览中注意到宋理宗淳祐十二年(1252)徽州刊《仪礼要义》中的字歪斜不齐，墨色浓淡不匀，遂判断为木活字本。此书为同地所刊《九经要义》丛书之一。清代版本目录学家缪荃孙(1844～1919)藏有南宋嘉定十四年辛巳(1221)刊范祖禹(1041～1098)所著的《帝学》，并写有题记。经他鉴定，此为木活字本[1]，为范祖禹五世孙范择能所刊。这个结论为中外专家所赞同[2][3]。反对意见指出"上下字间重叠相连"，认为不是活字本[4]。凭这一点还不能改变缪荃孙的结论，因上下字重叠现象在活字本中常常出现，如1965年浙江温州白象塔中发现的宋代泥活字本《佛说无量寿经》(1103年刊)和朝鲜国铜活字本也有同样现象。

二、木活字印刷在元代以后的发展

在宋代木活字基础上，元初人王祯在旌德(今安徽旌德)县任县尹时，于成宗大德二年(1298)以木活字刊印他主编的《旌德县志》，前已述及。他写道：

> 前任宣州旌德县尹时(1295)，令匠创造(木)活字，二年(1297)而工毕，后二年(1299)迁任信州永丰县，挈(qiè，带)而之官。是时《农书》方成，欲以活字嵌印。今知江西见行命工刊板，故且收贮，以待别用。[5]（图124）

可见王祯以木活字于1298年刊完《旌德县志》后，1299年调任江西永丰县尹时，将3万余活字带到县衙，欲印其《农书》，而得知江西已有人刊刻此书，遂未用上木活字，他将其收存起来，准备再刊别的书。因为在宋代早已有了木活字技术，所以王祯所说"命匠创造活字"，不应理解为从他那时才有了木活字，而是由他发起工匠们重新刻出一套木活字，在这方面并无新的发明创造，他的创造是贮字、捡字用的活动转盘，用以代替宋代的活字字柜。

在中国有关活字技术的记载中，对木活字的记载最为丰富。应当说，元代科学家王祯《农书》书尾所附的《造活字印书法》一文和清代科学家金简(约1724～1794)的《武英殿聚珍版程式》(1776)，都是论述木活字技术的专著，记述较为详细，且都根据作者的实践心得写成，真实可信，后者又备有重要插图。此处首先

---

[1] 缪荃孙[清].艺风堂藏书续记,卷二,1913年原刊本.415
[2] 毛春翔.古书版本常谈.上海：中华书局,1962.68
[3] Hummel A W. Movable type printing in China. The Library of Congress Quarterly Journal of Current Acquisition, 1944,1(2):13
[4] 张秀民.中国印刷史.上海：上海人民出版社,1989.669～670
[5] 王祯[元].农书(1313),卷廿二,造活字印书法(1298).上海：上海古籍出版社,1994.762.以下引文同此

介绍王祯所载的技术，再适当谈谈金简所述，并将二者加以比较。王祯所载木活字技术以语体文解说如下。

鈋埤稗鞞皮疲罷○鏤字修字法將刻訖板木上字樣用細齒小鋸每字四方鏤下盛於筐筥器內每字令人用小裁刀修理齊整先立準則於準則內試大小高低一同然後另貯別器○作盛嵌字法於元寫監韻各門字數嵌於木盔內用竹片行行夾住擺滿用木掮輕掮之排於輪上依前分作五聲用大字標記○造輪法用輕木造為大輪其輪盤徑可七尺輪軸高可三尺許用大木砧鑿竅上作橫架中貫輪軸下有鑽臼立轉輪盤以圓竹笆鋪之上置活字板面各依號數上下相次鋪擺凡置輪兩面一輪置監韻板面一輪置雜字板面一人中坐左右俱可推轉摘字蓋以人尋字則難以字就人則易此轉輪之法不勞力而坐致字數取訖又可鋪還韻內兩得便也○取字法將元寫監韻另寫一冊編成字號每面各行各字俱計號數與輪上門類相同一人執韻依號數喝字一人於輪上元布輪字板內取摘字隻嵌於所印書板盔內如有字韻內別無隨手令刊匠添補疾得完備○作盔安字刷印法用平直乾板一片量書面大小四圍作欄右邊空候擺滿盔面右邊安置界欄以木掮掮之界行內字樣須要個個修理平正先用刀削下諸樣小竹片以別器盛貯如有

農書卷二十二 十三

低邪隨字形襯墊（徒念切）掮之至字體平穩然後刷印之又以椶刷順界行豎直刷之不可橫刷印紙亦用椶刷順界行刷之此用活字板之定法也○前任宣州旌德縣縣尹時方撰農書因字數甚多難於刊印故用己意命匠創活字二年而工畢試印本縣志書約計六萬餘字不一月而百部齊成一如刊板始知其可用後二年予遷任信州永豐縣挈而之官是時農書方成欲以活字嵌印今知江西見行命工刊板故且收貯以待別然古今此法未見所傳故編錄于此以待世之好事者為印書省便之法傳於永久本為農書而作因附於後

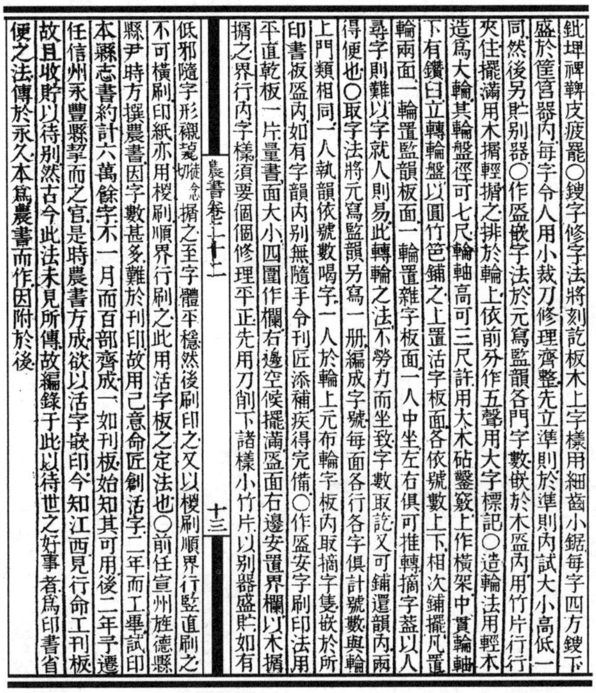

图 124
1298 年王祯著《造活字印书法》书影，取自清乾隆廿九年(1774)武英殿聚珍版《农书》

先在纸上划满大小一样的方格，请善于书法的人按国子监颁的官韵书，选取可用的字数，依五声韵头的顺序写出楷体字样。将纸上有字的一面糊在刨光的木板上，由刻字工刻出阳文反体字，字的四边留出空隙，便于锯截。常用字各为一类，多刻一些。再用小细锯照格线逐一锯成木活字块，共 3 万余。以小刀将各活字四面修平，再以上下开口的长立方形铜套作为标准字模，将活字放入其中，测试大小、高低是否合乎标准，不合要求者则修整。

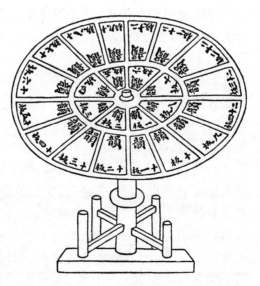

图 125
1298 年王祯发明的活字贮存转盘，取自王祯《农书》四库全书本

宋代贮存活字用立式木柜，内放小抽屉，每屉若干格，用以存放活字。抽屉外贴标签，标出字韵韵头，植字时按韵头取字。这种字柜形制在金简的书中有插图介绍。但王祯鉴于在各柜各抽屉之间来回取字较为不便，遂设计制造了贮存活字的转盘(图 125)。转盘为圆形，由轻木制成，直径 7 尺 (215 cm)，盘轴高 3 尺(92.2 cm)。以轴支撑转盘，轴上安有横支撑架，以固定轴座。转盘上放 24 个字匣，排成两圈。每个字匣有编号和字韵，活字按韵放入各

字盘。转盘需备两套,捡字工坐在其中间转动转盘捡字,不必走动。提高捡字速度、防止工人来回走动,是王祯设计转盘的目的。但这适用于出版篇幅不大、字数不太多的著作。如字数太多,转盘容纳不下,还得用字柜。

为方便捡字,还要将原来选字时所依据的官韵韵书书稿另抄一册,每页每行都标字号,与转盘上各字匣所存活字字号相对应。捡字工无法记住几万字的韵号及所在字盘位置,因此捡字时有另一工人在旁,按原稿上出现的字韵,对照韵书手册,唱出该字所在字匣号。捡字工手持捡字盘,听到唱字工声音后,就可很快找到所需的活字。捡字盘字满后,将字转移到印版上组版。唱字工应熟悉字韵手册上各字韵所在页数、行数及字号,捡字工熟悉各字盘所在位置,二人密切配合,操作自然迅速。

图 126
依王祯《农书》所述而绘制的木活字操作图,取自刘国钧(1962)

印版以木制成。先刮平一干木板,其尺寸与印成的书页一致。板的四周加上木栏,其高度与活字高度相当,四个边角以铜皮包之。植字时从左向右,以适当尺寸的薄竹片垂直立于板框内,右边以木楔顶至边栏,使竹片不致活动。植满一行活字后,再在右边加另一竹片为界行,用同法再以木楔顶至右边栏,如此重复进行。全版植完,要用板压平活字。发现有的活字偏低,则以纸垫之。无字的空处,以木楔填之,使整版活字挤紧。调好墨汁后,以包有丝绵的绢刷蘸墨汁,将墨上在印版上。再在着墨的印版上放纸,以棕毛刷顺着字行方向擦拭纸的背面,取下后即成印页,再装订成册。当然,在写完字样、植字后及正式付印前,要对文字进行校对,以排除错误。

一般说,需有两套印版,一版排好刷印,另版植字,轮换使用。印书后,可将木活字从版上拆下,洗净,按字韵放原字盘或字柜中,以备排下一版用,活字可反复使用。木活字因以木刻字,字体较为流畅,着墨性好,一如木雕版。但因每行字由单个活字构成,难免有歪斜不齐现象出现,又因一版上的活字不一定全在一个平面上,难免有高有低,因此墨色或浓或淡。这倒成为版本鉴定上的一个特征。中国从宋代起,历经元、明、清三朝,木活字一直与木版印刷并行发展。

明代木活字本今有传世,如北京国家图书馆藏万历十四年(1586)刊百卷本

《唐诗类苑》,是卓明卿(1552～1620 在世)编的分类唐诗选(图 127)。版心下印有“崧斋雕木”四字,此本即大型木活字本①。崧斋疑即卓明卿,则他不只是编者,还是刊行者。南京图书馆藏正德、嘉靖(约 1515～1530)刊宋人刘达可编《璧水群英待问会元》90 卷,是供宋代太学生写对策用的参考书,卷尾有下列四行题记:“丽泽堂**活版印行**//姑苏胡昇缮写//章凤刻//赵昂印”,亦是木活字本。刻工为苏州人章凤,印工为赵昂,丽泽堂当是苏州出版商家。

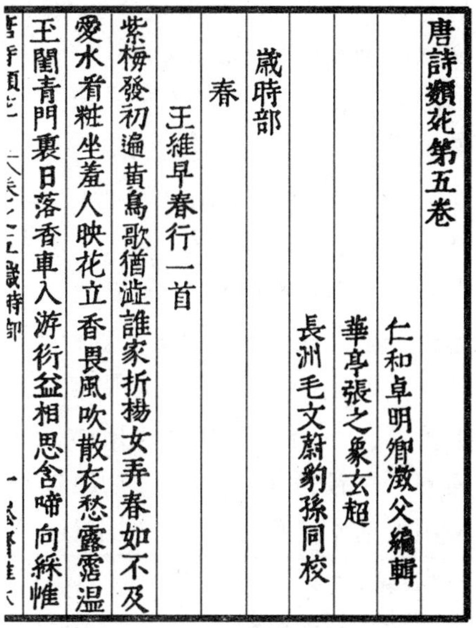
唐詩類苑第五卷
仁和卓明卿澂父編輯
華亭張之象玄超
長洲毛文蔚豹孫同校
歲時部
春
王維早春行一首
紫梅發初遍黃鳥歌猶澀誰家折揚女弄春如不及
愛水看粧坐羞人映花立香畏風吹散衣愁露霑濕
玉閨青門裏日落香車入游衍益相思含啼向綵帷

图 127
明万历十四年(1586)浙江刻木活字本《唐诗类苑》,北京国家图书馆藏

万历年另一木活字本为浙江嘉定人徐兆稷所刊其父徐学谟(1522～1593)的《世庙识馀录》,此书载明世宗嘉靖年间(1522～1566)各种掌故,共 26 卷,刊印百部。书内有下列题记:

> 是书成凡十余年,以贫不任梓,**仅假活板印得百部**,聊备家藏,不敢以行世也。活板亦颇费手,不可为继,观者谅之。徐兆稷白。

此题记说,因刊行 26 卷本《世庙识馀录》用雕版成本较高,遂借木活字排印百部。“假活板印得百部”,意思是利用书铺中的活字印成百部。北京国家图书馆还藏明刊《蛟峰先生文集》四卷,作者为宋人方逢辰(1221～1291),此本由其十一世孙方世德据嘉靖木刻本重编于万历年间,刊于浙江淳安。此外,还有益王朱翊钊(? ～1603)万历二年(1574)出版的元代无神论者谢应芳的《辨惑编》四卷及附录一卷。附录末页有“益藩活字印行”一行字②。从现传世明代木活字本看来,万历年(1573～1620)刊本最多,其次是正德(1506～1521)、嘉靖刊本。

明人李翊(1505～1593)《戒庵漫笔》(1596)卷八载,钱梦玉以东湖书院活字印其师薛应旂(1509～1569 在世)的科举试卷。薛氏为嘉靖十四年(1535)举人,次年成进士,则钱梦玉刊试卷年代为嘉靖、正德年。其同乡钱璠(1500～1557 在世)于嘉靖十六年(1537)编《续古文会编》,也以“东湖书院活字印行,用广其传”。书的版心下部有“东湖书院印行”六字,可见此书院印过一些木活字本。据顾炎武(1613～1682)《亭林文集》卷三《与公肃甥书》所载,“忆昔时邸报,至崇祯十一年(1638)方有活板,自此以前并是写本”。邸报是政府发行的新闻简报,相当于官办报纸,明末时邸报以木活字排印,能很快将消息传至各地。

① 北京图书馆(赵万里执笔)编.中国版刻图录,第 1 册.北京:文物出版社,1961.101
② 张秀民.中国印刷史.上海:上海人民出版社,1989.678～682

在清代，木活字技术获得空前大发展，而且得到政府的支持，很多地方都有官刊本、坊刊本和私人刊本。大规模用木活字印书始于乾隆年间发行《武英殿聚珍版丛书》之际。这套丛书由掌管内府刊书（“殿版”）的武英殿修书处出版，隶属于总管皇室事务的内务府。康熙二十九年（1690）将内务府文书馆改为武英殿修书处①，为该机构成立之始。乾隆三十八年（1773）清高宗弘历（1711～1799）诏开四库全书馆，命儒臣校辑明《永乐大典》（1408）内散佚古书、访求天下流散之书，汇集当代出版的书，编成大型丛书《四库全书》（1781）3.6 万余册，缮写成帙。因卷帙浩瀚，未能刊行，只以写本存世。《四库全书》编辑之初，高宗又下令从中选出一些佚书，先行出版，以便学子。

负责出版事务的武英殿修书处总管兼四库全书馆副总裁金简于乾隆三十八年十二月十一日（1774 年 1 月 22 日）上奏，因雍正朝刊《古今图书集成》（1726）等书所用铜活字已于乾隆初改铸铜钱，不能再用，而以木雕版印书费时、费资，建议用木活字排印这批书，出书快、用费少。高宗准奏，以“活字版”之名不雅，特赐名为“聚珍版”。金简在 1774 年五月，不到一年时间就以枣木制成大小木活字 25.3 万，连同其他工具、材料，总共只耗银 2 339 两②。用这套活字印成《武英殿聚珍版丛书》有 134 种、2 389 卷，详见陶湘（1870～1940）编的书目③。每种书均用统一版式，半页 9 行、行 21 字。每书之首有高宗《题武英殿聚珍版十韵》，每书首页首行下有“武英殿聚珍版”六字。

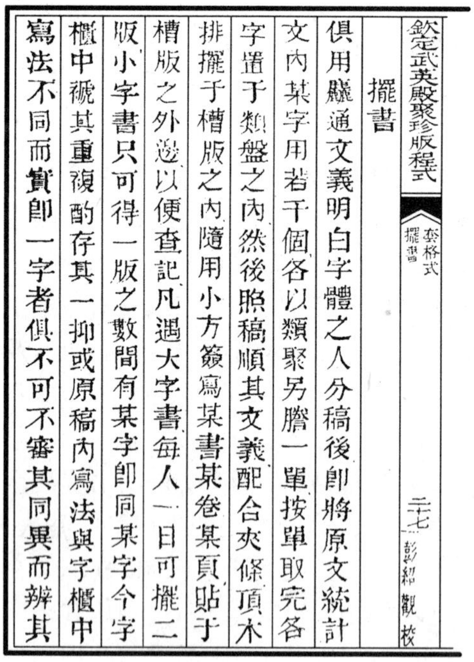
欽定武英殿聚珍版程式
套格式　擺書
擺書
俱用臚通文義明白字體之人分稿後即將原文統計
文內某字用若干個各以類聚另謄一單按單取完各
字遣于類盤之內然後照稿順其文義配合夾條頂木
排擺于槽版之內隨用小方籤寫某書某卷某頁貼于
槽版之外邊以便查記凡遇大字書每人一日可擺二
版小字書只可得一版之數間有某字即同某字今字
櫃中祇其重複酌存其一抑或原稿內寫法與字櫃中
寫法不同而實即一字者俱不可不審其同異而辨其
二十七
彭紹觀校

图 128
清乾隆四十一年（1776）武英殿版木活字本《武英殿聚珍版程式》

《武英殿聚珍版丛书》以高级竹纸连史纸印成 5～20 部供内府御用，另以普通竹纸印 300 部，定价发行。今所见多为浅黄色普通竹纸本。丛书收入宋代以来逐渐散佚的文史、科技著作，具有学术价值。乾隆四十一年（1776）丛书木活字殿版书颁发至苏、浙、闽、赣、粤五省，准其翻版再印。还用这套活字印过其他单行本著作，如高宗御著《八旬万寿盛典》、《千叟宴诗》、《西巡盛典》等，但版面不同。为总结这次印刷经验，金简于

① 赵尔巽. 清史稿（1927），卷一一八，职官志. 二十五史缩印本，第 11 册. 上海：上海古籍出版社，1986. 9 246

② 清嘉庆二十一年奉敕撰. 国朝宫史续编（1816），卷九十四. 北平：故宫博物院铅印本，1932. 3～4

③ 陶湘. 武英殿聚珍版丛书目录. 图书馆学季刊（北平），1929，1(2)：205～217

1776年刊行《武英殿聚珍版程式》(图128)一书,共19节,详细论述造木子(木活字块)、刻字、字柜、槽版(植字盘)、夹条、顶木(填空材料)、中心木(填空版心中缝)、类盘(捡字用托盘)、套格(预先套印版面行格的印版)、摆书(植字)、垫板(整理版面)、校对、刷印、归类(及时拆版并将活字入柜)及逐日轮转(交叉排、印作业法)等项,涉及制活字、排版、刷印、拆版收字等全套工序的操作方法及规程,且以16幅插图加以说明。

金简作木活字的方法较以前有改进,将枣木锯成适当厚度的木板,竖截成长方条,阴干后刨平,再横截成"木子"(活字块)。将数十个木子放在硬木制排槽(刨槽)内,以活门挤紧,刨到与槽口相齐为止,使木子长宽高尺寸统一,厚0.28寸(0.9 cm),宽0.4寸(1.28 cm),长0.7寸(2.24 cm)。小字厚0.2寸(0.64 cm),长、宽与大字同。刨完后,将木子逐个用标准铜制方漏子(长立方筒)检验,看是否符合规定。其次,将字写在薄纸上,翻过来贴在木子上,形成反体字迹。将一些木子竖放在刻字床上刻字。刻好后,按《康熙字典》(1716)将字分为子、丑、寅、卯……十二部排列,而将木活字分别排列在12个柜内,每柜有200个抽屉,每屉有大小8格,每格贮大小活字各4个,标明某部某字及笔画数于各屉之面(图129)。

图129
《武英殿聚珍版程式》中木活字操作图

取字时,按部首知在何部何柜,查笔画数知在何屉,可很容易捡出某字。为此,要编出字单,字单中字的排列与《康熙字典》对应。捡字工按字号从柜中取出活字,放在类盘上,交排字工将字植于木制槽版中,配加夹条、顶木等填空材料,排成印版。大字每日可排二版,小字一版。

  金简的方法与王祯的不同点是,后者将刻有字的整块木板锯成单个活字;而金简则先制成活字块,再放在床上刻字,这可保证字块尺寸均一。其次,王祯以旋转字盘贮字、捡字,而且每字按字韵排列;金简以木柜抽屉贮字,字是按其形体即部首、偏旁及笔画排列,因存字较多,可排印字数多的书。第三,王祯将整个版面上的边框、行格及活字都同时放在印版上,一次印刷而成;金简先以木版刻出版框、版心和行格,再刷印于纸上,而印版上只有活字,将事先印有边栏、行格的纸覆在上墨的印版上刷印,因而是两次套印法,因而不再出现活字本边栏缺口,行格清晰,植字更快。最后,金简同时排印不同内容的书,按逐日轮转之法,印一页后迅速拆版、退字,做到人和物都不停闲。总的说,金简的方法对古法有很多改进。他的书以殿版形式出版,有学术权威性,在社会有很大影响,不少木活字本都是以此书为准出版的。

三、泥活字或陶活字印刷的发明

  木活字用木料少于木版,但因体积小,要求木料坚硬,用汉文木活字排印书籍,一般要准备10万～20万木活字,或者更多,成本仍高。北宋印刷工毕昇(约990～1051)在从事木活字印刷时,觉得刻字费用和时间较多,且遇湿易涨而变形,因此又发明一种新方法,以木活字为母模,制成以粘土为原料的泥活字,在窑内烧固后,用于印刷,从而大大降低生产费用和所需时间。北宋科学家沈括(1031～1095)《梦溪笔谈》(1088)卷十八对此技术有如下记载:

  庆历中(1041～1048)有布衣毕昇又为活板。其法:用胶泥刻字,薄如钱唇。每字为一印,火烧令坚。先设一铁版,其上以松脂、蜡和纸灰之类冒之。欲印,则以一铁范置铁板上,乃密布字印,满铁范为一板,持就火炀之。药稍熔,则以一平板按其面,则字平如砥。若止印三二本,未为简易。若印数十、百千本,则极为神速。常作二铁板,一板印刷,一板已自布字。此印者才毕,则第二板已具,更互用之,瞬息可就。每一字皆有数印,如"之"、"也"等字,每字有二十余印,以备一板内有重复者。不用,则以纸贴之。每韵为一贴,木格贮之。有奇字,素无备者,旋刻之,以草木火烧,瞬息可成。不以木为之者,木理有疏密,沾水则高下不平,兼与药相粘,不可取,不若燔土。用讫,再火令药熔,以手拂之,其印自落,殊不沾污。昇死(1051),其印为余群从(侄辈)所得,至今保藏。①(图130)

---

 ① 沈括[宋].梦溪笔谈(1088),卷十八,技艺.元刊本(1305)景印本.北京:文物出版社,1975.15～16

沈括的上述记载，1847 年由巴黎法兰西学院（College de France）杰出汉学家儒莲（Stanislas Julien，1799～1873）译成法文①，1925 年由纽约哥伦比亚大学汉学家卡特转为英文②，自然还被译成日文、德文和东西方其他语文，为各国学者所了解。沈括的语言易懂，不必再译成现代汉语，只是需要解说。文内所说"用胶泥刻字，薄如钱唇"中的"钱唇"，是什么意思呢？按钱唇指古代铜钱的边，一般厚约 1.5 mm～2 mm。但过去和现在韩国人将此理解为活字的高度③，显然是错误的，因为高 2 mm 的泥活字既难制造，也难以粘药排版，强度也小。实际上正如卡特所说④，2 mm 应指刻字的深度，在技术上才合理。活字的高度至少应 5 倍于 2 mm，即 1 cm 多，才可用。

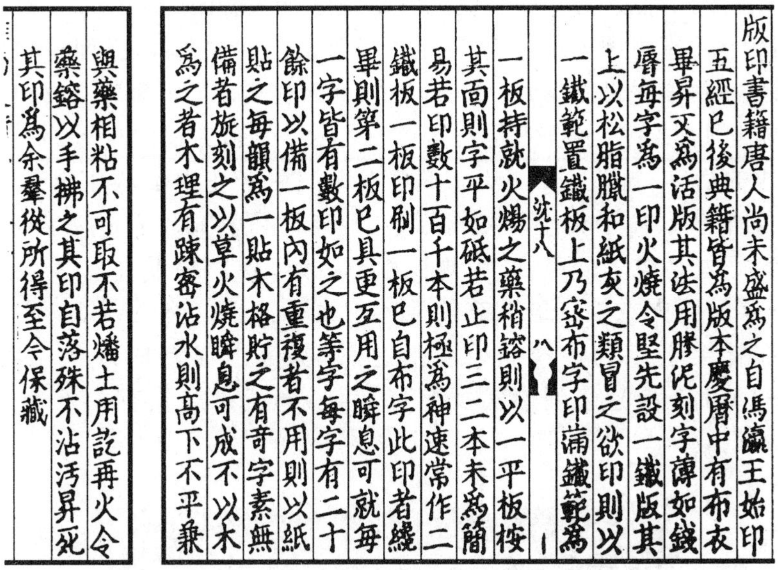
版印書籍唐人尚未盛爲之自馮瀛王始印五經已後典籍皆爲版本慶曆中有布衣畢昇又爲活版其法用膠泥刻字薄如錢唇每字爲一印火燒令堅先設一鐵版其上以松脂臘和紙灰之類冒之欲印則以一鐵範置鐵板上乃密布字印滿鐵範爲一板持就火煬之藥稍鎔則以一平板按其面則字平如砥若止印三二本未爲簡易若印數十百千本則極爲神速常作二鐵板一板印刷一板已自布字此印者纔畢則第二板已具更互用之瞬息可就每一字皆有數印如之也等字每字有二十餘印以備一板內有重複者不用則以紙貼之每韻爲一貼木格貯之有奇字素無備者旋刻之以草火燒瞬息可成不以木爲之者木理有疎密沾水則高下不平兼與藥相粘不可取不若燔土用訖再火令藥鎔以手拂之其印自落殊不沾汚昇死其印爲余羣從所得至今保藏

图 130
《梦溪笔谈》（1088）关于毕昇发明活字技术的记载，取自 1305 年刊本

"欲印，则以一铁范置铁板上，乃密布字印，满铁范为一板"，"铁范"应理解为铁制的边框（iron frame），实际上是四根铁条，将其焊在铁板上，便可成为印版版框。放上黏药并熔化后，即可植字，植满字后即成一块印版。这样的版印成书后，每行字之间没有界行（图 131）。如想有界行，而铁板上已有边框，则"铁范"可理解为将各行字间隔起来的夹条，像卡特所说的那样。摆满一行字，加一夹条，再摆字再加夹条，可使字行笔直，起规范作用。毕昇已成功用此技术印书，所用过的泥活字后来落入沈括同族内比他年长的侄辈手中。

---

① Julien S. Documents sur l'art d'imprime, à l'aide des planches au bois, des planches au pierre et des types mobiles. Journal Asiatique (Paris), 1847, 4e ser., 9:508

② Carter T F. The Invention of Printing in China and Its Spread Westward. 2nd ed. Revised by Goodrich L C. New York: Ronald Press Co., 1955. 212～213

③ Yun Byong-tae (尹炳泰). Significance of the invention of movable metal-type printing: Speech at the International Forum on the Printing Culture (October 2, 1998, Ch'ongju, Korea)

④ Carter T F. The Invention of Printing in China and Its Spread Westward. 2nd ed. Revised by Goodrich L C. New York: Ronald Press Co., 1955. 212～213

从沈括的叙述中可见,毕昇的技术包括活字制造、贮字及捡字、排版、上墨、刷印、拆版等完整的工艺过程,而此过程不同于木活字技术,比木活字制造复杂,而且原料在高温加工过程中发生了化学变化。因为黏土经高温(600 ℃~800 ℃)煅烧后变成陶,因此所谓胶泥活字或泥活字,确切地说应当称为陶活字,呈灰黑色,称为黑陶活字或许更适当些,但由于中国人将其称为"泥活字"已成习惯,就不必再更名了。不过要随时记住这是黑陶活字。其大小尺寸应与宋代木版书上的字相当,长宽约 0.5 m~1.0 m,高约 1 cm~1.5 cm,宋代木活字尺寸原则上也应如此。如泥活字长宽高之间的比例设计得当,这种实心的活字是有一定的机械强度的,吸水性也好。毕昇考虑到黑陶活字的物理特性,采用了不同于木活字的排版方法,即以黏药将活字固定在铁印版上。如果植字时不用夹条,则活字不单可排列成直线,甚至可排列成斜线或曲线,因而用雕版刻成的环读佛经,用活字也可以作到。如下所述,北宋这类印本近年曾有发现。

毕昇发明的泥活字技术是切实可行的,经得起实践的检验,后人用他的方法制成的活字,排版后都可以印书,因而泥活字在中国从北宋起一直用到 19 世纪的清代。由于粘土随处可取,烧活字时可利用现有的陶窑,因此泥活字的最大好处是成本低廉,能大规模生产,其广泛应用促进了活字技术的发展,对毕昇的历史贡献应给以充分肯定。由于沈括的介绍,活字思想和活字技术也在社会上广为传播。继沈括之后,另一浙江籍的宋代学者江少虞(1101~1061 在世)《皇朝事实类苑》(1145)卷五十二也有关于毕昇活字印刷技术的记载。

图 131
中国历史博物馆藏毕昇泥活字版复制件

考古发现提供了毕昇之后北宋泥活字发展的信息。1965 年 2 月,浙江温州市郊白象塔拆除过程中,在塔身第二层发现《佛说观无量寿佛经》印本残页。据同时伴出的北宋徽宗崇宁二年(1103)墨书《写经缘起》所述,此印本佛经当刊于 1103 年左右。该经简称《无量寿经》(*Aparimitāyur-sūtra*),为佛教净土宗三部经典之一,由三国魏(220~265)人康僧铠译自梵典,共二卷。后由唐代僧人善导作注,名《观无量寿佛经》,四卷。此经唐代写本 1900 年在敦煌石室发现。温州发现本残宽 13 cm,高 8.5 cm~10.5 cm,经文为宋体字,回旋排列,回旋处标以

"〇"记号,可辨之字 166 个,占该经第 4~9 观经文 1/10。每行字排列不规则,字的大小、笔画粗细、墨色浓淡不一,字体稚拙,纸上字迹有轻微凹陷,脱落字较多,且"色"字横卧(图 132),考古学家将其定为 1103 年北宋泥活字本①。

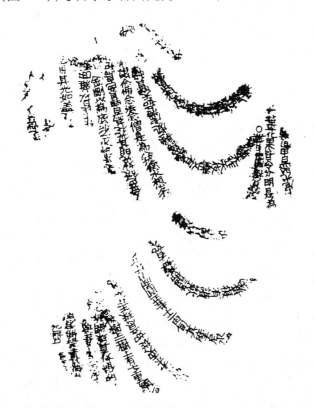

图 132
1965 年浙江温州白象塔内发现的北宋(1103)泥活字本《无量寿佛经》,取自金柏东(1987)

温州发现本在毕昇之后 50 年,是现存最早的北宋泥活字印本,为毕昇的发明提供历史见证。其经文作曲线回旋排列(图 132),出于独特设计。前已指出,以泥活字通过黏药固定在铁制印版上,可作直线、斜线和曲线排列,此即为一实例。字体有不同型号,大字宽 0.5 cm,长 0.45 cm;中号宽 0.4 cm,长 0.3 cm;小字宽 0.3 cm,长 0.15 cm。均略呈横卧长方形,高度应为宽度的 1.5 倍。与宋版书相比,属于小号活字。这是因经文作曲线排列,为减少版面幅度,特别烧制的一批泥活字。北宋排印一般书的泥活字应大于此,且字面形状多是正方形。

有人提出经文上下字间笔画连接,不应出现于活字本中,个别字倒置发生于回转处,是有意表示连接下句的方向,不是误植,主张是木刻本②。钱存训博士仔细研究后,认为木刻本不应将二字笔画联在一起,而以不同型号活字排版倒可出现这种现象。句中漏字也在活字版中出现机会更多,个别字倒置并不表示连接下句的方向,因其他转折处文字并未倒置,而以"〇"符号表示。因此"色"字的

---

① 金柏东.温州市白象塔出土北宋佛经残页介绍.文物,1987(5):15~18
② 刘云.对早期活字印刷术的实物见证一文的商榷.文物,1988(10):95~96

倒置当是活字误植的一个重要证据①，原鉴定结论是正确的。我们对此表示完全同意，因活字是专为排印以文字组成的图案而特殊设计的，为适应曲线需要，使字与字排列紧密，字面横宽比直长大，字号又不一，植字难免笔画连接。上下字间有重叠现象是活字本特点，甚至朝鲜铜活字本也有这种现象②。温州发现本中的字与木刻本、木活字本有明显不同，当是泥活字本。是否会将单个泥活字蘸墨逐个按印在纸上呢？这种可能性极小，掌握泥活字技术之后还这样作，是一种技术倒退。

宋代文人周必大(1126~1204)也依毕昇技术出版书籍。绍熙四年(1193)，他给同年(同榜及进士第)友人程元成信中说："近用沈存中法，以胶泥铜板移换、摹印。今日偶成《玉堂杂记》二十八事，首混台览。尚有十数事俟追记，补段续纳。窃计过目念旧，未免太息岁月之沄沄也。"③"近用沈存中法"，指沈括(字存中)描述的毕昇的技术方法。"胶泥铜板移换、摹印"，指以泥活字植入铜制印版内，"移换、摹印"即排版、刷印。玉堂为翰林院旧称。周必大1150年中进士，宋孝宗(1163~1189)时作为翰林学士，供职内廷，则其《玉堂杂记》为追记所见闻的翰林院掌故之作。他1191年罢相，年67岁，悠闲时便在长沙用泥活字排印自己的书，以分赠友人。

北宋泥活字技术也传到西夏。1989年5月，甘肃武威出土西夏文泥活字印本佛经《维摩诘所说经》(Vimalakīrti-nirdeśa-sūtra)残卷，共54页，作经折装，每页7行，行17字，页直高28 cm，横宽12 cm，每字1.4 cm×1.6 cm。字迹歪斜不齐，墨色浓淡不匀，有的字笔画生硬变形，有断边、剥落现象。伴出物有1224~1226年西夏文书，与此经年代相近。考古学家将此经定为13世纪前半叶泥活字印本④(图133)。1907年，俄国人科兹洛夫在西夏黑水城遗址发现的西夏文同名佛经，也是经折装，上下单边，每纸直高27.5 cm~28.7 cm，横宽11.5 cm~11.8 cm，每页7行，行17字，现藏于圣彼得堡东方学研究所(编号223,737)。经西夏学专家研究，此本为12世纪中叶至13世纪初的泥活字印本⑤。

元代以来，泥活字印刷进一步发展，与元世祖的谋士姚枢(1201~1278)的倡导有关。姚枢官至中书左丞、翰林学士承旨，卒谥文献。其侄姚燧(1239~1314)《中书左丞姚文献公神道碑》(1278)写道，1235年元太宗诏令二太子率军攻南宋，命姚枢与杨惟中随军访求各种人才，1241年姚枢受赏赐后，即携家眷来河南辉县垦田。此后，姚枢在辉县：

---

① 钱存训.中国书籍、纸墨及印刷史论文集.香港：中文大学出版社，1992，130~137
② 曹炯镇[韩].中、韩两国活字印刷技术之比较研究.台北：学海出版社，1986.108
③ 周必大[宋].与程元成给事书(1193).周益国文忠公全集，卷一九八，书稿十三.清人欧阳棨木刻重刊本，第49册，1851.4
④ 孙寿龄.西夏泥活字版佛经.中国文物报，1994-03-27
⑤ 史金波.现存世界上最早的活字印刷品——西夏活字印本考.北京图书馆馆刊，1997(1)：67~80

又汲汲以化民成俗为心,自板(自行出版)小学书、《语孟或问》、《家礼》,俾杨中书板(出版)《四书》,田和卿板《尚书》……皆脱(完成)于燕(今北京)。又以小学书流布未广,**教弟子杨古为沈氏活板**,与《近思录》、《东莱经史论说》诸书,散之四方。①

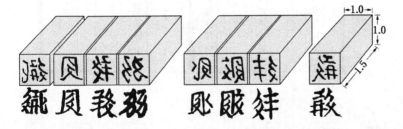

图 133
13世纪西夏文木活字本及木活字
上图 1989年武威出土的西夏文木活字本《维摩诘所说经》,取自史金波(1997)
下图 潘吉星据《维摩诘所说经》所绘的西夏文木活字,单位为cm

"杨中书"即中书令杨惟中(1205~1259),他在姚枢建议下,在北京刊行一些书。姚枢考虑到语言文字工具书流布未广,遂叫他的弟子杨古(1216~1281在世)用沈括描述的毕昇技术以活字版排印宋儒朱熹(1130~1200)的《近思录》和吕祖谦(1139~1181)的《东莱经史论说》等书,以便流传于四方。刊印时间当在1241~1250年之间,地点可能在河南或北京。杨古的同时代人王祯说:

有人别生巧技,以铁为印盔(印版),界行内用稀沥青浇满,冷定取平,火上

---

① 姚燧[元].中书左丞姚文献公神道碑(1278).牧庵集(约1310),卷十三.四部丛刊本.上海:商务印书馆,1929.4

再行煨化。以烧熟瓦字排于行内，作活字印板①。

此处所说"瓦字"，即泥活字。在毕昇时代活字以松香和蜡为黏药，此处代之以稀沥青，为有机胶质材料，黏结性较强，这是宋以后的一项改进。毕昇的泥活字技术在中国有深远影响，运用得十分成功。

但有人不顾这一事实，硬说毕昇的泥活字"不切实用"，"以其易脆，因而昙花一现"(short lived)②。这种断语是不正确的，地下出土的12～13世纪泥活字印本有力证明泥活字的可用性和可持续发展性。模拟实验表明，按毕昇方法烧制的泥活字，坚硬而不易碎，将它从2 m高度掷向大理石地板，弹跳后仍完好无损，此为笔者所目睹。故包世臣(1775～1855)看到他的朋友翟金生(1775～约1860)于道光廿四年(1844)所制泥活字时，称其"坚贞如骨角"③。事实已打破对泥活字是否可用的怀疑，应当说泥活字是中国印刷文化之一绝。

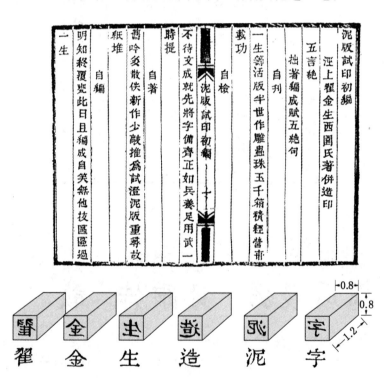

图 134
1844年安徽泾县翟金生烧制的泥活字和泥活字本书，单位为 cm

清初时有人用毕昇烧制黑陶活字之法，不用黏土，而用瓷土或高岭土(kaolin)为原料烧制成白陶活字，又是一绝。王士禛(1634～1711)《池北偶谈》(1691)卷廿三写道："益都人翟进士某，为饶州府推官，甚暴横。一日集窑户造

---

① 王祯[元].造活字印书法(1298).农书(1313)，卷廿二.上海：上海古籍出版社，1994.760
② Sohn Pow-key (孫寶基). Invention of movable metal-type printing in Korea: Speech at the International Symposium on Printing History in the East and West (Sep. 29, 1997, Seoul, Korea)
③ 包世臣[清].泥版试印初编序.见：翟金生.泥版初印初编.1844

青磁《易经》一部,楷法精妙,如西安石刻《十三经》式,凡数易然后成。"同治《饶州府志》(1872)载,翟世琪(1625～1670在世)山东益州人,顺治十六年(1659)进士,康熙六年(1667)由翰林院庶吉士出任江西饶州府推官,"儒雅慈祥,士民爱戴"①,当是王士祯所说的"翟进士某"。他在饶州府景德镇请陶瓷工以瓷土烧成活字,排印《易经》。

乾隆时久居山东的浙江文人金埴(1730～1795)《巾厢说》(约1760)称,"康熙五十六七年间(1717～1718),泰安有士人忘其姓名,能煅泥成字为活字板。"②此人实为泰安举人徐志定(1690～1773在世),北京国家图书馆藏此人康熙五十八年(1719)刊《周易说略》(图135),序中说,"戊戌(1717)冬,偶创磁刊,坚致胜木,因亟为次第校正,逾己亥(1718)春而《易》先成。"此书到底是何种版本?有人认为是磁活字版,因发现书中栏线几成弧形,字排列歪斜,字大小、墨色浓淡不一,并指出活字烧造时上了釉③④。有人认为是烧造的整块磁版,因文字及版面有断裂,这是整版雕刻本特征⑤。

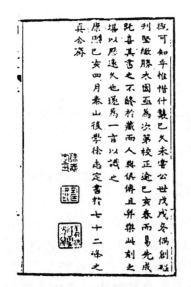

图 135
清康熙五十八年(1719)
山东泰安出版的白陶
活字本《周易说略》

显然,从金埴的记载和工艺角度来研究此本,可以断定上述两种意见都可商榷,而主张它是整块磁版显然是错误的,版面断裂或重叠印出,在活字本中也可能发生。该本是活字本当无疑,中外专家大多不认为是整版印刷。问题是用什么原料、烧成效果如何及怎么称呼这类印版?我们认为徐志定像翟世琪一样,以烧造瓷器的高岭土(kaolin)为原料,用毕昇方法烧造出陶活字,再排印张尔岐

---

① 石景芬[清]等纂.同治饶州府志,卷十二,职官志·名宦.同治十一年江西原刻本,1872.40
② 金埴[清].巾厢说(约1760).古学斋汇刊本,第二集·杂记类.上海:国粹学报社,1912
③ 张秀民.清代泾县翟氏的泥活字印本.文物,1961(3):30～32
④ 朱家濂.清代泰山徐氏的磁活字印本.图书馆(北京),1962(4):60～62
⑤ 陶宝成.是磁版还是磁活字版?江苏图书馆工作(南京),1981(3)

(1612~1678)的《周易说略》(1667)等书①。因瓷土中含铁2%以下,于900℃左右烧成白色硬陶,吸水率可达10%,能够上墨。因此,现在应将这类活字称为白陶活字,以有别于毕昇的黑陶活字。

诚然,清人徐志定将其活字版称为"泰山磁版",王士祯将翟世琪活字刊本称为"青磁《易经》"。古人因这类活字以瓷土为原料烧成,不像我们这样将瓷器与陶器作出严格区别,那样称呼是可以理解的。但今天从技术史角度研究此物,就不应如此了,"泰山磁版"应称为"泰山造白陶活字版","青磁《易经》"应称为"白陶活字版《易经》"。从工艺上看,印刷用的陶活字是绝不能上釉的,只能素烧,因而不能称为"瓷活字",只能称为陶活字。

第二节 金属活字印刷的发明

一、铜活字印刷起源于北宋

木版印刷是一切印刷形式之祖,金属活字印刷是传统印刷的高级发展形式,从前者到后者之间应有中间过渡形式,这就是在木版印刷基础上兴起的铜版印刷和非金属活字印刷。以金属材料代替木材制成整版,使印版坚固耐久,字迹难以变形。以非金属材料制成活字版代替木版和铜版,使死版变成可拆卸与重组的活版,提高制版效率及材料利用率。将铜版和非金属活字的优点结合起来便产生金属活字,最早的金属活字是铜活字,可见它是这两种印刷形式嫁接后的产物。另一方面,还可将金属活字看成是非金属活字的改进型产物,二者区别是化学成分与制法不同,随之而来的是性能不同。当人们发现非金属活字的不足时,自然会想到以金属材料代之。金属活字还可看成是只含一个字的铜印版,既然能铸出含许多字的铜版,就很容易能铸出单个铜活字,用活字技术原理排版印书。

铜版印刷起于盛唐,但8世纪不可能铸出铜活字,因为活字印刷是从11世纪北宋时才发明的。金属活字印刷的技术源头如表8所示,从表中可以看到,它是铸印-铸钱、造纸、铜版和非金属活字等诸多技术发展后的结果,所有这些技术在北宋(960~1126)、南宋(1127~1279)的整个宋代进入新的发展阶段,其相互间进行技术渗透与嫁接的可能性已经具备,这就为金属活字印刷的发明奠定了适宜的技术条件;除这些内因之外,还有政治、经济、文化等方面的社会外因。从内因观之,中国在世界上领先发展铜版印刷和非金属活字印刷达几百年,至宋代又有了提前具备相关技术嫁接的可能性,这就促使金属活

---

① 潘吉星.论清代的陶活字印刷.见:叶再生主编.出版史研究(北京),1998(6):45~49

字印刷起源于中国,而这时其他国家或地区不具备这些条件,不可能先于中国铸字印书;待其具备适宜条件时,中国金属活字印刷技术早已出现,且向东西方传播出去了。

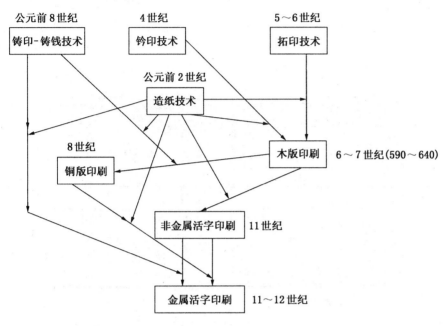

表8　中国金属活字印刷的技术源头

就中国情况来说,刺激金属活字印刷发展的社会外因,已不再只来自文化、教育和宗教方面,这些领域在历史上对促进木版印刷和铜版印刷的发展起过很大作用。当有了印本之后,在很长一段时期内人们的需要已得到满足,只要书较便宜可用,一般说不会计较是以雕版还是活字版印出的。因为中国是人口众多的大国,对印本的需要数量大、种类多,而汉字又数以万计,做成活字动辄以十万计,仍很费事,活字印刷的优越性一时还难以显示出来,还要与木版印刷竞争与并存,而木版印刷技术也在不断完善,还不能被活字印刷迅速取代。这是与使用拼音文字的西方国家不同的。在中国,刺激金属活字印刷发展的社会动力主要来自政治和经济方面的新的需要。

960年,宋王朝建立以后,中国结束了为时半个世纪以上的五代十国的分裂割据局面,又恢复了政治上的统一,北宋统治者制订了一整套完备的法律和各种规章制度在全国推行。宋初由于采取恢复与发展生产的政策,工农业、城市工商业和交通运输业获得很大的发展,商品经济繁荣,以四大发明为代表的科学技术在这个时代进入全面发展的新阶段。宋初诸帝,特别是太宗(976～997)深知印刷技术的重要性,对出版印刷事业给予特别的关注。金属活字印刷是为了适应北宋推行的一种新的经济举措,即纸币的发行而问世的。

北宋时,由于商品经济的发展,铜版印刷广泛应用于经济领域,从而开辟了一个新的发展方向。中国历史博物馆藏有北宋济南府(今山东济南)刘家针铺铸造的方形广告铜印版,是印在纸上后供该店产品包装用。该版直高 12.4 cm,横宽 13.2 cm,版面中央有商标白兔,上面横栏为"济南刘家功夫针铺"8 字阴文,左右各有"认门前白//兔儿为记"。版下部有 7 行阳文 28 字:"收买上等//钢条,造功//夫细针,不//甘宅院使//用。客转与//贩,别有加//饶,请记白"(图 136)。这段话意思是:"本店收买上等钢条,造精巧的细针,不管钢条是否在宅院用过。如有人前来转卖钢条,另外加价收购,请记此告白。"版面除商标图外,共有 44 字,内 8 字阴文。阴、阳文合铸在一块铜版上,有一定难度。这是迄今所见早期商业广告的铜铸印版。

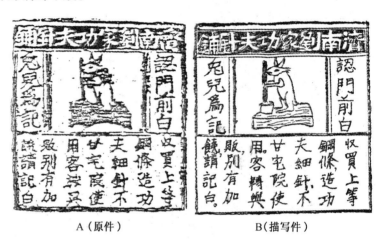

图 136
中国历史博物馆藏北宋(10 世纪～11 世纪)济南刘家针铺铸广告铜印版

A(原件)　　　　B(描写件)

在北宋铜版印刷和非金属活字印刷全面发展的基础上,11～12 世纪出现金属活字印刷,从技术上看,是必然发展趋势[1][2]。中国从北宋起在世界上最早发行纸币,这是货币史中的革命性创举,纸币的大规模印造为铜版和铜活字技术提供了新的发展动力。由于城市工商业和交通运输业有很大发展,北宋商人往来于各地进行贸易活动,而随身携带大量金属货币既不安全,又不方便。如四川通用的大面值铁钱每贯重 15 kg,3 贯重 45 kg,已很难携带了,因而想借用唐代"飞钱"旧制,以汇兑券形式代替现钱支取。宋真宗祥符年间(1008～1017),四川成都十六家富豪联手印发纸制兑换券,名曰"交子"。当时张咏(946～1015)镇蜀,对此举予以支持、干预,在票面加盖益州官印。这种由商人发行的交子,成为纸币的前身。

宋人李攸(1101～1171 在世)《宋朝事实》(约 1130)卷十五《财用》条称:"诸豪以时聚首,同用一色纸印造,印文用屋木、人物、铺户押字,各自隐密题号,朱墨间错,以为私记。书填贯(例)(钱数),不限多少。收入人户见钱,便给交子。"则票面都用一种特制纸印刷,除文字内容外,还有木屋和人物图案、铺户花押和保密编号,且以红、黑双色印出,面额临时填写。这里包括一些防伪措

---

[1] 潘吉星. 论金属活字技术的起源. 科学通报(北京),1998,43(15):1 583～1 594
[2] Pan Jixing(潘吉星). On the origin of movable metal-type technique. Chinese Science Bulletin (Beijing), 1998,43(20):1 681～1 692

施。交子和田契等版面设计对纸币形制产生直接影响。真宗天禧年间(1017～1021)因经营交子的铺户无足够现钱兑现,引起客户挤兑、争讼,知益州寇瑊(jiān)下令罢之,又上奏真宗(998～1022),建议将交子之法收归官营,别置一务(office),差官印发。

至宋仁宗(1023～1063)即位之际(1023),寇瑊离蜀,转运使张若谷及新任知益州薛田奉旨讨论设益州交子务、发行官营交子之议,遂上奏:

> 今若废私交子,(由)官中置造,甚为稳便。仍乞铸益州交子务铜印一面,降下益州,付本务行使。仍使益州观察印记,仍起置簿历,逐道交子上出钱数,自一贯至十贯文。合同印过,上簿封押,逐钱纳监官收掌。候有人户将到见钱,不拘大小铁钱,依例准折交纳,置库收锁,**据合同、字号给付人户,取便行用**。①

仁宗准奏,遂正式印发官营交子,以铁钱为准备金,限用三年为一界,期满以旧换新,这是最早的纸币。《宋史·食货志》也说官交始行于仁宗天圣元年(1023)②。交子在北宋流通于 1023～1105 年,限于川、陕使用。1023～1038 年间其面额种类较多,自一贯(1 000 文)至十贯不等,需临时填写,甚为不便。1039～1068 年间,面额减为五贯及十贯两种,按比例(五贯占 20%,十贯占 80%)发行,且由填写改为印刷③。一般说每界印发交子 125 万贯。1069～1105 年面额又易为一贯及五百文两种,仍按比例发行(一贯 60%,五百文 40%)。所谓"合同之事",指将铸有面额的长方形铜印印在交子票面背后,印文为"壹贯背合同印"等,用以验证正面印出的面额,防止涂改。所谓"字号"或"料例",指以千字文对票面作流水编号,表示连续发行数额,且登记入簿,有存根为据,便于查验,同时起监控及防伪作用。宋代纸币发行制度已日臻严密与完备。

继交子之后,宋政府又印发新钞,名曰"钱引"。《宋史·食货志》载,北宋徽宗崇宁四年(1105)"令诸路更用钱引,准新样印制,四川如旧法……时钱引通行诸路(相当现在的省级行政区),惟闽、浙、湖广不行……大观元年(1107)诏改四川交子务为钱引务"④。钱引也以铁钱为准备金,三年为一界,面额有壹贯及五百文两种,以新样印制,流通于京东、京西及淮南等路及京师(今河南开封)。此时四川仍行用交子,自 1107 年才改为钱引。1109～1234 年间,钱引共发行 56 界,是使用时间最长的纸币。南宋从 1160 年又印发"会子",

---

① 李攸[宋].宋朝事实(约1130),卷十五,财用.北京:中华书局,1955
② 脱脱[元].宋史(1345),卷一八二,食货志下三.二十五史缩印本.第7册.上海:上海古籍出版社,1986.569
③ 刘森.宋金纸币史.北京:中国金融出版社,1993.24～26
④ 脱脱[元].宋史(1345),卷一八二,食货志下三.二十五史缩印本.第7册.上海:上海古籍出版社,1986.569

1160～1279年间流通于杭州、淮、浙、湖北及京西等东南地区。会子以铜钱为准备金,面额有一贯、二贯及三贯,后又有三百文、五百文,三年为一界,首界发行1 000万贯。

纸币印刷量很大,又关系国计民生,用木版印刷已适应不了需要,因木版在温湿变化时易于变形,耐印性不高,印数多后版上线条便磨损不清,又易于伪制。因而宋以来中国纸币多以铜铸印版印在特制纸上,文献记载和出土实物也是如此。例如,马端临(约1254～1323)《文献通考》(1307)卷九《钱币考》载,"隆兴元年(1163),乃诏总所,以印造**铜板**缴申尚书省。"这是说,宋孝宗1163年即位后,诏令户部派至湖广总领财赋的总领所,将在湖广印刷会子的铜印版收缴起来,归尚书省保管。《文献通考》卷九还载,"淳熙三年(1176)诏第三界、四界(会子)各展限三年,令都茶场会子库,将第四界**铜板**接续印造会子二百万,赴南库桩管"。所举例子虽然年代为1163年及1176年,但在这以前和以后的交子、钱引和会子也都像此处说的一样,以铜版付印,而且有实物遗存为证。

1936年,研究古钱币的陈仁涛得到一块南宋行在会子库为发行会子而铸造的铜印版,1958年后转藏于中国历史博物馆。其直高17.8 cm,横宽12 cm,厚1.7 cm,重2 700 g(2.7 kg),表面已锈蚀(图137)。版面中间有"行在会子库"5个通栏大字,版面上部两侧各有"大壹贯文省"及"第壹佰拾料"10字,分别表示面值和料次(字料)。中栏有7行字:"敕伪造会子犯人处//斩,(告捕者)赏钱壹仟贯。如不//愿支赏,与补进义校//尉。若徒中(同伙者)及窝藏之//家,能自告首,特与免//罪,亦支上件赏钱,

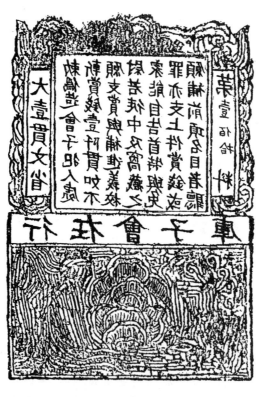

图137
南宋行在会子库1161～1168年印发的壹贯会子铜印版,中国历史博物馆藏,潘吉星据原版临绘(1998)

或//愿补前项名目者,听。"版面下部有山泉图案,上部周边有花纹。按"行在"(xínzǎi)即临安(今浙江杭州),为南宋首都,行在会子库为一官署名。现在还流传另一枚类似的会子铜印版,但下面图案不是山泉,而是城墙楼,为很多人引用,但这是赝品,宜停止引用。

上述铜版上的赏格内容与《宋史·食货志》及《文献通考》卷九所载相符。前者更称:"绍兴三十年(1160)户部侍郎钱端礼(1109～1177)被(奉)旨造会子,储见(现)钱于城(杭州)内外流转,隶都茶场。三十一年(1161)定伪造会子法,当时会(子)纸取于徽、池、绩(州)(今安徽境内),造于成都,又造于临安。会子初行止

于两浙,后通行于淮、浙……乾道四年(1168)……以户部尚书曾怀同共措置,铸提领措置会子库印。"①行在会子库为都茶场会子库别称,都茶场于建炎二年(1128)置于行在榷货务,掌给卖茶引,与行在场务皆属尚书左右司提领,不属户部。但1160年户部侍郎钱端礼奉高宗特旨于该场印造会子,乃有会子库之设。据上所述,这块铜版当铸于高宗绍兴三十一年(1161)至孝宗乾道四年(1168)之间。

值得注意的是,版面上"第壹佰拾料"中的"第"、"料"2字随版上其余字同时铸出,而"壹佰拾"3个数字略作歪斜,且字形及大小与"第"、"料"2字明显不同,因而应当是印版铸成后放入的铜活字。这种情况与下面要谈到的金代(1115～1234)纸币铜印版是完全相似的。因此,这件铸于1161～1168的印版是有年代可查的植有铜活字的现存最早的会子铜印版,为研究宋代纸币史、金属活字印刷史提供了珍贵的实物资料。

北宋交子和钱引的铜印版迄今尚未发现,但关于四川钱引票面形制,则有文献记载。元代人费著(约1303～1363)《楮币谱》(约1360)云：

  大观元年(1107)五月,改交子务为钱引务。铸印凡六：曰敕字,曰**大料例**,曰年限,曰背印,皆以墨。曰青面,以蓝。曰红团,以朱。六印皆饰以花纹,红团、背印则(饰)以(人物)故事。

费著说"铸印凡六",通常被人们理解为铸造六块铜版,但从技术上分析,这么多块铜版很难同时拼合而印在票面上的。古代纸币印刷实践中,每印一次,只需一块印版,印一种颜色(黑色),但钱引却印成黑、红、蓝三色,看来不像是套色印刷,套色印刷虽用多块印刷,但每印一种颜色也只用一块印版,三色则用3块印版,不可能用6块。钱引应是单版三色印刷,在一块版的不同部位上不同色料,同时印之,如元至正元年(1341)中兴路(今湖北江陵)刊《金刚经注》那样。

因此"铸印凡六"不是指用6块印版,是费著用词不当,实际上是指同一印版上所包括的六项内容：(1)"敕字",指关于伪造、告捕惩赏及流通区域的敕令。(2)"大料例",指票面流水编号。(3)"年限",指印造及流通年份。(4)"背印",印在背面的面额,即"×贯背合同印"。(5)"青面"为票面四周有花纹的边。(6)"红团"指票上的装饰性图案。以上(1)至(4)皆印以墨,(5)印成蓝色,(6)印成红色。《楮币谱》没有给出钱引票面原样图式,而是以文字叙述了1161～1179年间发行的第70～79界钱引票面各部分内容细节,使我们很难对票面进行复原。叙述的先后顺序是：年号、贴头五行料例、敕字花纹、青面花纹、红团故事、年限花纹、一贯或五百文故事背印。这个顺序与"铸印凡六"列举的顺序略有不同,但内容则

---

① 脱脱[元].宋史(1345),卷一八二,食货志下三·会子.二十五史缩印本,第7册.上海：上海古籍出版社,1986.569

完全一致。钱引是继交子之后发行的,票面设计应参考交子,虽然交子不一定是彩色印刷。

宋代既然以铜活字印纸币,同样能用于印书。清代著名版本学家孙从添(1769~1840 在世)《藏书纪要》(1805)称:"宋刻本书籍传留至今,已成稀世之宝……宋刻有数种:蜀本、太平本、临安书棚本、书院学长本、仕绅精刻本、各家私刻本、御刻本……铜字刻本、(木)活字本。诸刻之中,惟蜀本、临安本、御刻本为最精。"①这是他亲眼所见的经验之谈,他所说宋版书中的"铜字刻本",无疑指铜活字本。他所说"活字本",指木活字本或泥活字本,以便与"铜字刻本"区别开来。但宋版铜活字本书籍流传下来的甚少。

图 138
《蜀中广记》(约 1600)引元人费著《楮币谱》(约 1360)载宋交子印版版式

二、铜活字印刷在宋以后的发展

1. 金代的铜活字印刷

与北宋并存的金,在其初期(1115~1153)用北宋与辽(916~1125)铸的金属钱。皇统九年(1150)海陵王完颜亮杀金熙宗,自立为帝,贞元元年(1153)将首都南迁至燕京(今北京),号为中都,多用汉人为官,并开始仿北宋制度实行钞法。《金史·食货志》载:

> 贞元二年(1154)迁都之后,户部尚书蔡松年(1127~1159)复钞引法,遂制交钞,与钱并用……初,贞元间(1153~1155)既行钞引法,遂设印造钞引库及交钞库,皆设使、副、判各一员,都监二员。而交钞库副则专主书押、搭印、合同之事。印一贯、二贯、三贯、五贯及十贯五等,谓之大钞。……以七年为限,纳旧易新,**犹循宋张咏四川交子之法**,而纾其期尔。②

可见金代独自发行纸币始于 1154 年迁都燕京之第二年,用户部尚书蔡松年之议。"循宋张咏四川交子之法",表明是仿效北宋交子制度。最初在燕京印发的纸币名曰"交钞",面额有五种,(一、二、三、五及十贯),又称大钞。以 7 年为限,期满以旧换新,1154~1189 年间一直如此。交钞由专设机构印造,隶属户部。1160 年迁都于南京(今河南开封)后,这些机构随之南迁。金交钞也限地区

---

① 孙从添[清].藏书纪要(1805).清嘉庆十年黄丕烈士礼居刊本,1805.3~4
② 脱脱[元].金史(1345),卷四十八,食货三·钱币.二十五史缩印本,第 9 册.上海:上海古籍出版社,1986.114

流通,但1189～1215年间流通区渐广,且无限期行用,允许地方在户部派出官监督下印造交钞。1197年起又发行一百、二百、三百、五百及七百文交钞,称为小钞。至于钞面形制,《金史·食货志》称:

> 交钞之制:外为栏,作花纹,其上横书贯例(面额),左曰某字料,右曰某字号。料、号外,篆书"伪造交钞者斩"、"告捕者赏钱三百贯"。料号横栏下曰:中都交钞库准尚书户部符,承都堂扎付,户部覆点勘令史姓名押字。又曰:(奉)圣旨印造逐路(通行)交钞,于某处库纳钱换钞,更许于某处库纳钞换钱,官私同见钱流转。其钞不限年月行用……库掐、攒司、库副、副使,使各押字。(又有)年月日,印造钞引库库子、库司、库副、副使各押字,上至尚书户部官亦押字,其搭印支钱处合同。余用印,依常例。①

上述记载系于金世宗大定二十九年(1189)十二月条下,除"不限年月行用"一项为1189年新改之外,其他内容皆反映在这以前的交钞形制。故宋金纸币史家刘森先生认为,"考虑到宋盐引、交子、会子,或有字号、或以千字文为料例的情形,并参验大定二十九年(1189)以后金交钞钞版版文图票式及诸史所载,海陵王和金世宗时期(1154～1189)的交钞票面,当有'字号'、'字料'、面额、禁伪造和赏格文字、流通期限与倒钞地点、印钞机构和准印文字、管理交钞的职官名称及其官吏的书押等,其文字外四周或以花纹为栏,或以龙鹤为栏。"②这一论述是完全正确的,需要补充的是,不但金代前期交钞票面如此,就是北宋交子、会子等票面也大体如此。

综上所述,宋金纸币的铜版版面上一般说包括钞币名称、面额、流通区域、印发机构、印造时间、赏格等文字和装饰性花纹图案,这些内容都事先铸出。但为防伪造和加强对印钞的监控,还采取其他措施,除加盖官印外,还要为每张票面加设"料号"、"字号",同时有印造、发行机构官员的花押(签名)。这些部分并不与其他内容同时在铜版上铸出,而是为保密起见,在印版铸出后至付印前补入版上,最后印出。料号、字号或料例的编号方法大体有两种:一是以千字文或其他设定的文字与数字组合,如"天字第伍拾号"、"地字第壹号"等;二是以千字文中的两字组合,如"天地"、"日月"等。前法可编出无限个不同号数,按 $m(m-n+1)/n$ 式计算可得出499 500种不同编号,接近50万个不同号数。式中 m 为总字数(1 000), n 为每组字数字(20)。这两种编号方法都曾用过,都有实物为证。

为加强监控与防伪,还规定印造与发行纸币的官员将其签字花押印在票面上,而这些官员还要隔一段时期轮换。这就使票面上的字号、料号以及官员的押字成为 variable(变数)。为保证将票面上文字可变部分印出,从技术判

---

① 脱脱[元].金史(1345),卷四十八,食货三.二十五史缩印本,第9册.上海:上海古籍出版社,1986.114

② 刘森.宋金纸币史.北京:中国金融出版社,1993.219

断,只能在印版上事先留出凹槽,待临印钞时再将相应字以活字填塞在凹空内,才能形成完整版面,因为印版为铜铸,所填塞的活字自然是铜铸活字。因此11～13世纪宋金时期,由于社会政治和经济上需要,铜版印刷和铜活字印刷广泛应用于印发纸币方面,这就使中国发展金属活字印刷早于世界其他国家或地区。在这方面中国不只留下一系列文献记载,还有大量出土实物为证。

除前述南宋会子印版外,20世纪以来金代交钞印版亦相继出土。已故文物考古学者罗振玉(1866～1940)先生于其《四朝钞币图录》(1914)中,收录19世纪前半期清末江苏太仓人徐子隐(1792～1855在世)藏金代贞祐宝券伍贯印版拓片①。版面上部"字料"二字上方明显可见一小字"輶"为嵌入版上的铜活字(图139A),"字号"上亦应有一活字,但从版上脱落,这也证明此二字应是活字,否则不会从版上脱落其中一个。"輶"(yóu)见于《千字文》中"易輶攸畏,属耳垣墙"句,故脱落之字为"易"或"攸"。版面上9个押字中至少有8个必须用铜活字,因此总共要用10个铜活字。此贞祐宝券为金宣宗贞祐二至三年(1214～1215)印造与流通的,行用于京兆府(今陕西西安)及平凉府(今甘肃平凉)。版面外侧两方斜印"京兆府合同"、"平凉府合同"随印版铸出,以再确认版面所载流通区无误,防止涂改,版面上铜活字年代为1215～1216年。《中国古钞图录》(1986)转载此图,并称"字料上有一小活字輶"②,但细算起来所用活字不止一个。

图 139
金代1215～1216铸贞祐宝券五贯铜印版
A 版上植入"輶"等铜活字,取自罗振玉(1914)
B 版上未植入铜活字前状态,上海博物馆藏

A

B

---

① 罗振玉.四朝钞币图录,卷一.见:罗振玉.永慕园丛书本.北京:上虞罗氏景印本,1914
② 卫月望,乔晓金等编.中国古钞图辑(1986).2版.北京:中国金融出版社,1992.17;Wei Yuewang, Qiao Xiaojing, *et al.*, ed. A Compilation of Pictures of Chinese Ancient Papermoney. Cai Mingxin (蔡明信), tr. Beijing: China Finance Publishing House, 1992. 114

徐子隐藏品(图 139A)及今上海博物馆藏铜印版(图 139B)皆为 1215～1216 年铸的贞祐宝券伍贯面额版。上海藏原版版面直高 35 cm，横宽 21.5 cm，厚 3.0 cm，重 6 150 g(6.15 kg)。将二者对比就会发现上海藏品反映未放铜活字前的版面原始状态，字料、字号上方各有一方形凹空，经实测，其直高 1.6 cm，横宽 1.3 cm，凹槽深 1.5 cm，是预备放入铜活字的*，由此得知当时活字大小应与此接近。凹槽深度为铜版厚度的 1/2，未透过到版的背面，排除了将活字穿过凹空捺印于钞面上的可能性。该版还有"尚书户部句当官"及"印造库库子"下方有两个花押为随铜版原铸的。但徐子隐藏品中除"辖"字外，印造库使、宝券库使、副(使)、攒司、督造库掐等官员下都有了押字，说明都是印刷前放置的铜活字。

1956 年内蒙古博物馆从呼和浩特市废品公司征集到地下出土的金代陕西东路流通的壹拾贯交钞铜印版，为 1215 年之物。从该版正面照片(图 140)上明显可见六处凹空①，是为放入标明字料、字号和花押的铜活字而用的。王玉溪藏 1213～1214 年铸金代山东东路流通的壹拾贯交钞铜版，也同样留出至少 6 处要填入活字的凹空。颜敬颜藏金章宗泰和年(1201～1209)铸交钞铜版残版拓片显示，其中现存"弍(叁)佰贯文"(篆文)、"字号"、"尚书"、"泰和"、"印造"等 14 字(图 141A)。根据金代钞票设计通制，版面上还应有"字料"及花押等，都需补入相应的活字。这是现所见金钞版放入铜活字的最早实物资料，年代为 1201～1209 年。

金代印钞始于 1154 年，因此金代从 1154 年已将铜活字用于印钞了。金代印发交钞(1154～1234)、南宋印发会子(1160～1279)都直接沿袭北宋的交子(1023～1105)、钱引(1105～1127)制度，钱引从北宋一直用到南宋。现存实物表明南宋和金印钞时都在铜版中嵌入铜活字表示字号、料号，而纸币编号的做法始自北宋的交子。交子票面从 11 世纪后半叶起由部分印刷、部分填写改为全部印刷，说明北宋印交子时用铜活字应早于金和南宋，换言之，中国铸金属活字用于印刷从 11 世纪后半叶即已开始，而自 12 世纪前半叶以后扩及南北各地。②③

宋金两朝从 12 世纪起在世界上首先铸出大量铜活字，用于印制各种面值的纸钞，已是不争的史实。但有的外国学者说，只有以金属活字印书才是金属活字印刷，而以金属活字印钞不是金属活字印刷，理由是以铜活字印钞缺乏排版工序，因为钞版上大部分文字都是预铸的。这种说法是没有理论根据的，因而是不正确的。如前所述，将十几个铜活字植入钞币印版中，这本身就是组版行为，没

---

* 上海藏品各技术数据，蒙上海博物馆协助测得，并提供拓印品，特此致谢——作者

① 卫月望，乔晓金等编.中国古钞图辑(1986).2 版.北京:中国金融出版社，1992.1，彩图 1；22，图 2～8

② 潘吉星.论金属活字技术的起源.科学通报(北京)，1998，43(15):1 583～1 594；中国发明金属活字印刷的物证.印刷杂志(上海)，1998(8):37～39

③ Pan Jixing(潘吉星). On the origin of movable metal-type technique. Chinese Science Bulletin (Beijing), 1998,43(20):1 681～1 692

有这一步骤是不能印出可用的钞票的。在印钞以前,中国于 11 世纪北宋初已发明用非金属活字印书的技术,而排钞版与书版除使用活字数目有多寡不同之外,在原理和操作上并无原则上的区别。其次,不能将印刷史等同于印书史,因印刷除印书外,还包括印钞、印制票据、契约、广告等,这都是印刷史的研究对象。实现金属活字印刷有赖于活字技术原理和金属活字铸造,这两项都出现于 11 世纪的北宋,并首先用于印钞,用铜活字印书不过是印钞的一种技术延伸。研究金属活字印刷起源,理所当然地应当从金属活字印钞谈起,这是铸字印刷的最早发展形式。中国铜活字的化学成分大体说应与铜钱相差无几,因时而变,一般说含铜 64%、锡 9%、铅 23% 左右,此外含少量铁和锌。

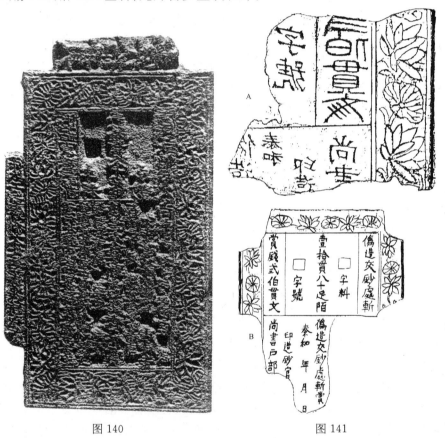

图 140
金代陕西东路 1215 年铸壹拾贯交钞铜印版,取自卫月望(1992)

图 141
金泰和年(1201～1209)铸三百贯交钞铜印版残版及部分复原图,潘吉星复原(1998)

图 140　　　　　图 141

2. 元明两朝的金属活字印刷

宋金元明清五朝(11 世纪～19 世纪)800 年间,以铜版和铜活字印发纸币,成为中国一项由政府部门经营的特种印刷业务,受到五朝最高统治者皇帝的关注,因而中国发展金属活字技术从一开始就拥有强大的政治和经济后盾。宋金每发行一种纸币都有不同面额,每种面额的票面又有不同千字文编号,因发行额以百万贯计,必须用许多同样印版印刷,这也说明中国从一开始起就必须大规模铸字才能满足这项要求,而只有政府部门才有这种经济实力。

1271 年忽必烈汗(1215～1294)建立元朝,次年迁都燕京,号大都(今北京),1279年灭南宋,实行全国统治。在这以前,中统元年(1260)忽必烈即汗位时,即仿宋金交钞制度于开平府(今内蒙古正蓝旗)印发中统元宝交钞,以银为本位,二贯同白银一两,纸币无限期流通。后因印钞量大,币值跌落。至元二十四年(1287)变更钞法,改发至元通行宝钞,停止印造中统钞,但旧钞仍通行。至大二年(1309)罢中统钞,四年(1311)元仁宗即位,又恢复印造,与至元钞并行。至正十年(1350)印发新中统钞,每贯当至元钞二贯、铜钱千文,详见《元史·食货志》。

1287年发行的至元通行宝钞分二贯、一贯及五文至五百文不同面值,共11等,与中统钞并用,每贯当中统钞五贯,二贯易银一两,20贯易赤金一两。整个元代以纸钞为主要货币形式,币面形制与金钞类似。"初(1260~1274),钞印用木为板,(至元)十二年(1275)**铸铜易之**。"① 就是说,1260~1274年间宝钞以木版和木活字印造,从1275年起改以铜版和铜活字印造于北京。今所见大量出土元钞印版或钞币,皆铜铸印版为之,再植入铜活字成为整个版面,约33.2 cm×25.5 cm,印在灰色的厚桑皮纸上。版面包括钞名、面额、字料、字号、印造及发行机关、奖罚条令、发行年月等。印版上字料、字号上面各留出凹空,以便补入铜活

图142
元中统元宝交钞壹贯现钞,圣彼得堡艾尔米塔日国立艺术及历史文化博物馆藏

---

① 宋濂[明].元史(1370),卷九十三,食货志一,钞法.二十五史缩印本,第9册.上海:上海古籍出版社,1986.27

字,仍以《千字文》中的字编号,因票面面值种类多,而每种票面都需印版和活字,因此所用铜活字当以万计。

　　1907～1908年俄人科兹洛夫在黑水城(今内蒙古额济纳旗)发现一枚中统元宝交钞一贯(千文)钞币(图142)。钞面上有3栏文字,最上通栏为"中统元宝交钞"6字,中栏正中为"壹贯文省"4个大字,其左右两侧各有汉文篆字和八思巴蒙文印出的"中统宝钞"、"诸路通行"两行字。再往下是"陶字料"和"唐字号","陶"、"唐"二字取自《千字文》中"有虞陶唐"句,是后补入的铜活字。最下一栏为印造机关、年月及奖罚条令。原件现藏圣彼得堡艾尔米塔日国立艺术及历史文化博物馆(Ermitazh Gosudarstrennyi, Khudozhestvennyi; Istoriko-kul'turnyi Muzei)①。钞的背面有"至正印造元宝交钞"长方墨印,至正为元顺帝时的年号(1341～1368)。可知这是1350年起印的新中统钞,因而钞面上的"陶"、"唐"二字是以铜活字印出的。从现存实物观之,元代钞版只含表示字料、字号的两个铜活字,各有关官员花押下则无活字。

　　1909年新疆吐鲁番出土中统元宝交钞贰贯钞票,据新疆布政使王树楠(1851～1935)的临摹本,钞面上有"寓"、"育"二字以铜活字印出②。1965年陕西咸阳出土新中统钞壹贯钞面,与艾尔米塔日博物馆藏品类似,但所出现的活字为"微"及"师",亦印造于至正年③。内蒙古额济纳旗文物管理所藏1289年起印的至元通行宝钞贰贯现钞,印有"劭"、"口"两个铜活字。这类13～14世纪铜活字印刷实物,举不胜举。元代宝钞不但通用于中国各地,还用于高丽、越南等属国及俄罗斯,是历史上通用地域最广的纸币。

　　元代除有大量铜活字印刷的实物资料外,还有相关文字记载。例如元仁宗(1312～1320)、英宗(1321～1323)时进士出身的翰林侍讲学士黄溍(1277～1357),为北京禅宗寺院庆寿寺住持智延禅师写的传记中就谈到以铜活字印《大藏经》事:

　　　　上(仁宗)每幸庆寿(寺),为颜与之语,特授荣禄大夫、大司空,领临济宗事。前后赐以金玉佛像、经卷及他珍玩之物数十事。秘府所著名画,凡涉于佛氏故事者,悉出以示之。英宗皇帝以禅师(沐)先朝旧德,每入见,必赐坐,访以道要。命于永福寺与诸尊宿校勘《三藏》,**将镂铜为板以传**。后因屑金书《藏经》,虑前撰集之书或有伪滥,复命之删定焉。④

---

①　卫月望等编.中国古钞图辑(1986).2版.北京:中国金融出版社,1992.2,彩图2

②　卫月望等编.中国古钞图辑(1986).2版.北京:中国金融出版社,1992.133～134,41～42

③　卫月望等编.中国古钞图辑(1986).2版.北京:中国金融出版社,1992.133～134,41～42

④　黄溍[元].金华黄先生文集,卷四十一,大禅师北溪延公塔铭.四部丛刊景元刊本.上海:商务印书馆,1929

对上述史料需加以解说。谷祖英将今通行本中"校勘三岁"改为"校勘三藏"①,是正确的,否则难与下文"屑金书藏经"相对应。这段话意思是说,元仁宗每至庆寿寺行佛事,必见智延禅师并与之交谈,特授他荣禄大夫、大司空头衔,让他主管禅宗之临济宗。先后赐他金玉佛像、经卷等,内府藏佛教名画都让他看。元英宗即位后,对禅师继续礼遇,每入见必赐坐,问以佛道。帝更命智延禅师与诸高僧在永福寺校勘《大藏经》,以便"镂铜为板以传"。后因以泥金重抄《藏经》,发现前编辑之经书或有错漏,遂命重新删定。此处"镂铜为板"应指以铜活字排印新校正《大藏经》,不可能以镂刻铜板刊行如此巨型佛藏。古人用词不规范,铸铜活字制版常说成"镂铜为板",甚至明清时也如此。

《元史》卷廿四至廿五《仁宗纪》载,仁宗崇佛尊儒,常去庆寿寺行佛事,赐其益都田 170 顷。**延祐元年(1314)敕置印经提举司**,三年(1316)升印经提举司为广福监②。可见当时确有刊行佛经的举措。其子英宗嗣位,仍奉先朝遗制。《元史》卷廿七至廿八《英宗纪》载,延祐七年(1320)敕增译佛经,次年(1321)赐永福寺金 500 两、银 2 500 两、宝钞 50 万贯,看来这是资助印造藏经用的,增译佛经也是为此目的,而以大都永福寺为据点,命智延等高僧齐集于此校勘三藏,准备以铜活字排印,以传后世,成先帝未竟之业。翰林侍讲学士黄溍的记载与《元史》所载互相印证,都说明仁宗、英宗二朝有用铜活字刊新校正《大藏经》的实际运作。

这件事还可从高丽史料中得到旁证。《高丽史》载,元英宗至治元年、高丽忠肃王八年(1321)五月,"前益城君洪瀹(yuè)奉敕来求藏经纸"③,也证明元英宗决定出版《大藏经》,而以高丽纸刷印,命在华的高丽人洪瀹返回高丽购求印藏经用纸。至治三年(1323)二月藏经校勘完毕,英宗令左丞相拜住(1298~1323)主持以泥金抄写校毕之藏经二部④,作为刊行底本。但抄写时发现"前撰集之书或为伪滥,复命之删定",同时备足铜料以便铸字。一切准备就绪,不幸的是,1323 年八月,御史铁失突然发动政变,英宗和主持刊经的左丞相拜住均被杀害,致使此事中断。如果不是出现铁失的倒行逆施,至治三年(1323)铜活字本《大藏经》就会出版,从而掀起英宗时大规模铜活字印刷高潮。

明代建国初期的洪武七年(1374),太祖朱元璋(1328~1398)即于南京下令设宝钞提举司,明年(1376)诏中书省印造"大明通行宝钞",于民间

---

① 谷祖英.铜活字和瓠活字的问题.光明日报(北京),1953-09-25,史学第 9 号
② 宋濂[明].元史(1370),卷廿五,仁宗纪二.二十五史缩印本,第 9 册.上海:上海古籍出版社,1986.75
③ 鄭麟趾[朝鲜].高麗史(1454),卷卅五,忠肅王世家,第 1 册.平壤:朝鲜科学院出版社,1957.539
④ 宋濂[明].元史(1370),卷廿八,英宗纪二.二十五史缩印本,第 9 册.上海:上海古籍出版社,1986.83

通行①。面额有一贯及一百文至五百文六种，"一贯准钱千文、银一两，四贯准黄金一两"。钞面基本沿袭元代宝钞形制，但文字更为简练。洪武年间的1375～1398年间的印钞铜版和铜活字铸于南京，亦印于灰色厚桑皮纸上。与元钞不同的是，将料号、字号从正面移至钞的背面。1930年代南京明初工部建筑遗址出土洪武年所铸印钞铜版，今藏于贵州市博物馆②，版面高32 cm，宽20.8 cm，厚1.0 cm，版面完好无损(图143)。

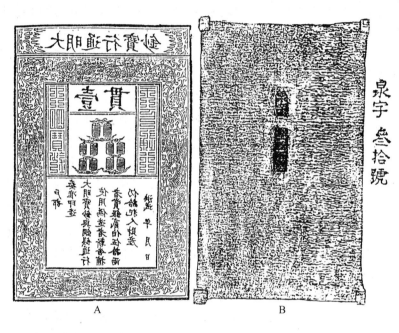

图143
明洪武八年(1376)开铸的大明宝钞壹贯铜印版正面(A)及背面(B)，贵州市博物馆藏

从上述印版背面中间部位可以看到，事先在铸版时留出两个长方形凹空槽，槽深0.5 cm，内放入"泉字"、"叁拾号"5个铜活字，表示料号与字号(图143B)。每个铜活字正面呈方形，1.3 cm×1.3 cm，高约0.5 cm(图144)。据史学家贾敬彦先生提供的明代宝钞伍拾文印版拓片，钞版背面亦有两处凹空，内放"永字"、"伍拾号"5个铜活字，字体及大小与壹贯钞版上的活字相同。因此，明初从1375年起所印6种面值的宝钞，都有"某字"、"某某号"不同组合的铜活字。因以金银为本位，控制发行量，洪武年间钞值基本稳定。每次印钞量以数百万张计，明初即进入以铜活字大规模印发纸币的高潮。明钞通行全国，

图144
印制大明宝钞所用的铜活字字体(1376年铸)，潘吉星测绘(1998)，单位为cm。

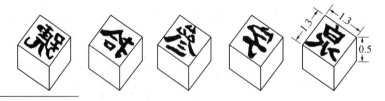

---

① 张廷玉.明史(1736),卷八十一,食货志五·钱钞.二十五史缩印本.第10册.上海:上海古籍出版社,1986.216
② 卫月望,乔晓金等编.中国古钞图辑(1986).2版.北京:中国金融出版社,1992.82,84,图4-42A

一直通用洪武年所制票面形制,传世品甚多。所印铜活字类似明初经厂本《贞观政要》之字体。

从北宋以来,以铜版和铜活字印钞需投入很大财力和人力,只有政府才能从事这项工作,而且一直是官方独家垄断的特殊印刷业务。至于其他印刷品是否也以金属活字排印,则根据需要和经济上的考虑而定。**中国从宋代以来形成的重点发展木版印刷,相应发展非金属和金属活字印刷的传统,直到清代为止贯彻始终,这是由中国国情决定的,而不同于其他国家。只有了解这个特点,才不至对中国金属活字印刷史产生误解。**

在民间只要筹措到足够资金,就可铸铜活字印书,明代民间印刷家在这方面表现出很大的积极性,特别在南直隶无锡(今江苏无锡)地区有著名的金属活字印刷集团,而以华燧(1439～1513)的华氏家族为代表。经叶德辉(1864～1927)《书林清话》(1911)卷八介绍后,华燧等人事迹引起学者注意。其最早传记作者为无锡籍进士出身的官员邵宝(1460～1527),他在《会通华君传》中写道:

> 会通君华氏讳燧,字文辉,无锡人。少于经史多涉猎,中岁好校阅同异,辄为辨证,手录成帙。遇老儒先生,即持以质焉。或广坐通衢,高诵不辍。既而**为铜版锡字以继之**,曰吾能会而通之矣,乃名其所为"会通馆",人遂以会通称。①

可见华燧出身于富有的读书世家,藏书甚富,少时涉猎文史,中年好校订诸书,勤奋好学。后来便研究以金属活字刊书的技术,能融会贯通,人们便将堂名称为"会通馆",称他为华会通。同时代人乔宇(1457～1524)谈到华燧时指出:"复虑稿帙漶漫,乃范铜为版,镂锡为字。凡奇书艰得者,皆翻印以行。"②华燧所刊活字版书可考者有15种③。内11种有传本,多藏于北京国家图书馆,较早者是弘治三年(1490)刊《宋诸臣奏议》,书名前有"会通馆印正"5字。其次是弘治七年甲寅(1494)刊《锦绣万花谷》160卷,书口有"弘治岁在阏逢(甲)摄提格(寅)"及"会通馆活字铜版"字样。次年,刊《容斋随笔》(图145)。

华燧出版的多是大部头著作,他在《宋诸臣奏议序》(1490)中说:"始燧之于是版也,以私便手录之烦,今以公行天下……燧生当文明之运,而**活字铜版**乐天之成。"看来,他铸活字当始于成化(1465～1487)末年,至弘治二年(1489)获得成功。由于这是他的早期产物,因而印刷质量不高,后期刊本在技术上有明显改进。他所铸活字材料,《中国版刻图录》(1961)作者断为铜活字④,另有人将邵宝所说"铜版锡字"和乔宇所说"范铜为版,镂锡为字"理解成将锡活字植于铜铸印

---

① 邵宝[明].容春堂后集(1517),卷九,会通馆传.四库全书本,集部·别集类
② 乔宇[明].乔庄简公集·会通华处士墓表(1513).见:华从智刊本华氏传芳录,卷十五
③ 钱存训.中国书籍、纸墨及印刷史论文集.香港:中文大学出版社,1992.181～183
④ 北京图书馆(赵万里执笔)编.中国版刻图录,第1册.97～98;第7册,599～602.北京:文物出版社,1961

版上①。钱存训先生认为活字材料应是铜合金,而非纯铜,“想系铜锡或铜铅合金”②。我们同意这个意见,活字材料应是铜-锡-铅三元合金。

會通館印正容齋隨筆序
博學而詳說之將以反說約也然博而不約者有矣未有不博而能至於約也容齋隨筆書之博者也提綱挈領博而能約者也書成於宋學士洪景盧學者歆羨而未得其真者久矣太醫院醫士吳郡盛用美得之於京師士夫欲版其行邑宰邢君陽民用而未行適僉憲 雷公水利江南巡行吾錫遂致禮會通館以達君志嗚呼燧生當文明之運而活字銅版樂天之成苟以是心至應之惟謹況士夫以稽古爲事君以愛民爲心而公禮意兼至者乎雖然學者徒務其博而不能反說以至於約則是書爲糟粕豈公之所望於人者哉
弘治八年中秋錫山華燧序

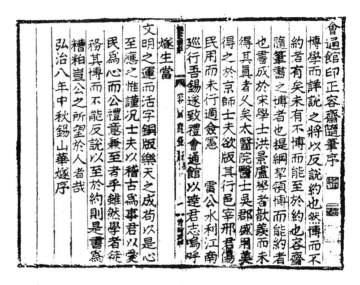

图 145
明弘治八年(1495)无锡华燧会通馆印铜活字本《容斋随笔》,北京国家图书馆藏

从技术上判断,印版所需版框可由木材制成。如用铜制,则由焊接作成,岂有“范铜为版”之理?金属活字动辄以数万计,必铸造而成,岂能逐个镂刻?因此邵、乔二氏用错了词,再对错误用词作字面理解,只能以讹传讹。华燧铸铜活字有长体、方体及扁体,又有大、中、小3种型号,他是分批铸出的,总字数必定很大。在他的带动下,本族叔辈华珵(字汝德,1438~1514)尚古斋于弘治十五年(1502)印过《渭南文集》50卷及《剑南集》8卷。华燧堂侄华坚(字允刚)兰雪堂以铜活字印书5种。包括正德八年(1513)刊《元氏长庆集》60卷、《白氏长庆集》71卷,正德十年(1515)刊《艺文类聚》100卷,书口有“兰雪堂”3字,卷尾有“锡山兰雪堂华坚活字铜板”等字。

吳中水利通志卷第一
蘇州府
叙水
太湖在郡西南三十餘里即禹貢之震澤周禮之具區左氏傳之笠澤又謂之五湖而其說不同一云周行五百里故名一云太湖東通松江南通霅溪西通荆溪北通隔湖東連韭溪凡五道故名一云太湖上稟咸池五車之氣故一水五名然今湖亦自有五名自莫釐山東與徐侯山相值者中爲菱湖莫釐西北與菱湖連者爲莫湖南連莫湖東長山逼胥山者爲胥湖東曰

图 146
明嘉靖三年(1524)无锡安国刊铜活字本《吴中水利通志》,北京国家图书馆藏

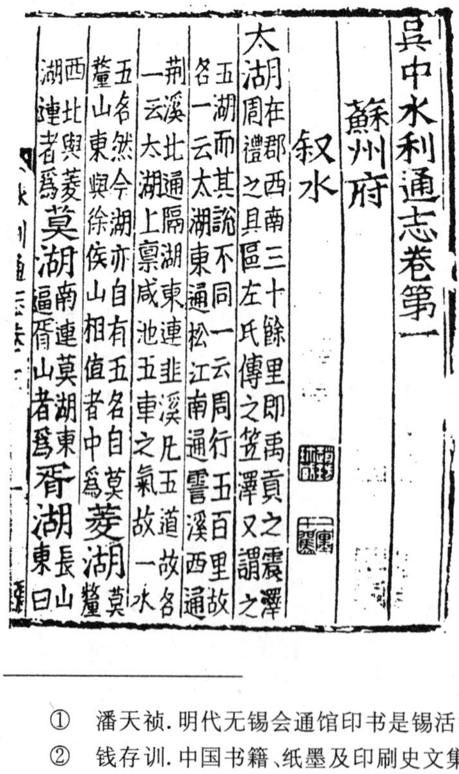

无锡除华氏外,安国(1481~1534)一家是另一印刷集团。据无锡《胶山安黄氏宗谱》1922年本所述,安氏先祖本黄姓,洪武年有苏州人黄茂入赘安明善家,定居于无锡胶山,四传至安国,家渐殷富。安国字民泰,号桂坡,好藏书及旅行,铸铜活字出版十多种书。正德十六年(1521)刊《东光县志》,现存较早刊本是《吴中水利通志》17卷(图146),书中

① 潘天祯.明代无锡会通馆印书是锡活字本.图书馆学通讯(北京),1980(1):51~64
② 钱存训.中国书籍、纸墨及印刷史文集.香港:中文大学出版社,1992.178

有"锡山安国活字铜板刊行"10字,刊于嘉靖三年(1524)。明代出版铜活字书的地区集中在今江苏、浙江和福建这些传统的印刷大省。江苏除无锡外,常州、苏州也有人铸铜活字印书。陆深(1477～1544)载:"近日昆陵(常州)人用铜铅为活字,视板印尤巧便,而布置(植字)间讹谬尤易。"①这是说弘治、正德之际(1500～1508)常州人以铜铅合金铸字。北京大学图书馆藏弘治十五年(1502)金台馆刊范成大(1126～1193)著《石湖居士集》34卷铜活字本,刊于苏州。

上海图书馆藏《诸葛孔明心书》一卷为1517年刊铜活字本,书内题"浙江庆元县学教谕琼台韩袭芳铜板印行"字样,这是浙江刊本。北京国家图书馆藏明刊铜活字蓝墨刊本《墨子》15卷(图147),卷八末印有"嘉靖三十一年岁次壬子(1552)季夏之吉,芝城铜板活字"一行字。经考证,芝城为福建建宁②,此本为标准印刷字体,铸字、刷印堪称铜活字本之上乘。北京国家图书馆更藏《通书类聚克择大全》,字体与《墨子》同,印以小字,卷16尾页有"嘉靖龙飞辛亥(1551)春正月谷旦,芝城铜板活字印行"等字。

图 147
明嘉靖三十一年(1552)福建芝城姚奎刊铜活字蓝印本《墨子》,北京国家图书馆藏

建宁除府城外,所属建阳县人游榕和饶世仁合作出版铜活字本,如万历二年(1574)刊千卷《太平御览》100部,版心下方有"宋板校正,闽游氏全(铜)板活字印一百部"及"宋板校正,饶氏全(铜)板活字印行一百部"等字。在这前一年(1573)出版的徐师曾著《文体明辨》,题"闽建阳游榕制活板印行"等字,亦为铜活字本。

3. 清代的铜活字印刷

清代统治者建国后,对发行纸币没有兴趣,仍铸铜钱流通于社会,清初政府还主持以铜活字出版巨型图书《古今图书集成》。康熙年间(1662～1722)进士陈

---

① 陆深[明].金台纪闻(1508).丛书集成本.上海:商务印书馆,1936.7
② 张秀民.中国印刷史.上海:上海人民出版社,1989.687～689

梦雷(1651～1741)在皇三子诚亲王胤祉支持下,积 5 年努力编成大型类书《古今图书汇编》,康熙四十五年(1706)书成,五十五年(1716)进呈御览,康熙帝赐名为《古今图书集成》,敕内府铸活字刊行。包世臣(1775～1855)称:"康熙中,内府铸精铜活字百数十万,排印书籍。"但《集成》未及刊出,帝崩。皇四子胤禛即位,改元雍正(1723～1735),是为世宗,令蒋廷锡(1669～1732)对陈梦雷书稿重编,雍正四年(1726)完成,六年(1728)由武英殿修书处以内府铜活字排印 66 部《钦定古今图书集成》(图 148)。此书共万余卷,1.6 亿字,5 020 册,是当时世界上最大一部百科全书,比著名的第 11 版《不列颠百科全书》(*Encyclopaedia Britannica*, 1911)篇幅还要多出 4 倍有余,由大、小两种活字印成,大字约 1 cm 见方,小字 0.5 cm见方,均为宋体。

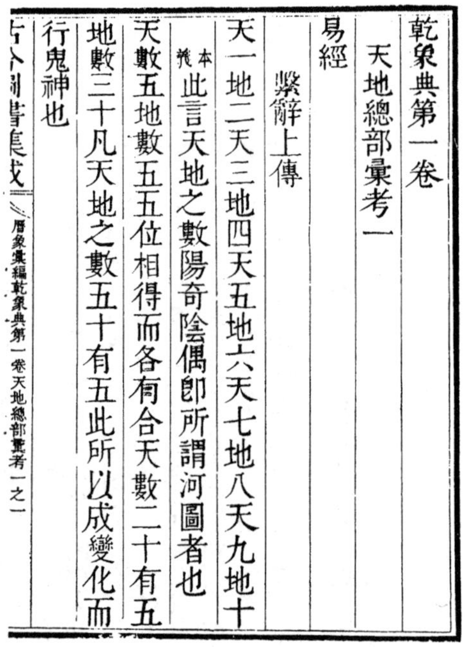
乾象典第一卷
天地總部彙考一
易經
繫辭上傳
天一地二天三地四天五地六天七地八天九地十
本義 此言天地之數陽奇陰偶卽所謂河圖者也
天數五地數五五位相得而各有合天數二十有五
地數三十凡天地之數五十有五此所以成變化而
行鬼神也
古今圖書集成 曆象彙編乾象典第一卷天地總部彙考一之一

图 148
清雍正四年(1726)内府铸铜活字本《古今图书集成》

吴长元(1743～1800 在世)《宸垣识略》(1788)云:"武英殿活字板向系铜铸,为印《图书集成》而设。"但有人引清高宗《题武英殿聚珍版十韵》(1776)中所说"康熙年间编纂《古今图书集成》,刻铜字为活版"之语,认为铜活字是逐个手刻的①。另有人发现同页内同一字结体上有变异,如是铸出,不宜有此现象,也主张是逐个刻出的②。我们认为吴长元的记载是正确的,中国历代铜活字皆铸造而成,断无逐个手刻之理。在历史上,只有木活字是逐个手刻的,木质材料易于下刀并制成同一规格,将几十万至百万个铜活字以手刻,既难操作,又废时间,在技术和经济上都是行不通的。排印 1.6 亿字所用相同字出现频率大,不可能以

① 张秀民.中国印刷史.上海:上海人民出版社,1989.718

② Giles L. An Alphabetical Index to the Chinese Encyclopaedia. London: British Museum, 1911. xvii

一个字模一次铸出,不能指望以多个字模几次铸出的同一字结体会完全相同,不能因此就说活字是手刻的。只能说铸活字所需的字模是手刻的,以字模制成铸范,再通过浇铸,活字从铸范中最后形成。

康熙、雍正之际铸造的这批铜活字形制,朝鲜学者李圭景(1788~约1862)作过如下描述:

> 中原(中国)活字以武英殿聚珍字为最,字背不凹而平,**钻孔贯中**,故字行间架如出一线,少不横斜矣。我国(朝鲜国)字式则或大或小,又凹字镂(字背),不钻不贯,故字行龃龉,开帙自无尔雅之态。①

李圭景从当时出访中国的朝鲜使团成员那里得知这一情况后,便记录下来。据他的描述,武英殿修书处排印《古今图书集成》时所用的清内府铸出的铜活字,呈长立方体形,背面平坦不凹,字身有一小孔,以铁线穿之,将活字串联成行,植于印版之上,防止其移动及歪斜。这与元代人王祯所述宋代锡活字形制及植字方式是完全相同的,可谓一脉相承。而当时朝鲜铸造的铜活字,字的背面凹空,不能钻孔穿线,且各字或大或小,且各行字排列歪斜不齐,开卷自无雅正之态。他认为朝鲜官刊铜活字本不及清殿版铜活字本精良,主要表现在活字形制上。

清内府铸活字技术还在台湾推广,满洲正黄旗人武隆阿(约1765~1831)嘉庆十一年(1806)任台湾总兵时,曾仿铸武英殿铜活字在台湾出版《圣谕广训注》。安徽桐城籍进士姚莹(1785~1853)任台湾道台时,见过武隆阿出版的书和铸的活字,他在致友人的信中说:

> 此间(台湾)武军家(总兵武隆阿),亦**铸聚珍铜板**,字亦宋体,而每板只八行,不惬鄙意。又有闽人林某作聚珍木板,每板十行,(行)十一字,皆可,较善于武刻。②

在康熙年内府铸铜活字之前,康熙二十五年(1686)江南民间以铜活字出版《文苑英华律赋选》四卷(图149)。此书共4册,黑口,四周单边,双鱼尾,半页10行,行18字,手书体,字形优美。书名页有"虞山钱湘灵先生选"、"吹藜阁同(铜)板"字样。书首有编者钱陆灿75岁时于康熙二十五年写的序,内称"于是稍简汰而授之活板,以行于世"。

图149
清康熙二十五年(1686)常州吹藜阁刊铜活字本《文苑英华律赋选》,北京国家图书馆藏

---

① 李圭景[朝鲜].五洲衍文长笺散稿(约1862),卷廿四,鑄字印書辨證説,上册.寫本影印本.漢城:明文堂,1982.699

② 沈文倬.清代学者的书简.文物,1961(10):61~65

钱陆灿(1612～约1710)字湘灵,号圆沙,虞山(今江苏常熟)人,顺治举人,好藏书,教授于常州、金陵(今南京)间,著《调运斋集》。《文苑英华律赋选》是他在常州教书时所著,门人刘士弘订,则出版此书的吹藜阁当在常州。该书今藏北京国家图书馆①。

19世纪前半期福建、浙江、广东等省民间有财力者也铸字印书。魏崧《壹是纪始》(1834)卷九云:"活板始于宋……今又用铜、铅为活字。""今"指道光年间(1821～1850),铜指铜合金,铅或作锡,指其合金。清人著书,铅、锡不分。道光年间福建人林春祺(字怡斋,1808～约1873)随父宦游外省,就读苏、杭等地,18岁(1825)即有志于自己动手铸铜活字印书。积20年努力,道光二十六年(1846)用20万两银,依《洪武正韵》字体铸大、小铜活字各20万,共40万,用以印书。传世者有顾炎武《音学五书》中的《音论》和《诗本音》,共12册,另有《军中医方备要》2册②。他是福建福清县龙田乡人,便将其铜活字本称为"福田书海",每书版心有"福田书海"4字。

三、锡活字印刷的起源和发展

历史上所说的铜活字并非以纯铜铸造,正如铜钱那样,因铜较贵,故多以铜-锡-铅三元合金铸之,确切地说应称为青铜活字。南宋以后,铜的供应缺乏,因北宋产铜区多被金所占据,因此原来需用铜的地方常以锡代之,或在铜合金中加大锡的含量,减少对铜的消耗。这种情况在铸钱和印刷领域都有所反映。如1957年浙江杭州西湖出土锡印版一块,长方形,27.5 cm×16.5 cm,厚0.65 cm(图150)。版的两面有阳文反体宋代楷字,每字1.4 cm见方,小字0.7 cm见方。一面为《大圆满陀罗尼神咒秽迹真言》47字,真言之间有阴文"胡彦"二字,当为制版工的姓名③。版面最后为发愿文:"武章、唐十五娘愿四恩三有、法界众生,同出苦源,速成佛果。丙午年八月八日募缘置"。四恩三有及法界众生为佛教术语,指佛门及世俗一切众生。

胡彦是南宋孝宗(1163～1189)时的印刷工,则丙午应为孝宗淳熙十三年(1186),此版是胡彦于1186年9月22日制成。版的另一面《不空羂索毗遮那佛大灌顶光真言》36字,为密宗主尊不空羂索观音(Amoghapāśa)和毗遮那或大日如来(Mahāvairocana)传授的《光明陀罗尼》,取自唐僧菩提流志(Bodhiruci,?～727)译《不空羂索神变真言经》。真言之后,有《文殊五字陀罗尼》和信徒琐承恽、王彦珵、沈志荣等人刊记。这是迄今有明确年代的最早的锡合金印版。

1983年安徽东至县发现南宋理宗景定五年(1264)宰相贾似道(1213～

---

① 魏隐儒.中国古籍印刷史.北京:印刷工业出版社,1988.222
② 张秀民.中国印刷史.上海:上海人民出版社,1989.722
③ 金柏东.现存最早的锡印版.东方博物(杭州),1996(1):157～160

1275)专权时制作的"金银见钱关子"印版,据称材料为铅铁合金①,似未经正式分析化验。从合金技术角度观之,版材应为锡、铅及少许铁之合金。版面呈长方形(图 151),直高 22.5 cm,横宽 13.5 cm,厚 0.4 cm,重 1 kg。版面上下有纹饰,最上通栏文字为"行在(杭州)榷货务对椿(桩)金银见(现)钱关子",其下有 3 栏文字,详见图 151,版面计有 94 字,阳文反体。与此版同时发现的还有敕版、颁行版、宝瓶版及 4 枚印,共 8 件,图饰及文字皆刻成。《宋史》卷四七四《贾似道传》和王圻(1540~1615 在世)《续文献通考》(1586)卷七都有南宋发行金银见钱关子的记载。

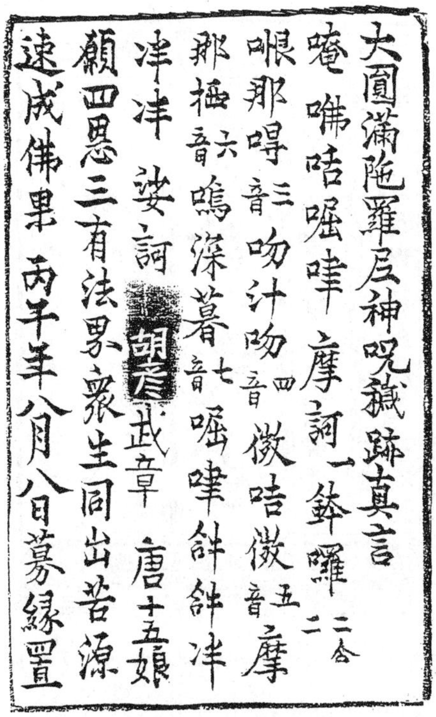

图 150
1957 年杭州西湖出土的南宋 1186 年铸《大圆满陀罗尼》锡印版,取自金柏东(1996)

有人认为 8 件出土物是全套印版,且将其拼接成为"贾"字形印版,以与《宋史·贾似道传》所述相应②。但此说令人生疑,因为宋代纸币印版多为铜铸,很少锡刻印版,且拼接成"贾"字形的版面直高超过 50 cm,不可能印成这样大幅纸币。因而不能将这些版和印视为朝廷颁发的印钞用具,它们或许是试样版③。同时也不能认为此 8 件是"全套"的,因为缺乏反映字号、料例的部分。它们是南宋之物,则是无疑的,很可能是不完全的设计版样,待审定后重铸之。

既然南宋时以锡合金制整版印书,当然也可能用锡合金铸字印书。元初科

---

① 汪本初.安徽东至县发现南宋关子钞版的调查研究.安徽史学·钱币增刊(合肥),1987(4)
② 张季琦.宋代纸币及其现存印版.中国印刷(北京),1994,12(2):34~37
③ 刘森.宋金纸币史.北京:中国金融出版社,1993.149~151

学家王祯1298年论木活字技术时,回顾了中国印刷史。他指出,五代(10世纪)刻木版印儒家《九经》,费时费力,"虽有可传之书,人皆惮其工费,不能印造传播后世。**有人**别生巧技……以烧熟瓦字(泥活字)排于行内,作活字印版。"此处"有人"指北宋(11世纪～12世纪)毕昇等人以泥活字版代替木雕版。接下王祯写道:

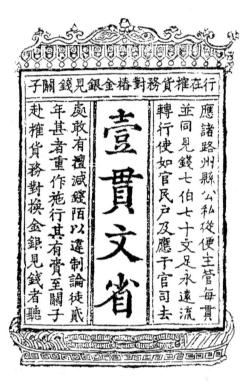

图 151
1983年安徽东至县发现的南宋1264年发行关子的锡制试样版,取自汪本初(1987)

近世又铸锡作(活)字,以铁条贯之作行,嵌于盔(印版)内界行印书。但上项字样(活字)难以使墨,率多印坏,所以不能久行。

今(世)又有巧便之法,造板木作印盔,削竹片为行。雕板木为(活)字,用小细锯锼(sōu)开,各作一字……然后排字作行,削成竹片夹之。①

王祯所说"今(世)又有巧便之法",指**元初**(13世纪)从宋代继承下来的木活字技术经他改进后的巧便之法,重要改进是引入可旋转的活字贮字盘,代替固定式的大木柜。不能理解为木活字技术从王祯才开始。对他所说"近世又铸锡作(活)字"句中的"近世"应如何理解呢?有人将"不能印造传播后世。有人别生巧技",标点成"不能印造传播,后世有人别生巧技";并认为"近世又铸锡作字"指元代王祯《农书》出版之际(14世纪),从而将中国锡活字年代向后推了一

---

① 王祯[元].造活字印书法(1298).见:王祯著.农书(1313),卷廿二.上海:上海古籍出版社,1994.460

个世纪①。这种理解是不正确的,特做如下讨论。

理解王祯上下文关系,要从古汉语语法本义出发。"后世"应与"传播"连读,不能与下文"有人"连读。如执意如此,则"后世"应对五代而言,指宋代,而非元代,否则便与下文所说"今世"矛盾了。而王氏《造活字印书法》在《农书》问世之前写于13世纪,文内所述锡活字不能释为14世纪之物。从上下文文义观之,"近世"指去王祯所处元初不远的前一个朝代,即南宋(12世纪～13世纪),而非元代,因为他已将其称为"今世"了。就是说,中国至迟在南宋已铸锡合金活字印书了②,是对北宋铜活字在金属成分上的改变,目的是为降低成本,减少对铜的耗量,这在南宋已是时代风尚。

王祯还谈到南宋锡活字字身有一小孔,以铁丝将活字串联成行,植于印版上,再以薄竹片为界行,将各行活字夹紧,以防其移动。这种活字形制和排字方法直到清代还在沿用,如雍正四年(1726)出版《古今图书集成》所用的铜活字,与南宋锡活字完全相同③,可见王氏之说有据。但他没有意识到宋金早已解决金属活字着墨问题,且成功用于纸币印刷。1998年扬州江苏广陵古籍刻印社用王祯所载,作了锡活字印书的模拟实验,证明用普通的墨即可印书,并未出现划破纸的现象,此为笔者所亲见。有人抓住王祯所说锡活字"未能久行"这句话,断言中国14世纪以前使用金属活字"以失败告终"(ended in failure),"而从15世纪时的明代才开始有金属活字印刷"④,显然与事实相违,且已被本章列举的大量文献和实物证据所否定。

至于王祯所说锡活字未能久行,应理解为在元朝时因全国重新统一,已不再缺铜,可以铜铸活字,用不到以锡为代用材料了。但南宋发展的锡活字并非昙花一现,在明清时还继续用于印刷。例如清道光末年(1850)广东佛山镇唐氏投资一万两银铸出三套锡活字,包括大号扁体、大号长体和小号长体,总数为30万。大字1 cm×1 cm,小字0.6 cm×0.8 cm,高1.32 cm,比通常铜活字矮些,主要为了省料。大号字为手书体,最初用以印彩票。锡活字主要成分是锡,还含铅和少量铜、锌等。咸丰二年(1852)以这批锡活字印元人马端临的《文献通考》348卷,近2万页,订为120册。除此,还印过其他一些书。这些锡活字本字迹清晰,印刷及用纸均佳。

---

① Chon Hye-bong(千惠鳳). Development process of movable metal-type printing in Korea: Speech at the International Symposium on Printing History in the East and West (Seoul, Korea, Sep. 30, 1997)

②③ 潘吉星. 中国、韩国和欧洲早期金属活字印刷的比较研究. 传统文化与现代化(北京),1998,(1):71~80; Pan Jixing. A comparative research of early printing technique in China, Korea and Europe: Speech at the International Symposium on Printing History in the East and West (Seoul, Korea, Sep. 29, 1997); Gutenberg-Jahrbuch, 73. Jahrgang. Mainz: Gutenberg-Gesellschaft, 1998. 36~41

④ Chon Hye-bong(千惠鳳). Development process of movable metal-type printing in Korea: Speech at the International Symposium on Printing History in the East and West (Seoul, Korea, Sep. 30, 1997)

美国在华教士卫三畏(S. W. Williams, 1818~1884)当时在广东,看过唐氏的锡活字,并在《中国丛报》(*Chinese Repository*,旧译《澳门月报》)上著文做了介绍,并公布了活字字样(图152)①。唐氏的锡活字是按中国传统方法铸成的,先刻出木活字作为母模,将木活字压印在澄泥制成的坯中,形成铸范。再将熔化的锡合金浇于铸范内,四字为一范。铸出活字后,以刀修整。排字时以花梨木(*Ormosia henryi*)作成字盘,以黄铜条为界行。植字后,经过校对,即上油墨刷印于纸上。有人说唐氏使用了西洋人的方法②,事实并非如此。

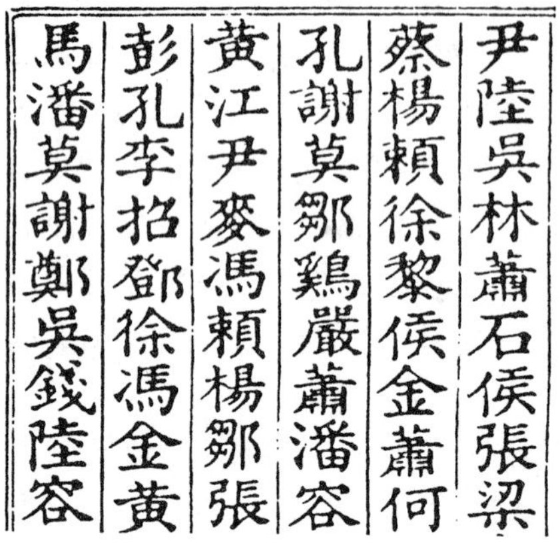

图 152
清道光末年(1850)广东佛山唐氏铸的锡活字,取自 Williams(1850)

第三节 评韩国发明金属活字说

一、评此说所据的物证

文献记载和出土实物证明,金属活字印刷于 11 世纪起源于中国北宋王朝,12 世纪已扩及南北各地,这时其他国家或地区既无铜版印刷,亦未铸出金属活字。然而,某些韩国学者提出金属活字印刷发明于韩国的观点,近年来反复在国内外宣扬其主张,以至在 1997 年 9~10 月在韩国召开的"东西方印刷史国际讨论会"(International Symposium on Printing History in the East and West)期间,韩学者提出中国和西方世界的金属活字技术是从韩国传入的③。这种观点能否成立,不可不辨。他们提出其主张的前提,是假定中国金属活字印刷是从 15 世纪明代时开始的,而实际上这个假定本身就是错误的,因为在明代以前 400 年的北宋已将铜活字大规模用于纸币印刷。其次,韩国学者并未能向国际学术界提供能证明该国在 11 世纪以前铸字的任何证据,因而认为中国金属活字技术从韩国传入的观点只是他们的一种

---

① Williams S W. Movable metallic-types in China. The Chinese Repository (Canton), 1850, 19:247~249
② Hirth F. Western appliances in the Chinese printing industry. Journal of the North China Branch of the Boyal Asiatic Society (Shanghai), 1886,20:166~167
③ Yun Byong-tae (尹炳泰). Significance of the invention of movable metal-type printing: Speech at the International Forum on the Printing Culture (Oct. 2, 1997, Ch'ongju, Korea)

愿望,而缺乏事实根据①。

这里首先分析一下某些韩国学者提出支持其观点的物证。其物证之一是1913年10月7日开城德寿宫博物馆从日本古董商赤星佐七(Akaboshi Sashichi)那里买到的一枚具有"褔"(fù,韩人读作 pok)字的铜铸字块(图153)。据说是从高丽朝(936～1392)陵墓中掘出的,但至今未见发掘报道,现藏于汉城国立中央博物馆。对此物的化学成分分析表明,含铜50.9%、锡28.5%、铅10.2%、铁2.2%及锌0.7%。据说这一成分与高丽肃宗七年(1102)起开铸的铜钱"海东通宝"相近。于是此物便被断为铸于1102～1232年间的"世界上现存最早的金属活字"②。

需要指出的是,此物没有任何时代特征,亦无伴出物,仅凭化学成分还不足以做出准确断代。经验告诉我们,化学成分相近的不同来源的某些铜器,不一定能证明是同一时期的产物。例如,有的西汉(前206～公元25)铜镜含铜69.24%、锡22.94%及铅6.98%,唐代(618～907)铜镜含铜69.55%、锡22.48%及铅6.0%③,二者成分颇为接近,但年代却相差达900年之久。唐代开元(713～741)铜钱与宋代熙宁(1068～1078)铜钱含铜、锡、铅、锌的百分比也相同④,但年代相差300年。类似事例,不胜枚举。

字块上的"褔"字为楷字反体,汉语读作fù,朝鲜语读作pok,是少用的冷僻字,或为"覆"字的异体,10世纪以后文献中少见。将这个孤立的字与时间跨度较大的早期和晚期版本中的楷字相比,可对其年代做出或早或晚的不同结论,但不会是准确的结论。韩国学者将其定为1102～1232年间之物,证据是不足的,且上下限时间差达130年。仅从化学成分和一个字的字体来断代,不会准确。

判断此物是否为印刷用的汉文活字,还要看它是否符合下列公认的技术标准和要求:(1)正面的字为阳文反体,正反面表面平整。(2)有字的正面呈正方形或长方形,各边角呈90°直角。(3)局部或全体字身为立方体或长方体,各边角也呈90°直角。(4)能与其他同样的字块在上下左右四面挤紧,以便排版。只有符合这些标准,才能用于排版、印刷,才能称之为活字。金属活字由型范铸成,脱范后稍经修整即符合标准,此标准是古今通用的,此物也不能例外。但韩国学者举出的物证不符合这些技术标准,从他们提供的该物图片

---

① 潘吉星,魏志刚.金属活字印刷发明于韩国吗?中国印刷(北京),1999(1):55～59; Pan Jixing, Wei Zhigang. Was metal-type printing invented in Korea? China Graphic Arts (Beijing), 1999(1):55 (English abstract)

② Sohn Pow-key (孙宝基). Early Korean Typography, new edition. Seoul: Po-chin-chai Co. Ltd., 1982.62～66

③ 周始民.考古记六齐的研究.化学通报(北京),1978(3):54～57

④ 王琎等.中国古代金属化学及金丹术.上海:上海科学技术出版社,1955.88～89

及说明①②③中可以看到其外形不整齐,正、反面长、宽尺寸各异,边角不呈 90°直角。字面歪斜不齐,背面有大的椭圆形凹槽(图 153),因而不具备活字所应有的形体特征,它是否为印刷用的铜活字是值得怀疑的。

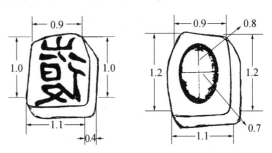

图 153

1913 年日本古董商售出的铜字块,韩国国立中央博物馆藏,取自千惠鳳(1997),单位为 cm

另一物证是 1958 年朝鲜开城满月台神凤门发现的具有"頪"字的铜字块(图 154),现藏朝鲜国立历史博物馆④。韩国学者认为此物化学成分与高丽铜钱相近,因之也主张它是 12~13 世纪所铸的铜活字⑤。然而从该物正面放大照片上可以看到,其形状更不整齐,既非正方形,亦非长方形,四个边角为 110°~130°,下边有 110°凹边,字的排列不居中,偏向一边,根本没有活字所应有的形体。"旃"(zhān)又是个少用的冷僻字,而"頪"根本不是字,此物自然也不能视为铜活字。以上二物都不是印刷用活字,年代又难确定,因此不能作为高丽朝中期(1088~1240)有铜活字的有效物证。

图 154

1958 年朝鲜开城发现的铜字块,朝鲜国立历史博物馆藏,取自孫寶基(1995)

我们再看看高丽朝中期有无铸字的可能性。李朝(1392~1910)科学家李圭景(1788~约 1862)写道:

铸字一名活字,其法之流来久矣。中原(中国)则布衣毕昇剏(创)活板,即活字之谓也。我东(朝鲜半岛)则始自丽季。入于国朝(李朝),太宗朝(1401~1418)

---

① 孫寶基[韓]. 韓國之古印刷. 朝文版. 漢城:寶晋齋,1982. 圖版 5
② 千惠鳳[韓]. 韓國書誌學. 朝文版. 漢城:民音社,1997. 264~267
③ 曹炯鎮[韩]. 中、韩两国古活字印刷技术之比较研究. 台北:学海出版社,1986. 34~35
④ 任正赫. 韓國の科學と技術. 東京:明石書店,1993. 52,圖 3
⑤ Sohn Pow-key (孫寶基). Invention of movable metal-type printing in Korea: Its role and impact on human cultural evolution. In: Korea's Printing and Publishing Culture in the World. Ch'ongju: Korean Publishing Science Society, 1995. 143

命铸铜字,而列圣朝所铸字样事实,一通载于内阁所印书籍之末,可征也。①

韩国学者过去和现在都像李圭景那样,一致承认其先民发展金属活字印刷时,首先通过宋人沈括《梦溪笔谈》介绍毕昇的活字技术之后,才掌握活字印刷思想的。韩国学者还承认通过半岛铸钱获得铸字的技术启发②,铸钱不但为铸字提供技术模式,还提供现成的合金材料。

不事先掌握活字印刷思想,在世界任何地方都不可能制出任何种类的活字,这是不言自明的。但活字印刷思想和铸钱技术并不是朝鲜半岛所固有,而是从宋代中国引进的,这个基本事实必须肯定下来。《高丽史·食货志》明确说肃宗七年(1102)始铸铜钱的鼓铸之法引自北宋③。**当高丽人 1102 年始铸铜钱海东通宝时,还没有掌握活字印刷思想**,因为《梦溪笔谈》在南宋孝宗乾道二年(1166)才首次由扬州州学教授汤修年在中国出版。韩国学者没有注意到这一事实,便将上述两个字块年代的时间上限定在 1102 年那样早,肯定是没有根据的。在 1102~1166 年间高丽人不可能铸出铜活字,这是显而易见的。只有《梦溪笔谈》传到半岛后,才有这种可能。而在 1161~1168 年间南宋用铜版和铜活字制成的会子印版,早在 1936 年已在中国发现。

二、评此说所据的文献证据

至于韩国学者所列举的早期文献证据,有高丽朝后期(1240~1391)翰林学士李奎报(1168~1241)代高丽高宗(1214~1259)时宰相崔怡(约 1175~1249)起草的《新印详定礼文跋》,作为韩国铸字印书的最早记载:

……至仁宗朝(1120~1146)始敕平章事崔允仪(1102~1162)等十七臣,集古今同异,商酌折中,成书五十卷,命之曰《详定礼文》,流行于世……予(崔怡)先公(崔忠献,1149~1219)乃令增辑,遂成(《详定古今礼文》)二本,一付礼官,一藏于家,其志远也。果于迁都之际(1232),礼官遑遽(慌忙),未得赍(jī,带)来,则几若已废,而有家藏一本得存焉。予然后益谙先志,且幸其不失,遂用铸字印成二十八本,分付诸司藏之。凡有司者,谨传之勿替,勿负予用志之痛勤也。月日某启。④

---

① 李圭景[朝鲜].五洲衍文長箋散稿(約 1862),卷廿四,鑄字印書辨證説,景印本,上册.漢城:明文堂,1982.699

② Sohn Pow-key(孫寶基). Introduction to the Korea's Early Printing Culture. Han Moon-yōng(韓文影), ed. Seoul: Korean Publishers' Association, 1973.5~6

③ 鄭麟趾[朝鲜].高麗史(1454),卷七十九,食貨志·貨幣,第 2 册.平壤:朝鮮科學院出版社,1958.607

④ 李奎報[高麗].東國李相國後集,卷十一,代晉陽公行新印詳定禮文跋.漢城:朝鮮古書刊行會,1913;金宗瑞[朝鮮].高麗史節要(1450),卷十.漢城:亞細亞文化社,1972.3

上述跋文题为《代晋阳公行〈新印详定礼文〉跋》,收入李奎报《东国李相国后集》卷十一,但该跋未署年款。从字面意义上看,铸字完成于1232年高丽高宗为避入侵其境内的蒙古兵锋芒而迁都至江华岛之后,韩国有的作者认为在1234年[①],有的说在1241年[②],都难以讲清楚。因为李奎报起草跋文时,称崔怡为"晋阳公",而郑麟趾(1395~1468)《高丽史》卷一二五《崔怡传》载,他在1234年始始封为晋阳侯,直到1242年才加封为晋阳公[③]。而李奎报又在这以前于1241年死去,不可能代晋阳公写跋文,这条史料本身就有矛盾。

韩国学者都认为《新印详定礼文跋》是李奎报代晋阳公崔怡写的,却没有注意到:(1)如果是李奎报起草,他就不该称崔怡为晋阳公;(2)如果称崔怡为晋阳公,就不该是李奎报代笔。二者不可得兼,但他们都不想舍弃,想兼而得之,这就使这条史料的可用性和可信性成了问题,依此很难确定铸字年代,因为1232~1241年间崔怡并不是晋阳公,此其一。其次,高丽王廷在蒙古大军压境,避难于江华岛的兵荒马乱时期,是否值得或是否有可能,只为分发28部《详定礼文》就在岛上铸大量金属活字来印此书?退一步说,即令高丽这时铸字,也比中国晚一百多年。

韩国学者广泛引用的另一史料,是崔怡为《南明证道歌》所作的跋,此书全名《南明泉和尚颂证道歌》。《证道歌》作者是中国唐代禅宗大师玄觉(约643~713),玄觉字明道,浙江温州永嘉人,以韵语形式阐述禅宗法门。后有浙江南明山法泉和尚又继续写颂。此书由北宋怡苍(今浙江丽水)人祝况于神宗熙宁九年(1076)刊行,宋刊本由宋商传入高丽,成为僧众了解禅宗要旨的入门书。《南明证道歌跋》(图155)写道:

> 天(夫)《南明证道歌》者,实禅门之枢要也。故后学参禅之流,莫不由斯而入,外(升)堂睹奥矣。然则其可闲(闭)塞而不传通乎?! 于是募工重彫(雕)铸字本,以寿其传焉。时巳亥(己亥)九月上旬,中书令、晋阳公崔怡谨志。[④]

上述跋文全文引自韩国中央图书馆一山文库藏本影印件,括号内的字是我们校改的。此跋与前述《详定礼文跋》一样,皆以崔怡名义执笔,不同的是此《证道歌跋》有年款"己亥",即高丽高宗二十六年、南宋理宗嘉熙三年(1239),且有"晋阳公崔怡谨志"之字样。韩国学者将文内"募工重雕铸字本",理解为崔怡1239年在江华岛招募工匠刻木版重刊铸字本《南明证道歌》,并由此认为1232年王廷迁入岛上之前,高丽就有了金属活字印刷[⑤]。但所谓崔怡"重刊本"及其

---

① 金元龍[韓].韓國古活字概要.朝文版.漢城:乙酉文化社,1954.5~9
② 尹炳泰[韓].高麗活字本的起源(朝文).圖協月報(漢城),1973(3):8~12
③ 鄭麟趾[朝鮮].高麗史(1454),卷一二五,崔怡傳,第3册.平壤:朝鮮科學院出版社,1958.637
④ 曹炯镇[韩].中、韩两国古活字印刷技术之比较研究.台北:学海出版社,1986.315
⑤ 孫寶基[韓].韓國印刷技術史.朝文版.漢城:高麗大學民族文化研究所,1981.995; Sohn Pow-key, Hamilton C. Book review on Kim Won-yong(金元龍)'s *Han-guk Kohwalcha Kaeyo* (韓國古活字概要, Seoul, 1954). Far Eastern Quarterly, 1955,51(1):155~157

所依据的"铸字本",都没有流传下来,人们不知原刊本及重刊本原貌如何、重刊本是否真有此跋以及崔怡是否写过此跋。

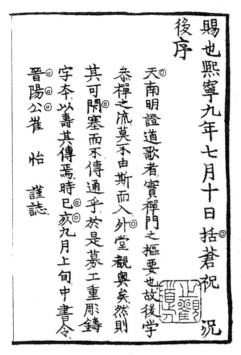

图 155
汉城中央图书馆一山文库藏《南明证道歌》后世木刻本之崔怡跋,引自曹炯镇(1986)

一山文库藏现传本为后世木刻本,在其书尾有崔怡上述跋。但现传本读起来疑点颇多。这个木刻本各行字排列不整齐,各字大小不一,笔画不流畅。于是它被解释为后世人摹刻崔怡"重刊本",而崔怡重刊本又摹刻"铸字本"。但这只是推测,尚欠证据。① 如果像韩国学者所说,现传本中的崔怡跋反映其重刊本原貌,那么问题就出现了。己亥年(1239)他是晋阳侯,怎能自封为晋阳公? 跋文共72字,怎能有这么多不该出现的常识性错字? 以崔怡名义写的上述二跋都在他还不是晋阳公时,为什么都提前几年戴上这个头衔? 这是有违史实的。

据《礼文跋》,韩国学者认为高丽铸字始于 1232 年迁都于江华岛**之后**(1232~1241);据《证道歌跋》,他们又认为铸字起于迁都**之前**(1200~1232)。用同一个崔怡名义写的跋,不但自相矛盾,还相互矛盾。这是无法调和的。如果同一个崔怡已用铸字印过书,他又为何不用现成铜活字印另一书,反而摹工重雕木版并摹刻铸字本? 这都是难以讲通的。这就使人们对两跋所述"铸字"一事有捕风捉影之感。

除一山文库藏《证道歌》后世木刻本外,汉城三省出版博物馆也有同样藏本②。将两本对比后,我们发现版式、字体完全相同,当是同一版本。但前书影保持原状,未加丝毫改变,与韩国向德国谷腾堡博物馆(Gutenberg-Museum)提供的书影一样。但后一书影却不见几个明显的错字(天改夫,外改升等)。为何

---

① 例如:曹炯镇[韩].中、韩两国古活字印刷技术之比较研究.台北:学海出版社,1986.44
② 千惠鳳[韓].韓國書誌學.朝文版.漢城:民音社,1997.238

不同机构收藏的同一版本书影会出现文字差异？这种差异应是在出版以后造成的，一山文库本出版后一直保持原貌，而三省本则在出版后有人做了技术改动，但改动得并不彻底，"闲"、"巳亥"、"括苍"这些错字，一仍其旧。高丽朝刊本以严谨称著，崔怡又是专权的宰相，以他的名义写的跋不应出现逻辑错误和常识性文字错误，因而现传本不能反映高丽时期真实情况。

如认为现传本反映崔刻本原貌，则崔怡是否写过跋就有疑问，文证成了反证。退一步说，即令勉强同意将此二跋作为高丽朝铸字的最早记载，其所提示的铸字时间仍比中国晚一二百年，金属活字技术也不可能起源于韩国。我们承认朝鲜半岛南北方人民对金属活字发展所作的贡献和发展金属活字技术的热情，在这方面他们虽起步于中国人之后，却比欧洲人先行 70 年。韩国境内出版的现存最早铸字本是 1377 年高丽清州牧(今忠清北道清州市)兴德寺刊《佛祖直指心体节要》，现藏巴黎国家图书馆①。最早记载是高丽朝进士郑道传(1335～1395 在世)1391 年向恭让王建议"欲置书籍铺铸字"②及中郎将房士良于同年上书请按中国钞法发行楮币③之事。这证明李圭景所说铸字始自丽季(14 世纪)，但大规模铸字始于 15 世纪初 1403 年朝鲜朝太宗新置"铸字所"之时。

---

① Courant M. Supplément à la Bibliographie Coréene, tom 1. Paris: Imprimerie Nationale, 1901. 70～72, no. 3 738
② 鄭道傳[高麗].三峰集,卷一,置書籍院鋪詩並序(1291).見:朝鮮弘文館編.增補文獻備考(1908),卷二四二,藝文考.漢城:亞細亞文化社景印本,1972
③ 鄭麟趾[朝鮮].高麗史(1454),卷七十九,食貨二·貨幣,第 2 册.平壤:朝鮮科學院出版社,1958.609

第五章 火药技术的发明

第一节 火药出现前的古代纵火武器

一、古代以弓弩发射的纵火箭

火是物体燃烧时所发出的光和焰,在自然界中由于长期干旱和雷电的闪击都可能造成森林和草原起火,火山的爆发也可能烧着周围的草木。在几十万年前的原始社会,当人类使用石器的时代,就已注意到火的威力和性能。从发现火到人工取火和用火,是人类史中的一个划时代的革命,这不但改变了人类社会,还改变了人类自身。在距今50万年前的北京周口店北京猿人遗址,就已发现利用火的痕迹,中国其他地区和外国的石器时代遗址也有类似情况。火的利用使人类第一次能支配自然力,结束了生食而进入熟食阶段,从而增强了人类的体质和智力。火还给人类带来温暖和光明,取得御寒和照明的手段并增强抵御野兽侵袭的能力。用火还可烧制陶器、冶炼金属,制造更好的生活用品和生产工具,用来发展农业和手工业,使人类逐步进入文明时代。

进入阶级社会以后,在世界各地还以纵火剂制成各种武器,运用于战争的攻守双方,此即火攻战术。公元前5世纪中国春秋(前770～前476)末期,大军事思想家孙武在《孙子兵法》十三篇中有《火攻》篇,其中写道:

> 孙子曰:火攻有五,一曰火人,二曰火积,三曰火辎,四曰火库,五曰火队。行火必有因,烟火必素具。发火有时,起火有日……凡军必知五火之变,以(度)数守之。故以火佐攻者明,以水佐攻者强……非利不动,非得不用,非危不战。主不可以怒而兴师,将不可以愠而致战。合于利而动,不合于利而止。怒可以复喜,愠可以复说(悦)。亡国不可以复存,死者不可以复生,故明主慎之,良将警之,此安国全军之道也。[①]

对上面一段古文,需要作适当解说。孙武说"火攻有五",指火攻要达到五个目的:(1)焚烧对方的有生力量——人,(2)焚其蓄积,(3)焚其辎重,(4)焚其府库,(5)焚其阵形的队伍,乘乱而击之。原文中"火人"、"火积"等中的"火",作动

---

① 孙武[春秋].孙子兵法·火攻第十二.百子全书本,第2册.杭州:浙江人民出版社,1984

词解,指焚烧、焚毁对方投入战争的人力和物力,就能克敌制胜。但纵火必须因势利导,如利用天旱、风向及对敌情的了解等,还要备足纵火器具,而且掌握好发动火攻的时机。军事当局应当知道五种火攻目的和形式的随时变化,利用科技知识确定火攻时机,还要严防对方进攻。火攻威力甚明,水攻之势更强。火攻杀伤性大,非有十分把握及万全之利,不轻易用之。……君主、将帅不可因怒兴师,当慎重行事。

古代最常用的火攻用具是纵火箭。战国(前475～前221)成书的《周礼》载有司弓矢之官,"掌六弓、四弩、八矢之法,辨其名物,而掌其守藏与其出入……凡矢,枉矢、絜(jié)矢,利火射,用诸守城、车战。杀矢、鍭矢用诸近射田猎;矰矢、茀矢用诸弋射(射鸟)。"据汉代经学家郑玄(127～200)注,8种矢中的枉矢和絜矢,就是纵火箭,即西文中所说的 incendiary arrows。郑玄说:"枉矢者,取名变星,飞行有光。今(汉代)之飞矛是也,或谓之兵矢。絜矢像焉,二者皆可结火以射敌守城、车战。前于重,后微轻,行疾也。"①

所谓"絜矢象焉"意思是说,絜矢之轻重与枉矢相像。由于这两种箭用于军事战争中,故又称"兵矢"。"前于重,后微轻"据唐代经学博士贾公彦解释,是指此兵矢与射杀鸟、兽的其他箭相比,前半部稍重(9/15),后半部略轻(6/15)。例如田猎用的杀矢、鍭矢前半部重量比为5/15,后半部为10/15。采取这样设计是为使纵火箭能飞行迅速而及远(图156)。周代枉矢、絜矢或汉代的兵矢在箭头处缚有小包,内放纵火剂,点燃后由弓或弩射出,引起燃烧。这正是《孙子兵法》所述达到火攻目的那种武器,可见其由来已久。

图 156
古代的纵火箭,潘吉星据敦煌石室156窟前室壁画改绘(2001)

在中国古代战争史中,使用纵火箭作攻守武器的战例不胜枚举。《三国志》(290)卷三载,魏明帝太和二年(228)冬十二月,蜀丞相诸葛亮(181～234)领兵攻魏陈仓(今陕西宝鸡市东),魏将军郝昭守城。刘宋人裴松之(372～451)对此加注时引鱼豢(220～290在世)《魏略》(约285)云,诸葛亮对郝昭劝降不成后,"乃进兵攻(郝)昭,起云梯、冲车以临城。昭于是以火箭逆射其云梯,梯然,梯上人皆

---

① 郑玄[汉]注.贾公彦[唐]疏.周礼注疏,卷卅二,夏官·司弓矢.十三经注疏本(1816),上册.上海:世界书局,1935.855～856

烧死……昼夜相攻,拒二十余日,亮无计救,至引退。"①《三国志》卷廿八又载,魏主于甘露二年(257)以诸葛诞镇寿春(今安徽寿县),因不满司马昭专政,于寿春起兵造反,投靠于吴。司马昭挟魏主攻诸葛诞,围寿春。甘露三年(258)正月,诸葛诞大造攻具欲突围,激战五六日。围军"临高以发石车、火箭逆烧破其攻具,弩矢及石雨下,死伤者蔽地"②。

唐初大将军李靖(571~649)《李卫公兵法·攻城战具》篇(7 世纪)指出,"火弩,以擘张弩,弩射及三百步者。以瓢盛火,缚矢端,以数百张中夜齐射敌营中刍草积聚"。又曰:"以小瓢(葫芦)盛油冠矢端,射城楼、橹板木上,瓢败油散,油散处火立燃,则楼、橹尽焚,谓之火箭。"③以弩机射纵火箭,比以弓射,既省力而射程又远。但必须众箭齐发,火力才能集中于目标。史载北齐河清三年(564)三月,北周兵犯洛阳,据柏谷城,齐令段韶退敌。柏谷城高,地势险要,段韶以火弩射城,鸣鼓而攻之,城溃敌败,断其援军来路,击退北周之来犯。④

二、古代的火炬、飞炬、火禽、火兽

《晋书》(635)卷四十二载,太康元年(280)晋水军将领王濬(206~286)自成都率军伐吴,"吴人于江险碛要害之处,并以铁锁横截之。又作铁锥长丈余,暗置江中,以逆距船。先是,羊祜获吴间谍,具知情状。(王)濬乃作大筏数十,亦方百余步,缚草为人,被甲持杖。令善水者以筏先行,筏遇铁锥,锥辄著筏去。又作火炬,长十余丈,大数十围,灌以麻油。在船前,遇锁,燃炬烧之,须臾,融液断绝,于是船无所碍。"⑤

将带有纵火剂的火炬投掷到对方营地者,称为"飞炬"。《后汉书》(450)卷四十七载,东汉光武帝建武十一年(35)大将军岑彭破蜀军于荆门(今湖北江陵),"(岑)彭乃令军中募攻,浮桥先登者上赏。于是偏将军鲁奇应募而前,时东风狂急。(岑)彭、(鲁)奇船逆流而上,直冲浮桥,而攒柱钩(令船)不得去,奇等乘势殊死战。因飞炬焚之,风怒火盛,桥楼崩烧,彭复悉军顺风并进,所向无前,蜀兵大乱,溺死者数千人。"⑥这种飞炬呈燕尾状,又名燕尾炬。《梁书》(635)卷卅九载,

---

① 陈寿[晋]著.裴松之[刘宋]注.三国志(290),卷三,魏志·魏明帝纪.二十五史缩印本,第 2 册.上海:上海古籍出版社,1986.13
② 陈寿[晋].裴松之[刘宋]注.三国志(290),卷廿八,魏书·诸葛诞传.二十五史缩印本,第 2 册.上海:上海古籍出版社,1986,1 159
③ 李靖[唐].李卫公兵法·攻城战具篇(7世纪).转引自:李昉[宋].太平御览(983),卷三二一,兵部五十三,第 2 册.北京:中华书局,1960.1 477
④ 李百药[唐].北齐书(636),卷十六,段韶传.二十五史缩印本,第 3 册.上海:上海古籍出版社,1986.2 531
⑤ 房玄龄[唐].晋书(646),卷四十二,王濬传.二十五史缩印本,第 2 册.上海:上海古籍出版社,1986.1 384
⑥ 范晔[刘宋].后汉书(445),卷四十七,岑彭传.二十五史缩印本,第 2 册.上海:上海古籍出版社,1986.104

梁太清二年(548)八月,东魏军阀侯景(503～552)刚刚降梁后,即拥兵于寿春反叛,十月逼至梁首都建业(今南京),梁帝令军师羊侃守城。时侯景"为尖顶木驴攻城,矢石所不能制。(羊)侃作雉尾炬,施铁镞,以油灌之,掷(木)驴上焚之,俄尽。"①施加铁镞是在特定场合下采取的措施,目的是使雉尾炬固着在木驴上引燃。

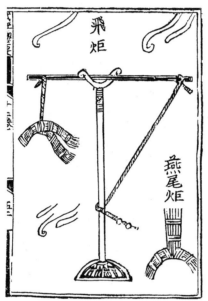

图 157 古代纵火武器燕尾炬,取自《武经总要》(1044)

李靖的《李卫公兵法·攻城战具》篇也谈到飞炬。此书虽佚,但曾被杜佑(735～812)《通典·兵典》(801)及李昉(925～996)《太平御览·兵部》(983)所引用。《李卫公兵法》云:"燕尾炬,缚苇草为炬,尾分两歧,如燕尾状。以油、脂灌之,加火。从城坠下,便骑木驴而烧之。"②北宋军事著作家曾公亮(998～1078)《武经总要·前集》(1044)卷十二称:"燕尾炬束苇草,下分两歧,如燕尾,以脂、油灌之,发火,自城上缒下,骑其木驴、板屋烧之。"③关于投掷方式,又称:"飞炬如燕尾炬,城上设桔槔(jiégāo),以铁索缒(zhuì)之,下烧攻城蚁附者"。

据《太平御览》(983)卷三二一引刘宋(420～479)人何法盛《晋中兴书》(5世纪)及《晋书》(646)卷八十三所载,东晋穆帝永和八年(352)将军殷浩奏请北伐,进取中原,屯兵寿春。次年(353)投晋的羌族将领姚襄(331～357)倒戈,殷浩令部将江逌(305～363)击姚襄,进兵至襄营,谓将校曰:今兵非不精,而众少于羌,且其堑栅甚固,难与校力,是当以计破之。乃取数百鸡,以长绳连之,脚皆系火,一时驱放,以兵遏后。群鸡骇散,一时飞过堑,并集羌营,皆燃,因其惊乱,纵兵击之,襄遂败退④⑤。这个战例说明,古人曾将携带纵火剂的动物驱赶到敌军营地,引起燃烧,在混乱之际发动进攻。这种火攻战术看来在实践中证明是有效的,因为史书中多次提到。

---

① 姚思廉[唐].梁书(635),卷卅九,羊侃传.二十五史缩印本,第3册.上海:上海古籍出版社,1986.2 081

② 参见:李昉[宋].太平御览(983),卷三二一,兵部五十三,第2册.北京:中华书局,1960.1 477

③ 曾公亮[宋].武经总要(1044)前集,卷十二,守城.见:中国古代版画丛刊,第1册.上海:上海古籍出版社,1988.648

④ 何法盛[刘宋].晋中兴书(5世纪).引自:李昉[宋].太平御览(983),卷三二一,兵部五十二,第2册.北京:中华书局,1960.1 476

⑤ 房玄龄[唐].晋书(646),卷八十三,江逌传.二十五史缩印本,第2册.上海:上海古籍出版社,1986.1 448

前述《李卫公兵法·攻城战具》篇指出："火禽，以胡桃（核桃）剖分空中，实艾火，开两孔，复合，系野鸡项下。针其尾而纵之，奔入草中，器败火发。"又说："磨杏子中空，以艾实之，系雀足上，加火。薄暮，群放，飞入城垒中栖宿，其积聚庐舍，须臾火发，谓之火杏矣。"①还有《武经总要·前集》卷十一有类似记载，但指出这些飞禽皆捕自敌境中②，放飞后仍回原处，还给出插图（图158）。胡桃为胡桃科落叶乔木（*Juglans regia*）之核果，呈椭球形或球形。艾为菊科多年生草本（*Artemisia argyi*），俗称艾蒿，取其叶晒干，捣碎成绒，成为艾绒，加入少许硫黄，是很常用的引火剂。野鸡学名雉，中国分布最广的是环颈雉（*Phasianus colchicus torquatus*）。

图 158
火禽，取自《武经总要》（1044）

除飞禽外，古代还用野兽携带纵火剂。《李卫公兵法》指出："火兽，以艾煴（yūn）火置瓢（葫芦）中，瓢开四孔。系瓢于野猪、獐、鹿项下，针其尾而纵之，奔入草中，器败火发。"《武经总要·前集》卷十一有同样记载，还提到"火牛"："古法也。用牛前膊缚枪，其刃向外。以桦皮、细草注尾上，驱其首向敌发火。其牛震骇前奔，敌众必乱，可以乘之。古有燧象、火马，其法略同，皆可度宜用之。"③（图159）獐（*Hydropotes inermis*）又称河麂（jǐ），哺乳纲，偶蹄目，鹿科，无角，雄性犬齿发达，形成獠牙，善跳跃。

中国古代纵火武器中，最有效和最常用的是纵火箭，因为它具有杀伤和燃烧两种功能，射程又较远，更重要的是能相对准确地击中目标，可攻可守，适合水陆作战，便于携带。但其缺点是所携带的纵火剂量少，为此古人将大量纵火剂用抛石机射出。路振（957～1014）《九国志》（1064）载，唐末天祐初年（904）郑璠（868～933）攻豫章（今江西南昌），"以所部**发机飞火**，烧龙沙门，率壮士突火，先登入城，焦灼被体，以功授检校司徒"④。许洞（976～1017在世）《虎钤经》（约1004）云："飞火者，谓火砲、火箭之类也。"⑤我们认为，郑璠在905年所用的"发

---

① 李昉[宋].太平御览(983),卷三二一,兵部五十三,第2册.北京:中华书局,1960.1477
② 曾公亮[宋].武经总要·前集(1044),卷十一,火攻.见:中国古代版画丛刊,第1册.上海:上海古籍出版社,1988.619
③ 曾公亮[宋].武经总要·前集(1044),卷十一,火攻.见:中国古代版画丛刊,第1册.上海:上海古籍出版社,1988.621
④ 路振[宋].九国志(1064),卷二,郑璠传.笔记小说大观本,第10册.扬州:广陵古籍刻印社,1983.11
⑤ 许洞[宋].虎钤经(约1004),卷六.丛书集成初编本.上海:商务印书馆,1935.4

机飞火",是用抛石机投射的纵火武器,或曰纵火机。它既非火药装置,亦非喷火装置。古时将抛石机称为"礮"或"砲",读作 pào,与"抛"音同,驾车以机抛石谓之礮。

图 159
火兽,取自《武经总要》(1044)

三、五代和北宋的猛火油机

古代最强烈的纵火武器是猛火油机,以石油成分为燃料,遇水而燃烧更炽。唐人李吉甫(758~814)《元和郡县志》(813)载,陇右道肃州(今甘肃)玉门县有石脂水出县南 180 里,燃之极明,水上有黑脂,人以草收取,用以涂囊及膏车。"周武帝宣政中(578),突厥围酒泉,取此脂水燃火,焚其攻具,得水益明,酒泉赖以获济。"可见至迟从 6 世纪南北朝起已将石油用作纵火剂在战场上获得成功。这条史料为化学史家章鸿钊(1878~1951)先生所注意[1]。因此种液态纵火剂燃之甚猛,古人又称猛火油。

"猛火油"(fierce fire oil)一词出现于 10 世纪五代(906~960)。《辽史》(1344)卷七十一载,辽太祖神册二年(917)吴主李昪(biàn,888~943)遣使来契丹,"献猛火油,以水沃之,愈炽。太祖选三万骑以攻幽州。(皇)后曰,岂有试油而攻人国者?"[2]《资治通鉴》(1084)亦载,917 年"吴王遣使遗(赠)契丹主以猛火油。曰:攻城以此油燃火,焚楼橹,敌以水沃之,火愈炽。契丹主大喜,即选骑三

---

[1] 章鸿钊.石雅(1921).2 版.北平:中央地质调查所重刊,1927.206
[2] 脱脱[元].辽史(1344),卷七十一·述律皇后传.二十五史缩印本,第 9 册.上海:上海古籍出版社,1986.6 886

万,欲攻幽州。述律后哂之曰:岂有试油而攻一国乎?……万一不胜,为中国笑,吾部落亦解体矣。契丹主乃止。"① 这说明10世纪时,南北不同地区都掌握了猛火油机技术,辽太祖耶律亿(字阿保机)本想以3万骑兵持此机攻幽州(今北京),受皇后劝告,一时乃止。但与此同时,后梁贞明五年(919)夏四月,吴越王钱镠(852~932)伐淮南吴国时却用上了猛火油机。他以其子钱元瓘(887~941)为诸军都指挥使,率战舰500艘与吴兵战于狼山(今江苏南通)水面。

钱元瓘命每船皆载灰、豆及沙,顺风扬石灰于吴船,吴人不能开目。两方船近时,元瓘使散沙于己船,散豆于吴船,吴人践之皆滑倒。元瓘再纵火焚吴船,吴兵大败②。纵火剂是什么呢?钱俨(937~1003)《吴越备史》(995)卷二指出是火油即石油:"火油得之海南大食国,以铁管发之,水沃其焰弥盛。武肃王(钱镠)以银饰其筒口。脱为贼中所得,必剥银而弃其筒,则火油不为贼所有也。"③因中国石油多产于北方及西北,故地处东南沿海的吴越从南洋购入,不一定购自阿拉伯④。南北朝周武帝时的石油纵火装置如何,史无记载。但五代吴越国所用的金属管状喷火装置,应当是后来猛火油机的油泵。

这种类似喷火器在南唐和北宋仍用于战场。据南唐人史虚白(894~961)次子所撰《钓矶立谈》(约979)所载,开宝八年(975)宋太祖命曹彬领兵攻南唐金陵(今南京),南唐将领朱令赟"独乘大船,高数十重,上设旗鼓,蔽江而下。王师(宋军)聚而攻之,矢集如蝟。(朱)令赟窘,不知所为,乃发急(机)火油以御之。北风暴起,烟焰涨空,军遂大溃,令赟死之。"⑤ 马令《南唐书》(1105)卷十七有类似记载,并称喷火装置为"火油机"⑥。吴处厚(1024~1094在世)《青箱杂记》(1070)卷八载,宋太宗"景德(1004~1007)中,河朔(黄河以北)举人皆以防城得官。而范昭作状元,张存、任并虽事业荒疏,亦皆被泽。时有无名子嘲曰:张存解放旋风砲,任并能烧猛火油。存后任尚书,并亦仕屯田员外郎,知要州卒"。⑦ 所有这些都指北宋人曾公亮(998~1078)《武经总要·前集》(1044)卷十二所述的猛火油机:

---

① 司马光[宋].资治通鉴(1084),卷二六九,梁纪四,下册.上海:上海古籍出版社,1987.1875

② 司马光[宋].资治通鉴(1084),卷二七〇,后梁纪五,下册.上海:上海古籍出版社,1987.1882

③ 钱俨[宋].吴越备史(995),卷二.四部丛刊续集·史部.上海:商务印书馆,1934.旧题作者林禹,实为钱俨

④ 张星烺.中西交通史料汇编.第3册,古代中国与阿拉伯之交通.北平:京城印书局,1930.102

⑤ 钓矶间客[宋].钓矶立谈(约979).笔记小说大观本,第10册.扬州:广陵古籍刻印社,1983.234

⑥ 马令[宋].南唐书(1105),卷十七.丛书集成初编·史地类.上海:商务印书馆,1935.117

⑦ 吴处厚[宋].青箱杂记(1070),卷八.笔记小说大观本,第2册.扬州:广陵古籍刻印社,1983.61

右放猛火油,以熟铜(黄铜)为柜,下施四足,上列四卷筒,卷筒上横施一巨筒(图160),皆与柜中相通。横筒首尾大,细尾开小窍(孔),大如黍粒。首为圆口,径寸半(4.61 cm)。柜旁开一窍,卷筒为口,口有盖,为注油处。横筒内有拶(zā)丝杖(活塞杆),首缠散麻,厚寸半,前后贯二铜束(铜管)约定。尾有横栿(柄),拐前贯圆捵(yǎn,圆盖),入则用闭筒口。放时,以杓自沙罗(过滤器)中挹油,注柜窍中,及三斤(1.7 kg)许。筒首施火楼(喷火口),注火药于中使燃,(昔时)发火用烙锥。入拶丝(杖)放于横筒,令人自后拔杖,以力蹙(cù,促)之。油自火楼中出,皆成烈焰。其挹注有碗、有杓,贮油有沙罗,发火有锥,贮火有罐。有钩锥以开筒之壅塞,有钤(钳)以夹火,有烙铁以补漏。遇柜、筒有隙漏,以蜡油膏补之。凡十二物,除锥、钳、烙铁外,悉以铜为之。①

图 160
《武经总要》(1044)所载猛火油机及附件

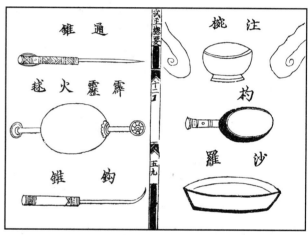

曾公亮还说,以此猛火油机可击退攻城者,"放猛火油中人皆糜烂,水不能灭。若水战,则可烧浮桥、战舰,于上流放之。先于上流簸糠秕、熟草以引其火"。根据说明和插图所示,猛火油机机身为长立方形铜柜,下有四足(最好是 4 个轮子,这样便于移动)。柜内装 4 个出油铜管,管上横放一粗筒,口径 4.61 cm。横筒尾部留一 1 mm 小孔,调节筒内气流。横筒内有一活塞杆,附有两个活塞,活塞外缠麻,使活塞口径与横筒内径贴紧。活塞长度相当两个出油管间的距离。活塞杆尾部有横柄,柄前有圆盖将横筒尾部封闭。横筒前有喷油阀及喷火口。铜柜旁有一注油管,管上有盖。用杓或碗将猛火油从贮油罐中取出,通过纱罗过滤将油注入柜内,盖紧盖子,一次可注入 3 斤(1.7 kg)油。推拉活塞杆,油从柜中通过铜管进入横筒,再压入经阀门进入喷油孔。以烧热的铁锥点燃,烈火就喷出。如铜管有漏缝,则以烙铁熔蜡补之。如管、筒内堵塞,可以钩锥将阻塞物取出。总共 12 个部件,除锥、钳、烙铁外,均为铜制。

但《武经总要》插图中没有绘出猛火油机的内部构造,其工作原理细节仍不

---

① 曾公亮[宋].武经总要·前集(1044),卷十二.见:中国古代版画丛刊,第 1 册.上海:上海古籍出版社,1988.652

清。戴念祖给出的猛火油机工作原理示意图(图 161),有助于解开其喷火的机制①。图中 M、N 为活塞,c、b 为附着在横筒内的后室喷油管道,a、b 分别为前后室的两个喷嘴阀瓣,d、e、f、g 为 4 个送油圆管。图 161-A 为活塞拉杆(拶丝杖)进入横筒前端的情况,前室的油经喷口 a 喷出,b 阀受外部空气压力而关闭喷口 b,同时后室产生局部真空,柜内油经管 f、g 进入后室。拉杆向后退时,图 161-B 中油管 f、g 依次被活塞 M 堵住,b 阀被油压冲开,后室的油经 c、b 管道喷出。同时因活塞 N 的后退,前室造成局部真空,a 阀关闭,柜中的油经 d、e 管进入前室。拉杆向前推时,如图 161-A 所示,活塞 N 堵住 e、d 油管,油压将 a 阀冲开,从 a 喷口喷油,而后室因突然真空将 b 阀关闭,柜内油又通过 f、g 进入后室。因此拉杆前后往复运动都能将油喷出,使之连续喷火。由此可见,猛火油机是单筒、单拉杆式双动活塞的石油压力泵。李约瑟也认为这是 double-acting double-piston single-cylinder force-pump for a liquid(双动-双活塞-单筒液体压力泵)②,虽然他没有讨论装置的内部结构。

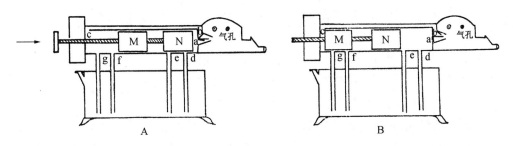

图 161
猛火油机工作原理示意图,取自戴念祖(1988)
M,N 活塞
c,b 附在横筒内的后室喷油管
a,b 分别为前、后室的两个喷嘴阀门
d,e,f,g 4 个输油圆管

宋以前的猛火油机也应当是这种装置,自不待言。《武经总要》谈到引燃时说,在喷油口处"注火药于中使燃",接下有小字注:"发火用烙锥。"这应理解为,早期猛火油机以烧红的铁锥引燃,使用了火药以后,改用由火药制成的缓燃火绳点燃。曾公亮编著《武经总要》时,火药已付诸应用,因此将新式引燃法记载下来。但这并不意味火药最初是应用在猛火油机上的,也不能由此认为宋以前的猛火油机是由火药火绳引燃的。李约瑟认为,中国 10 世纪以来盛行的猛火油机,很像拜占庭的希腊火(Greek Fire),而且认为希腊火是在 900 年(唐末昭宗光化三年)由阿拉伯人从海路传入中国的③,理由是,这时拜占庭皇帝在其军事著作中刚好谈到希腊火,而似乎中国没有喷出液体的活塞泵的技术传统,造不出猛火油机。对于这些意见看来还有进一步讨论的余地,仅陈述管见于下。

我们认为《武经总要》所述猛火油机,不过是对距北宋著此书时至少一个多世纪前,唐、五代之际(10 世纪初)中国早已存在并使用的石油纵火技术的追述

---

① 戴念祖.中国力学史.石家庄:河北教育出版社,1988.527~528
② Needham J, *et al*. Science and Civilization in China. vol.5, pt.7, The Gunpowder Epic. Cambridge University Press, 1986.82
③ Needham J, *et al*. Science and Civilization in China, vol.5, pt7, The Gunpowder Epic. Cambridge University Press, 1986.81,86

和概括,这种技术和机械装置是中国人自行研制的,不一定受希腊火技术的影响。因为中国汉代就发现石油及其可燃性,南北朝时已用于军事作战。唐、五代之际用金属管喷射的火油不可能是粘稠有色的原油(石漆),而应是经蒸馏加工成的粗制石油,这时中国拥有蒸馏技术,为炼丹家经常使用[1]。以大气压推动真空管中的水流,这种装置古称"渴乌",汉代时已经应用于引水,见《汉书·张让传》。杜佑(735~812)《通典》(801)卷一五七称,"以大竹筒雌雄相接,勿令泄漏,以麻、漆封裹,推过山外。就水置筒,入水五尺,即于筒尾取松桦、干草,当筒放火,火气潜通水所,即应而上。"

汉代凿井吸卤水所用的"水鞲",实际上就是唧筒或液体泵。由外筒、活塞及阀门组成,类似儿童玩的打水枪[2],古代时还用以救火。《武经总要·前集》卷十二云:"唧筒,用长竹,下开窍,以絮裹水杆(活塞),自窍唧水。"将渴乌、唧筒用于喷射火油,便制成猛火油机,只是因喷出的是火,所以器件由竹、木材料改成金属。所用的是早已固有的器形及工作原理,用不到从万里之外的西方去吸取灵感。用唧筒和以石油为纵火剂的装置,古代东西方人都可能不约而同地制出,不存在谁影响谁的问题。拜占庭统治者对希腊火严守机密,阿拉伯人掌握希腊火技术以前,中国猛火油机早已用于战场,而且《武经总要》已将其构造图公布出来。希腊火与猛火油机都用唧筒原理制成,但很难说二者外形及结构一致,猛火油机是中国式的,是中国人自行设计的。

火的破坏力在古代其他国家也被用于战争,火攻战术为人类各族所共有。公元前480年波斯人用绑有火炬的箭攻打希腊的雅典,希腊人在公元前429年在伯罗奔尼撒半岛(Peloponesos)战役中使用纵火箭,他们在公元前414年围攻德里乌姆(Delium)时以木炭、硫黄及沥青为纵火剂。公元前580年犹太人与费里斯蒂亚(Philistia)人作战中,捕捉300只狐狸,将火炬绑在其尾上,放入敌营,与中国火兽有异曲同工之妙。罗马帝国军队不但用纵火箭,还将火罐用抛石机投出,更使用火船。古代印度以纵火箭(*agni astra*)回击马其顿国王亚历山大在公元前326年的入侵[3]。

露出水面的石油同样为其他国家和民族用于火攻。罗马帝国学者普利尼(Pliny the Elder, 23~79)将其称为"可燃泥",阿拉伯人将原油称为 *naphtha*,712年在印度作战中用过,此后在十字军东征时多次用过。671~678年阿拉伯帝国与拜占庭多次交战中失利,原因之一是叙利亚人凯林尼科斯(Killinikos of Helliopolis)7世纪将研制出的石油喷火技术献给拜占庭帝国皇帝康斯坦丁四世(Constantine Ⅳ, 648~685),此即后世所说的"希腊火",它比阿拉伯人的"火罐"

---

[1] 曹元宇. 中国古代金丹家的设备及方法. 科学(上海), 1933, 11(1): 31~54
[2] 戴念祖. 中国力学史. 石家庄:河北教育出版社, 1988. 522~523
[3] 关于外国古代的纵火剂,详见:Partington J R. A History of Greek Fire and Gunpowder, ch. 1. Cambridge: Heffer & Sons, Ltd., 1960; Needham J, et al. Science and Civilization in China, vol. 5, pt. 1, Cambridge University Press, 1986. 65~68

(fire-pots)威力更猛。靠着这种武器的有效使用,拜占庭使其首都康斯坦丁堡免遭陷落。在拜占庭,只有皇帝、凯林尼科斯和少数皇族成员才知道希腊火的技术秘密。经过后人研究,得知希腊火是以石油为主要成分的液体混合物,借唧筒原理由金属管中喷火的装置。

纵观古代中外纵火剂,共同的缺陷是依靠空气中氧的助燃作用才能燃烧,因而火攻一方需要顺风纵火,受到天气和风向的制约。如果风向突变,反而可能自己被焚而失败,主动变成被动。前述南唐以猛火油机焚宋船,给对方很大威胁,但因突起北风,反烧己船,主将及官兵被烧死。古代纵火剂只能燃烧,不能爆炸,对坚固设防的城池,其破坏力有一定限度,且纵火武器在投掷过程中容易中途熄火,只适合近距离作战,不能远距离使用。纵火剂燃烧速度较慢,一般需一段时间才能造成预期效果,而兵贵神速,重在瞬间抓住战机,给敌人以迅雷不及掩耳之打击,纵火剂武器常常满足不了这一需要。鉴于以上这些不足,中国发明了火药和火药武器(以下简称火器,firearms),从而在战争史中谱写了新的篇章。

第二节　火药的定义和燃烧理论

一、火药的定义

已故英国剑桥大学的火药史专家帕廷顿(James Riddick Partington, 1886～1965)教授说得好:"研究火药史和火器史的任何作者,都必须极其小心地注意专家们使用的技术术语的含义。由于误用或弄错名称,有些作者在近代出版物中带来了很大的混乱。"[①]火药的威力是通过火器的使用而在战场上表现出来的,就火药的起源地中国而言,问题在于:当发明火药以后,某些火器的名称仍沿用古代纵火剂武器的旧名,于是出现了技术术语上的混乱。例如"火箭"(huo-jian)一词,在古书中同时指三个不同阶段的武器:(1)纵火箭(incendiary arrow),以弓弩射出的纵火剂武器;(2)火药纵火箭(gunpowder incendiary arrows or fire-arrows),以弓弩射出的火药箭;(3)火箭(rockets),借反作用原理以火药为发射剂而射出的箭,这才是名符其实的火箭。

同样,汉语中的"火砲*"也有三重含义:(1)由抛石机投射的纵火剂;(2)由

[①] Partington J R. A History of Greek Fire and Gunpowder. Cambridge: Heffer & Sons, Ltd., 1960. 266

* "砲"字在古代文献中有多种含义,自有火器,亦作"炮",但"砲"、"炮"字义有别,本书引用古代文献时保留原字,对古代文献作论述性表达时,为保持用字一致,亦用"砲"字,但对火器性质随时作出说明——作者

抛石机投射的火药包;(3)以火药为发射剂的金属筒形火器,又称"火炮",这是名符其实的火炮。但有时还将炸弹、手榴弹,甚至火箭也称为"某某砲"。同一术语"火枪"(huoqiang)指以火药为发射剂的竹管或金属管火器,也指火箭。所有这些用语上的混乱,造成许多陷阱,稍不小心就会对武器定性做出误断,这就为研究火药、火器史带来很大困难。判断某种武器是否为火器或何种火器,不能只从其名称的现代字面含义去理解,还要考虑到古书对其性能、构造和发射方式的叙述,并结合当时历史背景做综合研究,才能得出较为正确的结论。例如,在先秦文献中就有关于"火矢"和"砲"的记载,如果按其字面含义理解,做出先秦时已有火箭和火砲的结论,并认为火药起源于公元前,这肯定是错误的。不幸的是,在现代中外某些作品中就是这样做的,从而造成误导。

类似例子还有梁朝人宗懔(约 500~563)《荆楚岁时记》(550)云:"正月初一,清晨于庭前爆竹,可驱山臊恶邪",指烧青竹产生响声驱邪、逐鬼。但北宋有了火药以后制成的纸砲(firecrackers)仍称"爆竹",正月初一放纸砲的习俗沿继下来。如果将宗懔时代的"爆竹"理解为火药制品,显然是不对的。这种情况也同样发生于对外国古代文献术语含义的误解中。例如有的西方作者将印度古代梵文文献中的 vana(火矢)误解成 rocket(火箭),进而认为印度在公元前 300 年已制成火药和火箭,显然是不正确的。因为这个梵文术语具有火箭含义发生在 15 世纪以后①。这是同一术语表达不同时代性质迥异的不同武器的又一事例,必须作出严格区分。

在讨论火药起源以前,首先需要把"火药"这个术语的含义弄清楚,以便将它与古代中外各国使用的纵火剂区别开来。什么是火药呢? 1980 年版《辞海》解释说:"炸药的一类。可由火花、火焰或点火器材引燃,能在没有外界助燃剂的参与下进行迅速而有规律的燃烧的药剂。燃烧时放出大量的气体和热。最早应用的黑色火药俗称火药,是我国古代四大发明之一。"②此定义中没有提到火药的组成成分,将其称为"药剂"是不妥的,对"药"字应当另作解释才是。《中国大百科全书》对"中国古代火药"的解释是:"指以硝石、硫黄*、木炭为主要组分并在点火后能速燃或爆炸的混合物。称为火药,是指易着火的药;称为药,是因在古代中国硝石、硫黄以及火药本身都是列入药典的药物。现代黑火药就是由中国古代火药发展而来。"③其实没有必要在火药前冠以"中国"二字,因为其他国家古代火药也是如此。

---

① Gode P K. The History of Fireworks in India between 1400~1900. Bangalore, 1953. 19~20

② 夏征农主编.辞海,缩印本.上海:上海辞书出版社,1980.1 552

* 即 sulfur,古代文献中多作"硫黄",现"硫黄"与"硫磺"并用,多作"硫磺",如《现代汉语词典》作"硫磺",《辞海》作"硫黄",本书引用古代文献时保留"硫黄"原字,对古代文献作论述性表达时,为保持用字一致,亦作"硫黄"——作者

③ 周起槐,白木兰.火药.见:中国大百科全书·军事卷(1).北京·上海:中国大百科全书出版社,1989.423~424

因传统火药呈黑色,西方国家又将其称为黑火药(black powder),以有别于近代火药。因此火药专家解释说:"黑火药是所有现代炸药的前身,它是硝石、硫黄和木炭的混合物"①。或将其定义为"硝石、硫黄和木炭相混合而用于枪炮中的炸药"②。浏览各国百科全书和相关著作后,我们发现对火药给出的定义是各式各样的,有的专指近代的,有的泛指近代及古代,这里没有必要一一枚举。本书研究的火药,当然只限于中外古代的传统火药,即所谓黑火药,因而需要参考各家的提法,拟定一个适于本书研究对象的定义,使其能涵盖古代中外各国火药共同的特点,又与近代火药相区别。

我们认为传统上所谓的火药,指以硝石、硫黄和木炭按一定比例配合而成的混合物,引燃后放出大量气体和化学能,在无需氧的助燃剂参与下进行迅速燃烧,其化学能可做机械功,用于国防、工业和农业的目的。在这个定义中包括下列3个要素:(1)**组分**:它是硝石、硫黄和木炭按一定合理比例配制而成的混合物,可能呈膏状或粉状,还可能加入其他辅助剂,但硝、硫、炭是必不可缺的基本组分。(2)**性能**:引燃后,其燃烧是在没有外界助燃剂参与下迅速地进行,同时产生大量气体和化学能。(3)**用途**:其化学能可以做功,作为发射剂和爆炸剂在国防中用于制造武器,在工业中用于爆破、生产烟火,在农业中用于人工防雹等。只有满足上述3项条件或具备这些特征的物质,才能称为火药。

此处给出的定义,已经从组成、性能和用途3个方面将火药与古代纵火剂做了严格区别。汉语"火药"一词,见于1044年成书的《武经总要》中,从这以后一直用到现在。如果说古书对火攻武器用语上存在混乱的话,则"火药"一词却没有出现这种情况,对它不能有别的解释。其所以称为火药,是因为主要成分硝石、硫黄和木炭在中国古代用作医疗药物而载入医书和本草书中,又因这3种药混合后有起火的性能。但火药基本上并不是医疗药物,这是需要说清的。火药是人类第一次掌握的化学爆炸产物,是中国中世纪取得的一项最大成就。

为了区别古代纵火剂与火药,帕廷顿对它们的燃烧做了归类③,我们结合中国情况略加修改:(1)缓燃(slow burning),古代纵火剂:油类、硫黄、沥青、松香、干燥植物等,用作火炬、纵火箭等。(2)速燃(quick burning),古代改进的纵火剂:原油、蒸馏石油或沥青、猛火油,用作希腊火、猛火油机、火罐等。(3)爆燃(deflagration),初级火药(primary gunpowder):硝石、硫黄和木炭的混合物,有时含砒石、松腊和油类等附加剂,呈膏状,用作纵火箭、纵火球等,以机械力

---

① Urbanski T. Chemistry and Technology of Explosives, vol. 3, pt. 3, chap. 3. Oxford: Pergamon, 1967;欧育湘,秦保实译. 火炸药的化学与工艺学,卷3. 北京:国防工业出版社,1976. 258

② Webster's Collegiate Dictionary with Chinese Translation. Shanghai: Commercial Press, Ltd., 1923. 666

③ Partington J R. A History of Greek Fire and Gunpowder. Cambridge: Heffer & Sons, Ltd., 1960. 266

投射。(4)爆炸(explosion)，粒状黑火药：硝石、硫黄和木炭的混合物，有时配入附加剂，用作烟火、爆仗、火箭发射剂、炸弹等。(5)爆轰(detonation)，近代火药：含硝、硫、炭，以约 75∶10∶15 的比例配制的混合物细粉，在坚硬容器内点燃，产生巨响、硬壳爆裂、扩散，用做炸弹，也用于金属筒枪炮、火箭的发射剂。

在上述可燃物燃烧的五个级别或类别中，第 3 类已处于真正火药的范畴，这正是曾公亮 1044 年在《武经总要》中描述的火药，而且已处于实用阶段，其中给出的毒药烟球火药方含硝、硫、炭的重量比为 60∶30∶10，蒺藜火球火药为 61.5∶30.8∶7.7，而火砲火药为 60.1∶31.6∶8.3[①]。它们与第(5)类近代标准火药 75∶10∶15 相比较，主要差别是含硫量偏高，含炭量偏低(<10%)，自然硝的含量也相应降低，且呈膏状，不能成为发射剂，所以称为初级火药。但将其放入陶制或铁制密闭罐内，点燃后能产生很大声响、炸碎外壳，因而可制成炸弹。第 4 类是火药进一步发展后的产物，其成分应处于(3)与(5)之间，而且已呈粒状，这正是北宋南宋之际(12 世纪前半)制成的改进火药。应当说，在(2)与(3)之间还应有个原始火药(proto-gunpowder)的过渡阶段，即唐末至五代(9 世纪～10 世纪)炼丹家将硝石、硫黄及含炭物按不定比例混成的混合物，也能引起强烈燃烧。因其不含纯木炭，且缺乏明确配比，难以判断燃烧类别，只能称为原始火药。

比起古代纵火剂，火药的优越性在于：(1)它燃烧速度极快，又非常猛烈，易于点燃，适于快速作战的需要。(2)古代纵火剂需借人力或人力驱动的装置投射，射程短，而火药产生的推进力可将武器发射到更远距离，无需人力。(3)古代纵火剂需风(氧气)的助燃才能燃烧，只能顺风纵火，且在空中运行时易受气流作用而熄火。火药则自身燃烧，无需外界助燃，不受天气及风向影响，可逆风纵火。(4)火药能产生古代纵火剂不能产生的爆炸破坏力和可怕的巨响，摧毁坚固设防的城池和其他目标，杀伤更多的有生力量。(5)火器可大可小，能攻能守，适于步兵、骑兵和水军，可用于任何地形。火器的出现是人类武器史中划时代的革命。

二、古代火药燃烧理论

以下讨论关于火药的古代和近代燃烧理论。中国古代的火药燃烧理论是对火药生产经验的概括，也是试图指导生产的技术准则。这包括两个方面：一是解释药料中各个成分的作用，与火药配方有关；二是解释火药爆炸的原因。既然其原料都是药物，则早期火药理论受本草学理论的影响，就很自然。汉代成书的《神农本草经》云："药有君、臣、佐、使，以相宣摄。合和宜用一君、二臣、三佐、五

---

① 潘吉星.中国火箭技术史稿.北京：科学出版社，1987.12

使,又可一君、三臣、九佐使也。"①陶弘景(456～536)《本草经集注》(500)云:"用药犹如立人之制,若多君少臣,多臣少佐,则势力不周故也。"②用药当分主攻药、次攻药及辅助药,使其相互配合,发挥各自作用,达到综合疗效。张元素(12世纪)谈到用量时说:"为君者最多,为臣者次之,佐者又次之。"③

明初成书的兵书《火龙经》谈到硝、硫、炭在火药中的作用时写道:"火攻之药,硝、硫为君,火炭为臣,诸毒药为之佐,诸气药为之使。然必知药之宜,斯得火攻之妙。硝性主直(直发者以硝为主),磺性主横(横发者以磺为主)。炭性主火,……性直者主远击,硝九而硫一。性横者主爆击,硝七而硫三。"④《武备志》(1621)也认为:"硝则为之君,而硫为臣,本相须以有为。硝性竖,而硫性横,亦并行而不悖。惟灰(炭)为之佐使。"又说:"烈火之剂,一君二臣,灰、硫同在臣位。灰则武(臣),而硫则文(臣)……世直道而翻右武,时横行而乃尚斯文……灰、硝少,文虽速而发火不猛。硝、硫缺,武纵燃而力慢。"⑤这些兵书中的理论是13世纪以来流传下来的,在社会上广为流传。

根据以上说法,硝、硫、炭和其他辅助剂在火药中分别起着君、臣、佐使的作用。而硝为君,是火药的主宰成分,硝又主直发,故发射药中含硝量应多。硫为臣,作用仅次于硝,硫又主横发,故炸药中应含较多的硫。炭亦为臣,炭又主火,是燃烧剂。与《火龙经》比,《武备志》的说法更为典型,一君二臣,再加上若干佐使。硝量宜多,硫、炭量比硝少。但如果硝、炭少,硫虽速而发火不猛。硝、硫缺,炭纵燃而力慢。三者用量调解好后,君臣相互配合才能使火药燃烧达到预期效果。加入起佐使作用的辅助剂,可使火药有新的功能,如加入砒霜则产生毒气,加入铁粉使火焰产生特殊光泽。古代理论虽是朴素的,但来自生产实践,有一定科学依据,对生产起了某种指导作用。

本草学还认为"药有阴阳相配合"⑥,又有寒热湿凉四气及辛酸甘苦咸五味之别,相互配合协调。而硝性大寒,属至阴;硫性大热,属至阳。元代医家王好古(13世纪)《汤液本草》(1298)中的太白丹、来复丹,"皆用硫黄佐以消(硝)石,至阳佐以至阴"⑦。此即"配合造化,调理阴阳,夺天地冲和之气"。火药技术家也借用医药家这些概念解释火药的燃烧。明代人宋应星(1587～约1666)《天工开物》(1637)云:"凡火药,以硝石、硫黄为主,草木灰(木炭)为辅。硝性至阴,硫性至阳,阴阳两神物相遇于无隙可容之中,其出也,人物膺(承受)之,魂散惊而魄

---

① 顾观光[清]辑.神农本草经(1844),卷一.北京:人民卫生出版社,1956.17
② 转引自:李时珍[明].本草纲目(1596),卷一,上册.北京:人民卫生出版社,1982.45
③ 转引自:李时珍[明].本草纲目(1596),卷一,上册.北京:人民卫生出版社,1982.45
④ 旧题焦玉[明]著.火龙经(1311～1375),火攻法.清代抄本(中国科学院自然科学史研究所藏);此书有清咸丰七年(1857)抱朴山房刻本
⑤ 茅元仪[明].武备志(1621),卷一一九,火药赋.景印本,第6册.沈阳:辽沈书社,1989.5 081～5 082
⑥ 参见:李时珍[明].本草纲目(1596),卷一,上册.北京:人民卫生出版社,1982.45～46
⑦ 李时珍[明].本草纲目(1596),卷十一,上册.北京:人民卫生出版社,1982.663

齑(jī)粉。"①

在宋应星看来，硝、硫这类至阴、至阳的神奇物质在燃烧剂木炭辅助下之所以能爆炸，必须使它们相遇于较小的密闭空间之中，它们相互逼迫又无隙可容，才能释放出巨大能量和声响，人承受后便粉身碎骨。他还提出火药爆炸后产生有杀伤力的冲击波的早期概念。他在《论气》(1637)中写道："惊声或至于杀人者，何也？曰：气从耳根一线宛曲出而司听焉。此气出入业其口鼻分官，室则聋，梦则病，散绝则死。惊声之甚者，必如炸砲飞火，其时虚空静气受冲而开，逢窍则入，逼及耳根之气骤入于内，覆胆堕肝，故绝命不少待也。"②

用阴阳学说解释火药燃烧的还有《祝融佐治真诠》(火攻概论)，作者未署名，成书于清道光年(1821~1850)。书中说："窃思火药之法，通乎雷电。雷电出于地，此阴阳之气所激荡也。硫黄亦产于地，即阴阳之气所凝结也。阴阳之气升于天，则合为雷电；阴阳之气伏于地，则分为硝、磺(硫)。阴之性直而劲，硝得之；阳之性横而猛，磺得之。阴微则力不足以敌阳，故硝宜多。阳亢则势又易于消阴，故磺宜寡。而硝、磺不能自为发动，故复借炭以燃之。炭引以磺，磺托以硝，硝以喷弹，此火药之大略欤。"③这种解释从现代科学观点视之，已失去意义，但却是传统火药中颇能自圆其说者。前述作者没有求助于超自然力(如"火精"等)，而用阴阳说试图从自然现象自身解释火药燃烧及配比。在西方，近代合理的火药理论也只是从 19 世纪才趋于完善。

三、近代火药燃烧理论

根据现代科学理论④，火药中的 3 种成分确是起不同的作用。硝是氧化剂，炭是燃烧剂，而硫则是将硝、炭黏合起来黏结剂，使火药易存放和运输。但硫具有可燃性，也参与反应。硫可使火药爆炸后产生的气体增多，从而增大爆炸力。中国古人说"硫性主横"，有一定道理。无硫时，硝与炭只产生碳酸钾、氮和二氧化碳气体：

$$4KNO_3 + 5C \longrightarrow 2K_2CO_3 + 2N_2\uparrow + 3CO_2\uparrow$$

有硫时，产物又有更多的气体形成：

$$2KNO_3 + S \longrightarrow K_2SO_4 + 2NO\uparrow$$

---

① 宋应星[明].天工开物(1637).潘吉星译注.上海：上海古籍出版社,1992.189,306
② 傅野山房辑.祝融佐治真诠(约1845),卷八.清道光年木刻本.1
③ 傅野山房辑.祝融佐治真诠(约1845),卷八.清道光年木刻本.1
④ Urbanski T 著.欧育湘,秦保实译.火炸药的化学与工艺学,卷 3.北京：国防工业出版社,1976.267~271

硫还能降低火药的初速分解温度;但硫偏多会使燃烧速度降低,反而减少爆炸力。增加硝的含量,可提高燃速。发射药如枪炮、火箭火药要求燃烧完全,因此含较多的硝。古人说"硝主直"是有道理的。提高炭含量,可使碾压时间减少,但药性不强;减少炭含量,可提高药性,但碾压时间长。因此三者应有个合理的配比。现代国际标准火药成分含硝、硫、炭之比为 75∶10∶15,可用作发射药和炸药。10~11 世纪中国火药配比约为 60∶30∶10,含硫量偏高,硝量较少,但 12~13 世纪已达到 70∶10∶20 左右①,且呈粒状,与现代国际标准火药成分相近。三者的作用和用量说明,古人所说硝为君,硫、炭为臣,其他辅助剂为佐使这种形象比喻是有科学依据的。

现代燃烧机理的研究,是在火药发明与应用八百多年之后才开始的。18 世纪时有人研究火药的分解产物,但对燃烧机理的研究始于 19 世纪。1823 年,法国化学家盖吕萨克(Joseph Louis Gay-Lussac, 1778~1850)发现火药爆炸后的气体生成物有 52.6% 二氧化碳(CO_2)、5% 一氧化碳(CO)和 42.4% 氮(N_2),固体产物有硫酸钾(K_2SO_4)、碳酸钾(K_2CO_3)和硫化钾(K_2S)。还断定当火药密度为 0.9 时,产生的气体体积为装药量的 450 倍②。火药燃烧是物质的物理和化学能的迅速释放过程,在此过程中,由于物质状态的变化,爆炸点周围介质的压力和温度急剧增高,发生瞬间气体膨胀和音响,使周围介质遭到破坏。

继盖吕萨克之后,德国的本生(Robert Bunsen, 1811~1899)和俄国的希施柯夫(L. Shisbkov, 1830~1908)在 1857~1858 年对爆炸后产物成分和反应热作了研究。1875 年瑞典人诺贝尔(A. B. Nobel, 1833~1896)和英国人阿贝尔(F. Abel, 1826~1902)考察了黑火药在密闭器中的爆炸产物。次年,法国化学家贝特罗(Marcellin Berthelot, 1827~1907)推导出火药的分解反应式③。他假定有下列两种极限情况:

Ⅰ. 碳酸钾为分解主产物,硫酸钾为副产物:

$$2KNO_3 + 3C + S \longrightarrow K_2S + 3CO_2\uparrow + N_2\uparrow + 775 \text{ kcal/kg}^* \tag{1}$$

$$2KNO_3 + 3C + S \longrightarrow K_2CO_3 + CO_2\uparrow + CO\uparrow + N_2\uparrow + S + 600 \text{ kcal/kg} \tag{2}$$

$$2KNO_3 + 3C + S \longrightarrow K_2CO_3 + 1\frac{1}{2}CO_2\uparrow + \frac{1}{2}C + S + N_2\uparrow + 700 \text{ kcal/kg} \tag{3}$$

---

① 潘吉星. 论中国古代火药的发明及其制造技术. 见:科技史文集,第 15 辑. 上海:上海科学技术出版社,1989.38
② Gay-Lussac J L. Rapports de la Comité des Poudres et Saltpetres. Paris, 1823
③ Berthelot M. Compt. Rend. (Paris), 1876,82:478
* 此化学式及热量单位都是原作者在世时期所给出者,以下同此 —— 作者

1/3 火药按(1)式分解，1/2 按(2)式，其余 1/6 按(3)式分解。

Ⅱ. 硫酸钾为分解主产物，碳酸钾为副产物。反应按(1)、(3)、(4)和(5)式进行：

$$2KNO_3 + 3C + S \longrightarrow K_2SO_4 + 2CO\uparrow + C + N_2\uparrow + 730 \text{ kcal/kg} \quad (4)$$

$$2KNO_3 + 3C + S \longrightarrow K_2SO_4 + CO_2\uparrow + 2C + N_2\uparrow + 780 \text{ kcal/kg} \quad (5)$$

1/3 按(1)式分解，1/2 按(3)式，1/8 按(4)式，1/24 按(5)式分解。将上述各反应式合并，可写成符合各种情况的总的燃烧反应式[①]：

$$10KNO_3 + 15C + 5S \longrightarrow 2K_2CO_3 + K_2S + 2K_2SO_4 + 6\frac{1}{2}CO_2\uparrow$$
$$+ 3CO\uparrow + 4N_2\uparrow + 2S + 2\frac{1}{2}C$$

德布斯(H. Debus)1882 年提出含硝 77%、硫 11.7% 及炭 11.3% 的火药的下列总反应式：

$$16KNO_3 + 5S + 21C \longrightarrow 13CO_2\uparrow + 3CO\uparrow + 8N_2\uparrow + 5K_2CO_3 + K_2SO_4 + 2K_2S$$

比容 $V_0 = 225$ L/kg，热效应 $Q_V = 740$ kcal/kg。

其他人给出不同的式子，如艾斯库尔斯(R. Escules)提出，1 kg 火药爆炸后，可生成 0.564 kg 固体和 0.434 kg 气体。1921 年德国的卡斯特(H. Kast)对黑火药做了综合研究，导出下列总反应式[②]：

$$74KNO_3 + 30S + 16C_6H_2O(木炭)$$
$$\longrightarrow 56CO_2\uparrow + 14CO\uparrow + 3CH_4\uparrow + 2H_2S\uparrow + 4H_2\uparrow$$
$$+ 35N_2\uparrow + 19K_2CO_3 + 7K_2SO_4 + 2K_2S + 8K_2S_2O_3$$
$$+ 2KCNS + (NH_4)_2CO_3 + C + S + 665 \text{ kcal/kg}$$

1952 年英国的布莱克伍德(J. D. Blackwood)和波登(F. P. Bowden)研究了火药点火和燃烧机理，分别考察了二元混合物($KNO_3 + S$，$S + C$ 和 $KNO_3 + C$) 的反应机理：

硫与木炭中的有机物反应：$S + 有机物 \longrightarrow H_2S$ （6）

硝与有机物反应：$KNO_3 + 有机物 \longrightarrow NO_2$ （7）

可能发生下列反应：

$$2KNO_3 + S \longrightarrow K_2SO_4 + 2NO \quad (8)$$

[①] Urbanski T 著. 欧育湘, 秦保实译. 火炸药的化学和工艺学, 卷 3. 北京：国防工业出版社，1976. 267~271

[②] Kast H. Sprengstoff und Zündstoffe. Braunschweig: Vieweg & Sohns, 1921

$$KNO_3 + 2NO \longrightarrow KNO_2 + NO + NO_2 \qquad (9)$$

$$H_2S + NO_2 \longrightarrow H_2O + S + NO \qquad (10)$$

当有 NO_2 时,(10)式一直反应到 H_2S 为止,NO_2 始按(11)式与未耗尽的 S 反应:

$$2NO_2 + 2S \longrightarrow 2SO_2 + NO_2 \qquad (11)$$

SO_2 与 KNO_3 反应:

$$2KNO_3 + SO_2 \longrightarrow K_2SO_4 + 2NO \qquad (12)$$

(10)与(11)式为吸热反应,(12)式为强放热反应,(6)至(12)式构成点火过程。他们认为火药起燃时,主要是炭被硝石所氧化。

根据各项研究,火药燃烧是相当复杂的过程,其爆炸性与组成有密切关系。燃烧特点是释出大量反应热,干火药的爆炸热为 $740 \pm 15\ kcal/kg$。当此反应能转变成机械功时,便产生推动力,使火箭升空或将弹丸射出,或将弹壳炸碎。反应热越大,反应速度就越快,爆炸力也越大。火药一般在 $10^{-3}s \sim 10^{-6}s$ 内就实现能量的瞬间释放,可见其反应速度之快,比普通可燃物的能量密度大数百至数千倍。单粒火药在大气压下的燃速为 $0.4\ cm/s$,火焰以 $60\ cm/s$ 的高速沿药粒轴线方向传播[1],因而火药在古代是一种威力无比的燃烧爆炸物质。火药对冲击和摩擦非常敏感,当受到 $2\ kg$、落高 $70\ cm \sim 100\ cm$ 的落锤撞击时,即发生爆炸。其发火点为 $250\ ℃ \sim 300\ ℃$,是很容易引燃的。

第三节　为什么火药发明于中国

一、中国最早利用和提纯硝石的史实

大量可靠的文献记载和实物证据证明,中国是火药和早期火药武器的起源地。为什么火药发明于中国而不是其他国家或地区? 这是需要阐明的。阐明这个问题也就揭示了中国发明火药的历史背景。根据中国古代的火药燃烧理论,在火药中硝为君,硫为臣,二者是主要成分,而硝尤为重要。帕廷顿说:"发明火药的第一个步骤,必须是发现制成纯粹硝石的有效过程。"[2]而中国正是世界最

---

[1] Urbanski T. Chemistry and Technology of Explosives. Translated from the Polish, by Jeczalikov L et al., vol. 3, chap. 3. Oxford: Pergamon, 1967; Urbanski T 著. 欧育湘,秦保实译. 火炸药的化学与工艺学,卷 3. 北京:国防工业出版社,1976. 270~271

[2] Partington J R. A History of Greek Fire and Gunpowder. Cambridge: Heffer & Sons, Ltd., 1960. 314

早利用和提纯硝石的国家。从硝和硫的发现、利用、提纯和对其性能的认识，从发现硝、硫和木炭混合物的燃烧、爆炸性到利用、改善这些性能，制成军用火攻武器，在中国经历了漫长的历史过程。这个过程充分显示了中国文化传统特征，是发明火药的主要原因。

硝石(saltpeter)学名硝酸钾(potassium nitrate)，化学式 KNO_3，分子量 101.11，斜方晶系，天然产者呈针状或毛发状集合体，人工加工者为假六方晶系的柱状晶体，白色晶粒，透明，性脆，有凉、咸和辣味，比重 2.1～2.2，硬度 2，熔点 333 ℃，分解温度 400 ℃，分解后释出氧，因而是氧化剂。硝石易溶于水，pH 值为 7[①]。以其入水后即消失，又能与其他金石共熔，故古人最初将其称为"消石"(solvestone)。现代科学研究已查清了天然硝石生成的原因。我们知道，所有生物体的蛋白质含 17% 氮，而硝酸盐是植物从空中固定的氮转化而成的制造蛋白质的原料。植物是食草动物的食物，食草动物又是食肉动物的食物，食草动物、食肉动物的排泄物、尸体以及植物自身腐败后，发生复杂的生物化学变化，将其所吸取的氮以氨(NH_3)和铵(NH_4)盐形式返还给土壤，在亚硝酸菌(*Nitrosomonus*)和硝酸菌(*Nitrobacter*)作用下最终变成硝酸盐[②]，而存在于土中。硝石就是这样形成的。

天然硝石多出现于有人畜粪便的地方、房屋的下部、墙脚、污秽的阴湿处、居住区附近的地面和牲畜圈等处。每年春季和秋冬之际，在上述地方便出现白霜，扫取后即得粗料硝石。因其中含有碳酸钙($CaCO_3$)、食盐(NaCl)及土等杂质，必须再加工、提纯才能使用。李时珍(1518～1593)《本草纲目》(1596)卷十一载，"生消石，诸卤地皆产之，而河北庆阳诸县及蜀中尤多。秋冬间遍地生白，扫取煎炼而成。"[③]方以智(1611～1671)《物理小识》(1643)卷七曰："硝，皆地出……小溲蚀土物，久者可炼取硝，则硝乃咸气所成者也。凡五更扫洁地，皆可取硝，而偎墙边为易取耳。"[④]硝石虽南北各地都有，但北方黄河流域及华北所产质量更好，提硝的历史也最久。

除中国以外，印度、波斯和欧洲也存在天然硝石，但只有中国最先从众多的自然矿物质材料中辨认出硝石，了解其物理、化学性质并进而找到其实际用途。这是件很困难的事，不但需要大胆而耐心的实际探索，还需要深思熟虑和仔细观察。硝石的发现是科学研究和实验后理性思维的产物。与其他物质如金银或硫黄不同，硝石不可能由远古时人自发地发现，因而在先秦古籍如《山海经》等书中没有著录，外国古籍也是如此。秦汉以后，由于医药学和炼丹术(alchemy)的发展，医药学家在寻找新的药物的过程中发现硝石有药用价值，便大胆地将其服用。炼丹家也发现硝石有助于炼出丹药。因而硝石在二千多年间一直是中国医

---

① 刘友樑. 矿物药与丹药. 上海：上海科学技术出版社, 1962. 115～117
② Nekrasov B V 著. 张青莲等译. 普通化学教程, 中册. 上海：商务印书馆, 1954. 390～391
③ 李时珍[明]. 本草纲目(1596), 卷十一, 石部, 上册. 北京：人民卫生出版社, 1982. 650
④ 方以智[明]. 物理小识(1643), 卷七, 下册. 万有文库本. 上海：商务印书馆, 1937. 176

药学和炼丹术这两门学科的研究对象。

现在还不能确定中国发现硝石的确切时间,但有证据显示,至迟在公元前 3 世纪末秦汉之际硝石已被用作药物。1973 年,湖南长沙市马王堆三号西汉墓中出土帛书医方,高 24 cm,记载治疗 52 种病的 270 多条医方,无书名,整理者名之为《五十二病方》(图 162)。该墓葬于汉文帝初元十二年(前 168),墓主为长沙丞相轪(dài)侯利苍之子[1]。经专家释文,其中《治诸伤》方中有"稍(消)石直(置)温汤中,以洒痈"[2]之句,意思是"将消石置入温水中,用以洗涤脓疮"。此古方还见于唐代医学家王焘的《外台秘要》(752)中。《五十二病方》用篆字写成于秦汉之际(前 3 世纪末)[3],类似战国时楚国文字,是中国现已发现的最古医方,也是有关硝石的最早的可靠文献记载。

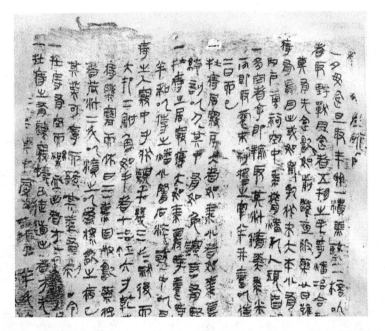

图 162
1973 年长沙马王堆三号西汉墓出土的《五十二病方》,取自《文物》,1975,(a)

汉代史学家司马迁(前 145～前 86)《史记》(前 90)卷一〇五《扁鹊仓公列传》载,战国末期齐国名医仓公,即淳于意(约前 216～前 150),为齐国都城临淄(今山东淄博)王美人治病时用过硝石:"菑(zī,淄)川王美人怀子而不乳,来召臣(淳于)意,臣意往,饮以莨䓖药一撮,以酒饮之,旋乳。意复诊其脉,而脉躁,躁者有余病,即饮以**消石**一齐(剂),出血如豆,比五、六枚。"[4]这是中国医生于公元前 3～前 2 世纪以硝石治病之又一例。从东汉医学家张机(字仲景,150～219)《金匮要略》(219)中再次看到使用硝石的传统。如"大黄消石汤"治黄胆病腹

---

[1] 湖南省博物馆,中国社会科学院考古所.长沙马王堆二、三号汉墓发掘简报.文物,1974(7):39～48

[2] 马王堆汉墓帛书整理小组.马王堆汉墓出土医书释文(二).文物,1975(9):36

[3] 马继兴,李学勤.五十二病方.北京:文物出版社,1979.33,180～181

[4] 司马迁[汉].史记(前 90),卷一〇五,扁鹊仓公列传.二十五史缩印本,第 1 册.上海:上海古籍出版社,1986.311

胀、小便不利；"硝石矾石散"治妇女黄胆兼瘀血①。前一方中含大黄、黄柏、硝石及栀子，以水煮取；后一方中含硝石、矾石（硫酸钾铅，$KAl(SO_4)_2$），以大麦粥汁送下。

另一方面，西汉炼丹家从事大量化学实验，其目的是人工合成丹药，服食后可延年益寿。他们发现将硝石溶解在浓醋（乙酸，CH_3COOH）中，利用硝石的氧化性并在微生物作用下，可使溶液提高对某些物质的溶解能力。这类水法反应载入《三十六水法》中，该书是西汉淮南王刘安（前179～前122）招募的左吴、李商等八位炼丹家（"八公"）传下来的。他们作为刘安的门客，在王府内为他炼制丹药。李约瑟及其合作者对《三十六水法》作过研究，注意到这些水法反应有一半以上的配方使用硝石和醋②。经陈国符考证，此书乃汉代古籍③，其中所传的一些方法是公元前2世纪中国炼丹家使用过的。

今本《三十六水法》收入明正统年刊《道藏》(1445)，1926年由上海涵芬楼影印。书中列举矾石水、雄黄水、雌黄水、丹砂水、曾青水、白青水、胆矾水、慈石水、硫黄水、消石水等水法（图163）。如《雄黄水法》写道："雄黄水：取雄黄（AsS）一斤，纳生竹筒中，硝石（KNO_3）四两，漆固（筒）口，如上纳华池（醋）中，三十日成水。"又"雌黄水：取雌黄（As_2S_3）一斤，纳生竹筒中，加硝石四两，漆固（筒）口，纳华池中，三十日成水"。④将雄黄或雌黄与硝石放入新竹筒中，密封筒口，置入醋中。醋可渗入竹筒内，但三十日后能否使雄黄或雌黄溶解，当另作讨论。我们这里引用《三十六水法》配方的目的，是说明硝石被汉代炼丹家经常用作为化学实验的试剂。

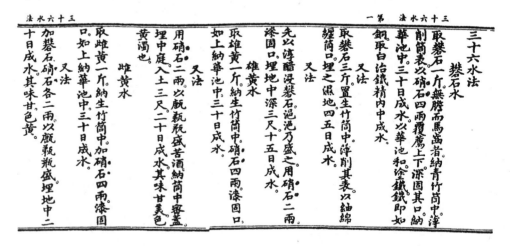

图163
西汉炼丹术著作《三十六水法》中用硝石之方，取自正统年刊《道藏》(1445)

---

① 张机[汉]著．王渭川注．金匮心释．成都：四川人民出版社，1982.175,178
② Needham J, Ts'ao T'ien-Ch'in, Ho Ping-Yu. An early mediaeval Chinese alchemical text on aqueous solutions. Ambix (Leicester, England), 1959,7(3):122 ff
③ 陈国符．道藏经中的外丹黄白法经诀出世朝代考．见：李国豪等主编．中国科技史探索．上海：上海古籍出版社，1986.315～316
④ 见：正统道藏(1445),洞神部．众术类，景印本，总第597册．上海：涵芬楼，1926

以硝石为口服药的医方,还见于出土的汉代木简中。1972年11月,甘肃武威县柏树乡在旱滩坡兴修水利时,发现一座东汉早期(25~88)墓,出土医药木简91枚,包括《治百病方》,方中多次利用硝石入药①。这批木简直高23 cm~23.4 cm(合汉代1尺),宽1 cm或0.5 cm,共77枚。另有牍板14枚,高22.7 cm~23.9 cm,宽1.1 cm~4 cm。《治百病方》为木简内容,其中第46~47号木简写道:"《治伏梁裹脓在胃肠之外方》:大黄、黄芩、勺(芍)药各一两,**消石二两**,桂一尺//。桑卑肖(桑螵蛸)十四枚,䗪(蚕)虫三枚。凡七物,皆父且(㕮咀)渍以淳酒五升,卒时(一昼夜煮之。三……)"(图164)。"伏梁病"在《黄帝内经》中称不治之症,此方突破这一观念,认为仍有救。第86号牍板正面写道"《蒑(恶)病大风方》:雄黄、丹沙(砂)、礜石□兹(慈)石、玄石、**消石**//长□一两,人参……捣之各异。斯//……三重盛药……三石称……三日"②。大风即麻疯病。

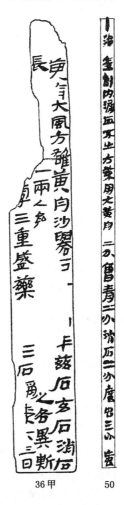

图164
1972年甘肃武威出土医药汉简中用硝石之方,取自《武威汉代医简》(1975)

如前所述,中国自秦汉之际(前3世纪)以来医药学家所用的硝石是作为口服药和外科药而载入史册的。而炼丹家炼出的丹药也是为了口服,达到"久服轻身成仙"的目的。这就要求硝石必须是去掉杂质的纯品,因此可以说自公元前3世纪起,在发现硝石的特殊性能并将其用作药物时起,就掌握了硝石的提纯技术,即将粗硝溶液煮沸,借再结晶法(recrystallization method)制成纯硝石的技术。此后二千多年来一直如此,从而构成中国医药文化的一个独特的景观,我们可从历代本草学著作中清晰地看到其传承脉络。早在东汉时,提纯硝石的作坊就已形成较大规模,以至汉政府规定在夏至(6月21或22日)以后禁止煮硝,直到立秋(8月7或8日)后才能恢复生产。《后汉书》卷十五《礼仪志》就此写道:"日夏至,禁大火。止炭鼓铸,消石冶皆绝止,至立秋如故事。"③此禁令能否在民间贯彻且勿论,至少说明在公元前后中国提纯硝石的生产已具规模。

中国最早的药物学著作,是两汉之际(前1世纪)成书的《神农本草经》。《汉书》卷九十二《楼护传》载,楼护字君卿,齐(今山东)人,父世医,"少诵医经、**本草**、

---

① 甘肃省博物馆,甘肃武威县文化馆.武威旱滩坡汉墓发掘简报.文物,1973(12):18~21

② 甘肃省博物馆,武威县文化馆合编(党寿山执笔).武威汉代医简.北京:文物出版社,1975.图版7a,9a,摹本、释文7ab,16ab

③ 范晔[刘宋].后汉书(445),卷十五,礼仪志,二十五史缩印本,第2册.上海:上海古籍出版社,1986.809

方术数十万言"，后学经传，新莽时(8～23)封息乡侯，因而《神农本草经》成于西汉末，当无疑义①。书中载药365种，分上、中、下三品，硝石列入《玉石部·上品》。但不像西汉那样称为"消石"，而是称为"朴消"，同部中的"消石"则不指硝酸钾，而指硫酸钠($Na_2SO_4 \cdot 10H_2O$)，从而出现了名称上的混淆。书中谈到这两种"消"时写道：

朴消：味苦，寒，无毒。主百病，除寒热邪气，逐六府(腑)积聚，结固留癖。能化七十二种石。炼饵服之，轻身神仙。

消石：味苦，寒。主五藏(脏)积热，胃胀闭。涤去蓄结饮食，推陈致新，除邪气。炼之如膏，久服轻身。②

从以上叙述中可以看出，《本草经》已经总结了秦汉以来本草学和炼丹术对一些药物的研究成果。判断此处所引这两种药的化学成分，可根据对其性状的描述，不必为名称所困惑。"能化七十二种石"含有两层意义：一是指在此药的参与及作用下，通过水法反应将一些(不一定是72种)难溶物质溶化，如《三十六水法》中所述者；二是指在火法反应中，以此药为助熔剂，可与其他金石共熔。在这两种场合下，只有硝酸钾有此功能，而硫酸钠起不了这种作用，因此《本草经》中的"朴消"指的应是硝酸钾。"炼之如膏"，既可理解为硝酸钾在330℃以上的熔融过程，也可理解为306℃以上的硫酸钠脱去结晶水的过程，然而从二者的药性和化学性质的对比而言，此处似应指后一过程。因此《本草经》中的"消石"指硫酸钠，"朴消"指硝酸钾。

像《本草经》那样将硝石称为"朴消"，并非汉代的普遍现象，当时一些医生仍用"消石"一词指硝酸钾，如出土的汉代帛书、木简医方中就是如此，名医淳于意、张机等人也是如此。硝酸钾发现在前，外观与它相近的硫酸钠发现在后。中国幅员辽阔，各地人对硝石有不同称呼，在所难免，但医生们使用硝石则是肯定的。尽管如此，关于消类药物名称上的混淆情况还是需要澄清，对《本草经》所述，需要进一步研究。在这方面，魏晋医生撰辑的《名医别录》(3世纪)和吴普(150～230在世)《本草》(约235)对《神农本草经》中消石、朴消加注说，"消石一名芒消"、"朴消一名消石朴"，但这种解说看来并未奏效。

直到梁朝大医药学家陶弘景(456～536)《本草经集注》(500)之书出，名称辨别工作才出现新的转机。陶弘景对《本草经》及魏晋人关于消石名称的说法提出置疑。他通过科学实验和实地调查，清楚地认识到汉人所说的消石指今天我们所说的硝酸钾，虽外观与朴消(硫酸钠)大同小异，但性质不同，不应混淆用词。他写道：

---

① 俞慎初.中国医学简史.福州：福建科学技术出版社，1983.52
② 顾观光[清]辑.神农本草经(1844)，卷二.北京：人民卫生出版社，1956.25

消石(KNO_3)疗病亦与朴消($Na_2SO_4 \cdot 10H_2O$)相似,仙经(炼丹术著作)多用此消化(溶解)诸石,今无(真)正识别此者。顷来寻访,犹云与朴消同出,所以朴消名消石朴也。如此,则非一种物。先时,有人得一种物,其色理与朴消大同小异,肺肺(fěi,光亮)如握雪不冰。**强烧之,紫青烟起,仍成灰,不停滞如朴消,云是真消石也**。此又(有人)云一名芒消,今芒消乃是炼朴消作之,与后(世)皇甫(谧)(215~282)说同,并未得窍研其验,须试效,当更证记尔。化消石法,在《三十六水方》中。陇、西蜀、秦州、长安、西羌,今宕昌以北诸山有咸土处皆有之。①

上述《本草经集注》内容取自《新修本草》(659)8世纪写本和《证类本草》(1108)1205年刻本的引文,并加以对校。陶弘景还同时是炼丹家,有丰富的化学知识,他鉴于人们没有真正识别硝酸钾与硫酸钠,便将二者分别焙烧,发现前者熔化(333 ℃)后,继续升温(400 ℃)时放出气体,不停地冒泡。再强烧之,出现紫色火焰,最后变成灰,这才是真消石。而后者稍一加热即液化,结晶水放出后,再继续烧,并不放出气体或冒泡,自然很难出现火焰,因为硫酸钠熔点高达885 ℃,至1430 ℃才沸腾。"不停沸如朴消",意思是说强烧后,硝酸钾不像硫酸钠那样停止冒泡,而是继续放出气体,直至成灰(K_2O)为止。而硫酸钠脱去结晶水成无水硫酸钠后,在同样情况下并不冒出气泡。现在我们知道,钾盐火焰呈紫色,钠盐火焰呈黄色。由于陶弘景的焙烧实验不可能达到1 430 ℃以上的高温,因而他所看到的,只能是钾盐的紫色火焰。

陶弘景的实验是定性分析化学史中一项杰出的发现,开后世火焰分析测试法之先河。在他对两种盐的物理、化学性质做出严格区分后,需对《本草经》中的消做出正名,其中"朴消"应正名为消石(硫酸钾),而"消石"应正名为朴消(硫酸钠)。这两种药都应是纯品,消石朴、芒硝之名是多余的,只能当别名看待,更无必要列为新药。唐人苏敬(620~680在世)奉敕于高宗显庆四年(659)所编《新修本草》,是世界第一部由政府颁布的药典,将本草学推向一个新的发展阶段,其成就巨大。但就消类药物正名而言,则未能利用《本草经集注》的成果,仍沿就《本草经》中的用语。然而南北朝、隋唐时的炼丹家并不受本草学著作的影响,继续用消石称呼硝酸钾,并用它合炼丹药。对炼丹家而言,不存在名称混淆问题。他们深知硝酸钾(消石)与硫酸钠(朴消)的区别。

继陶弘景之后,对消类药物做出科学正名工作的,是与他有同样知识背景的马志(935~1004在世)。马志是北宋炼丹家兼医药学家。像陶弘景《本草经集注》纠正《神农本草经》关于消石、朴消名称混淆一样,马志《开宝本草》(974)纠正了唐《新修本草》关于此二药名称上的混淆。马志在974年写道:

---

① 苏敬[唐].新修本草(659),卷三,玉石部上品.唐抄卷子本景印本.上海:上海科学技术出版社,1959.19;唐慎微[宋].证类本草(1108),卷三,玉石部上品.1205年刻本景印本.北京:人民卫生出版社,1957.85

［消石］：此即地霜也。所在山泽，**冬月地上有霜，扫取，以水淋汁后，乃煎炼而成**。盖以能消化诸石，故名消石，**非与朴消、芒消同类**而有消名也。(《名医别录》云)一名芒消者，以其初煎炼时有细芒，而状若消，故有芒消之号。**与后条芒消全别**。

［芒消］：此即出于朴消，以暖水淋朴消(硫酸钠)，取汁炼之，令减半，投于盆中。经宿乃有细芒生，故谓之芒消也。又有英消者，其状若白石英，作四、五棱，白色，莹沏可爱，主疗与芒消同，亦出于朴消。其煎炼自别有法，亦呼马牙消。**唐**(《新修本草》)**注以此为消石同类，深为谬矣**。

［朴消］：今出益州，彼人采之，以水淋取汁，煎炼而成朴消也。一名消石朴者，消即是本体(易溶性盐类)之名，石者乃坚白之号，朴者即未化之义也。以其芒消、英消皆从此出，故为消石朴也。其英消，即今俗间谓之马牙消也。①

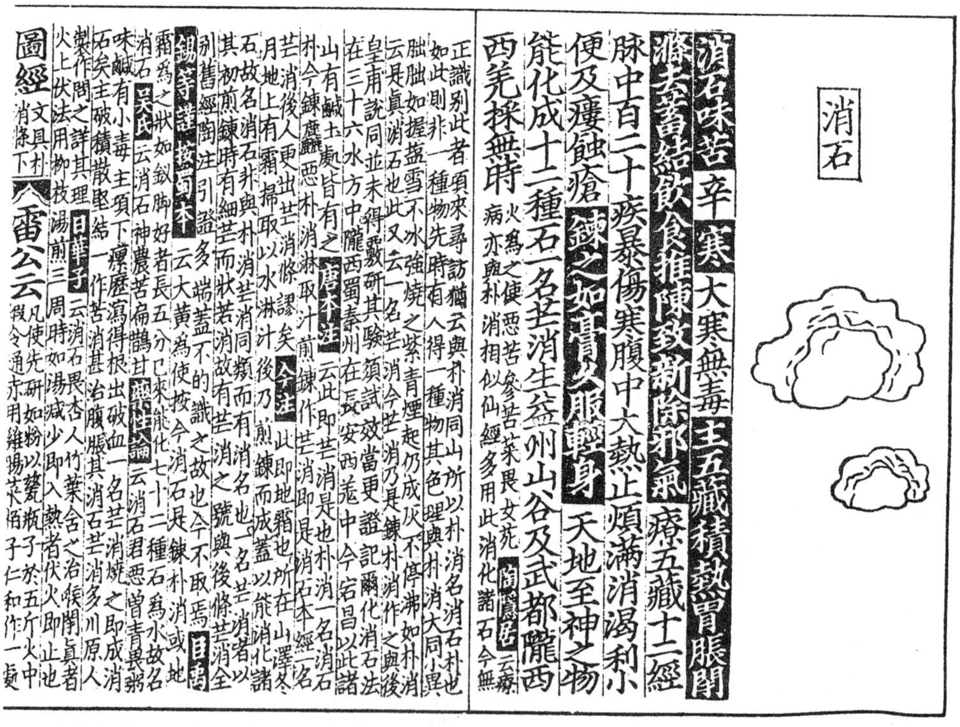

图 165
马志《开宝本草》(974)论硝石与芒硝、朴硝之区别，载《证类本草》

马志的上述精彩论断清楚地告诉我们，消石是硝酸钾，朴消是硫酸钠，芒消、英消和马牙消是朴消的别名。他将从地上扫取的消石称为"地霜"，这个新词使它与硫酸盐区别开来，也表示那时取得硝石的来源。他说硝石"以水淋汁后，乃煎炼而成"，表示以再结晶法提纯。还解释《名医别录》所以说消石"一名芒消"，因其呈针状结晶，但与朴消别名芒消有别。这就结束了长期混用名称的局面。李时珍对马志的工作给予高度评价："诸消自晋、唐以来，

---

① 马志[宋].开宝本草(974)，卷三，玉石部上品．引自：唐慎微[宋]．证类本草(1108)，卷三．1205 年刻本景印本．北京：人民卫生出版社，1957．85～86

诸家皆执名而猜,都无定见。惟马志《开宝本草》以消石(硝酸钾)为地霜炼成,而芒消、马牙消是朴消(硫酸钠)炼出者,**一言足破诸家之惑矣**。诸家盖因消石一名芒消、朴消一名消石,芒、朴之名相混,遂至费解不决。而不知消有水火两种,形质虽同,性气迥别也。"①时珍指出《本草经》所列朴消为水消,而消石为火消。

马志《开宝本草》问世后,很快取代了唐《新修本草》,成为宋代以后本草著作的主流作品,其他类似著作皆在此基础上编撰而出。随后消石又别称火消、焰消、地霜,明代以后又称"硝石",不再出现名称与朴消混用现象了。关于硝石的提纯,如前所述,早在汉代就已开始,唐宋诸书多所记载,至明代已见其细节,吸取前代成果后,方法更为完善。茅元仪(约 1570~1637)《武备志》(1621)卷一一九写道:

> 提硝用泉水或河水、池水,如无以上三水,或(用)甜井水。用大锅添七分水,下硝百斤(1 斤 = 16 两 = 596.82 g),烧三煎。然后下小灰(草木灰)水一斤,再量锅之大小,或下硝五十斤,止用小灰水半斤。其硝内有盐碱,亦得小灰水一点,自然分开,盐碱化为赤水不坐(沉淀),再烧一煎,出在磁瓮内,泥沫沉底,净硝在中。放一二日,澄去盐碱水,刮去泥底,用天日晒干。宜在二三八九月,余月炎寒不宜。②

在硝石水溶液中加入草木灰水,因其中含碳酸钾(K_2CO_3),可使硝石中所含少量可溶性钙、镁盐杂质以碳酸盐形式沉淀出来,与母液分离。硝石溶液经反复煮沸、结晶,最后成为纯硝,以瓷瓮或黑瓦盆盛之。煮硝之水必须洁净,硝溶后,用布袋将锅内上浮的杂质除去。宋应星(1587~约 1666)《天工开物》(1637)写道:"入缸内水浸一宿,秽杂之物浮于面上,掠取去时。然后入釜,注水煎炼,消化水干,倾于器内,经过一宿,即结成消……欲去杂还纯,再入水煎炼,入莱菔数枚同煮熟,倾入盆中,经宿结成白雪,则呼盆消。"③莱菔指萝卜(*Raphanus sativus*)根,含不饱和有机酸、莱菔甙(raphanusin)等,其作用可能是脱去有色杂质。

明扬州人李盘(1590~1645 在世)《金汤借箸十二筹》(约 1630)所述提纯硝石的方法更为详尽:

> 每硝半锅,用甜水半锅,煮至硝化。开时用大红萝卜一个,切作四五片,放锅内同滚。待萝卜熟时,捞出。用鸡卵清三个,和水二三碗,倒入锅内,以铁杓搅之。有渣滓浮起,尽行撇去。再用极明亮水胶二两许化开,倾在锅内,滚三五

---

① 李时珍[明].本草纲目(1596),卷十一,上册.北京:人民卫生出版社,1982.652
② 茅元仪[明].武备志(1621),卷一一九,提硝法.景印本,第 6 册.沈阳:辽沈书社,1989.5 086~5 087
③ 宋应星[明]著.潘吉星译注.天工开物译注.上海:上海古籍出版社,1992.191,306

滚,倾出,以瓷盆盛注,用盖盖之,不可掀动……放凉处一宿,看硝极细极明方可用。若不细不明,尚有咸味,未可入(火)药,当再用前法清提……验硝不出三法。铳(针状结晶)宜极细,色宜极亮,味宜极淡。如此硝更白,但无亮光者,渣滓未净也。以舌舐尝,味尚咸涩者,碱盐未清也。①

在硝石溶液中加鸡蛋白、水胶,目的是使杂质漂浮起来,易于撇去。中国古代川、鄂、豫、鲁、冀、晋、陕、甘及东北各地都产硝石。以上所述方法是煮硝的传统古法。提硝既是物理过程,又是化学过程,将两个过程结合起来反复提炼,最后得到很纯(98%)的硝石结晶。用水先将粗硝溶解,再煎至沸,使大部分硝石溶解。因硝石在水中溶解度随温度升高而增加,而硝中杂有的食盐(氯化钠,NaCl)溶度基本上不受温度变化影响,利用这一差异可将食盐除去。加入草木灰水,又使钙盐、镁盐沉淀并排除。加入蛋白、动物胶及萝卜,使其他杂质凝聚、漂浮于液表,随时剔去。提纯硝石本身就是中国古代化学中的一大成就。

二、中国最早发现火药混合物的史实

其次,我们来讨论硫。这是中国先秦时就已知道并应用的固态非金属元素,化学式为 S,分子量 32,外观呈黄色或黄绿色,性脆,硬度 1.3~2.5,比重 2.06,熔点 119 ℃,燃点 270 ℃,火焰呈蓝色,难溶于水。在自然界中可以以游离状态存在,常产于温泉及火山地区附近,也多见于硫黄矿中,与黏土、铁矿等共生。中国产硫地有山西、陕西、河南、四川、湖南等省,古代作为药物,载入汉代成书的《神农本草经》,名为石硫黄,列为中品②。硫也是炼丹家常用的试剂,东晋炼丹家葛洪(约 281~341)《抱朴子》(约 324)《内篇》写道:"仙药之上者丹砂,次则黄金……次则石硫黄……石硫丹者,石之赤精,盖石硫黄之类也。皆浸溢于崖岸之间,其濡湿者可丸服,其已坚者可散服。"③

明人丘濬(1420~1495)《大学衍义补》(1488)卷一二二云:"硫黄自舶上来,唐以前海岛诸夷未通中国,则唐以前无此也。"④此说显然是错误的,"硫黄"一词见于三国时医学家吴普所注《神农本草经》:"硫黄一名石留黄……医和(前 6 世纪人)、扁鹊(前 5 世纪人)(云)苦,无毒。或出易阳,或河西。"⑤1983 年 8~

---

① 李盘[明].金汤借箸十二筹(约 1630),卷四.北京图书馆藏清抄本(18 世纪).此书有明崇祯十五年(1642)刊本,但稀见.明人赵士祯著神器谱(1598)有类似记载.收入玄览堂丛书(上海,1941)
② 顾观光[清].神农本草经(1844),卷三.北京:人民出版社,1956.52
③ 葛洪[晋].抱朴子(约 324),内篇,卷十一,仙药.丛书集成本,第 3 册.上海:商务印书馆,1936.183~184,190
④ 丘濬[明].大学衍义补(1488),卷一二二.明弘治元年原刻本.9
⑤ 吴普[魏]述.孙星衍[清]辑.神农本草经,卷二.上海:商务印书馆,1955.59

10月,在广州越秀公园附近的象冈发掘西汉南越王文帝赵眛(约前162~前122)墓时,发现在墓内西耳室有硫黄193.4 g、雄黄1 130 g、赭石219.5 g,它们是作为药石而被使用的①。该墓葬年代为公元前122年或稍后一二年。笔者亲见此硫黄较纯,这是现所见年代最早的实物硫黄,可见以其入药与炼丹由来已久。

值得注意的是,硝石和硫黄在中国自古以来似乎就有不解之缘。无论医药学家在合药时,还是炼丹家在炼丹时,常将此二者共用。例如《太平惠民和剂局方》(1075~1085)引《杜先生方》所传"来复丹",以硝石、硫黄、玄精石($CaSO_4 \cdot 2H_2O$)各一两,五灵脂、青皮、橘皮各二两,醋煮米糊为丸,治霍乱吐泻、脘腹疼。王好古(1250~1310在世)《汤液本草》(1298)解释"太白丹"和"来复丹"时说,"皆用硫黄佐以消石,至阳佐以至阴"。严用和(1198~1273在世)《济生方》(1253)论"二气丹"时说:以硫黄、硝石等分,研末,在石上炒成砂,再研糯米糊丸如梧子大,治伏暑伤冷。② 当本草学家将硝石与硫黄、雄黄炒制时,一不小心就会发生意外,引起燃烧或爆炸。

古代中国炼丹家与本草学家有同样的经历,因为他们在炼制丹药的过程中也经常用硝石、硫黄和雄黄等为试剂,将它们混在一起加热,也势必发生燃烧、爆炸,毁坏设备,烧掉房舍。但又不能不用这些物质,于是炼丹家采取一些预防措施,比如将反应器放在室外,埋在地下,远离居住区。炼丹家还广泛采用所谓伏火法(method for subduing fire)。伏火有三重含义或目的:(1)加入某种成分,使硝石与硫黄、雄黄等相混时不致起火,这种成分似乎起到火的吸收剂的作用;(2)加入某种成分,使易挥发的试剂(如汞)或易燃的试剂(如硫)趋于稳定,制伏其易挥发性及易燃性;(3)加入某种成分,使大热、大毒的试剂(如硫、雄黄等)火性趋于缓和。

然而炼丹家作伏火实验时,实际效果与事先的预想不一定吻合。他们以为含碳或碳化物可能有助于伏火,不幸的是将其放入硝、硫中,反而会成为祸根。而当加入某种成分改变汞、硫及雄黄等本性时,汞、硫、雄黄就不再是本来意义下的合成丹药的原料了。至于伏火后炼成的丹药是否真的减少其大毒、大热性质,仍存在疑问。赵翼(1727~1814)《二十二史札记》卷十九载,唐代从太宗、宪宗、穆宗到文宗、武宗、宣帝6个皇帝皆因服食丹药而身亡,臣民死者更不计其数,这些事实说明伏火并未达到预期效果。尽管如此,历代炼丹家仍从事伏火实验,而在唐代达到高潮。由唐宋之际的赵耐庵作序的《铅汞甲辰至宝集成》卷二引唐代炼丹家清虚子于唐宪宗元和三年(808)写的《太上圣祖金丹秘诀》中伏火矾法③时写道:

---

① 麦英豪,黄展岳.西汉南越王墓,上册.北京:文物出版社,1991.141;下册,彩版三〇:3
② 参见:李时珍[明].本草纲目(1596),卷十一,石部·石硫黄,上册.北京:人民卫生出版社,1982.663~665;上海中医学院等编.简明中医辞典.北京:人民卫生出版社,1979.430
③ 清虚子[唐].太上圣祖金丹秘诀(808).见:铅汞甲辰至宝集成,卷二,道藏·洞神部·众术类,第595册.上海:涵芬楼影印本,1926.6

硫二两(1 两 = 37.3 g),硝二两,马兜铃三钱半(1 钱 = 3.73 g),右(研)为末,拌匀。掘坑,入药于罐内,与地平。将熟火一块弹子大,下放里面,烟渐起,以湿纸四五重盖,用方砖两片捺,以土冢之。候冷取出,其硫黄(伏)住。每白矾三两,入伏火硫黄二两为末,大坩埚一个,以药在内,扇成汁,倾石器中,其色如玉也。

在唐代炼丹家清虚子所述《伏火矾法》中,首先需将硫黄伏火(图 166),其方法是将硝石与硫黄等量混合,加入少许马兜铃(*Aristolochia debilis*)之果实。三者配比为 46∶46∶8,研成粉末后拌匀,入于罐内。再将罐放入地坑内,与地平。将一团明火放入罐里,罐内发烟,以湿纸四五层盖罐口,上面再压上两块方砖,以土埋之。冷后取出,伏火硫黄便制成。这个实验有很大危险性,马兜铃粉末与明火相遇便会炭化,罐内物便可能成为原始火药混合物。清虚子已意识到这一点,所以将罐放在室外地坑中,罐内发烟后,罐口垫湿纸并以砖压上,以土埋之。但这样处理后,硫的易燃性及大热大毒性不但未能制伏,反而与硝及含炭物相遇后更为猛烈,引起燃烧爆炸,这是出乎炼丹家意外的。

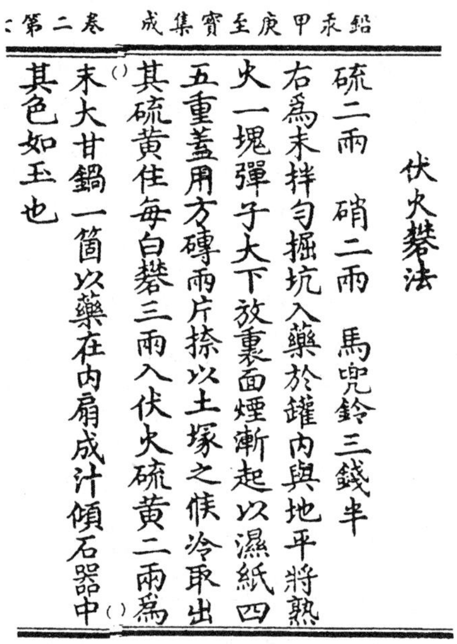
鉛汞甲庚至寶集成 卷第二

伏火礬法

硫二両 硝二両 馬兜鈴三錢半
右爲末拌匀掘坑入藥於罐內與地平將熟
火一塊彈子大下放裏面煙漸起以濕紙四
五重蓋用方磚兩片捺以土塚之候冷取出
其硫黃住每白礬三兩入伏火硫黃二両爲
末大甘鍋一箇以藥在內扇成汁傾石器中
其色如玉也

图 166
唐炼丹家清虚子论《伏火矾法》(808),取自《道藏》(1445)第 595 册

宋代成书的炼丹术著作《诸家神品丹法》卷五(图 167)引用了晋唐诸家的伏火法,其中包括《孙真人丹经》内伏硫黄法、黄三官人伏硫黄法、未署人名的伏火硫黄法、《葛仙翁丹经》内伏雄黄法及《太虚子丹经》内伏雄黄法等。孙真人指隋唐时炼丹家孙思邈(581～682),他所传授的丹经由唐人整理,成于唐肃宗乾元年间(758～760)①。葛仙翁指晋代炼丹家葛洪(约 281～341),《葛仙翁丹经》为葛洪传授,成于唐代,而《太虚子丹经》亦由唐人纂集②。综览《诸家神品丹法》卷五所引内容,皆不晚于唐代,其中所载“伏火硫黄法”写道:

硫黄、硝石各二两,令研。右用销银锅或砂罐子入上件药在内。掘一地坑,放锅子在坑内,与地平,四面却以土填实。将皂角子不蛀者三个,烧令存性,以

① 陈国符.道藏中的外丹黄白法经诀出世朝代考.见:李国豪等主编.中国科技史探索.上海:上海古籍出版社,1986.332

② 陈国符.道藏中的外丹黄白法经诀出世朝代考.见:李国豪等主编.中国科技史探索.上海:上海古籍出版社,1986.334

铃(钳)逐个入之,候出尽焰,即就口上着生熟炭三斤,簇(cù,聚集起来)煅之。候炭消三分之一,即去余火不用,冷取之,即伏火矣。①

上述唐人“伏火硫黄法”与同时代的清虚子《伏火矾法》(808)有类似处,均以等量硝石与硫黄配合,研成粉末,将反应器放入室外地坑中。但不同的是,将豆科落叶乔木肥皂荚(*Gymnocladus chinensis*)之夹果烧成炭,混入硝、硫之中。“烧令存性”意思是将皂荚果烧成炭而未成灰,趁热用钳子逐个夹入罐中,与硝、硫相遇。罐内火焰出尽时,再在罐口上放木炭三斤,聚集在一起以火煅之。待木炭烧完三分之一时,将其余炭火除去,冷定后取出罐内之物,“即伏火矣”。这个实验的危险性更大,因为罐内或锅内之物实际上是硝石、硫黄和木炭的混合物。

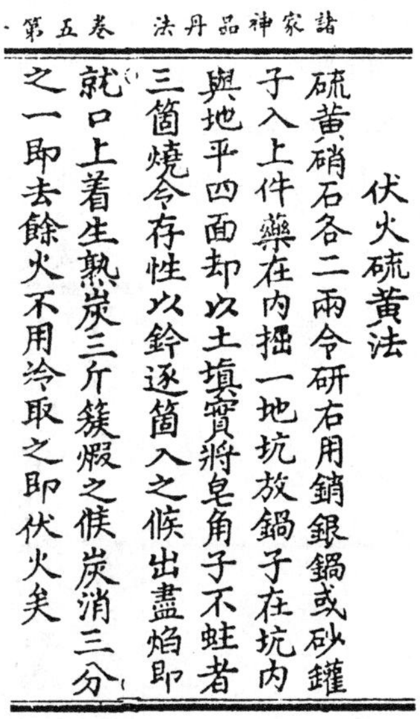
諸家神品丹法　第五卷

伏火硫黃法

硫黃硝石各二兩令研右用銷銀鍋或砂鑵子入上件藥在內掘一地坑放鍋子在坑內與地平四面却以土填實將皂角子不蛀者三箇燒令存性以鈐逐箇入之候出盡焰即就口上着生熟炭三斤簇煅之候炭消三分之一即去餘火不用冷取之即伏火矣

图 167
唐炼丹家论“伏火硫黄法”,取自《道藏》(1445)第594册

由于晋唐以来炼丹家在伏火实验中屡生事故,伏火变成了起火,有人就开始总结这方面的经验教训,对炼丹家发出告诫。在《真元妙道要略》一书中谈到一些失败的教训时指出:“有以硫黄、雄黄合硝石并蜜烧之,焰起,烧手面及烬屋舍者。”(图168)蜜经烧后成木炭,与马兜铃及皂荚果一样,都起到木炭来源的作用。又指出:“硝石宜佐诸药,多则败药。生者不可合三黄等烧,(否则)立见祸事。”②明确说将硝石与硫黄、雄黄及雌黄等物烧之,立刻发生爆炸。从《真元妙道要略》所描述燃烧性质而言,属于速燃(quick burning)与爆燃(deflagration)之间,因而应是原始火药混合物所引起的。此书托名晋代人郑隐(字思远,220～300在世)作,通观全书所述内容发生于晋至唐,但此书成书时间不晚于10世纪③。

最后,让我们考察一下其他国家或地区有无发明火药的可能。硝酸钾在英、法文中称 potassium nitrate, nitrate 为硝酸盐的今名,nitrum 是其拉丁文旧名,它们具有这个含义都在14世纪以后。在这以前,nitre 出现于英文《圣经》,nitrum 出现于拉丁文《圣经》,而 νιτρον (nitron)见于希腊文《圣经》,这些词都起源于希伯来文 neter,意思是“苏打”(soda)或碳酸钠(Na_2CO_3)。将 neter, νιτρον 及 nitrum 当

① 唐人编. 丹经内伏火硫黄法. 见:诸家神品丹法,卷五,道藏·洞神部·众术类. 明正统十年(1445)刊本影印本,第594册. 上海:涵芬楼,1926.11

② 真元妙道要略(9世纪～10世纪). 见:道藏·洞神部·众术类. 明正统十年(1445)刊本景印本,第596册. 上海:涵芬楼,1926.3

③ 李约瑟认为《真元妙道要略》成书于930年前后,见:Needham J, *et al.* Science and Civilization in China, vol. 5, pt. 7, The Gunpowder Epic. Cambridge University Press, 1986. 112

成是硝石是不切实际的猜想和历史上的误会,因它们本来是指苏打①。古埃及在公元前 3 世纪就用天然苏打,因而 νιτρον 可能来自其埃及名 ntrj。古希腊人斯特拉本(Strabon, 63 BC~AD 19)将苏打湖称为 γιτιδι。因此在欧洲和埃及古代语文中没有表示硝石的名称,没有辨认出硝石,不知道这种盐的存在,自然谈不上制得其纯品。最早谈到提纯硝石的欧洲人是 13 世纪时的英国人罗杰·培根(Roger Bacon, 1214~1292),这已是在中国火药技术传入欧洲以后的事了。欧洲人是在掌握中国火药术之后,才将其古代称呼碳酸钠的词附会为硝石的。

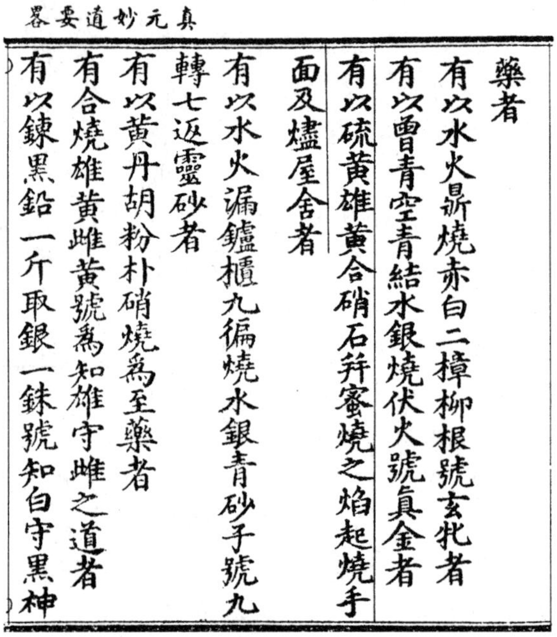

图 168
《真元妙道要略》(9 世纪~10 世纪)关于火药燃烧的记载,取自《道藏》(1445)第 596 册

药者
有以水火鼎烧赤白二樟柳根號玄牝者
有以曾青空青結水銀燒伏火號真金者
有以硫黃雄黃合硝石幷蜜燒之焰起燒手面及爐屋舍者
有以水火漏鑪櫃九徧燒水銀青砂子號九轉七返靈砂者
有以黃丹胡粉朴硝燒為至藥者
有合燒雄黃雌黃號為知雄守雌之道者
有以鍊黑鉛一斤取銀一銖號知白守黑神器

第一个提到硝石的阿拉伯人是白塔尔(al-Baytar*, 1197~1248),1240 年他在《单药大全》(*Kitāb al-Jāmi fi al-Adwiya al-Mufradi*)中将硝石称为"中国雪"(*thalj al-Sīni*)②③,表明此物来自中国。但他又将其解释为"亚洲石",恐未必妥。亚洲石(λιθοs Aσιοs)一词见于罗马帝国学者普利尼(Pliny the Elder, 23~79)《博物志》(*Historia Naturalis*, 73),但这个词当时指的是石灰④。另一个谈到硝石及其提纯的是阿拉伯人哈桑·拉马(Hassan al-Rammāh, 1265~

---

① Partington J R. A History of Greek Fire and Gunpowder. Cambridge: Haffer & Sons, Ltd., 1960. 298; Sarton G. The Introduction to the History of Science, vol. 2, pt. 2. Baltimore: Wilkins Co., 1931. 1 036

* 白塔尔之名在西方不同时期有各种拼法(Baytar, Beithar),今一般拼为 Ibn al-Batāx al-Mālaqi——作者

② Ibn el-Beithar*. Traité des Simples, tom 1. Traduit par Leclere L. Paris: Imprimerie Nationale, 1877. 71~73

③ 潘吉星. 中国火箭技术史稿. 北京:科学出版社,1987. 120~121

④ Bailey K C. The Elder Pliny's Chapters on Chemical Subjects. vol. 2. London, 1932. 251~253

1295)1285年左右写的《马术和战争策略大全》(*Kitāb al-Furūsiya wa al-Munāsab al-Harbiya*),这部书引用了大量中国材料,虽然未称硝石为"中国雪",而是用了阿拉伯文土名 *bārūd*①。据库图比(Yūsuf ibn Ismā'il al-Kutubī, c.1311~?)称,*bārūd* 在伊拉克人中又名"墙盐"(*miḥ al-hāyit*),就像中国人马志称为"地霜"那样。

印度虽亦有天然硝石,但在古代梵文中没有表示此物的固有名称,古代印度人不知道硝石。梵文中称为硝石的词 *shuraka* 出现在1400年以后,而且来自波斯文 *shurāj*(硝石)②。在莫卧儿(Mughal)王朝(1526~1857)的初期(16世纪)梵文写本中有关于火药(*agni-cūrna*)配方的记载,但已为时太晚了。有一件事这里需要澄清,据《金石簿五九数诀》(约670)所述,唐高宗麟德元年甲子(664)有婆罗门支法林来华,于山西五台山巡礼,声称汾州灵石县硝石不及乌长国好③。宋代升玄子《造化伏汞图》据此说印度乌长国(Uddiyana)出硝石。然而《金石簿五九数诀》是唐代未署名作者所编,其所述支法林是否确有其人是可疑的,所谓乌长国7世纪产硝石一事纯属附会,不足为信。东亚另外两个古国日本和朝鲜,其本草学知识是从中国引进的,但炼丹术却没有很好地发展。在这两个国家里,提纯硝石用于制造火药甚至比阿拉伯人和欧洲人还要晚。

通过上述分析可以看出,东西方其他国家或地区虽然自古以来就有天然硝石,但这些地区的居民一直未能及时认出这种硝酸盐并将其提纯用于实际目的,从而阻塞了通向发明火药之路。李约瑟博士就此写道:"这样我们现在可使中国最先发明火药的久已著称的证据大白于世。看来很明显,西方缺乏硝石必定是对这项开发事业的限制因素。欧洲最早提及火药无疑是在13世纪末,即在火药于14世纪普遍传入之前,而当火药于13世纪传到伊斯兰世界和欧洲之前,已在中国广泛应用于军事目的。"④对亚洲、非洲其他国家来说,情况也同样如此。这是其他国家或地区不可能先于中国制成火药的原因。

李约瑟所述使中国发明火药大白于世的久已著称的证据是什么?为什么火药发明于中国?我们在前面已给出系统的答案,归纳起来包括以下5点:(1)中国最先于公元前4世纪至前3世纪发现硝石(古称消石)并将其用作药物,而且在此后二千多年间一直如此,在这方面有大量文献记载与出土实物资料佐证。(2)中国从战国末(前3世纪)起,以硝石为口服药,至西汉(前2世纪)口服硝石已载入名医处方中,说明这时已掌握了其提纯技术。(3)西汉(前2世纪)以来,

---

① Partington J R. A History of Greek Fire and Gunpowder. Cambridge: Haffer & Sons, Ltd., 1960. 200~204

② Needham J, *et al*. Science and Civilization in China, vol.5, pt.7, The Gunpowder Epic. Cambridge University Press, 1986. 107

③ 唐人著. 金石簿五九数诀(约670). 见:道藏·洞神部·众术类. 明正统十年(1445)刊本景印本,第589册. 上海:涵芬楼,1926

④ Needham J, *et al*. Science and Civilization in China, vol.5, pt.4, Spagyrical Discovery and Inventions: Apparatus, Theories and Gifts. Cambridge University Press, 1980. 195

中国炼丹家以硝石作为炼制口服丹药的常用试剂,对其物理、化学特性做了长期的研究,汉代以再结晶法生产纯硝石的作坊已具很大规模。(4)硝石作为上品药载入中国最早的药物学著作和汉代(前1世纪)成书的《神农本草经》中,但将其称为"朴消",而将硫酸钠称为消石。陶弘景《本草经集注》(500)以科学实验方法辨明了这两种盐性质上的不同,为硝石作了正名。马志《开宝本草》(974)彻底结束了硝酸钾与硫酸钠二者名称上的混淆。(5)晋至唐(3世纪~9世纪)以来,中国炼丹家经常将硝石与硫黄或雄黄研成粉末混在一起,再加入含炭物,在反应器内加热。如《真元妙道要略》所载,其结果是"焰起,烧手面及烬屋舍者",从而发现了原始火药混合物,为火药在军事上的应用揭开了序幕。因此火药发明于中国是顺理成章的。

第四节 中国火药技术的发明和早期火器

一、10世纪以来出现的北宋早期火器

如上一节所述,唐代炼丹家在进行"伏火"实验时,将硝石、硫黄与含炭物在容器中混在一起加热,发生爆燃,烧伤手面、烧毁房舍,从而发现了原始火药。但这并非炼丹家的意愿,他们做实验的目的是使物质改性,避免发生爆燃。伏火本为阻止火药混合物的形成,但只要使硝、硫、炭三者相遇,伏火过程就会走向反面,变成了起火。这是三者的本性使然,不以人的意志为转移,而这种性质被认识后,就有潜在的军事实用价值,有可能用于火攻目的。问题在于如何能人工控制火药混合物的爆炸,安全制成装置,发射出去以后再产生爆炸力,而不加害于发射者一方,这就导致火药和火药武器的发明。只有将火药制成实用的燃烧、爆炸装置,这项发明才算完成,火药的发明应当与其实际应用同步进行。

技术发明和科学发现是两个不同的概念,科学发现可以导致技术发明,但发现不等于发明,因此不能把炼丹家对火药爆炸现象的化学发现说成是火药技术的发明,正如不能把电磁感应现象的物理学发现与电动机的发明等同起来一样。但中国炼丹家对火药的发现,促进了火药技术的发明,他们的贡献是同样应予肯定的。发现火药爆炸现象相对说来较为容易,但发明火药技术更为困难,需从事更冒险的实验,有意识地制成爆炸混合物并将其制成火器,不慎时就会丧失生命。中国古代在兵工部门中制造武器的技师和工匠们,通过勇敢探索,成功地制成一批最早的火器,这是他们群策群力,发挥集体智慧的结果。火药因而像造纸术一样,不应是某个个人的发明。

过去某些著作常缺乏根据地将火药发明时间定得过早,而且系之于某个个人的名下,不能认为这是严肃的学术研究,它只会产生误区。例如明代人罗颀

《物原》(15 世纪)称:"魏马钧制爆仗(纸砲),隋炀帝益以火药为杂戏。"①可是当我们查阅了《三国志》卷廿九《魏书》注引傅玄(217～278)《马(钧)先生传》②后,只载马钧(207～260 在世)有巧技,改进过织绫机、造水转百戏及发石车,并未制过纸砲。隋炀帝杨广(569～618)有诗句"灯树千光照,花焰七枝开"③,明确说在树上挂以彩灯,像开出七色花一样,与放烟火(fireworks)没有任何关系。经过对史料检验后证明,罗颀《物原》所述内容是不可信的。通览全书,其所论各种事物起源多无实据,这类书不能成为征引的对象。遗憾的是,现代仍有人相信《物原》中的错误说法。

还有的现代作者认为隋唐之际(7 世纪)的炼丹家孙思邈(581～682)是火药的发明人④,作者将宋代成书的《诸家神品丹法》卷五所引《伏火硫黄法》系在孙思邈之名下。该文所述内容确可认为与火药混合物有关,但查阅《诸家神品丹法》原著后,发现其引文顺序为《孙真人丹经》内《伏硫黄法》→《黄三官人伏硫黄法》→《伏火硫黄法》→《葛仙翁丹经》内《伏雄黄法》。《伏火硫黄法》未署何人所作,在它与《孙真人丹经》内《伏硫黄法》(此法与火药无关)之间还隔着一个《黄三官人伏硫黄法》(也与火药无关)。很难断定无名氏的《伏火硫黄法》是孙思邈所作。美国学者席文(Nathan Sivin)最先注意到这一点⑤,而在李约瑟等人合写的著作⑥中再次申明。其次,《孙真人丹经》是唐人于 758～760 年整理的,比孙氏生活年代晚了一百多年,也不是孙思邈本人所著。我们认为炼丹家只是发现了火药的爆炸现象,并没有发明火药技术,将孙思邈当成火药发明人显然是不正确的。

在探讨火药发明时间时,要认识到它是科学技术高度发达后的产物,特别需要在化学知识和军事技术获得突破性发展后,才能出现火药技术。在唐代以前,不可能发明火药,因为虽然医药学家和炼丹家对硝石和硫黄的性质已有足够认识,而且也曾将其混合在一起、辅之以其他药料配制药物或炼制丹药,但将硝、硫及含炭物或木炭三者混在一起进行化学实验,基本上还是从唐代以后开始的。现所见早期原始火药记载,都是唐、五代的产物,而收录在宋人著作中。进行这类危险的化学实验,需要有一定的操作技巧和安全措施,尽管如此,事故仍时有发生。使原始火药混合物可能发生的爆炸处于人工控制之下,需要有一段实验、探索时期,这决定火药技术只能在唐代以后出现。

唐以前,军事上的火攻技术基本上使用一般纵火剂,但五代时出现了技术变

---

① 罗颀[明].物原(15 世纪),兵原第十四.丛书集成本,第 18 册.上海:商务印书馆,1937.30
② 陈寿[晋]著.裴松之[刘宋]注.三国志(290),卷廿九.二十五史缩印本,第 2 册.上海:上海古籍出版社,1986.1 163～1 164
③ 杨广[隋].正月十五日放通衢建灯夜升南楼诗.见:丁福保编.全汉三国晋南北朝诗,第 2 册,全隋诗,卷一.北京:中华书局,1959
④ 冯家昇.火药的发明和西传.上海:上海人民出版社,1954.43
⑤ Sivin N. Chinese Alchemy; Preliminary Studies. Harvard University Press, 1968
⑥ Needham J, Ho Ping-Yü, Lu Gwei-Djen. Science and Civilization in China, vol. 5, pt. 3, Spagyrical Discovery and Invention. Cambridge University Press, 1976. 137～138

革,以燃烧得更猛烈的石油制品"猛火油"代替古代纵火剂,装入金属制单筒单拉杆式双动活塞液体压力泵内喷出火焰。这种猛火油机的威力很大,是一种新式纵火武器。另一方面,古代抛石机即所谓礮或砲,主要以抛射石块为主,只能造成局部机械破坏。但从唐末(904)起,以抛石机抛射纵火物,这种"发机飞火"技术能产生燃烧性破坏作用,使抛石机的功能扩大。同时弓弩制造技术也有改进,射程加大,也可射出纵火剂。但这两项新的军事技术急需改进,猛火油机需要一种快速引燃剂,而抛石机、弓弩需要发射燃烧力更大、又不易熄灭的纵火剂,火药正好适应了这种需要。在中国,火药是尾随猛火油机之后出现的。猛火油呈液态,使用时有不便之处,且不适于较远距离火攻,火药没有这些缺点,可取代猛火油。

因而我们可以说,在8～9世纪的唐代有了原始火药的记载,10世纪前半叶唐、五代之际是军用火药的实验研制时期,而10世纪后半叶的五代、北宋之际,火药已处于实用阶段。这一时期的火器多见于北宋初以来的史料记载。如元代史家王应麟(1223～1296)《玉海》(1267)卷一五〇称:

> (宋真宗)咸平五年九月戊午(1002年11月3日),石普(951～1021在世)言能发火球、火箭,上召至崇政殿试之,辅臣同观。先是,开宝二年(969)三月,冯继昇(930～990在世)、岳义方上火箭法,试之,赐束帛。①

辽道宗(1055～1100)时南府宰相王棠《燕在阁知新录》卷上亦称,"宋太宗开宝二年,冯继昇、岳义方上火箭法"。元代史家脱脱(1314～1355)《宋史》(1345)卷一九七《兵志》写道:

> 开宝三年(970)……时兵部令史冯继昇等进火箭法,命试验,且赐衣物、束帛……(咸平)三年(1000)八月,神卫水军队长唐福(970～1030在世)献所制火箭、火球、火蒺藜,造船务匠项绾等献海战船式,各赐缗钱……(咸平)五年(1002)知宁化(山西宁武)军刘永锡制手砲以献,诏沿边造之以充用。②

《宋会要辑稿》亦载"真宗咸平三年八月,神卫兵器军队长唐福献亲制火箭、火球、火蒺藜"③。宋人李焘(1115～1184)《续资治通鉴长编》(1183)卷五十二载:"咸平五年九月戊午,冀州(今河北)团练使石普,自言能为火球、火箭,上召至便殿试之,与宰辅同观焉。"④《宋史》卷三二四《石普传》称,石普(951～1021在

---

① 王应麟[元].玉海(1267),卷一五〇.清光绪五年(1879)刊本.22B
② 脱脱[元].宋史(1345),卷一九七,兵志十一·器甲之制.二十五史缩印本,第8册.上海:上海古籍出版社,1986.5794～5795
③ 宋绶[宋]著.徐松[清]辑.宋会要辑稿(1808),卷一八五,第26册.北平:国立北平图书馆影印,1936.27
④ 李焘[宋].续资治通鉴长编(1183),卷五十二.景印本,第1册.上海:上海古籍出版社,1986.446

世)为幽州(今北京)人,后迁居太原,为宋初名将,作战骁勇,"通兵书、阴阳、六甲、星历、推步之术"①。《宋史》卷四《太祖纪三》载开宝九年"八月乙未(976年8月28日)朔,吴越国进射火箭军士"②,说明地处东南沿海的五代吴越国(907~978)也有了火箭。

上述各项史料告诉我们,在10世纪后半叶五代至北宋初期,中国北方和南方不同地区的军事技术家都不约而同地研制出一批早期的火器,以适应战争的需要。首先是在汴京(今河南开封)北宋兵部中工作的官员冯继昇和岳义方,于969年三月向朝廷献上火箭样器及使用方法,宋太祖下令试放,成功后赏以衣物及丝帛,作为鼓励。这里所说的"火箭",指将火药包绑在箭上,点燃后以弓弩射出(图169),可称为"火药箭"(gunpowder arrow),一般射程为150~200步(248 m~330 m)③。以弓发射者称"弓火药箭",以弩发射者称"弩火药箭"。冯继昇和岳义方是最早见于文献著录的火器发明家和火药技术的奠基人。他们发明火药箭(969)正好在距今一千余年前。此后,976年8月28日,投降北宋的吴越国将善射火药箭的军士进献给北宋政府。

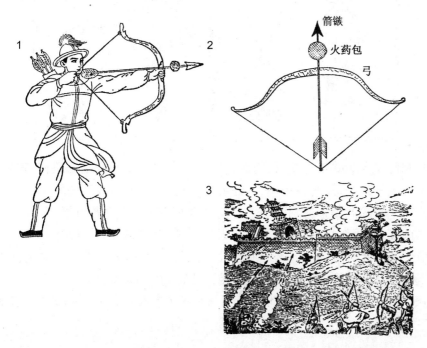

图169
10世纪中国的火药纵火箭,潘吉星提供(1987)
1　10世纪冯继昇等人发明弓火药箭发射法
2　弓火药箭各部件
3　西方人所绘弓火药箭攻城图,取自 *Raketové zbraně*(1958)

1000年八月,北宋皇家禁军中的神卫水军队长唐福,将他亲自研制的火箭、火球和火蒺藜3种火器献给宋真宗,被奖以现金。其中"火球"重5斤(2 985 g,

---

① 脱脱[元].宋史(1345),卷三二四,石普传.二十五史缩印本,第8册.上海:上海古籍出版社,1986.6 353
② 脱脱[元].宋史(1345),卷四,太祖纪三.二十五史缩印本,第8册.上海:上海古籍出版社,1986.5 193
③ 吉田光邦.宋元の軍事技術.見:藪内清編.宋元時代の科學技術史.京都:中村印刷株式會社,1969.219

近 3 kg)的炸药包,可通过抛石机投射出去,其中单梢砲射程 60 步(99 m),双梢砲(图 171)射程 80 步(132 m)①,用于攻城。而"火蒺藜"也是一种炸药包,但绑有铁刃,且包内还有铁刺(图 170)。由抛石机投射后,铁刃将炸药包固着在城楼上,爆炸后散出铁刺兼有杀伤作用。1002 年 11 月 3 日,冀州团练使、军事技术家石普上书宋真宗,说他已在军中训练士兵发射火球和火箭,被真宗召至崇政殿,率群臣同观演放。1002 年山西宁武军统领刘永锡制手榴弹,朝廷颁至边关依式制造以充军用。

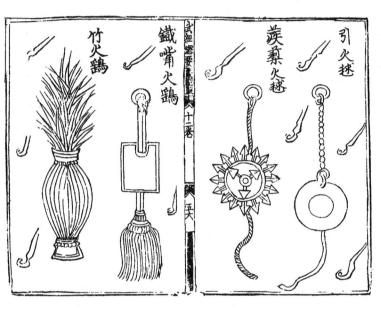

图 170
《武经总要》(1044)所载火球、火蒺藜等火器

北宋政权于 960 年建立后,南北仍有五代时遗留下来的割据政权,宋统治者为实现其统一大业,需在各地用兵,还要面对辽国(916～1125)的军事威胁,因此对改善宋军的武器装备特别关注。开宝九年(976)宋统治者仿唐、五代旧制,于京师汴京置东、西作坊,掌造各种兵器及戎具等,以朝官、诸司使及内侍为监官,从各地征调技术熟练的工匠来此服役。景德四年(1007)东、西作坊并为一司,天圣元年(1023)再分置八作司,有了火器之后,八作司编制扩大。北宋人王得臣(1036～1116)《麈史》(约 1115)卷上引宋敏求(字次道,1019～1079)《东京记》(1040)曰:

> 宋次道《东京记》谓八作司之外,又有广备攻城作,今东西广备隶军器监矣。其作凡十一目,所谓火药、青窑、猛火油、金火、大小木、大小炉、皮作、麻作、窑子作是也。皆有制度、作用之法,俾各诵其文,而禁其传。②

---

① 吉田光邦.宋元の軍事技術.見:藪内清編.宋元時代の科學技術史.京都:中村印刷株式會社,1969.223
② 宋敏求[宋].东京记(1040).见:王得臣[宋].麈史(约 1115),卷上.丛书集成初编·总类,第 208 册.上海:商务印书馆,1935.3

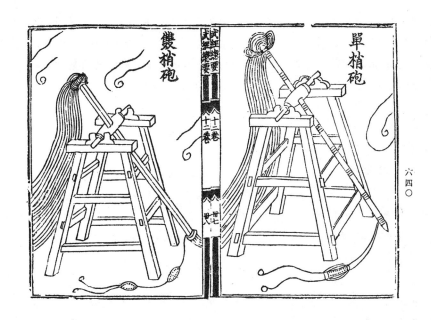

图 171
投射火药包的抛石机单梢砲、双梢砲,取自《武经总要》(1044)
古时"礟"、"砲"指抛石机(catapult),用以抛石块。北宋起用以抛火药包者称"火砲"(catapult throwing gunpowder package),明以后将火药装入金属筒中制成的火器称为"火炮"(cannon)

二、10 世纪出现的最早的军用火药方

10 世纪开封府的火药作坊是北宋生产火药和火器的中央兵工厂,而地方还应有类似兵工厂。总的生产规模是很大的,足以装备十万至几十万人的军队。厂内有严密的管理制度和操作规程,工匠必须牢记,禁止将技术外传。由于北宋初期火药技术处于保密阶段,这时的技术细节要过七十多年之后,才能在曾公亮(999~1078)和丁度(990~1053)《武经总要》(1044)中看到。曾公亮字明仲,北宋大臣,福建泉州人,天圣进士,知会稽、郑州及开封府。仁宗时(1047)任天章阁待制,以熟悉法令、典故称著,嘉祐六年(1061)任宰相。康定元年(1040)受仁宗之命率丁度等人主编《武经总要》前后集各二十卷,初刊于庆历四年(1044),南宋绍定四年(1231)再版。今传本有明弘治末年(1505)重刻绍定本,其前集于 1959 年由中华书局上海编辑所影印,1988 年上海古籍出版社重印。这是一部有权威性的官刻军事百科全书,文图并茂,书首有宋仁宗御制序。作者编纂此书时动用了宋内府秘籍档案,有重大史料价值。现将书中记载的早期火药配方和火器介绍于下。

第一方 毒药烟球[火药方]。毒药烟球:球重五斤(宋时 1 斤 = 16 两 = 596.8 g①),用**硫黄**十五两(宋时 1 两 = 37.3 g),草乌头五两,**焰硝***一斤十四两(30 两),巴豆五两,狼毒五两,桐油二两半,小油二两半,**木炭末**五两,沥青二两半,砒霜二两,黄蜡一两,竹茹一两一分,麻茹一两一分,捣合为球,贯之以麻绳一条,长一丈二尺(宋时 1 丈 = 10 宋尺 = 307.2 cm),重半斤,为弦

---

① 吴承洛著.程理浚订.中国度量衡史.北京:商务印书馆,1957.60
* 宋刊本作"焰消",明刊本改为"焰硝"——作者注

子。更以故纸一十二两半,麻皮一两,沥青二两半,黄蜡二两半,黄丹(四氧化三铅,Pb_3O_4)一两一分,炭末半斤,捣合、涂缚于外。若其气熏人,则口鼻血出。二物并以砲放之,害攻城者。凡燔积聚及应可燔之物,并用火箭射之,或弓或弩或床子弩,度远近放之。其法见《攻守》及《器械》。①

第二方 [火砲火药方]。晋州(山西临汾)**硫黄**十四两,窝黄(不纯的硫)七两,**焰硝**二斤半(40两),麻茹一两,干漆一两,砒黄一两,淀粉一两,竹茹一两,黄丹一两,黄蜡半两,清油一分,桐油半两,松脂一十四两,浓油一分。右以晋州硫黄、窝黄、焰硝同捣,(过)罗。砒黄、定粉、黄丹同研,干漆捣为末,竹茹、麻茹即微炒为碎末。黄蜡、松脂、清油、桐油、浓油同熬成膏,入前药末,旋旋和匀。以纸五重裹衣,以麻缚定。更别熔松脂傅之,以砲(抛石机)放。复有放毒药烟球法,具《火攻门》。②

第三方 蒺藜火球[火药方]。蒺藜火球:以三枚六首铁刃,以火药团之,中贯麻绳,长一丈二尺,外以纸并杂药傅之。又施铁蒺藜八枚,各有逆须。放时,烧铁锥烙透,令焰出。火药法:用**硫黄**一斤四两(20两)、**焰硝**二斤半(40两)、粗**炭末**五两、沥青二两半、干漆二两半,捣为末。竹茹一两一分、麻茹一两一分,剪碎。用桐油、小油各二两半、蜡二两半,熔汁和合,周涂之。③

《武经总要》1044年所载上述3个火药方,实际上反映冯继昇、唐福和石普等人献给宋初朝廷的10世纪火药技术水平,因而是现存世界上最早的军用火药方。除硝、硫、炭外,其中还混入干漆、沥青、黄蜡、竹麻屑、黄丹、松香及桐油、清油等植物油,有的方内还有砒霜(As_2O_3)、狼毒(*Stellera chamaejasme*)、草乌头(*Aconitum carmichaeli*)和巴豆(*Croton tiglium*)等毒性成分,总共达5斤(2984 g,近3 kg),其中约10%为植物油,故火药呈膏状,这是为了操作和运输上的安全而采取的措施。如不计其他成分,只计硝、硫、炭含量,则毒药烟球火药含硝30两(60%)、硫15两(30%)、炭5两(10%)。蒺藜火球火药含硝40两(61.5%)、硫20两(30.8%)、炭5两(7.7%)。火砲火药含硝40两、硫21两,炭量漏记,估计是5两左右,则三者比为60.6∶31.8∶7.6。

由此可见,10世纪时的火药中硝、硫、炭平均配比为60.7∶30.9∶8.4。其中含硫量偏高,含硝、炭量低,且呈膏状,因此不能作发射药,只能燃烧和爆炸。由弓弩发射者为火药箭(gunpowder arrow),由抛石机射出者为火砲(catapult

---

① 曾公亮[宋].武经总要(1044),前集,卷十一,火攻,第4册.明刊本影印本.上海:中华书局上海编辑所,1959.23A

② 曾公亮[宋].武经总要(1044),前集,卷十二,守城,第4册.明刊本影印本.上海:中华书局上海编辑所,1959.50

③ 曾公亮[宋].武经总要(1044),前集,卷十二,守城,第4册.明刊本影印本.上海:中华书局上海编辑所,1959.56~57

1

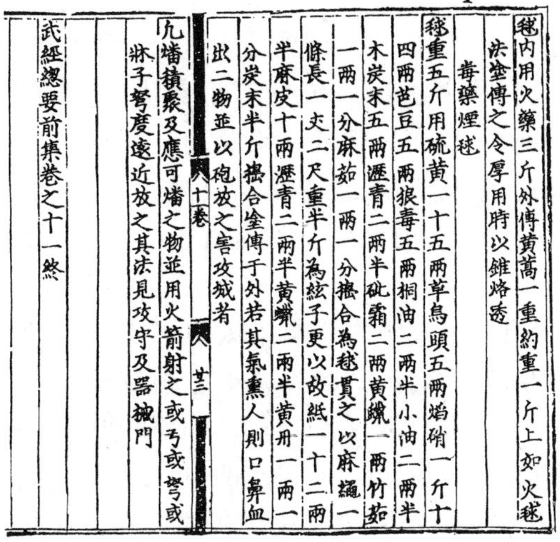
毬內用火藥三斤外傅黃蒿一重約重一斤上如火毬
法塗傅之令厚用時以錐烙透
毒藥煙毬
毬重五斤用硫黃一十五兩草烏頭五兩焰硝一斤十
四兩芭豆五兩狼毒五兩桐油二兩半小油二兩半
木炭末五兩瀝青二兩半砒霜二兩黃蠟一兩竹茹
一兩一分麻茹一兩一分擣合為毬貫之以麻繩一
條長一丈二尺重半斤為弦子更以故紙一十二兩
半麻皮十兩瀝青二兩半黃蠟二兩半黃丹一兩一
分炭末半斤擣合塗傅于外若其氣熏人則口鼻血
出二物並以砲放之害攻城者
凡熢積聚及應可熢之物並用火箭射之或弓或弩或
牀子弩度遠近放之其法見攻守及器械門
武經總要前集卷之十一終

2

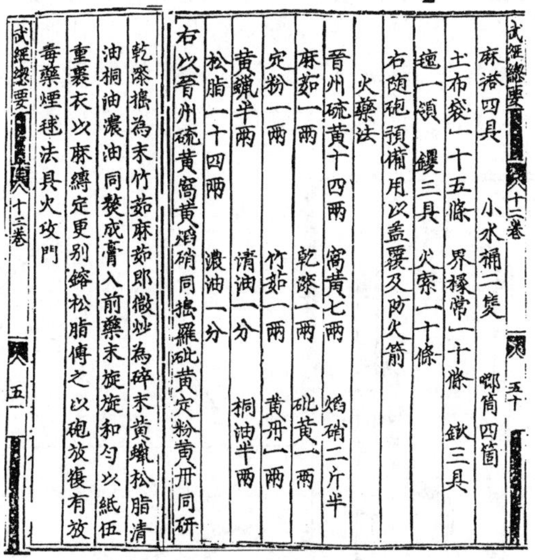
麻搭四具　小水桶二隻　唧筒四箇
土布袋一十五條　界橾常一十條　鍬三具
邅一領　鏝三具　火索一十條
右隨砲預備用以蓋覆及防火箭
火藥法
晉州硫黃十四兩　窩黃七兩　焰硝二斤半
麻茹一兩　乾漆一兩　砒黃一兩
定粉一兩　竹茹一兩　黃丹一兩
黃蠟半兩　清油一分　桐油半兩
松脂一十四兩　濃油一分
武經總要　十二卷　五十
右以晉州硫黃窩黃焰硝同擣羅砒黃定粉黃丹同研
乾漆擣為末竹茹麻茹即微炒為碎末黃蠟松脂清
油桐油濃油同熬成膏入前藥末旋旋和勻以紙伍
重裹衣以麻縛定更別鎔松脂傅之以砲放復有放
毒藥煙毬法具火攻門
武經總要　十二卷　五一

3

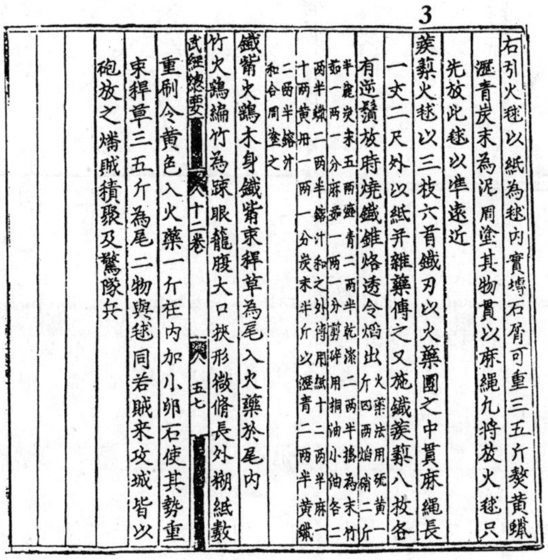
右引火毬以紙為毬內實塼石屑可重三五斤熬黃蠟
瀝青炭末為泥周塗其物貫以麻繩凡將放火毬只
先放此毬以準遠近
蒺藜火毬以三枝六首鐵刃以火藥團之中貫麻繩長
一丈二尺外以紙并雜藥傅之又施鐵蒺藜八枚各
有逆鬚放時燒鐵錐烙透令焰出火藥法用硫黃一斤四兩焰硝二斤半麄炭末五兩瀝青二兩半乾漆二兩半擣為末竹茹一兩一分麻茹一兩一分剪碎用桐油小油各二兩半蠟二兩半鎔汁和之外傅用紙十二兩半麻一十兩黃丹一兩一分炭末半斤以瀝青二兩半黃蠟二兩半鎔汁和合周塗之
鐵嘴火鷂木身鐵嘴束稈草為尾入火藥於尾內
竹火鷂編竹為疏眼籠腹大口挾形微修長外糊紙數
武經總要　十二卷　五七
重刷令黃色入火藥一斤在內加小卵石使其勢重
束稈草三五斤為尾二物與毬同若賊來攻城皆以
砲放之燔賊積聚及驚隊兵

图 172

《武经总要》(1044)所载最早的三种军用火药配方

1　毒药烟球火药方

2　火砲火药方

3　蒺藜火球火药方

throwing gunpowder package)，火药包中含毒剂者为毒药烟球，含铁刺者为蒺藜火球。这也正是前述冯继昇等人所研制的火药箭、火球和火蒺藜之类的最早的火器形式。早期火药有两个显著特点，一是呈膏状，这样它虽然安全、稳定，但令爆炸缓慢、引燃性迟钝，一般用烧热的铁锥穿刺来引燃。二是混入沥青、蜡、竹麻茹、油蜡等传统纵火剂，以提高其最初发焰效果，但加重了无谓的负荷，淡化了硝、硫、炭的主导作用。尽管如此，它仍然是真正的火药，只是与后世火药相比效能差些而已。

上述火器都曾用于实战，如975年宋太祖平南唐时使用过火药箭，徐梦莘(1126～1207)《三朝北盟会编》(1193)卷九十七引夏少曾(1080～1150在世)《朝野佥言》(1120)称，这些火药箭至1126年北宋亡时仍存二万支。《武经总要》卷十二还谈到"火药鞭箭"(gunpowder whip-arrow)，不用弓弩发射，而是靠竹竿的弹力投射出去的火药箭(图173)，绑有火药包的箭杆很像是标枪(javelin)[①]。女真族建立的金政权(1115～1234)1126年灭北宋后学会了火药技术，此后与南宋作战时，双方都动用火器，包括火药弓箭、火药弩箭和由抛石机发射的蒺藜火砲、霹雳火砲[②][③][④]。后来有改进，如1161年南宋将领魏胜(1120～1164)在海州(今江苏连云港)与金兵作战时发明砲车，"在阵中施火石砲，亦二百步……以其制上于

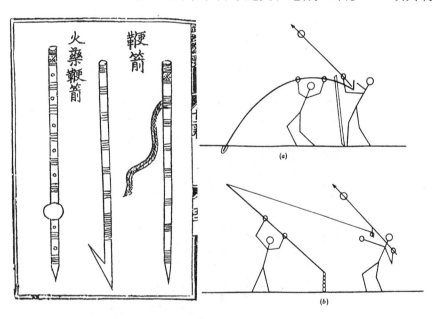

图 173
10世纪中国的火药鞭箭及投射方式，取自 Needham(1986)

---

① Needham J, *et al*. Science and Civilization in China, vol. 5, pt 7, The Gunpowder Epic. Cambridge University Press, 1986. 149～153
② 石茂良[宋]. 避戎夜话(1127)，卷上. 见：中国历史研究会辑. 中国内乱外祸历史丛书，第9辑. 上海：神州国光社，1947
③ 赵万年[宋]. 襄阳守城录(1207). 笔记小说大观本，第10册. 扬州：广陵古籍刻印社，1983. 197～204
④ 史弥坚[宋]修. 卢宪[宋]纂. 嘉定镇江志(1213)，卷十，兵防. 清道光二十二年(1842)重刊本，11～14

朝,诏诸军遵其式造焉"①。这是有轮子的机动性很大的抛石机,可将火药包及石块投至 200 步以外。

第五节 评外国发明火药说

一、评印度发明火药说

我们前面已经用各种证据证明,火药技术是在中国发明的。主要因为在中国不但最先具备制造火药的技术前提,而且拥有关于火药和火器方面的最早文献记载和实物遗存,通过第十章对中外火药技术交流史的研究,表明东西方各国早期火药技术都是直接或间接受中国的技术影响。然而必须指出,关于火药技术起源地问题存在过不同的说法,这里不能不加以评论。首先是印度发明火药和火器说,最先由 18~19 世纪英、法作者提出来的,20 世纪以来仍有少数人赞同。这种说法究竟能否成立,需要辨明。

早在 1776 年,英国东方学家哈尔海德(Nathanie Bressey Halhed,1751~1830)将公元前 300 年成书的古代印度法典《摩奴法典》(Manusmarti or A Code of Laws of Manu)译成英文时,就在有关地方错误地使用了"cannon"("火炮")和"gun or any kind of firearms"("火枪或任何种类的火器")之类的字句②。于是有人便由此认为印度在公元前 300 年(!)已经有了火枪或火箭(rockets)。此后,旅居印度的法国天主教教士杜布瓦(Jean Antoine Dubois,1765~1848)在其所著《印度人民的特性、风俗和习惯概论》(Description du Caractère, de la Manière et des Coustumes du Peuple Indien)书中,指出古代印度在公元前 300 年成书的《罗摩衍那》(Rāmāyaṇa)史诗中的 vāṇa 或 baṇa 就是火箭(fusée)。他认为 vāṇa 是该史诗中的英雄人物罗摩(Rāma)所用的"基本投射武器之一",也是印度古代传统中的 32 种兵器之一。于是他进而推断说:"这证明印度在早期并非不知道火药,因为没有这种材料就不能装填从古至今为印度人使用的火箭。"③

1880 年,英国作者埃杰顿(W. Egerton)在其作品中认为印度古代吠陀颂歌(Vedic Hymms)中的 agni astra 就是火箭④。按阿耆尼(Agni)是印度古代神话

---

① 脱脱[元]. 宋史(1345),卷三六八,魏胜传. 二十五史缩印本,第 8 册. 上海:上海古籍出版社,1986. 6 465~6 466
② Halhed N B, tr. A Code of Gentoo (India) Laws. London, 1776. 53~55
③ Dubois J A. Description of the Character, Manner and Customs of the People of India. Translated from the French, vol. 2. Philadelphia, 1818. 329~347
④ Egerton W. An Illustrated Handbook of Indian Arms. London, 1880. 10

中的火神,则 *agni astra* 亦可解释为阿耆尼神器或火神器。穆尔(E. Moor)也有类似的说法①。他们认为火箭是韦斯法马(Valca Visvaarma)所发明,因为"他在百年间制造了所有的军用武器"。为支持火药和火器起源于印度之说,还有人援引古希腊人费罗斯特拉都斯(Flovius Philostratus, c. 170~245)的《泰安那人阿波罗尼斯传》(*Life of Appolonius of Tyana*),其中提到希腊马其顿国王亚历山大(Alexander the Great, 356~323 BC)公元前 325 年东征旁遮普(Panjab)时,遇到当地人用"狂飙(biāo)和霹雳"从城墙上袭击其攻城士兵。1950 年西里(J. W. Siry)认为此处所说的武器就是火箭,他主张至迟在公元前 325 年印度就有了以火药发射的火箭。②

值得注意的是,最先主张印度发明火药的并不是印度学者,而是英、法作者。究其原因,可能因为英、法军队 18 世纪入侵印度次大陆时,遭到当地抵抗部队使用的火箭的袭击,而蒙受颇大损失,因而他们对印度火箭产生深刻印象,以为这种火器必由来已久。他们把火药和火器起源追溯得很早,推到公元前 300 年。他们主要依据古代梵文文献中若干术语的不准确译文立论,很少分析当时技术条件,而使用的史料有的是出于神话传说,并非信史,更没有将印度与中国古史作认真对比研究,因而导出的结论很难使科学史工作者相信。尽管如此,这些说法在现代仍有影响,我们注意到近年国外作品中还不时看到这类主张,或至少把印度与中国并列为发展火药武器最早的国家③④,情况是否这样,不可不辨。

应当指出,18 世纪提出印度在公元前 300 年已有火药武器的英国人哈尔海德,并不通晓梵文,他英译《摩奴法典》时,是从早期波斯文本转译的。在辗转翻译过程中出现了偏差,主要问题是将古代梵文用语现代化,而未反映其原词本义。他的有关段落英译文和我们从英文作出汉译文并列之于下:

... the magistrate shall not make war with any deceitful machine or with poisoned weapons or with cannon and guns or with any other kind of firearms.

[……君主将不用任何欺人之机关或有毒武器,或火炮和火枪或任何其他种类的火器开战。]

通晓梵文的印度学者、著名化学史家赖伊爵士(Sir Praphulla Chandra Rāy, 1861~1944)在其《印度化学史》(*A History of Hindu Chemistry*)中明确指出,哈尔海德此处将《摩奴法典》中的梵文译错了。赖伊对有关段落介绍了两种正确的译文,其一是 19 世纪德国梵文专家布勒尔(Johann Georg Bühler, 1839~

---

① Moor E. The Hindu Pantheon. Delhi, 1968. 213~214
② Siry J W. The early history of rocket research. Scientific Monthly, 1950, 71:236
③ Kurov V D, Dorzhanski Y M. Osnovy Proektirovaniya Norokhovykh Raketnykh Snaryadov. Moskva, 1961. 5
④ Bol'shaya Sovetskaya Entsiklopediya, 3. oe izd. , tom. 21. Moskva, 1975. 131

1898)的译文：

> When he (the king) fight with his foes in battle, let him not strike with weapons concealed (in wood), nor with (such as are) barbed poisoned, or the points of which are blazing with fire.
>
> ［当他（国王）在战场上与敌人交锋时，他并不用隐藏（在木头中）的武器，或带蒺藜、毒药的武器或纵火物杀伤其敌人。］

赖伊介绍的第二种较正确的译文，是印度学者梅达蒂蒂(Medhātithi)和巴塔(Kullūka Bhatta)于1904年在伦敦用英文发表的，有关段落原文和我们的译文如下：

> The king has not slay his enemies in warfare with deceitful or barbed or poisoned weapons, nor with any having a blade made red hot by fire or tipped with burning materials.
>
> ［国王在战争中并不用欺人的或带蒺藜或毒药的武器，或用火烧红或绑有燃烧物的刀剑来杀伤敌人。］

赖伊介绍的这两种译文，都出于梵文专家之手，应当是可靠的。他在论印度化学史书中还转载了《摩奴法典》有关段落的梵文原文（图174）和他认为是正确的英文译文。无论是布勒尔，还是巴塔的译文，其中都根本看不到有关火炮、火枪或任何种类的火器的用语。赖伊考证这条史料时是认真而实事求是的，还查出哈尔海德译错的这段话出自《摩奴法典》卷七第90段(*Manusmarti*, Ⅶ:90)。他指出："只有生搬硬套，才能在《摩奴法典》中找到可认为是从火枪中射出的发射物。"[1] 英国剑桥的火药史家帕廷顿也指出，由于哈尔海德译错了原文，引起不少人误以为公元前300年的古代印度有了火枪或火箭。接着他援引梅达蒂蒂和巴塔的译文，将哈尔海德译为"火枪"或"火箭"的词，更正为"用火烧红或绑有燃烧物的刀剑"(blade made red hot by fire or tipped with burning materials)[2]。

我们还可补充说，法国梵文专家迭朗善(Loiseleur-Deslongchamps, 1805～1840)在其法译本《摩奴法典》(*Mânava-Dharma-Sâstra. Lois de Manou*, Paris, 1832～1836)中对这一段给出的译文是：

战士在战斗中决不应该对敌使用奸诈兵器，**如内藏尖锥的棍棒**，或有钩刺

---

[1] Rāy P C. A History of Hindu Chemistry, vol. 1. 2nd ed. London, 1904. 178～181
[2] Partington J R. A History of Greek Fire and Gunpowder. Cambridge: Heffer & Sons, Ltd., 1960. 211

的、涂毒的箭,或燃火的标枪。①

> In Sanskrit literature, there are frequent but vague references to 'agni astra" or firearms, but we have no reason to suppose that the combustible matter these fire arms contained supplied a motive power of the nature of gunpowder. The fire missiles were probably of the same category as the

> कूटानि यानि वह्नि:काष्ठमयानि भस्मनिर्मितशस्त्राणि । कर्षिण: शरा:, ये शल्यस्य मूर्ति मध्ये वा कर्णाकारे: क्रियन्ते । ते हि सविद्धा दुस्तरा भवन्ति, प्रहारेणाभिक्रमपि शरीरे सदृशं भिन्दन्ति । दिग्धाविद्धोपविद्धा: । वह्निना ज्वलितमादीपितं तेलोन्यफलकं येषां, एवंनैर्वोद्दह्येत् । इति मेधातिथि: ।
> कूटान्यायुधानि वह्नि: काष्ठादिमयानि, भस्मनिर्मितशस्त्राणि वे: शत्रून् युद्यमान: शत्रून् न हन्यात् ; नापि कर्णाकारफलकेर्नापि विषाङ्गनोपविद्धो- ऽपफलंकारिर्यत् । इति कल्लूकभट्ट: ।

> The correct rendering should be as follows:—"The king shall not slay his enemies in warfare with deceitful or barbed or poisoned weapons, nor with any having a blade *made red hot by fire* or tipped with burning materials"; Bühler, who also follows the above commentators, thus translates: "when he (the king) fights with his foes in battle, let him not strike with weapons concealed (in wood), nor with (such as are) barbed, poisoned, or the points of which are blazing with fire." Whereas Halhed's version is: "the magistrate shall not make war with any deceitful machine or with poisoned weapons or with cannon and guns or with any other kind of firearms."

图 174
古印度《摩奴法典》有关原文及正误英译文对比,引自 Rāy(1904)

在法译本中同样没有出现类似火器的用语,而且迭朗善在脚注中特意指出,先前有人认为这段话中谈到火器是不可靠的。他说"《摩奴法典》原文所谓燃火标枪,恐系仅仅具有适于燃火的材料",而不是火药。关于《摩奴法典》,过去西方学者将其成书年代定得过早,因其中提到秦人(中国人,Chinas),不可能早于公元前 3 世纪。经进一步研究,其 12 卷中第 1 及 12 卷形成最晚,7~11 卷次之,2~6 卷较早。一般认为《摩奴法典》有一个形成过程,但布勒尔在 1880 年代于《印度-雅利安语言学与考古学概论》(*Grundries der Indo-Arischer Philologie und Altertumskunde*)中提出法典成书于公元前 2 世纪至公元 2 世纪之间的说法,已为多数学者认同,接近于定论了。

至于与哈尔海德差不多同时代的法国人杜布瓦,他一方面认为印度早期有

---

① Loiseleur-Deslongchamps 法译,马香雪转译.摩奴法典.北京:商务印书馆,1982.153

关武器的著作叙述得有些夸张,另一方面又认为《罗摩衍那》中的 vāna 是火箭,并主张印度在公元前 300 年已制成火药。但书中叙述的是神话故事,史诗中的主人公罗摩在天上工匠大神之手帮助下,带领猴兵、熊兵战胜魔王后升天,化为大神毗湿奴①。因而罗摩具有半人半神的色彩,不是真实人物。他用来与妖魔战斗的武器 vāṇa 或 bana,在梵文中意思是由弓射出的箭(arrows),不可理解为反作用装置火箭(rockets)。杜布瓦的意见及与此类似的看法缺乏实际依据,无法成立。

只有在印度开始制造火药和火器之后,vāṇa 一词的含义才有了变化,而这已是很晚的事了。1655～1668 年旅居印度的波尼埃(Bernier)将 vāṇa 解释为"绑在棍上的手榴弹"(a grenade attached to a stick)。专家们认为,vāṇa 从 1400 年以后才用来指纵火箭(incendary arrow)或火箭②。这已经是中国真正火箭升空二百多年以后的事了。既然《罗摩衍那》这部神话史诗中的 vāṇa 是普通的箭,而在一千多年以后才有新的含义,则将它当成印度公元前 300 年的火箭史料,显然是错误的。由此再推论火药发明于印度,更毫无根据。

埃杰顿和穆尔从吠陀颂歌中找到的"火矢"或"火箭"(agni astra)或阿耆尼神器,经印度学者赖伊考察后,也认定不是火药武器。他写道:"在梵文文献中,经常模糊地提到 agni astra 或火器(firearms),但我们**没有理由认为这种纵火武器是由火药提供的动力**。它很可能与希腊火属于同一范畴。"③这就是说,它含有沥青、树脂和硫黄等物,而没有硝石和木炭,因而不是火药混合物。同时,这种武器是通过弓,或有时用抛石机投出的。颂歌中描述使用这种武器的阿耆尼是火神,也不是真实的人,这条史料就失去可靠性。

西里 1950 年提到的希腊马其顿国王亚历山大在公元前 4 世纪东征时遇到的"霹雳",这个故事本身的可信性就成问题,因为马其顿部队并不是被旁遮普人的这种武器吓跑的④,他们匆忙撤兵是由于不耐那里的炎热天气,加之长途跋涉,军中瘟疫流行,才收兵西归⑤。如果说旁遮普人用过火攻,那也只能用纵火剂,不可能用火药。近二百多年以来,人们一直没有发现能证明印度在公元前制造火药的任何可靠证据,已提出的证据都被深入的研究所推翻。印度本土最早出现的火器,是蒙古军队第一次西征时用过的。成吉思汗率领的大军在中亚破花剌子模国(Khwarizm)后,为穷追其王子的残部,1222 年春渡印度河,进入印度北部及今巴基斯坦境内,再至中印度。蒙古军这时使用了火器。印度在德里苏丹国奴隶王朝(1206～1290)时,再次遭到蒙古军火器袭击。印度现存有关火

---

① 季羡林. 中印文化关系史论文集. 北京:三联书店,1982. 452～457

② Partington J R. A History of Greek Fire and Gunpowder. Cambridge: Heffer & Sons, Ltd., 1960. 227

③ Rāy P C. A History of Hindu Chemistry, vol. 1. 2nd ed. London, 1904. 178～181

④ Winter F H. The rockets of India from "ancient time" to the 19th century. Journal of the British Interplanetary Society (London), 1974, 32:467

⑤ 季羡林. 印度简史. 武汉:湖北人民出版社,1957. 6

药和火器的早期梵文或波斯文写本,就是在这以后出现的。①

研究火药史的印度学者戈代(P. K. Gode)认为火药和火器都是中国发明的,不过在何时传入印度还有待进一步研究②。他将印度火器出现的最早时间上限定在公元1400年,这同他认为印度在1400年以前没有火药和火器的观点是一致的。他涉猎过大量梵文文献,认为先前误译为火箭的 vāṇa 只是一般的箭,而且"看来不像是梵文",从1400年以后才用于指火箭。1676年彭迪塔(Kaghunatha Paṇḍita)奉马拉塔政权创建人西瓦吉(Shivaji,1627~1680)之命编的《非梵文名词汇编》(Rājavyavahārakośa)中,把 vāṇa 释为火药筒③,这是此词在16世纪时的新的含义。美国学者温特(F. H. Winter)认为火药和火器发明于中国,没有证据证明印度是起源地,真正火器直到15世纪才出现在印度,这已在真正有年代可查的中国火器出现以后很久的事了。④ 这些意见反映了当前国际上大多数学者的共识。

二、评拜占庭发明火药说

还有一种观点主张火药在拜占庭帝国发明,其主要理由是认为拜占庭的所谓希腊火(Greek Fire)由火箭装置发射,或认为这种武器本身就是火箭装置。这种观点由来已久,至20世纪仍有人重申,拒不承认火药是中国的发明。应当指出,拜占庭人并不将其武器称为希腊火,而称海火(sea-fire)或人造火(artificial fire),又叫野火(wild fire)。希腊火是后世人取的名,它有一段很长的发展史。它最初在公元前5世纪~公元前4世纪由希腊人用于战争中,经常用于水战。公元前305年希腊军事家泰克蒂卡斯(Aeneas Tacticus)称,海火或野火由硫黄、松炭、沥青等传火物与亚麻屑混合而成。公元前424年在贝利斯(Belius)发生的战役,前414年的西里卡斯(Syrancuse)战役及前304年的罗得岛(Rhode)战役曾使用过⑤⑥。

早期海火将可燃物放入火壶或火罐(fire-pots)中,以机械弹射力投入敌方,引起燃烧,是西方水战中有力攻守武器,历史中有不少战例。但早期海火可燃物成分中不含硝石,因而不是火药武器,更不是火箭。西方史料告诉我们,在公元前西方不知道硝石,所以古希腊人造不出火器。然而海火后来有新的发展,公元7世纪时其技术秘密被东罗马帝国即拜占庭帝国建筑师凯林尼科斯(Killinikos of Helliopolis)所掌握。这位叙利亚出生的技术家将他研制的武器秘方献给拜

---

① 潘吉星. 中国火箭技术史稿. 北京:科学出版社,1987. 149~150
② Gode P K. The History of Fireworks in India between 1400~1900. Bangalore, 1953. 26
③ Gode P K. The History of Fireworks in India between 1400~1900. Bangalore, 1953. 20
④ Winter F H. The genesis of rockets in China and its spread to the East and West. In: Proceedings of the 30th Congress of the International Astronautical Federation. München, 1979. 3
⑤ Leicester H M. The Historical Background of Chemistry. New York. 1956. 79
⑥ Carman W Y. A History of Firearms from Earliest Times to 1914. London, 1955. 3~4

占庭皇帝君士坦丁四世(Constantine Ⅳ, called Pogonatus, 648~685)。他在位时(668~685)拜占庭首都君士坦丁堡(Constantinople,今土耳其境内)连续6年(672~677)遭伊斯兰帝国军队围攻。皇帝下令于672年(或674)首次在战场上使用希腊火,717年以此给阿拉伯军队重创,从而免遭首都沦陷。

拜占庭的希腊火是半流体混合物,投出后很难扑灭,遇水反而火势更猛。拜占庭统治者对这种武器严守秘密,泄密者严惩,只有皇帝和凯林尼科斯一家知道技术细节①。君士坦丁七世(Constantine Ⅶ, Porphygenitus, 905~959)曾谕其皇子曰:"尔宜慎守以上诸端,尤当守护管中喷出之海火。若有敢问此机密,如寻常奏问于朕者,尔当严斥之。"由于帝国当局严守秘密,只有皇帝和授权的皇族能决定谈什么和谈到什么程度,为后人研究海火成分、配方带来困难。拜占庭的希腊文手稿也很少有这方面记载。但他们越对武器保密,就越引起其对手阿拉伯人的兴趣和后世人的好奇心,秘密最后终揭破。

最早将拜占庭海火与火箭联系起来的,是意大利人瓦尔图里奥(Robert Valturio, c. 1413~1482)。1450年他在《兵书十二卷》(Dere Militari Libri Ⅻ)称,拜占庭皇帝列奥六世(Leo Ⅵ, called the Wise and Philosopher, 866~912)在位时(886~912),其士兵以投火器(fire that is launched or hurled)反击敌人,并认为这可能是一种火箭②。这部1472年用拉丁文出版的书,是文艺复兴时期重要兵书。据此,拜占庭似乎在9~10世纪就有了火箭(rochotte)。据意大利人穆拉托里(Muratori)研究,1379年意大利语首次用rochotte来称呼火箭③,这个词后来演变成英语rocket、德语Rokete、俄语raketa和日语ロケット等。但瓦尔图没有提供有力证据证明拜占庭的海火就是火箭,所以基本上属于一种猜测。

瓦尔图里奥观点长期间很少有人问津,直到1825年伦敦《亚洲杂志》(Asiatic Journal)发表未署名作者文章,其中说19世纪初英国火箭设计家康格里夫(William Congreve, 1772~1828)对其康格里夫火箭发明权的要求是错误的,因为拜占庭享有这种发明权④。这种说法没有道理,须知康格里夫的近代火箭不能与希腊火等量齐观。但持此观点者仍有人在,如1843年法国拉朗(L. Lalanne, 1815~1898)主张希腊火是火药武器,而其发射装置 $\sigma\iota\phi\omega r$ (siphons)是火箭(fusée de guerre ou fusée volante)⑤。1845年法国东方学家雷诺(Joseph

---

① Carman W Y. A History of Firearms from Earliest Times to 1914. London, 1955. 3~4

② von Braun W, Ordway F I. History of Rocketry and Space Travel. London-New York: Crowell Co. 1966. 22~23

③ Partington J R. A History of Greek Fire and Gunpowder. Cambridge: Heffer & Sons, Ltd., 1960. 174

④ Anonymous writer. Greek Fire—Congrave rockets. Asiatic Journal (London), 1825, 19: 265

⑤ Lalanne L. Recherches sur le Feu Grégeois. Paris, 1845. 65~71; Essai sur le Feu Grégeois et sur le poudre à canon. Annales de Chimie et de Physique, 1842, 3 sér: 445~447

Toussaint Reinaud,1795~1867)和炮兵上校法韦(Ildphone Favé)①、法国化学史家厄费(Ferdinand Hoefer)②也认为拜占庭希腊火是用火箭发射的。20世纪以来,英国人埃利斯(Oliver C. Ellis)③和法国人麦西耶(Maurice Mercier)④仍坚持这种观点。

坦率地说,我们很难同意上述意见。希腊火究竟是什么武器,最好看看拜占庭人如何叙述。9世纪以后拜占庭统治者列奥六世在其《战术学》(Tactics)中流露出一些希腊火细节。他指出人造火由青铜制成的管(siphons)中喷出,放在战船前端,能将火向四面八方喷出。士兵用刚发明的小手筒(small hand-tube)从铁盾后放火。看来,这种装置是小型手提式唧筒(small hand-pump)⑤,即液体点燃后,用唧筒内压缩空气将火从管中喷出。稍后,拜占庭安娜·柯梅纳(Anna Commena,1083~1148)公主为其父亚历克西斯一世(Alixius Ⅰ Commena,1048~1118)写的传《亚历克西亚德》(Alexiad)中,透露了更多细节。其父1081~1118年在位时多次与阿拉伯交战。安娜公主谈到1103年在罗得岛附近与皮桑人(Pisans)交战时指出,每艘拜占庭战船船首都装一个管子,"在每根管子的弯曲部位放上黄铜或铁制镀金狮头或其他兽头,以令人望而生畏。士兵从狮头开的口中通过灵巧装置射出要喷的火"。

安娜公主还指出,当敌船船尾被击中时,火就会喷到敌船上。皮桑人害怕火烧,纷纷逃跑。火可按意愿喷向各个方向。喷火管由两人操作,是根据打气筒原理制成的,武器看来可以转动。安娜公主提到管的"弯曲部位",说明不是火箭装置。列奥六世所说的小手筒,因靠机械外力操作,也不是火箭装置。斯凯里兹(Skylitzes)发现的1300年拜占庭希腊文手稿,有一幅海战图(图175)描写拜占庭军队与阿拉伯人海上战争实况,画面上有一拜占庭士兵手持喷火管,向敌船上喷火⑥。喷火后,喷火管仍握在士兵手中,这说明它不是火箭。

图 175
拜占庭人以希腊火与阿拉伯人在海上作战图,取自 Carman(1955)

---

① Reinaud J T., Favé I. Histoire de l'Artillerie, pt. 1. Du Feu Grégeois, des Feux de Guerre et des Origines de la Poudre à Canon, d'après des Texts Nouveaux. Paris: J. Dumaine, 1845,108~110

② Hoefer F. Histoire de la Chimie, vol. 1. Paris, 1866. 302

③ Ellis O C. A History of Fire and Flame. London, 1932. 249

④ Mercier M. Le Feu Grégeois. Paris, 1952. passim

⑤ Carman W Y. A History of Firearms from Earliest Times to 1914. London, 1955. 4~6

⑥ Carman W Y. A History of Firearms from Earliest Times to 1914. London, 1955. 4~6

安娜公主谈到人造火燃烧剂成分时,提到树脂和硫黄,而未提其他成分。此后有不少人探索配方秘密,18世纪英国文物学家格罗斯(Francis Gruse,1731~1791)《军事文物》(Military Antiquity)一书中,考证出希腊火主要成分是沥青、硫黄和石油。19世纪英国皇家炮兵上校海姆《火炮起源》(The Origin of Artillerie)追加考证后,认为还应有生石灰。综合各方面研究,现已查明希腊火含有沥青、硫黄、石油、树脂、木炭和石灰,因而是流体混合物。值得注意的是,历代研究家都没有发现希腊火成分中有硝石,因此不能成为火药混合物,希腊火只能靠空气中氧的助燃作用才能燃烧,而火药可在无氧情况下燃烧,这是希腊火和火药之间的根本区别。1933年德国人豪森施坦(Albert Hausenstein)据已解谜的希腊火配方作了模拟实验。实验是成功的,但在解释起火现象时遇到疑难,因生石灰遇水产生的热,不足以使希腊火燃料达到发火点,除非直接点燃。

随着研究的深入,人们开始怀疑希腊火是否为火箭装备。早在1823年,英国人卡洛克(J. McCulloch)在伦敦刊物上著文说,中世纪希腊火投射装置不是真正火箭,因为它是靠机械力发出的,而火箭则自行发射[1]。帕廷顿也批评了19世纪法国人拉朗对希腊火和安娜公主著作含义的误解[2]。当代火箭学家和火箭史家布劳恩(Wernher von Braun,1912~1977)谈到希腊火时写道:"某些学者从拜占庭的安娜·柯梅纳公主作品的段落中做出结论说,9~10世纪已在拜占庭帝国用火箭将火罐运载至敌方。但这一般说来,是靠不住的……据说拜占庭统治者的士兵用过'发射(或投射)的火',然这种描述正好把借投射器(ballistas)投射的希腊火与火箭扯到一起了。"[3]

布劳恩和帕廷顿认为,火药和火器的起源地是中国,不是拜占庭。因此,他们都特意约请中国学者参与他们的写作。帕廷顿对希腊火作了深刻研究,查阅大量西方文献,包括希腊文古写本,得出的结论是,希腊火的投射器是将唧筒与喷火管相连,液态可燃物从唧筒中打上来,通过喷火筒喷出[4],因而不是火箭装置。

有些人之所以一度主张火药起源于拜占庭,也还是因为他们发现巴黎国家图书馆和慕尼黑德国皇家图书馆等处收藏题为《焚敌火攻书》(Liber Ignium ad Comburendos Hostes or Book on Fire for Burning Enemies)的拉丁文写本,书中除叙述了希腊火成分外,还谈到火药、烟火、炸弹和火箭装置。写本标明作者是希腊人马克(Marcus Graecus),最初研究者认为此书成于8世纪。在对写本内容充分考证以前,人们相信此书作者确有其人,成书断代无误。于是在这个基础

---

[1] McCulloch J. Conjectures respecting the Greek Fire of the middle age. The Quaterly Journal of Science, Literature and Arts (London), 1823,16:29

[2] Partington J R. A History of Greek Fire and Gunpowder. Cambridge: Heffer & Sons, Ltd., 1960. 16

[3] von Braun W, Ordway F I. History of Rocketry and Space Travel. London-New York: Crowell Co. 1966. 22~23

[4] Partington J R. A History of Greek Fire and Gunpowder. Cambridge: Heffer & Sons, Ltd., 1960. 16

上作出火药起源于拜占庭的结论,再以此结论去解释安娜·柯梅纳公主著作。然而《焚敌火攻书》的希腊文原稿始终未能找到,拜占庭希腊文文献中也未曾著录过这部兵书。人们对此解释说,现存本是后人从希腊文原本译成拉丁文的,而原本已散佚。

随着各国学者对《焚敌火攻书》拉丁文写本研究的深入,发现此书译自阿拉伯文原著,因为有些阿拉伯术语仍保留音译,这说明其成书时间不可能提至8世纪,而经考证此拉丁文译本写于1300年,其阿拉伯文原本当成于13~14世纪之交,是阿拉伯人托名希腊人马克写成的。历史上并没有希腊人马克其人写过此书,因此主张拜占庭发明火药之说便失去其借以成立的前提。但由于一时误会而出现的这种说法,影响了好几代人,有人对新研究成果没有及时吸取,致使此观点持续很长时间,直到20世纪以后还有人依此探讨火药和火器的起源,而不能得出正确结论。

三、评欧洲发明火药说

前已指出,主张拜占庭发明火药的观点是没有根据的,希腊火也不是火药武器。《焚敌火攻书》实为蒙古伊利汗国境内的阿拉伯人按中国技术写出的。但14世纪末以来,在欧洲特别是德国流行一种传说,认为火药、火炮和火枪等火器是由炼丹家和僧侣贝托德·施瓦茨(Berthold Schwartz)或黑贝托德(Black Berthold)发明的,据说此人是生活在13或14世纪的德国人。他还有肖像传世,而且在弗雷堡(Freiburg im Breisgau)还有1353年为贝托德立的塑像,以纪念他发明火药[1]。

1891年德国诗人汉斯雅各布(Heinrich Hansjakob)收集过有关贝托德的各种资料[2]。最早提到贝托德的,是苏黎世人海默林(Felix Hemmerlin,1389~1464),拉丁名为马勒斯劳斯(Malleslus)。他说,有个黑贝托德能将汞固定到可锻金属上,当他想伏汞精(basilisk)时,将汞与硫、硝石在密封罐中加热,结果发生了爆炸。他还将汞、硫和硝石的混合物在金属器皿中加热,也发生了爆炸,使实验室墙脚倒塌。海默林又进而说,黑贝托德要检验亚里士多德关于物体冷热性相克的学说时,将性冷的硝石和性热的硫混合于石臼中,加入一些炭,结果引起石臼被炸成碎粉。他重复这些偶然发现,并将器皿改变成枪(büchsen)的模样。海默林有关贝托德的作品写于1450或1458年,他说此人生活于"二百年前",即1250年。但多数作者认为他指的是百年前,即贝托德为1350年时人[3]。

海默林的上述绘影绘声的叙述出现后,引来了有关黑贝托德发明火药的各

---

[1] Partington J R. A History of Greek Fire and Gunpowder. Cambridge: Heffer & Sons, Ltd., 1960. 91~94

[2] Hansjakob H. Der Schwarze Berthold, der Erfinder des Schiesspulvers und der Feuerwaffen. Freiburg im Breisgau, 1891. 91pp

[3] Partington J R. A History of Greek Fire and Gunpowder. Cambridge: Heffer & Sons, Ltd., 1960. 91~94

种各样的传说。16世纪画家克里斯皮(G. Crespi,1557～1633)还为他创作一幅油画肖像,藏于意大利佛罗伦萨的尤菲兹博物馆(Uffizi Museum)。但欧洲各种文献中对贝托德发明火药的时间、地点的说法相互矛盾,甚至对他是哪国什么地方人、属于哪个教派,也说法不一。早期德文作品认为他是希腊炼金术士,而不是僧侣,后来的文献又说他是丹麦人。认为他是德国人的作者对其原籍也有不同说法:科隆(Cologne)、弗雷堡(Freiburg)、布伦瑞克(Braunschweig)、美因茨(Mainz)等等。有的说他是基督教中的方济各派(Franciscan),又有说他是多明我派(Dominican)或奥斯丁派(Augustinian)。关于他发明火药的年代,至少有1250、1348、1354、1372、1380及1393年等几种说法,相互间竟相差百年以上。

  上述各种说法存在的混乱和矛盾,使贝托德这个人物的故事玄之又玄,无法使人相信历史上是否真有其人。1891年法国化学史家贝特罗(Pierre Eugène Marcellin Berthelot,1827～1907)指出,当贝托德·施瓦茨1354年第一次亮相时,欧洲早已发展了火药,在这以前使用火枪也有许多年①。我们想补充的是,在他那时代的三四百年前,中国火药已出现在战场上。即令真有此人,他也不可能是火药和火器的发明人。1909年英国火器史家克莱芬(Clephan)认为黑贝托德纯粹是德国作者想像出来的人物,目的是希望他们这个民族享有发明火药和火炮的优先权②。

  帕廷顿广泛研究了各有关文献记载后得出结论说:"黑贝托德像罗宾汉(Robin Hood)那样,是个纯粹的传说人物;他只是为断定火药和火炮起源于德国这个目的而被发明出来的,而1353年在弗雷堡城为纪念他的发现而树立的纪念碑,没有任何历史依据。"③严肃的历史研究现在已将贝托德·施瓦茨这个幽灵从技术史中驱逐出去,不会再有人相信为这个想像中的人物编造的有关他作火药实验的虚假故事,正如不会有人相信印度神话人物罗摩发明火箭那样。因此在比利时根特(Ghent)和法国梅斯(Metz)两城为黑贝托德竖立的纪念物也作为伪造品而被拆除。

  事实证明,所谓"德国发展火药和火器"的故事不但晚于中国几百年,也比欧洲其他国家(如意大利)要晚。有关施瓦茨的虚构故事还由西方传教士兜售到中国,但并未找到市场。清代学者徐继畬(1795～1873)《瀛寰志略》(1848)卷四云:"火炮之法,刱于中国,欧罗巴人不习也。元末有日耳曼人苏尔的斯始仿为之,犹未得运用之法。"④苏尔的斯即 Schwartz(施瓦茨),徐继畬(shē)否认此人发明火药、火炮,明确指出此乃中国所创。在徐氏看来,即令施瓦茨确有其人,则他所作火药实验亦仿自中国。但他"未得运用之法",因为火药由硝、硫、炭配制,并不用汞。

---

  ① Berthelot M. Revue Des Deux Mondes. Paris, 1891, cvi, 786
  ② Clephan. The ordnance of the 14th and 15th centuries. Archaeological Journal, 1909, 66:49ff
  ③ Partington J R. A History of Greek Fire and Gunpowder. Cambridge, 1960.96
  ④ 徐继畬[清].瀛寰志略(1848),卷四.上海:扫叶山房石印本,1898.2

当德国作者宣扬施瓦茨"发明"火药之际,人们看到英国的罗杰·培根(Roger Bacon,1214~1292)更早地记载了火药。因此莫霍夫(Morhof)1672 年又提出火药是培根发明的,而不是黑贝托德发明的①。接着,英国史家吉本(Edward Gibbon,1737~1794)在《罗马帝国衰亡史》(*The History of the Decline and Fall of Roman Empire*)卷一(1776)中提出火药、火器是欧洲人发明的,而后传到中国。19 世纪英国汉学家梅辉立(William Frederick Mayers,1831~1878)发表了同样观点②。这位通汉语的外交官回避中国唐宋时期有关火药、火器的早期权威记载,专门引用对其观点有利的明清二三手文献中的错误说法,来为自己找依据,认为中国迟至 15 世纪的明代才开始发展火药。英国炮兵上校海姆(Henry Hime,1840~a.1920)接过梅辉立的观点后,又补充了 17 点理由否认火药发明于中国,主张是欧洲的发明。③

海姆列举的 17 点所谓证据,完全出于对中国历史的无知。例如他认为以柳枝烧木炭是英国人罗杰·培根提倡的,中国人从 18 世纪清代时才以柳炭制火药。而事实上中国宋金时即用柳炭,阿拉伯人也按中国方法用柳炭,都远在培根以前。海姆又说中国人常在火药料中加樟脑和汞,这是采用德国凯泽尔(Conrad Kyeser,1366~1405)的方法,而事实上中国火药配方并不用这两种材料。凯泽尔所述配方中砒霜、雄黄、石灰倒是宋金时早已用过的,加入汞是阿拉伯人的配方。日本炮兵大佐、火器史家有马成甫逐项地、针锋相对地驳斥了海姆的论点,认为没有一条能够成立,同时以可靠的证据证明火药、火器发明于中国。④ 有马博士的精彩论述,详见其《火砲の起源とその伝流》(1962)。

海姆主张培根发明火药的主要依据,是培根在《罗杰·培根教友论技术、自然界和魔术奇迹书信集》(*Epistolae Frartris Rogeri Baconis de Secretis Operibus Artis et Naturae et de Nullitate Magiae*)中第 11 封信的最后一段话,其中有的地方以秘语写成。有人认为此书信集是 1243 年在巴黎写的⑤,另有人认为 1257~1265 年在牛津写的⑥,其拉丁文版 1542 年首刊于巴黎,再刊于牛津(1594)、汉堡(1618)。图努斯(Jacques G. de Tournus)法译本 1557 年刊于里昂,英译本初刊于 1597 年,后又有其他版本。海姆认为《书信集》第 11 封最后一段话提供了"最早的火药配方"(?)。现将拉丁文原文、两种古体英译文和我们的

---

① Morhof. De Transmutation Melallorum. Hanburg,1672.132
② Mayers F W. The introduction and use of gunpowder and firearms among the Chinese. Journal of the North China Branch of the Royal Asiatic Society (Shanghai),1870,6:83
③ Hime H. The Origin of Artillery,pt. 1. London:Longmans Green & Co.,1915. 68~70
④ 有馬成甫. 火砲の起源とその伝流. 東京:吉川弘文館,1962.325~330
⑤ Sarton G. Introduction to the History of Science,vol. 2,pt. 2. Baltimore:Williams & Wilkins Co.,1931.952~967
⑥ Partington J R. A History of Greek Fire and Gunpowder. Cambridge:Heffer & Sons,Ltd.,1960.64~71

汉译文摘录于下：

  Sed tamen sal petrae LURU VOPO VIR CAN UTRIET sulphuris; et sic facies tonitruum et coruscationem, si scias artificium.
  Notwithstanding, thou shalt take salt-peter, *Luro vopo vir can utri*, and of sulphur, and this means make it both to thunder and lighten.①
  [不过，取得硝石，Luru vopo vir can utri，硫黄，并以此使其成为霹雳和闪光。]

  But get of saltpetre LURU VOPO Vir Can Utriet sulphuris and so you may make Thunder and Lighting if you understand the artifice.②
  [但是，取得硝石 LURU VOPO Vir Can Utriet 硫黄，因此你可能制得霹雳和闪电，如果你晓得这种技巧的话。]

  上述话中的 LURU VOPO VIR CAN UTRIET，是谁也不晓得的秘语，英译本只好照抄原文。法译本认为 lu, ru, vo, po, vir, can vtri 的意思是"包括 7 种简单矿物质"，也只是猜想。1915 年海姆将这套秘语硬排成 RVII PARTVNOULORLVET，再分成两组：R. VII. PART. V. NOV. CORUL. V. ET，同时又添加一些字，结果变成：[sed tamen salis petrae] r[ecipe] vii part[es], v nov[ellae] corul[i], v et [sulphuris]。译成汉文是："[使总量为 30]，但取硝石 [7 份]，[柳炭 5 份]和硫[5 份]"。再经换算，得硝石 41.2%、硫 29.4%、柳炭 29.4%。海姆由此做出培根发明火药的结论③。
  显而易见，海姆对培根拉丁文原文作了人为的篡改和填加，所谓"火药配方"是海姆捏造出来的。美国科学史家萨顿（George Sarton，1884～1956）指出："没有理由把火药的发明归之于培根。作为归功依据的《书信集》(*Epistolae de Secretis Operibus Naturae*)的这部分是有问题的，尽管整个《书信集》不是如此。将含秘语的这段话说成是火药配方，没有任何手稿上的依据，对秘语所作的破译是捕风捉影的(fantastic)。然而培根可能知道关于火药的某种东西，他肯定了解各种易燃和发火物质。"④我们同意萨顿的评论，事实上海姆的主张已被很多学者驳倒。培根掌握的火药知识，归根到底来自中国，详见本书第十章。
  遗憾的是，1929 年第 14 版《不列颠百科全书》火药条作者还坚持火药是英

---

  ① Brewer. Fr. Roger Bacon: Opera Quaedam Hacte Inedita. London, 1859. 551
  ② English ed. 1659. 23; Cf. Partington J R. A History of Greek Fire and Gunpowder. Cambridge: Heffer & Sons, Ltd., 1960. 72～73
  ③ Hime H. The Origin of Artillery, pt. 1. London: Longmans Green & Co., 1915. 113f
  ④ Sarton G. Introduction to the History of Science, vol. 2, pt. 2. Baltimore: Williams & Wilkins Co., 1931. 1038

国人罗杰·培根或德国人贝托德·施瓦茨"发明"的①，实属荒谬。又说欧洲烟火可追溯到史前的制火者"将硝石与木炭混合制成的火绒(tender)"，更是毫无根据。通过中外学者的潜心研究，火药发明于中国、尔后传布于东西方各国的历史事实在 20 世纪 60 年代以来已大白于天下，因此 1974 年第 15 版《不列颠百科全书》才修改自第 11 版(1911)以来的错误说法，承认"黑火药起源于中国"②。

李约瑟博士及其合作者 1986 年发表的专著③，更使人们对中国火药史有了详细的了解。过去提出火药起源于欧洲说的人，对中国火药史和中、欧关系史并不熟悉，目光只局限于欧洲，他们是用一只眼看世界的 one-eyed persons，以欧洲等同于世界，这是欧洲中心论思想在作祟。持这种观点的人，不承认，也不愿看到欧洲以外的其他国家在历史上有领先于他们的科学技术发明。但中国发明火药和火器的历史事实是任何人无法否定的，如今欧洲中心论也成为欧美火药史家的批判对象。

---

① Encyclopaedia Britannic, vol. 9. 14th ed. London, 1929. 281～283
② 简明不列颠百科全书，第 4 册. 北京：中国大百科全书出版社，1985. 101
③ Needham J, *et al*. Science and Civilization in China, vol. 5, pt. 7, The Gunpowder Epic. Cambridge University Press, 1986

第六章 中国火药和火器技术的早期发展

第一节 高硝粒状火药的制造

一、两宋之际的烟火和爆仗

黑火药是非常敏感的，任何火星的出现都足以使其点燃，冲击和摩擦也易引起爆发，遇热同样是危险的。[①] 火药对冲击的敏感度是 $1\ kg/cm^2 \sim 2\ kg/cm^2$，即每 $1\ cm^2$ 面积用 $1\ kg \sim 2\ kg$ 落锤从 $1\ m$ 高度落下，就能使火药爆发。甚至在两块木板之间摩擦火药，也能使其爆发。最容易使火药爆发的摩擦面物质是铁与铁、铁与石、石与石。而制造过程中需将硝石、硫黄和木炭混合后加以粉碎，这就得用石碾，在使用和运输过程中遇热、受到震动撞击在所难免。早期生产火药的兵工厂时常因操作不慎而造成惨祸。为安全起见，10 世纪时北宋兵工厂将硝、硫、炭混合后，加入植物油，使其呈膏状，而且粉碎后的粒度较大。这样可以提高火药的化学和物理稳定性，还可抵制对水分的吸收，保证不易变质，是一种万全之策。

但采取上述安全措施后，延长了碾药时间，使火药发火点提高，不易引燃。临战时，用烧热的铁锥点燃火药包，燃烧速度较为迟缓，诸多不便。更重要的是，这样的火药只能燃烧、爆炸，不能作发射剂，从而限制了其性能的充分发挥。10 世纪的北宋炸药包要由多人驱动的抛石机投射出去，称为"火砲"，命中率不高，启动时间较长。绑在箭杆上的小火药包，需由弓弩及竹制弹射器射出，称为"火箭"，既耗人力，射程又有限，说明早期火器和火药技术有待改进。在《武经总要》问世以后半个多世纪内，中国在火药制造方面出现了新的技术突破，结果在北宋哲宗末年至徽宗初年即 11 世纪末至 12 世纪初，制成了含硝量高的粒状火药。这就有可能使其成为发射药，并用来生产新式火器和火药制品，揭开了火药技术史中新的篇章。

粒状火药最初用于制造小型的烟火和爆仗。所谓烟火 (fireworks)、爆仗 (firecrackers)，指用多层纸卷成的纸筒内放少许粒状火药和辅助剂，接以药线 (fuse)，点燃后产生光、色、音响和运动效果的娱乐品，多用于节日、喜庆日或有关仪式中，这种习俗在中国至今仍保留。爆仗主要产生音响，又名纸砲、爆竹，分

[①] 江洪. 烟花炮竹生产与安全. 北京：轻工业出版社, 1980. 90～95

单响及双响。将许多小爆仗串联起来的叫鞭炮,可连续作响。在舞台上演戏的过程中,也应用烟火和爆仗产生光焰和声响效果,称为"火戏"。北宋末期社会经济繁荣,时承平日久,一段时期没有战事,人们就想到用火药制成小型玩具,因用量少,燃烧、爆炸力不大,不必再加植物油,而完全可将火药制成粒状,并适当增加硝的含量(如70%左右),减少含硫量。这样的火药便可作发射药,装入小纸筒中做成烟火。宋徽宗是贪图享乐的皇帝,为了供他和他的后妃取乐,政和(1111~1118)、宣和(1119~1125)年间宫内大放烟火,富贵之家争相仿效,因而刺激了粒状火药的生产,安全操作技术随之完善。

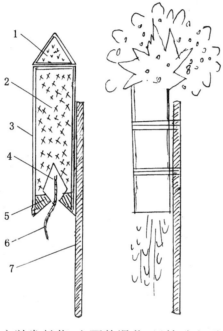

图 176
宋代起火结构示意图,潘吉星绘(1981)
1 闪光剂
2 黑火药
3 纸壳
4 燃烧室
5 喷射口
6 引线
7 稳定杆

爆仗、爆竹之名古已有之,但含义不同。古时指在火中燃烧青竹,发出爆裂之声,用于节日除邪。宗懔(约500~563)《荆楚岁时记》(550)引《神异经》云:"正月初一清晨,于庭前爆竹,可驱山臊恶邪",隋唐时仍如此。北宋以后以纸筒充火药代之,故名虽未易,实质则异。烟火又名焰火、烟花或花火,可从纸筒中喷出各色烟雾或其他小物件,可手持单放,还可升空。升空者称为起火、飞火或高升(图176),在纸筒内实以发射药,上面装闪光剂,如黄丹(Pb_3O_4)、紫粉等,点燃药线后,发出啸声,纸筒升空,再喷出各色烟花。起火(flying fire)与爆仗中的双响(double-bang firecrackers)的区别是,后者在纸筒内实以发射药,上面装爆药,纸筒升空后,发生爆炸。二者都是反作用升空装置。

还可将烟火和爆仗用药线混合串联起来,放在一个大盒子里,搭在高架上点放,则产生二者的综合效果,宋代称为成架烟火,今俗称盒子烟火,从这里可以看到药线的发明在烟火技术中的重要性。药线又称引信、药信或药捻,今称导火线,是引燃火药用的。做药线的方法是,将薄的皮纸裁成长条,约1寸(3 cm)宽,将麻线放在纸条中间,周围放入信药,然后捻成圆条,可接续连接,令其不断。外用明矾水和面糊在周围抹过,令成硬条,以免散开。最外层包上防水的油纸[1]。信药是燃烧相对缓慢,没有爆炸作用的火药,含硫量少,一般说含硝73%、硫4%、炭23%*,必须是粒状火药。用药线可安全引燃火药,还能控制引燃时间,更可将不同的含火药装置用总药线串联起来,实行一次性引燃。

有人说火药首先用于烟火,而后用于军事上,这是与史实不符合的。事实正好与此相反,火药首先用于军事,在没有频繁发生战争的时期才由军用改为民

---

[1] 焦勖[明].火攻挈要(1643),卷中.丛书集成本.上海:商务印书馆,1936.31~32
* 这个配比是据几种明代兵书所述配比的平均值计得,宋代亦大体如此——作者

用,将火器小型化制成玩具烟火,供儿童及成年人娱乐用。但火药玩具虽小,却制得相当精细,既有玩赏性,又要有一定程度的安全性与可靠性。在制造烟火的过程中,火药技术获得了质的飞跃。

有关宋代烟火的原始文献记载很多。北宋本草学家寇宗奭(约1071~1149)《本草衍义》(1116)卷四谈到硝石用途时说,"惟能发**烟火**"①。此书成于徽宗政和六年(1116),宣和元年(1119)出版,说明宋徽宗在位前期(1101~1115)已用粒状火药制成烟火。与此同时,宋徽宗时1103~1126年在首都开封居住的孟元老(1090~1161在世)在《东京梦华录》(1147)中,回忆在开封时的见闻及往事。他写道:"除夕(十二月三十日)……是夜禁中(宫中)爆竹山呼,声闻于外。士庶之家,围炉团坐,达旦不寐,谓之守岁。"②指宫中燃放鞭炮,因为爆竹产生的声音可能从宫中传到平民街巷。又施宿(约1174~1213)嘉泰《会稽志》(1202)亦称"惟除夕爆竹相闻,抑或以硫黄(等)作爆药,声尤震厉,谓之爆仗"。③ 这肯定是指纸砲。

宋元之际,周密(1232~1298)《武林旧事》(约1270)记述前人回忆1163~1189年在杭州居住的往事时写道:元夕时"禁中清燕、明华等殿,张挂各种灯笼。宫漏既深,始宣放烟火百余架……**大率效宣和盛际**,愈加精妙。"④"效宣和盛际",指仿效宋徽宗宣和年(1109~1125)时的盛大场面,可见至迟在宋徽宗在位时(1101~1126)含硝量超过70%的粒状火药已在开封用来生产烟火和爆仗。

1126年起定都于杭州的南宋,继续制造烟火,比北宋有进一步发展,做出更多的反作用装置,供娱乐用。周密《武林旧事》卷三追记前人回忆孝宗(1163~1189)时杭州宫中过除夕燃放爆仗的情景,他写道:"至于爆仗,有为果子、人物等类不一。而殿司所进屏风,外画钟馗捕鬼之类,而内藏药线,一爇连百余不绝。"⑤南宋钱塘人吴自牧(1231~1309在世)《梦粱录》(1274)也载十二月辞旧岁迎新年时,杭州"又有市爆仗、成架烟火之类……是夜(除夜)禁中爆竹嵩呼,闻于街巷……烟火屏风诸般事件爆竹……爆竹声震如雷"。⑥ 这里所说的"成架烟火"或"烟火屏风",都指许多烟火、爆仗用一个药线串联起来的复合式烟火,分若干节。点燃总药线后,发出巨响,再逐节喷出彩色纸制花果、人物、鬼怪及色烟。明代小说《金瓶梅词话》第十二回描写西门庆逛豪华门前放烟火(图177)即指此类,盖其由来已久。

周密《齐东野语》(1290)卷十一还谈到宋理宗即位初年(1225~1231)时一种名为地老鼠的烟火:"穆陵初年,尝于上元日(正月十五日)清燕殿排当(作表演),恭请恭圣太后。既而烧烟火于庭,有所谓地老鼠者,径至大母圣座下,大母为之惊惶,拂衣径起,意颇疑怒,为之罢宴。"⑦ 1419年波斯人在北京元宵节时看到在

---

① 寇宗奭[宋].本草衍义(1116),卷四.北京:商务印书馆,1957.23
② 孟元老[宋].东京梦华录(1147),卷十,除夕.北京:中华书局,1982.253
③ 施宿[宋].嘉泰会稽志(1202),卷十三,节序.清嘉庆戊辰年采鞠轩重刻本.1808.20
④ 周密[元].武林旧事(约1270),卷二,元夕.杭州:西湖书社,1981.30
⑤ 周密[元].武林旧事(约1270),卷三,岁除.杭州:西湖书社,1981.46~47
⑥ 吴自牧[宋].梦粱录(1274),卷六.北京:中国商业出版社,1982.45~46
⑦ 周密[元].齐东野语(1290),卷十一,御宴烟火.北京:中华书局,1983.208

地上打圈滚动的地老鼠①,是宋代传下的。这是一种旋转型烟火,其原理是火药在纸筒内燃烧时产生的气体向外喷射,产生反作用力,将三个火药筒串联起来,其反推力使烟火绕一轴心旋转②(图 178)。地老鼠是一种直接作用装置。

图 177
宋代的大型成架烟火,取自《金瓶梅词话》

周密还提到宋孝宗淳熙年(1174~1189)游杭州西湖,观看"烟火、起轮、走线、流星"③。其中,"流星"又称"起火",也是一种反作用装置。起火的制法是将发射药装入纸筒,填加发色剂(如铁粉),筒上口封一层泥,下部留一喷口。用药线点燃后,火焰和气流从喷口喷出,造成反作用推力,使纸筒升空,冒出一道彩色光焰,类似流星。除娱乐外,亦用作军事信号。如在纸筒内发射药上再装少许炸药,则升空后发出一声巨响,叫冲天砲或二踢脚、双响(double-bang friecrakers)。宋人所谓"起轮",制造原理与地老鼠相同,但在发射到空中后旋转并喷出光焰,此物传到阿拉伯地区后称为"中国轮"。

中国北宋时发明的烟火技术,具有很大的理论意义和实用价值。只有掌握了安全生产含硝量高的粒状火药技能后,才能充分发挥火药的性能,并扩大其应

---

① Yule H, ed. Cathay and the Way Thither: Being a Collection of Mediaeval Notices of China, vol. 1. Revised by Cordier H. London: Hakluyt Society, 1913. 82

② 江洪. 烟火炮竹的生产与安全. 北京:轻工业出版社,1980. 227~229

③ 周密[元]. 武林旧事(约 1270),卷三,西湖游幸. 杭州:西湖书社,1981. 37

用范围。当将粒状火药装入上启下闭的筒形物中点燃，其所产生的气体有强大的喷射作用，能将火焰和其他物体喷射至较远的距离。当将粒状火药装入上闭下启的筒形物中点燃，其所产生的气流有反推力，能将器物推射至空中，从而不自觉地利用了牛顿第二定律，即作用与反作用定律，制成反作用升空装置。而利用烟火技术和上述已发现的现象，将较大量高硝粒状火药装入较坚硬的两种筒形器物中，扩大其口径、内腔空间及长度，则产生的喷射力或反推力必然更大，从而显示这种娱乐装置具有潜在的军事实用价值。宋代兵工厂中的工匠和使用早期火器的将士，正是根据这些技术成果研制出各种类型的新式火器，提高了作战能力。

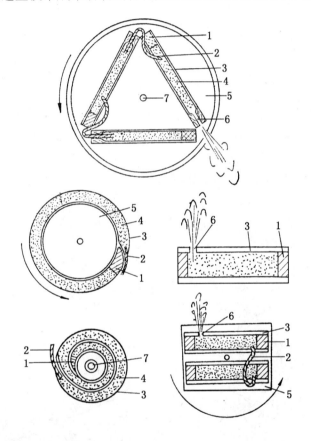

图 178
地老鼠和旋转型烟火结构图，取自江洪（1980）
1 笼头　2 传火引线
3 纸筒　4 黑火药
5 纸板壳　6 喷射孔
7 中心轴

二、南宋出现的铳炮和火枪

1. 1128年的瓶状金属铳炮

自从北宋末以含高硝粒状火药制成娱乐用的烟花和爆仗以来，人们在放烟花时会普遍观察到，点燃药线后，火焰和气体以极大的冲击力迅速从纸筒中喷射出去，从而自然会想到它在军事上可用于火攻。北宋末代皇帝徽宗（1101～1125）政和、宣和年间（1111～1125）在宫内欣赏烟火表演时，北方的女真族首领完颜阿骨打1115年称帝，建立金政权（1115～1234），1125年灭辽之后，加紧灭宋的步伐。宣和七年（1125），金兵分两路攻宋，宋徽宗传位于太子钦宗。靖康元年（1126）起，金围攻北宋首都开封，十一月城破，钦宗请降。金兵将徽、钦二帝及宗室、京内工匠、宫内图书、科学仪器等驱掳北去，北宋亡，史称"靖康之变"。1127年钦宗之弟高宗即位于南京（今河南商丘），后迁都至临安（杭州），史称南宋（1127～1279）。在受到金兵步步进逼之下，宋代爱国将士和工匠加紧研制新型抗金火器，这些火器很快就在宋高宗建炎（1127～1130）、绍兴（1131～1162）年间及以后时期相继出现，及时满足了战争的需要。

首先需要指出，南宋初期利用发射剂制造的这批新型火器，有共同的特征，即其有效的工作部位均呈长筒形，由纸筒、竹筒、木筒和金属筒等制成，内实以发射药，显然是根据烟火原理而研制出来的。用什么材料制造火药筒，因制造者的意愿和所处具体情况而定，并不存在孰先孰后的技术难易问题。在科学技术高度发达的宋代，上述4种材料的火药筒，都很容易造出。人们习惯于认为，金属火药筒比其他材料的火药筒要晚出，其实不然。实物资料显示，现存筒形火器最早的实物形象，反而是由金属铸造的，这不应使人感到意外，因为宋代金属铸造技术高度发达，铸造任何形状的火器都毫无困难。

1985年6月，李约瑟的合作者叶山（Robin Yates）曾前往四川大足宋代石窟访问，看到石刻中有类似瓶状或鸭梨状的火铳（hand-gun）①，但因时间仓促，没有弄清石刻年代。为查明究竟，1986年11月21日，李约瑟、鲁桂珍和笔者来大足再作考察。我们在北山第149窟内看到主像观音菩萨两侧天神造像中有持瓶状铳炮和手榴弹者。因窟内很暗，照片效果不佳，此处只提供临绘图（图179）。石刻年代为南宋初高宗建炎二年（1128），经过研究，我们认为这是迄今最早的铳炮（bombard）的实物形象②。

我们通过对石刻造像形象和手持物的仔细观察，排除了它们是雷神和风神的可能性，其所持物显然是火器，而且已经点燃，正喷出火焰。瓶状物也不可能

图179
四川大足石窟内南宋建炎二年（1128）石刻的铳炮和手榴弹形象，钟攸蓉据照片临绘

---

① Needham J, Ho Ping-Yü, Lu Gwei-Djen, Wang Ling. Appendix A: The oldest representation of a hand-gun. In: Science and Civilization in China, vol. 5, pt. 7. The Gunpowder Epic. Cambridge University Press, 1986. 580～581

② Lu Gwei-Djen, Joseph Needham, Pan Jixing. The oldest representation of a bombard. Technology and Culture (Washington, D. C.), 1988, 29(3): 594～605; 鲁桂珍, 李约瑟, 潘吉星著. 潘吉星译. 铳炮的最早实物形象. 见：李约瑟集. 天津：天津人民出版社, 1998. 424～433

是正在弹拨的乐器琵琶，因为从瓶口喷出的火焰中还射出一个弹丸。按理说，在尾部应按有木柄，才能手持。但受周围场地空间所限，无法表现出来，刻石者只好将其刻成手持。这种射出弹丸的火器，因燃烧室过热，不可能以木材制成，只能以金属铸成，其内腔应是长筒形，但燃烧室周围有一层金属厚壁，因此整个外形呈瓶状。这种形状的火器是颇有古风的，西方早期的臼炮也是如此。随着火器技术的进步，燃烧室周围金属壁的隆起部分逐渐缩小，最后整个火器外形都呈长筒形，从中外出土物中可以清楚看到这一发展脉络。

第149号石窟外的石壁刻有下列题记：

"奉直大夫、知軍州事任宗易同恭人杜氏，發心鐫造妝鑾如意輪聖觀自在菩薩一龕，永為一方瞻仰。祈乞（國泰民安），干戈永息。時建炎二年（1128）四月"。

则此石窟是1128年四月担任知州的任宗易（1083~1148）与妻杜慧修发愿刻的。此题记曾著录于《大足石刻研究》①等书。大足火铳显然是由铁或青铜铸成的。当时四川仍是南宋帝国的一部分，至少这一地区已经有金属火铳。窟内造像除持火器者外，还有持冷武器者，共37尊。为什么设计这一场面呢？料想是施主希望息止残酷的战争，或者祈乞观音及其武装神将能保一方平安，要知道当时金兵铁蹄已踏至四川周围。

关于大足石刻中的金属火铳的外观全貌及其内部构造，笔者想在这里做出技术复原，见图180②。从图中可见，其有效工作部位是长的金属火药筒，筒的燃烧室周围有隆起的一层金属厚壁，燃烧室上有一火门，内装药线以引燃。高硝粒状火药由小铜勺从筒口装入，筒尾部铸有窝口，以便安装木手柄。由两个士兵操作，持这种火器可攻可守。在宋代也称为"火砲"，于是在名称上又与抛石机射出的炸弹相混淆。研究中国早期火器史时，这种名称混用情况经常发生，需要处处

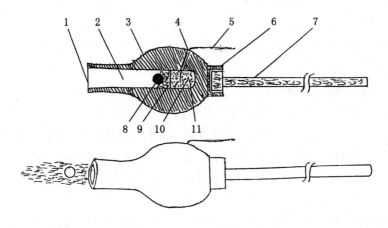

图180
南宋建炎二年（1128）铸金属瓶状铳炮内部构造复原图，潘吉星复原（2000）
1 膛口　2 前膛
3 腔壁　4 火门
5 引线　6 尾鋬
7 木柄　8 弹丸
9 火药　10 燃烧室
11 垫纸

---

① 刘长久，胡文和，李永翘. 大足石刻研究. 成都：四川社会科学院出版社，1985. 400
② 潘吉星. 论南宋发展的几种新式筒形火器. 台北：纪念李约瑟百年诞辰学术研讨会，2000年12月

加以澄清。西方时而称为 bombard,时而称 hand-gun,我们今天只好以"火铳"称呼这种早期金属筒状火器。《武备志》卷一二二所载"威远砲"和"迅雷砲",在形制上还保有瓶状特征,显然不是明代的火器,而是留有宋代烙印的明以前的火器,但尺寸和重量比大足火铳加大了。

2. 1132 年的火枪

南宋初,高宗时期新发展的另一种火器,是军事家陈规(1072~1141)于绍兴二年(1132)研制的"火枪"(fire lance)。从性能来看,这是以天然产的大竹筒制成的喷火筒(spurting-fire tube)。火枪显然是从烟火直接演变的,是烟火大型化的产物,只是火药筒由纸筒易之以较坚硬的竹筒。它是在敌人围城的紧急时期,陈规采取应变措施,利用天然管状物在短期间研制的一种有效的御敌火器。据《宋史》卷三七七《陈规传》记载,陈规字元则,密州安丘(今山东诸城)人,中贡举明法科,宋徽宗靖康元年(1126)为安陆县令,建炎元年(1127)知德安府,旋擢德安、复州、汉阳军镇抚使。绍兴二年(1132)李横等军事集团围攻德安(今湖北安陆),架天桥攻城,"(陈)规以六十人持火枪自西门出焚天桥,以火牛助之,须臾皆烬,(李)横拔寨去"①,陈规以火枪胜敌。他在《守城录》中称:"以火炮药造下长竹筒火枪二十余条,撞枪、钩镰各数条,皆用两人共持一条,准备天桥近城,于战棚上下使用。"②(图 181)

因此,陈规的"火枪"实应称为"喷火枪"才名正言顺,其主要功用是在与敌人或敌人设施接近时喷出火焰,引起燃烧,并不发出弹丸。它既然称之为"枪",按理说就应在杆的前端有金属矛头,以便在喷火筒火焰喷尽后遇到敌人时,进行格斗以自卫。由于竹筒较长,可装足够的火药,因此枪杆也相应加大长度,这样也可保证火枪手的安全。总长需 6 尺左右,太长则枪杆易断,也不好控制。取长而粗的毛竹(*Phyllostachys pubescens*),截成若干段,每段穿空中节,只留下面的最后一节,在节上以黄泥筑实。泥土层上的竹筒需钻一眼作为火门,以装药线(fuse)。由于竹筒遇热易于裂开,因此外面必须以铁丝、麻线扎紧,以灰漆固,不能使竹筒裸露在外。筒内实以发射药,再将此筒绑在有矛头的枪杆前端。于是火枪外观像是火箭 rocket 而非火箭,因火枪喷火口向上,而火箭则反之。

通过以上论述,已勾画出关于火枪形制和构造的大致轮廓,为复原这种火器提供了可能性。其实陈规火枪的具体形象也并非无迹可寻,《武备志》卷一二八所载"竹火枪"的制法及图形③,就为我们了解火枪火药筒构造提供参考,尽管竹筒长度没有《武备志》所说那样大。《宋史》所说造火枪的"长竹筒",并不指整根的竹筒,因其不易喷火,而是指较粗的竹筒,再将粗而长的竹筒截成若干段。《武备志》卷一二八载"梨花枪",可能与陈规的火枪类似,因为提到宋代李全(?~

---

① 脱脱[元].宋史(1345),卷三七七,陈规传.二十五史缩印本,第 8 册.上海:上海古籍出版社,1986.6 468
② 陈规,汤璹[宋].守城录(1132),卷四.墨海金壶·子部.上海:博古斋影印本,1922
③ 茅元仪[明].武备志(1621),卷一二八,竹火枪.第 6 册.沈阳:辽沈书社,1989.5 420~5 421

1231)在 1215 年雄踞山东时尝用之,"所谓二十梨花枪,天下无敌手"①。应当说,这种火枪的火药筒筒壁喷火后易烧焦,需随时更新。现将其图形绘制如下。

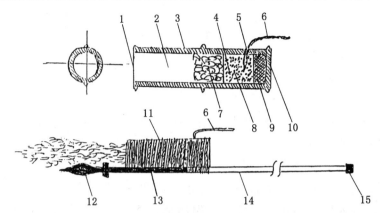

图 181
南宋绍兴二年(1132)的火枪复原图,潘吉星复原(2000)
1 筒口　2 前膛
3 筒壁　4 燃烧室
5 火门　6 引线
7 纸团　8 火药
9 泥层　10 底壁
11 捆绳　12 矛头
13 铁皮　14 枪杆
15 枪托

为了迅捷作战,火枪一般由二人配合,一人持枪,另一人点火。李约瑟认为这种火焰喷射筒(flame-thrower)点燃后,可连续喷火达 3 分钟②。如果同时大量使用,必定给敌人很大威胁。《守城录》称陈规制 20 余条火枪,而《宋史》称火枪手 60 人,则相当 30 条火枪。绍兴九年(1139)陈规改知顺昌府(今安徽阜阳),次年(1140)五月金兵来围城,陈规协助守将韩锜击退敌人,取得顺昌大捷。无疑,在这次战争中火枪再立新功。

1128 年四川的铁制火铳和 1132 年湖北的竹木制火枪,各有千秋。前者坚硬,可反复使用,能向较远距离发出射弹(projectile),但制造费用稍高,宜平时常备,供战时之需。后者使用一段时间后需更新,主要适于近战时喷火,制造容易、费用低,可随用随造。这两者是世界上一切筒型火器(tube-type firearms)之鼻祖。根据它们的构造和发射原理,中国此后出现了具有不同功用的各种各样的火器,并传至国外,引发了自《武经总要》问世以来即 12 世纪南宋初以来火器发展史中的第二次技术革命。这场革命的特点是以高硝粒状火药为发射药和炸药,将其填充于不同材料的长筒形燃烧室内,以药线引燃,从燃烧室喷出强烈火焰或有杀伤力的射弹或箭,从而可在近处和远处都能造成前所未有的化学或机械破坏。

第二节　南宋出现的突火枪、火箭和硬壳炸弹

一、1259 年的突火枪

继瓶状铳炮和火枪之后出现的另一种新型火器是"突火枪",按字面含义译

---

① 茅元仪[明].武备志(1621),卷一二八,梨花枪,景印本,第 6 册.沈阳:辽沈书社,1989. 5 416~5 417
② Needham J. Science in Traditional China. Cambridge, Massachusetts: Harvard University Press, 1981. 40

成西文应是 flame-spurting lance，其构造介于铳炮与火枪之间。《宋史》卷一九七《兵志十一》写道：

> 开庆元年(1259)，寿春府(今安徽寿县)造䈰(gǎn)筒木弩，与常弩明牙发不同。箭置筒内甚稳，尤便夜中施发。又造**突火枪**，以巨竹为筒，内安子窠(kē)。如烧放焰绝，然后子窠发出，如砲声，远闻百五十余步。①

根据《宋史》所述，突火枪是宋理宗开庆元年(1259)在寿春府兵工厂研制出来的。这种火器虽然早已成为谈论的对象，却很少对其形制和构造进行较深入的分析。有人甚至未作论证，便绘出其外形图，认为它是有短柄的上粗下细的裸露竹筒喷出火焰和射弹的武器，并将其称为射出弹丸的"最早管形火器"②，这种说法和图形被人们一再转引和散布。但稍从技术上加以思索，就会发现这是有欠周密思考的，只能误导读者对突火枪的理解。中国天然产的竹筒不论粗细，其上下节口径大小没有显著差异，特别是取其中的一段而言，这是众所周知的。将其描绘成上粗下细，是不真实的。其次，竹筒因燃烧室产生的热量极易裂开，必须紧紧包扎起来才能使用，断不可能直接用裸竹筒。我们前面论火枪时已经说明这个道理。因而上述那种未经思考而绘出的"突火枪图"，不宜再流传下去了，否则只会在国内外继续产生误解。

其实研究突火枪的形制和构造，并不是想像中那样简单。"突火"意思是迅速喷火，但这种武器却不同于火枪或喷火筒，因为在火药筒内还装有"子窠"(zǐ kē)，并能将其射出。"子窠"的字面意义是巢中之卵，在这里转意为球形弹丸，则该火器有发射弹丸的功能。弹丸可能是石球或金属球，但恐怕不会是铁蒺藜或碎瓷片，因其不得称为子窠。《宋史》说"如烧放焰绝，然后子窠发出"，这段文字有技术上的语病，需予解说。因为在火焰喷尽、火药燃烧完毕之后，已经没有发射力的能源，弹丸怎会自动发出？唯一合理的解释是**焰弹齐发**，火药在发出火焰之同时，即实现其能量的瞬间释放。李约瑟已注意到这一点，他将突火枪的子窠称为 co-viative projectile("与火焰齐发的弹丸")③。

由于1128年已出现了射出弹丸的瓶状火铳，而1132年又有了喷火枪，因此不能认为比此晚一百多年才出现的突火枪是射出弹丸和火焰的最早筒形火器。人们需要对大足石刻中的瓶状火铳给予更多的重视和研究，不能漠然处之。事实上，突火枪是在吸取了瓶状火铳和喷火枪二者的长处之后制成的一种改进型

---

① 脱脱[元].宋史(1345)，卷一九七，兵志十一·器甲之制. 二十五史缩印本，第8册. 上海：上海古籍出版社，1986.5 796

② 冯家昇. 火药的发明和西传(1954). 2版. 上海：上海人民出版社，1978.24；韦镇福等. 中国军事史，第一卷，兵器. 北京：解放军出版社，1983.114～115

③ Needham J. Guns of Kaifeng-fu: China's development of man's first chemical explosive. The Times Literary Supplement(London), 1980(4 007): 39; also in: Historia Scienticarum (Tokyo), 1980(19):11～30

或杂交型武器。它以竹火枪用的长竹筒为火药筒,筒的燃烧室周围不再具有隆起的厚壁,同时又在燃烧室前面加上弹丸。弹丸的射程肯定大于火焰喷出的距离,所以突火枪的主要功能是发挥弹丸的杀伤力。换言之,它是以竹筒制成的射击性火器,在临近敌人时,作冲锋陷阵用,或击退来攻者。这种武器很轻,可以手持。《武备志》卷一二三所述"无敌竹将军砲"①,可能是突火枪的发展形式之一,有助于我们了解突火枪的早期形式。从这个意义上说,《武备志》不但反映明代火器技术,还是反映宋金元火器技术的军事百科全书。

焰弹齐发是中国早期射击火器的特点,是其产生、发展过程中要经历的一个初级阶段。由于最初的弹丸直径小于膛径,未能将燃烧室前的前膛充分填塞紧,于是留出空隙,火焰便通过空隙从膛口喷出,结果无谓地浪费了一部分火药,也影响到弹丸发射的初速度和冲击力。这个问题后来已逐步解决。西方早期火器没有焰弹齐发现象,是因为传到那里的中国元代火器早已解决了膛口"跑火"问题了,西方人可以跨过初级阶段,直接进入发展阶段。突火枪以其易于制造,用费很少,中国民间一直使用作"土火炮"。伦敦不列颠博物馆藏有从中国带去的这类火器(编号9 572),以竹筒制成,缠以皮条及藤条,已用过,但仍完好。布雷特(Clayton Bredt)公布了其照片②。

通过以上的分析,我们对1259年寿春府的突火枪有了如下认识:将大毛竹截断成4～5尺长的中段,取壁厚者,去掉其内部中节,只留最下一节,该节以下1.5尺留作嵌入木柄之用。有节处加入与内径一样大的圆铁片,上面筑实2寸厚的黄泥。黄泥层上开一火门,以便放入药线。用麻绳将竹筒紧紧缠固。使用时,向筒内加入发射用火药,以木棍轻轻压实,再放入一团纸,最后将石弹丸送入筒内(图182)。在接近敌人二百步左右时,点燃药线,弹丸随火焰迅即发出,其声响可在150步(225 m)外听到。一个士兵可携带10支突火枪。但这种火器用过几次后,就需更新。临阵时,最好与火箭并用。现将其内部构造及外形图示于下,供读者指正。

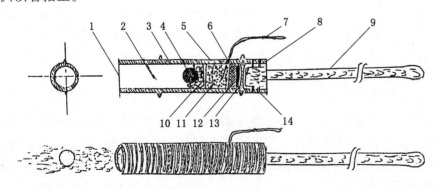

图 182
南宋开庆元年(1259)的突火枪复原图,潘吉星复原(2000)
1 膛口　2 前膛
3 膛壁　4 弹丸
5 燃烧室　6 火门
7 引线　8 窝口
9 木柄　10 垫纸
11 火药　12 泥层
13 铁垫　14 铁钉

---

① 茅元仪[明].武备志(1621),卷一二三,无敌竹将军砲.景印本,第6册.沈阳:辽沈书社,1989.5 235～5 240

② Bredt C. Fighting for fun, and in earnest (Notes on the history of material arts, gunpowder and firearms in China). Hemisphere (North Sydney, Australia), 1977,21(10):9

二、火箭和火箭弹

火箭与爆仗同属反作用装置,火箭是从爆仗直接演变的。火箭武器的最初升空是南宋绍兴三十一年(1161)宋、金水战的战场上发生的,有爆炸性和燃烧性两种类型。1161 年十一月,金主完颜亮率 40 万大军南下攻宋,直趋长江北岸,兵临采石镇(今安徽当涂西北),企图占领建康府(今南京),再灭南宋。时抗金宋将虞允文(1110~1174)整军备战,以轻快战船海鳅(qiū,鳅)船冲至敌舟,又以霹雳砲的优势火力压倒金兵,在历史上创造以寡胜多的优秀战例。关于"霹雳砲"的原始记载,来自虞允文之友、南宋诗人杨万里(1127~1206)的《海鳅赋后序》(1170)(图 183)。今录其原文如下:

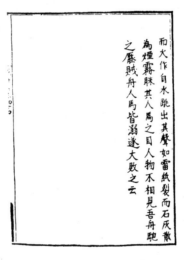

图 183
杨万里《海鳅赋后序》
(1170)书影,《四部丛刊》本

绍兴辛巳(1161),逆(完颜)亮至江北,掠民船,指挥其众欲济(过江)。我(宋)舟伏于七宝山后……舟中忽发一霹雳砲。盖以纸为之,而实之以石灰、硫黄。砲自空而下落水中,硫黄得水而火作,自水跳出,其声如雷。纸裂而石灰散为烟雾,眯其人马之目,人物不相见。吾舟驰之压贼舟,人马皆溺,遂大败之云。①

这段记载过去已被译成东西方许多文字,引起研究火器史的各国专家的广泛注意。但其取名易与抛石机发出的炸药包("火砲")混淆,且诗人杨万里在药料成分中漏记了硝石和木炭,对发火原因做了不适当的解释,因而对这种武器的定性长期间未得到合理的解决。笔者通过研究后,认为1161年采石战役中虞允文指挥的南宋水军使用的霹雳砲,是大型的爆仗或纸砲,因而是利用反作用火箭

---

① 杨万里[宋].诚斋集,卷四十四,海鳅赋后序(1170).四部丛刊本.上海:商务印书馆,1936.417~418

原理发射出去的炸弹,或名之曰火箭弹(rocket bomb)①②③。如前所述,北宋末纸砲是娱乐品,南宋将其大型化,娱乐品就成为有杀伤性的火器。

杨万里描述中有两点值得把握:(1)此物以纸筒做成,内盛药料。点燃后,"其声如雷,纸裂而石灰散为烟雾",说明发生爆炸。单靠石灰、硫黄不能产生这种效应,必定还要有硝石和木炭;(2)此物由下面施放后升空,空降后还能爆炸,这只能是纸砲。"火作"(爆炸起火)原因是纸筒内有火药,并非"硫黄得水"。我们认为筒内下部装发射药,上面装炸药与石灰。火药中硝、硫、炭之比在理论上应是70∶10∶20,呈粒状。现将我们对采石战役中的霹雳砲结构复原图附于下:

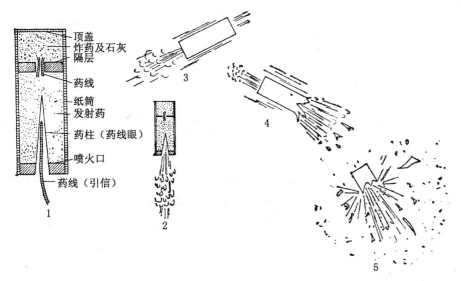

图 184
南宋绍兴三十一年(1161)采石战役中使用的霹雳砲复原图,潘吉星复原(1987)
1　结构示意图
2　发射时的状态
3　飞行中状态
4　降落时状态
5　爆炸并放出石灰雾

1161年金主完颜亮率军从陆上进攻南宋的同时,还派其工部尚书苏保衡率水军南下,企图占领宋都临安(今杭州)。但他们在山东胶西县唐岛(今胶州湾)又被宋将李宝(1120~1165在世)击败。李宝为岳飞部下,1161年任浙西路马步军副总管,带战船120只,射手3 000人抗击金水军。北上途中救援了被金军困在海州(今江苏连云港)的魏胜抗金义军,并与山东义军取得联系。李宝军队在唐岛发动突然反击,"宝亟命火箭环射,箭所中,烟焰旋起,延烧数百艘"④,金战船大半起火被焚。金兵中汉人脱甲归降者三千人,主帅苏保衡只身逃离,其舰队被全歼。这时金内部矛盾加剧,完颜亮为部下所杀。

采石和唐岛两次水战,宋军都以寡胜众。事后福建提刑包恢(1182~1265)说:"昔时海道之得捷,惟有李宝胶西之一功……所妙者火攻也。宝则有火箭环

---

① Pan Jixing. On the origin of rockets. The Exploration of Nature (Chengdu), 1984(3): 173~184; T'oung Pao (Leiden), 1987, 73:2~15
② 潘吉星. 世界上最早使用的火箭武器——谈1161年采石战役中的霹雳砲. 文史哲(济南), 1984,(6):29~33;论火箭的起源. 自然科学史研究(北京),1985,4(1):64~79
③ 潘吉星. 中国火箭技术史稿. 北京:科学出版社,1987.51~57
④ 脱脱[元]. 宋史(1345),卷三七〇,李宝传. 二十五史缩印本. 第8册. 上海:上海古籍出版社,1986.8 470~8 471

射,烟焰随发,不一时间,延烧数百者。"① 李宝用火箭与虞允文用火箭弹在同一年,从当时技术背景看,二者都应是反作用装置,但李宝用的火箭功能主要是延烧,而非爆炸,其构造原理如图 185 所示。应当指出,宋军有了火箭后,火药箭并未彻底淘汰,而是同时并用。至南宋末,火药箭始退出历史舞台。

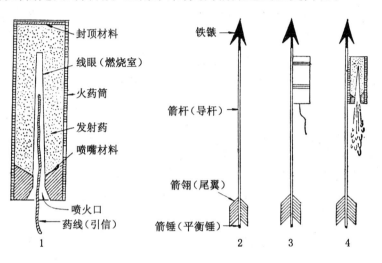

图 185
南宋出现的火箭及结构示意图,潘吉星绘(1987)
1　火箭结构剖示图
2　箭杆各部件
3　装配后的外观
4　点燃后的剖示图

金在与南宋多次战争中,因受火箭袭击而失败,所以决心掌握这种武器。1232 年四月,蒙古世宗窝阔台派速不台领兵围攻金都城开封,以十三梢抛石机百余架投巨石于城中,昼夜不息,石几与里城平。又以抛石机投火药包("火砲")轰城,随即延爇,不可扑救。金守城将领赤盏合喜(约 1180～1232)在城上亦以抛石机还击,继而使用火器:

> 其守城之具,有火砲名震天雷者,铁罐盛(火)药。……又(有)飞火枪,注(火)药,以火发之,辄前烧十余步,人亦不敢近。大兵(蒙古兵)惟畏此二物。②

速不台只好暂时退兵。1233 年五月,金归德府(今河南商丘南)守将蒲察官奴(约 1188～1233)率忠孝军 450 人分乘战船,乘夜偷渡至蒙古将领忒木䚟(Témoutai)在王家寺的大营:

> 四更接战,忠孝军初小却(退),再进。(蒲察)官奴以小船分军五、七十(为一队),出栅外,腹背攻之。持(飞)火枪突入,北军(蒙古军)不能支,即大溃,溺水死者凡三千五百余人,尽焚其栅而还(归德府)……枪制,以敕黄纸十六重(层)为筒,长二尺许,实以柳炭、铁滓、磁末、硫黄、砒霜(及硝石)之属,以绳系枪端。军士各悬小铁罐藏火,临阵烧之,焰出枪前丈余,药尽而筒

---

① 包恢[宋].敝帚稿略(13 世纪),卷一,海防寇申省状.宋人集·丙集,第 41～42 册.李氏宜秋馆,1921.10
② 脱脱[元].金史(1345),卷一一三,赤盏合喜传.二十五史缩印本,第 9 册.上海:上海古籍出版社,1986.7 187～7 188

不损。盖汴京被攻(1232)已尝得用,今复用之。①

上述飞火枪(flying-fire lance)是金从南宋引进的,其记载文字已译成东西方许多语文,被广泛关注,但究系何种火器,存在两种不同意见:有人认为它是火箭②③,另有人主张它就是陈规1132年用过的火枪或喷火筒④。两种意见的共同点是,都认为火药筒绑在有矛头的枪杆上,而《金史》所说"焰出枪前丈余"或"前烧十余步",指从火药筒喷火口**向前**喷火的最大距离。问题在于从火药筒喷火是沿枪的矛头所指方向,还是沿相反方向,这决定武器是火枪还是火箭的定性。火枪是与敌交锋时的近战武器,且须手持,有效烧伤范围在1丈左右。1232年金将赤盏合喜的士兵守开封城时,从城墙上以飞火枪回击在城外攻城的蒙古兵。当时开封城墙高5丈以上,城外有护城河。如果飞火枪是一般火枪或喷火筒,站在城墙上的金兵,怎么有可能手持火枪烧伤到城外的蒙古兵而令其恐惧?

事实上,火枪点燃后喷火只及1丈,未到城下便已熄火,以此何以退敌?唯一合理解释是,金兵用了能飞的喷火枪,即大型火箭(rocket)。此即《武备志》卷一二六所载的"飞枪箭"或飞火枪箭:

> 此即火箭之类,特以杆大身长,用镞不同,异其名耳。药筒长八寸,径粗一寸二分。用荆棍为杆,长六尺;或实竹竿,径粗五六寸。箭头涂以毒药,力能穿甲,可射五百余步。⑤

《金史》称火药筒长2尺,则其装药量更大,射程可超过500步,对火箭而言这是合理的射程。从城上发射,完全可给城下的蒙古兵以重创。金兵以此大火箭两次战胜锐不可当的蒙古军,便是自然的事,这是在与南宋作战中学到的。如果认为金兵用火枪退敌,则枪杆至少需5丈长才能将火喷至城下,但这是不切实际的。因此,我们

图186
1232年金、蒙开封府战役中金兵使用的飞火枪。上图潘吉星提供(1987),下图引自Zim(1945)

---

① 脱脱[元].金史(1345),卷一一六,蒲察官奴传.二十五史缩印本,第9册.上海:上海古籍出版社,1986.7 193
② Lalane L. Recherches sur le Feu Grégeois et sur l'Introduction de Poudre à Canon en Europe. Paris: J. Corread, 1845. 74~75
③ von Romocki S J. Geschichte der Explosivestoffe, Bd. l. Berlin: Oppenheim, 1895. 56
④ 冯家昇.火药的发明和西传(1954).2版.上海:上海人民出版社,1978.30
⑤ 茅元仪[明].武备志(1621),卷一二六.景印本,第6册.沈阳:辽沈书社,1989.5 354~5 357

同意上世纪法、德火器史家的判断,即飞火枪是火箭①②。火枪外观看似火箭,而实非火箭,因火枪喷火口向上,而火箭则反之。"焰出枪前丈余"应理解为火焰从喷火口向前喷出丈余,因已射至对方阵地,受害者只能是敌军。以其能飞,又能喷火,导杆更有矛头,故称"飞火枪",以有别于火枪。"飞火"宋人又称"起火",是反作用烟火,将大型飞火绑在枪上,以反推力发射出去,称为飞火枪是易于理解的。

三、硬壳手榴弹和炸弹

10~11世纪北宋时以膏状火药用麻布、纸和绳做成球形火药包,称为"火球"、"火砲",用抛石机投射出去,产生爆炸作用。这成为炸弹的早期形式。火药包需以烧热的铁锥点燃。用抛石机投炸药包可击中较远的地方,用以攻城,但需众人操作,不够机动、迅捷。于是制成手榴弹,一人即可抛出,名曰"手砲"。《宋史》卷一九七《兵志十一》称,真宗咸平五年(1002),"知宁化(今山西宁武)军刘永锡制手砲以献,诏沿边造之以充用"。③ 有时还可在炸药包中放入铁蒺藜、碎瓷片或石灰等物,爆炸后散开,增加附带的杀伤作用。大体说来,北宋时的爆炸性火器主要有这两大类。

12世纪以来,南宋初有了高硝粒状火药和药线之后,炸药包由软包装改成硬包装。将粒状火药放入硬壳容器内,以药线引燃,爆炸后造成的化学和机械杀伤力更大。这种新型炸弹在使用过程中又不断改进,弹体由陶罐改为铁罐,是随火药爆炸力的迅速加大进行的。南宋人陆游(1125~1210)《老学庵笔记》(1190)卷一记载,宋高宗绍兴三年(1133)钟相、杨么率众起事,"官军乃更作灰砲,用极脆薄瓦罐,置毒药、石灰、铁蒺藜于其中。临阵以击贼船,灰飞如烟雾,贼兵不能开目。欲效官军为之,则贼地无窑户,不能造也,遂大败。"④1133~1134年宋军以陶罐制成的灰砲,有炸弹和烟雾弹等多种功能(图187B)。1134年金兵攻濠州(今安徽凤阳),宋军再以此灰砲或灰瓶以抛石机发出,还击攻城者⑤。

与此同时,金代也发展了手榴弹和炸弹技术,无疑是从宋引进的。金代文人元好问(1190~1257)《续夷坚志》(1225)卷二写道:

> 阳曲(今山西定襄)北郑村中社(有)铁李者,以捕狐为业。大定末(1189),一日张网沟北古墓下,系一鸽为饵……李腰悬火罐,取卷爆(药线)潜爇(ruò,点

---

① Pan Jixing. On the origin of rockets. T'oung Pao(Leyden),1987,73:2~15
② 潘吉星. 论1232年开封府战役中的飞火枪. 见:陈智超主编. 宋辽金史论丛,第2册. 北京:中华书局,1991.224~239
③ 脱脱[元]. 宋史(1345),卷一九七,兵志十一·器甲之制. 二十五史缩印本,第8册. 上海:上海古籍出版社,1986.5795
④ 陆游[宋]. 老学庵笔记(1190),卷一. 北京:中华书局,1979.2
⑤ 徐梦莘[宋]. 三朝北盟会编(1193),卷一六三. 景印本下册. 上海:上海古籍出版社,1987

燃)之,掷树下。药火发,猛作大声,群狐乱走,为网所罥(juàn,缠绕)。①

1189年山西的铁李用陶罐制成的手榴弹(图187C)以药线("卷爆")点燃,说明是以粒状火药为爆炸剂的。这种手榴弹当然可以用于战争。辽宁省旅顺博物馆藏有大连市附近出土的金代陶制蒺藜手砲,就是当时实用的手榴弹(图187D)②。将其制成带有许多刺的球状,是为了爆炸后产生更多杀伤性碎片。上下略平,上部有一孔,是用以装炸药和药线的。

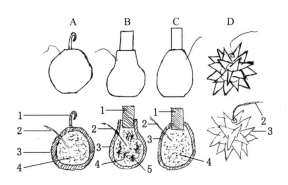

图187
金代所制的陶壳炸弹"蒺藜手砲"和铁壳炸弹"震天雷",潘吉星绘(2001)
A 宋、金铁壳炸弹(震天雷)
B 南宋陶壳烟雾炸弹(灰砲)
C 金代陶壳炸弹(火罐)
D 金代陶蒺藜炸弹
1 柄 2 引线
3 外壳 4 火药
5 石灰

南宋和金为提高手榴弹和炸弹的威力,其外壳更以铁铸成,大的铁壳炸弹由抛石机抛出,称为"铁火砲",并不是真正的火炮(cannon)。据宋人赵与褒(1181～1251)《辛巳泣蕲录》(约1230)载,宋宁宗嘉定十四年辛巳(1221),金兵以铁火砲攻宋的蕲州(今湖北蕲春),以抛石机投之,宋军触砲即死。其"形如匏(葫芦)状而口小,用生铁铸成,厚二寸,其声大如霹雳"。③(图187A)1231年蒙古兵渡黄河,攻金的河中府(今山西永济),金将完颜讹可军败乘船逃之,蒙古军追击,箭石如雨,金兵无法突围。此时金"船中有贲火砲名震天雷者,连发之"④,遂突围。震天雷与铁火砲都是铁制炸弹。这是历史上第一次在水战中用铁壳炸弹,欧洲这种铁制炸弹是1469年在法国战场上使用的。

据《金史》卷一一三《赤盏合喜传》载,1232年三月,蒙古将领速不台领兵攻金南京开封,以抛石机百多架投巨石入城,昼夜不息,又以炸药包("火砲")攻之。"其守城之具,有火砲名震天雷者。铁罐盛药,以火点之,砲起火发,其声如雷,闻百里外,所爇围半亩之上,火点着铁甲皆透。"⑤金人刘祁(1203～1250)《归潜志》(1235)卷十一《录大梁(汴京)事》称,开兴元年(1232)"三月,北兵(蒙古兵)迫南

---

① 元好问[金].续夷坚志(1225),卷二.笔记小说大观本,第10册.扬州:广陵古籍刻印社,1983.248
② 潘吉星.中国火箭技术史稿.北京:科学出版社,1987.19
③ 赵与褒[宋].辛巳泣蕲录(约1230),丛书集成本.上海:商务印书馆,1936.22
④ 脱脱[元].金史(1345),卷一一一,完颜讹可传.二十五史缩印本,第9册.上海:上海古籍出版社,1986.7 182
⑤ 脱脱[元].金史(1345),卷一一三,赤盏合喜传.二十五史缩印本,第9册.上海:上海古籍出版社,1986.7 186～7 188

京(开封),上下震恐……北兵攻城益急,砲飞如雨。城中(以)火砲号震天雷应之。北兵遇之,火起,亦数(百)人死。"① 这种 1232 年金兵用以攻击蒙古的震天雷,到明代时还有实物遗存。明人何孟春(1474~1536)《馀冬绪录摘钞》曰:"西安城上旧贮铁砲,曰震天雷者,状如合碗,项一孔,仅容指。军中久不用,此予谓为金人守汴之物也。"② 通过以上所述,所谓震天雷是一种炸弹,将生铁铸成合碗形,内装几斤炸药。点燃后,产生巨响,爆炸所及范围半亩(484m²),据说其响声可在几十里外听到。这种威力强大的炸弹,可用抛石机投出,亦可手掷。因爆炸力猛,炸碎的裂片可穿透铁甲,蒙古人最为惧怕。

南宋也有铁炸弹。周应和(1213~1280)《景定建康志》(1261)卷卅九载,宋理宗宝祐四年(1256)马光祖为建康(今南京)制置使,曾扩充军器生产,开庆元年(1259)再至建康,"创造及添修三十多万件",又创造、添修火攻器具共 63 754 件,内创造 38 359 件:铁砲壳 10 斤重 4 支,7 斤重 8 支,6 斤重 100 支,5 斤重 13 104 支,3 斤重 22 044 支。火弓箭及火弩箭各 1 000 支,突火筒 333 个,火蒺藜 333 个,霹雳火砲壳 100 支。③ 从这里可知,铁壳炸弹还按其重量分为 10 斤(5 kg)、7 斤(3.5 kg)、6 斤(3 kg)、5 斤(2.5 kg)及 3 斤(1.5 kg)5 个级别,其中 5 斤、3 斤的为常用者,形制应与金之震天雷同,或者说震天雷是最大型号的炸弹。南宋所谓的"火蒺藜",是陶制手榴弹,而"霹雳火砲壳"指装有粒状炸药的有刺球体,陶制或铁制,以抛石机投出,称为"火砲"并不严谨。

第三节 元明时火药和火器技术的发展

一、元代的金属火铳

蒙古虽崛起于漠北,但很快进入中原,在与金、南宋作战时也掌握了火药和火器。1234 年灭金之后,金统治区内所有兵工厂、工匠和火器手都归蒙古所有。在南下后,又占领南宋一些重要城市,因此蒙古的火药、火器技术集中了南宋和金的综合成果。宋末元初人周密(1232~1298)《癸辛杂识·前集》(约 1290)谈到元初火药爆炸时写道:

> 赵南仲丞相溧阳私第,常作圈,豢四虎于火药库之侧。一日焙药火作,众砲俸发,声如震霆,地动屋倾,四虎悉毙,时盛传以为骇异。至元庚辰岁(1280)维

---

① 刘祁[金].归潜志(1235),卷十一,录大梁事.笔记小说大观本,第 10 册.扬州:广陵古籍刻印社,1982.296
② 何孟春[明].馀冬绪录摘钞,卷五.丛书集成初编·总类.上海:商务印书馆,1935
③ 周应和[宋].景定建康志(1261),卷卅九.清嘉庆六年(1801)重刻本.23~24

扬州砲库之变为尤酷。盖初焉制造皆南人,囊橐(贪污)为奸,遂尽易北人,而不谙药性。碾硫之际,光焰倏起,既而延燎火枪,奋迅如惊蛇,方玩以为笑。未几透入砲房,诸砲并发,大声如崩海啸,倾城骇恐,以为急兵至矣。仓皇莫知所为,远至百里外屋瓦皆震。号兵四举,诸军皆戒严,纷扰凡一昼夜。事定,按视,则守兵百人皆糜碎无余,楹栋悉寸裂,或为炮风扇至十余里外,平地皆成坑谷,至深丈余。四比居民二百余家悉罹奇祸,此亦非常之变也。①

说明元初至元年间平章政事阿里行江浙省事于扬州时(1276～1279),将南宋末丞相赵葵(字南仲,1186～1266)在溧阳(今江苏北部)的私宅改作兵工厂,生产火药、火器,并在火药库旁养四虎以守卫。一日,厂内工匠在烘干火药时,不慎起火,引发"火砲"一起爆炸,声如巨雷,地动屋塌,工匠罹难,四虎悉毙,时盛传以为骇异。"焙药火作",说明是生产高硝粒状火药。至元十七年(1280),扬州兵工厂发生的大爆炸情况更惨。厂内工匠最初为精通技术的原南宋地区的汉人,不久全改成蒙古人。他们不熟悉药性,碾硫时迸出火花,引燃了库内的火枪,迅速喷火,还以为好笑。不久,火焰就透入火砲房,所有的火砲(炸弹)都被点燃,声如山崩海啸,百里外屋瓦皆震。全城惊骇,诸军戒严。兵工厂内守兵百人皆炸得粉碎,冲击波及十里外,四周居民二百多家皆遇难。这是元代文献记载的最大一次火药爆炸事故。

以上两次兵工厂爆炸事故,都是可以避免的。蒙古人吸取惨痛教训后,认识到在生产火药时,必须严格遵守安全操作规则。历史上许多爆炸事故是由火星引起的,而火星通常是工人违反操作规程造成的。厂房内部缺乏防爆防火设施,工人技术不熟练,也是事故原因。古代安全作业中,要求生产火药工具为木、铜或石制,严禁用铁器,室内不得用火,故多在白天工作。操作时有"生配"与"熟配"两种方法,前种方法将硝、硫、炭分别碾碎、过筛,再按比例配合。此法操作简便,古代多用此法,但有单独碾硝产生的小颗粒,不易与硫、炭混匀。第二种方法是先将硝与硫或硫与炭配成二元混合物,碾碎、过筛后,再与第三种成分混合、共碾。此法虽操作复杂,但混合均匀。采用何种方法,各地结合具体情况而定。将硝、硫、炭混合后,加入8%～10%的水或酒,使药料呈膏状,再共碾、阴干、捣碎、竹筛筛之。②

粉碎药料的工具是木制踏碓,但杵头、碓窝皆包以铜,或以铜碾碾细,不得有砂粒入内。火药制成后,放入大瓷罐中,密封贮存于库中。一般说,火药制成后,

图188
合药图,取自《祝融佐治真诠》(1843～1845)

---

① 周密[元].癸辛杂识(约1290),津逮秘书本,第十四集.上海:博古斋影印本,1922.14
② 潘吉星.中国火箭技术史稿.北京:科学出版社,1987.92～93

并不立即装入火器中备存,以免发生潮解,影响使用。火药库与制药间距离不得太近,且中间有防火墙相隔。兵工厂宜置城市郊区,不得靠近居民区。工匠必须恪尽职守,集中精神,使合出之药做到净、细、匀、实。元代各兵工厂采取上述安全措施,制成的火药质量超过金、宋。宋、金1161及1232年制成的发射药含硝70%左右、硫7%~8%、炭20%左右,则元代火药中当含硝72%左右、硫7%、炭21%左右。蒙古伊利汗国境内的阿拉伯人哈桑（Hassan al-Rammāh, 1265~1298)据中国材料写的书中提到"中国箭"火药中含硝73%、硫8%、炭19%、"飞火"方含71%：7%：22%[①],应与元代火药配方相近。元代用这种火药重新制造了南宋以来各种新型火器,根据行军作战特点予以改进,并在13世纪西征时将火器技术传到阿拉伯和欧洲。

如前所述,南宋初1128年已在大足石窟造像中出现了瓶状金属铳的最早实物形象。这种将火药放在金属筒中射出子弹的远攻型火器(图180),可以手持,亦可架设,使用寿命长,主要杀伤有生力量,有重大战略战术意义。一经出现,肯定在南宋会进一步发展与使用,不可能昙花一现,到元代又重行改进。但人们对其在南宋的发展,确实知之较少。究其原因,主要是不同火器名称混用情况所致。大足石窟中没有给出其名称,我们料想它当时仍可能被称为"火砲"。古人对"砲"字情有独钟,从抛石机投出石弹者曰"砲"或石砲,从抛石机投出软壳炸药包者曰"火砲",从抛石机投出铁壳炸弹者曰"铁火砲",不同材料的手榴弹也称某某砲。甚至反作用装置火箭弹也以"霹雳砲"名之。古代的"砲"名实在滥用成灾,又没有今天科学名词命名委员会这样的组织,谁想怎么说,就怎么说,结果造成混乱,使我们不得不在混乱中逐一理顺。

上述情况说明,即令像大足火铳那样的武器用于战场,也被不正确的名称所掩盖,从而不易从文献上捕捉到它。有一次战役使我们感兴趣,宋度宗咸淳八年(1272)五月,京湖制置使李庭芝屯郢州(今湖北武昌),领兵援救被蒙古兵包围的襄阳(今湖北襄樊),造轻舟100只,募得民间义勇3 000人,由张顺、张贵两位智勇的民兵领袖指挥。"各船置火枪、火砲、炽炭、巨斧、劲弩",乘风破浪,突破蒙古兵重围和封锁,在水面上转战120里,终于将援救武器运到襄阳城下,鼓舞了守城军的士气[②]。"张贵以红灯为号,抚谕头目混战乱杀,火砲、药箭射死北兵(蒙古兵)坠水者不可计其数,二十五日天明已抵襄阳。"[③]此处所述火枪为1132年创制的喷火枪,而火砲就可能是类似1128年那种铳,因用它与药箭可射死北兵,看来是射击武器。而这种武器在这之后不久,就为蒙古所掌握,同样是射击用。

蒙古军队习惯于远离其大后方,在南宋境内长途行军作战,而金属铳很适合

---

① Partington J R. A History of Greek Fire and Gunpowder. Cambridge: Haffer & Sons, Ltd., 1960. 200~204

② 脱脱[元].宋史(1345),卷四五〇,忠义传・张顺、张贵.二十五史缩印本,第8册.上海:上海古籍出版社,1986.6 674

③ 周密[元].癸辛杂识・别集.旧小说本,丁集,第12册.上海:商务印书馆,1935.39

他们这一作战特点,尤其它还可架在马上供骑兵使用。因此,当他们受到这种火器攻击后,决定立即发展它,以对付宋军。据《元史》卷一六二《李庭传》载,元世祖至元二十四年(1287),蒙古宗王乃颜联络合丹秃鲁干等起兵反叛,时李庭(? ～1304)奉命率诸卫汉军讨伐叛军。李庭"引壮士十人持火砲,夜入其(乃颜)阵。砲发,果自相残杀,(遂)溃散"。次年(1288)乃颜余党哈丹秃鲁干复叛于辽东,诏李庭讨之,大小数十战。流矢中李庭左肋及右股,"追至一大河,**选锐卒潜负火砲**,夜溯上流发之,马皆惊走。大军潜于下流毕渡,天明进战,其众无马,莫能相敌,俘斩二百余人,哈丹秃鲁干走高丽死。"①

上述 1287 及 1288 年李庭两次率汉军镇压乃颜一伙叛军,在辽东(今辽宁及内蒙一带)使用的火砲,可由士兵背带。李约瑟认为应当是金属手铳(hand-gun)或手提式火铳(portable bombard),而不会是手榴弹或小型炸弹②。我们完全同意这一判断。李庭字劳山,本姓蒲察,为女真人,金末在山东定居,遂易姓,至元六年(1269)入蒙古军籍。与他同年参军的还有刘国杰(1234～1305),也是山东人,字国宝,祖为女真乌古伦氏,后易汉姓。参军后,刘国杰以千户从征南宋襄樊,"从攻樊城,破外城,火砲伤股,裹创复战,平其外城"③。1269 年樊城战役中,宋守军用的"火砲"也应是金属手铳。经过勾陈,宋、元时金属火铳在战场上的使用情况已浮现于眼帘。

元初至元年间李庭在辽东伐乃颜时用的火铳,近年来已有实物出土。1970 年 7 月,黑龙江省阿城阿什河畔半拉城子出土铜军马佩饰物 3 件、三足小铜锅、铜镜及青铜火铳 1 件(图 189)。铜铳无铭文,重 3.55 kg,铳口内径 26 mm,全长 340 mm。尾銎(qióng)中空,长 165 mm,是装手柄的。燃烧室有一火门。此铳铸造粗糙,表面不光洁,圆筒形不规则。考古学家将此物与 1332 及 1351 年同类物比较后,认为其铸造年代不迟于至元二十七年(1290)④。这是现存世界上年代最早的金属火铳。1290 年的阿城铜铳,显然是从 1128 年大足金属铳演化出来的。但后者在燃烧室周围有隆起的金属壁,随着实际应用,隆起部分变小,前膛加长,因而外形从瓶状或鸭梨状向长

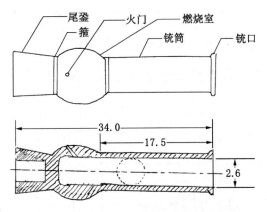

图 189
1970 年黑龙江阿城出土的元代至元二十七年(1290)铸铜火铳,潘吉星绘(2001),单位为 cm

---

① 宋濂[明].元史(1370),卷一六二,李庭传.二十五史缩印本,第 9 册.上海:上海古籍出版社,1986.7 673～7 674

② Needham J, et al. Science and Civilization in China, vol. 5, pt. 7. The Gunpowder Epic. Cambridge University Press, 1986.294

③ 宋濂[明].元史(1370),卷一六二,刘国杰传.二十五史缩印本,第 9 册.上海:上海古籍出版社,1986.7 675

④ 魏国忠.黑龙江阿城县半拉城子出土的铜火铳.文物,1973(11):52～54

筒状演变,反映铸铳技术的进步历程。阿城铳外形流畅,结构合理。

1974年8月,陕西省西安市东关、景龙池巷南口的建筑工地上,又出土一件元代青铜铳(图190),总长36.5 cm,重1.78 kg,膛长14 cm,铳口径23 mm,尾鼙至铳口之间有6道加固箍。铳筒内尚残存火药10 g~15 g,呈黑褐色,颗粒较结实。铳体与已知年代的明初(14世纪后半叶)铳比,表面较粗糙,筒壁厚薄不甚均匀,不如明初物精致。因此报道者认为西安出土的铳在年代上介于阿城铳及明初铳之间,即13世纪末至14世纪初①。这一判断是可以接受的,不过还可使年代更具体化,我们认为它铸于元成宗大德年间(1297~1307)。铳内残存的火药虽经化验,但简报中给出的结果(硝、硫、炭之比各约60%:20%:20%),是不可信的,因为这不是发射药的合理配方,化验程序有问题或铳内硝石有部分流失。

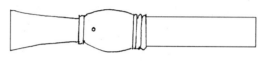

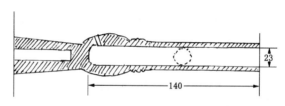

图190
1974年西安出土元大德年(1297~1307)铸铜火铳,潘吉星绘(2001),单位为mm

北京的中国历史博物馆藏有带年款的元代青铜铳,全长35.3 cm,铳口径10.5 cm,尾口径7.7 cm,膛径8 cm,重6.94 kg。尾鼙两侧各有一2 cm的方孔。铳筒中部刻有下列细字铭文:"至顺三年二月十四日∥绥边讨寇军∥第三百号,马山"。至顺为元文宗年号,则此铳铸造时间为1332年3月11日,供边路招讨司军队用,马山是驻军地名。此铳膛径较大,腔口呈喇叭形,因此可以射出较大的石弹(图191)。王荣注意到尾鼙二方孔中心与铳身轴线在同一平面上,因此认为方孔是穿铁栓的,使铳筒与长方凳木架连结在一起,铁栓起耳轴的作用②。依此做出的装置复原,为海内外广为引用。

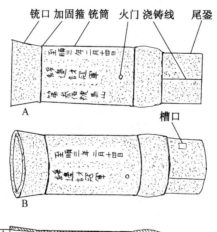

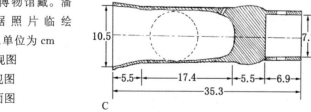

图191
元至顺三年(1332)铸的喇叭口铜火铳,中国历史博物馆藏。潘吉星据照片临绘(2001),单位为cm
A 正视图
B 侧视图
C 剖面图

王荣先生还说,1332年铜铳尾底径77 mm,虽然其尾鼙可安木柄,但这

---

① 晁华山.西安出土的元代手铳与黑火药.考古与文物(西安),1981(3):73~75
② 王荣.元明火铳的装置复原.文物,1962(3):41~43

样粗的柄难以手握。因此只能在长条凳形的木架子上发射,以加入木楔调整射角。此说法仍有讨论余地。如果尾銎两侧 2 cm 大的孔是穿铁栓用的,起耳轴作用,则二孔应呈圆形,不应呈方形。耳轴应置于器身中部重心附近,不应在尾部。器身长 35.3 cm,并不大,重 6.94 kg,可以手持(图 192)。将这种机动灵活的手提式铜铳固定在笨重的长条凳木架上,不会是古人所用的方法。在研究了该武器内部结构、尺寸和重量后,我们认为其尾銎两侧的方孔是安木柄用的,因膛径较大,木柄有一小段粗 7.7 cm,以下接一较细的木棍,便于手持。这种武器是火铳,不是火炮。其结构仍有待改进之处,主要是前膛较短,膛口呈喇叭形是不必要的。1979 年 3 月,蒙中国历史博物馆石志廉先生相告,此铳为 1959 年建馆时由北京文物管理委员会从首都历史与建设博物馆调拨的,后者得自房山县一寺庙中。

首都历史与建设博物馆为首都博物馆前身,铜铳来源清楚,入藏于两个博物馆前均经文物专家集体鉴定后展出。有人未见原物,便认为它是琉璃厂卖出的赝品①,这是没有根据的。伦敦炮兵博物馆(The Rotunda Museum of Artillery at Woolwich, London)藏有一件中国出土的 14 世纪铁铸铳(Class Ⅰ,50),铳口径 10.5 cm,铳长 47.5 cm②。其外形、内部结构与 1332 年铜铳相似,说明元代确有这类武器。1961 年河北张家口发现的元代铜铳,通长 38.5 cm,铳口内径 12 cm③,也与至顺三年铜铳类似,但铳口喇叭状敞口更大,现藏河北省博物馆,明初将这类铳称为大碗口火筒。对至顺三年铜铳的历史存在是不容怀疑的,我们这里对此铳做出新的复原(图 191),它基本上手持,必要时可放在简单的叉架上,以待来敌。

图 192

元至顺三年(1332)铸铜火铳操作图,潘吉星绘(2002)

---

① 有馬成甫.火砲の起源とその伝流.東京:吉川弘文館,1962.134
② Needham J. Science and Civilization in China, vol. 5, pt. 7. The Gunpowder Epic. Cambridge University Press, 1986. 300, Fig. 89
③ 河北省出土文物选集.北京:文物出版社,1980.416.引自:刘旭.中国古代火炮史.上海:上海人民出版社,1989.39

北京中国军事博物馆藏出土的元顺帝至正十一年辛卯(1351)铸铜铳(图193),铸造得较为精致。其全长 43.5 cm,口径 3 cm,内腔长 28.9 cm。尾銎长 11.4 cm,有二个 3 mm~4 mm 的小孔,是安木柄后钉钉子用的。全重 4 750 g (4.75 kg)[1]。王荣先生已做了很好的复原。但未标出木柄的长度,我们认为约为 130 cm,则总长约 173 cm。铳体前后有 6 道加固箍。刻有篆字铭文,铳的前部有"射穿百札∥声动九天",中部有"天山∥神飞",下部有"至正∥辛卯"等字。"射穿百札、声动九天"意思是武器点燃后,产生巨大声响,射出的弹丸有很大穿透力和杀伤力。

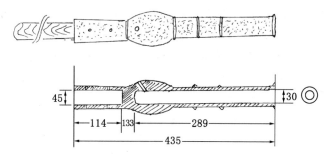

图 193
元至正年(1351)铸铜火铳,中国军事博物馆藏,潘吉星绘(2001),单位为 mm

火铳在元代又称火筒。《元史》卷一九四《纳速剌丁传》载,元顺帝至正十三年(1353)五月,泰州(今江苏泰州)人张士诚起兵反元,陷高邮(今江苏高邮),屯兵东门,元官员纳速剌丁带水军"挫其锋,后贼鼓噪而前,乃发火筒、火镞射之,死者蔽流而下"。[2]在 1353 年高邮战役中,元军以火筒(火铳)、火镞(火箭)射击张士诚的军队。至正二十四年(1363)正月,驻兵大同的平章孛罗帖木儿被罢兵权,抗朝命遣部攻京师,逼元顺帝复其职。时上都留守兼开平府尹达礼麻识里,"集丁壮、苗兵,**火铳**什伍相联,一旦布列铁幡竿山下,扬言四方勤王之师皆至。帖木儿大骇,一夕东走,其所将兵尽溃。"[3]这是元代文献中明确提到"火铳"一词的实例。

明代人丘濬(1420~1495)《大学衍义补》(1488)卷一二二说:"近世以火药实铜铁器中,亦谓之砲,又谓之铳……今砲之制,用铜或铁为具,如筒状,中实以(火)药,而以石子塞其中,旁通一线,用火发之。"他认为,元明以来所谓铳炮者是一种由金属制成的筒状武器,内装有火药和弹丸,通过火门内的药线点燃,能射出弹丸者。然而,实际上火炮与火铳除构造原理相同外,还有不同之处,不能混在一起,它们是两种不同的火器[4]。因此《清朝文献通考》(1789)卷一九四《兵十六》补充说"小者曰铳,大者曰砲"。火铳口径和长度较小,可以手持,因而尾銎安有手柄,火炮口径和长度较大,不能手持,要装在架子上使用。根据李约瑟提供的大量数据[5],一般说火铳

---

[1] 王荣. 元明火铳的装置复原. 文物,1962(3):41~43
[2] 宋濂[明]. 元史(1370),卷一九四,纳速剌丁传. 二十五史缩印本,第 9 册. 上海:上海古籍出版社,1986.7 744
[3] 宋濂[明]. 元史(1370),卷一四五,达礼麻识里传. 二十五史缩印本,第 9 册. 上海:上海古籍出版社,1986.7 634
[4] 刘旭. 中国古代火炮史. 上海:上海人民出版社,1989.6
[5] Needham J, et al. Science and Civilization in China, vol. 5, pt. 7. The Gunpowder Epic. Cambridge University Press, 1986. 290~292

长(不包括手柄)35 cm~45 cm,口径 2 cm~4 cm(个别 10 cm),重 2 kg~7 kg。

有人认为火铳直接脱胎于南宋 1259 年由竹筒制成的突火枪。但考虑到南宋初 1128 年已有了瓶状金属火铳,且此后仍在使用,因此可以得出结论说,元明火铳直接脱胎于南宋初 1128 年的金属火铳,但对器形结构有了改进。为减少重量和金属耗量,铳身药室周围椭圆形隆起部分逐步缩小,同时加大前膛空间及弹丸直径,使弹丸直径等同火腔内径,以避免焰弹齐发和浪费部分火药,又使射程加大。什么时候完成这种改进? 从现有实物来看,至迟在元初(13 世纪)改进型火铳已用于战场。突火枪是从 1128 年金属火铳演变的,以竹筒代替金属筒,是在特种情况下制造的。但它并不适于长途和长期作战,不能推广使用。适合作射弹武器的火药筒材料,只能是金属材料。弹丸主要是石球,也可用铁球,后来用小铅球。元明时还有一种从火铳向火炮过渡的中间类型,即所谓大碗口铳或盏口铳。

二、明代的金属火铳、火炮和火铳箭

明代火器是在继承元代已有的基础上发展的。明太祖朱元璋在推翻蒙古统治、荡平各地割据势力和统一中国的过程中,特别得益于火器的使用。元人徐勉之(1320~1380 在世)《保越录》(1359)载,至正十九年(1359)四月,朱元璋遣部将胡大海率兵攻张士诚占据的越地(今浙江绍兴),张士诚派吕珍守越,双方都使用了火筒(火铳)。守城"总管钱保中火筒伤臂……马俊等率壮士……以火筒(铳)数十,应时并发,敌(胡大海军)不敢支,敌军驰突春波桥……我军(吕珍军)以火筒射而仆之"。"乙巳,敌兵已阵城外……又以火箭、火筒、石砲、铁弹丸击射入城中,其锋疾不可当。"①

谷应泰(1620~1690)《明史纪事本末》(1658)卷三载,至正二十三年(1363)四月,陈友谅造巨舟高数丈,号称六十万兵来攻南昌。朱元璋各部将分门拒守,由邓愈(1337~1377)守抚州门。"丙寅(二十七日),友谅亲督兵攻抚州门,兵各载竹盾如箕状,以御矢石,极力来攻,城坏二十余丈。邓愈以**火铳**击退其兵。"②至正二十六年(1366)十一月,朱元璋遣大将徐达、常遇春、汤和等包围张士诚盘踞的平江(今江苏苏州)各城门,"四面筑长围困之,又架木塔与城中浮屠等(高),筑敌楼三层,下瞰城中,置弓弩、**火铳**其上。又设襄阳砲(巨型抛石机)击之,城中震恐。"次年(1367),张士诚几次突围失败,六月壬子(七日)再率兵突围,被常遇春击退。"自是,士诚不敢复出。(其弟)士信张幕城上,踞银椅与参政谢节等会食,左右方进桃,未及尝,忽飞砲碎其首而死。"③

张士信被朱元璋军队的飞砲击中头部,立即死亡。此"飞砲"是什么呢? 当

---

① 徐勉之[元]. 保越录(1359). 丛书集成·史地类. 上海:商务印书馆,1935
② 谷应泰[清]. 明史纪事本末(1658),卷三,太祖平汉. 第 1 册. 北京:中华书局,1977.41
③ 谷应泰[清]. 明史纪事本末(1658),卷四,太祖平吴. 第 1 册. 北京:中华书局,1977.73

时人杨维祯(1296~1370)在《铜将军》诗(1367)中就此写道:"铜将军无目,视有准。无耳听,有声……铜将军天假手,疾雷一击,粉碎千金身。"①杨维祯对张士诚一直反感,张士诚踞平江,屡遣人招聘,不赴,作诗讥讽张士诚兄弟。这里所说的铜将军,肯定指的是铜火铳。它虽无眼,之所以一打即准,射弹使张士信的千金之身送命,因为朱元璋军队在城外木塔或敌楼上能俯视城内动静,火铳手瞄准在城上指挥守城的张士信的脑袋,因而"飞砲"实际上是飞弹。《明实录·太祖实录》(1403)洪武四年(1371)条载,太祖命汤和、周德兴和廖永忠等率水军伐夏,"廖永忠(1323~1375)进兵瞿塘关(今四川境内)……发大砲、**火筒**夹击,大破之,其将邹兴中火箭死"。

明初实战用的火铳,自 20 世纪以来多有出土。大体说来有两种类型:一种类似阿城出土的元代铜铳,呈长筒形,药室周围略有圆形隆起,铳身有加固箍,铳口径与膛径一致,尾銎安一手柄,简称长筒型铳,使用得最为普遍。另一种类似中国历史博物馆收藏的元至顺三年(1332)铜铳,铳身呈喇叭形,有加固箍,铳口径大于膛径,向外扩张,可发射较大的弹丸,铳体较重(10 kg 以上),虽然尾銎也安有手柄,但使用时通常要放置在叉架上,不能用于冲锋陷阵,而是架设在水面战船上或城墙上。这种铳称为大碗口铳,其内膛不呈长筒形,而呈喇叭形,结构上不够合理,其射程不会像长筒形铳那样远。基本上是一种过渡类型的火器,很快就被火炮所取代。

明代长筒型铜铳的早期实物,是明太祖洪武五年(1372)南京铸钱机构宝源局铸造的青铜铳,现藏日本,1938 年由黑田源次得自中国。铳身全长 43 cm,铳口至火门的内膛长 32.3 cm,尾长 8 cm,口径 2 cm,重 1.6 kg,有 3 道加固箍。药室周围稍呈圆形隆起,靠尾部有一火门。铳身下部刻两行铭文,共 29 字:"江阴卫全字叁拾捌号长铳筒,重叁斤贰两∥洪武五年五月吉日,宝源厂造"②。宝源厂当为宝源局。此铳各部平滑,铸造较好,以千字文与数字合在一起编号,表明铸造数量相当之大,这种编号与大明宝钞编号系统一致。

黑田源次 1929 年还在北京得到一洪武十年(1377)铸铜铳,全长 32.2 cm,口径 2.1 cm,尾长 9 cm,膛长 22.7 cm,有两道加固箍,药室周围有略微圆形隆起,总重 2.2 kg。铳身前刻 4 行铭文,共 34 字:"南昌左卫监造,镇抚李龙∥中左千户所习学军匠刘善甫∥,教师王景名∥洪武十年月日造"③。看来此铳是供练兵用的,因而没有编号(图 194),有编号的铳供正规军作战用。1964 年河北赤城出土洪武五年(1372)铸铜铳,全长 44.2 cm,口径 2.2 cm,重 1.7 kg,与前述日本藏洪武五年铳形制相同,铳身下部有 3 行铭文,共 32 字:"骁骑左卫胜字肆百

---

① 杨维祯[元].铁崖诗逸编注,卷二,铜将军(1367).四部备要·集部.上海:商务印书馆,1936
② 有馬成甫.火砲の起源とその伝流.東京:吉川弘文館,1960.100~111
③ 有馬成甫.火砲の起源とその伝流.東京:吉川弘文館,1960.112

壹号长铳筒∥重贰斤拾贰两∥洪武五年十二月吉日,宝源局造"①。看来这种铜铳既可供步兵使用,也可供骑兵使用。

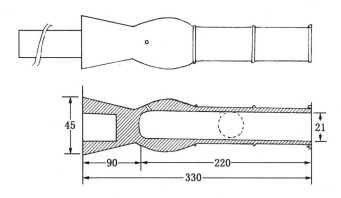

图 194
明洪武十年(1377)铸铜火铳,潘吉星绘(2001),单位为 mm

中国军事博物馆藏洪武五年(1372)铸铜铳属于另一类型,铳身总长 36.5 cm,内膛长27.5 cm,尾长6 cm,尾径6 cm,前膛外口径11 cm,重15.75 kg②。铳口呈喇叭形扩大,在形制上与元至顺三年(1332)铜铳类似。铳身有5行铭文,共 32 字:"水军左卫进字∥四十二号大碗口∥筒重二十六斤∥洪武五年十二月∥吉日,宝源局造",另有一"韩"字。因此这类火器当时称为"大碗口筒"或大碗口铳,以与"长筒铳"有别。这种铳因膛径、口径较大,可以发射较大的弹丸,但因较重,不便手持,只能在架子上使用。铭文说明是放在船上供水军用的,其射击目标是敌船。

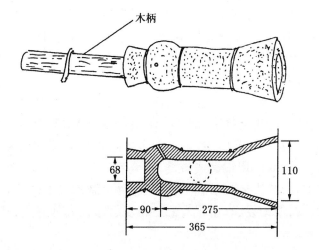

图 195
明洪武五年(1372)铸铜火铳,中国军事博物馆藏,潘吉星绘(2001),单位为 mm

手持铜铳在杀伤有生力量方面是有效的,曾被长期使用。明末在与清兵作战时又加改进,制成三眼铳,即一个铳筒有 3 个火膛,由一个火门点放,可同时射出 3 个弹丸。碗口铳也很快改变其形制,将喇叭形铳口换成与前膛口径一样的铳口,使器形成为长筒形,加大膛径及铳身长度,相应增加铳壁厚度,从而使铳向

---

① 河北省出土文物选集.北京:文物出版社,1980.图 420
② 王荣.元明火铳的装置复原.文物,1962(3):41~43

火炮的方向发展。由于装药多,弹丸大,弹丸的冲击及穿透力更强,可以射击大型目标。山西省博物馆藏洪武十年(1377)铸的短粗形铁炮,就是这种改进型武器。其铭文为"大明洪武十年丁巳岁季月吉日,平阳卫铸造"。平阳为今山西临汾。炮身通长100 cm,口径21 cm,尾长10 cm,尾部半圆形封闭。中部两侧各有两个耳轴,长16 cm。有3道加固箍,通体呈长筒形,筒壁较厚①,估计重量约150 kg②。

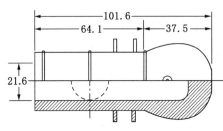

图 196
山西省博物馆藏明洪武十年(1377)平阳铸铁火炮,潘吉星绘(2001),单位为cm

值得注意的是,上述1377年平阳炮由生铁铸成,这就大大降低了生产成本。它的下一步发展是炮身加长,口径加大,从而成为真正的膛装金属火炮这种重型火器。而且弹丸由实心石弹、铁弹、铅弹转变成内盛炸药的空心金属弹,发射出去直接产生爆炸,可以摧毁坚固设防的城池。这种重型火炮在明初(14世纪)已经出现,因为《火龙经》中著录的4种火炮中,就有发射爆炸性弹丸的火炮,此后又被《武备志》所转载。如"飞云霹雳砲",炮身及炮弹皆由生铁铸成,炮弹大如碗,圆如球,内装炸药,"以母砲发出,飞入贼兵营寨,霹雳一声,火光迸起。若连发十砲,则满营皆火,贼必自乱。"③④弹丸发出后产生爆炸力,威力甚大。考虑到炮身的反坐力易使其移位,所以在炮身两边装铁链,固定于木桩上,这样就防止移位了。《武备志》中给出插图画得不够准确,此处我们重新绘制(图197)。这种火器虽仍称之为"砲",实际上已进入cannon(火炮)范畴,因此读古书时,宜根据火器性能了解术语含义。

明初发展的火铳神机箭或火铳箭,应是火铳的一个变种,不是火箭。一般的火铳通常发射弹丸,如果将弹丸易之以箭,便成为火铳箭。显然,火铳箭是借铳筒中火药的冲力发射出去的。它有时又称神铳或神机铳,在《火龙经》和《武备志》卷一二六都有记载。用铜铸成铳筒,在药室内填入火药后,在火药前放一由铁力木制成的圆板,其直径与前膛内径相当,称为激木或木送子。再将箭置于激木上,点燃药线后,箭即发出,射程有二三百步之遥,"人马遇之,穿心透骨"⑤(图

---

① 胡振祺.明代火炮.山西文物(太原),1982(1):57;周纬.中国兵器史稿.北京:三联书店,1959.270,图83

② Needham J, et al. Science and Civilization in China, vol. 5, pt. 7, The Gunpowder Epic. Cambridge University Press, 1986.291,303

③ 旧题刘基[明]述.火龙神器阵法,飞云霹雳砲.清抄本(中国科学院自然科学史研究所藏)

④ 茅元仪[明].武备志(1621),卷一二二,飞云霹雳砲.景印本,第6册.沈阳:辽沈书社,1989.5 198~5 199

⑤ 旧题刘基[明]述.火龙神器阵法,单飞火箭.清抄本(中国科学院自然科学史研究所藏)

198)。如果铳筒大些,可同时射出几支箭。

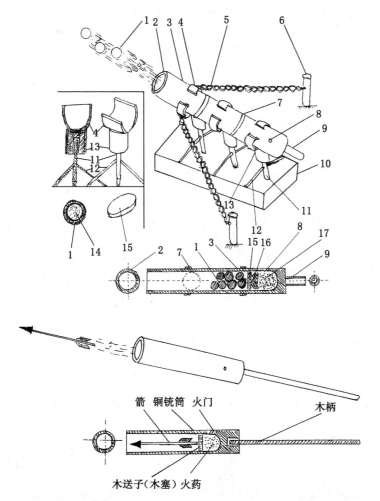

图 197
《武备志》(1621)载生铁铸成的飞云霹雳砲,潘吉星改绘、复原(2001)
1 铁壳炮弹
2 炮口 3 炮筒
4 铁炮托 5 铁链
6 木桩 7 加固箍
8 火门 9 尾鋬
10 木底座
11 木支架
12 支柱(将军柱)
13 铁套筒 14 炸药
15 硬木砝码
16 塞充物
17 发射药

图 198
明初 1388 年使用的火铳神机箭,潘吉星复原(2001)

洪武二十一年(1388)三月,明太祖遣大将沐英(1345~1392)率兵入滇,"乃下令军中,置**火铳神机箭**为三行,列阵中。俟象进,则前行铳箭俱发。不退,则次行继之。又不退,则三行继之。"①用这种战术可以成功地破象阵。永乐四年(1406)七月,明成祖以朱能为大将军,统神机将军程宽、朱贵等出兵云南攻安南。十月朱能卒于龙州(今越南河内),以张辅代之,进入富良江,驻军于多邦城下,安南军列象为阵。张辅"神机将军罗文等以神铳翼而前,象皆股栗,多中铳箭,皆退走奔突,贼众溃乱。"②《明史·兵志》及其他有关明代兵书认为,明成祖于永乐初年征交趾得神机枪砲法,特置神机营操练,这是一种误解。事实上早在太祖时已用火铳神机箭在征滇时破象阵,成祖时在交趾重复使用这一战术。火铳箭对付象阵有效,但一般战役中还是用发射弹丸的火铳。

---

① 谷应泰[清].明史纪事本末(1658),卷四,太祖平滇,第 1 册.北京:中华书局,1977.173
② 谷应泰[清].明史纪事本末(1658),卷十二,安南叛复,第 1 册.北京:中华书局,1977. 346~348

三、火箭、集束火箭、二级火箭和火箭飞行

宋金时发展起来的火箭，在元明两代获得进一步发展。南宋初 1161 年出现火箭后，并未淘汰北宋初（10 世纪）用的火药箭，即以弓弩射出绑有小火药包的箭，二者并存一段时期。而且都是单飞箭，即一人一次只能发射一支箭。元代以后，火药箭被火箭所淘汰，战场上空飞的都是反作用火箭。由于火箭携带的火药量相对说较少，欲使其发挥有效作用，必须由许多火箭手众箭齐发，将火力同时集中某一处目标。为了提高单兵作战能力，中国火箭的设计师以总药线将若干个单飞火箭串联起来，放在一个发射筒内，点燃总药线后可集束发射火箭。这是受到南宋初烟火中的鞭炮制造原理启发的，结果一个射手一次可实现众箭齐放，作战效力成倍地增加，使火箭的威力更大。二战期间，使德国纳粹闻风丧胆的苏军喀秋莎（katyusha）火箭，就是按集束火箭原理制造的。

中国古代集束火箭在南宋中后期（1225～1235）就已制成，并很快被与宋作战的蒙古所掌握。蒙古太宗窝阔台于 1235～1244 年（宋理宗端平二年至淳祐四年）发动第二次西征，其炮手军携集束火箭前往（图 199）。据 15 世纪波兰史家德鲁果斯（Jan Dlugosz，1415～1480）在《波兰史》（*Historia Polonica*）中记载，1241 年蒙古军在波兰境内莱格尼查（Liegnitz）战役中，对波兰和德意志联军发射了集束火箭。此书以拉丁文写成，共 13 卷，至 1614 年才出版。1640 年，赛比什（Walenly Sabisch，1577～1657）据莱格尼查附近修道院内古壁画和德鲁果什的描述，创作了反映这场战役的组画。

图 199
1241 年蒙古军队在波兰莱格尼查战役中使用的集束火箭
左　取自 von Braun
(1966)
右　王存德据《武备志》卷一二六改绘
(1987)，潘吉星提供

根据波兰学者盖斯勒（Wladislaw Geisler）的报道，赛比什组画中描绘蒙古兵所持火箭筒饰有龙头，火箭筒内装药部分有圆锥形，凹空，起着喷管的作用（Sabisch also drew deep conical recesses in the fuel which played the role of nozzles)①。火箭杆上除火药筒外,还有稳定器。龙头发射桶内排立一束火箭。盖斯勒由此做出结论说,这是近代所谓的集束火箭。南宋理宗初期(1225～1235)制成的集束火箭,1241 年已由蒙古军队用之于欧洲战场,当然集束火箭会首先用于中国国内,一直用到明清。反映元明之际(14 世纪)火器技术的《火龙经》所述火笼箭,即集束火箭。

《明史》卷九十二《兵志》载:"天顺八年(1464),延绥参将房能言,麓川破敌,用九龙箭。一线燃,则九箭齐发,请颁式各边。"②后来,集束火箭又有发展,并有许多种用于战场。据《武备志》卷一二六至一二七称,明代集束火箭有许多种:五虎出穴箭,5 个单飞火箭串联,射程 500 步。七筒箭(7 支),火弩流星箭(10 支),火笼箭(17～20 支),长蛇破阵箭(30 支,射程 200 步),一窝蜂箭(32 支,射程 300 步),群豹横奔箭(40 支,射程 400 步),四十九矢飞帘箭(49 支)和百虎齐奔箭(匣内装 100 支火箭,射程 300 步)。箭头多涂毒药,在水陆战中集束火箭作冲锋或焚烧用,其势凶猛。

10 支以下的集束火箭,放在竹或木筒中,每筒"重不过二斤,每兵可负四五筒。敌不知为何物,候至百步(1 步＝1.65 尺)之外,忽然火箭齐放,箭短且速,敌安能避? 则一兵可兼收数十人之技"。③ 20 支集束火箭放在竹编圆筒内,长 4 尺,口大尾小,外以纸糊油刷,以防风雨。筒前身旁留小眼以穿药线。30 支集束火箭放入木匣内,火药筒长 4 寸,杆长 2.9 尺。每匣重五六斤,由一人负之,至距敌 200 步内射之。40 支以上者,也装入匣内。大型集束火箭不便负之,放在火箭车上,用人力或畜力运输。一般说,20 支以下的集束火箭机动性强,100 支者分药线太多,木匣又笨重,并不利于实战。

利用喷射火箭原理将炸弹投向敌方,早在南宋已用于实战,元代有进一步发展,常用的有"神火飞鸦"。如《武备志》卷一三一所述,以竹条编成椭圆形弹体,内装炸药包,用纸和线封固。再在其两旁装上纸糊翅膀,前后各装鸟头、鸟尾,似鸦飞模样。在鸦身下斜插上 4 支大型起火或火箭。鸦背钻一孔,放入长 1 尺的药线 4 根,由总药线连起。点燃总

图 200
火箭飞弹("神火飞鸦"),潘吉星据《武备志》(1621)改绘(2001)

---

① Geisler W. History of the development of rocket technology and astronautics in Poland (1972). In: Hall R C, ed. Essays of the History of Rocketry and Astronautics, vol. 1. Washington, D. C.:National Aeronautics and Space Administration, 1977. 102～103

② 张廷玉[清].明史(1736),卷九十二,兵志四.二十五史缩印本.第 10 册.上海:上海古籍出版社,1986.8 024

③ 茅元仪[明].武备志(1621),卷一二六,小竹筒箭.景印本.第 6 册.沈阳:辽沈书社,1989.5 372～5 373

药线后,4 支火箭将飞鸦升空,至敌方将坠地时,药线引燃鸦身内炸药爆炸。"对敌用之,在陆烧营,在水烧船。"① 欧洲早期的"火鸟"与此相同,当由中国传入。

中国古代火箭技术的最大成就,是发明多级火箭(multiple-stage rocket)。古人用火箭装置将炸弹推向空中时,自然会想到用火箭将另一支火箭升空,从而使其连续飞行到更远的地方,这就成了多级火箭中的二级火箭。《武备志》载有两种二级火箭:"火龙出水箭"或出水火龙火箭(fire-dragon rocket flying on the water)和"飞空砂筒"(sand-thrower flying in the air)。火龙出水箭又见于比《武备志》成书更早的《火龙经》中,因此李约瑟认为它可能是 14 世纪初的产物②。可以说在明初至明中期(14 世纪～15 世纪之际)中国已有了二级火箭。

火龙出水箭(图 201)专用于水战。其制法是,以毛竹 5 尺,去节,铁刀刮薄。前部加木雕龙头,尾有木雕龙尾。龙口向上,腹内装小火箭数枚,由一药线串联。龙头、龙尾下放置含 1.5 斤发射药的火箭筒各 2 枚,火门向下,亦用药线串联。龙腹内小火箭药线与首、尾下大火箭药线接连,大火箭药线再以总药线相联。点燃底部大火箭即一级火箭后,整个火龙即飞出。一级火箭发射药 3.58 kg,推力相当大,药尽后又引燃龙腹内的二级火箭,从龙口射出,继续飞行。如在水面发射,可在离水面 3～4 尺的高度燃火,射程 2～3 里(1 km 左右)。③

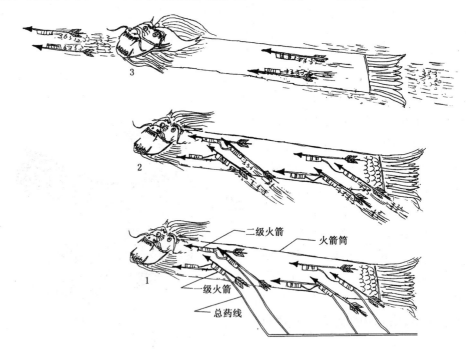

图 201
明代的二级火箭"火龙出水箭"工作示意图,潘吉星绘(2001)
1 发射前 2 发射后
3 飞行中

---

① 茅元仪[明]. 武备志(1621),卷一三一,神火飞鸦. 景印本第 6 册. 沈阳:辽沈书社,1989. 5 554～5 555

② Needham J, et al. Science and Civilization in China, vol. 5, pt. 7, The Gunpowder Epic. Cambridge University Press, 1986. 510

③ 茅元仪[明]. 武备志(1621),卷一三三,火龙出水箭. 景印本,第 6 册. 沈阳:辽沈书社,1989. 5 609～5 611

飞空砂筒(图 202)由两个内盛发射药的起火(火箭筒)构成,二者喷火口方向相反,一个火箭筒喷火口向下,以药线与上面的炸药筒串联,炸药筒内含炸药和细砂。再将炸药筒与另一火箭筒以药线串联,另一火箭筒的喷火口向上。将上述两个火箭筒和炸药筒用麻线、鱼鳔绑紧在一竹杆上。整个装置共长 7 尺,炸药筒长 7 寸(22 cm),径 7 分(2.2 cm)。点燃下面喷火口朝下的火箭筒,整个装置通过毛竹"溜子"(发射筒)飞向敌方,药线又引燃爆仗,喷出细砂,迷敌眼目。爆炸后又引燃另一火箭筒,靠推力又从敌方将装置飞回发射者一方(图 203),令敌人莫测①。实际上这是二级往复火箭(two-stage reciprocating rocket),特点是第二级火箭运行方向与第一级相反,作逆行运动。可见明代人已有了发射火箭后再将其回收的思想和技术。

根据流传到美国的一部中国古书抄本所述,在 14 世纪~15 世纪之际有一位明初人万虎(Wan Hoo),做了一个大胆的试验,他制得两个大风筝,固定在坐椅两旁,在椅子后绑上 47 支大火箭。然后他坐在椅子上,由助手点燃火箭(图 204),随即发出响声并喷出火焰。实验家万虎在升空以后就在火焰和烟雾中消失了。这种首次进行火箭飞行的尝试没有成功。美国火箭学家基姆(Herbert S Zim)介绍上述中国古书记载后,称中国这位实验家是"试图利用火箭作为交通工具的第一人"(the first to try to use rockets as a means of transportation)②。俄罗斯火箭学家费奥多西耶夫(V. I. Feodos'ev)和西亚列夫(G. B. Siniarev)就此写道:"中国人不仅是火箭的发明者,而且也是首先企图利用固体燃料火箭将人载到空中去的幻想者。"③

虽然在当时条件下,载人火箭飞行实验不可能实现,但这种技术构想是有革命意义的。因此,美国宇航飞行员乘火箭飞行器到达月球后,用万虎的名字命名月球背面的一个环形山。德国学者威利·李(Willy Ley)谈到万虎事迹时说,这位博学而勇敢的中国官员"在 1500 年左右通过发明并试验一种火箭飞机(rocket airplane),颇有些壮观地自我牺牲了"④。英国火箭史家麦克斯韦尔(W. R. Maxwell)将 Wan Hoo 拼为 Wan Hu,认为他

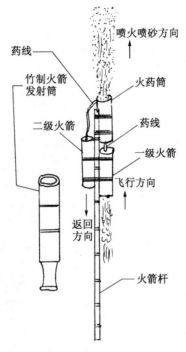

图 202
明代二级往复火箭"飞空砂筒",取自《武备志》(1621),潘吉星改绘(1987)

---

① 茅元仪[明].武备志(1621),卷一二九,飞空砂筒.景印本,第 6 册.沈阳:辽沈书社,1989.5 459~5 461

② Zim H S. Rockets and Jets. New York: Harcourt Brace & Co., 1945.31~32

③ Feodos'ev V I, Siniarev G B. Vvedenie v Rekatnuyu Techniku, glava 1. Moskva, 1956; 王根伟等译. 火箭技术导论. 北京:国防工业出版社,1961.14

④ Ley W. Rockets, Missiles and Space Travel, revised edition. New York: Vikling Press, 1958.84

在1500年的实验是早期火箭史中的一件有意义的重大事件①。基姆公布此史料时,未提到中国书名,无从查考 Wan Hu 是何人,只能给出音译。有人说这可能指"万户"②,但万户是元代军职,明初已废,改称都指挥③,因此不可能是万户这个职务名。美国画家麦克唐纳(James MacDonald)据史料说明,还画了一幅示意图,附于基姆的书中(图203)。应当说,此示意图从技术上看有缺点,风筝形状不对头,也不应手持,需要另行绘制。

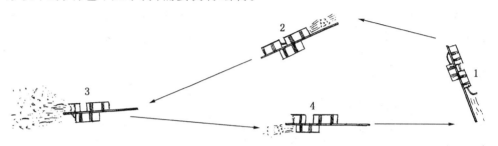

图 203
明代二级往复火箭"飞空砂筒"飞行示意图,潘吉星绘(2001)
1 一级火箭发射
2 一级火箭飞行
3 一级火箭飞至敌方,引燃爆仗后,点燃二级火箭
4 二级火箭返回原发射者阵地

图 204
15世纪明初火箭飞行试验者万虎及其飞行器,取自 Zim(1945)

经宋、金、元三朝之后,到明代时中国火箭技术达到历史上的高峰。美国化学史家戴维斯(Tenny L. Davis,1890~1949)写道:"17世纪以前中国人的创造才能

---

① Maxwell W R. Early history of rocketry. Journal of the British Interplanetary Society (London),1982,35(4):176
② 刘仙洲. 中国机械工程发明史. 北京:科学出版社,1962.77~78
③ 张廷玉[清]. 明史(1736),卷九十,兵志二,卫所. 二十五史缩印本,第10册. 上海:上海古籍出版社,1986.8 118

已经使火箭适应于各种特殊用途,并以携带装有高效炸药的火箭显示出今天看来仍然有用的战术技术。"他还指出,"茅元仪(约 1570~1637)在约 1621 年写的《武备志》中,包括中国早期军用烟火制造技术资料和许多清晰而毫不含糊的插图,其中有装置沿头部方向喷火的枪和能发射 300 或 400 步的火箭"。他的结论是:"总之,在《武备志》出版之际,中国人在火箭的战术应用方面远远地超过了欧洲人。"①

李约瑟则将明代的二级火箭称为"原始的阿波罗火箭"(proto-Apollo rocket)。他说:"明清时期(在火箭方面)有许多非常有意义的进一步发展。首先,有大的二级火箭,使人吃惊的是颇像阿波罗宇宙飞船火箭的先驱,其中火箭发动是在两个连续的阶段点燃的。当它自动停止在轨道终点时,由火箭发射的密集的箭便扰乱敌人队伍集中的地方。具有类似鸟状的有翼火箭,是使其飞行具有某种空气动力学稳定度的早期尝试。还有集束火箭发射装置,其中一个引信点燃多至 50 支火箭。最后,把火箭架设在手推车上,使整个火箭群能运到作战位置上,像晚近正规火炮那样。"②

四、炸弹、定时炸弹、地雷和水雷

宋金时使用的铁壳炸弹,在元明继续发展,并用之于战场。至元十年(1273),元世祖忽必烈派 3 万大军东征日本,在博多湾(今濑户内海)与 10 万日军交锋。据战役目击者竹崎季长的描述而绘制成的《蒙古袭来绘词》(1293)称,蒙古军将铁砲掷于空中炸裂,声震如雷,且发出炫目的闪光,日军慌乱,人马死伤甚众。从画面上看,此铁砲像由两个半圆的碗扣在一起,用于近战③。反映元明之际火器技术的《火龙经》和明末《武备志》(1621)卷一二二,都载有各种铁壳炸弹,但却仍不恰当地称之为"砲",如钻风神火流星砲④。据《清实录·太祖实录》(1636)记载,1626 年努尔哈赤率领的后金兵攻辽东宁远(今辽宁兴城)时,明守将袁崇焕以铁炸弹给攻城者以重创。

将炸弹埋伏在地下或潜藏于水下,引燃后给敌方人马或舰只带来打击的火器,称为地雷或水雷,但古代仍称为"砲"。李约瑟认为地雷(land mine)的使用可以追溯到 13 世纪的南宋⑤,但明代以后才有明确记载。"地雷"一词首见于《火龙经》,其中谈到"无敌地雷砲",亦见于《武备志》卷一三四。无敌地雷砲以生

---

① Davis T L. Early Chinese rockets. The Technology Review (Poston), 1948, 51:122

② Needham J. Science in Traditional China. Harvard University Press, 1981. 47~48

③ 石田幹之助. 文永役に蒙古軍の使用せるてっぽうについて. 東洋学報(東京), 1916, 7(2)

④ 旧题刘基[明]述. 火龙神器阵法,钻风神火流星砲. 清抄本(中国科学院自然科学史研究所藏);茅元仪[明]. 武备志(1621),卷一二二,钻风神火流星砲. 景印本,第 6 册. 沈阳:辽沈书社, 1989. 5 208~5 209

⑤ Needham J, *et al*. Science and Civilization in China, vol. 5, pt. 7. The Gunpowder Epic. Cambridge University Press, 1986. 176,192

铁铸成球形外壳(图205),上部有一圆孔,沿此孔注入火药后,再插入木管,内放3根药线与火药相连。木管上端与铁壳齐平,正好塞住圆孔,但药线外露。圆孔周围放火种,与药线靠近,但并不接触。火种上倒放一瓦盆,盖住火种。料敌必

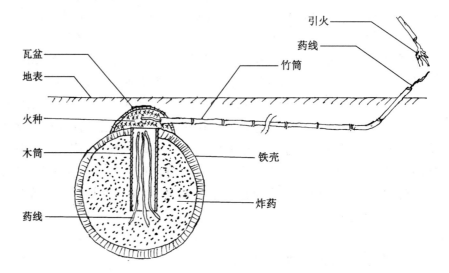

图205
无敌地雷炮示意图,
潘吉星据《武备志》
(1621)重绘(2001)

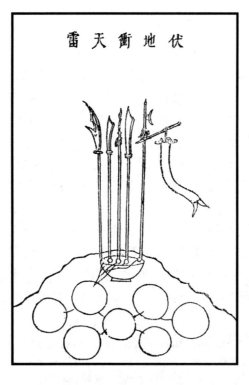

图206
伏地冲天雷炮,取自
《武备志》(1621)

到之处,先埋于地中。待敌方人马踏破瓦盆,使其中火种与药线接触,迅即引燃火药,铁球爆炸①。亦可在瓦盆旁引一长竹筒,内放药线,临时点燃爆炸②。最后在敌惊乱中发起冲锋。这种地雷阵要求布置多枚才能收效。

《武备志》卷一三四还载有"伏地冲天雷炮"(图206)。事先通过侦察,摸清敌人行军路线,在其所经之处,挖地3尺,埋入一批炸弹,以药线串联在一起。炸弹上放盛有火种的瓦盆,炸弹的药线盘在瓦盆上,与火种相近,但不接触。将瓦盆盖好,盖上再插入刀枪的杆。炸弹和瓦盆皆以土埋之,土与地面平,不露其迹,但刀枪在地面之上。当敌人来时,见刀枪器械必定摇拔,于是使火种倒在药线上,迅即引燃埋在地下的炸弹

---

① 旧题刘基[明].火龙神器阵法,无敌地雷炮.清抄本(中国科学院自然科学史研究所藏)
② 茅元仪[明].武备志(1621),卷一三四,无敌地雷炮.景印本.第6册.沈阳:辽沈书社,1989.5 644~5 645

爆炸,造成伤亡①。张英(1637～1708)奉敕编《渊鉴类函》(1677年成书,1710年刊行)卷二一三《武功部八·火攻上三》引明人瞿汝说《兵略纂闻》曰:

> 曾铣在边,又制地雷。穴地丈许,柜药于中,以石满覆,更覆以沙,令与地平。伏火于下,可以经月。系其发机于地面,过者蹴机,则火坠药发,石飞坠杀人,敌惊以为神。

按曾铣(约1494～1548)字子重,明江都(今江苏扬州)人,嘉靖八年(1529)进士,历官福建长乐知县、辽东巡按御史、山西巡抚。嘉靖二十五年(1546)夏,以原官总督陕西三边军务②,上疏朝廷,请以锐卒六万,益以山东枪手二千,以御鞑靼犯边,更选"材官驵(骠)发砲、**火雷激**,则寇不能支,此一劳永逸之策"。明世宗准奏,因此曾铣在边研制火雷或地雷当在1546～1547年间。这种地雷很可能就是《武备志》所说的伏地冲天雷炮。但《兵略纂闻》称"穴地丈许",可能太深了,一般说三四尺深就够了,炸弹以石制成。由于奸臣严嵩诬陷,曾铣后被杀害。《兵略纂闻》还称:

> 曾铣在边,置慢砲法。砲圆如斗,中藏机巧。火线至一二时才发。外以五彩饰之。敌拾得者,骇为异物。聚观传玩者墙拥。须臾药发,死伤甚众。

刘仙洲(1890～1975)认为曾铣在1547年研制的慢砲,实即定时炸弹③。但《兵略纂闻》没有说明球形炸弹"中藏机巧"的细节,料想是在火药装满炸弹壳后,在壳内装一木管,管内有药线与火药相通。再在管内放一根螺旋形香柱,香柱一头点燃,另一头与药线的另一端相联。香柱是缓慢燃烧的,利用其粗细和长度控制燃烧时间,需要事先试验。待香柱燃尽后,引燃药线,药线又迅速点燃火药。还可将慢砲埋伏在敌人要行进的路上,计算好时间,决定香柱长短,待敌来时自动爆炸。准确掌握好要爆炸的时间是至关重要的。如果想在敌人即将来之前临时引爆,可将香柱切断。甚至还可用一般地雷,即前述"无敌地雷砲",将其药线一端与一长药线接联,长药线放在长竹筒中,埋在地下。在敌人大队人马路过之际,点燃长竹筒一端的药线,以引燃炸药。《火龙经》和《武备志》将火种和长竹管内的药线同时画在地雷上,看起来不协调,实际上表示两种引爆方法,将用两个图表示的并在一个图中了。

《火龙经》和《武备志》中所载的"水底龙王砲",是一种漂浮式定时爆炸的水雷。《武备志》卷一三三就此写道:

---

① 茅元仪[明].武备志(1621),卷一三四,伏地冲天雷炮.景印本,第6册.沈阳:辽沈书社,1989.5 648
② 张廷玉[清].明史(1736),卷二〇四,曾铣传.二十五史缩印本,第10册.上海:上海古籍出版社,1986.8 346
③ 刘仙洲.中国古代慢炮、地雷和水雷自动发火装置的发明.文物,1973(11):46～51

砲用熟铁打造，以木牌（板）载之，其机理在于藏火。砲上缚香为限，香到信发（或一更，或三更，准定香限寸数，时刻不差。）裹以牛脬而不通气，则（香）火闷死。通以羊肠（硝过，夹以粗铁线），上以鹅雁翎为浮，随波浪上下，则水灌入，而火亦死，其机之玄妙有如此。乃量贼船泊处，入水浅深，将重石坠之，黑夜顺流放下。香到火发，砲从水底击起，船底粉碎。水入贼沉，则可坐而擒也。应用法物：大弹（重四、五、六斤），发药（或一斗，或五升）。①

上面的叙述有些文字被省略或遗漏，插图又绘制得不够准确，因此初读起来不易得到要领。所见清抄本《火龙经》与此情况类似，因为此书自明初以来传抄过程中未加精校，漏字漏句比比皆是，待《武备志》引用此书时，虽对文字做了梳理，漏句仍未补上，读起来有上气不接下气之感。1985年李崇洲结合《天工开物》(1637)等书，对水底龙王砲做了复原研究②，有助于人们对此水雷制造原理的了解。水底龙王砲炸弹为铁制球形，重 4～6 斤（约 2.4 kg～3.6 kg），装火药 (5.2 l～10.4 l)，球上孔部插入一药线管，药线下端与火药相通，其上端与香柱相通（图207）。必须将炸弹及香火放在牛脬（pāo，膀胱）内，放在水下才不致浸水。

但香火在装有炸弹的牛脬内缓燃，需要排出气体，又要求有新鲜空气进入牛脬，否则香火就要闷死。为此在牛脬上部接上细的羊肠，作为通气管道，羊肠以铁丝固定其形，羊肠上端与浮在水面的换气装置相联。牛脬固定在木板上，板下有两个石坠，这样就可使整个装置漂浮于水下。事先探好敌人船队停泊的地点和船入水的深浅，趁黑夜时将水底龙王砲从上游顺流放水中。以香火燃烧速度控制起爆时间和在水下漂流的距离，以石坠的轻重控制装置在水下漂浮的深浅。经过计算，正好在到达敌船船底时引爆。船底被炸破后，敌人纷纷落水或被炸伤，这时再发起进攻。"其机之玄妙即在于此"，显然这是一种很具匠心的精巧装置。

明代军事家戚继光(1527～1587)于万历八年(1580)曾制造"自犯钢轮火"："中置一木匣，各炮之信总贯于匣中，而匣底丛以火药，中藏钢轮，并置火石于旁，而伏于地上。虏马踏其机，则钢轮转动，火从匣中出，诸炮并举，虏不知其所自。"③这是一种由钢轮发火引燃的地雷，有趣的是它让敌方人马自引自爆。茅元仪《武备志》卷一三四所载的"炸砲"，也采用同样方法引爆：

炸砲：制以生铁铸，大如碗，空腹。上留指壮（手指粗）一口容药，木杵填实。入小竹筒穿火线于内，外长线穿火槽。择寇必由之路掘坑，连连数十（炸砲）埋于坑中，药槽通接钢轮，土掩，使贼不知。踏动发机，地雷从下震起，火焰冲天，

---

① 茅元仪[明]. 武备志(1621)，卷一三三，水底龙王砲. 景印本，第6册. 沈阳：辽沈书社，1989. 5 612～5 613
② 李崇洲. 中国明代的水雷. 中国科技史料，1985, 6(2):32～34，封底插图
③ 戚祚国[明]. 戚少保年谱耆编，卷十二. 仙游：崇勋词重刊本，1847

铁块如飞。①

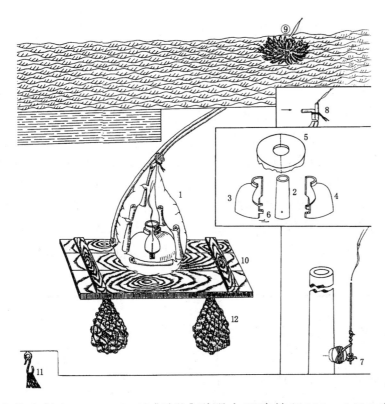

图 207

明代水雷"水底龙王炮"复原图,取自李崇洲(1985)

1. 牛脬及其包裹的发火装置
2. 砲 3 铁罩
4. 铁罩
5. 铁罩底部(见面)
6. 铁插销
7. 砲心、香及药信(放大)
8. 进气管和排烟管的上端
9. 鹅、雁翎浮漂物
10. 木板
11. 挂坠石之挂钩
12. 坠石

清人徐宗幹(1796~1866)《兵鉴》引明人王鸣鹤(1550~1610在世)《火攻答》(1600)云:"无论大小火砲(指地雷)……中用通节竹,走火线于内。有用千日火者,**有用钢轮者**。或持敌人自发,则用走线横拦敌人来路,敌人冲断其线,则火机自落,火发线走,诸砲齐出。"②也指的是以钢轮起火引爆地雷,看来这种引爆地雷的方法从16世纪以来被中国兵家普遍看好,且在实战中运用得很有效。什么是钢轮起火法呢?《武备志》对此给予了详细叙述,且附有插图以辅助说明。其中介绍了3种钢轮发火机,使用于不同地方,但制造原理都是一样的:即以游线牵动可转动的钢轮,使其与火石发生摩擦,以产生的火星引燃地雷的药线,药线再引爆地雷。游线可由敌方人马无意间触动,也可由放雷人牵动。总之,一触即发。《武备志》卷一三四介绍钢轮起火机时写道:

> 钢轮匣用榆、槐木如式造。两头重用藏火线隔板,底凿坠石口。匣盖周围多钻引线眼,内两旁用槽木四枝,上黏紫胶。火石、纯钢(轮)照匣大小造。两轮中用铁轴卷绳,从下中孔拴坠石于底外,匣内两头搁轮。用铁板四个,中开眼。

---

① 茅元仪[明].武备志(1621),卷一三四,炸砲.景印本,第6册.沈阳:辽沈书社,1989.5 638~5 639

② 转引自:戴念祖.中国力学史.石家庄:河北教育出版社,1988.346

制铁长针,将底外坠石扶住。搁于地坑,草木覆之。其针鼻拴游线,交横远系钉地(上)。若人马绊绳(游线),针脱轮转,火起贯发槽(中)火线,群砲轰发,有神术之妙,屡试(皆)验也。①

火石(flint)即燧石,由隐晶质石英(quartz)组成,呈结核状、致密块状,浅灰至褐黑色,裂片尖锐,与铁相击生火星,产于石灰岩中。中国古代早已用铁镰击火石取火,但以此引燃地雷的药线,需设计出灵巧的装置。钢轮发火机由长方形木匣制成,在匣上部两端各装一火石,火石下各有两个可转动的钢轮与之相连接(图208)。钢轮之间贯以可转动的铁轴,铁轴上缠以绳子,绳下悬一石坠。在铁轴中部装一尖形铁条,匣盖上装一铁针,使铁针下端阻住尖形铁条,铁轴不能转动。再在铁针外端装上游线,游线外端固定在敌人必经之路上。当敌人绊在游线上,或放雷人拉动游线,铁针被上提,放开尖形铁条,铁轴因石坠下降的重力而旋转,带动钢轮转动,与火石摩擦生火,点燃与钢轮相联的药线,地雷爆炸。

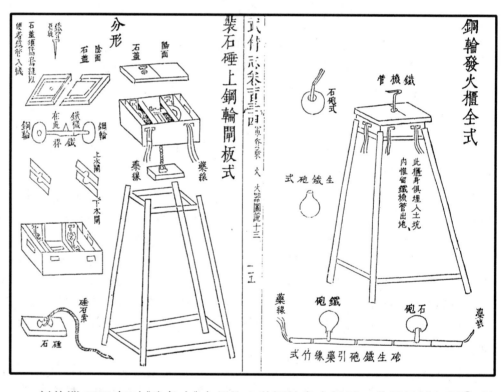

图208
《武备志》载引爆地雷的钢轮发火装置

刘仙洲1973年对《武备志》介绍的3种钢轮发火机逐一做了机械复原②,并给出内部结构图(图209)。从这些图中不难看出,三种钢轮发火机结构基本相

---

① 茅元仪[明].武备志(1621),卷一三四,钢轮发火柜.景印本,第6册.沈阳:辽沈书社,1989.5 654~5 657
② 刘仙洲.中国古代慢炮、地雷和水雷自动发火装置的发明.文物,1973,(11):46~51

同,主要区别是对石坠挡板降落方式做了不同安排。有人说,中国这种重力驱动的钢轮-火石发火机,是西方耶稣会士带来的①。但李约瑟不同意这一看法,因为欧洲 1573 年以后才有这类装置,而中国比欧洲早百多年已有此物②。但茅元仪将这种装置的起源追溯到 3 世纪时的诸葛亮,也肯定是没有根据的。综上所

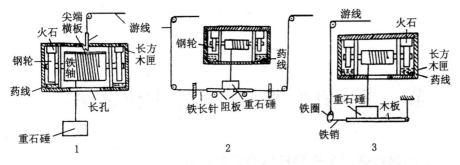

图 209
《武备志》载 3 种钢轮发火装置复原图,取自刘仙洲(1973)

述,明代以后发展起来的地雷、水雷和定时炸弹,采用 3 种发火装置:缓燃的香火、藏伏的火种和钢轮-火石发火机,后一种装置最为先进而灵巧。这些装置都是中国土生土长的。

---

① 吉田光邦.明代的兵器.见:薮内清编.天工开物研究论文集.中文本.北京:商务印书馆,1959. 216

② Needham J, *et al*. Science and Civilization in China, vol. 5, pt. 7, The Gunpowder Epic. Cambridge University Press, 1986. 202

第七章 指南针的发明和早期发展

第一节 指南针发明前古人定方位之法

一、战国以来以圭表测日影的定位方法

指南针是由磁针和方位刻度盘构成的指示南北方位的仪器，是中国古代科学技术的四大发明之一。指南针的发明不是突如其来的，而是中国人在战国或公元前5世纪以来确定方位的近千年间的实践过程中不断探索的产物，与中国方位文化的发展演变密切相关。指南针是利用磁石的指极性而制成的磁学定位装置，但在它出现以前，古人则是用非磁学的天文学方法确定方位。指南针的磁针是人工制成的磁化铁针，而在这以前中国人曾以天然磁石制成最早的指示方向的仪器，即所谓"司南"，成为指南针的前身。因而我们看到在中国方位文化史中，大体上经历了从以天文学方法定位，再以磁学方法制成司南，最后由司南演变成指南针的三个阶段，正反映出古人对自然界的认识在逐步深化，随之而来的是测定方位技术的不断完善。在研究指南针的发明以前，首先需要揭示这一历史演变过程。

远古时期以来，在生产和生活实践中需要确定东西南北的正确方位。战国时成书的《周礼·天官·冢宰第一》（前5世纪~前3世纪）写道："惟王建国，**辨方正位**，体国经野，设官分职，以为民极。乃立天官冢宰，使帅其属而掌邦治。"[①]可见"辨方正位"是建立邦国统治的一件重要事务。自古以来，中国以坐北朝南为尊位，故天子、诸侯见群臣，皆南面而坐。《易·说卦》云："圣人南面而听天下，响（向）明而治。"[②]因此对首都、宫室及各城市建筑确定方位和布局，无不体现坐北朝南思想，甚至帝王陵寝也面向正南，臣民居室同样如此。这种方位概念长期间贯穿在中国建筑史实践之中。除此，许多社会活动如观测星象、祭祀、行军作战、采矿、水陆旅行、划定行政区域、制图测绘等，都需要辨明方向后才能进行。

古代最初用天文学方法确定方向，通常用圭表测定日影和以北极星定向这

[①] 郑玄[汉]注.贾公彦[唐]疏.周礼注疏,卷一,天官冢宰第一.十三经注疏本(1816),上册.上海：世界书局,1935.639

[②] 王弼[魏]注.孔颖达[唐]疏.周易正义,卷九,说卦.十三经注疏本(1816),上册.上海：世界书局,1935.94

两种简便的方法,即《周礼·冬官·考工记》所说"昼参诸日中之景(影),夜考之极星,以正朝夕"①。"以正朝夕"意思是确定东西方向之正位,自然也就解决了南北的定向。古人早就发现,树木在日光照射下投射出的影子长短和方向因时间的不同而有规律地变化,于是利用这一现象制成最古老的天文仪器,即日晷(guǐ)或圭表。取一直立的木竿或石柱,古称为槷(niè)、臬(niè)、髀,以其影子测定方位。因太阳的东升、西落,昼间在天空运行的路径对观测地的子午线而言,基本上是对称的,观测日出、日没时表影的方向,就能确定东西及南北方位。

圭表虽简单,却具有定方位、定时刻和定节气的多种功能,其最早的用途是测定方位。天文学专家注意到,距今6 000年前,陕西西安市半坡村新石器时代(前4800～前3600)遗址有46座完整的房屋旧基,房门都是向南开着。同时代的江苏邳县四户镇大墩子遗址的墓葬都是南北走向。这说明原始社会的先民已掌握了确定方向的方法,除观看北极星外,就是立竿测影②。汉语成语中的"立竿见影",即导源于此。近代世界的某些原始部落成员,如印尼加里曼丹岛上的部落成员仍用表竿测日影③,这同中国远古先民使用的方法是一样的。

古人以圭表测日影、定方向的做法,还见于先秦典籍。《诗经》是中国最早的诗歌总集,编成于春秋时代(前770～前476),其中反映的一些事件可追溯至商周。《诗经·大雅·公刘》篇载,周公旦在周成王(前1042～前1021)即位时辅佐其执政。为了让年幼的成王了解远祖创业时的艰辛,周公旦向他讲述了周族远祖公刘的事迹。公刘是公元前17世纪～公元前16世纪时人④,是后稷的曾孙,被夏统治者排斥,率民在豳(bīn)营建邦国,此地在今陕西旬邑西南。周公旦说:"笃公刘,既溥既长,既景乃冈。"宋人朱熹(1130～1200)对"既景乃冈"加注曰:"景,考日景以正四方也。冈,登高以望也。"⑤。因此,周公旦那段话可译为:"诚实笃厚的公刘,其土地广阔又绵长。在山冈上立竿观测日影,以正四方。"这是以立竿测影方法定方位的最早文献记载。

西周以前的殷代(前1600～前1046)后期都城在今河南安阳小屯,对宫殿区内56座建筑基址的发掘表明,排列整齐有序,经过规划。不少基址经用现代磁罗盘校订都是南北或东西正向。有的院落布局类似今北京的四合院,除正房外,有东、西厢房。这说明殷人已掌握了测定方位的技术,而方位的确定就是采用了立竿测影法。因为殷代甲骨文中的"中"字和"立中",表示立竿测

---

① 郑玄[汉]注,贾公彦[唐]疏.周礼注疏,卷四十一,冬官考工记·匠人.十三经注疏本(1816),上册.上海:世界书局,1935.927

② 薄树人主编.中国天文学史.北京:科学出版社,1981.174～175

③ Needham J, Wang Ling. Science and Civilization in China, vol. 3. Cambridge University Press, 1959. 286, Fig. 111

④ 郑玄[汉]注.孔颖达[唐]疏.毛诗正义,卷十七—三,豳风.十三经注疏本(1816),上册.上海:世界书局,1935.534

⑤ 朱熹[宋]注.诗经集传(1177),卷六,大雅·公刘.宋元人注四书五经影印本,中册.北京:中国书店,1985.134

影以定方位和四时①。有的字有多重意义,如"臬"在甲骨文中既表示立木竿以为箭靶,也表示立竿测日影。如卜辞"乙酉卜,争贞:往复从臬,牵吾方?二月"(《殷墟书契前编》5·135),此处臬指司臬之人,即立竿测影之人。这句卜辞意思是"乙酉日卜,贞人问曰,从司臬前往征吾方,可否?"②由此可验证《诗经》所载公刘时立竿测影以正四方,是可信的。

古人如何以圭表测影法定方向呢?《周礼·冬官考工记·匠人》条对此有具体说明:"匠人建国,水地以悬,置槷以悬,眡(shǐ,同视)以景(影)。为规,识日出之景与日入之景。昼参诸日中之景,夜考之极星,以正朝夕。"③对这段文字需加以解说。"匠人"是周代建立都城的技术官员,营建前需测定建筑所在的方位。"水地以悬,置槷以悬"意思是,在空旷的平地上先以水面校正地面,使其水平。否则,投射的日影必有误差。再在地平面上立一木竿(8尺长),称为槷表或臬表。再在表上悬以拖有重垂的绳,以校正表(木竿)是否与地面呈垂直,再观测表竿的日影。"为规,识日出之景与日入之景"意思是,以表柱 A 为圆心,以日出与日入时的影长为半径画一圆(图210),因此两影长度相等,故日出之影端、日入之影端与圆周相交的两点 B 及 B' 之间的连接线 BB',就是东西的正向。BB' 之平分点 M 与 A 的连接线就是南北正向。

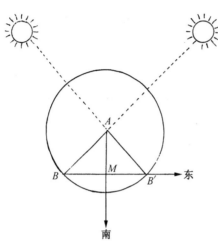

图 210
《考工记》所述立表定方向示意图,取自薄树人(1981)

但以日影测定方位时,日出与日入时的表影与圆周交点不易定准,因此《周礼·冬官考工记》载,匠人白天做好定向后,还要在夜间以观看北极星所得的南北方向来校正昼间测日影所得的东西方向。后来又出现以多个圭表测影的改进方法。此方法见于西汉淮南王刘安(前179～前122)的门客编写的《淮南子·天文训》(前120)中:"正朝夕,先树一表,东方操一表去前表十步以参望,日始出北廉。日直入,又树一表于东方,因西方之表以参望,日方入北廉,则定东方。两表之中与西方之表,则在西之正也。"④

《淮南子》提出的方法,特点是用一个固定的表和两个游动的表,以3表测日影。先在地平面上立一固定表 A(图211),再在其东10步处另立一游表 B。日始出时,从西向东(或东北)看,即从定表向游表方向看,使表 A、B 与日面中心 S

---

① 萧良琼.卜辞中的"立中"与商代的圭表测景.科技史文集(上海),1983(10):27～44
② 温少峰,袁庭栋.殷墟卜辞研究——科学技术篇.成都:四川社会科学院出版社,1983.8～16
③ 郑玄[汉]注.贾公彦[唐]疏.周礼注疏,卷四十一,冬官考工记·匠人.十三经注疏本(1816),上册.上海:世界书局,1935.927
④ 淮南子(前120),卷三,天文训.百子全书本,第5册.杭州:浙江人民出版社,1984.7

成一直线。然后在日没时,仍在定表东 10 步立一游表 B',从游表 B' 向定表 A 方向看,即从东向西(或西北)方向看,使 A、B' 与日面中心 S' 成一直线。这样 $AB = AB'$,BB' 的中点 M 与 A 的连线就是东、西方的正向。BB' 自然是南、北的正向。

《考工记》和《淮南子》都是根据日出、日没时两条同长的表影方向定出东西及南北正向,原理是一致的,但观测都是在室外大地上进行的。然而有些场合需要正确定向,又不可能随时都在地面上立表测影,例如行军作战、水路航运和天象观测等。

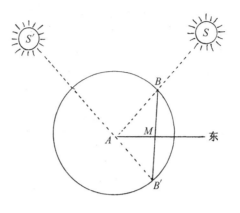

图 211
《淮南子》所述立表定方位示意图,取自薄树人(1981)

于是便利用上述原理制成小型测向仪器,称为"晷仪"。《汉书》(83)卷二十一上《律历志上》载,太初元年(前 104)武帝诏大中大夫公孙卿、壶遂及太史令司马迁等,"议造汉历。乃定东西,立晷仪。下漏刻,以追二十八宿相距于四方。举终以定朔晦、分至、躔离、弦望。"①这里所说的"定东西"与《考工记》所说"正朝夕"是一个意思,指确定东西南北之方位,为此就要"立晷仪",因它除可定时间外,还可定方位,与圭表有同样功用。

清光绪二十三年(1897),内蒙古呼和浩特市西南的托克托城出土西汉初(前 2 世纪)晷仪的石制刻度晷盘,原归端方(1861~1911)收藏,今藏于北京中国历史博物馆。石晷仪盘面呈方形(图 212),27.5 cm × 27.4 cm,厚 3.5 cm。板上刻出 3 圆。外圆直径 23.2 cm~23.6 cm,圆外有篆字,字径 0.4 cm~0.6 cm。中央有圆孔,直径约 0.65 cm,不穿透,当是立圭表之用,但圭表已脱落不存。内圆外刻出 69 条辐射线,外圆有 1~69 的数字,没有方位及其他文字。天文学史家李鉴澄先生对此器做了专门研究后,确认它是测定方向用的仪器②。板面虽未刻出方向,但从正面观之,其中间正方形上下两边表示东西向,左右两边表示南北向,这是不言自明的。

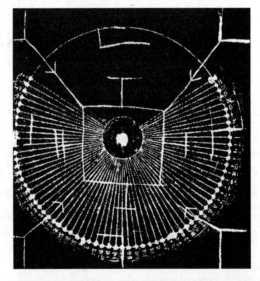

图 212
1877 年内蒙古托克托出土的西汉初(前 2 世纪)晷仪,取自李鉴澄(1978)

1932 年,河南洛阳金村(古金镛城)古墓中亦出同类晷仪石板,亦无台座,现

---

① 班固[汉].汉书(83),卷二十一上,律历志上.二十五史缩印本,第 1 册.上海:上海古籍出版社,1986.462

② 李鉴澄.晷仪——现存中国最古老的天文仪器之一.科技史文集,第 1 辑(天文学史专辑).上海:上海科学技术出版社,1978.31~38

藏于加拿大安大略皇家博物馆(Royal Ontario Museum)[①]。石板长28.4 cm,宽27.5 cm,也基本呈方形,厚3 cm,中央为一圆孔,直径0.65 cm,不穿透,深约1.5 cm(图213)。板面上有二圆及一不完全圆,里面第一圆及第二圆之间刻69条辐射线,辐射线与第二圆相交的末端有深为0.16 cm的小圆孔。各个小孔分别记有1~69的数字(篆书)。辐射线是等分的,则圆周分为100分,两线夹角等于中国古代地平经度3.6525°。两圆间刻出一正方形,其四角还有对角线的延线,将圆周平分为四等分和八等分两种。因此,上述两个晷仪仪面的刻度、文字完全相同,只是后者刻得更为精致,二者制作年代应为同一时期,功用相同。

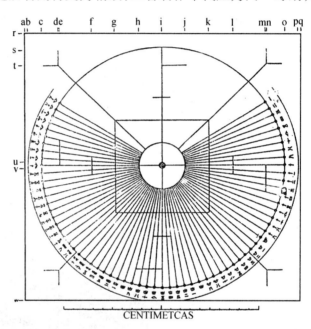

图 213
加拿大安大略皇家博物馆藏西汉晷仪,取自 White(1938)

上述晷仪的用法,在同时代成书的《周髀算经》(前100)中讲得较为明确:"以日始出,立表而识其晷,日入复识其晷。晷之两端相直者,正东西也。中折之指表者,正南北也。"由此看来,与《考工记》中所述之法相同,只是地平面改成小型水平石板面,面上刻出现成的圆、各种可能(不同季节)出现的表竿日影线及日影末端与圆交点的标志数目字。只要将表竿直立于仪面中心上,将晷仪平放,再观看日出、日没时的表竿投影与圆周交点,做出标记,则两个交点之连线即正东西向。此连线中点与圆心之连线即南北正向。这样,只要晴天,便可以此晷仪在任何地方,如船上或车上,从容确定方向。如用木板将晷面做得更小,则晷仪就成为便携式测向仪器,使用时更觉方便。

二、观看北极星确定方位之古法

如《周礼·考工记》所说,古人确定方向时,除"昼参诸日中之影"外,还"夜考

[①] White W C, Miliman P M. An ancient Chinese sundial. Journal of the Royal Astronomical Society of Canada (Ottawa), 1938, 32:417

之极星"。这里所说的极星,即北极星。在中国所在的北半球观看天空,北天区各星在地平线以上,处于视野之内。北天区恒星的周日运动中,只有北极星位于天球北天极,众星都围绕它旋转。北极星因此又称帝星或北辰,是最易看到的方位星,被古人赋予至高无上的地位。《论语·为政》篇引孔子(前551~前479)语录云:帝王宜"为政以德,譬如北辰,居其所而众星拱之"。《史记·天官书》称,"中居天极星,其一明者,太一常居也"。实际上由于岁差,北极星不是固定不变的。周秦时,北天极靠近小熊座β星;隋唐以后,小熊座(勾陈)中的α星成了北极星,古称勾陈一,距北天极约1°;至公元2095年,小熊座α星最近北天极(15″)。

寻找北极星可通过北斗星(大熊座),北斗星又称北斗七星,在北天排列成斗或构形的大熊座七颗亮星。其名称是:(1)α星、天枢,(2)β星、天璇,(3)γ星、天玑,(4)δ星、天权,(5)ε星、玉衡,(6)ξ星、开阳,(7)η星、摇光。其中(1)~(4)四星为斗魁,又称璇玑,(5)~(7)三星称斗柄或玉衡。北斗星最易辨认,将(2)天璇及(1)天枢的连线沿β→α的方向向前延长5倍,就可找到北极星(图214)。北斗七星是指示方向和认识星座的重要标志,所以天枢、天璇二星又名指极星。

在白天可以用表竿日影确定方向,但夜间需要辨明方向时,只能靠北斗和北极星了,特别在海上航行时,没有星辰指引,必定迷失方向。因此《淮南子·齐俗训》说:"夫乘舟而惑者,不知东西,见斗极则寤(wù,悟)矣。"①东晋僧人法显(337~422)隆安三年(399),从陆路赴印度求法,归程经由海路于义熙八年(412)抵青州(今江苏扬州)。他在《佛国记》(412)《浮海东归》节内写道:"大海弥漫无边,不识东西,唯望日月、星宿而进。若阴

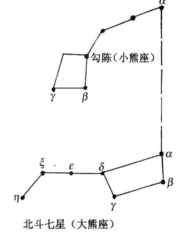

图214
从北斗星找北极星示意图,取自《辞海》(1972)

雨时,为逐风去,亦无准。当夜暗时,但见大浪相搏……不知那向。海深无底,又无下石住处。至天晴已,乃知东西,还复望正而进。"②

在指南针未发明以前,天文导航是保证船舶在海上航行安全和达到预定目标的重要关键之一,就是在有了指南针以后,也仍要辅之以天文导航。古代在离大陆不远的近海作短程航行时,只要靠观日、观星辨出方向就行了。但如果在离陆地较远的海面上作较长程航行时,只知道航行方向是不够的,仍有偏离航道的可能,还要知道船舶在海中的方位所在。自古以来舟师会发现,船越向南行,北天恒星圈就越来越小,北极星的出地高度越来越低,因此用北极星的出地高度和出没方位可以确定船在海中的地理纬度。出地高度指天体对地平所张的仰角或俯角,在不同地点可通过观测得到。这样,天文导航便从定性阶段走向定量阶段,这是必然趋势。正如先秦测定日影的表竿由只定出东西方向的定性阶段,发

---

① 淮南子(前120),卷十一,齐俗训.百子全书本.第5册.杭州:浙江人民出版社,1984.2
② 法显[晋].法显传.章巽校注本.上海:上海人民出版社,1985.167

展到秦汉之际具有刻度盘和数值指示的晷仪的定量阶段一样。

中国从何时开始测定北极星出地高度的定量导航时代呢？这个问题有待深入研究，但至迟在唐玄宗开元十二年(724)天文学家僧一行(683～727)及其合作者南宫说(yuè)领导下,在南北各地用所设计的仪器"覆矩斜视北极[星]出地"之度数①。据天文学史家薄树人、陈美东等先生解释②,覆矩仪是半圆形测角器(图215),圆心安一有转轴的支架上,可绕轴旋转。观测时,先令通过圆心的铅垂线与测角器上的90°分划线重合。再转动测角器,沿直径方向照准北极星,这样就可读出铅垂线所指度数,此度数与90°分划线之间的夹角即北极星出地高度或地平纬度,亦即观测点的地理纬度。这种简便方法能很容易地用于船舶的海上定位。

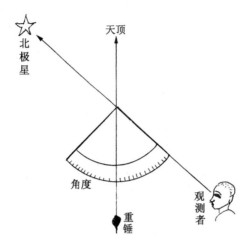

图 215
覆矩仪示意图,潘吉星绘(2002)

一行和南宫说在政府支持下从北起北纬51°的铁勒(今蒙古国乌兰巴托西南)到北纬17°的林邑(越南中南部)的南北大片地带的13处进行了北极星出地高度的实测,在这过程中发现南北两地每相距351里80步(129.22 km),则北极星出地高度相差1°③,从而也测出了子午线的长度,一度弧长为166.14 km,这是世界上的首创之举。这次测量队还在北纬20°附近的北部湾海面上见到南天恒星老人星或南极老人(船底座α星),这是在中原很难看到的。

唐代地理学家贾耽(730～805)《皇华四达记》记载当时中国与外国交往的7条交通路线,其中包括从广州港出发经过今越南、马来半岛、印度尼西亚,再横渡印度洋,经斯里兰卡、印度沿海到波斯湾的阿拉伯半岛,最后到东非洲的海上丝绸之路④。中国商船在这类远洋航行中必然要借助于定量的天文导航手段,以确定船在海上的方向和位置。而测量各地北极星或南天方位星的出地高度,将是最简便的方法。遗憾的是,这方面的早期航海史料没有保存下来,甚至贾耽的《皇华四达记》也只在《新唐书》(1061)卷四十三《地理志》中留下片断内容。宋元明时期航海的大发展和导航技术的进步,无疑是在唐代的基础上发展的,因此李

---

① 刘昫[五代].旧唐书(945),卷卅五,天文志上.二十五史缩印本,第5册.上海:上海古籍出版社,1986.3 645

② 薄树人主编.中国天文学简史.天津:天津科学技术出版社,1979.105;陈美东.一行传.见:杜石然主编.中国古代科学家传记,上集.北京:科学出版社,1992.370

③ 欧阳修[宋].新唐书(1061),卷卅一,天文志.二十五史缩印本,第6册.上海:上海古籍出版社,1986.4 220

④ 欧阳修[宋].新唐书(1061),卷四十三,地理志.二十五史缩印本,第6册.上海:上海古籍出版社,1986

约瑟博士认为以天文导航为标志的计量航海时代始于唐代。①

三、中国古代用于天文导航的牵星术

除用唐代一行、南宫说的覆矩仪测北极星地平高度以外,还有一种简便方法可达到同样目的,即使用牵星板(guiding-star stretch-boards)测极高。这种天文导航技术称为牵星术。著名科学史家严敦杰(1917～1988)先生在这方面做了深湛的研究②,使我们了解牵星术的很多细节。他引明代人李诩(1505～1592)《戒庵老人漫笔》(1590)卷一《周髀算尺》云:"苏州马怀德(旧藏)牵星板一副,十二片,乌木为之。自小渐大,大者长七寸余。标为一指、二指,以至十二指,俱有细刻,若分寸然。""又有象牙一块,长二寸,四角皆缺,上有半指、半角、一角、三角等分,颠倒相向,盖周髀算尺也。"③(图216)。

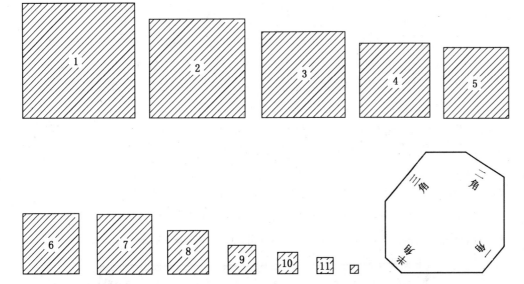

图 216
牵星板,引自严敦杰(1966)

这套由柿树科黑色木材乌木(*Diospyros ebenum*)做成的确定船在海中方向和地理纬度的牵星板,由12块正方形板组成,最小的板为 2 cm×2 cm,每板递增 2 cm。最大板为 24 cm×24 cm(合明尺7寸6分);最小块为一单位,称为"一指"。因此这套板为1～12指不等。木板中心穿一根绳子,其长度为从眼到手执板间的距离,相当手臂伸直之长。使用时,左手持木板,右手牵绳拉直(图217)。当板上边对准北极星,板下面与水平线齐平时,就可大约测出所在地北极星距水平高度。指以下的单位称为"角",以 6 cm×6 cm 的象牙板测定,板的四个边角

---

① Needham J, Wang Ling, Lu Gwei-Djen. Science and Civilization in China, vol. 4, pt. 3. Cambridge University Press, 1971. 554
② 严敦杰. 牵星术——中国明代航海天文知识一瞥. 科学史集刊(北京),1966(9):77～88
③ 李诩[明]. 戒庵老人漫笔(1590),卷一,周髀算尺. 藏说小萃本. 明万历三十四年(1606)李铨前书楼木刻本

切去不同长度,分别表示半角、1 角、2 角及 3 角,因此 1 指为 4 角或 1 角为 1/4 指。用某块板观测,上下边不合适,就换另块板,如此将 12 块木板或象牙板轮换用之,极高测出后,就能以勾股之理算出所在地的地理纬度。

图 217
牵星板操作图,潘吉星绘(2001)

明人茅元仪(约 1570～1637)《武备志》(1621)卷二四〇收录的反映航海家郑和(1371～1435)于宣德五年(1430)最后一次(第七次)率舰队下西洋时所用的《郑和航海图》(1422～1430),除用指南针确定航向外,还参用天文导航,而其舟师观测各地恒星出地高度也以"指"和"角"为计量单位,是运用牵星术的例证。与此图同时代成书的《顺风相送》中也叙述了类似导航技术,现藏牛津大学波德雷安图书馆(Bodleian Library),该书的向达(1900～1966)校注本 1961 年由中华书局出版。严敦杰据观察地北极星指数差和纬度差,估算 1 指为 1°34′～1°36′之间,又将北极星指角数之观察地纬度与指角相当的北极星出地高度比较,求出平均为 4°54′之修正值,这是因北极星不在天极之故。因而北极星角数与修正值之和,方为地理纬度。这就可以结合郑和航海图(原名为《自宝船厂开船从龙江出水直抵外国诸番图》)所载各观察地牵星板之指数,知道其地理纬度。

例如,郑和航海图中标明柯枝国(南印度西海岸之 Cochin①)"北辰三指一角",折合 5°12′,再加修正差数 4°54′,得出该地为北纬 10°06′。古里国(印度的 Calicut)北辰四指,折合 6°24′,加修正值 4°54′,得出北纬为 11°18′,诸如此类。郑和航海图最后还附有四幅《过洋牵星图》,图 218 为《锡兰山(Sri Lanka)回苏门

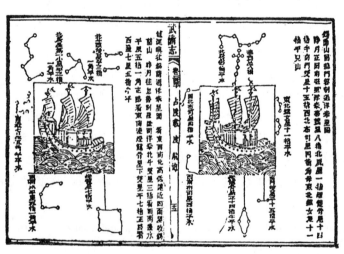

图 218
《郑和航海图》中的牵星图,载《武备志》(1621)

---

① 有关地名之西文对音,参见:向达校注.郑和航海图.北京:中华书局,1961.58～61

答剌(Samudra)过洋牵星图》，叙述从斯里兰卡至印尼苏门答腊岛(Samudra)之间的航程，即从赤道至北纬10°之间，北极星已无法看到，只好以南天方位星代之。严文认为华盖星为小熊座β、γ星，灯笼骨星为船底座α星或中国通称的老人星，西北布司星(4指＝6°24′)为御夫座α星，西南布司星为天蝎座α星，南门双星(15指＝24°)为天鹤座α、β星，织女星为天琴座α星，而北辰在斯里兰卡只出地1指(1°35′)，再向南行就看不到了。

由华南师范学院地理系、北京天文台、广州造船厂和上海海运学院的11位科学人员组成的航海天文调研小组，于1976年3月至1977年3月对中国古代航海天文史料做了系统收集，并对民间天文导航传统技术做了调查[1]。他们在研究牵星术时，算出牵星板标志的1指为1.9°或1°54′，还指出1973年湖南长沙马王堆三号西汉墓出土的帛书《五星占》(前170)中也以"指"为角度单位。其中写道："月与(金)星相遇也，月出大白南，阳国受兵。月出其北，阴国受兵……扶有张军，**三指**而忧城，**二指**有……"[2]。小组报告更指出唐代《开元占经》(729)引汉代《巫咸占》称金星与月最大南北角距为5指，由此推算金星与月最大赤纬差为9.4°，以此也得出1指等于1.9°或1°54′。他们认为中国航海天文的牵星术量度方法必定很早，可追溯到战国至汉代。

值得注意的是，前述明代人李诩介绍的一套牵星板，是由马怀德旧藏的。马怀德(1015～1065在世)字得之，北宋开封祥符人，入伍从军，初官东路巡检，为范仲淹(989～1052)、韩琦所荐，累破西夏兵，英宗时(1064)迁静难军节度观察留后[3]，晚年移居苏州。使李约瑟感到遗憾的是，这位11世纪的军官在天文导航方面的事迹没有载入《畴人传》或哲匠录[4]，但北宋的这种牵星术毕竟还是经元代传到明初。航海天文调研小组1976～1977年在海南省文昌县下海的船工访问中，得知他们在海上以手竖直握住刻度尺，尺下端与海面齐平，用以观测恒星的出地高度。在福建厦门收集的下海船队用的《针路簿》中"定子午高低法"就载有"吕宋子午高五寸六分"，意思是菲律宾吕宋岛北极星出地高五寸六分。这是以尺代替牵星板观测定位星方位的另一简便方法，其所依据的原理是相同的，只是计量单位不同，仍可互相换算，这种方法的使用亦必由来已久。

据韩振华报道[5]，1973年福建厦门出土一宋代海船，在第13舱舵工所在的

---

[1] 航海天文调研小组(刘南威,李竞,王俭来,吴钟玪等).中国古代航海天文资料辑录.见：科技史文集(上海),1983(10):170～187;中国古代的航海天文.华南师范学院(自然科学版,广州),1978(1):21～36;北京天文台台刊(北京),1977(11):47～84

[2] 马王堆汉墓帛书整理小组.马王堆汉墓帛书《五星占》释文.见:中国天文学史文集.北京:科学出版社,1978.5

[3] 脱脱[元].宋史(1345),卷三二三,马怀德传.二十五史缩印本.第8册.上海:上海古籍出版社,1986.6 352

[4] Needham J, Wang Ling, Lu Gwei-Djen. Science and Civilization in China, vol.4, pt.3. Cambridge University Press, 1971.575

[5] 韩振华.中国古代航海用的量天尺.文物集刊,1980(2);孙光圻.中国古代航海史.北京:海洋出版社,1989.436～437

地方发现一航海用的量天尺(star-surveying rule),竹制,长 20.7 cm,宽 2.3 cm。有一半分为 5 格,沿用唐代小尺制度,每格为 1 寸,唐大尺(31.1 cm)为小尺 1 尺 2 寸,则此处每格为 2.6 cm。另半没有分格,用作手持,其长度相当 3 格或 3 寸(7.8 cm)。韩先生认为,使用时以手臂与尺相垂直,尺的上端对准被测恒星,尺下端与海面相切。臂长以 20 寸计,臂长与尺长一半之比相当陆上量天尺表与圭高之比(5∶1),计算结果是 1 寸平均相当 2°50′。他还认为航海用量天尺还应有 12 格、10 格和 20 格等不同类型。

总的方面我们同意韩先生的判断意见,但想予以补充讨论。我们认为该竹尺在寸的大格内还应刻出 10 个小格表示分,否则,类似"吕宋子午高五寸六分"就读不出来。这类小格刻得很细,在地下埋久,可能不易看出。同时,以手持垂直的尺,使尺上端对准所测恒星、下端与海面相切,是读不出测量数据的。我们认为只有使尺上端对准所测恒星,再看海面与哪个刻度相切,才能读出几寸几分。还有一种方法是,在尺上装一与之垂直的游竿,可以在尺的不同刻度部位滑动。伸直臂部左手平持尺的无刻度部分,右手移动游竿,当游竿上端对准恒星,下端与海面相切,就可读出几寸几分。这正是李约瑟所说的十字测高仪(cross-staff surveying instrument)或西方所谓的"雅可布仪"(Jacob's staff)。

一般认为由犹太人列维·本·格尔森(Levi ben Gerson, 1288~1394)描述的十字测高仪自 1321 年以后在西方用于天文导航,这是错误的。因为西方这类最早的测天仪器年代为 1571 年,没有可靠文献证据说明西方在 16 世纪初以前以十字仪导航[1]。而中国至迟在 11 世纪宋代已用此仪器导航,《宋会要辑稿》卷廿九载,建炎三年(1129)监察御史林之平出任长江及沿海防务,要求福建及广东海舶必须装备望斗、火砲、火箭及防火设备。此处所说的"望斗"(the Dipper-observer),显然是观测北极星出地高度的天文导航仪器。结合上述 1973 年泉州出土的宋代海船中的量天尺(star-surveying rule)来看,证实了李约瑟的论断:有证据表明中国在 11 世纪有十字测高仪的存在,比欧洲声称发明此仪的时间早 300 年[2]。这个时间差说明西方十字仪的祖先来自中国。十字仪在中国渊源甚早,古代弩机上具有刻度的瞄准器"望山",就应用同样原理。因此宋代用十字测高仪量天尺作天文导航仪,只是其使用的时间下限。

李约瑟还认为,有理由相信明初 15 世纪时中国舟师有可能沿用宋人马怀德那种牵星板导航的同时,还沿用宋代量天尺类型的十字测高仪导航。泉州出土的量天尺上的游竿脱落,只留下一竹尺,这是需要说明的。有趣的是,在印度洋航海的阿拉伯人也以牵星板导航,称为 *kamāl*(板),每套有 9 块正方形板,板上

---

[1] Beaujouan G, Poulle E. Les origines de la navigation astronomique aux 14e et 15e siècles. In: Mollat M, de Paris O, eds. Proceedings of the First International Colloquium of Maritime History. Paris, 1956. 112

[2] Needham J, et al. Science and Civilization in China, vol. 4, pt. 3. Civil Engineering and Nautics. Cambridge University Press, 1971. 574

有打结的绳①,具有标准长度,相当一臂之长,以其观测星体出地平角度。测角单位为 iṣba(指),1 指相当 1°36′25″,其 1/8 为 zām(角)。显然,阿拉伯人的天文导航技术与中国人的牵星术是一样的,这就存在谁先谁后和谁影响谁的问题。如前所述,至迟在 11 世纪北宋时中国舟师已在海上用牵星板和十字测高仪类型的量天尺观测方位星出地高位和海上方位,不但有文献记载,还有实物出土。而至今为止还没有任何证据说明阿拉伯或印度水手在 1 300 年以前在海上用仪器观测方位星出地高度②。这就说明阿拉伯人的牵星技术是从中国学到的。

欧洲人是通过阿拉伯文航海手册《海洋》(Maḥit)知道中国牵星术的,此书由土耳其军人本胡赛因(Sidī Reis ibn Husain, ? ～1562)1553 年在印度收集的资料写的,主要取材于阿拉伯人苏莱曼·马赫里(Sulaimān al-Mahrī)1511 年写的书和西哈卜丁·阿赫迈德·本·马基德(Shihāb al-Din Aḥmad ibn Mājid) 1475 年写的《论航海科学原理》(Kitāb al-Fawā'id fi 'usul 'ilm al-Baḥr wa 'l-Qawā'id)。后者 1498 年参加葡萄牙人达伽马(Vasco da Gama, c. 1469～1524)的航海探险队,作为阿拉伯导航人员。后来葡萄牙人在一段时期曾利用这种牵星术,并将 iṣba(指)译成葡萄牙文 polegada,作为计量单位。由此可见,中国牵星术又通过阿拉伯人的媒介传到欧洲,用于天文导航。③

第二节 指南针的前身司南仪的发明

一、磁石指极性的发现和司南仪的制成

古代人虽然靠昼观日影、夜观星象能辨别方向,但这种方法有局限性,遇到阴晦天气,昼不见日、夜不见星时,这种方法便无能为力,因而不是全天候确定方位的技术。特别是在海上航行时遇上阴晦天气,航船只能随波逐流,等待天晴时再调整航向,这就失去了主动性。在陆上或沙漠中长途旅行或行军时,也同样如此。但有一种方法可以免除靠天体定向的局限性,这就是以磁学方法制成新型定向装置。因为地球是个巨大的磁体,在地球和近地空间存在着磁场,如果将磁石制成条状,使其处于可自由转动的状态,则在地球磁场作用下,条状磁石的两

---

① Prinsep J. Note on the nautical instrument of the Arabs. Journal of the Royal Asiatic Society of Bengal (Calcutta), 1836, 5:784; reprinted in: Ferrand G. Instructions Nautiques et Routiers Arabes et Portugais dans 15ᵉ et 16ᵉ Siècles, vol. 3, Instructions à l'Astronomie Nautique Arabe. Paris: Geuthner, 1928. 1ff

② Needham J, et al. Science and Civilization in China, vol. 4, pt. 3, Physics. Cambridge University Press, 1971. 576

③ Needham J, et al. Science and Civilization in China, vol. 4, pt. 3. Civil Engineering and Nautics. Cambridge University Press, 1971. 461～462

端当转动停止时,总是指向南北。利用这一原理制成的指向装置,可全天候工作,因为地球磁场不受天气影响。

磁体指向装置不靠天体,而靠地球磁场在地球任何地点和时间都能指示方向,这就使人从靠观察天体定向的被动性转向靠地磁定向的主动性。人类最早的磁体定向装置,是以天然条状磁石制成的"司南",它出现在中国战国末期(前3世纪),而在汉代得到进一步发展。司南仪的出现具有重大历史意义,因为它是以与天文定向原理截然不同的磁学原理制成的新型导向装置,在任何天气条件下能昼夜工作,迅速指出方向,操作简便,易于携带。将司南仪再作技术改进后,就制成指南针,因而司南仪是指南针的前身。将导向装置赖以工作的物体从天上的太阳和极星转移到人类所生存的地球,这是观念上的一次变革,是人类认识自然界的飞跃。从此人类在确定方位方面又多了一种可供选择的手段。

司南的制造是建立在磁学原理的基础之上的,而磁学正是中国人所擅长的一门学问。早在战国时期,就出现了关于磁石的各种记载,例如战国时成书的地理学著作《山海经·北山经》(前5世纪~前4世纪)指出,灌题山"其中多慈石"①。齐国稷下学者托名管仲(约前720~前645)所作的《管子》(前4世纪)卷廿三《地数》篇载,"上有慈石者,其下有铜金"②。在发现磁石的同时,还发现了它的吸铁性。秦国宰相吕不韦(前300~前235)门客所作的《吕氏春秋》(前239)卷九称:"**慈石召铁,或引之也**"③。汉人高诱(175~225)注曰:"(慈)石,铁之母也。以有慈石,故能引其子。石之不慈者,亦不能引也。"

天然磁矿石主要成分是四氧化三铁(Fe_3O_4),能吸铁、镍、钴等铁族物,其磁性原于内部电荷运动。古人发现它能吸铁,如慈母之招子,故称为"慈石"(loving stone)。根据这个字义,又创一"磁"字,谐音与"慈"同。西汉淮南王刘安(前179~前122)门客所著的《淮南子》(前120)《览冥训》还对磁石的吸铁性作出理论解释,是在西方古书中很难看到的,它说:"若以磁石之能连(吸)铁也,而求其引瓦,则难矣。物固不可以轻重论也。夫燧之取火于日,磁石之引铁,蟹之败漆,葵之向日,虽有明智,弗能然也。"④书中指出,磁石可以吸铁,却不能吸瓦,这是因各物质间有共性和异性使然。磁、铁间有共性,故能相吸,磁、瓦间有异性,故难以相吸。如果不从物质属性出发去考察磁石之引铁和蟹之败漆等现象,即令是智者也不能了解其所以然。这就是《淮南子》带给我们的理论思考。

《史记》(前90)《秦始皇纪》载,秦始皇三十五年(前212)在咸阳营建大型的阿房宫,唐人张守节(750~820在世)注这段记载时引晋人韦氏《三辅旧事》云:"阿房宫东西三里,南北五百步。庭中可受万人,又铸铜人十二于宫前。阿

---

① 袁珂校注.山海经校注,卷三.上海:上海古籍出版社,1980.74
② 管子(前4世纪),卷廿三,地数篇.百子全书本,第3册.杭州:浙江人民出版社,1984
③ 高诱[汉]注.吕氏春秋(前239),卷九,季秋·精通.上海:上海古籍出版社,1989
④ 淮南子(前120),卷六,览冥训.百子全书本,第5册.杭州:浙江人民出版社,1984.1

房宫以磁石为门。"①4世纪成书的《三辅黄图》称:"阿房[宫]前殿以木兰(*Magnolia liliflora*)为梁,磁石为门,怀刃者止之。"②《太平御览》(983)卷一八三引《西京记》亦云:"秦阿房宫以磁石为门,怀刃者辄止也。"晋人潘岳(？～300)《西征赋》有"门磁石而梁木兰兮,构阿房之屈奇"③之句,这说明磁石的吸铁性能还派上了实际用场。从汉代《神农本草经》(前1世纪)起,磁石还被历代本草学著作列为药物,成为炼丹家和药物学家的研究对象。

中国人不但发现了磁石的吸铁性,还发现了它的指极性(directivity and polarity),且依此特性作成指示方向的仪器,名曰"司南"(south-pointer)。战国末期哲学家韩非(约前280～前233)在《韩非子》(约前255)《有度》篇中主张以法治国,王者以法度加于群臣之上,则主不可欺。王者宜讲求南面之术,即统治臣民之术,接下写道:

> 夫人臣之侵其主也,如地形焉,即渐以往。使人主失端,东西易面,而不自知。**故先王立司南以端朝夕。**④

周秦以降,历代对君臣关系有明确界定,且以王法、礼法维持,在行为举措、服饰、居室和朝会坐立排位等方面都有规范,王者处于至高无上的尊位。以天子朝位而言,帝王坐北面南临朝,文武官员站立在东西两侧,上奏面北,君臣各就其位。《韩非子》上述那段话的意思是,如失去法度,臣下便向君王侵权,就像逐步削减其统治的国土那样,使君臣之位错乱,而人主尚不自知,则危矣。故先王立司南以端东西方位,指端正臣下行为。既然"司南"能端正方位,就表明它是指示方向的仪器。但此处它还作为礼器立于大殿之前,以警示臣下勿犯国之正法。王以法治国,举法而措之,治自平。

利用磁石指极性原理制成的司南仪,从战国至汉晋、南北朝仍在应用和发展。东汉天文学家张衡(78～139)在《东京(洛阳)赋》(107)中说:"鄙哉予乎,习非而遂迷也,幸见指南于吾子。"⑤这是讲,在迷途中幸有指南仪而知返,可谓一语双关,既指人生迷途,也指行路中迷途。但晋人左思(约250～305)《吴都赋》(约281)"俞骑骋路,指南司方",则明确讲"指南"是指示行路方向的仪器。3世纪成书的《鬼谷子·谋篇》也有与此同样的记载:**郑人之取玉也,必载司南之车,**

---

① 司马迁[汉].史记(前90),卷六,秦始皇纪,二十五史缩印本,第1册.上海:上海古籍出版社,1986.31
② 三辅黄图(4世纪),卷四,丛书集成初编本.上海:商务印书馆,1935
③ 李昉[宋].太平御览(983),卷一八三,居处部·门.影印本,第1册.北京:中华书局,1960.890
④ 韩非[战国].韩非子(约前255),卷二,有度篇.百子全书本,第3册.杭州:浙江人民出版社,1984.2
⑤ 张衡[汉].东京赋(107).见:萧统[梁]编.文选(530),卷三,李善[唐]注本,第1册.上海:上海古籍出版社,1986

为其不惑也。"①这段话意思是:"郑国人外出进山采玉时,必载司南于车中,以免迷路。""载司南之车"中的"之"是多义字,此处作"于"字解,即"载司南于车","车"是运送玉石料的车,不是由自动离合的齿轮系制造的"指南车"(south-pointing carriage)。西文译本此处多误译,我们认为应译为:When the people of Zheng go out to collect jade, they must carry a south-pointer to their carriage so as not to lose their way.《鬼谷子》作者旧题战国鬼谷子,传为苏秦、张仪之师,但《汉书·艺文志》不载,《隋书·经籍志》始列入纵横家,有晋人皇甫谧(215~282)注本,则今本当为3世纪作品。

二、司南的形制和用法

古人虽多次提到司南的指向功用,但却很少有关于其形制和用法的记载。只有东汉时思想家王充(27~约97)《论衡》(83)卷十七《是应》篇对司南形制做了如下描述:

> 司南之杓,投之于地,其柢指南。②

根据王充所述,司南的形状类似勺。"柢"指端部,即勺把,此勺把指向南方。它之所以制成勺状,因为古代人测定方位时,夜观北极星,常通过北斗七星(大熊座)。这7颗星用线连起来也呈勺形,又称斗勺,由斗和勺把组成。战国、秦汉以来,人们将北斗与司南对应,北斗在天,司南在地,二者都可指示方向。将司南立于宫殿之前,以端君臣之位,将北斗制成器物可壮王威,二者在某种意义上还是王权象征。《汉书·王莽传》载,王莽(公元前43~公元23)称帝(9)后,于天凤四年(17)八月"亲之(长安)南郊,铸成威斗。威斗者,以五石、铜为之,若北斗,长二尺五寸,欲以压胜众兵。即成,令司命负之。莽出在前,入在御旁。"③这是说,公元17年王莽下令于长安南郊以五石和铜铸造斗勺形的"威斗",长2.5尺(57.6 cm)。据《抱朴子》,五石为雄黄、丹砂、雌黄、矾石和曾青,呈黄、红、白、绿等色,象征五行,可能用以装饰青铜威斗。王莽在人们簇拥下,令五行司令官背负威斗,以人间天极星自居,举行谶(chèn)纬仪式,借巫术压服众兵。

南北朝时(430)王莽的威斗在南京出土,一直保存到宋代。王楙(mào,1151~1215)《野客丛书》(1210)卷十三载,韩玉藏有天凤六年(19)铭文的王莽时青铜威斗,其形如勺,长1.3宋尺(39.4 cm),重三斤九两(920 g)④。但威斗本身

---

① 鬼谷子·谋篇第九.百子全书本.第5册.杭州:浙江人民出版社,1984.5
② 王充[汉].论衡(83),卷十七,是应篇.百子全书本.第6册.杭州:浙江人民出版社,1984.4
③ 班固[汉].汉书(83),卷九十九下,王莽传.二十五史缩印本,第1册.上海:上海古籍出版社,1986.748
④ 王楙[宋].野客丛书(1210),卷十三,新莽威斗.笔记小说大观本.第9册.扬州:广陵古籍刻印社,1984.69

并不是指示方向的仪器,只有司南有这种功能,尽管据王充所说,其形状也似勺斗。威斗以青铜铸成,而司南以磁石制成,二者质异而性亦不同。

关于司南的使用,王充只说"投之于地",而未再作具体介绍。"地"到底指什么?"司南投之于地"如何能指示方向?长期间没有得到解释。著名科学史家王振铎(1912~1992)先生在《司南、指南针与罗经盘》一文内解决了这些问题,还对司南仪做了复原研究。根据王先生的学说,《论衡》中所说司南投之于地的"地",不是土地,而是占卜用的式或栻的地盘(square earth-plate of diviner's board)①。《史记》卷一二七《日者列传》云:"今夫卜者,必法天地,象四时,顺于仁义,分策定卦。旋式正棋,然后言天地之利害,事之成败。"②唐人司马贞(8世纪)注释曰:"按式即栻也。旋,转也。上圆象天,下方法地。用之,则转天纲,加地之辰,故云旋式。"③因此式由方形的地盘和圆形的天盘两部分构成,天盘在地盘之上,而且可以旋转,二者之间应有一轴。

《汉书·王莽传》载,地皇四年(24)刘秀(公元前 6~公元 57)率汉军进长安城攻王莽,莽军大败,"火及掖廷承明(殿),黄皇室主(莽女)所居也。莽避火宣室前殿,火辄随之。宫人妇女啼呼曰:当奈何!时莽绀袀服,带玺绂,持虞帝匕首。天文郎按栻于前,日时加某。莽旋席随斗柄而坐曰:天生德于予,汉兵其如予何!"③这段话意思是,公元 24 年,汉兵杀入王莽的宫中,宫中起火。在这危急时刻,王莽身穿黑中透红的军服,带着御玺,手持匕首,至前殿避火。天文郎在他面前旋转式盘,将盘调到某日和某个时辰,进行占卜。王莽则转动其坐位,向斗柄指示的方向(南方)坐定,并且说:"天已将帝位给了我,汉兵其奈我何?"这时汉兵赶到,王莽被杀。看来他在临死前,既用式占卜,又按司南所指方向南面坐定。

关于古代占卜用的"式"的形制及用法,汉代有不少文献记载,如《汉书·艺文志》就载有各种战国以来流传下来的《式经》。1925 年,日本东京大学文学部调查汉代在朝鲜半岛设置的乐浪郡王盱墓出土文物时,就发现一套漆木式占天地盘④。随葬品中的漆器铭文有汉建武二十八年(52)等年号,最晚的是永平十二年(69),则此墓葬年代当不晚于公元 69 年。式盘已破损,日本学者田泽金吾作了复原。方形地盘及圆形天盘皆以木制成,外绘以黑、朱及黄色漆绘成。天盘直径 3 寸(13.5 cm),厚 5 mm,盘面有 6 个朱圈(图 219)。第一圈内为北斗七星形象,第二圈为十二月之神,第三卷空白,第四圈为八干(甲乙丙丁庚辛壬癸)、十二支(子丑寅卯辰巳午未申酉戌亥)及四卦(乾艮巽坤)组成的二十四方位,以子午卯酉四个正向分之,四维以己己戊戊配之。第五、六圈对己己戊戊为四黑线,

---

① 王振铎.司南、指南针与罗经盘(上).中国考古学报,1948(3):119~260;科技考古论丛,北京:文物出版社,1989.105

② 司马迁[汉].史记(前 90),卷一二七,日者列传.二十五史缩印史,第 1 册.上海:上海古籍出版社,1986.351

③ 班固[汉].汉书(83),卷九十九,王莽传下.二十五史缩印本,第 1 册.上海:上海古籍出版社,1986.752

④ 原田淑人,田沢金吾.楽浪——五官掾王盱の墳墓.東京:刀江書院,1930.図版112

每圈各4条。

地盘为正方形,20.5 cm×20.5 cm,厚5 mm,有四重方格,四角的对角格内书四卦(☰乾,☶艮,☴巽,☷坤)。东西南北四向格内书四卦,卯(东)向为震卦☳,酉(西)向为兑卦☱,午(南)向为离卦☲,子(北)向为坎卦☵。四向格内还有房座、昴座、星座及虚座等4个星座。四重方格从外向内起,第一重四边列二十八宿,每边七宿。第二重空白,第三重子午卯酉4个正支,各配以亥丑、巳未、寅辰、申戌,共12支。第四重即最内一重为八干,卯向有甲乙,酉向有庚辛,午向有丙丁,子向有壬癸。各字以黑漆书以小篆体字,朱线为栏。天盘最内圈(天池)的外切线四角空处,涂以朱漆,盘内斗星为朱色,盘心一星穿孔,用以放轴于地盘中心,使天地二盘相合,又令天盘可以旋转。

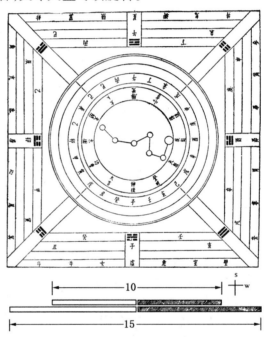

图 219
1925年乐浪遗址出土的东汉漆木式盘复原件,田泽金吾复原(1944),单位为cm

1972年3~4月,甘肃武威县磨嘴子村62号汉墓出土一副式盘①。此为夫妇合葬墓,从同出两件绥和元年(前8)漆耳杯等器物观之,墓葬年代为西汉末年。式盘木胎髹漆,呈深褐色。圆形天盘直径5.6 cm,边厚0.2 cm,中心厚1 cm。正方地盘,9 cm×9 cm,中心穿空,与天盘中心以竹轴相联,可转动的天盘,最内圈以竹珠镶出北斗七星,第五星用盘轴,各星间刻细线相联。第二圈阴刻隶书十二月神,最外圈篆书阴刻二十八宿,皆逆时针排列(图220)。地盘刻字两层,内层篆书阴刻八天干、十二地支,顺时针排列,共20字。子午卯酉4字围刻界格,下镶竹珠。外层为二十八宿,每边七宿,排列同天盘。地盘中心有4条辐射状双线,与四角相联,内各镶一大二小竹珠,表示乾坤巽艮四卦。盘上有文字处上方都刻出小圆点,表示刻度,天盘现存150多刻度,地盘有182个刻度,代表

---

① 甘肃省博物馆.武威磨嘴子三座汉墓发掘简报.文物(北京),1972(12):9~19

周天 $365\frac{1}{4}$ 度。

除乐浪、武威之外，1977年安徽阜阳西汉汝阴侯墓也出土式盘，年代为文帝时期(前161)①，是迄今年代最早的式盘。汉代式盘除以木漆制成外，还以青铜铸成。清代金石学家刘心源(约1848～1915)著录的汉代"四门方镜"拓片②，实际上是汉代式盘的地盘，长14 cm，宽13.7 cm，中央为放天盘的圆槽，盘面凹入部分长径8.7 cm，短径8.4 cm，与地盘格线相切(图221)。四角空白处有3个虚实圆纽。地盘有三重盘格，最内层为八干，第二层为十二支，最外层为二十八宿。

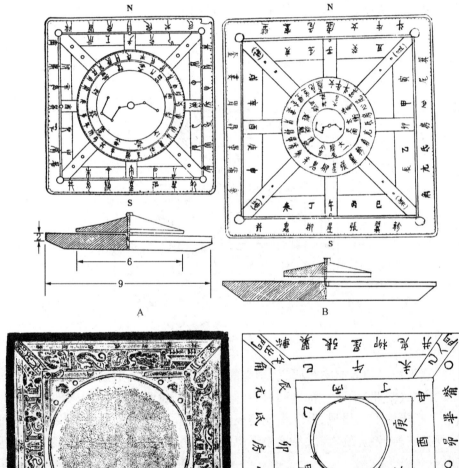

图220
1972年甘肃武威出土的西汉末占卜用漆式盘(A)及释文(B)，取自《文物》，1972(12)
单位为cm

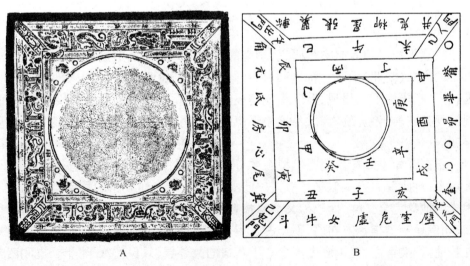

图221
清人刘心源著录的汉代"四门方镜"拓片(A)及释文(B)

---

① 安徽省文物工作队.阜阳双古堆西汉汝阴侯墓发掘简报.文物，1978(8)；殷涤非.西汉汝阴侯墓出土的占盘和天文仪器.考古(北京)，1978(5)：338～343
② 刘心源[清].奇觚室吉金文述.见：陈矩辑.灵峰草堂丛书.清光绪中贵阳陈氏刊

乾坤巽艮四卦无卦象，各书以戊天门、己入门、戊出门及己鬼门。十二地支还饰以青龙、白虎、朱雀及玄武四灵像以表东西南北四向。

从图221可见，刘心源著录的青铜地盘上的四卦、八干和十二支虽分布于不同层位，但从天盘中心将表示各方位的字以虚线联之，就会发现盘面为二十四等分(图222)。再将虚线向外延伸，与我们补绘的盘外之圆相交，就会发现每个方位之间都相差15°(图223)。汉代式盘的这种二十四方位排列制度不但是司南仪之所本，也是后世罗经盘之所本。这就是说，式的地盘的盘面实际上就是早期司南的盘面。当天盘上所绘的北斗星形象易之以磁性斗勺，就完成从式盘向司南仪的转变。这就是王充在《论衡》中所描述的内容，为复原司南仪奠定了基础。

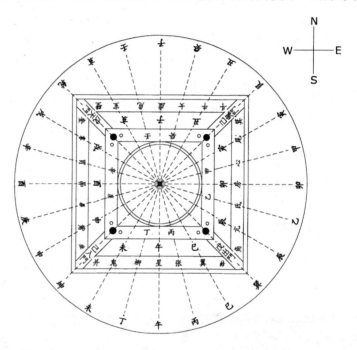

图 222
汉代式盘上的二十四方位排列图，潘吉星绘(2001)

根据王振铎的复原实验研究，司南的斗勺以天然磁石磨制而成，磁石按地球磁场的方向(南北)采取。将这种磁石斗勺放在木制地盘上试之，发现摩擦阻力大，斗勺指极性难以显现，而以青铜铸成的地盘试之，磨光与司南勺接触的盘面，则发现其旋转，停止旋转时，勺把停于南向①。图224为王振铎先生的司南仪复原图。

王振铎先生的司南复原模型在中外被广为展出，但时过半个多世纪后的今天看来，对此复原方案似乎还有进一步讨论的余地。他复原的司南地盘与占卜用式的地盘完全一样，而磁勺又严格按餐具勺形状磨制，这两点都值得商榷。须知，司南是专供指示方向的，不作占卜用，其地盘应比占卜地盘简练，不能原封搬占卜地盘；换言之，至少应去掉含二十八宿的最外层，只保留八干、十二支和四卦

---

① 王振铎.司南、指南针与罗经盘(上).中国考古学报,1948(3);科技考古论丛.北京:文物出版社,1989.126

构成的二十四方位即已足矣。从堪舆罗盘演变出来的航海罗盘,也是在盘面上除去堪舆内容,只留方位,从式盘演变出来的司南,理应遵循同一原则。

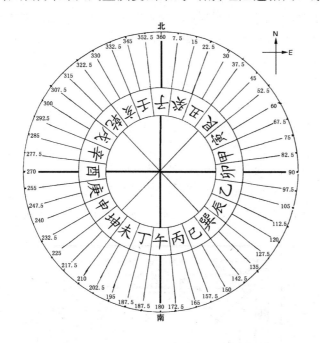

图 223

中国古代式盘及罗盘二十四方位与近代指南针 360 度刻度对照图,潘吉星绘(2001)

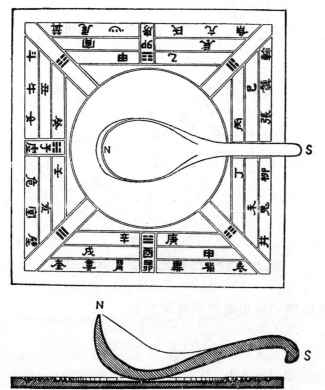

图 224

汉代司南及地盘复原图,引自王振铎(1948)

至于磁勺形状,王先生将磁石磨制成与餐具汤勺一模一样,形体大(长 13.3 cm)、柄长(占勺体全长 47%),虽也能指南,但在技术上并非很合理的形状。《全唐文》卷四三九载唐人韦肇(749～809 在世)《瓢赋》,谈到磁瓢用途时指出,"充玩好,校司南以为可。有以小为贵,有以约为珍"。不管是玩好,还是实用目的,制司南时应以磁勺小、地盘简约为其形制的基本考量,因为这符合古代指南仪器制造的原理。唯其勺小、柄短、体轻,才易于制造和旋转;地盘内容简约、切用,才使仪器小而精巧。磁勺形体还应以使其磁畴(magnetic domain)分布较为均匀、重心稳定、易于旋转而不倾倒为原则。

因此,磨制磁石时,宜按"不倒翁"(self-righting doll)原理使重心稳定,其旋转半径小于天盘盘心半径,其外形以带有短柄的中空半椭圆球状为宜,实际上像瓢勺而非餐具汤勺,但又不是真正的瓢勺。勺长约 3 cm,盘心直径 7 cm,地盘 10 cm×10 cm,盘厚 8 mm,天盘盘心磨光。地盘因勺小、减去不必要的层位而相应变小。这样复制出的司南,制成实物模型,当更便利使用与携带,也更近于古代形制。现将我们的复原图(图 225)①示之于下。是否得当,尚待名家认定和实验检验。

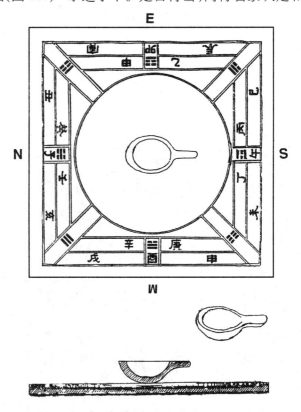

图 225
汉代司南的新复原图,
潘吉星复原(2002),可
与图 224 对比

三、晋至唐期间对司南仪的技术改进

应当指出,以天然磁石制成的司南,虽有指示方向的功能,但因琢磨而成,磁性不强,影响到仪器的灵敏性。磁石在铜盘上的摩擦阻力是减少灵敏性的另一

---

① 潘吉星. 指南针源流考(On the origin and early development of the magnetic compass in China), 2002 年 2 月 24 日完稿

因素。其次,磁石在盘心无法固定在一个特定位置上,须以手放在适当部位,再拨动使其旋转,因而它是手动装置,不能自动指出方位和在颠簸状态下使用。因此汉以后人们在改变磁体形状和用法上作出努力,以期改善其性能。汉以后,由于堪舆术和海外贸易的发展,需对山川、平地地形和方位进行大规模测定,域外航海又需要有效的导航手段,这都促进了对司南仪的不断改进。指南针的发明正是这一连串改进的结果。但从司南仪到指南针,中间经历了几个技术过渡,这些过渡发生在魏晋南北朝至唐代。如果说汉以前文献泛泛谈论磁石吸铁,汉以后则出现磁石吸引**铁针**的更多记载。这对指南针的发明具有重要的意义。王充《论衡·乱龙》篇指出:

> 顿牟掇芥,**磁石引针**,皆以其真是,不假他类。他类肖似,不能掇取者,何也? 气性异殊,不能相感动也。①

顿牟即玳瑁,为绝缘体,经摩擦后产生静电,能吸引芥子。磁石能吸铁针,而不能吸铜针,王充认为是由于"气性异殊",他将磁石吸铁针归因于气的感动,现在可理解为磁的感应。晋人郭璞(263～324)《磁石赞》也指出,"磁石吸针,瑇瑁取芥。"②梁人陶弘景(456～536)《本草经集注》(500)谈到磁石时写道:"今南方亦有好者,能悬吸针,虚连三、四(者)为佳。"③唐代人苏敬(620～680在世)等奉敕编修的国家药典《新修本草》(659)卷四《玉石部》亦载,慈石"一名玄石,一名处石,生大山、川谷及慈山山阴。有铁者,则生其阳,采无时……今南方亦有,其好者,能悬吸针,虚连三、四、五(者)为佳。"④"处"指方位、位置,因磁石能指示方位,故名"处石","处石"即1 000年后西方人所说的方位石(load-stone或lodestone)。磁吸铁针后,此铁针受感应,亦具有磁性,还可再吸引另外三四根针。被磁化的铁针,既然有磁性,当然也就有指极性,尤其将针与磁石摩擦以后,使针内杂乱排列的磁畴变成规则排列,铁针也成为磁体了。

针状磁体比琢磨而成的勺状天然磁石在形状上更加合理,因其磁畴排列更规则而均匀,其指极灵敏度也随之增加。这就是说,晋、南北朝至唐代人们一旦注意到磁石吸引铁针并能将其磁化,就会注意到磁化的铁针有指极性。将司南仪上的勺状天然磁石代之以磁针,就实现了磁体在材料和形体上的改进。与此同时,司南的方形地盘必须易之以圆形方位刻度盘,才能适合磁针的指向需要。但磁针不能像磁勺那样直接放在地盘上,因为针与盘的接触面增加,引起摩擦阻

---

① 王充[汉].论衡(83),卷十六,乱龙篇.百子全书本,第6册.杭州:浙江人民出版社,1984.1
② 郭璞[晋].磁石赞.见:张玉书[清]编.佩文韵府(1702),卷廿七,针.第1册.上海:上海古籍出版社影印本,1983.1 402
③ 陶弘景[梁].本草经集注(500).见:唐慎微[宋].证类本草(1108),卷四,石部.北京:人民卫生出版社,1954.111
④ 苏敬[唐].新修本草(659),卷四,玉石部.唐抄卷子本景印本.上海:上海科学技术出版社,1959.53～54

力加大,磁针难以在地盘上自由旋转,并指出正确方向。要想使磁针在地盘上能自由旋转,达到指南的目的,从历史文献中我们知道,古人所能做到的,只有3种方法:

一是将针以丝线于无风处悬在地盘之上,待停止旋转后指出方位(图226),唐以前有人已这样试过,但发现针易受周围空气影响而不停摆动;为避免针体摆动,再将其制成蝌蚪形或鱼形薄片,为后代所沿用。

晋人崔豹(255~320在世)《古今注》(约300)卷之中写道:"蝌蚪,虾蟆(青蛙)子也,一名悬针,一名玄鱼。"①悬针是双关语,既指磁针能吸其他铁针,也指它悬在地盘之上以指示方位,因此西文应译成 suspending needle,李约瑟将其称为 mysterious needle(神秘之针)是欠妥的。玄指黑色,是磁石、磁针和蝌蚪所具有的颜色,故磁石又名玄石,磁针又名玄针(black needle)。五代后唐人马缟(854~938)《中华古今注》(约924)有相关记载,与《古今注》相同。陈振孙(约1183~1261)《直斋书录解题》引《中兴馆阁书目》(1176),将《古今注》与《中华古今注》并列,今本《古今注》仍可视为崔豹原著。将悬在空中的磁针与方位盘配合,在晋、南北朝曾经用过,确能指南,从而实现了李约瑟所说的 from the spoon to the needle("从勺到针")的过渡②。这是从司南迈向指南针的关键一步。天下事真是无独有偶,19世纪德国汉学家葛拉堡(Heinrich Julius Klaproth,1783~1835)告诉我们,欧洲指南针最早的名称是 Calamita,意思是蝌蚪③。这种蝌蚪状或鱼状指南针形象,在意大利人拉特多尔特(Erhard Ratdolt, c. 1442~1528)1485年出版的《世界球》(*Sphaerd Mundi*)一书中还可看到④。1777年,法国科学院悬赏罗盘最佳设计方案时,法国物理学家库伦(Charles Augustin de Coulumb,1735~1806)提出以丝线悬磁针的方法而获赏⑤。

悬针法的最大缺点是很难摆脱受周围空气流动的影响而不停摇摆,不能迅

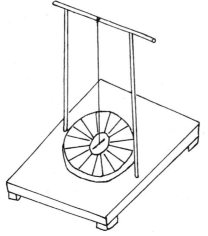

图 226
悬针法指南针图,潘吉星绘(2001)

---

① 崔豹[晋].古今注(约300),卷中,鱼虫第五.见:太平御览(983),卷九四六,虫豸部,影印本第4册.北京:中华书局,1960.4 211

② Needham J, Wang Ling, Robinson K G. Science and Civilization in China, vol. 4, pt. 1, Physics. Cambridge University Press, 1962.273ff

③ Klaproth H J. Lettre à M. le Baron Alexander de Humboldt sur l'Invention de la Boussole. Paris: Dondey-Dupré, 1834.15ff

④ Oswald J C. A History of Printing: Its Development through 500 Years, chap. 9. New York, 1928;玉城肇译.西洋印刷文化史.日文版.東京:鮎書房,1943.132

⑤ Motteley P F. Bibliographical History of Electricity and Magnetism. Landon, 1922; Ostwalds Klassiker der Exakten Wissenschaften, no. 13

速指出方向，更不能在颠簸状态下使用。其最大历史贡献是将磁勺易之以磁针，完成磁体形态上的技术改进。下一步要解决的问题是如何将磁针投放在地盘上，使之能自由旋转。

对司南的第二种改进方法是将其天盘（中心圆）由平面制成凹面，内盛以水，使磁针浮在水面上旋转。旋转停止后，就在周围刻度盘上指出方位。用这种方式放置磁针，也使它较少受周围气流影响。这实际上就是11世纪前期北宋文献中报道的水罗盘（wet compass）。北宋以前的司南仪改革者是否造出过水罗盘？答案是肯定的。有证据显示，9世纪唐代堪舆罗盘制造者已迈出这决定性的一步。

唐代后期堪舆著作中出现了关于磁偏角（magnetic declination）的早期记载，同时为克服偏角误差，在方位盘上设置校正方位。观测出磁偏角的指南装置已不再是传统意义上的司南了，因为在使用司南仪的时期是没有磁偏角记载的。水罗盘的制成解决了磁针在地盘上的投放问题，是对司南的革命性改进。

使磁针在方位盘上自由旋转的第三种方法，是将针以枢轴（pivot）支承在盘上，这是宋代出现的方法。看来，悬针法和浮针法是宋以前的司南仪改革者所使用过的，而在实践中证明浮针法最切实可用，下一节将对此详加讨论。

晋、南北朝至唐代司南仪改革者和早期悬针、浮针罗盘制造者，没有将其技术秘法记录下来，或有关这类著作后来逐步散佚。《旧唐书》、《新唐书》中的《艺文志》和《宋史·艺文志》著录的这类相关著作，现在大部分已看不到了，只能从宋和宋以后作者引文中见其一斑。但宋以前早期罗盘制造的技术成果，仍跃然闪现于晋、南北朝及唐人作品中，凭我们掌握的现代科学知识足可分析出其所用技术方法。另一方面，宋代学者也填补了在这以前早期罗盘技术信息上的空缺，他们异口同声地将此技术公之于众。北宋（960～1126）是磁学知识爆炸性发展时期，在火药和印刷方面也出现同样情况，知识爆炸事先是需要有一个积累过程的。宋以前的悬针和浮针正是引发北宋磁学知识爆炸的两个导火线。晋、南北朝开始对司南作技术改进，而在唐代后期完成从司南向磁罗盘的转变，北宋人享受这些技术成果并使之发扬，历史发展脉络应是如此。

上述转变之所以首先发生于中国，因为中国在磁学理论和实践方面长期处于世界领先地位。天然磁铁矿遍布世界各地，古代各民族都早已发现，但制成磁体指南装置的机会有先有后，并不是机会均等的。古希腊哲学家苏格拉底（Socrates，464～399 BC）指出磁石能吸铁环，罗马学者普利尼（Pliny the Elder，23～79）《博物志》（*Historia Naturalis*，73）谈到亚历山大城亚西诺（Arsinoe）寺庙用磁铁矿作拱形屋顶，以便将皇后的铁铸像悬吊在空中[①]。欧洲人虽早已发现磁石的吸铁性，但在12世纪末以前却对磁石的指极性一无所知，不可能作出磁体定向装置，在这方面比中国落后一千多年，因为中国在公元前3世纪已制成司南仪。当英国人尼坎姆（Alexander Neckam，1157～1217）1190年（南宋光宗绍熙

[①] Cajori F. A History of Physics. 5th ed. London-New York：Macmillan，1928. 11～12；戴念祖译. 物理学史. 呼和浩特：内蒙古人民出版社，1981. 12

元年)于《论自然界的性质》(*De Naturis Rerum*)①中在欧洲首先提到磁石指极性和磁感应之前 300 年,中国人已在关心磁偏角并制成磁罗盘了。

阿拉伯人有关磁石的记载始见于 11 世纪波斯出生的伊本·哈兹姆(Ali ibn-Ahmād ibn-Hazm, 994~1064)所写的《论爱情之书》(*Tanq al-Hamāmà*),而且也只谈到磁石的吸铁性。书中有一首诗描写痴情男子追求女孩子的故事。他将自己比作铁片,将姑娘比作磁石,被她深深吸引②。在 11 世纪以前,阿拉伯人也不知道磁石有指极性,直到 1232 年(南宋理宗绍定五年)穆罕默德·奥菲(Muḥammad al-'Awfi, fl. 1202~1257)在波斯文作品《奇闻录》(*Jami al-Ḥikāyāt*)中才提到航海罗盘③,与中国水罗盘基本相同,但晚于中国三百多年。印度在这方面并不比欧洲和阿拉伯世界早。

因此我们看到,从发现磁石吸铁性到制成指南装置之间必须有个中间环节,即发现磁石指极性,从公元前至公元 12 世纪这千多年间其他文明区都缺乏这个中间环节,唯独中国具备,这决定中国是指南装置的起源地,并将指南针传向四面八方,详见本书第十一章。

顺便说,中美洲墨西哥境内的古代印第安人曾以天然磁铁矿雕刻成人像、动物像和日用品,1966~1976 年出土后引起西方考古学家的注意。他们发现雕像附近有磁场,个别突出部位(如爪、鼻)有磁极性,这本是很自然的,是造型材料本身的特性使然。中国和欧洲古代在印第安人以前也以矿铁矿制成实用品,同样具有类似物理性质,但不能说明有此性质的物品就必定是指南装置。有人从墨西哥维拉克鲁州的奥尔梅克(Olmec, Veracruz)出土物中捡出一块单独的条状磁石,便作出古代印第安人发明指南针的结论④,未免轻率。作出这个结论的西方作者对中国指南针历史缺乏基本了解,没有也不可能对墨西哥出土物作出准确断代,并与中国对比,因而其结论是不可信的。墨西哥其他出土雕像有极性的部位都固定在雕像上,无法转动,根本不可能指南,这是不言自明的。

综上所述可以看到,中国在晋、南北朝至唐代(4 世纪~10 世纪)这段期间磁学知识比前代有了进一步发展,对战国、秦汉以来的司南仪做了技术改进,表现在以摩擦传磁法制成的针状或鱼状、蝌蚪状的人造磁体,代替琢磨而成的勺状天然磁石,提高了其指极的灵敏度,并相应改变了在刻度盘上投放磁体的方式。最后,刻度盘即司南仪的地盘形状也随之变化,由方形自然而然地演变成圆盘形。在北宋,一些学者不约而同地对指南针做了明确记载,这些记载显然是它已在社

---

① Bromehead C E N, tr. Alexander Neckam on the compass needle. Geographical Journal (London), 1944, 104:63

② Arberry A J, tr. The Ring of the Love. Translated from the Tanq al-Hamāmà of Ali ibn-Ahmad ibn-Hazm. London:Luzac, 1953. 33

③ Wiedemann E. Zur Geschichte des Kompasses bei den Arabern. Verhandlungen der Deutschen Physikalischen Gesellschaft(Berlin), 1907, 9(24):764; 1909, 11(10~11):262

④ Carlson J. Lodestone compass: China or Olmec primacy? Science (London), 1975, 189: 753~760

会上问世、应用并引起学者注意之后,才出现的。因此,这种仪器的起源应当追溯到北宋以前的一段时期,而实际上在唐末已能看到指南针的端倪,尤其表现在堪舆罗盘上。

第三节 指南针的发明和早期发展

一、唐末堪舆用水浮式罗盘针的发明

指南针(south-pointing needle)又称磁罗盘(magnetic compass)或罗盘针,英文称 compass,意大利文(compasso)、德文(Kompass)、西班牙文(compas)与英文相近,但法文称为 boussole,主要由可转动的磁针和刻度盘构成。这种新型定向仪器虽脱胎于司南仪(south-pointer),却在构造上与司南根本不同,因此制成指南针已构成对司南的根本改造,应看成是一项发明。在历史上人们一度将指南针与指南车混淆在一起,从而干扰了对指南针的历史研究。通过近 50 年来中外学者的深入考察,才最终将二者区别开来。指南车(south-pointing carriage)或司南车是含自动离合的齿轮系机械装置,保持一定行驶方向的车,与指南针不同。指南车起源于西汉①,但晋以后将其追溯到远古传说时期的黄帝时代或西周②,是没有历史根据的。指南车的制造反映了古代机械工程方面的重大成就,但因与本书讨论的内容无关,此处不拟论及。

指南针的最早发展形式是唐末堪舆家用的水罗盘,作陆上定向用。堪舆术(geomancy)或风水术在中国有悠久的发展史,它主要告诫人们在兴建房宅、宫室、寺宇、城池和墓地时如何选择最佳地形、方位和时日,即所谓风水宝地,使之有吉祥和传宗接代的征兆,避免凶兆,这是古人最重视的。堪舆术包括地理学、占星术、阴阳五行和相命等内容,使用许多玄虚难懂的术语,其理论解释荒诞不经。但风水先生需对山、水地形进行观察,对方位进行测量,有些论述并非都是无稽之谈,他们对司南仪的改进、磁罗盘的研制和磁学知识的发展,肯定做过重要贡献。早期堪舆师对其技术隐密,有关著作流传下来的较少,现存多是宋以后的,其中保留一些前代的内容,尤其含有关于早期指南针的重要记载,不能对堪舆术著作中的记载都予怀疑或否定。

正确的态度是,既要与堪舆书中的迷信成分划清界线,又要尽力发掘其中的科学精华。李约瑟在这方面为我们树立了表率,他在成书于唐代(9 世纪中叶)的堪舆书《管氏地理指蒙》(*Master Guan's Geomantic Instructor*)中发现有关磁

---

① 刘仙洲. 中国机械工程发明史. 北京:科学出版社,1962. 100
② 例如,虞喜[晋]. 志林新书. 见:李昉[宋]. 太平御览(983),卷十五. 景印本第 1 册. 北京:中华书局,1960. 78

偏角的含蓄记载①。按《宋史艺文志补》载:"《管氏(地理)指蒙》二册,谓管辂之书,集隋萧吉,唐袁天纲、李淳风,宋王伋注,不知集者名"。管辂(209~256)字公明,三国时魏平原(今山东平原)人,年幼仰观星辰,及长,于风角、占相之术无不精微,清河太守华表召为文学掾。正元初(254)为少府丞,旋逝,年四十八②。《管氏地理指蒙》一书内容表明为唐人托名管辂,集本朝及前朝堪舆作品写成。作注的王伋(990~1050在世)为宋初堪舆师,则此书当成于晚唐(9世纪)。《新唐书·艺文志》载《管氏指略》二卷③,与《管氏地理指蒙》为同一部书。该书写道:

磁者母之道,针者铁之戕(qiāng)。母子之性以是感,以是通。受戕之性以是复,以是完。**体轻而径,所指必端**,应一气之所召。土曷(hé)中,而方曷偏,较轩辕之纪,尚在星虚、丁癸之躔(chán),惟岁差之法,随黄道而占之,见成家之昭然……**针之指南北**,顾母而恋其子也。④

以上这段话较难懂,经反复推敲,其意思是说:

磁石有母之本性,针由铁打造而成。磁石与铁的母子之性因此得以感应、互通。由铁打成的针复有其母之性(磁性)并更完善。磁针体轻而直,其指向应端正,是由气之所召。奈何所在地适中,而针的指向却偏离,其两端本应指向南、北正位,却又偏向东、西。考虑到岁差沿黄道所产生,上述偏离现象也就可以理解了。

书中几个要点是清楚的。一是说铁针受磁石的感应而具有磁性和指极性,因针体轻且直,所指的方位准确。二是说所用的测向仪器中有磁化的铁针。三是说以磁针测南北,有时针的指示方位并非子午(南北)正位或指向正南方的星宿和正北方的虚宿,而是有所偏斜,指向南偏西的丁位和北偏东的癸位(参见图223),正好偏离15°。测定的地点可能为长安,东经108°57′,北纬34°16′。由于使用磁针而不是勺状的天然磁石,指极性灵敏度提高了,才能发现指示方位上的偏离。今天看来,磁偏角是地球磁场强度矢量所在的垂直平面与地球子午面之间的夹角,因地、因时而异。产生的原因是地球磁极与其地理两极并不完全吻合,又因受太阳辐射和宇宙线等影响,使地球磁场因时而变,与岁差没有任何关系。

《管氏地理指蒙》的注者王伋,字肇卿,为去唐不远的宋初堪舆师,有家学,其

---

① Needham J, *et al*. Science and Civilization in China, vol. 4, pt. 1, Physics. Cambridge University Press, 1962. 302

② 陈寿[晋].三国志(290),魏书,卷廿九,管辂传.二十五史缩印本,第2册.上海:上海古籍出版社,1986.1164~1166

③ 欧阳修[宋].新唐书(1061),卷五十九,艺文志.二十五史缩印本,第6册.上海:上海古籍出版社,1986.4290

④ 管氏地理指蒙(9世纪).见:陈梦雷[清].古今图书集成(1726),艺术典,卷六五五,汇考五.上海:中华书局影印本,1934.18

祖父王处讷(914～981)、父王熙元(961～1018)均善天文占候之术,且任司天官职,《宋史》中有传可查①。王伋约生于宋太宗淳化元年(990),袭父祖之业。他本人在宋仁宗天圣八年(1030)左右写的《针法诗》中也明确提到磁偏角:

  虚危之间**针路**明,南方张度上三乘。
  坎离正位人难识,差却毫厘断不灵。②

  从诗的题名可见用磁针测定方位,且总结出适应磁偏角的"针法",以诗表之。诗中所说的"虚"为二十八宿中正北方的虚宿,相当于子位。"危"是虚宿偏右的危宿,相当壬位。"张"是二十八宿正南方星宿偏左(东)的张宿,相当丙位。"坎"是正北方子位的卦象。诗中说,按理讲针位应指向正南、正北,但却明显看到针位北偏西或南偏东。这是在北纬34°52′、东纬114°38′的北宋都城开封观察的结果,与长安有所不同。王振铎先生未查王伋身世,便将他断为12世纪南宋人,得出堪舆罗盘不能早于南宋的结论③,现在必须作出修正,不能再沿袭下去了。

  根据李约瑟的研究④,堪舆罗盘并不像人们所认为的那样迟至南宋才出现,实际上其起源可以追溯到唐代。唐末宋初(9世纪～10世纪)堪舆学家发现磁针所指并非总是南北正向,为匡正四向,他们在罗盘盘面上根据各地情况增设校正针位,此即"正针"、"缝针"和"中针"三针之说的由来。清初堪舆家叶泰(1652～1712在世)康熙三十一年(1692)写的《罗经指南拨雾集》,由同时代人吴天洪等人解说,易名为《罗经解》,再刊于康熙三十二年(1693),是较为流行的堪舆书。书中据前代史料谈三针由来时写道:

  中、缝两针,非凭空无据而设者,盖有理,斯有气,有气自有象也。经盘秘妙,丘公得之太乙老人,有**正针**一针,有天纪、地纪、分金三盘,地纪从正针,人所共知。分金子(北)偏东北、午(南)偏西南,故杨公加入**缝针**,所以明分金之位。天纪子偏西北、午偏东南,故赖公加入**中针**,所以明天纪之位也。三针有理可信,有象可凭。⑤

  上述话中撇开一些堪舆内容勿论,单就反映磁偏角的三针而言,正针是天文

---

 ① 脱脱[元].宋史(1345),卷四六一,王处讷、王熙元传.二十五史缩印本,第8册.上海:上海古籍出版社,1986.6700
 ② 王伋[宋].针法诗(1030).见:古今图书集成(1726)·艺术典,卷六五五,汇考五.上海:中华书局影印本,1934.18
 ③ 王振铎.司南、指南针与罗经盘(下).中国考古学报,1951(5):121
 ④ Needham J, et al. Science and Civilization in China, vol. 4, pt. 1, Physics. Cambridge University Press, 1962.294～300,310, Table 52
 ⑤ 叶泰[清].罗经解,吴天洪[清]注本,三针三盘总说.北京:康熙卅二年经纶堂刻本,1693. 23～24

南北方位(astronomical north and south points),缝、中二针是罗盘指示方位(magnetic north and south points)。缝针表示针位比天文方位北偏东或南偏西7.5°的校正方位,中针是表示针位比天文方位北偏西或南偏东7.5°的校正方位。现存明清堪舆罗盘和有关著作都绘出许多同心圆,多达四十多圈,其中标明二十四方位的共有3圈(图227),其余各圈都属看风水内容。此处只绘出标示方位的3圈,即所谓"三针"。空白的中心圆为"天池",是放磁针的。最内圈为地盘,有"丘公正针",是唐代堪舆家丘延翰(688~752 在世)约在开元十八年(730)设置的,按天文南北方位将司南仪方形地盘上四边的二十四方位平均排列在圆圈内。最外圈天盘有"杨公缝针",是唐末堪舆师杨筠松(839~903 在世)约于广明元年(880)增设的,为磁针指示方位,与天文方位比,北偏东或南偏西,其各方位处于正针方位间的夹缝中,故称"缝针"。居中的一圈人盘有"赖公中针",是北宋堪舆师赖文俊(1106~1172 在世)约于绍兴二十年(1150)加入的,是根据12世纪发现磁针指示方向较天文方位北偏西而提出的校正方位。因其在罗盘中排在天盘、地盘或丘公正针、杨公缝针之中间,故称"中针"。因此明清堪舆罗盘是集唐宋堪舆术成果而定型的。由此可见,**早在唐代已发现了磁偏角**。磁子午线北端在真子午线以东为东偏,以西为西偏,东偏为正,西偏为负。因此在刻度盘上标出3种针位,可适于在不同地点和时间使用同一罗盘。显然,丘公正针最早,其次是杨公缝针,而赖公中针晚出。

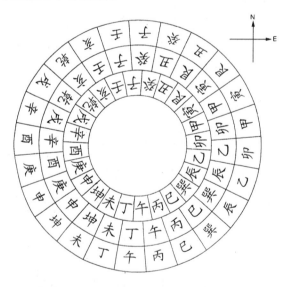

图 227
堪舆罗盘上表示磁偏角的"三针图",取自《罗经解》(1693)
最内圈为正针,天文方位;第二圈为中针,12世纪发现的磁学方位,北偏西;最外第三圈为缝针,9世纪发现的北偏东磁学方位

"三针之说"是堪舆学之通说,为前引唐宋以来其他相关著作所佐证,又与明清罗盘盘面相吻合,且有当今专家作了历史考证①,不能说是凭空杜撰。丘、杨、赖三人在堪舆术和堪舆罗盘发展史中占有重要地位,其事迹皆有史册可查②。

---

① 李定信.中国罗盘四十九层详解.香港:聚贤馆文化有限公司,1997
② 关于丘延翰、杨筠松和赖文俊的事迹,见:臧励和.中国人名大辞典.上海:商务印书馆,1921. 164, 1279, 1609;又见山西、江西及福建等省旧版地方志

有人说三针之说"附会丘、杨、赖诸人之事,皆不足信"①,似乎流于武断。与三针有关的另一早期堪舆书是《九天玄女青囊海角经》*,亦值得我们注意。《宋史·艺文志》载赤松子《海角经》、李麟注《天涯海角经》,《宋史艺文志附篇》载《九天玄女妙法》、《青囊玄女指诀》等,看来均与此书有关。此书前有晋人郭璞(托名)序及宋人张士元序,不录作者姓名,则此书是集汉、晋至唐、五代不同时期的材料编撰的,其最终成书时间为9～10世纪之间。有关磁偏角部分是成书时新补加的,其中还插入"浮针方气图"(图228),此书及图收入《古今图书集成·艺术典》。其文有如下一段:

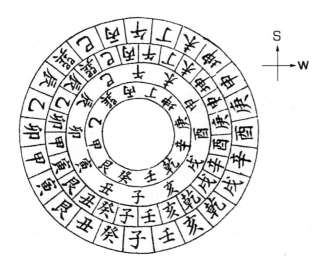

图 228

唐末 10 世纪《九天玄女青囊海角经》中的浮针方气图

　　始有天干方所、地支方气。后作铜盘合局二十四向,天干辅而为天盘,地支分而为地盘,立向纳水从乎天,格龙收沙从乎地。今之象占,以**正针**天盘格龙,以**缝针**地盘立占。圆者从天,方则从地,以明地纪。②

　　此处提到正针、缝针,而未提中针,这也说明《九天玄女青囊海角经》成书于北宋以前。文内"格龙"指辨别与贵贱天星相应的地上龙脉。有人将此书年代定为南宋,理不足据。此书及附图为我们提供较早时期堪舆罗盘盘面形象的实例,以补实物标本之不足。

　　《九天玄女青囊海角经》的史料价值在于,它显示在9～10世纪之际,中国堪舆师已用磁针代替磁勺为指南仪器的磁体。与此同时,承载磁体的二十四向方位盘完成从方形向圆形的过渡,具有磁罗盘的形式。"**浮针**"(floating needle)一

---

　　① 王振铎.科学考古论丛.北京:文物出版社,1989.179
　　* 《九天玄女青囊海角经》书名费解,李约瑟按字面含义直译为 *The nine-heaven mysterious girl blue-bag sea angle manual [geomantic]*,西人仍不易解。我们拟意译为 *The geomantic manual passed on by a female immortal in the heavenly palace*——作者
　　② 九天玄女青囊海角经(约900).见:古今图书集成(1726)·艺术典,卷六五一,汇考一.上海:中华书局影印本,1934.16

词的出现,表明磁针是悬浮在方位盘中间的圆形水槽上的,即所谓"天池"。这种堪舆罗盘稍加简化,去掉一些有关看风水的圈以后,就能用作导航仪器。唐代远洋航船频频往来于东南亚、印度洋,直达波斯湾和非洲东部沿岸,不能说与此无关。

过去人们通常认为磁偏角是北宋科学家沈括(1031~1095)在其《梦溪笔谈》(1088)中最先提出的,并将这一发现归于沈括。持此说者现在仍大有人在,但沈括本人则认为是在他以前的"方家"即堪舆家(geomancer)发现的,他说:"方家以磁石磨针锋,则能指南,然常偏东,不全南也。"[①]应当肯定沈括在磁学方面有深厚理论知识和实际经验,但主张磁偏角是北宋哲宗元祐三年(1088)由他才发现,未免将时间定得过晚。我们前引史料足以证明9世纪唐代堪舆家已利用水罗盘观察到磁偏角并设置校正方位。唐代堪舆家杨筠松将此知识传之于世,成为北宋人的共同来源,他们谈到磁偏角时,并未将其视为新奇事物,因前代早已有之。

二、北宋水罗盘的构造和复原

宋代指南针的大发展是在唐代原有技术基础上取得的,从宋人笔下我们还能看到唐代指南针的概况,以补唐代文献记载之不足。北宋大臣曾公亮(999~1078)领衔与丁度(990~1053)等人从仁宗庆历四年(1044)起利用内府藏书及档案,编纂大型军事著作《武经总要》,于庆历七年(1047)告成,分前、后二集,各20卷。在该书前集卷十五谈到部队行军时写道:

> 若遇天景曀霾(yìmái,昏暗),夜色瞑黑,又不能辨方向,则当纵老马前行,令识道路。或出指南车及指南鱼,以辨所向。指南车世法不传,鱼法用薄铁叶剪裁,长二寸(6 cm),阔五分(1.5 cm)。首尾锐如鱼形,置炭火中烧之,候通赤。以铁钤(钳)钤鱼首出火,以尾正对子位(北),蘸于水盆中,没尾数分则止,以密器收之。用时,置水碗于无风处,平放鱼在水面令浮,其首常南向午也。[②]

曾公亮描述了一种专供测定方向而非看风水用的磁罗盘的形制和制法,需加以解说。罗盘的主件是人造磁体,其制造方法是,将长6 cm、宽1.6 cm的薄铁片做成鱼形,首尾呈尖状(图229)。然后将其加热至通红,当温度升至居里点(Curie point,600℃~700℃)以上(769℃)时,铁的磁畴瓦解成顺磁体。以铁钳夹住鱼首,将其从炭火中取出,沿南北磁极方向放置,使鱼尾向北,鱼首向南,再趁热将其放入冷水盆中。由于温度的骤然变化,铁片中的磁畴受地球磁场的作用发生有规则的排列,从而显出磁性,形成矫顽力较高的永久性磁体,即马

---

① 沈括[宋].梦溪笔谈(1088),卷廿四,杂志一.元刊本景印本.北京:文物出版社,1975.15
② 曾公亮[宋].武经总要(1044),前集,卷十五,乡导.见:中国古代版画丛刊,第1册.上海:上海古籍出版社,1988.685

氏体(Martensite)①。

这种以铁片借热剩磁感应(thermo-remanence)原理制成人造磁体的方法,甚至无需天然磁石传磁,也能实现。实现这一过程的要点是,将铁片加热后,必须使其顺地球磁力线的方向骤然冷却,才能使磁畴重新作有规则的排列。这就是"以尾正对子位,蘸于水盆中"的奥妙所在。中国古代炼制钢铁后冷加工(淬火)过程,必会对此法提供启发,宋人以此法造人造磁铁并不奇怪。将薄铁片制成鱼状,是便于区分南北指向,鱼首指南,鱼尾指北。为使其在水面借水的表面张力而悬浮起来,鱼首、鱼尾宜稍为翘起,鱼体与水的接触面尽力减少。我们认为《武经总要》提到鱼的首尾指向子午方位,必须有类似堪舆罗盘那样的圆形方位刻度盘作为辅助件,而盛磁鱼的"水碗"实即盘上的"天池"。而且磁鱼也未必外形如真鱼,"水碗"形如碗而非真碗。因严格鱼状不利于磁畴均匀分布,真碗口大、底小,其中放水后重心不稳,不利于磁鱼旋转,这都是在复原时要考虑的。

王振铎先生对《武经总要》所述指南鱼复原时,拘泥于文内的字面含义,将其绘成具有鱼眼、鱼鳞的真鱼状,是画蛇添足之举,实际上没有必要、也不可能是这样的。再让此鱼浮在真正餐具水碗中,碗口周围没有方位盘,怎么能读出子午方位呢?这都违反指南装置的传统制造模式。虽然其复原图被中、外广为引用,却与实际情况相去颇远。因此我们这里重新作出复原(图229)。其方位盘为木胎髹漆圆盘,周围有二十四方位,中间圆筒状铜制天池,内盛以水,而指南鱼漂浮于水面。指南鱼不用时,"以密器收之",即放入铁制密闭盒中,形成闭合磁路,免失

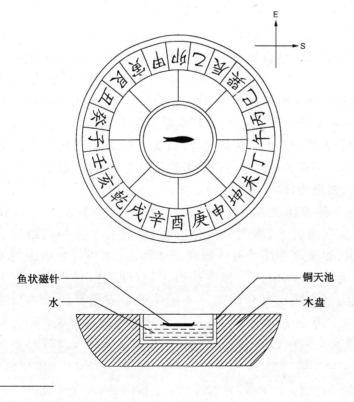

图229
《武经总要》(1044)载水罗盘"指南鱼"复原图,潘吉星复原(2001)

---

① 王锦光,洪震寰. 中国古代物理学史略. 石家庄:河北科学技术出版社,1990. 127

磁性。或沿一定方向将其放在天然磁石旁边,继续磁化。用时须于无风之处,自不待言。因此《武经总要》所述指南鱼是在唐代堪舆罗盘基础上,除去堪舆内容后改制而成的。

继曾公亮之后,北宋科学家沈括(1031~1095)在《梦溪笔谈》(1088)卷廿四也谈到了指南针:

> 方家以磁石磨针锋,则能指南,然常微偏东,不全南也。水浮多荡摇,指爪及碗唇上皆可为之,运转尤速,但坚滑易坠,不若缕悬为最善。其法,取新纩(kuàng)中独茧缕,以芥子许蜡缀于针腰,无风处悬之,则针常指南。其中有磨而指北者,予家针南北者皆有之。①

沈括说,堪舆家以铁针针锋磨天然磁石制成人造磁针,是与曾公亮所述将薄铁片赤热、淬火处理法不同的另一方法。沈括描述的堪舆磁针罗盘,很可能与南宋人曾三异(1164~1240 在世)于淳熙十六年(1189)在《因话录》中提到的"地螺"或"地罗"类似,即堪舆罗盘。曾三异说:

> 地螺或有子午正针,或用子午、丙壬缝针,天地南北之正,当用子午。或谓江南地偏,难用子午之正,故以丙壬参之。古者测日景于洛阳,以其天地之中也。然又于其外县阳城之地,地少偏,则难正用,亦自有理。②

沈括说,过去堪舆用指南针所指之南并不是地球子午线之正南,而略为偏东。曾三异则道出沈括言犹未尽之处,他说子午正针与丙壬缝针间的夹角 7.5°即磁偏角,在中国东南沿海一带因磁偏角明显,须参用丙壬缝针。沈括还提出在家庭中试验磁针指南的 4 种方法。第一种方法是,将铁针与磁石摩擦后,浮在水碗水面上,则针尖指南,针头指北,但"水浮多荡摇"。第二、三种方法是将磁针放在大拇指指甲上或碗口上,"转动尤速,但坚滑易坠"。第四种方法是,用芥菜子实(直径 2 mm)那样大小的蜡将新的絮线粘合在针腰处,以手在无风处悬针,则针尖常指南,效果较好。

看来这 4 种方法沈括都曾试验过,第二、三种方法只能试验磁针指极性,不能制成指南装置,因为针的重心不稳,极易从指甲或碗口上掉下。用第一种方法,如果设法使针有效漂浮于水面上,才可取。第四种方法前代用过,比司南灵敏,但在宋代已显得陈旧,只有理论探讨意义。真正切实可用的是水罗盘,但沈括没有介绍如何才能使磁针安稳漂浮于水面上。沈括是 11 世纪以实验方法研究磁学问题和指南针原理的科学家,成为 13 世纪法国实验物理学家皮埃尔(Pierre de Maricourt, c.1224~c.1279)的先驱。为增

---

① 沈括[宋].梦溪笔谈(1088),卷廿四,杂志一.元刊本景印本.北京:文物出版社,1975.15
② 曾三异[宋].因话录(1189). 见:说郛,卷廿三,涵芬楼本.上海:商务印书馆,1927

加针在水上的浮力,北宋本草学家寇宗奭(约 1071～1149)《本草衍义》(1116)卷五报道一种方法,他说:

> (以磁石)磨针锋,则能指南,然常偏东,不全南也。其法取新纩(丝絮)中独缕,以半芥子许蜡缀于针腰。无风处垂之,则针常指南。**以针横贯灯心,浮水上,亦指南,然偏丙位**(东)。①

这里寇宗奭加了"以针横贯灯心"六个字,道出于浮于水上的诀窍。灯心草(*Juncus effusus*)为多年生沼泽草本植物,其茎直立,簇生,呈细柱形,高 1 m,直径 1.5 mm～4 mm,其茎髓可点油灯,故名"灯心草"。将灯心草细茎剪成几个小段,再以磁铁针逐段横穿之,放在水面上,因浮力增加和灯心草产生的抗扭力作用,可使磁针安稳漂浮于水面,又不至过度旋转。实际上中国传统上所用"水罗盘",就是以此法悬浮磁针的。寇宗奭的《本草衍义》成于北宋徽宗政和六年(1116),刊于宣和元年(1119)②,他以罗盘针位术语说明磁偏角,补沈括未尽之处,也说明罗盘上的磁针是用他描述的方法浮于盘上天池中的。

南宋人程棨(1245～1295 在世)《三柳轩杂记》(约 1280)称:"阴阳家为磁引针定南北,每有子午、丙壬之理,按本州沽义,磁石磨锋,则能指南。然常偏东,不全南也。其法取新纩中独缕,以半芥子蜡,缀于针腰,无风处垂之,则针常指南。以针积贯灯心,浮水上,亦指南,然尝偏丙位。"③这段话基本上重述沈括和寇宗奭等北宋人所言,没有什么新意。只是将沈括说的"方家"释为阴阳家,证实了我们前面的判断。将寇宗奭说的"横贯灯心"易为"积贯灯心",说明横贯的不是一段灯心草茎,而是几段。如果以铁针磨磁石,不事先定好磁向,则针的两端就易混乱,有时针尖指南,有时指北,这是并不奇怪的。根据《梦溪笔谈》及《本草衍义》所述,我们可以对专供指示方位用的指南针装置做出如下复原(图 230),此即所谓水罗盘。

从以上所述可以看到,北宋人描述的陆上旅行及航海用的水浮式指南针或湿罗盘,有两种形式,大同小异。主要区别表现在磁针的制造方法和形状上。一种是将鱼状薄铁片用热剩磁感应原理制成人造磁体,另一种是将铁针与磁石摩擦而制成感应磁体。两种形式的指南针都曾用于实践,并传到国外。磁体不用时放在盒内保存磁性,用时在罗盘天池内注水,再将磁鱼或磁针放在水上。这种指南针是从唐代的堪舆罗盘演变的,已如前述。帮助磁针漂浮的灯心草,后来又被鸡翎代替④,将磁针横贯一小段鸡翎后,比灯心草更耐水浸。如前所述,水罗盘是从唐代

---

① 寇宗奭[宋].本草衍义(1116),卷五,磁石.上海:商务印书馆,1957.31～32
② 尚志钧,林乾良,郑金生.历代中药文献精华.北京:科学技术文献出版社,1989.239～242
③ 程棨[宋].三柳轩杂记(约 1280).见:五朝小说大观·传奇家.上海:扫叶山房石印本,1926
④ 王振铎.司南、指南针与罗经盘(下).中国考古学报,1951(5):101 以下;科技考古论丛.北京:文物出版社,1989.196～200

堪舆罗盘演变的，至北宋大行于世。盘体为木胎髹漆，天池为铜制，二者亦可皆以铜铸成，视情况而变通。这种形式的水罗盘一直沿用到明清(14世纪～19世纪)，因此明清航海用水罗盘保留唐宋以来水罗盘的胎记，正是技术遗传现象的体现。

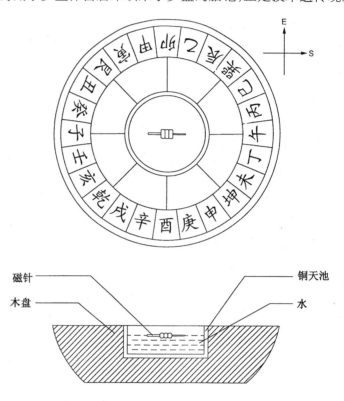

图 230
《梦溪笔谈》(1088)及《本草衍义》(1116)所载指南针复原图，潘吉星复原(2001)

三、南宋时发明的旱罗盘

中国除水罗盘外，12世纪宋代人还以另一种方式将磁针装设在方位盘上，即以铜钉支承磁针在盘上自由旋转，因而无需用水。这就是所谓旱罗盘(dry compass)。王振铎指出："明代以前中国之罗盘磁针，皆为借水之浮力而转动之被传磁之缝纫针，别无其他形制。"他认为中国旱罗盘是明代以后受欧洲这类罗盘的影响才发展的。西方学者也持有同样看法[1]。这种观点现在也需要修正，因为新近考古发掘所提供的实物资料表明，中国至迟早于欧洲二百多年就在南宋初发明了旱罗盘，且用于实际，只是因为人们习惯用湿罗盘，才掩盖了对旱罗盘的使用。因此认为明代以前没有旱罗盘、明以后受外国影响才有旱罗盘的观点，肯定是不正确的，关于旱罗盘的起源史要重新改写。

1985年5月，江西临川县温泉乡发现一宋墓，出土文物70件。从墓碑记载中得知，墓主为朱济南(1140～1197)，生前为五品朝请大夫、福建邵武府知军，相当知府，葬于宋宁宗庆元四年(1198)。值得注意的是，墓内发现瓷俑，高

---

[1] Needham J, et al. Science and Civilization in China, vol.4, pt.1, Physics. Cambridge University Press, 1962. 290

22.2 cm,座底墨书"张仙人"(图 231),身穿右衽长衫,左手抱一罗盘,置于右胸前,右手执左袖口。此张仙人即《永乐大典》(中华书局 1959 年影印本)第 19 册中《大汉原陵秘葬经》中的张景文[1]。

图 231
南宋 1198 年墓出土的持旱罗盘的瓷俑"张仙人"(A)及临绘件(B),潘吉星临绘(2001)

瓷俑张仙人所持的罗盘有 16 个方位的刻度,罗盘中间的磁针形状与水浮磁针不同,其菱形中央有一明显的圆孔,表示出用轴支承的结构。清代乾隆时(18 世纪)堪舆家范宜宾《罗经精一解·针说》指出:"指南旱针创自江西,盛于前朝,以此定南北之枢。"因此,12 世纪中国已有了旱罗盘,最早在江西发展。出土的南宋瓷俑张仙人所持罗盘方位刻度内没有标字,我们认为应是八天干、子午卯酉四支及乾坤巽艮四卦,从罗盘盘面看,是测定方向用的旱罗盘,由铜钉支撑,后世旱罗盘即导源于此。现将我们的复原图绘制于下(图 232)。

水、旱磁罗盘在宋代已广为应用,甚至借其工作原理制成变魔术的道具。宋人陈元靓(jìng)在《事林广记》卷十中谈到变魔术用的指南鱼和指南龟,现所见早期版本有元泰定二年(1325)刊本翻刻本。此书收入《宋史·艺文志》,据李约瑟考订,成书于南宋初绍兴年间,即 1135~1150 年[2]。此处我们用京都大学人文科学研究所藏日本元禄十二年(1699)据元泰定本翻刻的和刻本。卷十谈到指南鱼时写道:

---

[1] 陈定荣,徐建昌. 江西临川县宋墓. 考古(北京),1988,(4):329~334
[2] Needham J, *et al*. Science and Civilization in China, vol. 4, pt. 1, Physics. Cambridge University Press, 1962. 255~257

以木刻鱼,如拇指大(6 cm),腹开一窍,陷好磁石一块子,却以蜡填满。用针一半金从鱼子口中钩入,令没放水中,自然指南。以手拨动,又复如初。①

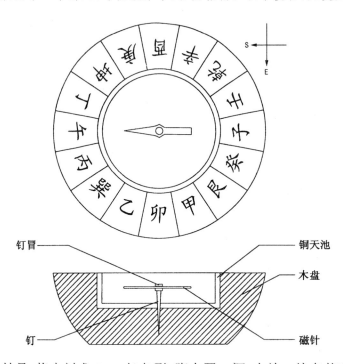

图 232
南宋(12世纪)墓出土瓷俑中旱罗盘复原图,潘吉星复原(2001)

魔术奥妙是,将木刻成 6 cm 长鱼形,腹内开一洞,内放一块条状磁石,用蜡将洞内空隙填满。"用针一半金从鱼口中钩入"的意思是,"将针的一半向鱼口中插入",另一半外露,"钩入"作"探入"解。但王振铎复原图中将针的外露部分折而上弯②(图 233A),以此理解"钩入",似不是原文本义,技术上也讲不通。且将磁石做得较粗大,放在木鱼腹下部,使重心下移,不利于鱼在水中漂浮。实际上磁石宜细小,针应直,磁石置于鱼腹中上部位,以水没过后,处于半沉半浮状态。以手触外露的针,则鱼自行转动,在南北方向停止。再拨动,又转动如初。注意针不可过多外露,魔术师以手拨针的动作不能让观众看到,才给人以木鱼能自行转动的错觉,不知其中藏有磁石之故。现将我们改进后的复原图(图 233B)一并录之于下,以资比较。

《事林广记》卷十还写道:

以木刻龟子一个,一如前法(木鱼法)制造,但于尾边敲针入去。用小板子安以竹钉子,如箸尾大。龟腹下微陷一穴,安钉子上,拨转常指北,须是钉尾后。

此魔术道具"指南龟"工作要点是,以木刻成龟状物,腹中开一洞,放入一条状磁石,用蜡将洞内空隙填满。将针的一半插入龟尾洞内蜡中,针的另端平露于外,这与木指南鱼制法相同。不同的是,在底座木板上安一竹钉,"如箸尾大",即筷子头那样长(约 4 cm),上头削尖,针尖向上。将龟腹下的尖锥形凹槽放竹钉

---

① 陈元靓[宋].事林广记,卷十,神仙幻术.元泰定二年(1325)刊本之日本重刻本(1699)
② 王振铎.科技考古论丛.北京:文物出版社,1989.152,154,图 42

尖上,以手触动龟尾露出的针,则龟在竹钉上转动,最后龟首尾分指南北(图234),与旱罗盘支承方式同理。这两个戏法意在让死物能动,不是向观众演示如

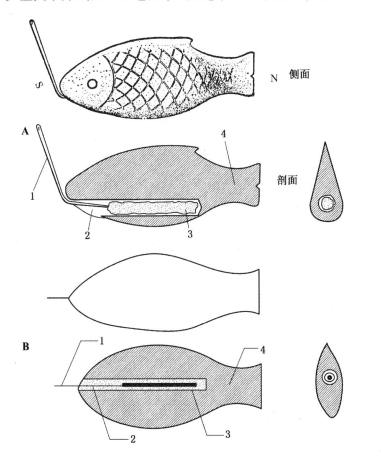

图233
《事林广记》所述宋人魔术道具指南鱼复原图,A. 王振铎复原(1951) B. 潘吉星改进的复原(2001)
1 铁针 2 蜡
3 磁石 4 木鱼

何指南。陈元靓介绍的戏法说明,在他著书以前的宋人已了解旱罗盘的使用和构造原理。如果人们对此一无所知,魔术师就无从以龟壳作障眼法了。前述江西出土的旱罗盘实物形象年代为南宋中期,证以南宋前期成书的《事林广记》所载,可以说旱罗盘的起源应追溯到两宋之际或12世纪初(1119～1140)。

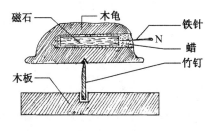

图234
《事林广记》所述宋人魔术道具指南龟复原图,取自王振铎(1951)

因此宋代指南针有干、湿两种形式,湿式制造简便易行,但针状或鱼形磁体漂浮不稳,干式制造较精细,一律用磁针,旋转稳定,二者各有千秋。

四、明清的水、旱航海罗盘

元、明、清三朝的堪舆罗盘与航海罗盘,仍沿宋朝制度发展,形制没有太大变化,从现存实物观之,湿罗盘较多,磁体多呈针状。罗盘除以髹漆木胎外,还有用青铜铸造者。如1950年王振铎在北京购得的明代航海用水罗盘(图235),即由

青铜铸造①。罗盘直径 8 cm,高 1.2 cm。盘面上外圈为二十四方位,有的字如"巽"、"乾"等用简体字,为便铸造。内圈为八卦卦象,每个卦象含 3 个方位,实际上表示 8 个方位,每个方位间有界格。但有的航海罗盘只有二十四方位的一圈。罗盘盘底收敛呈茶托形,盘中央天池底部铸出一准线,标出磁针在水上放置的正确位置。明以前旱罗盘遗留下来的较少,不等于说没有使用过,只是有待今后发现。

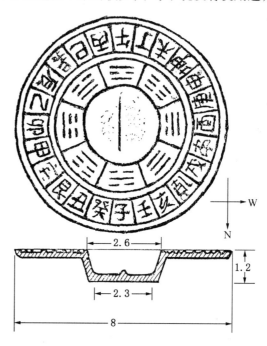

图 235
明代八卦正针铜制水罗盘构造图,引自王振铎(1951),单位为 cm

如第十一章所述,元代时传入西方的指南针装置包括旱、湿两种,但西方人在仿制之后,又结合当地情况做了改装和改进,特别是在干式罗盘方面。明代(16 世纪)以后,葡萄牙和荷兰航船靠旱罗盘导航来到中国和日本国,从而又将这种改进的旱罗盘直接或通过日本传入中国。明代隆庆(1567~1572)时人李豫亨于其医书《推篷寤语》卷七写道:"近年吴越闽广屡遭倭变,倭船尾率用旱针盘以辨海道,获之仿其制,吴下人(今江苏苏州)人始多旱针盘。但其针用磁石煮制,气(磁性)过,则不灵,不若水针盘之细密也。"②清代人王大海(1740~1810 在世)《海岛逸志》(1791)写道:"和兰行船指南车(针)不用针,以铁一片,两头尖而中阔,形如梭。当心一小凹,下立一锐(钉)以承之,或如雨伞而旋转。面书和兰字,用十六方向。"③

以上两条材料谈的都是欧洲指南针,因其比中国传统指南针有改进,引起明清人的好奇,遂起而仿制,最初仿制品性能不如老式水罗盘,但很快就掌握要领。清初以后,中西交流深入,中西合璧式旱罗盘便逐步流行起来。清圣祖派遣徐葆

---

① 王振铎.科技考古论丛.北京:文物出版社,1989.194~195
② 李豫亨[明].推篷寤语,卷七,王兰远[民国]节录本.见:裘庆元辑.三三医书,第一集.杭州:三三医社,1924
③ 王大海[清].海岛逸志(1791).见:王锡祺[清]辑.小方壶斋舆地丛钞(1871),第十帙.上海:著易堂重刊本,1897

光(1682～1725在世)于康熙五十八年(1719)出使琉球时,船上就用这种指南针(图236A),见其所著《中山传信录》①。意大利佛罗伦萨市科学史博物馆所藏清初中国制航海用罗盘也属于同样类型(图236B),盘面直径约9 cm②。这使我们想到,元代时中国火药、火器技术西传,欧洲人加以改进后,又将佛郎机、乌铳等反传到明代中国。这与明中叶以后中国科学技术落后于西方的总的历史背景有关。

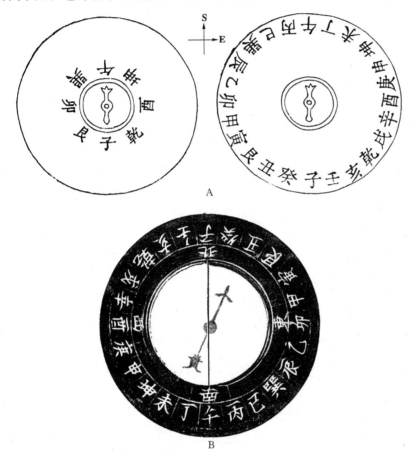

图 236
清康熙(18世纪初)时的航海用旱罗盘
A 《中山传信录》所载
B 弗罗伦萨科学史博物馆藏,取自 Needham (1962)

第四节　指南针在航海中的应用

一、宋代的航海罗盘和航海图

唐末发明指南针以后,主要用在看风水时测定准确的方位,当然也能用于海

---

① 徐葆光[清].中山传信录(1720).见:王锡祺[清]辑.小方壶斋舆地丛钞(1871),第十帙.上海:著易堂重刊本,1897

② Needham J, et al. Science and Civilization in China, vol. 4, pt. 1, Physics. Cambridge University Press, 1962. Fig. 337

上导航。但有关导航方面的史料保留下来的很少,有待进一步发掘。将指南针用于航海方面的记载,从北宋以后逐渐多了起来,首先见于朱彧(yù)《萍洲可谈》(1119)。朱彧(1075～1140在世)字无惑,乌程(今浙江吴兴)人。其父朱服(1051～1121在世)于宋哲宗绍圣元年(1094)为广州市舶司官员,元符二年至崇宁元年(1099～1102)升任市舶司使,掌管港口对外贸易事务。《直斋书录解题》卷十一载,朱彧从其父那里得知有关见闻和文字材料后,于宣和元年(1119)写成此书。该书卷二写道:

> 甲令:海舶大者数百人,小者百余人,以巨商为纲首、副纲首、杂事,市舶司给朱记,许用笞治其徒,有死亡者籍其财……舟师识地理,夜则观星,昼则观日,**阴晦观指南针**,或以十丈绳钩取海底泥嗅之,便知所至。①

上文中的"甲令",指朝廷颁发的条令。《汉书》卷卅四《〈吴芮传〉赞》称,"唯吴芮之起,不失正道,故能传号五世。以无嗣绝。庆流支庶,有以矣夫,著于甲令而称忠也。"《萍洲可谈》这段话的意思是说,根据宋政府有关出海商船的法令,大船载数百人,小船载百余人。以巨商为总管(纲首)、副总管(副纲首)及总务(杂事),由市舶司发给盖有朱印的证明,允许他们以竹板惩治船上不法之人。任何人在海上死亡,其财产收归政府。接下讲领航员(舟师)要熟悉天文地理,遇有阴暗天气或夜间要观看指南针,或用其他方法辨别方位。但有人将"甲令"(government regulation)当成外国人名科林(Kling),并说使用指南针的是阿拉伯人②③,显然是不正确的。日本汉学家桑原骘藏(1870～1931)已纠正了这个错误④,实际上此处谈的是12世纪初中国的出海商船和船上的导航指南针,而舟师是北宋中国人。

北宋徽宗宣和五年(1123)出使高丽的徐兢(1091～1153)在《宣和奉使高丽图经》(1124)卷三十四写道:

> 舟行在蓬莱山之后,水深碧色如玻璃,浪势益大,洋中有石曰半洋礁,舟触礁则覆溺,故篙师畏之。是日午后,南风益急,加野狐帆,制帆之意,以浪来迎舟,恐不能胜其势,故加小帆于大帆之上,使之提挈而行。是夜海中不可住,维视星斗前迈。**若晦冥,则用指南浮针以揆**(kuí,掌握)**南北**。入夜举火入舟,皆

---

① 朱彧[宋].萍洲可谈(1119),卷二.丛书集成本.上海:商务印书馆,1935
② Hirth F. Ancient History of China to the End of the Chou Dynasty. New York, 1908; 2nd ed. 1923
③ Hirth F, Rockhill W, tr. Chao Ju-Kua: His Work on the Chinese and Arab Trade in the 12th and 13th Centuries, Entitled Chu-Fan-Chi. St. Petersburg: Imp. Acad. Sci, 1911. 30
④ 桑原骘藏.唐宋時代に於するアラブ人の支那通商の概況殊に宋末の提挙市舶西域人**蒲寿庚の事迹**.東京:岩波書店,1935;冯攸译.唐宋元时代中西通商史.上海:商务印书馆,1930. 92～94

应夜分。风转西北,其势甚急,虽已落篷,而帆动帆摇,瓶盎(盆)皆倾,一舟之人震恐胆落,黎明稍缓,人心向宁,依前张帆而进。①

从这段记载中可以看到,使用指南针导航的海船是北宋政府派出的中国船队,而不是任何其他外国的船,而且再次证实比西方使用航海罗盘早一百多年②。值得注意的是,徐兢明确指出使用"指南浮针"以定南北,即我们在上一节中谈到的湿罗盘(图230)。同卷还记载,这次使团及随行人员分乘8艘船从明州(今浙江宁波)港启程,有2艘巨型"神舟"及6艘"客舟"组成船队。客舟建造于福建、浙江,长10余丈,宽2丈,高3丈(9 m),载谷2 000斛(13.2万升)和60人,而神舟尺寸比客舟大3倍。"入夜举火入舟,皆应夜分",可能指夜间舟师以指南针定出航向后,水手从神舟举火为信号,使其余各船按同一方向行进。

宋太宗八世孙、进士出身的赵汝适(1195~1260在世)在《诸蕃志》(约1242)卷下谈到在海南岛附近海域上航行时,写道:

  海南东,则千里长沙,万里石床。渺茫无际,天水一色。舟舶来往,**惟以指南针为则,昼夜守视惟谨**。毫厘之差,生死系焉。③

前两条北宋人记载都说,舟师确定海船在海上航行方位时,以天文定向和磁针定向相辅而行,而指南针则用于阴暗时刻、看不到太阳和星辰之时。但南宋人赵汝适则指出"舟舶来往,惟以指南针为则,昼夜守视惟谨",说明这时,至少就赵氏所见闻而言,海船往来只以指南针测定的方位为准。且船上有专人昼夜小心地守视,以随时通知舵手掌握航向,全船人的生死皆系于此,不能有任何差错,证明南宋时以磁罗盘导航技术已趋于成熟。此处没有谈到海船的国籍,但所谈的是中国海南岛的事,还提到来自福建泉州和其他港口的海船,都与中国海船有关,而不是外国船。④

南宋杭州人吴自牧(1231~1301在世)《梦粱录》(1274)卷十二还专门谈到浙江海船:

  浙江乃通江渡海之津道,且如海商之船,大小不等,大者五千料,可载五六百人。中等二千料至一千料,亦可载二三百人……自入海门,便是海洋,茫无畔岸,其势诚险……风雨晦冥时,**唯凭针盘而行**。乃火长掌之,毫厘不敢差误,盖一舟人命所系也。愚屡见大商贾人,言此甚详悉……但海洋近山礁则水浅,撞

---

① 徐兢[宋].宣和奉使高丽图经(1124),卷卅四,半洋礁.笔记小说大观本,第9册.扬州:广陵古籍刻印社,1984.306
② Edkins J. Note on the magnetic compass in China. China Review (Hong Kong), 1889, 18:197
③ 赵汝适[宋].诸蕃志(约1242),卷下.丛书集成·史地类.上海:商务印书馆,1935
④ Needham J, et al. Science and Civilization in China, vol. 4, pt. 1, Physics. Cambridge University Press, 1962.284

礁必坏船。**全凭南针**，或有少差，即葬鱼腹。①

吴自牧所说"针盘"、"南针"，都指有二十四方位盘的航海指南针，"火长"本指唐代兵制中基层单位之长，《新唐书·兵志》称，"五十人为队，队有正。十人为火，火有长"。后来也将火长用来称呼船舶上的领航人员，或曰舟师。书中指出，舟师导航时，必须准确关注指南针标出的方位，还要根据海洋气象变化和周围具体情况，随时调整航向和航路。

应当指出，古代舟师航海必须参照航海图来确定航线和航向，一般绘出所经水域周围地貌、水文条件、航道沿岸地名、岛屿及其方位，还有自然和人文景观等。有了指南针后还要标出针位，所以海图又称"针簿"，是重要的航海指南，由舟师凭经验绘制，有很大实用价值。中国从唐代以来就是远洋航海大国，北宋时以指南针导航的海图也随之产生，这是舟师的一个技术发明。宋人李焘(1115～1184)《续资治通鉴长编》(1183)卷五十四载，宋真宗咸平六年(1003)广州地方官向朝廷进呈《海外诸蕃图》，就是从广州港通向东南亚、印度洋及波斯湾、红海一带中国海舶航行时所用的海图(navigational diagrams)，或后世西方所谓的 maritime charts。1123年出使高丽的徐兢在《宣和奉使高丽图经》(1124)卷卅四《海道》条谈到"谨列夫神舟所经岛洲、苫屿而为之图"，也是以指南针导航的海图。"神舟"是宋代国信使乘的巨型旗舰，"苫"(shān)指海中有草木的小岛。此书名曰《图经》，必附有图，但1167年刊印时将图删去，徐兢家藏副本在他卒后也不知去向，甚为可惜。

赵汝适《诸蕃志》(约1242)谈到宋代海船远航时，要"阅诸蕃图"，这应与1003年广州市舶司进上的《海外诸蕃图》是同类海图。南宋末咸淳六年(1270)兰溪学者金履祥(1232～1303)鉴于蒙古围攻襄樊(今湖北境内)而宋军无策，"因进牵制捣虚之策，请以重兵由海道直趋燕蓟(蒙古后方)，则襄樊之师将不攻而自解。且备叙海船所经(航线)，凡州郡县邑，下至巨洋别岛，难易远近，历历可据以行。宋终莫能用，及后朱瑄、张清献海运之利，而所由海道，视履祥先所上书，咫尺无异者然，后人服其精确"。②金履祥1270年向宋政府进上的，是从浙江沿海北上到渤海西岸的详细而精确的航海图，与元初所用相比，"咫尺无异"。阿拉伯和欧洲水手所用的航海图始见于13世纪后半叶，比中国晚了两个多世纪。

二、元代的航海罗盘和航海图

以指南针为导航仪器而言，元承宋制，且有进一步发展。蒙元军队西征后，在中亚、西亚和东欧建立了四大汗国，汗国统治与北京蒙古大汗的联系除靠陆路外，还借海路。元代海船经常往来于东南亚、印度和波斯、日本、高丽等广大地

---

① 吴自牧[宋].梦粱录(1274),卷十二,江海船舰.北京:中国商业出版社,1982.102
② 宋濂[明].元史(1370),卷一八九,金履祥传.二十五史缩印本.第9册.上海:上海古籍出版社,1986.7 734

区,进行经济交流。远洋航行主要以指南针定位,而且以针位航海图为航路依据。元代人周达观(1270~1348 在世)《真腊风土记》(约 1312)就有这方面的记载。周达观字草庭,浙江温州永嘉人,他在元成宗元贞元年(1295)六月奉旨随使节出访柬埔寨,次年(1296)二月从温州港起航,七月到达。大德元年(1297)六月回舟,八月抵四明(今浙江宁波)港。周达观以其此行见闻写成此书,真腊为柬埔寨古名。书中写道:

> 自温州开洋,**行丁未针**。历闽、广海外诸州港口,过七洲洋,经交趾洋到占城。又自占城顺风可半月到真蒲,乃其境也。又自真蒲**行坤申针**,过昆仑洋,入港。港凡数十,惟第四港可入,其余悉以沙浅,故不通巨舟。①

七洋洲为今中国海南岛东北附近洋面,交趾洋为今越南北部沿岸以东的洋面,占城(Champa)为今越南中部,真蒲(Ba Ria)在越南南方的头顿附近。元代中国使团船队 1296 年从浙江温州启航,至柬埔寨南部港口的航线是,南下过台湾海峡,"行丁未针",即按指南针指示的二十四方位中丁与未方位之间的针路行船(图 237),或 S.S.W. $202°30'$,或正南偏西 $22.5°$方位角,经过海南岛以东洋面向西南行,到达今越南中部港口,由此至越南南方的真蒲。从真蒲出发,"行坤申针",或 S. $52°30'$ W.(南偏西 $52\frac{1}{2}°$),过中南半岛南端洋面,再行戌乾针或 W.W.N. $307°30'$或 W. $37\frac{1}{2}°$N,即到柬埔寨南部沿岸。针路图是据实际航行经验绘制的,舟师按照图示和船上指南针指出的方位,通知舵手随时调整航向,就能安全顺利地到达目的地并返回原地。

明人写成的《海道经》中收录元代的《海道指南图》(约 1331),包括从长江下游起到北洋的航海图(图 238),实际上是元初海上漕运航道图,作导航用。图中将沿江、沿海各港口、岛屿和停锚处所一一列出,且分段标出"正东"、"正南"、"正西"、"正北"和"西南"等指南针所示方位,还指出某地有礁宜回避等提示内容,是现存较早的海图。元代天历年间(1328~1329)由内府宦官编撰的《大元海运记》卷上指出:"万里海洋渺无涯际,阴晴风雨出于不测,惟凭针路定向行船,仰观天象以卜明晦。故船主高价召募惯熟艄公(舟师),使司其事。"②元顺帝(1333~1368)时随海船出游东南亚和印度洋的汪大渊(1311~约 1370),在《岛夷志略》(1349)中写道:

> 观夫海洋,泛无涯涘(sì,水边)。中匿石塘,孰得而明之?避之则吉,遇之则凶。故子午针(乃)人之命脉所系。苟非舟子之精明,能不覆且溺乎。吁,得

---

① 周达观[元].真腊风土记(约 1312)序,夏鼐校注本.北京:中华书局,1981.15
② 元天历中官撰.大元海运记(1328~1329),卷下,胡敬[清]辑本.见:罗振玉辑.雪堂丛刻,上虞罗氏排印本,1915

意之地勿再往,岂可以风涛为径路也哉。①

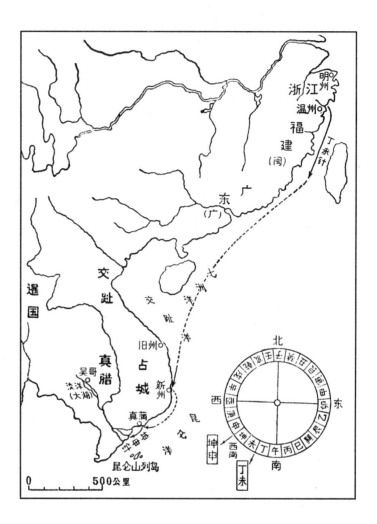

图 237
元代人周达观航海路线图,取自夏鼐(1981)

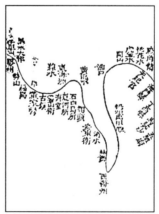
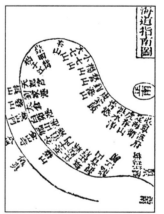

图 238
元代(14世纪初)北洋《海道指南图》,引自孙光圻(1989)

---

① 汪大渊[元].岛夷志略(1349),万里石塘条.苏继庼校注本.北京:中华书局,1981.318

汪大渊所说与全船人命相关的"子午针",即航海指南针。他是在谈到万里石塘时说这番话的,指今中国海南岛南的西沙群岛附近海域,这里海内礁石较多,海船必须避开。汪大渊谈到昆仑洋即今越南南部昆仑岛(Poulo Condore)附近海域时说:"舶泛西洋者,必掠(经过)之。顺风七昼夜可渡。谚云:上(北)有七洲,下(南)有昆仑。针迷舵失,人船孰存。"①看来,在海南岛及越南北部附近海域有不少险礁,船行这里必须掌握正确针位,如"针迷舵失",就有人船难存之险。

三、明代郑和航海针路图和清代的旱罗盘

明清时继续以指南针为导航仪器并出现更多的海图。明初成祖永乐元年(1403)起,郑和(1371~1435)为总兵太监,率2.7万人的庞大船队七下西洋,完成了世界航海史上的壮举,最后一次是宣宗宣德六年至八年(1431~1433)进行的,从南京出发远抵东非洲肯尼亚(图239)。航海家郑和每次远航都随带海图,载有沿途针路、航程和地理等内容。茅元仪(约1570~1637)《武备志》(1621)卷二四〇收入《自宝船厂开船,从龙江关出水,直抵外国诸番图》,简称《郑和航海图》,是宣德五年(1430)第七次下西洋时使用的。其绘法当是继承元代的《海道指南图》,但有新的发展和创新。原件为卷轴装,作为档案存于内府,茅元仪将其变为书页形式,共24页,其中海图20页,过洋牵星图2页,茅氏序1页,另页空白。此海图完整,是中国古代海图的代表作。向达(1900~1966)先生从《武备志》中将此图抽出,加校注后以单行本出版,颇便学者。

《郑和航海图》按从右向左的顺序一字排开。从南京到今印度尼西亚苏门答腊(Sumatera)岛之间的航程以针位标示,不用星定向。从龙涎屿(Bras Is.,苏门答腊西北)以西至锡兰山(今斯里兰卡,Sri Lanka),再由此向西北,或横渡印度洋到阿拉伯半岛和东北非,这段航路是针位辅之以星位。从江苏太仓到忽鲁谟斯(Hormúz,今伊朗霍尔木兹),载针位56个;从忽鲁谟斯返太仓,有53个针位。图上除列出所经地名,标出行船针位外,还绘出沿海山川、港湾、城市和岛礁沙滩等,有些地方还有庙宇、宝塔、桥梁等作陆上标导物。收录地名五百多,其中外国地名占3/5。从此图中可以了解古代中国远洋海船上的舟师利用此海图导航的许多细节。试举从苏门答腊到斯里兰卡一段航程为例,图中写道:

（自）苏门答腊开船,用乾戌针,(行)十二更,船平龙涎屿。龙涎屿开船时月,用辛戌针,十更,船见翠兰屿。用丹辛针,三十更,船用辛酉针,五十更,船见锡兰山②。

---

① 汪大渊[元].岛夷志略(1349),昆仑条.苏继庼校注本.北京:中华书局,1981.218
② 郑和航海图(1430).向达校注本.北京:中华书局,1961.53~54;又见:茅元仪[明].武备志(1621),卷二四〇,占度载·航海.景印本,第10册.沈阳:辽沈书社,1989.10 418~10 422

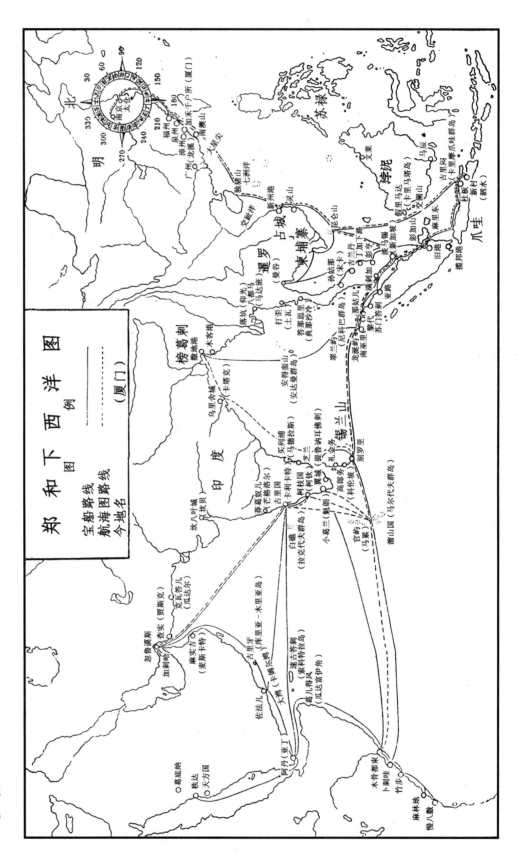

图 239
明宣德五年(1430)郑和下西洋航海路线图,引自向达(1961)

上文中的"乾戌针",指 W.52.5°N.(西偏北 52.5°),或 W.W.N.307.5°。"丹辛针"指罗盘上的正辛方位或 W.15°N(西偏北 15°)或 W.N.285°。"更"本指夜间计时单位,1 更相当 2 小时,此处指 1 更(2 小时)时间内船的航程。明人黄省曾(1490~1540)《西洋朝贡典录》(约 1520)卷上云:"海行之法,六十里为一更,以托(绳砣)避礁浅,以针位取海道。"①则 1 更 = 60 里 = 33.6 km。(明制,1 里=0.56 km。)"船平龙涎屿"意为船从龙涎屿旁行过。"辛酉针"为 W.15°N(西偏北 15°)或 W.N.285°方位。翠兰屿(Great Nicobar)为印度洋东北的尼科巴群岛之主岛。在做了上述解说后,《郑和航海图》上述那段话的意思是:

（郑和）船队于宣德六年八月十八日(1431 年 9 月 12 日)到达苏门答腊②,十月十日(11 月 2 日)开船（参见图 239),用西偏北 52.5°针路航行 403.2 km,从苏门答腊西北、印度洋上的布拉斯岛旁边驶过。再用西偏北 22.5°针位行进 336 km,1431 年 11 月 14 日便看到印度洋东北的尼科巴岛。从这里再将针路调到西偏北 15°,船行 1 008 km,然后再按北偏西 15°(W.N. 277.5°)针路前进 1 680 km,于 1431 年 11 月 28 日船队到达斯里兰卡岛。

从这里我们看到,郑和船队从 1431 年 9 月 12 日到达印度尼西亚的苏门答腊岛后,在岛上停留 50 天。11 月 2 日开船向西北方向前进,中间不断调整航向与航路,经布拉斯岛、尼科巴群岛到斯里兰卡,实现横渡印度洋。这段航程总共航行 3 427.2 km 或 6 120 里,费时 27 昼夜,平均日行 127 km(227 里)。为保证安全而准确地在大洋中按预定路线航行,到达预定目标,舟师要随时观看航海图,按指南针找到图上所标针位,再由舵手调整航向,帆工则根据风向张拉船帆,更夫则通过日晷、漏壶和更香等计时工具计算航程。航道是弯曲的,需随时变换针路和转舵。发现航路偏离,要及时纠正。他们都昼夜坚守岗位,协调工作,不能疏忽。

1405~1433 年巩珍(1376~1440 在世)作为郑和随军人员随船队下西洋,在其《西洋番国志》(1434)自序中说:

往还三年,经济大海,绵邈弥茫,水天连接,四望迥然,绝无纤翳之隐蔽(一望无边)。惟观日月升坠,以辨西东。星斗高低,度量远近,皆斫(shuó,削)木为盘,书刻干支之字,浮针于水,指向行舟。经月累旬,昼夜不止。海中之山屿形状非一,但见于前,或在左右,转向而往。要在更数起止,记算无差,必达其所。始则预行福建、广浙,选取驾船民梢中有经惯下海者称为火长,用作船师。乃以针经、图式付与领执,专一料理。事大责重,岂容怠忽。③

---

① 黄省曾[明].西洋朝贡典录(约 1520),卷上,占城国第一.谢方校注本.北京:中华书局,1987.1
② 关于船队航行日程,见:朱偰.郑和传.北京:三联书店,1956.64
③ 巩珍[明].西洋番国志(1434),自序.向达校注本.北京:中华书局,1961.11

从这段叙述中可以知道，郑和船队中使用的指南针，是有二十四方位的水浮式航海罗盘。针师是从福建、广东和浙江沿海省份中挑选的有下海经验的人担任，发给他们有关的针经、图式作为工作依据。"图式"应是《武备志》所收《自宝船厂开始，从龙江关出水，直抵外国诸番图》之类，而"针经"则是《海道针经》之类。英国牛津大学图书馆藏有两种海道针经《顺风相送》及《指南正法》，向达校注后，1961年由中华书局出版。其中介绍中国远洋航海技术的各个方面，除指南针外，还介绍牵星术、海洋气象、海水测量等知识。明代针经、针图有关内容还可见于张燮(1574~1640)的《东西洋考》(1618)中，主要集中于该书卷九《舟师考》，反映明代后期海外交通情况。

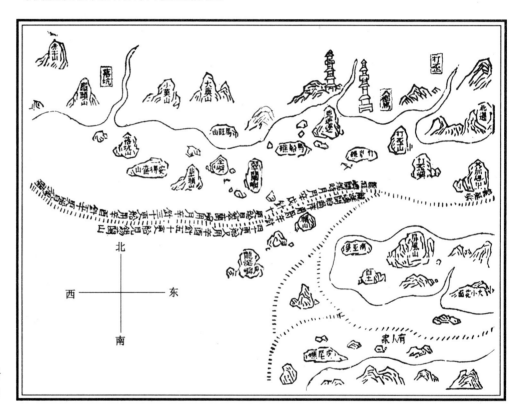

图 240
郑和下西洋航海针路图，取自《武备志》(1621)

如前所述，以枢轴(pivot)将磁针支承在刻度盘上的旱罗盘，是在宋代发明和应用的，但宋元航海船上的针师却偏爱湿罗盘，旱罗盘未能大力发展，明代也仍如此。这只是个习惯问题，而习惯成自然。另一方面，旱罗盘的枢轴支承结构还有待完善。但中国指南针西传后，旱罗盘在欧洲得到大力发展，又反传回中国。旱罗盘少小离家老大归，明清时，国人加以制造。清初以后，旱罗盘用于航海。康熙五十八年(1719)徐葆光(1682~1725在世)奉旨出使琉球，为记载此行，他写成《中山传信录》(1720)一卷，书中谈到其所乘"封舟"(官船)和船上所用的旱罗盘。另一位进士出身的清代官员周煌(约1707~1784)于乾隆二十二年(1757)出使琉球，著有《琉球国志略》(1757)，也有类似记载。书中所绘中国使节的封舟上，有"针房"(Compass room)，即针师工作的地方

(图241),位于船尾舵手室附近。二书还谈到以玻璃沙漏记录航行更数,而海航针路与明代相同。

图 241
清代远洋航船"封舟",船尾有"针房",载《中山传信录》(1720)

第八章　中国造纸术的外传

第一节　造纸术在朝鲜和日本的传播

一、造纸在朝鲜半岛的起源和早期发展

朝鲜半岛与中国毗连，历代政权与中国有密切往来和经济文化交流。在其印刷术发展之前，首先从中国引进造纸技术。公元前3世纪，半岛北部为箕氏古朝鲜，南部则有由韩民族建立的"三韩"，即马韩、辰韩与弁(biàn)韩，以马韩为最大。公元前206年汉高祖刘邦统一中国后，封卢绾为燕王，其辖地与半岛北部的箕氏朝鲜交界。卢绾叛汉后，燕国大乱，其部将卫满于公元前195年率部来朝鲜，朝鲜王箕准允许他率众居半岛东部。次年(前194)卫满代箕准称王，建卫氏朝鲜(前194～前108)，都于王险城(今平壤)。汉武帝(前140～前87)即位后，卫氏朝鲜阻止附近部族与汉联系，武帝于元封三年(前108)发水陆军灭之，于其地置乐浪、临屯、玄菟及真番四郡进行直接统治①。昭帝始元五年(前82)将四郡并为乐浪及玄菟二郡。

在半岛置郡县期间，有大批汉代的官员、学者、工匠和农民来此定居，带来了汉文、儒学、宗教等汉文化和科学技术。《汉书·地理志》载，乐浪郡(今平壤地区)25县40万人中，汉人占多数，行政及文化设施如同中国内地，境内通行汉语。20世纪以来境内出土许多丝绢、铜铁器及漆器等，均来自中国内地，有远自四川者。汉西北各遗址近年多次出土西汉麻纸，则汉属乐浪一带当时也可能用上来自中国内地的纸。

西汉之际(1世纪)中国多事，又有大批汉人进入半岛北部的乐浪。此时半岛南部的三韩处于衰落时期，境内出现的新兴封建势力建立起3个封建政权。辰韩境内朴赫居世建新罗(公元前57～公元935)，定都金城(今庆尚北道庆州)，位于东南。马韩境内温祚王建百济(公元前18～公元660)，都于汉山(京畿道广州)，位于半岛西南。南端的弁韩由百济和新罗平分。与百济王同一种族的朱蒙在北方广大土地上建高句(gōu)丽(公元前37～公元668)，后逐步南下，取原汉玄菟、真番及临屯三郡，而与百济、新罗对峙，从此进入三国时代(公元前57～公

---

① 班固[汉].汉书(83)，卷九十五，朝鲜传；卷廿八下，地理志.二十五史缩印本，第1册.上海：上海古籍出版社，1986.358，156

元668)。汉灵帝(168～188)时,辽东太守公孙度割据辽东、乐浪,其子公孙康嗣位(207)后,又于乐浪郡南置带方郡。汉晋时期(25～316)半岛除这二郡由汉人治理外,其余地区皆由朝鲜族建立的三国拥有,其中高句丽势力最强。

乐浪郡为卫氏朝鲜旧地,境内多汉人,因此这里自中国晋代(4世纪～5世纪)就已造纸,主要生产麻纸。从事这项生产的是从中国北方移居来的汉人工匠。高句丽与辽东及乐浪接壤,中国北方文化和技术从大陆传到这里非常容易,因而高句丽造纸时间约与乐浪同时。1965年前后,朝鲜社会科学院历史所考古人员在平壤市附近古墓中发现一枚麻纸,黄色,纸质粗厚①。但未见有关该纸出土情况的发掘简报,1966年朝鲜社会科学院历史所集体执笔的《朝鲜文化史》中,只对纸的形制作简短描述,没有具体谈到其制造年代。

1996年韩国作者具体谈到上述出土古纸的年代。据说1963～1965年间平壤市贞柏洞二号古墓发掘中,发现有"夫租长印"、"高常贤印"的印章,遂将此墓定为高常贤墓。墓内器物中还有"永始三年十二月郑广作"之字样,按此为西汉成帝(前32～前7)之年号,相当公元前14年,则此墓出土之麻纸亦当为西汉故物也,由中国内地运至乐浪。但韩国作者认为该纸"有很大可能在当时高句丽境内小河边作的",并由此将朝鲜半岛造纸起始时间上推至公元前1世纪②。此说恐值得商榷。

查《汉书》卷廿八下《地理志》,明确记载乐浪郡由武帝元封三年(前108)所设,归西汉幽州刺史部管辖。境内62 812户,406 748人,设25县,包括朝鲜、浿水、带方、蚕台、华丽、遂成、昭明、前莫及夫租等县③。再查《汉书》卷十九上《百官公卿表》,内载掌治万户以上县之官员称为县令,秩千石至六百石。掌治万户以下县之官员称为县长,秩五百石至三百石④。根据以上记载可以断定,平壤附近发掘的古墓墓主高常贤为西汉末乐浪郡夫租县的县长,"夫租长印"即表示这位汉人的身份。乐浪郡当时直接由西汉统治,因此这枚公元前1世纪的麻纸应来自中国内地。我们前述半岛置郡县期间,乐浪一带可能用上来自中国内地的纸,在这里得到证明。乐浪郡当时不在高句丽境内,因此说此纸造于高句丽境内小河边,是缺乏根据的。不能把半岛用纸时间与造纸时间等同起来。

半岛三国中与中国交界的高句丽,于372年设国家教育机构,名曰太学。百济和新罗虽不与中国陆上相连,但与中国海上往来频繁,且境内有许多汉人。百济与新罗也设立太学或国学,由经学博士(多是当地汉人)向贵族子弟讲授儒家经典,《五经》、《三史》成为读书人的必读书物。朝鲜族学者也以汉文著述,《三国

---

① 朝鲜社會科學院歷史所.朝鲜文化史,卷1.平壤:外文出版社,1966.50
② 曹亨均[韓].韓國造紙技術史的回顧與前瞻(朝文).韓國文化(漢城),1996(12);關于韓國本土技術國際化之研究(朝文).漢城:韓國科技財團,1996.24
③ 班固[汉].汉书(83),卷廿八下,地理志.二十五史缩印本,第1册.上海:上海古籍出版社,1986.156
④ 班固[汉].汉书(83),卷十九上,百官公卿表.二十五史缩印本,第1册.上海:上海古籍出版社,1986.75

史记》(1145)载高句丽初期就有百卷本本国史《留记》,600年由太学博士李文真删订成《新集》五卷①。百济近肖王(346～375)时,汉人博士高兴写成百济史《书记》。545年居染夫等撰成新罗国史。三国时代初期除儒学、道教外,佛教也从中国传入半岛。文教事业的发展刺激了造纸业的建立。高句丽在4～5世纪已就地造纸,已如前述。百济与新罗造纸可能晚于高句丽,但也不会晚于5世纪。新罗首府金城(今韩国庆州)一向以造纸闻名,据日本深田安吉1920年对朝鲜纸史的调查报告称,新罗纳祇王四年(420)时造纸已相当兴盛,新罗古墓发掘时发现在髹漆棺木涂层下使用了纸。②

隋唐(6世纪～9世纪)时,朝鲜半岛与中国交往比以往更为频密,这时中国兴起的楮皮纸与麻纸并行发展,楮纸因纤维细长,能造成佳纸,且价格也不高,被文人所喜爱,誉为国纸。楮皮纸在中国起于东汉(105)蔡伦时代,经魏晋南北朝至隋唐时大为普及,这种情况势必对朝鲜半岛造纸产生影响。但半岛三国之间的争雄至6～7世纪趋于激烈,地处东南的新罗受高句丽和百济夹攻,于是向唐帝国求救。唐高宗发水陆军与新罗军队在显庆五年(660)先灭百济,总章元年(668)再灭高句丽,唐于其境内置安东都护府,驻军镇守平壤,高句丽故地由唐代官员与当地人参治,其余地区由新罗统治。至此结束了三国时代,由亲唐的新罗统一半岛。

统一后的新罗朝(668～935)全面吸收唐文化,派一批又一批留学生和留学僧来唐求学。新罗统治者提倡儒学和汉文学,682年重建国学,788年推行科举制度,出现不少文人。新罗又从唐引入佛教律宗、华严宗、法相宗、净土宗、天台宗、禅宗和密宗典籍,仿唐式风格修建寺院、佛塔。此时麻纸和楮皮纸在半岛南方发展较快,不能不说是唐代影响的结果。新罗朝与唐安东都护府陆上相连,中国北方造楮纸技术很容易传到这里。

现存新罗有关楮纸制造的最早记载,是汉城湖岩美术馆所藏天宝十四年(755)写本《大方广佛华严经》。此写本共10卷,白纸墨书,被列为韩国第196号国宝。卷十末尾有下列题记:

> 天宝十三载甲午八月一日(754年8月23日)初,乙未载二月十四日(755年3月30日)一部周了成内之。……经成内法者,楮根中香水散尔生长。令内弥后中若楮皮,脱那脱皮,练那纸作泊尔。……纸作人仇叱珍兮县黄珍知奈麻……③

上述题记用新罗朝制定的"吏读文"写的,即以汉文与朝鲜语汉字注音混合

---

① 金富軾[高麗].三國史記(1145),新羅本紀.嬰陽王十一年(600)條.漢城:朝鮮史學會,1941
② 關義城.手漉紙史の研究.東京:木耳社,1976.372
③ 文明太[韓].新羅華嚴經과ユ變相圖의研究(Ⅰ).韓國學報(漢城),1979(14):81;朴相國編.韓國書文化特別展.朝文版.漢城:大韓出版文化協會,1993.20～21

而成的文字,类似日本奈良朝的"万叶假名"体文字。现在读起来很困难。"一部周了成内之"意为"写成一部"。"经成内法者"意为"写经纸制法"。"叱叱珍兮县"为今全罗南道长城郡的珍面原,是制纸者的籍贯。"黄珍知奈麻"是造纸者姓名,黄当是其姓。我们将上述那段引文译成现代汉语如下:

> 从天宝十三年八月一日(754年8月23日)开始,至十四年二月十四日(755年3月30日)写完一部《华严经》(卷一～一〇)……写经纸制法是,将香水撒在楮树根部。待树长成后砍下,剥出楮皮,加工制成白纸……造纸人为长城郡珍面的黄珍知奈麻。

新罗使用唐帝国年号,此处用唐玄宗天宝纪年,相当新罗景德王十三至十四年。公元754年新罗种造楮纸之法,是完全按唐人方法行事的。在这以前半个世纪,中国华严宗祖师、唐武周时期的高僧法藏(643～712)《华严经传记》(702)卷五写道:

> 定州中山禅师释修德……守道山林,依《华严经》及《起信论》安心结业,摄念修禅。于永徽四年(653)蹄成方广,因发大心,至精钞写。故别于净院种楮树凡历三年,兼之花、药,**灌以香水,洁净造纸**。复别筑净台,于上起居。召善书人妫州王恭,别院斋戒洗浴、净衣,(敬写《华严经》)。①

中国定州禅师修德653年在新罗人以前一百多年已用同法种楮树、造楮纸,写《华严经》了。法藏谈到唐初天水人释德元事迹时写道:

> 少出家,常以《华严》为业……遂修一净园,种诸榖楮,并种香花、杂草,洗濯入园,溉灌香水。楮生三载,馥气氤氲……剥楮取衣(皮),浸以沉(香)水,护净造纸,毕岁方成……②

二、高丽朝和朝鲜朝的造纸

半岛三国时代是按中国北方造纸技术生产纸的,因而其纸具有中国北方纸的特点,纸质厚重,帘条纹较粗。9世纪以后,新罗朝开始衰落,封建领主王建(877～943)登上政治舞台,918年建立高丽王朝,定都开京(今开城),史称王氏高丽(918～1392),935年灭新罗。高丽成为统一半岛的新的封建王朝。高丽国王以佛教为国教,同时又倡导儒学,推行科举制度,特别与宋交往密切。其造纸在前代基础上进一步发展,尤其皮纸产量与质量有很大提高。《宋史》卷四八七

---

①② 法藏[唐].华严经传记(702),卷五,书写第九.见:高楠顺次郎主编.大正新修大藏经,第51册.東京:大正一切经刊行會,1926.170～171

《高丽传》谈到特产时列举白硾纸,也是楮纸。据北宋出使高丽的徐兢(1091～1153)所述,"纸不全用楮,间以藤造,槌捣皆滑腻,高下不等"①。看来高丽纸原料除麻、楮、桑皮外,还有藤皮。藤纸在唐代盛行,后因对藤林砍伐无度,宋以后减产,现又在高丽重获生机。

高丽纸除白纸外,还有金黄纸、金粉纸、鹅青纸等,作为贡纸流入中国,宋士大夫常用作馈送亲友的礼物。如宋进士韩驹(约 1086～1135)在《谢钱珣仲惠高丽墨》诗中说"王卿赠我三韩纸,白若截脂光照几"②。三韩纸就是高丽纸。另一宋进士陈槱(1161～1240 在世)《负暄野录》(约 1210)卷下论纸品种时说"高丽纸类蜀中冷金(纸),缜实而莹"③,可能指金粉纸,即洒以金粉的加工纸,用于写字或作扇面等。陈槱还说"高丽岁贡蛮纸,书卷多用为衬",宋人用作书籍衬纸,因其坚实、厚重,像四川蛮笺那样。高丽鹅青纸是用靛蓝染成蓝色的柔性皮纸。书法家黄庭坚(1045～1105)及金章宗完颜璟(1168～1208)很喜欢以此纸挥毫,金章宗以金粉写类似宋徽宗体的瘦金书。高丽暉卷纸虽表面粗糙,但坚牢耐用。

宋人苏轼(1036～1101)和邓椿等人还喜欢高丽纸扇,因其便于使用,以琴光竹为骨,扇面纸染成青、绿色,再画上花鸟、水禽和人物等,是优美的民间工艺美术品④。中国人喜欢高丽纸、墨和扇等,所以其使臣来访时便以这些东西送给中国朝野。宋人张世南(1190～1260 在世)《游宦纪闻》(1233)卷六称,"世南家尝藏高丽国使人状数幅",乃宣和六年(1124)九月使臣李资德及副使金富辙来宋时用汉文四六文体所书。所携礼物有大纸八十幅、黄毛笔二十管、松烟墨二十挺、折叠纸扇二支及螺钿砚匣一副⑤。10～11 世纪高丽从北宋引进木版印刷技术以后,楮纸还大量用于佛经和世俗著作的印刷方面。高丽现存最早印本是 1007 年总持寺印《宝箧印陀罗尼经》。高丽刻本与宋本一样,均称善本,受到中国文人的重视。英宗至治三年(1323)还遣使臣赴高丽购买印佛经用纸。

继高丽朝之后,是大将军李成桂(1335～1408)建立的李朝(1392～1910),改国号为朝鲜,此时造纸技术获得总结性发展。李朝与中国明、清同时,继续保持与中国的友好关系和文化、技术交流。过去中国将李朝纸也称"高丽纸",是不确切的,应称为朝鲜纸。明人沈德符(1578～1642)谈到朝鲜纸时说:"今中外所用纸,推高丽笺(朝鲜纸)为第一,厚逾五铢钱,白如截脂玉。每番揭之为两,俱可供用。以此又名镜面笺,毫颖所至,锋不可留,行、草、真(书)可贵尚,独稍不宜于

---

① 徐兢[宋].宣和奉使高丽图经(1124),卷廿二.见:笔记小说大观,第 9 册.扬州:广陵古籍刻印社,1984.293
② 韩驹[宋].陵阳诗钞(约 1130).见:宋诗钞·初集.上海:商务印书馆景康熙年本,1914
③ 陈槱[宋].负暄野录(约 1210),卷下.丛书集成 1552 册.上海:商务印书馆,1960.11
④ 宿白.五代宋辽金元时代的中、朝友好关系.见:五千年来的中朝友好关系.北京:三联书店,1951.68
⑤ 张世南[宋].游宦纪闻(1237),卷六.见:笔记小说大观,第 7 册.扬州:广陵古籍刻印社,1984.365

画,而董元宰酷爱之。盖用黄子久泼墨居多,不甚渲染故也。"①

沈德符这段话可谓行家之言,但说朝鲜纸为"中外第一",则有些夸张,因与明代宣德纸比仍稍逊一筹。北京故宫博物院库存朝鲜贡纸,经笔者检视确有不少厚重色白的楮纸,可揭成两张,可写各种书体。沈氏所说董元宰,指明代大书画家董其昌(1555~1636),而黄子久乃元代书画家黄公望(1260~1354)。曾任太常寺卿及南京礼部尚书的董其昌,确实喜用朝鲜镜面笺写字,如《石渠宝笈》(1754)卷二载董其昌行书杂书一册计28幅,俱用朝鲜镜光纸。故宫博物院藏董氏《关山雪霁图》画卷,本幅即为朝鲜镜面纸。经笔者检验为桑皮纸,白色,粗横帘纹,纸较厚,纸面纸须较多。故沈德符说"独稍不宜于画",指工笔设色或白描。如用黄公望泼墨法画山水,还是最好用中国纸。

有人说朝鲜纸"以绵茧造成"②,或属误传。清圣祖玄烨(1654~1722)指出:"世传朝鲜国纸为蚕茧所作,不知即楮皮也……朕询之使臣,知彼国人取楮树,去外皮之粗者,用其中白皮,捣煮造为纸,乃绵密滑腻,有如蚕茧,而世人遂误耶。"③这一论述是正确的,还用了"朝鲜纸"的准确术语。李朝学者李圭景(1788~约1862)也指出,朝鲜以楮皮造纸,所谓"茧纸"者,乃因楮纸坚厚、润滑如茧而得名。中国亦以楮造纸,不只朝鲜也。有时中国纸软薄鲜洁,没有朝鲜纸厚,可能用别的原料。"若以纸品之近于我者,倭纸(日本纸)稍如我纸,而似用楮榖也。"④

根据我们对朝鲜国纸大批标本的检验,其特点是:(1)厚度为0.25 mm~0.50 mm,比宋元、明清纸一般厚两倍,确是"厚逾五铢钱"。(2)多为楮皮纸,亦有桑皮纸,本色纸均白色。(3)纤维较长,粗看显得粗放,但坚韧,抗潮性不强。(4)帘条纹粗,约2mm,编织纹间距较大且规则排列。这些特点是从半岛三国时代经高丽朝以来逐步形成的,与自然资源条件有关,有魏晋南北朝中国北方麻纸之遗风,结合半岛具体环境特点而形成。

朝鲜纸技术虽沿用中国模式,但对原料加工略不同于明清。朝鲜人将皮料逐根剥去青表皮,蒸煮后以木槌舂捣,并不将纤维捣得很细。用较长纤维制浆,再以粗帘纹纸模抄纸,只能得厚纸。朝鲜人还有意在纸浆中加少量白色纤维束,作装饰性填料。看惯本国纸的中国人对朝鲜纸有新鲜之感,又因其敦厚坚实,故而喜欢。其实这种纸中国古已有之,只是宋以后较少生产。从朝鲜纸上可看到魏晋北方麻纸和唐代北方楮纸之遗迹,结合半岛情况,最后形成自己风格,日本和纸与此类似。实际上都是中国造纸技术传到这两国后技术变异的产物。

朝鲜朝早期统治者为发展本国经济和文教,对造纸、印刷特别重视。永乐十年、李太宗十二年(1412)十二月己酉于京师(今汉城)设官营造纸所,集各地名工

---

① 沈德符[明].飞凫语略(约1600).丛书集成本,第1559册.上海:商务印书馆,1937
② 屠隆[明].考槃馀事(约1600)卷二.丛书集成本,第1559册.上海:商务印书馆,1937.37
③ 玄烨[清].康熙几暇格物编,卷上之下,朝鲜纸.盛昱[清]手写体石印本,1889.7
④ 李圭景[朝鲜].五洲衍文長箋散稿(約1862),卷十九.紙品辨證說.寫本影印本上冊.漢城:明文堂,1982.563~564

来此造纸。《李朝实录·太宗实录》卷廿四载,同年七月壬辰明初中国辽东人申得财新进中国造纸之法,王命传习,且对申得财予以赏赐。说明在明永乐年间朝鲜仍吸收中国造纸技术,申得财新进之法我们认为是辽东造麻纸之法,因半岛自楮纸发展后,较少生产麻纸。世宗(1419~1450)时,再将造纸所扩建为造纸署,拥有大量工匠,由王廷官员监造印刷及公文用纸。同时各道(相当中国的省)、府、州、县、郡也有官营及私营纸场。

李世宗像明成祖那样是有作为的统治者,在位时国势兴盛,文教繁荣。《世宗实录》卷一四九、一五一及一五三《土宜之项》记载了世宗时各种纸的名目及产地。如庆尚道产表纸、捣练纸、眼纸、白奏纸、常奏纸、状纸、油芚纸等,产地有大丘、庆山、东莱、昌宁等地。全罗道产表笺纸、咨文纸、奏本纸、甲衣纸、皮封纸、状纸、书契纸等,由全州、锦山等地生产①。产纸区遍及全国各地,盛极一时,但成宗(1469~1493)以后一度失势。此时学者成俔(1439~1504)写道:"世宗设造纸署,监造表笺、咨文纸,又造印书诸色纸。其品不一,有藁精纸、柳叶纸、柳木纸、薏苡纸、麻骨纸、纯倭纸,皆极其精,刷印书籍亦好。今(成宗时)则只有藁精、柳木两色纸而已。咨文、表笺之类亦不类昔之精也。"②

成俔所说藁精纸,当是麦秆纸,其制造技术引自中国,因10世纪已在北宋生产。柳叶纸与竹叶纸应是一类,即染成浅绿色的楮皮纸。柳木纸可能以杨柳科蒲柳的枝条韧皮纤维所造。麻骨纸为麻纸,而薏苡纸系由禾木科薏苡(*Coix lachryma-jobi*)茎枝所造的草纸。可见朝鲜为广开原料来源,以麦秆造纸,主要用于裱褙,以节省楮皮。李晬光(1563~1628)《芝峰类说》(1614)卷十九谈到,他万历十八年(1590)出使北京时,见中国礼部侍郎韩世能(1528~1598)喜欢竹叶纸。明人宋濂(1310~1380)修《元史》(1370)以朝鲜翠纸为书皮,也可能是这种纸。

朝鲜苔纸也为中国人所爱,旧称"高丽发(髮)笺。"李圭景写道:"成庙三十七年辛丑,兵曹判书金安国进苔纸五束,曰:臣见古书,有水苔为纸之语。臣试造之,其法以苔和楮,苔少则加楮,苔老则减楮。若通行诸道,则必有益也。从之,命下四束于纸署,依法浮造。"③此处所述朝鲜造苔纸之年份可能有误。因金安国(1478~1543)号慕斋,1501年进士,为中宗(1506~1544)时名臣,中宗三十六年辛丑(1541)为兵曹判书(相当明兵部尚书),而成宗只在位25年(1470~1494),则金安国因阅中国古书后试制苔纸,应在中宗三十六年辛丑(1541)。中宗依议,令造纸署仿制,遂流行半岛,且向中国出口。苔纸始造于中国晋代(3世纪),以海苔、石发(髮)及发(髮)菜掺入纸浆,抄纸后增加美观。明成化十一年、朝鲜成宗六年(1475),还在使团中带纸匠朴化曾在辽东学得用生麻、桑皮造纸之

---

① 關義城. 手漉紙史の研究. 東京:木耳社,1976.513~514
② 成俔[朝鮮]. 慵齋叢話(約1495),卷十. 見:大東野乘,第1冊. 漢城:朝鮮古書刊行會,1909
③ 李圭景[朝鮮]. 五洲衍文長箋散稿(約1862),卷十九,紙品辨證説,寫本影印本上冊. 漢城:明文堂,1982.564

法,及在纸浆中加植物黏液之法。

三、造纸在日本的起源和早期发展

日本与中国只有一海之隔,自汉代中国发明纸后,两国就有直接往来和文化交流。"日本"一词始见于《旧唐书》(945),汉魏史籍通称其为"倭国"。"倭"又写作"委",本义是纡曲遥远,倭国指距汉首都较远的海中之国。汉代在朝鲜半岛置郡县期间,日本仍处于原始社会,仍以渔业为主,但已有了农业,尤其距汉统治区最近的北九州从中国引进了水稻种植、养蚕织丝、种麻织布和铜铁冶炼、烧制陶器和酿酒为主的农业和手工业,社会生产力迅速发展,原始社会逐步瓦解,公元前1世纪出现一些部落国家。《汉书·地理志》称:"乐浪海中有倭人,分为百余国,以岁时(一年四季)来献见。"这些部落国家为求发展,通过朝鲜半岛上的乐浪、带方郡县与汉、魏交往,日本各地古坟出土的汉魏文物就是历史见证。日本列岛的许多部落国家经过兼并,至魏时减至30国,最后剩下北九州的邪马台国和近畿的大和国等少数国家。4～5世纪邪马台国衰落,大和国迅速兴起,经一系列征战,基本上于5世纪完成了统一列岛的事业。大和国统治者誉田(Homuta)成为世袭大王,此即后来史书上所谓的应神天皇。

大和国(2世纪～6世纪)统治者对外与中国六朝交往,与朝鲜半岛上的百济建立密切关系。对内则加强政权、经济和文化建设,为此急需各种人才参与这些活动。同中国相比,当时日本在各方面都是很落后的,甚至连文字都没有。当誉田大王即应神得知朝鲜半岛居住很多有技能的汉人时,就想招募到日本为大和朝廷所用。另一方面,中国自东晋-十六国(4世纪～5世纪)以后战乱频繁,朝鲜半岛上的高句丽、百济和新罗趁机收取乐浪、带方,接着半岛三国间又相互交战,境内大批汉人发现这里并非安身之所,也愿前往日本避难。据平安朝万安亲王(788～830)《新撰姓氏录》(814)《左京诸蕃》条载,应神十四年(403)秦始皇十三世孙弓月君率127县(实为27县)百姓从朝鲜半岛来日本,献金银、玉帛。奈良朝舍人亲王(676～735)《日本书纪》(720)卷十载,应神二十年(408)汉灵帝曾孙阿知使主率17县民从朝鲜半岛前来日本。奈良朝史家太安万吕(约664～724)《古事记》(712)卷之中载,应神对百济国王说,"若有贤人者贡上,故受命以贡上人名和迩吉师,即《论语》十卷、《千字文》一卷,并十一卷,付是人即贡进"①。此和迩吉师即《日本书纪》中所说的王仁,他及其一行人于应神十六年(405)从百济来日本,担任皇子菟稚郎子的老师。皇子"习诸典籍于王仁,莫不通达"②。

过去人们通常认为汉籍和儒学传入日本始于王仁献书。但却将他当成朝鲜

---

① 太安萬呂[奈良朝].古事記(712),中卷,應神天皇記.倉野憲司校注本.東京:岩波書店,1999.145,276
② 舍人親王[奈良朝].日本書紀(720),卷十,應神天皇紀.坂本太郎等校注本,第2册.東京:岩波書店,2000.204～206,512～513

族人,这是不正确的。据王仁及其后人追述,王仁曾祖王鸾为汉高祖刘邦之后裔,至百济后始易姓,王鸾之子王狗,为王仁之祖父,事见菅野真道(741~815)《续日本纪》(797)卷四十。我们已查得王仁(360~440在世)的事迹及世系①,他作为百济最博学的汉人,任五经博士。来日本后又成为皇子的儒学老师。他所献《论语》十卷为汉儒郑玄(127~200)注本,而《千字文》为魏人钟繇(151~230)于建安十五年(210)左右所作。这是汉籍和儒学传入日本之始,日本人使用汉字也是由他传授的,他对日本文化发展作出杰出贡献。大和朝廷根据5世纪渡来的中国人祖籍,将弓月君一批人称为秦人,而将王仁和阿知使主这两批人称为汉人,编入户籍中,从事农业和手工业生产,或在政权机构中任文职官员。《新撰姓氏录》列举京畿附近的山城(今京都)、大和(奈良)和摄津(大阪)等地氏族时称,5世纪时秦人和汉人占当地总数30%。他们凭借其先进的文化、技术背景,构成有实力的社会集团,足以影响整个社会。他们的到来构成中国科学、文化大规模输入日本的第一个高潮,具有深远的历史影响。

日本从何时始行造纸,需重新探讨。人们通常引《日本书纪》卷廿二《丰御食炊屋姬天皇纪》,认为推古天皇十八年(610)始行造纸。按这位女皇于593年即位后,由圣德太子(574~622)摄政,圣德死后才亲政。《日本书纪》卷廿二云:"十八年(610)春三月,高丽王贡上僧昙征、法定。昙征知《五经》,且能作彩色及纸、墨,并造碾硙,盖造碾硙始于是时欤。"②将日本造纸起始定在这一年,肯定为时过晚。《日本书纪》只说昙征会造颜料及纸、墨,未说日本造纸始于此人。倒是认为"碾硙始于是时欤",其实一般石磨、石碾日本早已有之,此处或指水磨。从昙征兼通儒学和技术的知识背景观之,他应是高句丽国王应日本要求遣来的汉人。他和法定属于新渡汉人。

昙征来时,值圣德太子推行新政,发展经济、文化之际,其才能得到发挥。圣德太子为发展造纸,令国内遍种楮树,造楮纸,是在昙征指导下进行的③。不能否定他的贡献,但有迹象表明在推古朝以前日本即已造纸。《日本书纪·钦明天皇纪》称,钦明元年(540)令全国编秦人、汉人等诸蕃归化人户籍。同书卷十二又称在这以前"始之于诸国置国史,记言事达四方之志"。大和朝廷编户籍,在诸国置国史,要耗用大量纸,又不能完全靠进口,需要就地造纸。

明确谈论日本造纸起始的早期作品是《枯杭集》(图242)。此书以古体日文写成,未署作者姓氏,共六卷,宽文八年(1668)出版。其卷二写道:

この国に昔时记私といふ人、すきはじめりなり。それより以前には木札

---

① 潘吉星.王仁事迹与世系考.国学研究(北京大学),2001,8:177~207
② 舍人亲王[奈良朝].日本书纪(720),卷二十二.坂本太郎等校注本,第4册.东京:岩波書店,2000.118,464
③ 關義城.手漉紙史の研究.東京:木耳社,1976.2

にかきて文をつかはすなり、それより御札と申すにこの故事也①。

译成汉文为:"本国(日本)昔时有称为记私之人者,始行造纸。此前以木札书文,故所谓御札者,即此故事也。"

此史料在日本纸史家关义城1972年《关于我国最早的抄纸师》②一文内提及,并指出,此外《有马山名所记》(1672)、《人伦训蒙图汇》(1690)、《笔宝用文章》(1746)、《大宝和汉朗咏集》(1823)及《かな(假名)古状揃》(1772~1778)等书都提到记私是日本最初造纸之人,但都未对此人作进一步介绍。关义城认为,"记私恐怕是在昙征来朝(610)以前渡来的造纸者,也许是移居日本的高丽人。我国学者今天还很少有人论及"。近十多年来,日本学者注意到此史料的重要性,频加引用,但未弄清记私为何许人也。

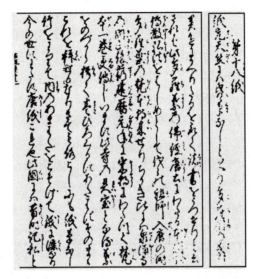

图 242
《枯杭集》(1668)有关日本早期造纸的记载

笔者在《论日本造纸及印刷之始》③④文内认为,记私日语读作キシ(Kishi),此即前引《古事记》卷之中所载百济国送往日本向天皇献《论语》及《千字文》的和迩吉师,日语读作ワニキシ(Wani Kishi),记私、吉师为同一日文キシ发音的不同汉字表音方式。实际上此人就是《日本书纪》卷十所载从百济来日本的五经博士王仁。王仁、和迩在日语中都读作ワニ(Wani),为同一人,我们已证明他是汉人,不是朝鲜族人。他作为汉高祖刘邦后裔,在百济被视为最博学的汉人,日本也视为奇才异能之士。日语中的吉师或记私是一种尊称。虽然有其他人也被称为吉师,但此处的和迩吉师只能是王仁,因为只有他献过《论语》和《千字文》,因此《枯杭集》中所说人就是王仁。

《古事记》之所以称王仁为和迩吉师,因该书用类似万叶假名的文体写成,以汉字标和音,而《日本书纪》则以汉文写之,故直呼王仁,于是出现对汉人姓名用字上的差异。就是说,据《枯杭集》等古籍记载,王仁是在日本的最初造纸者。因此日本造纸的起始时间不是7世纪初昙征渡来之时,而是5世纪初王仁、弓月君和阿知使主等大批中国人从朝鲜半岛来日本定居的时代。这种可能性极大,因为此时相当中国晋、十六国时期,中国人用纸已有六七百年历史,而朝鲜半岛造

---

① 無名氏.枯杭集,卷2,第十八.紙.寬文八年日文原刊本,1668.8
② 關義城.わが國最初の紙すき師について(1972).見:手漉紙史の研究.東京:木耳社,1976
③ 潘吉星.论日本造纸及印刷之始.传统文化与现代化(北京),1995(3):67~76
④ 潘吉星.日本における製紙と印刷の始まりについて(上).百萬塔(東京),1995(92):17~28

纸也近百年。王仁等人在百济早已习惯用纸,在日本因工作需要,就会组织从乐浪、带方来的汉人工匠造纸。王仁、阿知使主,在河内(今大阪)经营的手工业又加上造纸这一行。

关于王仁渡日年代,我们曾据有关著作①和历史年表,将应神天皇十六年标为公元 285 年②,这是错误的。问题在于,过去许多著作将应神天皇在位的时间向前误推了 120 年,换算成公元时也如此。此处已对前文所标年代做了相应改正。日本从 5 世纪自行产纸后,很快就迎来了飞鸟时代(592~710),此时圣德太子摄政(592~622),造纸业获得发展。圣德笃信佛法,兼通儒术,609~610 年以汉文著《法华经》、《维摩经》和《胜鬘经》的《三经义疏》,在国内兴建佛寺。610 年中国僧人昙征来朝后,圣德令他指导在全国遍种楮树,因而继麻纸之后,楮纸生产的推广成为飞鸟时代的新的标志。圣德推行的新政为大化革新奠定了基础。大化革新以孝德天皇(645~654)即位次年即大化二年(646)发布《政新之诏》为开端,以从中国学成归国的留学生为这一运动的骨干。诏书宣布废除贵族私有土地的部民制(农奴制),确立新土地制《班田收授法》,统一全国租税,建立中央官制,改革旧俗等。又参考唐律颁布《近江令》、《飞鸟净御朝廷令》、《大宝律令》及《养老令》,使法律及典章制度完备,日本由此进入律令制封建社会。

在实施新土地及税收制过程中,要作全国户口调查、编制户籍和土地丈量等,再加上抄录中央和地方文书、儒释经典,都要消耗大量纸,因此除中央设纸屋院外,各地方也有纸坊。现存飞鸟时代纸本文物有奈良东大寺正仓院藏美浓(今本州岐阜县)、筑前(九州福冈县)和丰前(九州大分县)大宝二十年(702)户籍残册十种。纸文物 1960~1963 年经专家检验,证明户籍纸为日本造。其中美浓户籍纸较好,可能由纸屋院分场所造,丰前纸比筑前纸好些。这些纸都是楮皮纸,完全依中国方法抄造③。现存更早的纸本文物是圣德太子的《法华经义疏》手稿(615),为黄色麻纸,产自中国④,为隋大业年(605~618)造,说明日本还进口中国纸,因中国纸薄而柔韧,为圣德太子所喜欢。

据《日本书纪·天武纪》载,天武天皇即位次年(673)下诏,集书生于川原寺写《一切经》,以超度平息"壬申之乱"(672)而阵亡的将士亡魂,并用佛教安定民心。这部汉文写本《大藏经》计 2 500 卷,用纸 38.8 万张⑤,从而构成大规模用纸高潮,估计要在川原寺附近加设造纸场。685 年,天武天皇诏令全国,家各作佛舍利,置佛像及佛经以供奉。在各藩及 545 个寺院讲读有国家思想的《金光明最胜王经》,势必再次耗用大量纸。私人写经数量也相当大,法隆寺藏《金刚场陀罗尼经》一卷即当年私人写经。此经写于朱雀元年(686),写经僧宝林居河内(大

---

① 木宫泰彦.日中文化交流史.胡锡年译.北京:商务印书馆,1980.18
② 潘吉星.日本における製紙と印刷の始まりについて(上).百萬塔(東京),1995(92):17~28
③ 壽岳文章.和紙の旅.東京:芸草堂,1973.33,68
④ 町田誠之.和紙の風土.京都:駸駸堂,1981.31~34
⑤ 久米康生.和紙の文化史.東京:木耳社,1977.31

阪)，这里是汉人聚集区，宝林当为王仁、阿知使主的后裔。此经是日本现存有年款的最早写经。

四、奈良朝以后日本的造纸

飞鸟时代最后天皇元明女皇(661～721)和铜三年(710)迁都于平城京(今奈良)，从此进入奈良朝(710～794)。奈良朝是飞鸟朝的延续，大化革新成果此时全面体现出来。由于社会安定、经济繁荣，统治者又重视文教事业，日本像西邦唐帝国一样处于太平盛世。文史巨著如汉诗《怀风藻》(752)、和歌《万叶集》、《古事记》、《风土记》(713)、《日本书纪》及《续日本纪》等都出现于此时。佛教获得大发展，同时在中央设大学寮，地方设国学，讲授儒家经典，教育事业随之兴起，这都刺激造纸业发展。

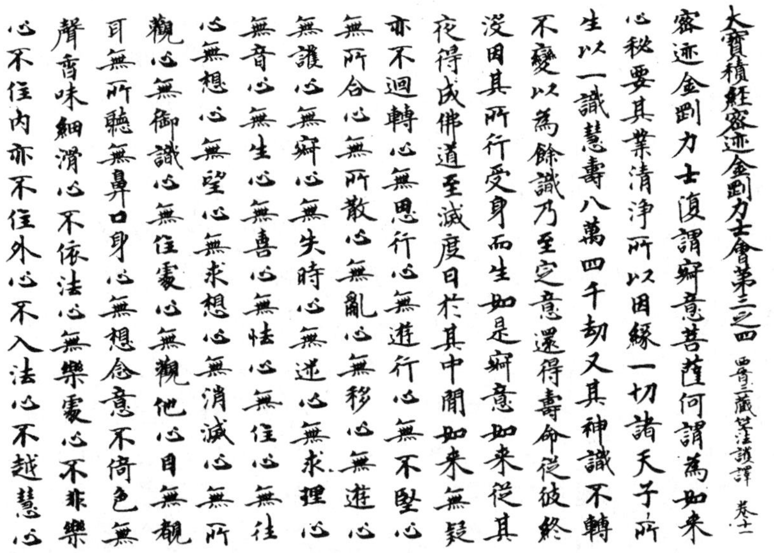
大寶積經密迹金剛力士會第三之四 西晉三藏竺法護譯 卷十一
密迹金剛力士復謂寂意菩薩何謂為如來
心秘要其業清淨所以因緣一切諸天子所
生以一識慧壽八萬四千劫又其神識不轉
不變以為餘識乃至定意還得壽命從彼終
沒因其所行受身而生如是寂意如來從其
夜得成佛道至滅度日於其中間如來無疑
亦不迴轉心無思行心無進行心無不堅心
無所合心無所散心無亂心無移心無遊心
無護心無寂心無失時心無迷心無求理心
無音心無生心無喜心無怯心無住心無往
心無想心無望心無求想心無消滅心無所
觀心無御識心無住處心無觀他心目無覩
耳無所聽無鼻口身心無想念意不倚色無
聲香味細滑心不依法心無樂處心不非樂
心不住内亦不住外心不入法心不越慧心

图 243
日本天平八年(740)麻纸写本《大宝积经》，奈良国立博物馆藏

正仓院藏727～780年纸本文物中大多是写经，如天平宝字年间(757～765)的《奉写一切经所解》中说，写佛经5 282卷，用纸10万余张、毛笔673管、墨338挺。710～772年间至少写《大藏经》21部，按最低每部以3 500卷计，则21部合73 500卷，每卷用纸150张，只此一项即用纸1 102.5万张①，可见用量之大。称德天皇764～770年发愿雕印《百万塔陀罗尼》时，耗纸11万张，开日本印刷之始。如考虑公私文书、文教及日常所需，则社会总耗纸量还要更大。正仓院文书纸经化验表明，原料为麻类、楮皮、小构皮及雁皮4种②。楮为桑科构属，《古事记》称加知(カジ)，同属的小构树又名葡蟠，生长于中日两国。雁皮(*Wikstroemia sikokiana*)为瑞香科荛花属灌木，也分布于中国，日本古称斐，所造纸叫斐纸，因纸如鸟卵，又称鸟子纸(とりのこかみ，Tori-no-kokami)。日本早期以麻

① 壽岳文章.和紙の旅.東京:芸草堂,1973.34～36
② 壽岳文章.和紙の旅.東京:芸草堂,1973.37

纸为主,8~9 世纪以后以楮纸和斐纸为主。

据奈良文书记载,向中央政府贡纸的地区有美浓、武藏(今崎玉及东京)、越前(福井)、越中(富山)、丹后(京都北)、播磨(兵库)、纪伊(和歌山)、出云(茨城)、近江(滋贺)、美作(冈山)、上野(群马)、下野(栃木)、信浓(长野)、三河(爱知)、上总(千叶)、长门(山口),以上本州。还有四国的阿波(德岛)。分布于北陆道(中部)、东海道(关东)、山阴道(今中国地方)、南海道(四国)及近畿。飞鸟和奈良朝颁布的律令对中央所属图书寮下造纸机构有明文规定。从对这些律令的注释性著作可知造纸情况,如 833 年清原夏野为注释藤原不比等(661~720)《养老律令》(716)所写的《令义解》中,可知图书寮下纸屋院的生产情况:"凡造纸,长功日截布一斤三两,舂二两,成纸百九十张。长功煮榖皮三斤五两,择一斤一两,截三斤五两,舂十三两,成纸百九十六张……凡造纸者,调布大一斤、斐皮五两,造色纸三十张。榖皮、斐皮各一斤,造上纸三十张。"

这里明确讲当时造纸原料为破麻布、楮皮及雁皮,纸幅面一般 2.1 尺×1.2 尺(66 cm×36 cm)。似乎一斤三两(0.71 kg)麻布可造 190 张麻纸,三斤五两(2 kg)楮皮造 196 张楮纸。但从技术上看,只用 0.71 kg 破布造不出 190 张纸,而切碎一斤三两布或捣碎二两麻用不到一天时间。因此,上述或许指长功(高级工)一日工作总量,不是指原料与成品间关系,倒是最后一句说一斤皮料造 30 张纸合乎实际。延喜五年(927)左大臣藤原忠平(880~947)解释律令的《延喜格式》或《延喜式》卷十五《职员令·图书寮式》,谈到该寮纸屋院每日生产能力时指出:(1)长功四、五、六、七月生产麻纸 190 张、麻皮纸 175 张、楮纸 196 张、斐纸 190 张、苦参纸 196 张;(2)中功在二、三、八、九月内日造麻纸 190 张、麻皮纸 150 张、楮纸 168 张、斐纸 148 张、苦参纸 168 张;(3)短工在十、十一、十二及一月间造麻布纸 150 张、麻皮纸 125 张、楮纸 140 张、斐纸 128 张、苦参纸 140 张。

长功、中功及短功是按技术熟练程度划分的三个等级纸工,其生产定额、抄纸季节及待遇各有不同,短工在最冷的冬季生产,待遇最低。麻布纸可能用沤麻后剥下的皮屑为原料,苦参纸由豆科苦参(*Sophora flavescens*)茎皮纤维所造,是日本新开辟的原料。正仓院藏 749 年写《华严经料纸充装潢注文》,还提到榆纸,榆树韧皮含植物黏液,因此榆纸可能指以榆皮黏液抄造的纸,或以其内皮与楮皮混合抄造的纸。《延喜式》卷十五《职员令》还指出图书寮置头一人,"掌经籍、国书、修撰国史、内典、佛像、宫内礼拜、校书、装潢功程,给纸笔墨等事。助一人,小允一人,大属一人,小属一人,写书手二十人,造纸手四人,掌造杂纸"。纸屋院设于山城(今京都)北部的纸屋川,在内廷附近的图书寮西,是大同年(806~809)设立的中央官营纸场。造纸手四人指抄纸工,还应有辅助工,总共应有几十人。《延喜式·图书寮式》还谈到纸屋院产量、所用原料和设备:

> 凡年料所造纸二万张,广二尺二寸,长一尺二寸。料纸麻小二千六百斤(一千五百六十斤榖皮、一千四百斤斐皮,并诸国所进)。藁五百围(河内国所进)、绢一疋一丈(筛四口料)、纱一疋一丈七尺(敷漉簀料)、簀十枚(漉纸料长二尺四

寸,广一尺四寸(者)八枚,漉例纸料。长二尺四寸、广一尺五寸(者)二枚,模本面背纸料)。调布五端四尺(纹纸料二端一丈,筛口料二丈,造纸手四人袍袴料二端一丈六尺)。砥一颗、锹二口、小刀六枚(四枚切麻料,各长一尺二寸,二枚切纸绮料,各长七寸)。木莲灰七六斛……其他漉纸槽四只(各长五尺二寸,深一尺六寸,底厚一寸三分)、洗麻槽、淋灰槽、臼、柜等,又干(木)板六十枚(各长一丈二尺,广一尺三寸,厚二寸五分)①。

　　对上述记载需加以解释。料纸为书写纸,麻小即麻屑,为破碎的麻布。囲是日本汉字,意思是筐,簀为抄纸器。端、疋是织物长度量词,砥是捣纸料的厚石板,干木板是晒纸板。按日本度量衡制度,1 尺 ＝ 10 寸 ＝ 100 分 ＝ 30 cm,1 丈 ＝ 10 尺 ＝ 300 cm,1 端 ＝ 20 尺,1 匹 ＝ 40 尺,1 疋 ＝ 80 尺。1 斤 ＝ 16 两 ＝ 600 g,1 两 ＝ 37.6 g。1 升 ＝ 10 合 ＝ 1.8 公升(liter),1 斗 ＝ 10 升 ＝ 18 公升,1 斛 ＝ 10 斗 ＝ 180 公升。由此换算后可知,如纸屋院纸幅为 66 cm×36 cm,每用破布 1 560 kg、楮皮 936 kg、雁皮 840 kg。蒸煮原料用稻草灰 500 筐、木莲(*Monglietia fordiana*)灰 2 880 kg。

　　抄纸器(簀)由木框架做成,长 72 cm,宽 42 cm,中间绷紧纱面,因而是固定型。纱面易堵塞,且不持久,需经常换,故一年用纱 97 尺(29.1 m)。但应指出,日本也用活动帘床抄纸,纸帘以竹条或禾本科萱(Numagaki)或沼茅(*Molinia japonica*)茎秆编成,茎秆高 60 cm～100 cm,生于山中湿处,类似中国的萱草(*Hemerocallis fulva*)和芨芨草(*Achnatherum splendens*)。抄纸槽为木制,长 156 cm,高 48 cm,底厚 3.9 cm,未讲宽度,估计为 85 cm,比中国抄纸槽浅些。湿纸经压榨去水,再放在木板上晒干,板长 360 cm,宽 39 cm,厚 7.5 cm,每板可晒 6 张纸,共用 60 块板。《延喜式》说"年造二万张",不可理解为总产量,从用破布 1 560 kg 及皮料 1 776 kg 及纸工日抄纸能力推算,纸屋院年产总量应为 20 万～30 万张。少数上等纸及加工纸交皇室及国家重要文书之用。

　　奈良时代除本色纸外,还造出染色纸和加纸 2 万张。正仓院文书所载染纸名目有七十多种,不胜枚举②。染红染料用菊科红花(*Carthamus tinctorius*),染蓝用大戟科山蓝(*Mercurialia leiocarpa*),染黄用芸香科黄檗(*Phellodendron amurense*)皮,染紫用紫草(*Lithospermum officinale*),染绿以蓝靛与禾本科青茅(*Miscanthus tinctorius*)汁相配,基本与中国所用染料相同。

　　奈良朝还造金银粉和金银箔色纸,日本称金银箔纸。正仓院藏天平胜宝四年(752)写《经纸出纳账》载有绿金银箔纸、金箔敷青褐纸、敷金绿纸、金尘绿纸、银箔敷红纸、敷金缥纸、银尘红纸等十多个品种。制这些加工纸的技术显然来自唐代。染纸时以毛刷将染液涂于纸上,再将金银粉或金银碎片撒在色纸上,经固定而工纸。前引《令义解》就提到造色纸,正仓院藏《东大寺献物账》(756)三卷,

---

① 關義城.手漉紙史の研究.東京:木耳社,1976.5
② 關義城.手漉紙史の研究.東京:木耳社,1976.297～298

其中两卷为白麻纸,一卷为绿麻纸。大宝二年(702)写《大宝赋役令》用蓝纸。和铜五年(712)写本《大般若经》标明用黄穀纸,每纸 25 cm×53 cm。天平十三年(741)圣武天皇以泥金于紫纸上写《金光明最胜王经》(27 cm×50 cm),今存高野山龙山院。天平十六年(744)圣武再以泥银于绀纸(蓝纸)上写《华严经》。而光明皇后(701～760)以红、蓝、黄三色纸写《杜家立成》一卷,每纸 27 cm×37 cm,共 19 纸。正仓院还藏完整未用的红、黄、黄褐、蓝及绿五色纸 100 张。

佛经写本多用黄纸,如宝龟三年(772)《奉写一切经所请用注文》称,"用黄纸三十万四千二百六张"。天平宝字四年(752)《奉写一切经料纸墨纳账》还说用"黄染纸一万五千张,须岐(すき)染成金银粉或金银箔色纸"。此外,还有"吹染",方法很独特,即在纸上放树叶或各种形状的"型纸",以吹雾器将染液以雾状吹在纸上,树叶或型纸遮盖处未喷上染液,则色纸上出现白色树叶或不同形状的纹样,非常美观。这种纸叫吹绘纸,正仓院藏有 30 张吹绘纸①。

奈良朝以后的日本造纸情况,此处不再叙述。日本纸一般较厚重,与中国北方纸和高丽纸类似,但也可造薄纸。中日两国纸的交流历代不断,不但从中国进口纸,称为唐纸,也向中国传入。如《新唐书·日本传》称:"建中元年(780),使者真人兴能献百物,真人盖因官而氏者也。兴能善书,其纸似茧而泽(光滑)。"日本作者牧墨仙《一宵话》(1810)卷一云:"唐玄宗(712～755)得日本纸,分赐诸亲王,乃今檀纸之类也。"檀纸为厚楮纸,又称松皮纸。唐人李濬(860～910 在世)《松窗杂录》称,唐玄宗开元二年(714)访宁王李宪(679～741)宅,玄宗以八分体隶书字写在日本国纸上②。838 年入唐的日本僧圆载,与唐诗人陆龟蒙(约 831～881)建立友谊,返国前,陆龟蒙写诗曰:"倭僧留海纸,山匠制云床。"③此纸为筑紫(今北州)产的斐纸(雁皮纸)④。宋人罗濬《宝庆四明志》(1228)卷六载日本"善造五色笺,中国所不逮也,多以写佛经"。明人方以智《通雅》(1666)卷 32 说"日本国出松皮纸",可能指檀纸或陆奥纸。

至江户时代(1603～1868),日本手漉和纸技术发展到历史上的最高峰,此时麻

图 244
《纸漉重宝记》(1798)中的抄纸图

---

① 町田誠之.和紙の風土.京都:駸駸堂,1981.145
② 李濬[唐].松窗杂录.上海:中华书局上海编辑所,1958.3～4
③ 彭定求[清]编.全唐诗(1706),下册.上海:上海古籍出版社,1986.1572～1573
④ 池田温[日].新羅、高麗時代東亞地域紙張的國際流通について.大東文化研究,1989(23):213～232

纸已被皮纸取代。18世纪出现有关造纸方面的专门技术著作，从中可见其传统制造技术，如木村青竹的《纸谱》(1777)、木崎攸轩(1712～约1791)《纸漉大观》(1784)、国东治兵卫的《纸漉重宝记》(1798)(图244)及大藏永常(1768～约1849)的《纸漉必用》等，而中国的《天工开物》(1637)也传入日本。综合各书所述，楮皮纸制造过程为：(1)砍楮条→(2)清水蒸煮→(3)剥楮皮→(4)沤制→(5)剥去外层青表皮→(6)草木灰水蒸煮→(7)水洗→(8)日晒→(9)捶纸料→(10)水洗→(11)配纸浆→(12)加黏液→(13)抄纸→(14)压榨→(15)晒纸。所经历的工序与中国相同，具体操作有不同处，各有千秋。

第二节　中国造纸术在亚非其他国家的传播

一、造纸术在越南的传播

地处东南亚的越南，与中国山水相连，也是汉字文化圈国家，自古与中国保持密切联系。从汉代以后直到北宋初的千余年间（公元前2世纪～公元10世纪），越南与中国大陆受同一封建朝廷统治，使用同样年号和汉字。1世纪时东汉陕西人锡光与河南人任延任交趾及九真太守，将大陆先进农耕技术引入越南，又发展纺织、冶铁等手工业，建立学校，讲授儒家经典，与中原往来频繁。2世纪后半叶，广西博学之官员士燮(xiè)(137～226)任交趾太守，他在40年任内(187～226)进一步发展文化教育和佛教，又收留大批汉人工匠、农民和学者前来，使境内文教兴盛，受到越南历代统治者敬重。他被奉祭于帝王庙或孔子庙，尊称为"南交学祖"①。

《汉书》卷廿八下《地理志》载越南境内交趾、九真及日南三郡人口98.1万，其中一半为来自中国的移民，境内经济、文化发展程度可与中原相埒，而且还是中国对东南亚和欧洲、非洲海上交通和贸易的中转站。越南境内造纸在士燮任交趾太守时即已开始，史载"士燮礼器宽厚，谦虚下士，中国士人往依避难者以百数。耽玩《春秋》，为之注释"。②这么多士人从事学术活动，还有学校、政府部门都需用纸，而大陆战乱之际无法供应，只好就地抄造。最初的造纸者是从汉土来此的工匠，所造之纸多为麻纸。东汉以后，越南受三国时代吴(222～280)的统治，孙权封交趾太守士燮为卫将军及龙编侯，将交趾、九真及日南合并为交州，由士燮、士一兄弟掌权。

据吴人陆玑(210～279在世)《毛诗草木鸟兽虫鱼疏》(约245)载，东汉发展的楮皮纸技术至三国时就已传到长江中下游的荆州(今湖北)、扬州和岭南的广州、越

---

① 周一良主编.中外文化交流史.郑州：河南人民出版社,1987.675
② 陈寿[晋].三国志(290),卷四十九,吴书·士燮传.二十五史缩印本.第2册.上海：上海古籍出版社,1986.144

南境内的交州①。可见越南在生产麻纸后,3 世纪前半期又生产楮皮纸。陆玑说此纸"长数丈,洁白光辉","丈"或为"尺"之误。晋人嵇含(262～306)《南方草木状》(304)卷二还称,晋帝太康五年(284)大秦国遣使来献蜜香纸三张,帝以万幅赐镇南大将军杜预(222～284)②。《晋书》(635)卷三《武帝纪》亦载太康五年林邑、大秦国各遣使来献。按蜜香树为瑞香科沉香(Aquilaria agallocha),其韧皮纤维可造纸。大秦国通指罗马帝国,林邑为越南中部的占城或占婆(Champa)。

德国汉学家夏德(Friedrich Hirth,1845～1927)《大秦国全录》(China and the Roman Orient,1885)认为,284 年叙利亚或埃及亚历山大城商人经越南来中国贸易,购买越南产品充作本国货向中国朝廷送礼③。此解释合乎情理,但主张大秦指叙利亚或埃及,恐未必如此。不管如何,3 世纪越南还产沉香皮纸。早期产纸区集中于北方,南方用纸从北方输入,或以海产品等换取中国的纸。李朝(1009～1225)以后,1070 年建文庙和国子监,兴办学校,以儒家思想教育学生,1075 年推行科举制度④。同时佛教在社会进一步发展,吴士连(1439～1499 在世)《大越史记全书》(1479)卷二《李纪》说"百姓大半为僧,国内到处皆寺"。佛教和儒学的发展每年都需耗用大量的纸,因而这时除北方外南方也有了纸场。

越南虽长期使用汉字,但汉字发音与越语发音不同,语法也有异。为便读者看懂汉文书籍,13 世纪初李朝人用汉字结构和形声、会意、假借等造字方法,创制记录越语的文字,称为字喃(Chum-nom)。字喃即南字,还用于注释汉籍,如"年"及"鸟"越语分别读作 nam 及 ac,字喃为"䄭"及"𪀄",左偏旁表音,右偏旁表义。李朝高宗时已用字喃写碑铭,14 世纪以后还用于文学创作,写出的诗称国音诗,因而留下不少写本。越南人虽易懂字喃,但因它通常由两个汉字合成,笔画较多,不能成为真正拼音文字,因此越南官方文书、重要典籍和个人著作还是使用汉文。17 世纪以后以拉丁文字母缀写越语后,字喃便逐步衰微,现已成为很难懂的死文字。

陈朝(1225～1400)是继李朝之后建立的另一封建王朝,造纸业获得进一步发展。明代人高熊征《安南志原》卷二载,明太祖洪武三年、陈朝艺宗绍庆元年(1370)遣使将越南产的纸扇送给中国皇帝作为礼物,受到喜爱。明成祖在位时(1403～1424)越南又处于明的统治之下,永乐五年(1407)以后十多年间,越南每年要向明朝廷送纸扇万把,可见其纸制品质量较高。据《越南辑略》卷一载,雍正八年(1730)清世宗赠越南书籍、缎帛和珠宝玉器,越南则回赠金龙黄纸二百张、斑石砚二方、土墨一方及玳瑁管笔百支⑤。18～19 世纪,越南竹纸发展较快,现存越版书多竹纸本。越南纸与中国纸类似,制造方法、工具

---

① 陆玑[吴].毛诗草木鸟兽虫鱼疏(约 245).丛书集成本.上海:商务印书馆,1935.29～30
② 嵇含[晋].南方草木状(304),卷二.汉魏丛书本.上海:商务印书馆,1925.6
③ Hirth F 著.朱杰勤译.大秦国全录.北京:商务印书馆,1964.119～120
④ 越南社会科学委员会编.越南历史,第一集.北京:人民出版社,1977.178～180
⑤ 陈玉龙.中国和越南、柬埔寨、老挝文化交流.见:周一良主编.中外文化交流史.郑州:河南人民出版社,1987.705

也与中国相同。

二、造纸术在南亚和东南亚国家的传播

古代和中世纪东南亚一些国家在文化上受印度佛教和阿拉伯伊斯兰教影响，也与中国有长期往来，因而也受中国文化影响。这些国家古代以树皮、皮革、木板、棕榈树叶和陶土等作为书写、纪事材料。印度在公元前3世纪用白桦树皮写字，11世纪旅印的波斯学者比鲁尼(al-Biruni，973~1048)在《印度志》(*Tarikh al-Hind*)中，提到印度用名为 *bhùrja*(白桦)的树皮磨光后写字①。伦敦、牛津等地图书馆即藏有这类桦树皮写本②。以桦树皮写字盛行于印度西北，后传到印度西部及东部。

以铁板、铜板为纪事材料不但有文献记载，还有实物出土，1780年印度孟加拉邦蒙吉尔(Mungir)出土9世纪刻有梵文的铜板③。用棕榈科本本扇椰(*Borassus flabelliforeusis*)树叶书写的宗教著作，古称贝叶经，盛行于印度、缅甸、泰国、孟加拉、巴基斯坦和斯里兰卡的古代。将树叶晒干、压平，制成长方形叶片，再以铁尖笔写在上面，字迹施以染料。再在叶片上穿一至二孔，用纸逐片穿连起来。贝叶全称贝多罗叶，梵文为 patra，意为叶子。唐代至印度求法的玄奘(602~664)《大唐西域记》(646)卷十一称："恭建那补罗国(Konkanapura)周五千余里，国大都城周三十余里……城北不远有多罗树林，周三十余里，其叶长广，其色光润，诸国书写，莫不采用。"④

柬埔寨古代以鹿皮、羊皮为书写材料，元代人周达观(1270~1348在世)《真腊风土记》(约1312)写道："寻常文字及官府文书，皆以麂鹿皮等物染黑，随其大小阔狭，以意裁之。用一等粉如中国白垩之类，搓为小条子，其名为梭。拈于手中，就皮画以成字，永不脱落。"⑤以烟将鹿皮或羊皮熏成黑色，再以白粉和胶搓成粉笔书写，或以竹笔蘸白粉与胶写字。

所有上述材料都不如纸方便适用，当中国纸和造纸术传入这些国家后，便逐步取代原有材料而改用纸。中印之间自公元前2世纪西汉以来就有直接的陆上经济和文化往来。两国之间有3条通道：一是从甘肃经新疆到罽(jì)宾即克什米尔(Kashmir)，再向东南行，至印度西北；二是从云南经缅甸到今孟加拉国和印度东北；三是从西藏穿过喜马拉雅山山口到尼泊尔，再南行至印度北部。从印度到中国也是如此。商人不畏艰险将丝绸、纸等物运往印度，僧人则通过上述通道

---

① Al-Biruni's India. ed. Edward Sachau, vol. 1. London, 1914. 171
② Goodacre H J, Pritchard A P. Guide to the Department of Oriental Manuscripts and Printed Books in the British Library. London, 1977
③ 李约瑟主编.钱存训著.中国科学技术史·造纸与印刷卷，卷5，第1册.刘祖慰译.科学出版社-上海古籍出版社，1990. 316~318
④ 玄奘[唐].大唐西域记(646)，卷十一.章巽校点本.上海：上海人民出版社，1977. 261
⑤ 周达观[元].真腊风土记(约1312).夏鼐校注本.北京：中华书局，1981. 118~119

弘扬佛法。经新疆、克什米尔，至印度西北，较为易行，古人常走这条路线。公元1世纪东汉时佛教从印度传入中国。

造纸术传入印度的时间和经过，尚待进一步研究。从文献记载来看，没有迹象表明唐以前印度能造纸，因为7世纪时梵文才出"纸"字。671~695年赴印度的唐代僧人义净（635~713）在《梵语千字文》中载有 kākali 一词，指的是纸①。由此演变成现在印地语中的 kākad 和乌尔都文中的 kāgaz，从而使此新型书写材料与古典书写材料 bhūrja（树皮）和 patra（贝叶）区别开来。但 kākali 不是梵文固有名词，而是外来语，它与波斯语 kāgaz 和阿拉伯语 kūgad 有同一语源，二者都指纸。德国汉学家夏德认为这些词最初来自汉文中的"榖纸"即楮皮，古音为 kok-dz'②。美籍德裔汉学家劳弗（Berthold Laufer，1894~1934）注意到古回鹘文称纸为 kagas③，可能是波斯文、阿拉伯文和梵文的源头，因为这些地区接触的纸都由新疆运出。

在义净以前，400~411年旅印的法显和628~643年旅印的玄奘，都没有谈到印度有纸，说明7世纪前半叶还很少有纸传入印度。从7世纪后半叶起，即义净在印度时（671~693）起，那里才有了纸字，还有用纸的记载。义净在《南海寄归内法传》（约689）卷二指出："必用故纸，可弃厕中。既洗净了，方以右手牵其下衣。"卷四又说："造泥制底（Caitya，佛塔）及拓模泥像，或印绢纸，随处供养，西方法俗莫不以此为业。"④这指当时印度法俗以模具制泥佛塔及泥佛像，再将其捺印在绢或纸上随处供养。如没有纸，是不能完成此事的。在印度自行造纸前，所需的纸由中国新疆或中亚经克什米尔输入。

新疆在晋、十六国（304~439）时已就地造纸⑤，此时往来这里的中亚人、西亚人和印度人都在中国用上了纸，20世纪以来沿丝绸之路中国路段内各地出土纸写本有吐火罗（Tokhara）、粟特（Sogdian）、叙利亚和梵文等不同文字，就是证明。用梵文写的纸本佛经不晚于9~10世纪，说明这时新疆、甘肃有印度商人和僧人的足迹。造纸术由新疆经克什米尔传入印度的可能性一直是存在的。我们已注意到印度次大陆纸的形制、造纸法和设备与新疆的很类似⑥（图245）。当然，造纸术还有可能由西藏经尼泊尔传入印度。西藏于650年开始造纸，7~8

---

① 季羡林. 中国纸和造纸法输入印度的时间和地点问题. 历史研究，1954（4）：25；中印关系史论丛. 北京：人民出版社，1957. 125~127

② Hirth F. Die Erfindung der Papier in China. T'oung Pao, 1890, 1:12; Chinesische Studien, Bd. l. Berlin, 1890. 269

③ Laufer B. Sino-Iranica. Chinese Contribution to the History of Civilization in Ancient Iran. Chicago, 1919. 557~559

④ 义净［唐］. 南海寄归内法传（约689）. 见：高楠顺次郎主编. 大正新修大藏经，第54册. 東京：大正一切経刊行會，1928. 226

⑤ 潘吉星. 新疆出土古纸研究. 文物，1973（10）：52~60；中国造纸技术史稿. 北京：文物出版社，1979. 136~137

⑥ Hunter D. Papermaking: The History and Technique of an Ancient Craft. 2nd ed. New York: Dover, 1978. 95, Fig. 64

世纪以后进一步发展。吐蕃王朝(629~846)与尼泊尔有密切交往,造纸术这时由西藏传入尼泊尔,由此再南传是很容易的。

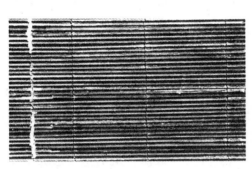

图 245
印度北部以草秆编的抄纸帘,取自 Hunter(1947)

因此有不同途径可以将造纸术传入印度,这与纸贩往那里的路线是一致的。印度境内造纸不会早至 7 世纪或晚于 10 世纪,大约在 8 世纪前后。其境内纸写本在 11~12 世纪之交逐渐增加①。到 13 世纪以后的德里苏丹(Delhi Sultanate,1206~1526)时期,造纸业有较大发展,这一时期纸写本传世者较多。最初的纸场设在北方或西北,尤其克什米尔和旁遮普,后来在南方也有了纸坊。巴基斯坦和孟加拉国造纸的时间比印度稍晚一些,但至迟在 13~14 世纪孟加拉造纸业已达相当高的发展水平。明初随郑和(1371~1435)舰队下西洋的马欢《瀛涯胜览》(1451)讲到榜葛剌(Bengal,孟加拉)纸时说:"一样白纸,亦是树皮所造,光滑细腻如鹿皮一般。"此处树皮指桑皮、瑞香科树皮②。

缅甸造纸可能始于蒲甘王朝(1044~1287)末期至掸族统治(1287~1511)初期,即 13 世纪末。当时元 1277~1300 年间多次在缅甸用兵,将其沦为属国,划归云南行省统治,且从中国调来官员、僧人、学者和工匠。其境内通行中国历法和纸币,中国纸和造纸术也随之传入。掸邦(Shan State)的东枝(Taunggui)以产桑皮纸而著名。与缅甸接壤的泰国,是中国与印度、阿拉伯海上贸易通道的必经之地,还经缅甸与云南有陆上交往。宋元史书中的暹(Siam)国指泰国北部泰族人建立的速古台(Sukhotai)王朝(1238~1349)。中部吉蔑族(Khmer)建立的罗斛国,1349 年暹与罗斛合并,故明代史书称泰国为暹罗。在对泰贸易过程中,中国商人在暹罗湾建立商业中心和码头。1279 年南宋灭亡后,大批广东人、福建人来泰国避难,带来中国文化和科学技术,造纸术就是在速古台王朝后期由中国人传入泰国的。

法国东方学家戈代斯(G. Coedès)在补注伯希和法译的《真腊风土记》

---

① Gode P K. Migration of paper from China to India. In: Joshi's Papermaking, 4th ed. Wardh:Kamarappa, 1947.226

② 黄省曾[明].西洋朝贡典录(约 1520).谢方校注本.北京:中华书局,1987.89

(1312)时指出,泰国速古台王朝每年正月(kārttik 月)都在王宫前点放烟火,群众聚集在那里观看,与柬埔寨有相同的习俗①。制造娱乐用烟火(feu d'artifice)不但需要火药,还需要大量纸。另一方面,侨居在那里的大批中国人在经济、文化活动中也离不开纸,因此便设厂就地制造。这也说明1292~1323年间与中国有密切往来的速古台王朝已发展造纸,速古台王朝因建都于速古台而得名,此城在今宋加洛(Swarnkalok)一带。在泰国大城(Ayuthaya)王朝(1350~1767)时,造纸业又进一步发展,纸产地集中于湄公河三角洲一带。

柬埔寨在唐以前中国史书中称为扶南,高棉语中扶南(Bnam)意思是山岳之国,唐以后又称其为真腊(Chanda),柬埔寨之名始见于明代人著作。在吴哥(Angkor)王朝(约802~1431)时期,中柬两国人员往来和经济交流持续不断,纸和造纸术在此王朝后期传入柬埔寨。吴哥朝盛时,中国旅行家周达观随元朝使节于1296~1297年访问该国,返国后写成《真腊风土记》,载当地物产、风土人情及中柬贸易等情况,是研究中世纪柬埔寨历史的重要原始文献。有伯希和的法文译本②和吉尔曼(Gilman d'Arcy Paul)的英文译本③。该书第21节《欲得唐货》谈到中国出口物时,提到金银、丝绢、漆器、瓷器、纸张、焰硝、硫黄等④。第13节《正朔时序》描写京城吴哥宫前燃放大型烟火⑤。则13世纪柬埔寨已就地造纸、制造火药,只是硝石和上层统治者用的高级纸从中国进口。

印度尼西亚与中国自古有海上往来和贸易关系。唐代僧人义净671~695年赴印度时,在室利佛逝(Sri Vijava)即今苏门答腊岛居住达6年之久,并托中国商队从广州购求纸墨带到这里,唐代纸已传入印尼。13世纪南宋沿海各省居民来此侨居,与当地人民共同发展经济,造纸术也在这时传入。南宋人陈槱(1161~1240在世)《负暄野录》(约1210)卷下写道:"外国如高丽、**阇婆**,亦皆出纸。"阇婆即今印度尼西亚的爪哇(Java)。明人黄省曾(1490~1540)《西洋朝贡典录》(约1520)"爪哇国"条说,"其国人以图画相解说,纸图人物、鸟兽、虫鱼之形如手卷,以三尺木为轴,坐地展图朗说。"⑥

菲律宾与中国福建、台湾和广东只一海之隔,帆船三日可到,自古与中国有海上往来,明代进入新阶段。《明史》卷三二五《苏禄国传》载,永乐十五年(1417)苏禄国(Sulu)东西二王率340人访华,受到明成祖款待,此后多次遣使。大批中

---

① Coedès G. Notes complémentaires de la Mémoire sur les coutumes de Cambodge de Tcheou Ta-Kouan. Traduit par Paul Pelliot. T'oung Pao, 1933, 30:227f;周达观[元]. 真腊风土记(约1312). 夏鼐校注本. 北京:中华书局,1981. 123

② Pelliot P, tr. Mémoire sur les coutumes de Cambodge de Tcheou Ta-Kouan. Bulletin de l'Ecole Françoise de l'Extrême-Orient (Hanoi), 1902, 2:123 et seq.

③ Gilman d'Arcy Paul, tr. Chou Ta-Kuan's Notes on the Customs of Cambodia. Translated from the French of Paul Pelliot. Bangkok:Social Science Association Press, 1967

④ 周达观[元]. 真腊风土记(约1312). 夏鼐校注本. 北京:中华书局,1981. 148

⑤ 周达观[元]. 真腊风土记(约1312). 夏鼐校注本. 北京:中华书局,1981. 120~121

⑥ 黄省曾[明]. 西洋朝贡典录(约1520). 谢方校注本. 北京:中华书局,1987. 25~26

国商人也前往经商与侨居,《明史》卷三二三《吕宋传》载至吕宋(Luzon)者"至数万人,往往久居不返,至长子孙"。张燮(1574～1640)《东西洋考》(1618)卷五称,吕宋居民"以衣服多为富,(写)字亦用纸笔,第(字)画不可辨"①,说明当地人16世纪用纸为书写材料。其造纸时间应不迟于15世纪,最初皆操于华人之手。

三、造纸术在中亚、西亚和北非的传播

中亚和西亚各国在中国古书中称为西域诸国,从长安到今甘肃、新疆后,沿天山南北两麓西行,即可到达西域。这条路上丝绸之路从西汉(前2世纪)即已开通。中国纸也随丝绸一起西运,20世纪以来沿这条商路各地出土大量汉魏及晋唐古纸,因此也可将这条商路称为纸张之路(Paper Road)。1907年斯坦因在甘肃敦煌发现九封用中亚粟特文写的信(图246),用的是中国麻纸。经研究,这些信由客居凉州(今甘肃武威)的商人南奈·万达(Nanai Vandak)在晋怀帝永嘉年间(307～313)写给其在撒马尔罕(Samarkand)的友人的②。粟特在今里海(Caspian Sea)以东,又称康国。《魏书》(554)卷102《西域传》称,"粟特国在葱岭之西……其国商人先多诣(来)凉土(凉州)贩货"。因此康国人早在4世纪就用上中国纸,且将信寄至中亚。新疆和甘肃敦煌还出土中亚吐火罗文、西亚波斯文(450年前后)、叙利亚文和希腊文纸本文书,都是3～6世纪在中国境内写的。

图 246
中亚人 313 年用粟特文写在麻纸上的书信,1907 年敦煌出土,取自 Stein(1921)

但5～6世纪时丝绸之路受西突厥的阻塞,西突厥控制今新疆至西域各国的通道,使中西货物不能顺利畅通。唐太宗(627～649)时唐帝国强盛、统一,为打通东西方贸易通道,多次对西突厥用兵。高宗(649～683)时659年灭西突厥,其原控制的各国归入唐帝国版图,隶属安西大都护府,玄宗(712～756)时改为安西节度使。这片土地包括今新疆至里海以东的

---

① 张燮[明].东西洋考(1618),卷五.上海:商务印书馆,1937.65
② Henning W B. The date of the Sogdian ancient letters. Bulletin of the School of Oriental and African Studies, University of London, 1948,12:601～605

西域各国,即拔汗那国(Ferghana)、昭武九国及阿姆河以南的吐火罗国。昭武诸国是以康国为首九姓政权之总称,唐国在汉代称唐居(Sogdina),其祖先为西汉中国西北的月氏人,旧居昭武城(今甘肃临泽),后西迁至锡尔河(Sry Darya)至阿姆河(Amu Darya)一带。其支庶分王各地,世称九姓,皆以昭武为氏,以不忘其本。

隋唐时昭武九姓包括康国(Samarkand)、石国(Tashkend)、安国(Bukhara)、米国(Maimargh)、曹国(分东、西、中三曹)、火寻国(Khwarism)及伐地国(Botik)[①]。由于唐代领有西域诸国,中西交通和经济、文化交流重新恢复。除陆路外,唐帝国还与印度洋、波斯湾、红海和地中海沿岸国家有海上贸易往来。新疆、陕西、广东等地出土波斯和罗马帝国的金币,就是当时东西方贸易的历史见证。史载波斯萨珊(Sassan)王朝(226~651)后期宫廷文件已用中国纸书写[②],与中国关系密切的中亚各国亦当如此。纸字波斯语称为 kāgaz,粟特语为 kāygdi,都是汉语穀纸或回鹘语 kakas 之讹音,演变成阿拉伯语中的 kāghad。650~651 及 707 年撒马尔罕使用唐纸[③],20 世纪 30 年代该城西的穆格(Mugh)出土 709~723 年的古纸[④],为康国官方文件。

在唐经营西域之际,7~8 世纪阿拉伯人建立的伊斯兰教国家崛起于西亚阿拉伯半岛,且继续东扩,征服叙利亚、巴勒斯坦、埃及和波斯,与唐势力范围在里海一带接触。651 年遣使来唐,双方建立正式外交往来。阿拔斯(Abbasids)王朝(750~1258)将首都东迁至伊拉克的巴格达,中国史书称黑衣大食。大食为波斯语 Tajik 或 Tazc 音译,源于阿拉伯一部族 Tayyi 之名。阿拉伯统治者沿袭波斯习惯,宫廷文件不再用树皮、羊皮及莎草片,继续用纸,650~707 年大量进口唐纸。他们灭波斯后,下一目标是向唐昭武诸国等里海以东地区推进,与唐争夺对中亚、西亚这段重要经济动脉的控制权。但太宗以后唐统治者没有对西域诸国给予有力保护,武则天执政后关心的是对内巩固其统治。大食遂趁机掠取康、安、石国、吐火罗及拔汗那诸国。

唐玄宗天宝十年(751)七月,安西节度使高仙芝(约 700~755)率军与大食国将军沙利(Ziyad ibn Calih)的军队在石国重镇怛逻斯(Talas)发生激战。此地在今哈萨克斯坦首都塔什干东北的江布尔(Dzhambul),旧称奥里阿塔(Aulie Ata),当北纬 43°10′,东经 71°。沙利的军队在人数及装备上敌不过唐军,却反而取胜,因高仙芝在主战场所在的石国杀掠,虏其国王,激起群愤,腹背受敌。由于唐统治集团的腐朽和边将的失误,错过了收复葱岭以西昭武诸国的有利时机,使西部版图缩回到安西四镇。但这次战役的一个后果是中国造纸西传到阿拉伯地

---

① 欧阳修[宋].新唐书(1061),卷二二一下,西域传·康国.二十五史缩印本,第 6 册.上海:上海古籍出版社,1986.673~674;张星烺.中西交通史料汇编.第 5 册.北平:京城印书局,1930.88~137

②③ Laufer B. Sino-Iranica. Chinese Contributions to the History of Civilization in Ancient Iran. Chicago, 1919.559

④ Frye R N. Tarxùn-Türxun and Central Asia history. Harvard Journal of Asiatic Studies, 1951,14:123

区,此后再传到欧洲,这是有世界意义的重大事件。

1887年奥利地阿拉伯学家卡拉巴寨克(Joseph Karabacek)最先将这次战役与造纸术西传联系起来。他援引10世纪波斯文学家萨阿利比(al-Tha'alibi,960～1038)《世界名珠》(*Yalimat al-Dahr*, *Einzige Perle der Welt*)的话:

> 在撒马尔罕的特产中,应提到的是纸,由于纸更美观、更适用和更简便,因此取代了先前用于书写的莎草片和羊皮。纸只产于这里和中国。《道里邦国志》一书的作者告诉我们,纸是由战俘们从中国传入撒马尔罕的。这些战俘为利利之子齐亚德·伊本·沙利(Ziyad ibn Calih)所有,在其中找到了造纸工。造纸发展后,不仅能供应本地的需要,也成为撒马尔罕的一种重要贸易品,因此它满足了世界各国的需要,并造福于人类①。

萨阿利比清楚说明751年怛逻斯战役时造纸术由中国战俘西传的史实,除《世界名珠》外,他还在《珍奇趣闻录》(*Latā fi al-Ma'arif*)中谈到此事②。他所引《道里邦国志》(*Kitāb al-Masālik wa 'l-Mamālik*)可能是萨曼(Samanids)王朝(874～999)任大臣的波斯人贾伊哈尼(al-Jayhani, fl. 860～920)写的地理书(约900)。同时代另一波斯人比鲁尼《印度志》(约1000)也说:"造纸术始于中国……中国战俘把造纸法传入撒马尔罕,从那以后许多地方都造起纸来,以满足当时之需。"③沙利在751年战役结束后,移镇撒马尔罕,让中国战俘中的纸工在那里传授造纸技术(图247),并建立阿拉伯世界的第一个纸场,以破麻布为原料生产麻纸。阿拉伯作者巴赫尔(Tamim ibn-Bahr)在《回鹘旅行记》(821)中还说775～785年撒马尔罕守备官还携来另一些唐人,"要他在撒马尔罕制造上等纸和各种各样武器"④。

图247
8世纪中国纸工在阿拉伯地区传授造纸技术图,取自林贻俊(1981)

阿拔斯王朝至拉希德(Hārūn al-Rashid)统治时(786～809)处于极盛时期,首

---

① Karabacek J. Das arabische Papier: Ein historis che-antiquarische Untersuhung. Mittelungen aus der Sammlung der Papyrus Erzherzog Rainer. Ⅲ. Wien, 1887. 112

② al-Tha'alibi. The Book of Curious and Entertaining Information. Bosworth C E, tr. Edinburgh, 1968. 141

③ Sachau E, tr. Al-Biruni's India, vol. 1. London, 1910. 171

④ Minorsky V. Tamin ibn-Bahr's journey to the Uyghurs. Bulletin of the School of Oriental and African Studies (London), 1948, 12(2):258

都巴格达成为科学文化中心,四方学者云集。据史家卡尔敦('Abd-al-Rahman ibn-Khaldūn, 1332~1406)《历史导论》(al-Muqad-dimah)载,794年大臣叶海亚(Yahya al-Barmak)奏请在巴格达另建纸厂①,工匠来自撒马尔罕,仍在中国人指导下建成。其子贾法尔(Ja'far al-Barmak)任宰相时,下令政府所有文书、档案皆以纸书写②。10世纪后,叙利亚大马士革纸厂后来居上,其纸向欧洲出口,而叙利亚的班毕(Bambycina)此后也产纸。这样在中亚、西亚不同地方都有了纸厂。

图 248
11世纪巴格达的胡尔万(Hulwan)拥有20万卷书的图书馆,取自 al-Hariri's Assemblies 中插图,Yahya al-Wasit 绘于 1237 年,巴黎国家图书馆藏(Ms. Arabe 5847)

北非埃及的尼罗河沿岸自古以盛产莎草片闻名,用作书写材料。在埃及成为阿拉伯帝国一个省区后,800年起开始用纸。900年前后,开罗建起非洲第一个纸厂。909年穆斯林什叶派的阿拉(Moez ed-Din Allah)在北非建法蒂马(Fātimah)王朝(909~1170),脱离阿拔斯朝统治。法蒂马朝986年征服非洲西北另一古国摩洛哥,使其统治扩及非洲西北、埃及和叙利亚。1100年又在摩洛哥的非斯(Fez)建起新的纸厂,技术来自开罗,纸工多是阿拉伯人,1202年拥有打浆用的水磨472座③。

1877~1878年埃及法尤姆(el-Faiyum)、乌施姆南(el-Ushmūnein)和伊克敏(Ikhmin)三地出土大量古代写本。1884年归奥匈帝赖纳大公(Erzherog Rainer)所有,总数10万件,由10种不同文字写成,时跨2700年,多数写以莎草片,也有用羊皮和纸写的④,其中还有50件印刷品。经卡拉巴塞克研究,出土的阿

---

① Ibn-Khaldūn. The Magaddimah: An Introduction to History. Rosenthal F, tr. New York: Bollingen, 1958. 352

② Hitti P K. History of the Arabs. 10th ed. London, 1970. 212;马坚译.阿拉伯通史,上册.北京:商务印书馆,1979. 244

③ 姚士鳌.中国造纸术输入欧洲考.辅仁学志(北平),1928,1(1):46~49; Hunter D. Papermaking: The History and Technique of an Ancient Craft. rev. ed. New York: Dover, 1978. 470,472

④ Hoernle A F R. Who was the inventor of rag-paper? Journal of the Royal Asiatic Society (London), 1903, Arts 22:663 et seq.

拉伯文纸写本有回历纪年年款,相当公元791、874、900及909年。经威斯纳(Julius von Wiesner)化验,都是以破布做的麻纸,纸上有帘纹,纸浆内含淀粉糊①。他又对阿拉伯纸和中国出土魏晋(3世纪~4世纪)纸做了对比显微分析,证明原料、外观和制法相同,阿拉伯纸显然是按中国方法制成的②。

  关于早期阿拉伯人的造纸法,巴迪斯(al-Mucizz ibn-Bādis,1007~1061)写道:将亚麻与苧类水浸、切碎,捣烂成泥,洗涤,加水入槽与纸料搅匀,再荡帘抄纸,干燥后再砑光③。从技术上看还应有蒸煮和加淀粉糊的工序,此处漏记。巴迪斯指出,除破麻布外,还用生麻沤制后造纸,唐代也用野生的生麻为原料。他提到"在锅中煮之",但这工序在前后顺序中叙述不明确。据卡拉巴塞克引其他阿拉伯文献所载,首先对破麻布选择,除去污物,用石灰水蒸煮,再以石臼、木棍或水磨击碎。纸料与水配成浆液,用漏水的细孔纸模抄纸,半湿纸以重物压之,晒干后即成纸④,与中国唐代方法相同。因阿拉伯地区无竹,抄纸帘以植物茎秆编成,或用面罗做成。从技术上看,阿拉伯纸属于中国北方麻纸技术类型。

第三节 中国造纸术在欧美的传播

一、西班牙、意大利和法国造纸之始

  中国与欧洲分处旧大陆的东西两端,距离遥远,但双方接触由来已久,有时通过中亚、西亚的媒介,有时由双方人员直接进行。除陆路外,时而经由海路或陆海兼程。中国造纸术在欧洲的传播可分为两大阶段:第一阶段为12~13世纪阿拉伯人将中国唐代麻纸技术传到欧洲;第二阶段发生于18~19世纪,欧洲人直接将中国宋以后的造纸技术成果引入欧洲,最后导致造纸技术革命。以往的

---

  ① von Wiesner J. Mikroskopische Untersuchung der Papier von el-Faiyum. Mittelungen aus der Sammlung der Papyrus Erzherog Rainer (MSPER)(Wien), 1886, 1:45ff; Die Faiyum und Ushmuneiner Papiere: eine naturwissenschaftliche, mit rücksichtliche auf die Erkennung alter und modernen Papiere und auf die Entwicklung der Papierbereitung durch geführte Untersuchung. MSPER (Wien), 1887, 1~2:179ff

  ② von Wiesner J. Mikroskopische Untersuchung alter Osturkestanischer und anderer asiatischer Papiere nebst histologischen Beiträgen zur mikroskopischen Papieruntersuchung. Denkschriften der Kaiserlichen Akademie der Wissenschaften. Mathematisch-Naturwissenschaftliche Klasse: 1902, Bd. 72;Ein neuer Beiträg zur Geschichte der Papiere. Wien: Carl Gerolds Soho, 1904. 26pp.

  ③ Levey M. Chemical technology in medieval Arabic bookmaking. Transactions of American Philosophical Society,1962,52(4):1~55

  ④ Karabacek J. Das arabische Papier: Ein historis che-antiquarische Untersuchung. Mittelungen aus der Sammlung der Papyrus Erzherzog Rainer, Ⅱ/Ⅲ. Wien, 1887.128ff

研究主要限于第一阶段,我们这里除对这一阶段作补充研究外,还对第二阶段的传播作试探性研究,并论述中国传统技术在欧洲造纸近代化过程中所起的激发作用。中国造纸术在欧洲传播的二阶段论是我们提出的新概念。

欧洲最初引进造纸术是在文艺复兴前夕,在这以前,中世纪欧洲主要以羊皮和莎草片为书写材料。阿拉伯世界造纸后,将其输入欧洲,欧洲人才用上纸,但为此要每年流出不少金币。欧洲人通过阿拉伯人的媒介引入中国造纸术以后,才有了本土生产的纸。最早造纸的欧洲国家是西班牙,因其一度受阿拉伯政权的统治。阿拉伯阿拔斯王朝(750～1258)创始人阿卜·阿拔斯(Abu 'l-Abbas, 721～754)750年夺取政权后,下令将前政权倭马亚(Umayyads)王朝(661～750)宗室成员斩尽杀绝,只有王子阿布德·拉赫曼(Abd al-Rahman ibn-Mu'-awiyah, 731～788)带人逃到北非避难,后又去西班牙,756年与当地人作战中取胜,在西班牙境内建立独立统治,定都于科尔多瓦(Cordoba),史称后倭马亚王朝(756～1036)。

9～10世纪拉赫曼三世(Abd al-Rahman al-Nāsir, 891～961)在位(929～961)时,后倭马亚王朝势力强盛,将西班牙置于穆斯林的强有力统治之下,且越过直布罗陀海峡占领非洲摩洛哥的一部分,将首都科尔多瓦建成欧洲最重要的文学和学术中心之一。现存西班牙境内最早纸本文书是在圣多明各(Santo Domingo)城发现的10世纪写本,纸由亚麻纤维所造,施以淀粉糊,与阿拉伯纸类似。圣吉罗斯(San Gilos)修道院发现的1129年纸写本,用纸可能由摩洛哥输入。后倭马王朝因用纸量剧增,1150年在西班牙西南盛产亚麻的萨迪瓦(Xativa)建起境内最早的纸场①。纸场由当时欧洲称为摩尔人(Moors)的阿拉伯人经营,技术由摩洛哥传入。旅居西班牙的阿拉伯地理学家艾德里西(Abu Abdullah al-Idrisi, 1099～1166)1154年在《异国风土记》(*Kitāb Nuzhat al-Mustāq fi Ikhtirāk al-Afāq*)中谈到萨迪瓦时写道:"该城制造文明世界其他地方无与伦比的纸,输往东西各国。"②

1031年以后,后倭马亚王朝在西班牙的统治衰弱并出现分裂,而西班牙人也开展收复失地的斗争。1035年在拉米罗(Ramiro Ⅰ, r.1035～1063)领导下获得独立。独立后的西班牙于1157年在西北部的维达隆(Vidalon)建立纸场,由西班牙人经营③。因而12世纪西班牙境内已有了两个纸场,所产的纸向附近其他国家出口。

11～12世纪,阿拉伯纸由大马士革经拜占庭的君士坦丁堡(Constantinople)转运到欧洲,还由北非的埃及、摩洛哥经地中海西西里(Sicily)岛输入欧洲。

---

① Blum A. Les origines du papier. Revue Historique (Paris), 1932, 170: 435; On the Origin of Paper. Lydenberg H M, tr. New York: Bowker, 1935. 24 et seq

② Dozy R, Jan de Goeji, tr. Description de l'Afrique et de l'Espagne par Idrisi. Leiden: Brill, 1866

③ Blum A. On the Origin of Paper. Lydenberg H M, tr. New York: Bowker, 1934. 28～29

造纸术可能经上述两条海路传入意大利的。12 世纪的几件古老文件至今还保存着，如西西里国王罗杰一世(Roger Ⅰ or Roger Guiscard，1031～1101)的一件诏书，是 1109 年用拉丁文和阿拉伯文写在色纸上的。热那亚(Genoa)档案馆藏有 1154 年的纸写本，但这些早期纪年文书纸不能证明是意大利所造，而是来自阿拉伯地区。由于纸价昂贵，那不勒斯与西西里国王腓特烈二世(Frederick Ⅱ，1194～1250)1221 年下令禁止用纸书写官方文件，以抵制阿拉伯纸的倾销，但用纸量并未因此减少，整个 13 世纪大马士革纸仍继续输入欧洲。

1276 年终于在意大利中部的蒙地法诺(Montefano)建起意大利第一家纸场①，生产麻纸。此地即今马尔凯区的法布里亚诺(Fabriano，Marche)城，古称蒙地法诺。后来这里的纸场在技术上有改进，如 1282 年生产水纹纸，压水印的金属辊上有十字架和圆形图案，是欧洲生产水纹纸之始②，尽管这种纸 10 世纪已在中国出现。意大利水纹纸此后为其他欧洲纸场所仿制。1293 年在文化城市波伦亚(Bologna)兴建新的纸场。意大利成为继西班牙之后第二个最早造纸的欧洲国家，其造纸业发展很快，纸产地也逐步增加，14 世纪已成为欧洲用纸的供应地。虽然其技术来自阿拉伯人，但后来居上，产量已超过西班牙和叙利亚。

法国与西班牙接壤，因此其造纸技术引自西班牙。过去一度认为法国第一家纸场 1189 年建于南部靠近地中海的埃罗省洛代夫城(Lodève，Hérault)，正好与西班牙交界处。后来发现因对文献误释，这种说法不确③。1348 年巴黎东南特鲁瓦(Troyes)附近建立的纸场，可能是法国最早的产纸区。此时法国处于卡佩王朝(Capetien，987～1328)国王路易九世(Louis Ⅸ，1214～1270)统治之下。他在位时(1226～1270)进行一系列改革，发展经济，加强王权统治。1348～1388 年间在埃松(Essones)、圣皮埃尔(Saint-Pierre)、圣克劳德(Saint-Cloud)和特勒瓦(Toiles)等地又增建纸场④。这使法国不仅国内有充分的纸供应，还可向德国等国出口。

二、造纸术在欧美其他国家的传播

德国地处中欧，1228 年即已用纸，但直到 14 世纪后半叶相当长时间还用外国纸，南部从意大利进口，莱茵区由法国输入。14 世纪的纽伦堡(Nüremberg)商人斯特罗姆(Ulman Stromer，1328～1407)在意大利看到造纸生产情况后，决定

---

① Carter T F. The Invention of Printing in China and Its Spread Westward. 2nd ed. New York：Ronald Press Co.，1955. 100～101

② Hunter D. Papermaking：The History and Technique of an Ancient Craft (1947). 2nd ed. New York：Dover，1978. 474

③ Hunter D. Papermaking：The History and Technique of an Ancient Craft (1947). 2nd ed. New York：Dover，1978. 473，475

④ Blum A. On the Origin of Paper. Lydenberg H M，tr. New York：Bowker，1934. 32～33

回本国投资兴办纸场。纽伦堡国立博物馆藏有两页斯特罗姆写的日记体手稿，用古体德文写成，题为 *Püchl von mein Gelslecht und von Abentur*（《我的家世和闯荡经历》），写于 14 世纪。这是欧洲有关造纸技术的最早文献。其中详细描述了作者经营德国第一家纸场的经过。1390 年斯特罗姆在意大利北部伦巴第区的商埠米兰（Milano, Lombardia）遇到几名意大利纸工：弗朗切斯（Franciscus de Marchia）及其弟马库斯（Marcus）以及徒弟巴塞洛缪斯（Bartholomeus），他们被劝说离开伦巴第，随他来纽伦堡造纸。

1390 年斯特罗姆把意大利纸工带到纽伦堡，又雇用德国人奥布塞尔（Closen Obsser）为工头和监工，让他们宣誓不将造纸技术秘法泄露给外人，只效忠于斯特罗姆。于是在城西门外佩格尼茨河（Pegnitz River）流经的地方建起了纸场（图 249）①②。春捣麻料用杵臼，每一水车带动 18 个杵杆。所产的麻纸上有字母 S 的水印标志，代表场主 Stromer。材料中还提到因场主只顾自身权益，引起意大利工人怠工。1391 年 8 月 12 日，场主将弗朗切斯兄弟私自关押在塔楼中惩罚。1392 年场主又雇本国木匠齐默尔曼（Erhart Zymerman），修理纸场内杵杆和抄纸用纸槽，平日作其他木工或砑光纸张，其妻筛选、分类原料破布，或将湿纸挂起干燥，并在打包前清点纸的数量。开工过程中，德国工人从伦巴第人那里学会了全套造纸技术。斯特罗姆 1390～1394 年因造纸而获大利，后来成为纽伦堡议会议员，转入政界。1394 年他将纸场租给台尔曼，而他本人死于 1407 年。

图 249
1390 年德国纽伦堡兴建的斯特罗姆（Stromer）纸场，取自 *Liber Chronicarum*（1493）

纽伦堡因造纸而闻名，不久又成为德国印刷业中心。造纸法很快被德国其

---

① Sandermann W. Die Kulturgeschichte des Papiers. Berlin: Springer-Verlag, 1988. 80～82

② Hunter D. Papermaking: The History and Technique of an Ancient Craft (1947). 2nd. ed. New York: Dover, 1978. 232～235

他工厂主买到,因而其他地方也出现纸场,如克姆尼茨(Chemnitz, 1398)、拉文斯堡(Ravensburg, 1402)和奥格斯堡(Augsbourg, 1407)的纸场,成为斯特罗姆纸场的竞争对手。此后斯特拉斯堡(Strassberg, 1415)、吕贝克(Lübeck, 1420)、瓦尔滕费尔斯(Wartenfels, 1460)及肯普滕(Kempten, 1468)等地都成了产纸区。16世纪末,德国纸场已达190家①,成为发展印刷业的有力后盾。1493年纽伦堡人谢德尔(Hartmann Sohedel)用拉丁文编写并出版了《方舆便览》(*Liber Chronicarum*),描写各地风光,含645幅插图,因刊于纽伦堡,又称《纽伦堡方志》(*Nürnberg Chronicle*)。书中有纽伦堡城图,图的右下角即为斯特罗姆纸场的示意图(图249),这是欧洲文献中最早一幅描写纸场的木版图。

由于各地纸场纷纷建立,造纸已不再是秘密,以至成为诗人和画家的创作题材。1568年美因河畔法兰克福(Frankfurt am Main)用哥特体(Gotische Schrift)古体德文出版一本插图本著作,题为《对具有各种贵贱、僧俗身分和不同技能、手艺与行业的世人百态之真实描述》(*Eygentliche Beschreibung aller Stände auf Erden, hoher und niedriger geistlicher, und weltlicher, aller Künsten, Handwercken und Händeln*)。这个书名很长,或可简练地译作《百职图咏》。此书1588年于纽伦堡再版,1574年出拉丁文版,1960年于莱比锡据初版重印,简称 *Das Ständebuch*,可译为《百职图》,共134页,有114幅木刻图。各图描绘不同行业的人物形象,由画家阿曼(Jost Amann, 1539～1591)绘制,每图又由纽伦堡皮匠出身的诗人萨克斯(Hans Sachs, 1494～1576)配诗一首。该书第18图便描写纸工,现将萨克斯为纸工图所配的诗译成汉文如下:

图 250
欧洲最早的造纸图,图后面的文字为萨克斯所配诗,取自 Das Ständebuch(1568)

破布携入纸场中,激水转动水车忙。切扯破布为碎片,纸料遇水成纸浆。(抄工荡帘捞湿纸),速将湿纸毡上放。压榨除去多余水,挂起干燥待包装。

---

① Sandermann W. Die Kulturgeschichte des Papiers. Berlin: Springer-Verlag, 1988. 83

造出雪白平滑纸,人人爱用不夸张。①

阿曼在图中绘出二人,一是在纸槽旁在纸浆中荡帘捞纸的抄纸工。每抄一张湿纸,便将其放案板上与纸同样大小的吸水毛毡上,再放另一毡,一张纸放一层毛毡或毛布,层层堆齐,插图右下角绘出已堆起的湿纸。纸工后绘出压榨去水的压榨器,上下为厚木板,旋转螺旋杆将两板间湿纸内水分压出。图中另一人为徒工,其任务是抄纸工捞出湿纸后,逐张在其上垫毡或布。当湿纸堆到一定厚度时,压榨去水。从此人捧纸走动的方向看,手中捧的应是已压好的纸,正送去晾干。

图左上角画出捣纸料的水碓,由流水冲击水轮转动,再借传动装置将旋转运动变为上下直线运动,带动碓杆碓头舂捣纸料。这种装置也是中国发明的,如元代人王祯《农书》(1313)中所描述的相同,后在文艺复兴时传入欧洲。因画面小,驱动水碓的水车没有表现出来。用螺旋压榨器(螺杆为铁制)压湿纸是欧洲的发明,比中国用杠杆装置借石头重力压纸更为先进。可以断定画家先作画,再由诗人配诗。此图是现存出版物中最早的造纸工艺图,比中国科学家宋应星《天工开物》(1637)还早69年。

荷兰与德国接壤,从14世纪就进口纸。海牙(Hague)档案馆藏最早纸本文书为1346年。但直到1586年在著名城市鹿特丹以南的多德雷赫特(Dordrecht)才建起第一个纸场,显然其技术和设备是从德国引进的。荷兰人对造纸技术的贡献是1680年发明了打浆机,称为荷兰打浆机(Hollander beater)。与拥有水力资源的德国不同,荷兰是风车之国。荷兰人发现用风车很难带动水碓,于是试图研制需动力少的装置,经世代努力他们制成荷兰机。此为椭圆形木槽(图251),槽中间靠槽边放一可旋转的硬木辊,辊上带30个铁刀片,称飞刀轧。槽底与辊之间有石制或金属制"山"字形斜坡,称为山形

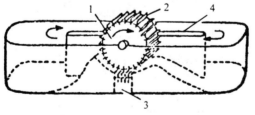

图251
1680年荷兰人发明的打浆机结构图,取自《辞海》(1979)
1 飞刀辊 2 刀片
3 底刀   4 隔板

部(backfall),上面带固定不动的铁刀片,称为底刀,底刀对准飞刀,保持适当距离。贴近飞刀辊而面向槽中的空处装一隔板,使浆料在槽内循环流动。飞刀旋转时,通过飞刀与底刀的机械作用将纸料切成纤维状。湿纸料沿飞刀辊转动,翻过山形部斜坡,因重力作用流到槽端,经隔板回到另一端,如此循环反复被刀切碎。

---

① Sachs H, Amann J. Eygentliche Beschreibung aller Stände auf Erden, hoher und niedriger geistlicher, und weltlicher, aller Künsten, Handwercken und Händeln, Bild 18. Frankfurt a/M., 1568; Das Ständebuch, 114 Holzschnitten von Jost Amann, mit Reimen von Hans Sachs. Leipzig, 1960; A True Description of all Trades, with six of the illustrations by Jost Amann. New York: Brooklyn, 1930

飞刀辊可用荷兰风车驱动其旋转,而且用荷兰机无需对破布预处理。1682年德国化学家贝歇尔(Johann Becher,1635~1682)在《愚蠢的智者和聪明的愚人》(Närrische Weisheit und weise Narrheit)书中报道,他在荷兰塞恩达姆(Serndamm)附近纸场看到这种打浆机,并说"这种东西或许值得人们给予进一步的密切注意"①。荷兰机后来传遍各地,几经改进,在全世界通用三百多年。

瑞士通用德语,也与德国为邻,1433 年在巴塞尔(Basel)建立纸场,像德国的纽伦堡一样,这里后来也成为印刷中心。奥地利在德国南边,1498 年于维也纳设场造纸。中欧的德国还是将造纸术传到东欧的中介,波兰境内的克拉科夫(Crakow)1491 年有了首家纸场,此后威尔诺(Wilno)及华沙分别于 1522 及 1534 年建场。俄国虽然最早接触纸,但从 1576 年才在莫斯科有了纸场,时值沙皇伊凡雷帝(Vasil'evich Ivan Ⅳ, Groznyi, 1530~1584)在位时期,建场时延请了德国的技工。

英国与欧洲大陆有一海之隔,但 1309 已用纸书写文书。1476 年在德国科隆学印刷的英国人考克斯顿(William Coxton, a. 1420~1491)用欧洲大陆纸印书,因此英国出现奇特现象,在发展印刷之后,才有了造纸业。最早纸场由伦敦布商泰特(John Tate,? ~1507)在伦敦以北的哈福德(Herford)建立的。其纸由出版商沃德(Wynkyn de Worde)用来印书,1496 年他出版的书中说该书印以泰特所造的纸。此纸带有水印,形状是两个圆圈套一个八角星,很像车轮。没有证据显示 1494 年之前存在此纸场,因而其始建时间应是 1495 年②。1557 年芬德福德(Fen Derford)城也出现纸场,至 17 世纪末英国已建成百多家。北欧因地理位置关系,造纸时间较晚,如瑞典 1573 年在克利潘(Klippan)建最早纸场,丹麦 1635 年始行造纸,挪威最早纸场 1690 出现于奥斯陆(Oslo),欧洲各主要国家 17 世纪都有了自己的造纸业。

美洲新大陆 16 世纪时除用羊皮、树皮等古老材料书写外,纸要靠从欧洲输入。墨西哥在大量西班牙人涌入后,最先在美洲建立纸场。西班牙人当时将墨西哥称为"新西班牙",1580 年 1 月 17 日用西班牙文写的《关于新西班牙库尔乌安坎人的叙述》(Relacion del Pueblo de Culhuancán desta Nueva España)中谈到在墨西哥库尔乌安坎建起最早的纸场。这可能指 1575 年 6 月 8 日签署的皇家契约中规定租给穆农(Hernán Sánchez de Muñón)和科尔内霍(Juan Cornejo)一片地,"利用他们在当地找到的原料在新西班牙造纸"③。这二人租的村子在今墨西哥市东南的埃什特雷拉山(Estrella Hill)山脚下,因而墨西哥造纸始于 1575 年。

---

① Sandermann W. Die Kulturgeschichte des Papiers. Berlin: Springer-Verlag, 1988. 104

② Hunter D. Papermaking: The History and Technique of an Ancient Craft (1947). 2nd ed. New York: Dover, 1978. 115~116

③ Hunter D. Papermaking: The History and Technique of an Ancient Craft (1947). 2nd ed. New York: Dover, 1978. 479

美国1776年独立前,已于1690年在东海岸宾夕法尼亚州费城(Philadelphia)附近的杰曼顿由德国移民利特豪斯(William Littenhouse,1644～1708)建起第一家手工造纸场。杰曼顿(Germantown)意思是"德国镇",在费城东北,1683～1684年形成德国人移民居住区,这个名至今未改。最早谈到此纸场的文献是1692年出版的弗雷姆(Richard Frame)写的《宾夕法尼亚概况》(A Short Description of Pennsylvania)。书中有一首长诗,诗中说杰曼顿镇至少有一英里(1.6 km)长,住着德国人和荷兰人,多织麻布,因这里产麻。他们还以破麻布造出佳纸,织布与造纸相得益彰,就在这里建起纸场①。

1710年及1727年宾夕又建起另两家纸场。18世纪时在新泽西、麻州、缅因、弗吉尼亚、康涅迪格、纽约、马里兰、北卡、特拉华和肯塔基等州都有了纸场。宾夕费城作为美国最早的造纸和印刷中心,受到科学家兼政治家富兰克林(Benjamin Franklin,1706～1790)的推动。他在费城印刷的书所用的纸,都是在纸场订造的,纸上有王冠图案及BF字母的水印,BF是Benjamin Franklin的缩写。

美国北的加拿大最初从美国和欧洲进口纸,1803年魁北克的圣安德鲁斯(Saint Andreus,Quebec)城,在来自美国麻州(Massachusetts)的造纸人福尔斯(Newton Lawer Falls)参与下建起境内第一家纸场,由韦尔(Walter Ware)经营,当然是手工纸场。所造的纸用来出版《蒙特利尔公报》(Montreal Gazette)。1819年霍兰(R. A. Holland)在靠近哈里法克斯的贝德福德盆地(Bedford Basin, near Halifax)的一个村子建立加拿大第二家手工造纸场②。至于说到大洋洲,第一家纸场是1868年在澳大利亚墨尔本(Melbourne)附近建立的。

到19世纪时,中国发明的造纸术已传遍世界五洲列国,走完了它传遍全球的千年万里旅程。回顾这段历史,造纸术最初从中国传到中亚、西亚和北非的阿拉伯世界,再通过阿拉伯地区传到欧美各国和大洋洲,使各国都能分享这一发明成果,促进人类文明的发展。说到底,要归功于751年怛逻斯战役中中国战俘的技术传授。这些身穿士卒军装的唐代纸工虽未留下其姓名,却使中国技术远传西方世界,他们是中西技术交流史中的无名英雄,功垂千古。但欧洲人最初学到的是唐代造纸技术,而宋以后造纸技术在中国有新的发展。18世纪以来欧美人得知这些技术后,又继续引进,于是进入中国造纸术在欧美传播的第二个阶段。

三、18世纪欧美从中国引进的造纸技术

据1568年法兰克福城出版的阿曼《百职图咏》、1662年纽伦堡城出版的伯

---

① Jones H G. Historical sketch of the Rittenhouse Paper Mill, the first created in America in 1690. Pennsylvania Magazine of History and Biography (Philadelphia), 1896,20(3):315～333

② Hunter D. Papermaking: The History and Technique of an Ancient Craft (1947). 2nd ed. New York: Dover, 1978.526～539

克勒尔(Georg Andreae Böckler)《新的舞台机器》(*Theatrum Machinarum Novum*)插图、1693 年巴黎出版的安贝尔迪(J. Imberdi)《纸或造纸技术》(*Papyrus sive Ars Conficiendae Papyri*)插图及其他文献记载,欧洲早期麻纸制造工程和所用设备可概述如下①:对破布进行选择、归类,洗净后切短,加水发酵。再以石灰水蒸煮,纸料在布袋内用河水漂洗,以杵臼或水碓捣料。将纸料放入纸槽,加水配成纸浆。纸槽为椭圆形木桶,齐腰高,置于地面上。

图 252
18 世纪法国纸厂内景,取自 Sandermann (1988)

抄纸帘最初用中国式竹帘或马尾帘,后来以钢丝编成帘面,固定于框架上。纸帘幅面小,通常一人抄纸。湿纸抄出滤水后,转移到厚毛布上,另一人将另毛布铺在湿纸上,如此一张纸、一层布堆起,用螺旋压榨板压去水分。将毛布取下,将纸吊在杆子上晾干。如造书写纸,还要将纸在施胶槽中施胶,再逐张吊起晾干,最后用玛瑙或细石逐张砑光。这种技术与中国相比,原理和基本操作程序相同,但个别工序操作和所用设备又有不同。这是地理和人文环境不同造成的。欧洲人从阿拉伯人间接学到的是中国唐代北方麻纸技术,而欧洲造纸时,中国已进入宋元时期,麻纸已在中国衰落,代之而起的是皮纸、竹纸的生产,总的技术水平已超过唐代,但欧洲没有及时引进宋以后的新技术成果,双方技术自然不同。

可以说欧洲 16~17 世纪造纸技术水平还比不上中国 11 世纪的宋代,自然不能与明代相比。将 16~17 世纪欧洲纸与中国纸比较,我们就会发现欧洲纸原料只限于麻类,纸较厚重,纤维束较多,白纸较少,多肤色,表面滞涩,幅面最大纸

---

① 潘吉星. 中国科学技术史·造纸与印刷卷. 北京:科学出版社,1998. 586~587

为 2.4 尺×4 尺(78.7 cm×134.6 cm)。中国纸原料多样化,有麻纸、皮纸、竹纸、草纸及混合原料纸,纸较薄而平滑,纤维束少,多呈白色,幅面一般较大,能造出 5 尺×10 尺(166.4 cm×332.7 cm)的纸,长宽为欧洲最大纸的 2 倍以上。比较说明,中国在原料选择、制造工艺和设备上有更合理的部分,技术发展路线可取。欧洲单一生产麻纸,一旦原料短缺就会陷入困难。以金属帘滤水速度快,只能抄厚重的纸和小幅纸,不能抄大幅纸。

因欧洲不用植物黏液或"纸药",抄出湿纸相叠后不易揭开,只好垫上毛布,这就增加附带工序。而将纸吊起晾干是笨重劳动,干后的纸变形,还要逐张砑光。他们不用中国式的烘干器,也是失策。可见欧洲传统手工纸生产中操作程序繁杂,存在对人力、物力和时间上的浪费。中国在纸浆中加施胶剂,抄出的纸即可书写或印刷,无需逐张施胶,比欧洲手续简便。但欧洲压榨器和打浆机比中国同类设备先进,不过这两项技术不能抵消其工艺总体上的不足。文艺复兴时期欧洲在自然科学方面领先,但 18 世纪以前其造纸业并未彻底改变中世纪面目,进步是有的,但在整个工艺上革新步伐不大。

18 世纪以后,随着欧洲经济、科学、文教和印刷业的发展,耗纸量与日俱增,造成破布供应短缺,各国纸厂面临原料危机,破布价格暴涨,威胁着造纸业进一步发展,又殃及出版、印刷业。另一方面,18 世纪欧洲画坛流行以纸作水彩画、版画和室内装饰画,制图家制地图时也需要大幅平滑的纸,而纸工又做不出来。如何摆脱原料危机、改革现有工艺和改善纸的品质,成为当时各国普遍关注的问题。这时欧洲人将目光投向造纸业经久不衰的中国,而当时欧洲大陆掀起的"中国热"正好在势头上。有心人开始收集有关中国造纸的技术信息。当时中国与欧洲人员往来频繁,信息交流是很容易做到的,而且无需任何中介,欧洲人能直接将信息从中国传回本土。

17~18 世纪以来,欧洲一些国家向中国派遣许多耶稣会士常驻各地,他们向欧洲发回的通讯中,常谈到中国造纸情况,尤其 18 世纪巴黎出版的《中华帝国通志》(4 卷,1735)[①]、《海外耶稣会士书信集》(34 卷,1702~1776)[②]和《北京耶稣会士有关中国纪要》(16 卷,1776~1814)[③]等书,成为获得中国信息的宝库。例如《中华帝国通志》卷二载:"苏易简(958~996)《纸谱》(986)云,蜀纸以麻为之,唐高宗敕命以大麻作高级纸写密令。福建以嫩竹造纸,北方以桑皮造纸,浙江以稻麦秆造纸,江南以树皮造皮纸,更有罗纹纸,湖北造者

---

① du Halde J B, réd. Description Géographique, Historique, Chronologique, Politique et Physique de l'Empire de la Chine et de la Tartarie Chinoise, 4 vols. Paris, 1735

② le Gobien C, et al., réd. Lettres Édificiantes et Curieuses Ecrites de Missions Étrangéres par Quelques Missionaires de la Compagnie de Jésus, 34 vols. Paris, 1702~1776

③ Bretier G, et al., réd. Mémoires Concernant l'Histoire, les Sciences, les Arts, les Moeurs, les Usages etc des Chinois, par Missionaires de Pékin, 16 vols. Paris, 1776~1814

名楮纸。"①欧洲人读到后,立刻会想到用其他原料造纸的念头。

从中国获得信息的最典型人物是 1774~1776 年任法国财政大臣的经济学家杜尔阁(Anne Robert Jacques Turgot,1727~1781)。他任利摩日(Limoges)州长时(1761~1774)读过有关中国作品,对中国造纸已有了解,并率先引进中国技术。1754 年(清乾隆十九年)北京青年高类思(1733~1780)和杨德望(1734~1787)赴法留学,归国之际 1765 年杜尔阁在巴黎与他们会面,面交 52 项有关中国问题,希望他们返华后帮助解决②。有几项与造纸有关:(1)中国编抄纸帘的材料和技术,希望提供实物样品,以便仿制;(2)造纸用各种原料,希望得到实物样品及用不同原料所造的纸样,以便试制;(3)中国抄造 8 尺×12 尺(264 cm×396 cm) 大幅纸的方法,如何荡帘并将湿纸从帘上揭下而不破裂;(4)希望得到 300~400 张适于印刷铜版版画的 4 尺×6 尺(132 cm×198 cm)幅面的皮纸纸样,以便仿制③。

法国财政大臣提出的这些问题都是当时法国和其他欧洲国家造纸业急切要解决的,希望能从中国取得借鉴。1766 年高、杨回国后,利用离法前路易十五世(Louis ⅩⅤ, le Bien-Aime, 1710~1774)国王赠给的 1200 里弗尔(livres)年金,购买了杜尔阁希望得到的中国抄纸帘、各种造纸原料及纸样,连同技术说明材料,通过商船运到法国,使该国首先受益。法国人向中国学习造纸技术这一事实还成为现实主义作家巴尔扎克(Honoré de Balzac,1799~1850)作品的创作题材。1843 他发表的小说《破灭的幻想》(Les Illusions Perdues),反映的事件发生于 18 世纪后半叶至 19 世纪初。小说主人公大卫(David Séchard)的奋斗目标是试用破布以外的其他原料造纸,并将施胶剂配入纸浆以代替成纸后逐张施胶。这是欧洲纸业普遍面临的问题,但中国早已解决。

大卫阅读中国书籍后,以中国纸为仿制对象,在中国技术思想影响下以草类、芦苇为原料造纸,又试用浆内施胶,终于成功。但这位造纸技术家后遭奸商暗算,放弃其发明专利,使他科学研究的幻想破灭。据笔者考证,对大卫产生影响的中国著作就是《天工开物》(1637)④。法国厂商用大卫的方法"造出一种廉价的纸,和中国纸质量差不多,书的重量和厚度可以减少一半以上"⑤。巴尔扎克写道:"自从有了大卫·赛夏的发明,法国造纸业好比一个巨大的身躯补足了营养。因为采用破布以外的原料,法国造的纸比欧

---

① du Halde, réd. Du papier, de l'encre, des pinceaux, de l'imprémerie et de la reliure des livres de la Chine. Description de l'Empire de la Chine, tom 2. Paris, 1735. 237~251

② Bernard-Maitre H. Deux Chinois du 18ème siècle à l'école des physiocrates Français. Bulletin de l'Université l'Aurore, 1949, 3e sér., 19:151~197

③ Turgot A R J. Oeuvres Complètes de Turgot, tome deuxieme. de Gustave Schelle, éd. Paris, 1914. 523~533

④ 潘吉星. 巴尔扎克笔下的《天工开物》. 大自然探索(成都),1992,11(3):121~123

⑤ de Balzac H. Les Illusions Perdues (1843). Moscou: Édition en Langues Etrangères, 1952. 111~112

洲任何国家都便宜。"①当然,这个大卫是小说中人物,但法国及欧洲现实生活中这类人肯定是有的。

与杜尔阁同时代的还有美国人富兰克林,也号召西方用中国技术造纸。1788年6月20日,这位曾任驻法大使(1776~1783)的美国开国元勋和科学家在费城美国哲学会会议上宣读一篇论文《论中国人造大幅单面平滑纸的方法》,但论文1793年才发表于《美国哲学会会报》上。文内首先谈欧洲通用造纸方法,批评其手续繁杂、重复无谓劳动、浪费工料与工时。与此相比,中国方法简练而有效,他接着介绍中国造大幅平滑纸的方法:将纸浆放在大纸槽中,以大幅竹帘抄纸,帘床系以绳,绳另一端固定在天花板上。这种吊帘可在荡帘时省力,由二人荡帘。旋胶时将施胶剂配入纸浆,抄出的纸即有同样效果。帘面滤水后,用刷子将湿纸刷在光滑烘墙上烘干,不必研光,纸已单面平滑。

富兰克林在介绍了中国造纸方法后写道:"中国人便这样制成了大幅平滑的施胶纸,从而省去了欧洲人所用的很多操作手续。"②他说,中国人用简练的工艺造出的纸长4.5埃尔,宽1.5埃尔。埃(ell)为英国古尺名,1埃尔 = 45英寸 = 114.3 cm = 3.43华尺,换算后上述中国纸幅面为 514 cm × 171 cm。虽然所述细节不全准确,但介绍造大幅平滑施胶纸的原理和基本工艺是准确的,这就拓宽了欧美纸工的思路。富兰克林这篇论文旨在希望人们摆脱欧洲传统技术影响,"按中国人的方式造大幅单面平滑的施胶纸",正体现他的远见卓识。

18世纪末清乾隆年间,中国画师手绘的造竹纸工艺过程的工笔设色组画,由在北京的法国耶稣会士蒋友仁(Michel Benoist,1715~1774)寄往巴黎,可能系应法国方面的要求。蒋友仁是前述留学法国的高类思和杨德望的拉丁文老师,参与圆明园建筑设计,受乾隆皇帝赏识。他寄回的造竹纸系列图共24幅,有宫廷画师画风,兼具艺术和技术双重价值,欧洲人不断临摹,彩色摹本藏于巴黎国家图书馆、法兰西研究院图书馆及莱比锡书籍博物馆(Buchmuseum Leipzig)等处,法、美等国还有19世纪中期摹本③。1815年巴黎出版的《中国艺术、技术与文化图说》④,公布了其中13幅造纸图。编者说画稿是在华法国耶稣会士请中国人画的,送巴黎后制成铜版。这些铜版画为此后其他造纸书转引,前述富兰

---

① de Balzac H. Les Illusions Perdues (1843). Moscou: Édition en Langues Etrangées, 1952.673

② Franklin B. Description of the process to be observed in making large sheets of paper in the Chinese manner, with one smooth surface. Transactions of the American Philosophical Society (Philadelphia), 1793.8~10

③ Gírmond S. Chinesische Bilderalbum zur Papierhestellung. Historische und stilistische Entwickelung der Illustrationen von Produktions in China von den Anfängen bis im 19. Jahrhundert. Chinesische Bambus Papierherstellung. Ein Bilderalbum aus 18. Jahrhundert. Berlin: Akademic-Verlag, 1993.18~33

④ Arts, Métieres et Culture de la Chine, Représenté dans une Suite de Gravures Exécutées d'après par les Dessins Originaux de Pékin, accompagnés des Explications données par les Missionaires Francois et Etrangers. Paris, 1815

克林论文中的插图即引自据中国画稿制作的法国铜版画。可以想像这套画在欧美所产生的广泛影响。

1952年贝内代罗(Adolf Benedello,1886～1964)在德文版《十八世纪中国造纸图说》①中公布了全套图的黑白照片。后来笔者参与了对莱比锡书籍博物馆藏18世纪摹本(27 cm×32 cm)从造纸技术角度进行的研究②。这套组画向欧洲人形象地展示了中国造竹纸的全部技术过程、所用的原料、工具和操作步骤。尤其是抄纸用竹帘的形制和用法、湿纸人工强制干燥技术和植物黏液的使用等,这都是当时欧洲纸工不知道的新鲜事物。他们看到这些图和说明后,对改善本地过时的造纸工艺和改变单一生产麻纸的现状,无疑会取得借鉴和现成的技术经验,也会刺激他们用图中所示的方法进行模仿性试验。实际上法国小说家巴尔扎克作品中的主人公大卫·赛夏所从事的一系列旨在改善欧洲造纸技术的试验,正反映了18世纪末以来欧洲纸工在中国技术影响下努力要改变现状的真实情景。

四、中国造纸技术对19世纪欧洲的影响

欧洲人18世纪从中国引进造纸技术的势头,进入19世纪以后仍未减退,而且力度进一步加大。一个明显的事例是,论造纸的中国技术原作这时第一次被译成欧洲语文,使当地纸工和技术家直接与中国古人对话。我们所指的是明代科学家兼思想家宋应星的《天工开物》(1637)。这部插图本技术百科全书在18世纪已流入法国,藏于巴黎皇家文库(Bibliothèque Royale),即今法国国家图书馆前身。1840年,法兰西学院(Collège de France)汉学教授儒莲(Stanislas Julien,1799～1873)将该书中《杀青》章造竹纸的部分全文译成法文,题为《中国人造纸方法概述》(*Description des procédés chinois pour la fabrication du papier*),发表在法国最高科学刊物《科学院院报》卷10第697～703页③。

我们将法译文与汉文原著对读后,注意到儒莲是严格转达原著字句的。他译此著不是为了历史研究,而是为现实服务或古为今用,因而首发于科学刊物中,而非《亚洲学报》(*Journal Asiatique*)这类汉学刊物,这样可引起科技界的普遍注意。经营过纸厂而失败,后来投身文学创作的巴尔扎克也读过此文,也可见

---

① Benedello A. Chinesische Papiermacherei im 18. Jahrhundert in Wort und Bild. Frankfurt a/M, 1952

② Pan Jixing(潘吉星). Die Herstellung von Bambuspapier in China. Eine geschichtliche und verfahrens technische Untersuchung. In: Chinesische Bambuspapierherstellung. Ein Bilderalbum aus dem 18. Jahrhundert. Berlin: Akademie Verlag, 1993. 11～17

③ Julien S, tr. Description des procédés Chinois pour la fabrication du papier. Traduit de l'ouvrage Chinois intitulé Thien-Kong Kai-Wu(《天工开物》) en Français. Comptes Rendus Hebdomadaires des Séances de l'Académie des Sciences (Paris), 1840,10:697～703

它受到社会关注之广。1846 年,儒莲将其译文改题为《竹纸制造》(*Fabrication du papier de bamboo*),转载于巴黎《东方与阿尔及利亚评论》(*Revue de l'Orient et de l'Algerie*)①。此译文还收入巴参(Antoine Pierre Louis Bazin, 1799～1863)所编的《当代中国,或依中国文件编写的有关此大帝国史地及学术概论》卷2②。

由于19世纪受教育的欧洲人大多能读法文,因而也就有可能从儒莲译文中直接吸取思想养料。我们认为,中国的《天工开物》向西方人提供的技术信息是:(1)除破布外,用楮、桑、芙蓉皮、竹类及稻草皆可造纸,废纸还可重抄再生纸;(2)可用不同原料混合制浆造纸,如60%楮皮与40%竹,70%皮与30%竹及稻草;(3)造竹纸、皮纸的工艺技术与设备,尤其是可弯曲的竹帘抄纸器的形制、编制及使用;(4)有平滑表面的烘纸装置;(5)以杨桃藤(*Actinidia chinensis*)植物黏液配入纸浆中作为"纸药";(6)造竹纸的工艺操作图。

据笔者研究,清康熙年(1662～1722)中国还用铜网造纸,且经过重要改造,研制出"圆筒侧理纸",呈长丈余(330 cm)的筒形。造出这种纸必基于下列三项技术构思:(1)圆筒形铜网抄纸器的设计;(2)使筒形抄纸旋转抄纸;(3)以两个反方向旋转的圆筒对湿纸压榨去水。乾隆四十七年(1782)再次仿制于浙江。中国人在18世纪最先提出后来西方所谓的 revolving endless wire cloth(无端环状旋转式纸帘)抄纸的技术构想,并应用于实践中。标志近代世界造纸革命的18～19世纪两种类型的造纸机结构原理,都与上述构想吻合,但比中国晚了一个世纪③。这种纸不会不引起西方在华耶稣会士和商人的注意。同时,中国以不滤水材料将大抄纸帘隔成几段,用一帘一次抄出几张纸和以白矿物粉加胶水刷在纸上作表面涂布的技术,都传入欧洲。

综上所述,截至19世纪前半叶为止,欧洲从中国引进的造纸技术和技术构想,归纳起来至少有10项:(1)造纸原料多元化;(2)造皮纸、竹纸、草纸的技术;(3)混合原料制浆造纸;(4)以可弯曲的大型抄纸竹帘抄大幅纸;(5)使用植物黏液;(6)纸内施胶技术;(7)以光滑表面的烘干装置烘纸;(8)以筒形铜网旋转抄纸和以旋转滚筒压榨去水的技术;(9)以不滤水材料分割抄纸帘,一次抄出几张纸的技术;(10)表面涂布技术。上述10项中国技术都是17世纪以前欧洲所缺乏的,引进后势必对欧洲传统造纸业原料、制造工艺和基本设备方面予以革新,使技术发展路线做出调整。法国、德国和英国等国在这方面走在其他欧洲国家前面。

西方人在造纸原料多元化方面做了许多试验。法国和美国从中国引种构树,以期造楮纸,因气候及土壤条件不同,长势不佳。法国科学家盖塔尔(Jean

---

① Julien S, tr. Fabrication du papier de bambou. Revue de l'Orient et de l'Algerie (Paris), 1846,11:74～78
② Bazin A P L, éd. Chine Moderne, ou Description Historique, Géographique et Litéraire de ce Vaste Empire, d'aprés des Documents Chinois, vol. 2. Paris, 1853. 622～626
③ 潘吉星. 从圆筒侧理纸的制造到圆网造纸机的发明. 文物,1994(7):91～93

Etienne Guettard，1715～1786）和德国植物学家谢弗（Jakob Christian Schäffer，1718～1790）等人都做过像巴尔扎克小说中主人公大卫类似的工作。盖塔尔发表《对各种造纸原料的考察》、《对可能用作造纸原料的研究》①等论文。谢弗访问过亚洲，1765～1772 年发表六卷本著作《不全用破布，而以破布掺入少量其他添加物制造同样纸的试验和试验样品》（图 253），卷二（1765）介绍以破布与大麻、楮皮、稻草等中国所用原料混合制浆造纸，附以纸样②。1800 年库普斯（Matthias Koops）在伦敦试验以木材、稻草造纸，并以草纸印其作品③，次年再版时再印以再生纸。1856 年英人戴维斯（Charles Thomas Davis）《纸的制造》（*The Manufacture of Paper*）中已列举 950 种可作造纸的原料。1857～1860 年英人劳特利奇（Thomas Routledge）以西班牙和北非的禾本科野生针茅草（*Stip tenacissms*）造纸成功，用以印《伦敦图片报》（*Illustrated London News*）。法国从法属阿尔及利亚获得此草后，也用以造纸。

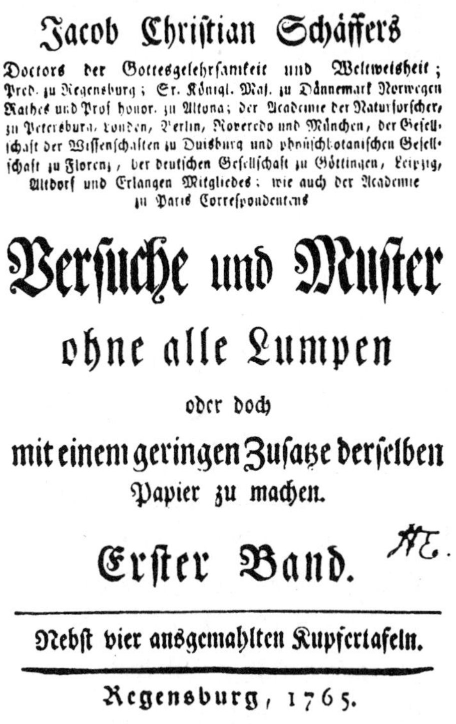
Jacob Christian Schäffers
Doctors der Gottesgelehrsamkeit und Weltweisheit; Pred. zu Regensburg; Sr. Königl. Maj. zu Dännemark Norwegen Raths und Prof honor. zu Altona; der Academie der Naturforscher, zu Petersburg, London, Berlin, Roveredo und München, der Gesellschaft der Wissenschaften zu Duisburg und physisch-botanischen Gesellschaft zu Florenz, der deutschen Gesellschaft zu Göttingen, Leipzig, Altdorf und Erlangen Mitgliedes; wie auch der Academie zu Paris Correspondentens

Versuche und Muster
ohne alle Lumpen
oder doch
mit einem geringen Zusatze derselben
Papier zu machen.
Erster Band.
Nebst vier ausgemahlten Kupfertafeln.
Regensburg, 1765.

图 253
1765 年德人谢弗论造纸原料专著卷一扉页

1875 年劳特利奇又以竹为原料造竹纸，用以印《作为造纸原料的竹》④小册子。英国从印度进口竹，用以造纸。1876 年荷兰阿纳姆（Arnhem）城出版同名的荷兰文书（*Bamboe en Ampas als Grondstaffen voor Papierbereiding*），也印以竹纸。上述事例说明，欧洲人学习中国以破布以外原料造纸或用混合原料造纸取得成功，使 18 世纪以来的原料危机获得缓解，这是中国对欧洲近代造纸所做出的一大贡献。欧洲从 18 世纪中叶起从中国引进可弯曲的竹帘抄纸，代替过去的固定型纸模。法国人将这种中国式抄纸器称为 type de vélin（仿羔皮型纸帘），它由竹帘和帘床组成，可拆合，为活动帘床。1826 年英国肯特郡沃特曼（James Whatman）造纸厂在欧洲首次用中国技术一次抄出 8 张作信纸用的纸。

---

① Guettard J E. Observations sur différentes matières dont on fabrique le papier. Mémoires de Paris, 1741; Recherches sur les matières qui peuvent servir à faire du papier. Mémoires sur Différentes Parties des Sciences et Arts (Paris), 1768, vol. 1

② Schäffer J C. Versuche und Muster ohne alle Lumpen oder doch mit einem geringen Zasatze derselben Papier zu machen. Bd. 1～6. Regensburg, 1765～1771

③ Koops M. Historical Account of the Substances which Have Been Used to Describe Events and to Convey Ideas from the Earliest Date to the Invention of Paper. Printed by T. Burton. London, 1800

④ Routledge T. Bamboo as a Papermaking Material. London, 1875

中国抄纸竹帘的可弯曲性体现先进的造纸思维方式,是通向近代造纸机的必要阶梯,美国纸史家亨特(Dard Hunter,1883~1966)说:"今天的大机器造纸工业是根据两千年前最初的东方(中国)竹帘纸模建造的。"① 此话言之有理,但需加以解释才能了解其深意。如前所述,至18世纪欧洲传统造纸工艺已暴露出过程繁琐、抄纸设备陈旧、不能造大幅平滑纸的种种缺点,在解决原料问题后,下一步是简化操作程序和对竹帘纸模改革,而出路在于实现造纸过程的机械化。

第一个试图实现机械化造纸的是法国人罗伯特(Nicolas-Louis Robert,1765~1828),1797年他用机器成功制成两张大纸(长 12 m~15 m),1798年在发明专利申请书中说,他的目的是"简化造纸操作程序,用最低的成本制造幅面特别大的纸……而且只用机器方式操作"②。他的机器是将长的竹帘两头接起,形成类似坦克履带那样的无端长椭圆形抄纸帘,由两个转轮驱使在纸槽内转动。浆料桶中的纸浆通过导流管流到帘面,纤维留在帘上,水流入纸槽中。纸帘移动至一端时,像坦克履带那样转动在下方,再由另一端重新转动到上方捞纸,循环转动。湿纸经过包有毛毡的滚筒压榨去水,便脱离竹帘,再吊起晾。这就是欧洲近代第一台长网(长帘)造纸机,其结构相当简单。

因法国大革命爆发,社会动荡,造纸机没有发展,该项专利权后卖给英国工厂主,最后由伦敦商人富德里尼尔(Henry Fourdrinier,1766~1854)投资生产,由机械师唐金(Bryan Donkin,1768~1855)制造机器,1803年获英国专利。次年又加改进,称为富德里尼尔机(Fourdrinier),法国发明打上了英国烙印。再经改进,将竹帘易之以铜网,增加伏辊、压辊、蒸气烘辊及卷纸辊,机器变得庞大、复杂,形成从纸浆到成品纸的连续机械作业,至19世纪中叶欧洲建立纸的机器大生产,实现造纸技术的近代化。长帘机投产后,英人迪金森(John Dickinson,1782~1869)1809年又制造出与罗伯特机成纸方式不同的另一类造纸机。其主要部件为圆筒形框架包以一层铜网,使抄纸帘呈圆筒形,在浆槽内旋转抄纸。由筒内形成的真空吸水,此即单筒圆网造纸机,后又经改进。这两种类型的造纸机都可造无限长的纸。

长网机、圆网机投产后,彻底解决了欧洲传统工艺的技术改造问题。以木材为原料的化学制浆法的发明,又使机制纸发展如虎添翼。欧洲造纸之所以能完成机械化、近代化,有赖于拓宽原料和发明造纸机,归根到底有赖于运用下列6项原理:(1)原料多元化;(2)以可弯曲的纸帘抄大幅纸;(3)以圆筒形纸帘在浆内旋转抄纸;(4)以旋转圆辊对湿纸压榨去水;(5)以热源对湿纸强制干燥;(6)以机器生产代替手工抄纸。此处第(1)~(6)项与造纸机发明有直接关系,第(2)~(5)项又是造纸机关键部件设计的思想基础,例如长网机关键部件是将可弯曲的

---

① Hunter D. Papermaking: The History and Technique of an Ancient Craft(1947). 2nd ed. New York: Dover, 1978. 132

② Hunter D. Papermaking: The History and Technique of an Ancient Craft(1947). 2nd ed. New York: Dover, 1978. 341

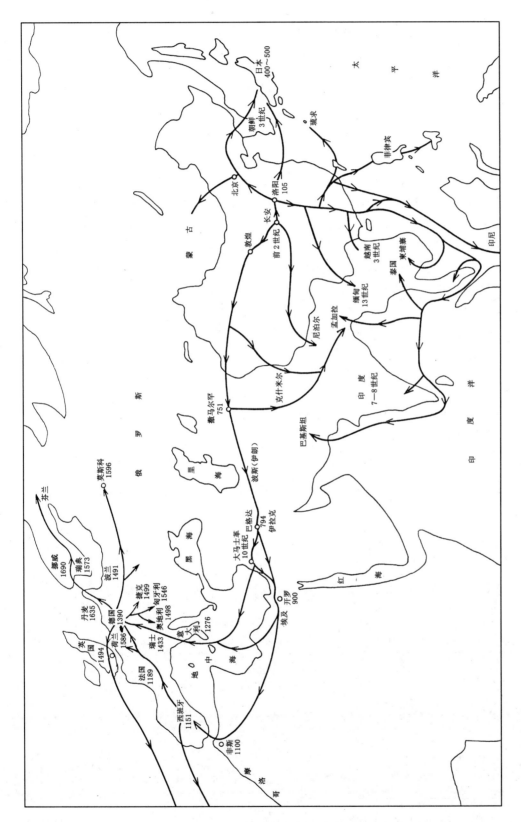

图 254

中国造纸技术外传图,潘吉星绘(1998)

竹帘制成环状,圆网机心脏是圆筒形纸模;没有热源对湿纸干燥的思想,就设计不出烘辊;不将旋转滚筒用于造纸,就谈不上压辊、伏辊和卷辊的安装,不能连续生产。

但可弯曲的纸帘、圆筒形纸模、旋转圆辊和烘干器的运用,都是中国纸工在欧洲人之前很久就使用的,与此相关信息或实物已在1797年欧洲造纸机出现前传入欧洲。将18世纪前欧洲传统造纸各技术内容加以分解后,我们注意到其中除17世纪打浆机之外,其余各项都不能与近代技术接轨。相反,与近代技术挂钩的前述10项技术要素中有一半以上起源于中国并从中国传入欧洲,直接转化成为近代技术的组成部分。这是中国对欧洲近代造纸发展做出的另一大贡献。只有以机器生产代替手工造纸,是欧洲最先做到的。18～19世纪中国造纸技术和技术思想的再传入,在欧洲从手工生产向机器大生产转变的过渡期间起了重要的技术接轨作用。没有来自中国的技术和技术思想,欧洲造纸机是不会凭空制造出来的①。图254为中国造纸技术外传路线图。

---

① 潘吉星. 从造纸史看传统文化与近代化的接轨. 传统文化与现代化(北京),1996(1):74～83

第九章　中国印刷术的外传

第一节　印刷术在日本和朝鲜半岛的传播

一、日本木版印刷之始

在世界上日本是继中国之后第二个最早发展木版印刷的国家。日本飞鸟朝(592～710)大化革新(646)之后,社会经济、文化迅速发展,至奈良朝(710～794)达到全盛时期。此时中、日交通大开,日本遣唐使、留学生和学问僧大批来唐,将学到的一切带回本国,唐代人也访问日本,两国文化交流密切。唐帝国拥有先进的东西,日本都想引进,并在各方面极力模仿唐帝国[①],有意想在东亚争当先进,这要归因于奈良朝有相对安定和繁荣的社会环境。此时造纸业已全面发展,所缺的是印刷,而这项技术也很快就从西邻唐代中国引进。佛教是促进印刷术传播的重要媒介。日本是个佛教国家,访唐的僧人在中国各地看到印本佛经,带回国后很多人觉得是新鲜事物,印本比写本好用,又节省手抄劳动,因此成为模仿对象。

带头使用印刷技术刊印佛经的是孝谦天皇(746～758)。她像唐代武则天女皇那样笃信佛法。758年让位于淳仁天皇后,自称孝谦上皇,剃发为尼,拜僧人道镜(？～764)为国师。道镜俗姓弓削,为归化汉人后裔[②],通梵文,尤精于密教。时外戚藤原仲麻吕(706～764)为太政大臣,764年九月发兵反叛,上皇大怒,迅即平叛,藤原兵败被诛。同年孝谦上皇废除淳仁,复位为女皇,史称称德天皇(764～770),故孝谦与称德实为同一人。叛乱初起时来势很猛,上皇乃发宏愿,如叛乱平息,愿造百万佛塔,每塔各置一陀罗尼神咒,供奉各地。这正是按从中国传来的法舍利佛事活动行事的。而所选的纳塔佛经正是则天武后时于702年在洛阳刊行的密教典籍《无垢净光大陀罗尼经》,该经称,造塔纳经可积善根、消除诸病及诸邪恶势力。

因藤原仲麻吕的叛乱破坏了社会安定局面,不得人心,旬日内即被平息。天平宝字九年(765)正月初一日,女皇为庆祝平叛胜利和重祚皇位,改元天平神护,意为天下太平由神保护,任命国师道镜为太政大臣。造塔、刻经遂即进

[①] 佐伯好郎.大秦景教碑.東京,1913.145
[②] 宋越伦.中日民族文化交流史.台北:正中书局,1969.126

行,由道镜主持①。所造佛塔为小木塔(图255左),高13.5 cm,底径10.5 cm,分3层、7层及13层数种。塔内有一空洞,用以供经。因塔较小,不能纳入整个经卷,遂取其中《根本》、《自心印》、《相轮》及《六度》(《六波罗蜜》)4种陀罗尼咒(图255右)。刻版版材用樱木(Prunus pseudo-cerasus),印以麻纸及楮纸,均染以黄柏。

图 255
日本770年造百万塔及塔内所置百万枚印本陀罗尼,取自增尾信之(1955)

每种经咒因字数不同,纸幅也异。换算成公制后,《根本陀罗尼》印纸5.4 cm×55.2 cm,每纸38行,行5字。《相轮》5.4 cm×42.6 cm,21行。《自心印》5.4 cm×54.6 cm,29行。《六度》5.4 cm×45.6 cm,13行。直高一致,(一寸八分,5.4 cm,1日尺=10日寸=100分=30 cm),而横长不等。每咒一纸,每纸少则79字,多至200字,《根本》字数最多。原则上用4块版即可,因印数为100万,决定以几块版付印。如以奈良朝中央官营纸屋院产纸1.2尺×2.2尺(36 cm×66 cm)计算,则需纸11.4万张。造塔刊经从天平宝字八年起至神护景云四年四月完工,共用6年时间(764~770)。称德女皇实现这一心愿后,于同年驾崩。

完工后,塔及经咒共百万份,分置大和(奈良)、摄津(大阪)、近江(静冈)三个畿内要地的十大名寺中,作为镇国之宝。菅野真道(741~815)《续日本纪》(794)卷三十《宝龟元年四月二十六日(770年5月25日)条》云:"(夏四月)戊午,初(称德)天皇八年(764)乱平,乃发弘愿,令造三重小塔一百万基,各高四寸五分,基径三寸五分。露盘之下各置《根本》、《慈心》(《自心印》)、《相轮》、《六度》等陀

---

① 潘吉星.日本國における製紙と印刷の始まりについて.百萬塔(東京),1996(93):17~29;论日本造纸与印刷之始.传统文化与现代化(北京),1995(3):67~76

罗尼,至是功毕,分置诸寺。赐供事官人以下、仕丁以上一百五十七人爵各有差。"① 奈良《东大寺要录》卷四《诸院章》云:"东西小塔院:神护景雲元年(767)造东西小塔堂,实忠和尚所建也。天平宝字八年(764)甲辰秋九月一日,孝谦天皇造一百万小塔,分配十大寺,各笼《无垢净光大陀罗尼》摺本。"

"摺本"为日本古代专用技术术语,读作すりほん(surihon),すり即印刷,摺本相当汉语"印本"。这些印本不作社会读物,而只作寺院供奉之用,日本古称"摺写供养"(作供奉之印本),以有别于"书写供养"(作供奉的写本)。其他国家印刷开始时,都是民间的小规模活动,但日本从一开始就进入大规模印刷高潮,这要归因于孝谦天皇的魄力。《百万塔陀罗尼》印本至今传世者仍有很多,分布日本及世界各地。奈良朝这次突如其来的大规模印刷所需的技术是从哪里来的呢?印刷史家木宫泰彦博士写道:"从当时的日、唐交通、文化交流等来推测,我认为是从唐朝输入的。"②

秃氏祐祥博士也指出:"从奈良时代到平安时代(794～1192)与中国大陆交通的盛行和中国给予我国显著影响的事实来看,此陀罗尼的印刷绝非我国独创的事业,不过是模仿中国早已实行的作法而已。"③ 他还进而认为754年东渡日本的唐代鉴真(687～763)大和尚及其一行人传授了这种技术④。我们完全同意日本学者的这些意见。将奈良刊本与韩国庆州发现本作综合对比后,发现奈良刊本的底本与庆州发现本在经文、异体字、版框形制、字体及用纸颜色等方面基本一致,当是同一版本,即来自中国的武周刊本,只是764～770年奈良刊本中将武周制字改为正体字,并对个别字做了校勘⑤,这样做是必要的。

平安朝后期,日本僧人裔(diāo)然(约951～1016)986年赴北宋五台山等佛教圣地求法,受宋太宗接见,赐以宋刻《开宝大藏经》及十六罗汉像等⑥。新版精刻本藏经带回国后,对日本刊印佛经给予很大刺激并提供善本,此后刊经之事史不绝书。木宫泰彦引平安朝后期公卿日记及文集,开列了1009～1169年出版的佛经一览表,计单本佛经8 601部、2 058卷。如藤原道长(969～1027)《御堂关白记》载1009年刊《法华经》1 000部。《兵范记》载1169年白河上皇为皇子冥福而雕印《法华经》1 000部、《观音贤经》、《阿弥陀经》及《般若心经》等各350部,一年之内即刊印2 400份佛经⑦。

---

① 菅原眞道[奈良朝].續日本紀(797),卷三十,稱德天皇紀,宇治谷孟譯本,下冊.東京:講談社,2000.33
② 木宮泰彦.日本古印刷文化史.日文版.東京:富山房,1932.17～29
③ 秃氏祐祥.東洋印刷史研究.日文版.東京:青裳堂書店,1981.166
④ 秃氏祐祥.東洋印刷史研究.日文版.東京:青裳堂書店,1981.182
⑤ 潘吉星.中国、韩国与欧洲早期印刷术的比较.北京:科学出版社,1997.240～242;Pan Jixing. A Comparative Research of Early Printing Technique in China, Korea and Europe. Beijing: Science Press, 1997.290～291
⑥ 脱脱[元].宋史(1345),卷四九一,日本传.二十五史缩印本,第8册.上海:上海古籍出版社,1986.1 600
⑦ 木宮泰彦.日本古印刷文化史.日文版.東京:富山房,1932.34～37

平安朝以后是镰仓时代(1190～1335),此时皇权衰微,国家大权落入握有重兵的异姓大将军之手。封建武士集团建立幕府行使政府职能,幕府专政此后持续近 700 年。各武装集团之间为争夺领地和权利,经常发动战争,使幕府统治者不断易人,社会经济停滞。但这种局面未能阻止印刷特别是佛教印刷的发展,因为人们的宗教信仰并未因战争而改变。1202 年南都奈良出版法相宗的《成唯识论》等佛经,称为"春日版"。最初刊本为卷轴装,很快就易为"折本",即经折装。春日版多由幕府统治者源氏家族出资刊行,刻工多为僧人,所据底本仍是宋《开宝藏》中的本子。镰仓时代时,宋代佛教禅宗和儒家理学传入日本。宋代理学家兼涉禅宗,宋僧又多治"外典"(儒学)。这种情况对日本产生影响,一些寺院除印佛经外,也兼刊儒典。如室町时代(1336～1408)京都五大寺形成禅宗中心,其所刊的书称"五山版"。正平十九年(1364)僧道祐刊《论语集解》(图 256),世称正平版《论语》。五山版刊书达数百种。

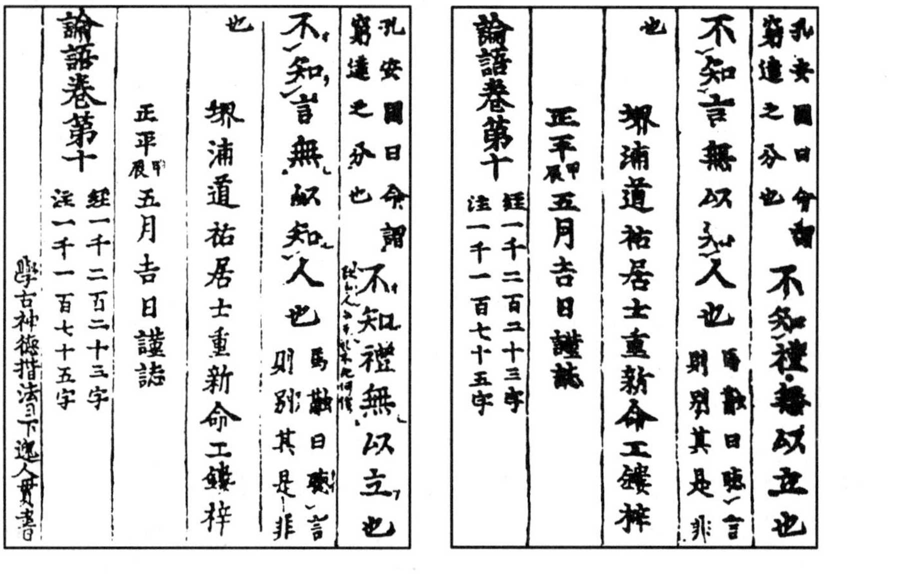
孔安國曰命謂窮達之分也 不知禮無以立也
不知言無以知人也 馬融曰聽言則別其是非也
堺浦道祐居士重新命工鏤梓
正平甲辰五月吉日謹誌
論語卷第十 經一千二百二十三字 注一千一百七十五字
學古神德楷法日下逸人貫書

图 256
日本正平年(1364)僧道祐刊《论语集解》,取自中山久四郎(1930)
左　二跋本
右　单跋本

14 世纪后半期值中国元末社会动乱之际,沿海福建、浙江刻工东渡避难谋生,将宋元高度发达的印刷技术带到日本。如福建刻工俞良甫(1340～1400 在世)、陈孟荣、陈伯寿等在京都参加五山版刻书工作。俞良甫除协助天龙寺刻书外,还自行刻书(图 257)。中国刻工的到来为五山印刷文化带来生机,首先中国人除宗教书外,还自刊文史等非宗教作品。这也影响到日本,有些僧人也刊刻儒家书。其次,日本刊本多用手书体字,字体各异,而京都五山版常以仿宋版字,印刷字体划一。书的版面也取元版版式,取"袋缀本"装订形式,即中国的线装,五山版刻印方式对后来日本印刷产生影响①。室町时代以前日本抄本及刊本汉文书多无标点,为便年轻人阅读,要加标点和片假名注表示语法关系的"训点本",于应永五(1398)出版的《法华经》中出现。17 世纪以后训点

① 潘吉星.中国科学技术史·造纸与印刷卷.北京:科学出版社,1998.534～535

本成为主要流行印本。

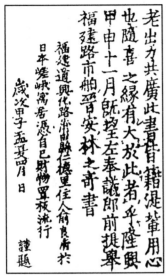

图 257
1384 年福建人俞良甫在京都刊《传法正宗纪》(左)和 1287 年刊《柳文集》(右),取自中山久四郎(1930)

二、日本活字印刷之始

日本虽于 8 世纪已发展木版印刷,但因镰仓时代(1190～1335)以后皇室衰微,统治实权旁落将军手中,不时发生内战,与中国交流渐少,没有及时发展活字印刷。直到安土桃山时代(1573～1600)后期,16 世纪末才通过朝鲜半岛引进中国活字技术。在这以前,意大利耶稣会士范礼安(Alexandre Valignani, 1538～1606)1590～1592 年从明代澳门来日本传教,随带西洋印刷工、西文活字和印机在九州及长崎活动。范礼安日本称伴天连,是 Valignani 之谐音。基督教日语名吉利支丹(キリシタン),为 Christian 音译。他以活字刊印若干西文及日文书,称吉利支丹版。印刷掌握在少数西人手中,不久禁教令下,他们便迅离日本,因而对日本印刷没有产生多大影响。

对日本发生影响的是中国系统的活字技术,因活字用汉字,能很快扎根于日本社会。1586 年将军丰臣秀吉(1537～1598)成为太政大臣后,元录元年壬辰(1592)发动侵朝战争,因受到明朝和朝鲜联军抵抗,以失败告终。但日军在朝鲜看到用活字印书的新事,遂将活字版书、数以万计的铜活字连同一些铸字匠带回日本。1593 年以铜活字刊《古文孝经》一卷,这是日本以活字印书之权舆,但此本今已失传。

当时后阳成天皇(1586～1610)好文学,令以活字刊《古文孝经》。因铸铜活字时以木活字为母模,所以日本也干脆直接以木活字印书,因此像中国、朝鲜一样,形成木版、木活字和铜活字并行发展的局面,这是东亚三国印刷文化的共同特色。1599 年后阳成天皇再鼓励刊行官版木活字本《绵绣段》和《劝学文》,后者有下列题记:"命工每一梓镂一字,綦布之一板印之。此法出朝鲜,甚无不便。因兹模写此书。庆长二年(1597)八月下浣。"此题记以日本术语写成,我们将其译为:"兹命刻工在一木活字块上刻出一字,再将各活字植于印版上,然后印刷。此法从朝鲜得到,甚为方便,因之用来印此书。庆长二年八月下旬。"①

江户时代(1603～1868)以后,印刷获得全面发展。德川幕府建立者德川家康(1542～1616)将军统治巩固后,加强经济和文化建设,其后继者中亦不乏出色的政治家。这个时代基本没有内战,也未发动对外战争,社会相对安定。幕府统治者恢复与中国进行经济、文化交流的传统,注重儒术,尤其朱子学,使之成为国学,又设国家图书馆红叶山文库。德川家康在伏见城兴学校,命工刻10万木活字刊《孔子家语》等书,8年内刊8种80册,称伏见版,包括吉田兼好(1285～1350)用日文假名字母写的《徒草子》(1336),刻本精良。1603～1616年还以铜活字印书,如1607年山城守直江兼续(1560～1619)于京都法要寺刊铜活字本《六臣注文选》61卷,今有传本。

1605年德川家康将大将军位让与其子德川秀忠(1579～1632),自己退居骏府(今静冈)视政。1615年家康命大儒林罗山(1583～1657)于骏府主持以大小铜活字印《大藏一览》125部,次年(1616)再刊《群书治要》60部,世称骏河版(图258)。所用活字来自朝鲜,不足部分由旅日的中国人林五官补铸②,他先后补铸大小铜活字1.3万个。山井重章《群书治要跋》云:"元和二年(1616)命金地院崇传及林道春(罗山)用征韩所获铜活字刷印,文字不足,命**汉人林五官**者增铸,又召刷工于京师,召五山僧掌校正。"因此,中国金属活字工直接参与了日本早期铜活字印刷活动。有人说林五官是"朝鲜人"③,乃无稽之谈,因日本史料明确说他是**汉人**。从传世骏河版印版(图259)观之,其铸字、排版方法正是以中国为主体的东亚汉字文化圈内金属活字技术的传统方法。

图258
1616年骏府版铜活字本《群书治要》

图259
日本骏府版铜活字,取自《江戸時代の印刷》(2000)

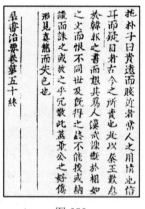
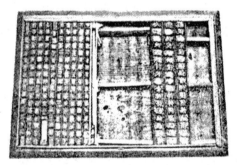

图258　　　　　　图259

---

① 潘吉星.中国科学技术史·造纸与印刷卷.北京:科学出版社,1998.535～536
② 東京印刷博物館編.江戸時代の印刷.東京:凸版印刷株式會社,2000.88～89
③ 孫寶基.韓國的金屬活字技術.見:國際印刷出版文化學術會議論文集.朝文版.清州:清州古印刷博物館,1995.15; Sohn Pow-key. Invention of movable metal-type printing in Korea. In: Essays of the First International Conference on Printing and Publishing Culture. Ch'ongju: Ch'ongju Early Printing Museum, 1995.145

三、朝鲜半岛木版印刷之始

朝鲜半岛上高句丽、百济和新罗三国鼎立时期，互相交战与兼并，势力最弱的新罗受另外两国夹击，遂请唐出兵相助。唐高宗遣使调解无效，乃发水陆军于显庆五年(660)助新罗灭百济，668年又灭高句丽，结束了三国时代，半岛建立了统一的新罗王朝(668～935)，都于金城(今韩国庆州)。新罗是亲唐政权，与唐陆上接壤，多次派使节、留学生赴大陆吸收唐文化。但因新罗人口少，靠纸写本和从唐进口的印本已基本满足了本国需要，因而没有发展印刷。这一时期既未留下关于印刷的记载，也无当地印本遗存下来，偶有发现也是从唐代传入的，如1966年庆州发现的唐武周刻本《无垢净光大陀罗尼经》。

朝鲜朝(1392～1910)古志一度认为岭南道陕川郡海印寺藏《八万板大藏经》印版为新罗哀庄王(800～808)丁丑年所刻，但进一步核对后发现哀庄王在位时无丁丑年，而海印寺藏版皆为高丽朝(918～1392)时雕造①，因为许多版都有"某某年高丽国大藏都监奉敕雕造"之刊记。半岛印刷是从高丽朝前期开始的，宋太宗太平兴国八年(983)完成5 048卷巨型佛教丛书《大藏经》的刊刻工程，是促进高丽发展印刷的直接动力。因此，美国富录教授说中国印刷术传到日本和朝鲜半岛是通过佛教为媒介而进行的，可谓有据之论。

北宋《开宝藏》刊毕之时(983)，值高丽成宗(982～997)王治即位伊始，他遂于989年遣韩彦恭(940～1004)使宋，向宋太宗表示想在高丽也刻印藏经，请赠宋刊藏经一套，以为底本②。再遣僧如可，表达同样愿望。宋太宗召见高丽使者后，当即满足高丽王要求，989及991年将两套《开宝藏》印本赠给高丽。993年太宗特派掌管图书出版的官员秘书丞、直史陈靖和秘书丞刘式往高丽停留七十多日，他们可能随带工匠前往，传授技术。陈靖等因而受到成宗嘉奖，并持谢函而返。为培养本国人材，成宗还派王彬、崔罕等人入宋代国子监及各道学习，992年宋太宗亲试诸科举人，授高丽留学生进士学位和秘书省秘书郎等职衔，放归本国③。秘书郎、校书郎等衔说明他们所学专业已能充当图书出版部门的技术官员。这批在中国获高学位和技术职衔的高丽留学生回国后，便成为第一批印刷行业的骨干。

高丽留学生多至40人，除学印刷外，还有习天文历法及经学、文史的。回国后，成宗再遣翰林学士白思柔使宋向宋太宗致谢，同时又表示想得到宋国子监版《九经》，用敦儒教，太宗许之。因此990～993年间高丽已从北宋引进木版印

---

① 李圭景[朝鲜].五洲衍文長箋散稿(約1862),卷廿四,刊書原始辨證說,上冊.漢城:明文堂,1982.685

② 鄭麟趾[朝鲜].高麗史(1454),卷九十三,韓彦恭傳,第3冊.平壤:朝鲜科學院出版社,1958.71～72

③ 脱脱[元].宋史(1345),卷四八七,高丽传.二十五史缩印本,第8册.上海:上海古籍出版社,1986.1590

刷技术和佛教、儒学方面最好的刊本为翻刻蓝本,这是宋政府对高丽友好的具体表现。成宗末年已有了刻版印书的技术条件和人材,所缺的是社会安定条件。这时中国北方由契丹族建立的辽国(916~1125),不时出兵南下对宋侵扰;又因与高丽交界,还对高丽多次发动侵略战争,造成社会动荡不安,举国上下考虑如何对付辽,成宗未能实现其刊印藏经的愿望,994年还在辽的压力下不得不中断与宋的往来,997年忧郁而死。穆宗(998~1009)嗣位,但无人君气质,嗜酒好猎,不留意政事,终被奸臣康兆所弑,未能实现先王遗愿。但民间的印刷活动已经开始,故将半岛木版印刷起源时间定在10世纪末是适宜的。

现存半岛刊行的最早印本是1007年总持寺刊《宝箧印陀罗尼经》(*Dhātū-kāraṇḍa-dhāraṇī-sūtra*),共一卷。全名为《一切如来秘密全身舍利宝箧印陀罗尼经》,由唐代僧人不空译自梵典。中国有五代吴越国王钱俶(929~988)显德二年(956)杭州刊本,当是高丽本的底本。总持寺是一密宗寺院,刊本上有刊记:"高丽国总持寺主、真念广济大师释弘哲,敬造《宝箧印经》板,印施普安佛塔中供养。时统和二十五年丁未岁记。"此经也像在中国一样是置入佛塔中的,故作小型卷轴装。由五张纸连成,每纸直高7.8 cm,全长240 cm,版框直高5.4 cm,横宽10 cm,行9~10字。卷首有一佛变相图,图后是经文(图260)。

图 260
1007年高丽刊印的《宝箧印陀罗尼经》,取自千惠鳯(1997)

细审高丽本,各字大小不一,变相图中线条模糊,与稍后的高丽本比,可看出此本有古拙特征,刀法不及后期本成熟。统和二十五年是辽圣宗年号,相当北宋真宗景德四年和高丽穆宗十年,但次年(1008)高丽又行宋年号。此刻本初由韩人金完燮旧藏,后流入日本,现藏于东京上野公园附近的国立博物馆。现在还没查出总持寺在高丽什么地方,就在该寺刊经不久之后,一个突发事件促成官方印刷的发展。穆宗被弑后,显宗(1010~1031)即位,时权奸康兆杀辽属女真部95人及辽使,招来大祸。辽圣宗以此为由,于统和廿八年(1010)率契丹兵大举入侵,斩康兆,破京城(今开城)。显宗至南方避难,遂与群臣发愿,如契丹兵退,誓刻《大藏经》。恰巧,辽圣宗对高丽造成严重破坏后,于次年正月班师回朝。

1011年二月,显宗还京城,随即开雕藏经。翰林学士李奎报(1168~1241)就此事追记道:"因考厥初**草创之端**,则昔显宗二年(1011)契丹兵大举来征,显宗南行避难,(契)丹兵屯松岳(开城)不退。于是乃与群臣发无上大愿,**誓刻成《大藏(经)》**,然后丹兵自退。"[1]此处明确说半岛官版草创于1011年,而最早的官刊

---

[1] 李奎报[高麗].東國李相國後集,卷廿三,大藏刻板君臣祈告文(1237),第2册.漢城:朝鮮古書刊行會,1913.14~15

本高丽《大藏经》在显宗在位时已刊出大半,至宣宗(1084～1094)四年(1087)刊完①,约六千卷(图 261)。此后官府又刊行文史及儒家作品,官刊本一直成为半岛印刷品主流,但每种书印刷量较小。将宋刊本与高丽刊本对比后,发现二者版面形制、印刷字体、刻印及装订等方面都基本相同,属于同一技术类型;高丽又以宋版书为刊印底本,这表明半岛早期印刷技术从中国直接引进。

图 261
高丽版《大藏经》,取自中山久四郎(1930)

四、朝鲜半岛活字印刷之始

11～13 世纪木版印刷在高丽朝经二百多年的发展后,已达到很高水平,可与同时期中国相比。至 14 世纪末高丽朝末期,又从中国引进了活字技术。高丽人掌握活字印刷思想和活字排印技术是阅读宋人沈括《梦溪笔谈》之后,其中介绍毕昇 1041～1048 年发明的泥活字(确切说应是陶活字)印刷技术。李朝学者李圭景写道:

> (宋)庆历中(1041～1048)有布衣毕昇又为活板……(我东)活字之始亦自丽代,流传而入国朝(李朝),太宗三年癸未(1403)命置铸字所,出内府铜为字。按:金祇《大明律跋》,以白州知事徐赞所造刻(木活)字印书颁行,时洪武乙亥(1396),而距我太祖开国(1392)后四年,则知活字已在丽代而流入也。②

李圭景精通中、朝学术及典章制度,堪称博洽,他认为半岛活字印刷始于高丽朝末季,而将其技术源头溯至中国宋代,是完全符合历史实际的。

《梦溪笔谈》于乾道二年(1166)首刊于南宋,大德九年(1305)再刊于元初。因高丽在辽国(916～1125)胁迫下中断与宋往来,南宋及金(1127～1234)战争频仍,与高丽来往较少,因此《梦溪笔谈》在 14 世纪元代时传入高丽的可能性

---

① 郑麟趾[朝鲜].高丽史(1454),卷十,宣宗世家,第 1 册.平壤:朝鲜科学院出版社,1957.145
② 李圭景.五洲衍文长笺散稿(约 1862),卷廿四,刊书原始辨证说,上册.汉城:明文堂,1982.686

最大。但高丽人将沈括所说毕昇"用胶泥刻字,薄如钱唇",理解成泥活字的高度如钱唇(2mm),植字时将活字以蜡质等黏药固定于铁制印版上。但这样薄的泥活字强度不大,又不易从版上脱离,所以泥活字技术未能在高丽朝发展。而实际上"薄如钱唇"指泥活字上的刻字深度(凸出凹面的高度)如铜钱的边缘厚度(2 mm),不是活字本身的高度,其高度应在 1.0 cm 以上,这样的泥活字才有实用性,即毕昇所用者。高丽人虽未成功发展泥活字技术,却掌握了活字印刷思想和活字排版技术。

中国以金属铸活字的技术传入高丽后,使高丽活字又有了新的发展。元世祖(1271~1294)忽必烈 1276 年仿金交钞制以铜版和铜活字印发纸币,名曰"至元宝钞"。1260 年发行的"中统宝钞",自 1276 年起也以同法印造流通。当元世祖将高丽沦为属国后,加速了半岛蒙古化进程,至迟从 1276 年起高丽就流通元代纸币①。《高丽史》(1454)卷七十九《食货二》载,1287 年四月,"**元遣使至高丽,诏颁至元宝钞,与中统钞通行**②"。1276~1290 年间高丽全境行用元代纸币。蒙古皇帝向高丽调拨经费以宝钞支付,1280 年元在高丽设征东行省后,境内几十万蒙、汉人军队开支也用宝钞。13~14 世纪之际因用钞量剧增,元政府当在高丽设宝钞提举司,这就使印钞之法传入高丽。

14 世纪还是中国元、明交替时期,明太祖朱元璋(1328~1398)1368 年建立明王朝,结束了元在全国的统治,1375 年印发"大明宝钞"。但元顺帝逃至塞外,仍称元朝,史称北元(1368~1402),继续行钞法。高丽末年也仿中国制度印发纸币,名曰"楮币"。《高丽史·食货志》载,恭让王(1389~1392)三年、明洪武廿四年(1391)三月,中郎将房士良上书,请作楮币为货币,王纳之。七月,"都评使司奏罢弘福都监,(改)为资瞻楮货库,请造楮币曰……自汉至今,代各有钱,若宋之交子、元之宝钞,则虽变钱法,实祖其遗意……宜令有司参酌古今,**依仿会子、宝钞之法,置高丽通行楮货,印造流布**。"③

高丽资瞻楮货库,相当于元、明的宝钞提举司,1391 年恭让王准奏,印发高丽楮币,正是仿效中国纸币制度。在这以前,1102 年高丽还仿照中国制度铸造铜钱"海东通宝",从北宋引进铸钱技术。高丽楮币票面应类似中国宝钞,以铜版和铜活字印造。与此同时,忠义君郑道传(1335~1395 在世)1391 年上书恭让王,"欲置书籍铺铸字,凡经史子书、诸经文以至医方、兵律,无不印出。俾有志于学者,皆得读书,以免失时之叹"④。此奏文是针对恭让王三年(1391)罢书籍铺

---

① 鄭麟趾.高麗史(1454),卷廿八,忠烈王世家,第 1 冊.平壤:朝鮮科學院出版社,1957. 432
② 鄭麟趾.高麗史(1454),卷七十九,食貨二·貨幣,第 2 冊.平壤:朝鮮科學院出版社,1958.608~609
③ 鄭麟趾.高麗史(1454),卷七十九,食貨二·貨幣,第 2 冊.平壤:朝鮮科學院出版社,1958.609
④ 鄭道傳.三峰集,卷一,置書籍院鋪詩幷序(1291).見:朝鮮弘文館編.增補文獻備考(1908),卷二四二,藝文考.漢城:亞細亞文化社景印本,1972.

一事而发的,恭让王准奏,"四年(1392)置书籍院,掌铸字、印书籍,有令丞"①。这是半岛有关铸字印书的最早可靠记载。

当恭让王采纳臣下奏议,于1391年印造楮币、1392年立置书籍院铸字印书时,已是王朝覆灭前夕,很难推行下去。但说明14世纪后半叶高丽已有铸字印刷活动。现存半岛最早金属活字印本是宣光七年(1377)清州牧兴德寺刊《佛祖直指心体要节》(图262)。此书上下二册,仅存下册,藏于巴黎国家图书馆②。作者景闲(1288~1374),又称白云和尚,集历代佛经典故中的佛祖教训,以汉文写成。书名可译为《对佛祖教导及其惩戒精义之理解》。宣光七年为北元年号,相当高丽辛祸王三年、明太祖洪武十年(1377)。用金属铸字即令高度小,但因强度大,仍可用毕昇之法排版印刷,活字在拆版时也易从版上脱离,高丽末期的活字本就以此方式印出,为李朝铸字印书打下基础。

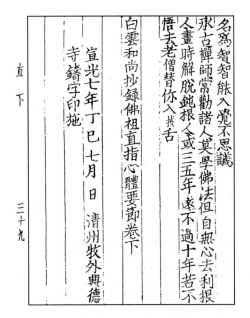

图262
1377年高丽刊铜活字本《佛祖直指心体要节》,巴黎国家图书馆藏

1392年李朝建国伊始,即恢复高丽朝书籍院之建制,但并未很快铸字,最初的官刊本是木活字本。可以说金属活字和木活字印刷在高丽末年都已启动。现存半岛最早木活字本是李朝初太祖四年(1395)刊《开国原从功臣录券》,版框直高25.5 cm,每字1.1 cm×1.4 cm,今藏汉城诚庵古书博物馆③。此本字体不工整,排列歪斜,墨色浓淡不匀,显示出半岛早期木活字技术仍不成熟。李世宗二年(1456)刊《大明律直解》,收入金祗《跋》称:"付书籍院以白州知事徐赞所造木字印出,无虑百余本,而试颁行,庶不负钦恤之意也。时洪武乙亥(1395)初吉,尚友斋金祗谨识。"可见,1395年书籍院以徐赞所造木活字印过《大明律直解》百部,1456年本今藏汉城东亚大学博物馆。

14世纪后半叶,高丽朝后期虽有金属活字印刷,只是民间的个别活动,还未形成规模,也没有政府参与。而大规模铸字印书是从李朝第二个统治者太宗(1401~1417)开始的,已进入15世纪初期。太宗三年、明成祖永乐元年(1403)命置官营"铸字所"于京城(今汉城),铸出大批铜活字印书。《李朝实录·太宗实录》卷五《太宗三年癸未二月庚申》条载,1403年3月4日太宗命"新置铸字所。上虑本国图书典籍鲜少,儒生不能博观,命置所。以艺文馆提

---

① 鄭麟趾. 高麗史(1454),卷七十九,百官志,第2册. 平壤:朝鲜科学院出版社,1958.573
② Courant M. Supplément à la Bibliographie Coréene. tom 1. Paris: Imprimerie Nationale, 1901. 70~72. no.3 738
③ 千惠鳳[韓]. 韓國典籍印刷史. 朝文版. 漢城:泛友社,1990.224~225

学李稷、总制闵无疾、知申事朴锡命、右代言李膺为提调，多出内府铜铁，又命大小臣僚自愿出铜铁，以支其用”。当时内阁成员礼曹判书兼宝文殿大提学权近(1352～1408)1403年为铸字事写跋，此跋收入1409年活字本《十一家注孙子》之书尾：

> 永乐元年(1403)春二月，殿下(太宗)谓左右曰：凡欲为治，必须博观典籍，然后可以穷理正心，而致修齐治平之效也。吾东，方在海外，中国之书罕至，板刻之本易以剜缺，且尽难刊天下之书也。予欲范铜为字，随所得书，随即而印之，以广其传，诚为无穷之利。然其供赏，不宜敛民……于是悉出内帑……又出经筵古注《诗(经)》、《左氏传》以为字本，自其月十有九日而始铸，数月之间多至十万字。①

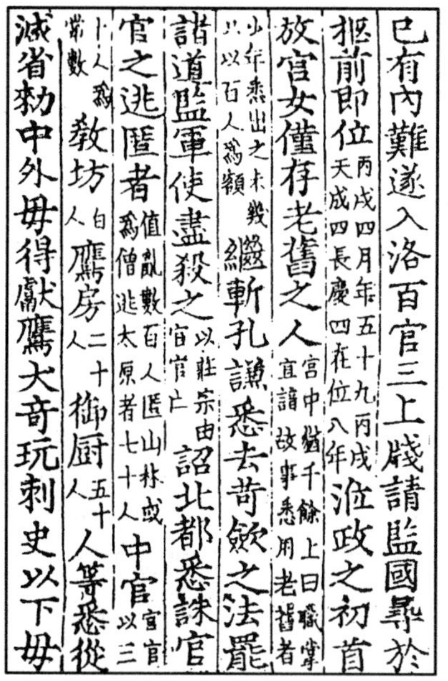
已有內難遂入洛百官三上牋請監國晷於
抠前即位丙戌四月年五十九丙戌天成四長慶四在位八年涖政之初首
放宮女僅存老舊之人宮中猶千餘上曰職掌宜諳故事悉用老舊者
少年悉出之未幾只以百人爲額繼斬孔謙悉去苛斂之法罷
諸道監軍使盡殺之以莊宗由宦官亡詔北都悉誅官
官之逃匿者值亂數百人匿山林或爲僧逃太原者七十人中官宦官以三
十人爲常數教坊百人鷹房二十人御廚五十人人等悉從
減省勑中外毋得獻鷹犬奇玩刺史以下毋

图 263
1403年朝鲜刊铜活字本《十七史纂古今通要》，韩国国立中央图书馆藏，引自千惠鳳(1997)

因官方首次铸字之年为癸未，故这批铜活字称为“癸未字”(*kyemi-cha*, 1403 fonts)。以王廷所藏宋版《诗经》、《左传》中的字样铸字，有大字(1.4 cm×1.7 cm)及小字(1.1 cm×0.8 cm)两种，以此字出版过《十一家注孙子》、《十七史纂古今通要》(图263)及《宋朝表笺总类》等。自太宗以后历代朝鲜国王对金属活字情有独钟，想短期内出版种类更多的书，随得随印，但出版量小，一般只出三五百部。李朝在1403～1883年间铸活字37次，其中铜活字30次、铅活字2次、铁活字5次②。16世纪以铁铸活字为朝鲜的一项发明，而以木活字与铜活字混合排版，也具有独创性。金属活字印刷始终由官府垄断，民间较少铸字。与此同时，木活字也有发展，印本质量逐步改善。

关于活字铸造技术，李朝学者成伣(1439～1504)《慵斋丛话》(约1495)卷三写道：

> 大抵铸钱之法，先用黄杨木刻活字，以海浦(海边)软泥平铺印板，印着木刻字于泥中。则其所印处凹而成字。于是合两印板，熔铜从一穴泻下，流液分入凹处，一一成字。遂刻剔，重而整之。③

① 權近.陽村集，卷廿二，鑄字跋(1403).漢城：亞細亞文化社，1974

② 千惠鳳[韓].韓國書誌學.朝文版.漢城：民音社，1997.577～579

③ 成俔[朝鮮朝].慵齋叢話(約1495)，卷三.見：大東野乘，第1冊.漢城：朝鮮古書刊行會，1909.158

由此可知铸字之法与铸钱之法大体相同。先刻成阳文反体木活字为母模，以黄杨木($Buxus\ sinica$)为木料。用海边软泥及细砂铺在四周有边的框架中，将木活字插入泥中，再以同样铺有软泥的另一框架扣在有木活字的框架上。于是在软泥中压出中空的有阴文正体字的铸腔，取出木活字，即成铸范。在两块范接合处留有孔道，将熔化铜水沿孔道穴口泻入铸范，便铸出活字，再经修整。活字为矮立方体，有时背面凹空，为节省铜料。

半岛铸钱始于高丽肃宗七年(1102)，《高丽史·食货志》曰："七年(1102)十二月，制：富民富国莫重钱货，**西、北两朝**(宋、辽)**行之已久，吾东独未之行。今始制鼓铸之法**……钱文曰海东通宝，且以始用钱告于太庙。"①"鼓铸之法"即铸钱之法。高丽置铸钱都监时，任命宋人为官吏，如正二品的参知政事慎修(？～1101)、正八品的邵珪、陆廷俊和刘俨等皆来自北宋，召试于文德殿后授官②，他们成为铸钱的技术顾问。海东通宝形制与宋钱相同，其成分参考了唐宋铜钱合金配料原理，稍加损益，铸钱技术显然引自北宋。

成伣所描述的朝鲜半岛铸字技术，实际上是翻砂铸造法(sand-casting)，也是北宋以来中国一直采用的铸字传统技术。高丽朝和李朝也以此法铸字，"海浦软泥"即在海边取来的粘土，实际上在任何地方取来的细粘土都可做铸范。有人认为1377年刊《佛祖直指心体节要》所用金属活字是以失蜡铸造法(dewaxing-casting)铸造的③。这是违反技术常规的，也与此后半岛铸字实践和成伣记载相矛盾。我们认为，用昂贵而复杂的失蜡法铸字，在技术和经济上是不合算的。孙宝基博士注意到，韩国早期金属活字本中字的周围在放大镜下可见砂粒、毛刺或笔画错位，这都是翻砂铸造的特征，并以此作为版本鉴定的依据④。这也说明早期活字不可能用失蜡法铸成。

成伣还谈到排印技术："始者，不知列字之法，融蜡于板，以字着之。……其后始用竹、木填空之术，而无融蜡之费。"1403年李朝始铸癸未字排版时，将铜活字植入铁制印版的蜡层上，借其黏力固定版上，再上墨刷印。这可能是高丽末期14世纪后半叶传下来的排版方法，一直用到15世纪李朝初，而实际上正是北宋人毕昇用过的方法。高丽人做泥活字不成，改铸铜活字后，却仍用泥活字排版法。1420年世宗命工曹参判李蔵(chǎn)(1375～1451)铸庚子字时仍以此法排版，因蜡质黏力固定不好铜活字，印刷时活字易移动，需随时调整，一人每日只印二十余纸⑤。成伣所述排版方法变迁，未载发生于何时，但《世宗实录》卷六十五给出提示。1434年8月6日，世宗召李蔵于内殿，谕之曰：

---

① 鄭麟趾．高麗史(1454)，卷七十九，食貨二，第2冊．平壤：朝鮮科學院出版社，1958.607
② 鄭麟趾．高麗史(1454)，卷十一，肅宗世家一，第1冊．平壤：朝鮮科學院出版社，1957.166
③ 吳國鎭[韓]．韓國之古印刷文化(朝文)．清州：韓民族文化研究所，1994.53～55
④ Sohn Pow-key(孫寶基). Early Korean Typography, new edition. Seoul: Po-chin-chai Co. Ltd., 1982. 131, 11, Fig. 7
⑤ 卞季良[朝鮮朝]．春亭集，卷十二，鑄字跋(1420)．見：徐居正主編．東文選(1478)，卷十七．漢城：慶熙出版社，1966

> 太宗肇造铸字所铸大字……但因**草创**,制造未精。每当印书,先以蜡布于板底,而后植字于其上。然蜡性本柔,植字未固。才印数纸,字有迁动,多致偏倚。随即均正,印者病之。予念此弊,曾令卿改造,卿亦为难。予强令之,卿乃运智造板铸字,并皆平正、牢固。不待用蜡,印出虽多,字不偏倚,予甚嘉之。
>
> 今者(1434)(晋阳)大君等请改铸大字印书以观……乃命(李)蔵临其事……(遂)出经筵所藏《孝顺事实》、《为善阴骘(zhì)》、《论语》等书为字本。其所不足,命晋阳大君(李)瑈书之。铸至二十有余万字,一日所印可至四十余纸。字体之明正,功课之易就,比旧为倍。①

由此可见排版技术改良发生于1420～1434年间,其方法是在印版上放薄竹片为界行,在两片之间植字,以竹片将活字夹紧。无字的空隙以不同大小的木楔塞紧。这样不用蜡质便将活字固定在印版上,防止其移动,印完后又易于拆版收字。此即成俔所说的"竹木填空之术",而这也正是百多年前元代人王祯《农书》(1313)中介绍的中国木活字、金属活字的排版方法,此方法在11～12世纪发明于中国,出土的12世纪西夏文木活字本即以竹木填空之术排版。

世宗十六年甲寅(1434),朝鲜以王廷所藏永乐十七年(1419)明代赠送的《孝顺事实》及《为善阴骘》等内府刊本字体铸字,称为甲寅字,是李朝第三次铸字。

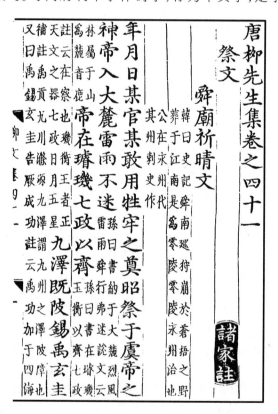

图264
1438年朝鲜以1434年铸甲寅铜活字("卫夫人字")刊《柳文集》,取自孙寶基(1982)

---

① 朝鮮春秋館編.李朝實錄·世宗實錄(1454),卷六十五,世宗十六年秋七月條.東京:日本學習院東洋文化研究所影印本,1967

因明刊本字体仿东晋女书法家卫铄(272～347)之书体,故甲寅字又称"卫夫人字",实际上出于明初翰林学士之手。1434年所铸的甲寅字有大字及小字两种,其中大字1.4 cm×1.6 cm,小字1.4 cm×0.8 cm,高0.5 cm～0.6 cm,共铸二十多万枚。中国刊本中没有的字,由世宗次子晋阳大君李瑈(1417～1468)补书。用这批铜活字排印的书,现存者有《唐柳先生集》(图264)、《诗传大全》等。由于排字方法改进,一人每日可印四十余纸,比以前用蜡质固定法提高二倍功效,从此遂成定式。

综上所述可以看到,朝鲜半岛的活字印刷思想和排版技术、铸钱与铸字技术和木活字技术都来自中国,高丽末期还仿照中国制度发行纸币。比较研究表明,高丽朝和李朝铸字字体、活字本版面设计、装订方式,都与中国大体相同,甚至很多底本也来自中国。

第二节　印刷术在亚非其他国家的传播

一、越南印刷术的早期发展

越南地处东南亚,与中国广西、云南陆上相连,自古与中国保持密切联系。在东汉广西人士燮(137～226)任交趾太守期间,3世纪初造纸技术便从中国内地引入越南境内。其造纸术虽然发展较早,但印刷术却迟至13世纪才从中国引入。在这以前,中国出版的印本佛经和历书等早在唐代就传入越南,宋以后中国印刷术获得大发展,各种书籍大量涌入越南。《宋史》卷七《真宗纪》载,景德三年(1006)秋七月乙亥,"交州来贡,(真宗)赐黎廷龙《九经》及佛氏书"[1]。按黎廷龙为前黎朝(980～1009)统治者,受赠之书皆为宋刻本,"佛氏书"可能指宋刊《开宝大藏经》(983),宋以后,中国印本书不断传入越南。1075年起越南推行科举取士制度,对读物需要日增,促进印刷术的发展。从文献记载来看,陈朝(1225～1400)初(13世纪)曾以木版印刷户籍,印书也当在这前后。越南史家吴士连(1439～1499在世)《大越史记全书》(1479)《陈纪二》写道:

> (陈明宗)大庆三年(1316)阅定文武官给户口有差,时阅定官见木印帖子,以为伪,因驳之。上皇(英宗)闻之曰:此元丰(1251～1255)故事,乃官帖子也。因谕执政曰:凡居政府而不谙故典,则误事多矣。

这是越南有关印刷的最早记载,陈太宗元丰年相当中国南宋末期。此后,陈

---

[1] 脱脱[元].宋史(1345),卷七,真宗纪.二十五史缩印本,第8册.上海:上海古籍出版社,1986.5 203

朝英宗遣中大夫陈克用使元,求得《大藏经》刊本一套,1279年于天长府(今南定)刊行其中部分佛经。阮朝(1802~1945)国史馆总裁潘清简主修的《钦定越史通鉴纲目》(1884)卷八《陈纪》载:

> 英宗七年(1299)颁释教于天下,初(1295)陈克用使元,求《大藏经》。及回,留天长府,副本刊行。至是(1299)又命刊行佛教法事道场、公文格式,颁行天下。

《越史通鉴纲目》卷卅七《黎纪》称,后黎朝(1428~1527)太宗绍平二年(1435)官刊《四书大全》,以明初刊本为底本。黎圣宗光顺八年(1467)又颁《五经大全》及诸史、诗林、字汇等刊本。刻书地点集中于历代首府河内。除官刊本外,还有私人坊家出版的大众读物。越版书主要是汉文本和汉字字喃注释本。"字喃"(chum-nom)是13世纪初李朝末期越南人用汉字笔画和造字方法创造的记录越语的方块象声文字。阮朝定都于顺化,这里成为另一出版中心。除文史、宗教书外,还出版一些实用科技著作,如黎有卓(1720~1791)的《海上医宗心领全帙》和潘孚先的《本草植物撮要》等。越版书版式与中国印本相同,但传世者数量甚少。

《大越史记全书》卷八《陈纪》还记载陈朝末年(14世纪末)发行纸币之事:

> 顺宗九年(1396)夏四月,初行通宝会钞。其法十文幅面藻,三十文幅面水波,一陌(100文)画云,二陌画龟,三陌画麟,五陌画凤,一缗(1 000文)画龙。伪造者(处)死,田产没官。印成,令人换钱。

此次印发纸币是依少保王汝舟之议,仿照中国大明通行宝钞制度而进行的。纸币名为通宝会钞,面额七种:十文、三十文、一陌(100文)、二陌、三陌、五陌及一缗(1 000文),每种面额钞面饰以不同图案,最高面额者饰以龙纹,钞面再钤以官印。钞面上还应有字号,以千字文与数字组合编号,如"某字某某号",而且要以活字置于印版凹空处印出。中国宝钞向以铜版和铜活字印制,越南通会宝钞亦当如此。就是说,1396年起越南按中国方式以铜版和铜活字印钞。印成后,下令收回京内及各地铜钱入国库,禁止民间私藏、私用铜钱,伪造钞者处死。后因滥发纸币,造成经济混乱,至后黎朝时又恢复铜钱。

阮朝成泰年(1889~1907)写本《圣迹实录》、《法雨实录》有"奉抄铜板,只字无讹。嘉福成道寺藏板"等句,此处"铜板"或可理解为铜活字本,但这类书没有保存下来。阮朝是越南史上最后一个封建王朝,宪祖绍治年间(1841~1847)从中国买回一套清代木活字,1855年用以排印《钦定大南会典事例》96册,1877年再刊《嗣德御制文集》68册。翼宗(1848~1882)阮福时对中国文学很有修养,曾以木活字出版其诗文集[①]。现存世越南古书,多木刻本,印以竹纸,活字本少见。

---

① 张秀民.中国印刷术的发明及其影响.北京:人民出版社,1958.157~158

对其印刷史研究因资料不多,尚待深入展开。

二、菲律宾和泰国印刷术之始

菲律宾是西太平洋的群岛之国,与中国福建、广东及台湾只有一海之隔,帆船3日可到,因之自古以来中、菲关系较为密切,至明代时进入新的阶段。《明史》卷三二三《吕宋传》载,"闽人闻其地饶富,商贩者至数万人,往往久居不返,至长子孙"。这些华侨经营农业、手工业和商业,其中包括造纸和印刷。1565年菲律宾沦为西班牙的殖民地,殖民者统治时迫害华侨,但他们也不得不承认,没有华侨就很难使菲律宾经济正常运转。

西班牙统治菲律宾时,并没有尽早发展印刷,而是由当地华侨最初奠定印刷业的基础。西班牙人对中国印本也很感兴趣,明万历三年(1575)七月,西班牙人马丁·拉达(Martin de Rada, 1533~1578)奉菲律宾总督莱加斯皮(Miguel Lopez de Legaspi, c.1510~1592)派遣,来中国福建,在福州、泉州等地停留3个多月,买到不少中国书籍带回马尼拉。拉达通汉语,编过一本汉语辞典,还写了福建游记。1576年他的旅伴马林(Gerohimo Marin)回西班牙时将游记及中国书籍带回,其中包括地理、历史、法律、造船、天文、乐律、数学、本草、马术和军事方面的书。拉达的游记稿后来成为西班牙人门多萨(Juan Gonzeles de Mendoza, 1540~1620)编写《中华大帝国志》(*Historia del Gran Regno de China*, Roma, 1585)的资料来源。拉达返回菲律宾后,请当地华侨帮他翻译从中国带来的书,但未及出版,便于1577年死去。

在马尼拉从事印刷出版业的最著名华侨,是福建人龚容(Kong Yong, c.1538~1603),他的西名为胡安·维拉(Juan de Vera)。马德里国家图书馆(Biblioteca National de Madrid)藏有最早刊于菲律宾的汉文版书,是1593年(明万历二十一年)问世的科沃(Juan Cobo, ?~1593)著《天主教义》(*Doctria Christiana*)(图265)[①]。此书就是龚容刻版印刷的,题为《新刻僧师高母羡撰无极天主正教真传实录》。其西班牙文原书名为《自然法则的理顺与改善》(*Rectificacian y Mejora de Principios Naturales*)。书中前三章与宗教有关,后六章介绍地理学及生物学知识,包括地圆说[②]。作者汉名高母羡,"羡"为Juan(胡安)之音译,"高母"为Cobo(科沃)之音译,此人为西班牙多明我会士(Dominian),1588~1592年在菲律宾传教,从华侨习汉文[③],写成此书。

---

① Bernard-Maitre H. Les origines Chinoises de l'imprimerie aux Philippines. Monumenta Serica (Shanghai), 1942,7:312

② 方豪.流落于西葡的中国文献.学术季刊(台北),1952,1(2):149;明万历间马尼拉刊印之汉文书籍.现代学苑(台南),1952,4(6).以上俱见:方豪六十自定稿,下册.台北:学生书局,1969.1 518~1 524,1 743~1 747

③ Pelliot P. Notes sur quelques livres ou documents conservés en Espagne. T'oung Pao, 1929,26:48

上述汉文本书出版的同一年(1593),又以菲律宾当地民族的他加禄文(Tagalog)出版,也是龚容以木版印刷的①。他加禄文在1962年定为菲律宾国语。菲律宾远东大学教授赛德(Gregorio F. Zaide)写道:"1593年出版了两本有关基督教义的书,一为他加禄文本,另一为汉文本,都是在马尼拉由一位中国教徒龚容刻印的。他是菲律宾第一个闻名的印刷工。"②因此,该国的印刷是从龚容首开其端的。他在完成木版印刷之后,1602年于晚年时又成功铸出铜活字,用以出版汉文及西文书。1640年西班牙传教士阿杜阿尔特(Aduarte)谈到龚容时写道:

> 他致力于在菲律宾这块土地上研制印刷机,而在这里没有任何印刷机可供借鉴,也没有与中华帝国印刷术迥然不同的任何欧洲印刷术可供他学习……龚容(Juan de Vera)不懈地千方百计且全力以赴地工作,终于实现了他的理想……因此,这位华人教徒龚容是菲律宾铸活字印刷的第一个制造者和半个发明人。③

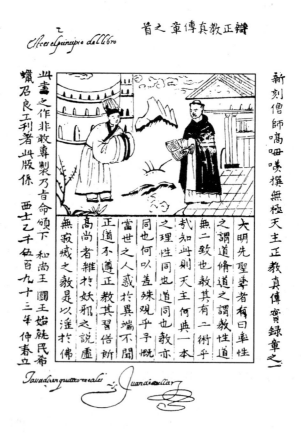

图 265
1593年中国人龚容在马尼拉出版的汉文木刻本《无极天主正教真传实录》,取自 H. Bernard-Maitre(1942)

---

① Van der Loon P. The Manila Incanabula and early Hokkeins studies. Asia Major, 1966, 12(1):2~8
② Zaide G. Philippine History and Civilization. Madrid, 1939. 388
③ Fernandez P. History of the Church in the Philippines (1521~1878). Manila, 1979. 358~359

可惜龚容 1602 年研制金属活字后,便于次年逝世于马尼拉。他的弟弟佩德罗·维拉(Petro de Vera,汉名待考)和徒弟接过这些活字和印刷设备,出版活字本著作,事实上他们都参与了铸字试验。1911 年西班牙人雷塔纳(W. E. Retana)在《菲律宾印刷术的起源》①一书中介绍说,维也纳帝国图书馆(Biblioteca Imperial de Vienna)藏有汉文本《新刊僚氏正教便览》(图266),作者汉译名为罗明敖·黎尼妈(Dominigo de Nieba),规范译名应是多明戈·涅瓦。"僚氏"为西班牙文 Dios(天主)之音译,则此书今天应译为《新刊天主正教便览》。书的扉页印以西班牙文:

Memorial de la Vida Christiana. En lengua China // compuetto por el Pedre Fr. Domingo de Nieba. Prior lel conuento de S. Domingo. // con licencia en Binondoc en case de Petro de Vera. Ságley Impreser de Libros. Año de 1606②(图 266A)。

图 266
1606 年龚氏在马尼拉刊铜活字本《新刊僚氏正教便览》,A. 西班牙文扉页　B. 汉文正文,取自 Retana(1911)

上述原文排印时一些词的拼法和词头大小写,我们引用时已做了规范处理,且将其译成汉文如下:

天主教义便览。由多明我会士多明戈·涅瓦神甫以汉文编成。// 由佩德罗·维拉(龚容之弟)刊于宾诺多克的萨格莱书铺。时在 1606 年。

除扉页为西班牙文外,接下是西班牙教士用不通顺但可看懂的汉文写的序和正文(图 266B)。今引其开头数段如下:

---

① Retana W E. Origines de la Imprenta Filipina. Madrid. 1911. 71
② Retana W E. Origines de la Imprenta Filipina. Madrid, 1911. 181~184

巴礼　罗明敖·黎尼妈新刊僚氏正教便览

　　夫道之不行,语塞之也。教之不明,字异迹也。僧因行道教(天主教),周流至此(菲律宾)。幸与大明(中国)学者交谈,有既粗知字语。有感于心,乃述旧本,变成大明字语(汉文),著作此书,以便入教者览之。

"巴礼"为西班牙文 el Pare(神甫)之音译,相当于法文 le Père。看来多明戈·涅瓦(罗明敖·黎尼妈)神甫是继胡安·科沃(高母羡)之后,在菲律宾华侨界传教的另一教士。此《正教便览》刊本半页9行,行15字。有人认为是木版印本①,笔者在仔细研究后主张是金属活字本,而非木刻本。将1593年龚容刊《无极天主正教真传实录》与其弟1606年刊《僚氏正教便览》对比后,我们发现前者文字流畅而活泼,多繁体,较少走样,每行字排列笔直而整齐,书内插图文字与正文有同样特点,这显示此本为木版印刷品。

1606年本汉字笔画呆滞、粗放,且多简体,如义、离、迁、旧等,与今天简化字相同。"书"有时作"書",有时作"朩",没有统一。每行字排列不整齐,一些字歪斜,字下有不该出现的空白,全书无插图。这表明该本不是木刻本,而是金属活字本。简化字的应用是为便于铸字,字体呆滞而不流畅是初次试验铸字的特点。但扉页上西班牙文字母相对说较好,因字形、笔画较汉字简单、易铸。且1640年阿杜阿尔特明确说龚容研制成活字印刷机,原文含义即指金属活字。

1924年法国汉学家伯希和(Paul Pelliot,1878~1945)在梵蒂冈图书馆发现一汉文刊本②,扉页亦为西班牙文:Doctria Christiana en letra y lengue China, compuesta por los Padres Ministros de los Sangleyes, de la Orden de Sancto Domingo//Con licencia por Keng Yong China, en el Parian de Manila。我们将其译为"天主教义。//由桑格莱神甫奉圣多明戈之命用汉文编成。//大明人龚容刊于马尼拉之巴连"。此书正文为汉文,半页9行,行16字,未标汉文书名及年款,但题为龚容所刊。1951年阿拉贡(Gayo Aragon)研究了此本,又由多明格斯(Antonio Dominguez)译成西班牙文发表,经考证为1593年刊③。我们从扉页西班牙文及汉文正文观之,此本为木刻本。

从1593年起至1608年止,菲律宾印刷一直由华人所垄断,他们既经营印刷厂,又经营书店。1911年雷塔纳列举了1593~1640年间在菲律宾的8名中国印刷人的名字,但没有给出其汉名,只给出其西班牙名。他们出版过汉文、西班牙文和他加禄文书籍④,形成有实力的出版集团。无疑,明代福建人龚容是其中为首的一位,他们兄弟在马尼拉商业区巴连(Parian)开设的萨格莱书铺(Ságley

---

① 张秀民.中国印刷术的发明及其影响.北京:人民出版社,1958.169
② Pelliot P. Un recueil de pièces imprimées concernant la "Question de Rites". T'oung Pao, 1924,23:356
③ 方豪.方豪六十自定稿.台北:学生书局,1969.1 519~1 520.但 Van der Loon 认为是1605年刊本.究系1593年刊,或1605年刊,今有两说,予从前说——作者
④ Retana W E. Origines de la Imprenta Filipina. Madrid, 1911.71

Impresor de Libros),是当地最大的书坊,既刊木刻本,又刊铜活字本。明代福建铜活字印刷相当发达,给来访的西班牙人拉达很深印象,因此龚容的铸字技术显然来自其故乡。在华人技术传授下,1608~1610 年以后才有菲律宾人参与印刷工作①。

泰国是东南亚国家中按中国传统技术发展印刷的另一国家。大城王朝(Ayuthaya,1350~1767)时,与明代保持频繁友好往来,双方遣使达 131 次,泰国遣明使有 112 次,平均两年一次。王圻(1540~1615 在世)《续文献通考》(1586)卷四十七《学校考》载,暹罗国王 1371(明洪武四年)派年轻子弟来南京国子监学习,此后两国互派学生学习对方语文。而福建、广东手艺人也随商船去泰国谋生。隆庆元年(1567)以后中国人在泰国经营农具、铜铁器制造、制茶、制糖及造纸、印刷等行业②。由华人经营的坊家出版以汉文为主的木刻本,供华侨和懂汉文的泰国读者阅读。明人黄衷(1474~1553)《海语》(1536)称暹罗首都阿瑜陀耶(Ayuthia)有奶街,为华侨区,这里有华人经营的纸店和书店。

吞武里(Thon Bury)王朝(1767~1781)时,每年有来自松江、宁波、厦门和潮州的中国商船达五十多艘,随船者每年有数千人,他们在旅途中以《三国演义》为消遣读物,使此书也传到泰国。查卡里(Charkri)或曼谷王朝(18~19 世纪)的建立者拉马一世(Rama Ⅰ,1782~1809)对《三国演义》很感兴趣,命臣下译成泰文,泰文本及汉文本同时出版。拉马二世(Rama Ⅱ,1809~1825)时,又将《水浒传》、《西游记》、《东周列国志》、《封神演义》、《聊斋志异》和《红楼梦》等中国小说译成泰文出版,在泰国颇为流行。拉马五世(Rama Ⅴ,1868~1910)以后,曼谷有 3 个宫廷印刷所和一个专门出版中国古书的乃贴印刷所,这时用机器印刷方法出版书籍。在这以前,印刷出版仍由当地华人书坊承担。

三、波斯印刷术之始

中亚和西亚各国在中国古书中通称"西域诸国",这个地区在阿拉伯帝国阿拔斯(Abbaids)王朝(750~1258)控制时已从中国引进造纸技术,在不同地方建立起纸厂。但穆斯林世界却没有及时从中国引进印刷技术,想必由宗教和文化背景不同所致。有人说中国印版上墨所用的刷子以猪鬃做成,阿拉伯人以为用这种刷子印《古兰经》有渎圣明③。这仍不足以说明问题,因中国人用的是柔软的棕刷,由棕榈树(Trachycarpus fortunei)的棕衣(外表皮)制成,而不用猪鬃硬

---

① Boxer C R. Chinese abroad in the late Ming and early Manchu periods, compiled from contemporary sources 1500~1750. T'ien Hsia Monthly (Shanghai),1939,9(5):459
② 葛治伦.1949 年以前的中泰文化交流.见:中外文化交流史.郑州:河南人民出版社,1987.487~521
③ Carter T F.中国印刷术的发明和它的西传.吴泽炎译.北京:商务印书馆,1957.129

毛刷。大概因《古兰经》与佛经不同,不要求信徒都多次反复抄写经文或经咒以积福根,因而没有像佛教那样对印刷有刺激作用。我们注意到这样一个事实,即当信仰佛教的蒙古人入主原属于伊斯兰教国的中亚、西亚地区后,印刷术很快就在这里发展起来了。

成吉思汗(1162~1227)于1206年在中国漠北建立蒙古汗国后就率军西进,1211年灭西辽(1124~1211),1219~1223年率军至中亚,破花剌子模国(Khwarizm),陷布哈拉(Bukhara)、撒马尔罕(Sarmarkand),进军至里海(Caspian Sea)。阿拉伯阿拔斯朝从唐帝国夺取的西域诸国,皆归蒙古汗国控制。窝阔台(1189~1241)即汗位后,派成吉思汗4个孙子拔都(1209~1256)等领兵第二次西征,占领俄罗斯大片土地,攻入波兰、匈牙利,建钦察汗国(Kiptchac Kanate, 1240~1480),定都于伏尔加河下游的萨莱(Sarai,今俄罗斯的Astrakhan),进逼神圣罗马帝国的波希米亚(Bohemia)。蒙哥(1208~1259)汗在位时,1253~1259年再派其弟旭烈兀(1219~1265)领兵第三次西征,1258年以火炮攻下巴格达,灭阿拔斯王朝,结束了中世纪显赫一时的阿拉伯帝国的统治。

1259年旭烈兀进军叙利亚,直达里海。1260年忽必烈(1215~1294)汗即位,册封旭烈兀于其所征服的大片地区建蒙古伊利汗国(Il-Khanate, 1260~1353),包括今伊朗、伊拉克、叙利亚和小亚(土耳其亚洲部分),定都于伊朗的大不里士(Tabriz)。汗国东起阿姆河,西临地中海与欧洲隔海相望,北邻钦察汗国的高加索或古代西徐亚(Scythia),南至印度洋。蒙古大军以武力打通东西方之间一度阻塞的陆上与海上的丝绸之路,使伊利汗国成为东西方贸易和科学文化交流的枢纽。汗国最初统治者旭烈兀等致力于恢复经济和文化建设,从中国调来工匠、医生、技师与当地人一道将首都建成国际大城市。汗国受中国强烈影响,建筑物、水利灌溉工程、天文台、图书馆和工厂的兴建都有中国人参加。市内除清真寺外,还有佛教寺院。汉文化与波斯-阿拉伯文化在这里交织在一起。

旭烈兀的孙子阿鲁浑汗(Arghun Khan)执政时(1284~1291),伊利汗国的经济、文化进一步发展。至其弟乞合都汗(Gaykhatu Khan, 1240~1295)在位时,汗国采取的一项重大经济举措,是禁止使用金属货币,而采用中国纸币制度印发纸币。合赞汗(Ghazan Khan, r. 1295~1304)时曾任宰相的波斯学者拉施特丁(Rashid al-Din, 1247~1318)于1311年奉命主编史学巨著《史集》(*Jami al-Tawārikh or Collected Histories*),以波斯文写成。书中叙述了1294年乞合都汗下令印发纸币之原委:

> (回历)691年十二月六日(公元1292年11月10日),在阿儿兰(Arran)冬营地上,撒都剌丁(Sadr-ad-Din Jakhan)被委任为撒希卜—底万(宰相兼财政大臣)之职……693年六月初(1294年5月初),召开了有关纸钞的会议。撒都剌丁和几个异密(Emir,总督)忽而考虑到通行于中国的宝钞(Čaw),他商讨通过什么方式在这个国家(伊利汗国)来推行宝钞。他们向君主奏告了这件事。乞

合都汗命孛罗丞相(Pulad-Činsang)说明这方面的情况。孛罗说道：宝钞是盖有御玺的纸，代替铸钱币通行于整个中国，中国所用的硬币巴里失(银锭)便被送入国库。

因为乞合都是个非常慷慨的君王，他的赏赐无度，世上金钱对他来说不够用，所以他赞成推行此事。撒都剌丁想在国内规定别人还没有规定过的惯例，因此在这方面做了许多努力。众异密之中最明白道理的失克秃儿·那颜(Siktur-Noion)说：纸钞将造成国中经济崩溃，给君王造成不幸，引起剌亦牙惕(农民)和军队中的骚动。撒都剌丁向君王奏告说：因为失克秃儿·那颜很爱黄金，所以他竭力说纸币不好。

有旨从速印造纸钞。八月二十七日(1294年7月23日)，异密阿黑不花(Akbuka)、脱合察儿(Tōgacar)、撒都剌丁与探马赤-倚纳(Tamacì-Inak)前往贴必力思(Tabriz，大不里士)印造纸钞。九月十九日(8月13日)他们到了那里，宣布诏令，印造了许多纸钞。同时颁布诏令：凡拒绝纸钞者立即处死。约一个星期左右，人们害怕被处死，接受了纸钞，但人们用纸钞换不到多少东西。贴必力思城的大部分居民不得不离开……最后，推行纸钞的事失败了。①

1294年伊利汗国在大不里士印造的纸钞，仿元代至元宝钞形制，面额从半个迪拉姆(Dirham)至10第纳尔(Dinar)不等，钞面印以蒙古文和阿拉伯文，标明印发年代及伪造者处斩等字样，同时还有汉字"钞"及其音译čaw等字②。除此，还应有纸钞的编号。这些纸钞及钞版没有保存下来，考虑到元代宝钞从1276年起一律用铜版和铜活字印制，则大不里士纸钞亦应如此。否则，便以木版及木活字印制。不管何种情况，印纸币必须借助于活字。印刷工由境内汉人工匠承当，与波斯工匠合作，完成印制过程。在印发纸钞时，至元二十一年(1284)元世祖遣孛罗丞相至伊利汗国，可能与册封阿鲁浑承其父汗位有关，被留住于此。他是元世祖1280年发行至元宝钞的目击者或当事人，也成了伊利汗国发行纸钞的顾问。

汗国发行纸钞时，没有足够的金本位支撑，发行数额过大，阿拉伯居民不习惯使用这种新型货币形式，最后导致失败。但此举在西亚地区印刷史中有重大意义和影响。拉施特丁《史集》不但记录了伊利汗国按中国方式印发纸钞的经过，还在该书世界史部分谈到中国时介绍了中国印刷技术。同时代波斯诗人达乌德(Abu Sulayman Dau'd)1317年在《论伟人传及世系》(*Rawdatu*

---

① Rashid al-Din 主编. 史集(1311)，卷三，乞合都汗传. 余大钧译. 北京：商务印书馆，1986. 225～229. 此本由俄译本转译. 引用时对个别译文做了改动，人名由引者从俄文转写成拉丁文拼音——引者

② Yule H, ed. The Book of Ser Marco Polo the Venetian, Concerning the Kingdom and Marvels of the East. 3rd ed. Revised by Cordier H, vol. 1. London: Murry, 1903. 426～430; Edward G B. Persian Literature under the Tartar dominion. Cambridge U. K., 1920. 37～39; Laufer B. Sino-Iranica. Chinese Contribution to the History of Civilization in Ancient Iran. Chicago, 1919. 559～560; Mazahéri A. La Route de la Soie. Paris, 1983; 耿昇译. 丝绸之路. 北京：中华书局，1993. 349

'uil-'l-Albab fi Tawarkhi 'l-Akabir wa 'l-Ansab or *On the History of Great Men and Genealogy*)中引用了拉施特丁的论述。此书简称《智者之园》(*Tarikh-i-Banakati* or *Garden of the Intellegents*),与拉施特丁的《史集》齐名,受到文艺复兴时期欧洲人的注意。19 世纪时拉施特丁的原始记载由德国东方学家葛拉堡(Heinrich Julius Klaproth,1783~1835)1834 年译成法文,而达乌德的《智者之园》引文 1920 年由英国阿拉伯学家布朗内(Edward G. Browne)转为英文。

卡特将上述法、英译文对比后,发现文字内容基本相同。但应当指出从技术上看,原文有个别用词不够准确,我们转译成汉文时已作相应调整:

中国人根据他们的习惯,曾经采用一种巧妙的方法,使写出的书稿原样不变地复制出书来,而且至今仍是如此。当他们想要正确无误而不加改变地复制出写得非常好的有价值的书时,就让熟练的写字能手工笔抄稿,再将书稿文字逐页转移*到版木之上。还要请有学问的人加以仔细校对,且署名于版木的后面。再由熟练的专门刻字工将文字在版木上刻出,标出书的页码,再将整个版木逐一编号,就像铸钱局的铸钱范那样,将版木封入袋子内。再将其交由可以信赖的人保管,在上面加盖特别的封印,置于特为此目的而设的官署内。倘有人欲得印本书,需至保管处所申请,向官府交一定费用,方可将版木取出,像以铸范铸钱那样,将纸放在版木上(刷印),将印好的纸交申请人。这样印出的书没有任何窜加和脱漏,是绝对可以信赖的。中国的史书就是这样流传下来的。①②

拉施特丁在 1311 年所描述的是中国传统雕版印刷技术,这是中国以西地区有关印刷技术的最早记载。伊利汗国虽然发行纸钞失败,但对印刷术的运用是成功的,而且可以用这种技术刊印其他印刷品。自合赞汗在位时(1295~1304),蒙古贵族加速伊斯兰化,合赞汗也从佛教皈依伊斯兰教。由于他具有科学素质和渊博知识,懂得印刷术在促进文化发展中的作用,所以下令刊行《古兰经》等著作,使汗国印刷术进一步发展。

中亚掌握印刷知识可能比西亚还早,因蒙古察合台汗国(Jagatai Khanate)包括今中国新疆、哈萨克斯坦、乌兹别克斯坦等大片土地,定都于阿力麻里(今新疆霍城),汗国东部吐鲁番在 13 世纪初有非常发达和分布广泛的印刷业。20 世纪以来吐鲁番地区出土汉文、蒙古文、西夏文、藏文和兰察体(Lantsa)梵文宗教

---

* 原文作"写",误.因中国人从不将字写在版上,而是将纸上的字以反体转移到木版后,再刻字——引者

① Klaproth H J. Lettre à M. le Baron Alexandre de Humboldt sur l'Invention de la Boussole. Paris: Dondey-Dupré, 1834.131~132

② Browne E G. Persian Literature under the Tartar Dominion. Cambridge, 1920.100~102

印刷品。兰察体梵文印本佛经版框外有汉文"十万颂般若(经)第十三上"等字，表明由汉人工匠刻版，其年代为13～14世纪之交①。这种字体通行于当时中亚一带。尤其1908年敦煌发现960枚12～13世纪的回鹘文木活字，是察合台汗国内维吾尔人用以印刷的。吐鲁番、敦煌一带是丝绸之路上东西方贸易的中转地，居住着许多民族，因而揭示了印刷术西传的路线。

四、北非埃及印刷术之始

非洲的印刷技术是通过伊利汗国的波斯传入的。1878年埃及北部法尤姆(el-Faiyum)古墓中出土大量纸写本和五十几件印刷品残页。这批文物后来归奥匈帝国赖纳大公(Erzherog Rainer)拥有，他死后交奥地利国家图书馆赖纳特藏部收藏。德国海德堡大学图书馆藏6件这类印刷品，1922年经格鲁曼(Adolf Grohmann)鉴定为木版印刷品，其中一件印在羊皮板上，5件印在纸上。维也纳的大部分印本用纸粗细不一，较大者约30 cm×10 cm，其余是较小的残页。有的印刷精美，有行格，有的刻印粗放，无行格。除印有黑字外，还有印以朱字者。卡特对实物研究后写道："现在有种种证据显示，它们不是用按印方式印成的，而是用中国人的方式，将纸铺在版木之上，用刷子轻轻刷印成的。"②

用中国方式印刷的这批埃及出土物，印以不同字体的阿拉伯文，没有留下带年款的部分。阿拉伯学专家卡拉巴塞克(Joseph Karabacek)和格鲁曼认为这批印刷品为伊斯兰教祈祷文、辟邪咒文或《古兰经》经文。他们还据阿拉伯文字体将这批印刷品定为900～1350年间产物。这应理解为其年代的时间上限和下限，下限定为1350年是正确的，因与此同出的纪年纸写本年代截止至此时，再无晚于此时者。但上限定于900年肯定为时过早，即以被认为最早印件(Rainer Collection, no. 946)而言，为《古兰经》第34章、第1～6节(图267)，残页10.5 cm×11 cm，原断为10世纪初(900)之物，此件阿拉伯文字体最早。

卡特指出，单纯以字体断代有很大局限性，字体早的印本可能以早期写本字体刻版。在埃及和其他伊斯兰教地区不可能在900年这样早用纸印《古兰经》。他认为这批印本为14世纪中叶以前之物，但晚于10世纪，有些就是14世纪产物。1954年格鲁曼再访埃及，对此件原断代产生疑窦，因1925年以来在上埃及的乌施姆南(el-Ushmúnein)、伊克敏(Ikhmin)古墓内又发现更多木版印本，都在10世纪之后③。因而上述《古兰经》原断代需要修正。从中国印刷术西传角度观之，埃及发现本不管字体如何，都是蒙古西征后的产物，不能早于

---

① Carter T F. 中国印刷术的发明和它的西传. 吴泽炎译. 北京：商务印书馆. 1957. 122～125

② Carter T F. The Invention of Printing in China and Its Spread Westward (1925). 2nd ed. Revised by Goodrich L C. New York: Ronald Press Co., 1955. 176～178

③ Carter T F. The Invention of Printing in China and Its Spread Westward (1925). 2nd ed. Revised by Goodrich L C. New York: Ronald Press Co., 1955. 181, note 2

1294年，因这时阿拉伯文化区刚有了印刷，因此埃及发现本年代应为1300～1350年之间。

图 267
埃及出土的 1300～1350 年雕印的阿拉伯文《古兰经》残页，取自 Carter(1925)

埃及发展印刷时，正处于突厥族军事将领拜伯尔斯(al-Malik al-Zehr Rakn-al-Din Baybors，1233～1277)建立的马穆鲁克(Mameluke)王朝(1250～1519)统治之下。Mameluke 在阿拉伯文中是"奴隶"，因此该王朝又称奴隶王朝。13 世纪以前，阿拉伯统治者以中亚突厥奴隶充军，他们骁勇善战，成为正规军和宫廷卫队的中坚力量，握有兵权。在反抗蒙古军入侵埃及和欧洲十字军东征的战争中，奴隶出身的拜伯尔斯将军保卫了埃及，遂推翻阿拉伯统治，建立自己的王朝政权。突厥是中国古代民族之一，游牧于今新疆阿尔泰山一带，后西迁至中亚，有中国文化背景。突厥上层军官统治埃及时，虽信奉伊斯兰教，但没有不准刻印《古兰经》的戒律，因而埃及继伊利汗国之后印刷宗教读物。

据 1982 年 10 月 8 日《犹太周刊》(*The Jewish Weekly*)第 26 页报道，英国剑桥大学总图书馆吉尼查藏品部(Taylor-Schechter Genizah Collection)发现 14 世纪后半期的希伯来文印刷品，经鉴定也以木版刊行[1]。这说明信奉犹太教、居住在伊利汗国与埃及之间的犹太人也掌握了印刷技术。犹太人善经商，在地中海地区与欧洲国家有贸易往来。而伊利汗国和马穆鲁克王朝统治下的埃及，都与南欧隔海相望，也与欧洲有直接往来。欧洲旅行者和商人对其邻近地区的印刷活动不能一无所知，这就为中国印刷术向欧洲传播提供一个渠道。早期欧洲作者认为印刷术通过钦察汗国、伊利汗国控制区和埃及传入欧洲，不能说没有根据。另一方面，元代时中欧交通开放，印刷术直接从中国传入欧洲也是有可能的。这正是下一节要讨论的。

---

[1] Needham J. Science and Civilization in China, vol. 5, pt. 1, Paper and Printing Volume by Tsien Tsuen-Hsuin. Cambridge University Press, 1985. 307

第三节　中国印刷术在欧洲的传播

一、欧洲木版印刷之始

12～13世纪欧洲国家如西班牙、意大利和法国通过阿拉伯地区引进中国造纸术而建起纸厂，但各种读物仍靠手抄。14～15世纪以后，西欧文艺复兴时期由于社会经济、城市工商业、科学文教和基督教的发展，对读物的需要迅速增加，手抄本的供应满足不了社会需要，因而有了刺激印刷术发展的温床，而印刷的兴起又反过来促进社会的发展。当欧洲需要印刷技术时，中国元、明两朝正处于木版、铜版和活字印刷全面发展的新阶段，而这时又是中、欧直接接触的空前活跃之际，欧洲人有可能获得中国技术信息而发展印刷。

如前所述，与欧洲邻近的伊利汗国1294年以印刷技术印发纸币，汗国的波斯学者拉施特丁1311年还在《史集》中对印刷技术做了描述，汗国在合赞汗在位时(1295～1304)印刷术得到进一步发展，而且于1300～1350年将技术扩散到埃及。在欧洲周边的西亚和北非都有了印刷活动，对欧洲人来说，获得印刷品和有关技术信息并不困难。另一方面，由于蒙古军队在13世纪的西征，重新打开了一度阻塞的亚欧陆上的丝绸之路，为东西方技术、经济交流和人员往来创造了条件，从元大都(今北京)到罗马、巴黎等欧洲城市之间畅行无阻，中国与欧洲有了直接往来，欧洲人可以直接从中国引进印刷技术。就中国印刷术向欧洲传播的途径而言，可以说是"条条道路通罗马"。

在元代，中国与欧洲双方使者、商人、教徒、游客、工匠和学者沿东西方陆上通道互访，因而欧洲人在中国有可能接触印刷品并获得相关技术知识。例如，1245年罗马教皇英诺森四世(Innocent IV, 1243～1254)派意大利人柏朗嘉宾(Jean Plano de Carpini, 1182～1252)出使蒙古。此人1228年任日耳曼大主教，1230年为西班牙大主教。随行者有波兰教士本笃(Benedict)和奥地利商人，1246年到和林，受蒙古定宗贵由汗接见。1247年返回法国里昂后，用拉丁文写了《东方见闻简报》(*Libellus Historicus*)，对中国做了介绍，指出中国人精于工艺，其技巧世界无比，且有文字，史书详载其祖先历史[1]，还说中国有类似《圣经》的经书，当指佛经印本。

与此同时，法国国王路易九世(1214～1270)派法国方济各会士罗柏鲁(Guillaume de Rubrouck, 1215～1270)东行，随行者有意大利人巴托罗梅奥

---

[1] Dawson C, ed. The Mongol Mission. London: Sheed & Ward, 1955. 22; Rische F, ed. Johann de Plano Carpini, Geschichte der Mongolen und Reiseberichte (1245～1247). Leipzig, 1930

(Bartolomeo da Cremona)等人,1253 年到和林,受蒙哥汗接见,1255 年返回巴黎。罗柏鲁的游记《东游记》(*Itinerarium ad Orientales*)介绍元代印发的纸钞时写道:"中国(Cathay)通常的货币是由长、宽各有一掌(7.5 cm×10 cm)的棉纸做成,纸面上印刷有类似蒙哥汗御玺上那样的文字数行。他们用画工的细毛笔写字,一字由若干笔画构成。"[1] "棉纸"当为桑皮纸,罗柏鲁是最早指出中国用印刷技术发行纸币的欧洲人。他还在和林看到日耳曼人、俄罗斯人、法国人、匈牙利人和英国人,他们都有一技之长。

元代时意大利威尼斯和热那亚商人热衷于对华贸易。元世祖(1260~1294)时威尼斯商人尼哥罗·波罗(Nicolo Polo)及马飞·波罗(Maffeo Polo)来华,受世祖召见,令他们与朝廷使者至欧洲,转交致罗马教皇的书信。1271 年完成使命后再度来华,随带年轻的马可·波罗(Marco Polo, c. 1254~1324),被世祖留在宫中,后委以重任,在华凡 17 年。1292 年自泉州离华,1296 年返回威尼斯,1299 年写成《马可·波罗游记》,这部书打开欧洲人的眼界,使他们对中国的富饶和物质文明有了更多的了解。书中谈到北京有印钞厂,以桑皮纸印成纸币在全国流通,用久以旧换新[2]。

1952 年广州出土威尼斯银币,而扬州更出土 1342 及 1399 年热那亚两位商人的拉丁文墓碑[3]。威尼斯市政档案还记载,1341 年当地一名被告携款来中国经商的诉讼案[4]。来华的商人是如此之多,以至佛罗伦萨商人佩格罗蒂(Francesco Balducci Pegolotti, fl. 1305~1365)1340 年著《通商指南》(*Practica della Mercantura*)中设专门章节介绍如何从事来华贸易[5]。当时在中国与乌拉尔山及里海以西的欧洲之间,有南、北两条交通路线。北线从新疆出发,取道钦察汗国,经俄罗斯、波兰、波希米亚到德国,基本上沿陆上丝绸之路。南线从泉州、广州出发,取道伊利汗国,经亚美尼亚、波斯、土耳其到意大利,这是陆海兼行的路线。在中、欧之间旅行,常通过南、北两线出入境。

在欧洲人东来的同时,13 世纪也有中国人沿相反方向前往欧洲。北京蒙古统治者经常派使者、官员和学者去钦察汗国的俄罗斯。例如《元史》卷三《宪宗纪》载 1253 年遣必阇别儿哥一行去俄罗斯清查户口。俄国史也说 1257 年蒙古军官曾到俄罗斯的梁赞(Riazan)、苏兹塔尔(Suzdal)及穆洛姆(Murom)等地计民户口,设官收税。1259 年蒙古军官别儿哥及哥撒奇克率眷属及部下多人至沃尔赫夫(Valkhov)计民户口。元代户籍常印成表格,随时填写,再装成册

---

[1] Dawson C, ed. The Mongol Mission. London: Sheed & Ward, 1955. 171~172

[2] Polo M. 马可·波罗游记. 李季译. 上海:亚东图书馆,1936. 159~160

[3] 夏鼐. 扬州拉丁文墓碑和广州威尼斯银币. 考古,1979(6):552

[4] Larner J. Culture and Society in Italy (1290~1420). London, 1971. 30

[5] Yule H, tr., ed. Cathay and the Way Thither: Being a Collection of Medieval Notices of China(1866). Revised by Cordier H, vol. Ⅲ. London: Hakhuyt Society Publications, 1914. 137~171;张星烺. 中西交通史料汇编,第 2 册. 北平:京城印书局,1930. 325~329

存档。这使俄罗斯人常看到来自北京的印刷品。《元史》卷廿七《英宗纪》更载,1320年俄罗斯等内附,赐钞一万四千贯,遣还其部,可见俄罗斯境内还通行大汗印发的纸币。俄罗斯人可能知道纸钞是怎样印成的,并转告路经这里的西欧人。

13~14世纪中国人还走访西欧一些国家,有史可查的是北京出生的维吾尔族景教徒巴琐马(Rabban Bar Sauma,1225~1293)及其蒙古族弟子马忽思(Marcos,1244~1317)。1275~1276年他们离北京经新疆西行,以便去耶路撒冷朝圣①。1280年到巴格达时被留下,巴琐马成为景教总视察,马忽思任巴格达教区主教。1285年伊利汗国阿鲁浑汗遣马忽思使罗马。1287年再派巴琐马去罗马,顺访热那亚及巴黎,受法国国王菲利普四世(Philip Ⅳ le Bel,1268~1314)接见,参观巴黎大学等处,再赴波尔多,会见正在那里的英国国王爱德华一世(Edward Ⅰ,1239~1307)。1288年在罗马向教皇尼古拉四世(Nicholas Ⅳ,1288~1292)递交国书。返回巴格达后,他用波斯文写了游记,19世纪译成叙利亚文和法文,20世纪译成英文。巴琐马是最早到西欧的中国人。他自幼在北京读书,懂得印刷术,赴欧前又途经祖籍新疆印刷中心,欧洲人问起他中国书怎样印成,他是乐于介绍的。

值得注意的是,1288年罗马教皇接见巴琐马的第二年,又派意大利方济各会士约翰·孟高维诺(Giovanni da Monte Corvino,1247~1328)从罗马来华,随行者有教徒尼古拉(Nicholas de Pistoia)和意大利商人佩德罗(Pietro da Lucalonga)。途经伊利汗国至印度时,尼古拉病逝。1293年约翰和佩德罗至泉州,1294年到北京,值世祖忽必烈崩,受成宗(1295~1307)接见,呈上教皇玺书后,得准传教。巴黎国家图书馆藏有孟高维诺用拉丁文致罗马教廷的两封信。第一封写于1305年5月18日,谈到他初到时受到景教徒排斥,"不许**刊印**不同于景教信仰的任何教义",因元成宗保护才得以单独传教。1298及1305年在北京建立两所教堂,1303年德国科隆人阿诺德(Arnold de Cologne)修士来北京协助传教,已施洗6 000人,招收40名儿童学拉丁文和宗教仪礼,组成作弥撒时唱圣歌的合唱队。他这时已通蒙古语,将《新约全书》和《圣咏》译成蒙文②③。

第二封信写于1306年2月13日,其中说:"我根据《新旧约全书》绘制圣像图6幅,以便教育文化不高的人。图像之后有拉丁文、图西克文(Tursic)和波斯文,这样凡懂得其中一种文字者,便可阅读。"④卡特博士认为孟高维诺为文化不高的教徒提供的带有文字的宗教画应当是印刷品,他说:"在当时中国,把任何

---

① Chabot J B. Relations du Roi Argoun avec l'Occident. Revue l'Orient Latin (Paris),1894.57;Moule A C. Christians in China before the Year 1550. New York,1936.106
② Moule A C. Christians in China before the Year 1550. chap. 7. London:Society for Promotion of Christian Knowledge,1930
③ Moule A C. 1550年以前的中国基督教史.郝镇华译.北京:中华书局,1984.193,199
④ Moule A C. 1550年以前的中国基督教史.郝镇华译.北京:中华书局,1984.203~205

重要作品付之印刷,已经成为很自然的事。"他指出在孟高维诺在北京刊印宗教画后50年,欧洲也出现类似的宗教画印刷品,"也许并不是一件完全偶然的巧合。"①就是说,欧洲人将孟高维诺在中国使用的方法用于本土。

卡特的上述见解是正确的。因为孟高维诺初到北京时就发现景教印本,但景教徒不让他刊印基督教印刷品。待他得元成宗和蒙古亲王阔里吉思(1234~1298)支持,才能自行刊印宗教画。此画有3种文字,意在向中国境内外广大教徒散发,与景教抗衡。由于份数成千上万,在当时中国不可能一一手绘,只能刻版刊行。刊印时间当在建立教堂之际,即大德年间(1297~1307),由中国人任刻印工作。值得注意的是,宗教画上印有拉丁文、波斯文和Tursic文,竟没有汉文,而汉人占中国人口90%以上,这似乎是费解的。Tursic在梵蒂冈手稿中作Tursicis,这究竟是什么文字呢?我们认为应是蒙古文,特别是以回鹘文字母拼写的老蒙文,元代致罗马教廷的国书即用此蒙文。因为元初信奉基督教的多是蒙古人②,汉人基督教徒很少,印刷品的阅读对象主要是基督教徒,所以必须印以蒙古文,而蒙文又是当时的国语。对孟高维诺和阿诺德来说,他们在中国完成了西方人从未做过的创举。这些印刷品很容易带到欧洲,并被如法仿制,1300~1368年间来华的欧洲商人和教士成为传播的媒介。

图 268
丝绸之路上新疆出土的14世纪中国印的纸牌

13~14世纪欧洲人接触的中国印刷品,除纸钞、宗教画和印本书外,还有大众娱乐品纸牌。纸牌是中国人的发明,14世纪印制的纸牌(图268)20世纪初在新疆吐鲁番出土。蒙古西征时,蒙古军队将纸牌传入欧洲,很快就在一些国家盛行起来。上述中国印刷品成为印刷术传入欧洲的先导。1350~1400年是欧洲发展印刷的最初阶段,早期印刷品是面向大众的纸牌和宗教画,而德国和意大利看来是最早生产这类印刷品的欧洲国家。据德国南部奥格斯堡(Augsberg)和纽伦堡早期市政记载,在1418、1420、1433、1435及1438年记事中,多次提到"纸牌制造者"(Kartenmacher)。纸牌以手绘、捺印和木版印刷等不同方法制成,显然木版印刷品成本最低,应是更为通用的方法③。

现存最早的意大利纸牌,有些是印刷的,但其年代难以确定。有一条史料年代明确,即1441年意大利威尼斯市政当局发布的一项命令,其中说:"鉴于在威尼斯以外各地制造大量的**印制纸牌**和彩绘图像,结果使原供威尼斯使用的制造纸牌与**印制图像**的技术和秘密方法趋于衰败。对这种恶劣情况必须设法补救……特规定从今以后,所有印刷或绘在布或纸上的上述产品,即祭坛背后的绘

---

① Carter T F.中国印刷术的发明和它的西传.吴泽炎译.北京:商务印书馆,1957.139
② 陈垣.元也里可温考(1917).见:陈垣学术论文集.北京:中华书局,1980.1~56
③ 庄司淺水.世界印刷文化史年表.日文版.東京:ブックドム社,1936.32

画、图像、纸牌……都不准输入本城。"[1]这条史料说明,威尼斯曾是印刷纸牌和宗教画的中心之一,而且在1441年以前的一段时间,已开始有了这项业务。后来受到外地争夺本地产品市场的威胁,市政当局才采取保护措施。此举可能是针对德国产品的倾销,因为据同时期德国乌尔姆(Ulm)城的记载,该城将印制的纸牌装入木桶中运往西西里和意大利。

据17世纪意大利作者札尼(Valere Zani, c.1621~1696)所载,威尼斯的纸牌是从中国传入的。他说:"我在巴黎时,一位在巴勒斯坦的法国传教士特雷桑神甫(Abbé Tressan, 1618~1684)给我看一幅中国纸牌,告诉我有一位威尼斯人第一个把纸牌从中国传入威尼斯,并说该城是欧洲最先知道有纸牌的地方。"[2]从元代中国与意大利威尼斯人员频繁往来情况观之,札尼的说法是有根据的,威尼斯商人有可能较早接触这种娱乐品。但纸牌像印刷术那样在元代可通过多种途径传入欧洲。能印纸牌的地方自然也能印宗教画,而宗教画形制应与孟高维诺和阿诺德在北京所印的相似。

欧洲这两种早期印刷品出现在意大利和德国并非偶然。意大利是罗马教皇所在之处,是宗教中心和文艺复兴的策源地,对外贸易发达,又与元代中国人员往来频繁,最先引进印刷术是很自然的。德国地处中欧,四通八达,与意大利和蒙古汗国较近,汇集着来自各处的信息。最早在北京借用中国技术印宗教画的欧洲人来自意大利和德国,就能说明问题。现存有年代可查的最早的欧洲木版宗教画,是1423年印的圣克里斯托夫(St. Christoph)与耶稣画像(图269)。此像发现于德国奥格斯堡一修道院图书馆中,当时贴在一手写本封面上,现藏于英国曼彻斯特赖兰兹图书馆(The Bylands Library, Manchester)[3]。

图269
1423年德国木刻单页宗教画《圣克里斯托夫与基督渡水图》,取自de Vinne(1875)

从画面上可以看到圣克里斯托夫背着手持十字架的年幼耶稣渡水,画面刻两行韵语,其意思是:"无论何时见圣像,均可免遭死亡灾。"这颇有些像佛教印刷品中的经咒那样。值得注意

---

[1] Carter T F. 中国印刷术的发明和它的西传. 吴泽炎译. 北京:商务印书馆,1957. 161,165~166,注18~19

[2] Carter T F. 中国印刷术的发明和它的西传. 吴泽炎译. 北京:商务印书馆,1957. 166,注21

[3] Oswald J C. A History of Printing: Its Development through 500 Year, chap. 24. New York, 1928; Oswald J C. 西洋印刷文化史. 玉城肇譯. 東京:鮎書房,1943. 365

的是,画面左下角还有从中国引进的水车。1400~1450 年间,德国、意大利、荷兰及今比利时境内的弗兰德(Flanders)等地盛行木版印刷。这期间列日(Liege)城的德国神甫欣斯贝格(Jean de Hinsberg,1419~1455)及其姊妹在贝萨尼(Bethany)修道院的财产目录中列有"印刷书画用的工具一件"及"印刷图像用的版木 9 块及其他印刷用的石板 14 块(Novem printe lignee ad imprimendas ymagines cum quatuordecim aliis lapideis printis)"①,明确说用版木印刷圣像。

早期印刷品大多是刻工粗放的宗教画,印好后有时填以颜色,图内有简短的手书体文字。如印出多幅相关连的画,则装订成册。伦敦不列颠图书馆等处有不少藏品,多未印出年代、地点和刻工名字。从版面形制、刀法及画工粗细等方面可看出哪些较早。最有名的是德国刊行的《往生之道》(Ars Moriendi),年代为 1450 年,共 24 张,订为一册,用来说明如何安乐地离开人世。稍早的还有约 1425 年印的《默示录》(Apocalypse),刊地不详(图 270)。荷兰刊《穷人的圣经》(Biblia Pauperum)也属早期印刷品。15 世纪末期,图文木刻本继续出现,同时也有全是文字的印本,如 4 世纪罗马人多纳特斯(Aelius Donatus, fl. 320~370)的《拉丁文文法》(Ars Grammatica)。

图 270
欧洲木刻画《默示录》,约印于 1425 年,取自 de Vinne(1875)

欧洲早期木刻本在形制和制造工艺上与中国元刻本很相似。据美国印刷史家特文尼(Theodore Law de Vinne,1828~1914)的研究,欧洲人也是先将文稿或画稿用笔写绘在纸上,将纸上墨迹用米浆固定在木板上形成反体。刻工顺着板材纹理持刀向自己方向刻之,每块木版刻出两页,版心有中缝。刻好后,将纸铺在涂有墨汁的版面上,以刷子擦拭,单面印刷。最后将印纸沿中缝对折,使有字的一面朝外,成为书口。将各纸折边对齐,在另一边穿孔,以线装订成册②。可见,欧洲早期木刻本在版面形制、刻版、上墨、刷印及装订等各工

---

① Oswald J C. 西洋印刷文化史. 玉城肇譯. 東京:鮎書房,1943. 365
② de Vinne T L. The Invention of Printing. New York: F. Hart, 1876. 119~120, 203

序操作上,完全按中国技术方法进行,因而具有元代线装书的面孔,只是文字横行,而非直行。

欧洲木刻本版面取一版双页形式,单面印刷,再沿中缝对折,完全是中国式的做法,而不同于欧洲书的传统。在特文尼以前,其他欧洲学者早已注意到中、欧印本刻印方面的类似性,并认为这种技术是从中国传入的。例如英国东方学家柯曾(Robert Curzon,1810~1873)1860 年指出中、欧木刻本在各方面相同后,写道:"我们必须认为,欧洲木版书的印刷过程肯定是根据某些早期旅行者从中国带回来的中国古书样本仿制的,不过这些旅行者的姓名没有流传到现在。"[1]这些旅行者必是元代时来华的欧洲人,他们是谁并无关紧要。欧洲虽在罗马时代就有印章和织物印染,但长期间没能使其转变成复制书籍的印刷技术,直到 1350~1400 年中国印刷术传入后,才有了真正的印刷行业。因此,卡特认为:"在欧洲木版印刷的肇端中,中国的影响其实是最后的决定性因素。"[2]这是符合历史事实的客观见解。

二、欧洲木活字印刷之始

欧洲木版印刷术从中国传入,在学术界基本上已取得共识。但其活字技术是否受中国影响,并非很多人都清楚,有关论著也较少触及,因而这个问题需要认真研究。从印刷技术史总的发展规律来看,有了木版印刷之后,迟早要出现活字印刷,中外皆然。中国从木版到活字版经历四五百年,而欧洲几十年内就实现从木版到活字版的过渡,走了一条捷径,这是因为借鉴了中国的现成经验。欧洲文字圆转之处较多,如 a,e,o,d,g,p,q,s 等,刻木版时不易下刀。欧洲人用二三十个字母就能拼成所有的词和文句,比汉字更适于活字印刷。他们在中西交通畅达的元代,既然从中国引进了木版印刷技术,就一定知道存在达几百年的中国活字技术并对此发生兴趣。

元代时泥活字、木活字和金属活字在宋代基础上继续发展,与木版印刷并行于世。元初科学家王祯论木活字技术的专著随其《农书》一起在 1313 年出版。欧洲人从新疆一进入中国国门,就会在吐鲁番看到回鹘文木活字本和有关作坊,他们在中国内地其他地方也同样会看到有关活字的实物或听到这类信息,并将其传入欧洲。木活字是欧洲最早的活字,但它绝对是中国印刷文化的产物,中国活字技术对欧洲的影响首先表现在木活字在欧洲的使用上。16 世纪瑞士苏黎士大学神学教授兼东方学家特奥多尔·布赫曼(Theodor Buchmann,1500~1564)于 1548 年发表的作品中认为欧洲活字最初以木制成。他说:在欧洲"最初人们将文字刻在全页大的版木上。但用这种方法相当费工,而且制作费用较高。

---

[1] Curzon R. The history of printing in China and Europe. Philobiblon Society Miscellanies (London),1860,6(1):23

[2] Carter T F. 中国印刷术的发明和它的西传. 吴泽炎译. 北京:商务印书馆,1957.180

于是人们便做出**木活字**,将其逐个拼连起来制版。"①

这是欧洲使用木活字印书的重要记载。欧洲早期木活字无疑要用中国的技术方法制作并排版,此外别无他途。布赫曼学术活动时间上距欧洲最初使用活字不过几十年,他的记载应是可信的,反映欧洲早期活字印刷工试制活字时期仿制中国活字的实际情况。木活字是从木雕版过渡到金属活字的桥梁,木活字的使用使欧洲人第一次掌握活字印刷思想。意大利、尼德兰(Nederland)和德国这些木版印刷发达的国家,率先从事木活字印刷。19世纪英国东方学家柯曾报道说,意大利医生和印刷人卡斯塔尔迪(Pamfilo Castaldi, 1398~1490)于1426年在威尼斯用大号木活字印刷过一些大型对开本书籍,据说曾保存于其故乡贝卢诺省费尔特雷(Feltre, Belluno,古称Feltria)档案馆中②。

卡斯塔尔迪1398年生于威尼斯西北的费尔特雷,后来在威尼斯活动。他曾被认为是欧洲活字技术的奠基人,为此1868年意大利伦巴第(Lombardia)城还为他建立纪念铜像。法国汉学家伯希和1908年在丝绸之路上的敦煌发现的新疆维吾尔人在元代用过的960枚回鹘文木活字,揭示了活字技术从中国内地传到新疆,再由此向西传播的路线。法国印刷史家古斯曼(Pierre Gusman)因而认为,中国活字技术在元代(13世纪~14世纪)经两条路线传入欧洲:一是与蒙古察合台汗国维吾尔人有接触、后来住在荷兰的亚美尼亚人在卡斯塔尔迪活动时代将活字技术传入欧洲;二是德国人谷腾堡(Johannes Gutenberg, 1400~1468)在波希米亚首府布拉格时,学会从中亚、俄罗斯陆上通道传入欧洲的活字技术③。今天看来,两种可能性都存在,也与早期欧洲作者的记载相符。

但主张欧洲经历过木活字印刷阶段和受中国技术影响的观点,一度在西方受到非难。因为如果此说被大家接受,坚持活字印刷为欧洲"独立发明"的观点就难以维持下去。应当说,提出中国影响说的人所持论据也有失周之处,需要完善。例如说卡斯塔尔迪在威尼斯看到马可·波罗带回的中国印本后,从事活字印刷,或说谷腾堡的妻子(Ennel Gutenberg)出身于威尼斯孔塔里尼(Contarini)家族,她见过带回威尼斯的中国印本,使丈夫受到启发。而其实1296年马可·波罗可能向家乡带回印刷信息,不一定带回中国书,倒是其他威尼斯商人有这种可能,而谷腾堡做活字试验前已解除婚约。

但欧洲活字技术受中国影响之说在原则上是正确而可以成立的。因为1420年以前,欧洲没有活字印刷传统,活字印刷思想和活字排版技术是中国的

---

① Oswald J C. A History of Printing: Its Development through 500 Years, chap. 22. New York, 1928; オスワルト. Oswald J C. 西洋印刷文化史. 玉城肇譯. 東京:鮎書房, 1943. 333~334

② Curzon R. A short account of libraries in Italy. Philobiblon Society Miscellanies (London), 1854, 1:6; Yule H, ed. The Book of Ser Marco Polo the Venetian, Concerning the Kingdom and Marvels of the East. 3rd. ed. Revised by Cordier H, vol. 1. London: Murry, 1903. 138~140

③ Gusman P. La Gravure sur Bois et l'Épargne sur Métal. Paris, 1916. 37~38

产物,已如前述,在中、欧人员频繁往来的元代,欧洲木活字技术只能来自中国。早期欧洲人做活字试验时严格保密,不必追究难以找到的细节。有人不愿意承认欧洲像中国一样经历过木版→非金属活字→金属活字的发展阶段,认为欧洲从木版直接跳跃到金属活字。他们不承认卡斯塔尔迪、谷腾堡时代的欧洲进行过木活字印刷试验,说借用近代精密设备制造小号西文木活字的模拟实验,均告失败①。但这些模拟实验作者无法否定:无需动用精密设备便可制成大号西文木活字。而事实上他们的先辈们就这样做了。他们如果否认用大号木活字可以排印书籍,也就否认了他们的历史,而历史事实总是应该受到后人尊重的。

除意大利人进行过木活字印刷之外,荷兰人也有过类似活动。据瑞士布赫曼的同时代人、荷兰阿勒姆(Haarlem)城医生阿德里安·尤尼乌斯(Hadrian Junius, 1511~1575)1566年所述,本城人劳伦斯·杨松(Laurens Janszoon, fl. 1395~1439)1440年以大号木活字印过《拉丁文文法》和《幼学启蒙》(Horn book)等书②。杨松任阿勒姆天主教区财产管理委员,这个职务荷兰语称为koster,相当法文中的marguillier,一些荷兰人又称他为科斯特(Koster or Coster),类似中国人将司马迁称为"太史公"那样。因而荷兰也自称是欧洲最早发展活字印刷的国家。不管怎样,欧洲人模仿中国作木活字印书的这段历史是不能无视的,它为此后欧洲金属活字的出现奠定了技术基础。

三、欧洲金属活字印刷之开端

前已指出,15世纪中叶间欧洲人成功地以大号西文木活字排印书籍,迅速迈开从木版过渡到活字版的决定性一步,应当对最初从事这种尝试的人的创新精神给以肯定。但要指出,用大号木活字排版,耗用版面和纸较多,书也厚重,而当时纸在欧洲还是很贵的。为使印纸容纳更多的字,就要使活字字号缩小,欧洲人在制小号木活字时遇到技术上的困难。木活字虽然便宜,但制小号字难以下刀,刻出后又无足够机械强度。这与汉文木活字是不同的,木活字在欧洲的发展受到限制。在这种情况下,元代中国金属活字很快就受到欧洲人的青睐。他们有了木活字印刷经验后,只要解决金属活字铸造问题,就能发展金属活字印刷。

当欧洲人听说中国人在他们几百年前已刻出木活字并铸出金属活字用以印书时,有心人便开始这方面的探索性试验。据说前述荷兰阿勒姆人杨松在制木活字同时,还曾以铅、锡试做过活字。而德国出生的银匠普罗科普·瓦尔德福格尔(Prokop Waldfoghel, fl. 1367~1444)也做过同样试验。他在德意志帝国卢森堡王朝(神圣罗马帝国)皇帝查理四世(Charles IV von Luxemberg, r. 1347~

---

① Reed T B. A History of the Old English Letter Foundries. London, 1887
② 庄司淺水. 世界印刷史年表. 日文版. 東京:ブックドム社,1936.35

1378)统治下的波希米亚(今捷克)首府布拉格(Praha)定居,1367~1418 年在当地以制造餐具驰名。波希米亚人反抗德皇统治的胡斯战争(Hussite War,1419~1434)爆发后,1433~1441 年他移居纽伦堡,在冶金厂工作。1439 年成为距瑞士巴塞尔不远的卢塞恩(Lucerne)城公民。1441 年,他再迁居阿维尼翁(Avignon)。此地在今法国东南,1309~1417 及 1439~1449 年间是教皇的驻地,也是贩书中心①。

据纽伦堡技术史家沃尔夫冈·冯·施特勒默尔(Wolfgang von Strömer)博士的最近研究,瓦尔德福格尔在布拉格居住期间已从东方获得有关铸字印书的技术信息,因为布拉格是中国丝绸运到欧洲的一个主要终点,有关金属活字技术信息此后又从布格拉传到纽伦堡、斯特拉斯堡和美因茨等工商业城市。瓦尔德福格尔来到阿维尼翁后,想利用在布拉格得知的技术信息,结合自己多年从事金属工艺的技术特长,换个新的行业谋生。1441~1444 年他发展了一种生产书籍的"假写技术"(*ars scribendi artificialiter* or art for writing artificially)。并将这种技术传给合伙人犹太人卡德鲁斯(David Caderousse)、达克斯(Dax)教区的维塔利斯(Manuel Vitalis)及其友人阿诺德·德·科斯拉克(Arnd de Coselhac)以及阿维尼翁的商人乔治(George de la Jardin)②。

19 世纪法国神甫雷金(Pierre Henri Requin)提供的资料中说,1446 年卡德鲁斯订制 27 个希伯来文铁制字母(scissac in ferro)和木、锡与铁制工具,两年间他拥有 408 个拉丁文字块作为贷款抵押。1444 年 7 月 4 日的资料称,维塔里斯与瓦尔德福格尔合伙时,保管 2 个钢字(duc abecedaria calibia)、2 个铁制型范(formes ferreas)和 48 个锡范以及"与假写技术有关的其他东西",后来将其卖掉③。说明这些东西在当时有使用价值,因而所谓"假写技术",指不用手写,而以字块拼合,印出像手写的文字;换言之,瓦尔德福格尔及其合伙人 1441~1446 年间在阿维尼翁已从事金属活字的制造,显然是为了印刷之用。但他们没有坚持下去,很快就散伙,而将活字与设备卖掉。

10 年以后,另一德国人约翰·谷腾堡(Johannes Gensfleisch zum Gutenberg,1400~1468)做了类似工作并大获成功。1400 年他生于莱茵河与美因河汇流处的工商业城市美因茨(Mainz),1418~1420 年就读于埃尔福特(Erfurt)大学,因父亡而辍学,回家乡习金工。1434~1444 年去斯特拉斯堡谋生,与当地人安德烈·德里策恩(Andreas Drizehn)、汉斯·里费(Hans Riffe)和海尔曼(Andreas Heilmann)等签约,共同加工宝石,以新法制镜。其他人出资金,谷腾堡出技术,获利共享。德里策恩 1436 年死后,其弟以继承人身分要谷腾堡交出技术

---

① Martin H J. The History and Power of Writing. Cochrane L G, tr. Chicago: University of Chicago Press, 1994. 215

② von Strömer W. Hans Friedel von Seckingten, der Banker der Strassbourger Gutenberg-Gesell schaften. Gutenberg-Jahrbuch (Mainz), 1983. 45~48

③ Requin P H. Documents inédits sur les origines de la typographie. Bulletin de Philologie et d'Histoire du Ministère de l'Instruction Publique (Paris), 1890. 328~350

秘法被拒绝,遂至官府起诉。案卷内称,1436年谷腾堡为从事"与印刷有关的事"(das zu dem Drucken gehört, or things to do with printing)向法兰克福金匠迪内(Hans Dünne)支付100基尔德(Gulden)金币,证词中还有"活字"(Type)之类的词。

这说明谷腾堡在制镜、加工宝石时突然改行,转而从事印刷方面的秘密试验,但没有成功。1444~1448年他外出旅行,可能带着问题去荷兰、瑞士巴塞尔或意大利威尼斯等地作技术考察①,有人说他还去过布拉格。外出旅行使他眼界大开,似乎找到解决问题的适当方式。1448年返回美因茨,向富商约翰·富斯特(Johann Fust, c. 1400~1466)贷款,以所开发的技术和设备为抵押,合同五年有效期内利益均分,期满以本息偿还债主。试验取得突破,1450年铸出的大号金属活字已处于实用阶段,用于出版拉丁文《三十六行圣经》(36 Linne Bible),字样为手抄本哥特体(Gotisch Schrift)粗体字。1454年出版教皇尼古拉五世(Nicholas Ⅴ, 1447~1455)颁发的赎罪券(Indulgence)。

1455年出版小号字(20 point)拉丁文《四十二行圣经》(42 Linne Bible)精装本,是谷腾堡技术生涯中的最大成就。版面 30.5 cm × 40.6 cm,每版两页,双面印刷,共1 286页,分二册装订(图271)。每版四边有木版刻成的花草图案,木版版框内植字,为集木版与活字版为一身的珍本②。这一年合同期满,谷腾堡无力还债,经官府裁决,富斯特拥有印刷厂,维续雇用原有的技师、工人,包括巴黎大学毕业的德国人舍弗(Peter Schöffer, c. 1425~1502)。此人擅长书法,谷腾堡铸字字样皆出其手,后来成为富斯特的女婿和继承人。他们合作出版不少书(图272),还对活字字体、版面设计及铸字做了改进。

图 271
1455年谷腾堡在美因茨用铅活字出版的拉丁文《四十二行圣经》,取自 Ostwald(1928)

谷腾堡与富斯特分手后,再向其他人贷款,1456年在美因茨市郊另建新厂。原在富斯特那里工作的普菲斯特(Albert Pfister, fl. 1400~1465)又回到谷腾堡

---

① Martin H J. The History and Power of Writing. Cochrane L G, tr. Chicago:University of Chicago Press, 1994. 217~219

② Oswald J C. A History of Printing:Its Development through 500 Years. chap. 2. New York, 1928; Oswald J C. 西洋印刷文化史. 玉城肇譯. 東京:鮎書房,1943. 14~24

这里，成为重要助手。1462 年美因茨发生动乱，富斯特的工厂被战火毁坏，印刷工前往斯特拉斯堡、科隆、班贝格和纽伦堡等地逃命，将金属活字技术扩散到德国各地以至欧洲各国，成为印刷形式的主流。1450～1500 年，半个世纪，按谷腾堡技术建立的印刷厂遍及欧洲[1]，总共 250 家，出书 2.5 万种。以每种书印 300 部计，全欧洲这段时间印出 600 万部书。谷腾堡目睹其技术在各地开花结果后，1468 年与世长辞。至 16 世纪，印刷量又比 1500 年增加两倍。17 世纪传入美国。在 18 世纪近代机器印刷时代到来之前，欧美各国印刷实际上是谷腾堡技术的延续和改进，并未脱离原来工艺模式，仍属早期印刷。

图 272
1457 年富斯特与舍弗合作印刷出版的《圣诗篇》朱墨双色本，取自 Ostwald(1928)

谷腾堡的金属活字印刷技术无疑是世界上最好的，但从整个印刷史角度看却不是最早的，因为中国早在北宋和金（11 世纪～12 世纪）已铸出金属活字用于大规模印刷，此后一直持续发展到 19 世纪。将谷腾堡为代表的欧洲技术与中国传统技术加以比较，我们就会发现东西方之间的异同：

第一，二者都选择以三元合金为活字材料，且活字形体完全相同。中国以铜-锡-铅三元合金铸字，欧洲以铅-锡-锑三元合金铸字。中国活字呈长立方体形，字身有一小孔，以铁线穿之，植于印版之上，防止移动；早期欧洲活字也是如此（图 273）。

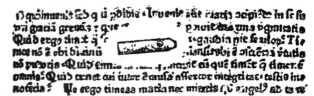

图 273
1468 年在科隆出版的《怡情少女颂》中出现的活字形象，取自 Ostwald(1928)

第二，双方都先刻出字模，再以其制成字范，并浇注合金熔液铸出活字，铸字原理及操作工序相同。中国刻木活字为字模，制成泥范，再以翻砂铸造法浇注出金属活字。美国一些学者认为欧洲早期也是如此[2][3]。但德国人认为谷腾堡刻钢活字为字模，制成铜范浇注出金属活字。以金属范铸钱，中国汉代早已有之，但宋以后以泥范铸钱与铸字，此法省力、省时、省钱。

第三，中国以松烟或油烟炭黑与动物胶按 100∶30 ～ 100∶50 之比调成稠

---

[1] 关于欧美各国金属活字印刷的早期发展情况，详见：潘吉星. 中国金属活字印刷技术史. 沈阳：辽宁科学技术出版社，2001. 256～262

[2] Carter T F. 中国印刷术的发明和它的西传. 吴泽炎译. 北京：商务印书馆，1957. 200，注 24

[3] Oswald J C. 西洋印刷文化史. 玉城肇譯. 東京：鮎書房，1943. 335

墨,有时加少许植物油,再经发酵,制成印刷用墨。欧洲将亚麻仁油煮沸,加蒸馏松脂得到的松油精(terebene)及炭黑等,经发酵制成油墨,此为一项创新。

第四,双方植字、刷印原理相同,但刷印工具有异。中国将纸覆在上墨的印版上,以棕刷刷印,单面印刷,将印纸沿中缝对折,装订成册。欧洲也将纸覆在上墨的印版上,但以螺旋压印器(图274)作双面刷印,再行装订。这样可节省纸的用量,因欧洲纸不像中国纸那样便宜。

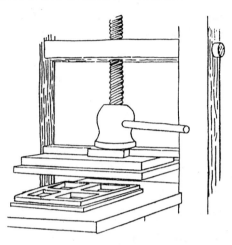

图 274
欧洲活字印刷的螺旋压印装置,取自 Ostwald(1928)

由此可见,谷腾堡的技术仍是沿用中国发展起来的金属活字技术原理和基本技术工序①。但他因地制宜地以自己方式变换了活字和模、范用材以及着色剂配制和刷印工具,精巧的螺旋压印器的引用应当看成是他的一项发明。因而他革新了以中国为代表的东亚传统工艺,使之更适合于通用拼音文字但缺纸的拉丁文化区和基督教世界。虽然在他以前其他欧洲人按中国方法做了初期试验尝试,但他的工艺最为系统、先进,且已成功用于大规模生产,培养出大批技术人才,使其技术迅即推广于欧洲其他国家。他是欧洲金属活字印刷技术的奠基人,在推动印刷术的发展中做出了杰出贡献。对他的历史功绩应给以肯定。

但长期以来西方流行一种观点,认为金属活字技术是谷腾堡在没有任何外来影响下独立发明的,甚至把他说成是活字印刷的发明人。这种欧洲中心论(Europocentrism)观点至今还在一些外行人作品中不时流露出来,他们并不了解东西方印刷史,尤其对中国印刷史和中、欧关系史知之甚微,只将目光限于欧洲。李约瑟博士1954年就呼吁欧洲人多了解亚洲,与亚洲对话,这样才能进一步了解欧洲和世界②。这个建议是何等正确!随着时间的推移和东西方学者研究的深入,"欧洲独立发明金属活字"之说已引起西方专家的怀疑,他们将目光转向东亚、转向中国。这是可喜现象,说明东西方相互了解在加深,欧亚学术对话时代已经到来。

最新的事例是1997年9月29日至10月2日在韩国召开的"东西方印刷史国际讨论会"上,德国谷腾堡博物馆馆长哈内布特-本茨(Eva Hanebutt-Benz)博士发言中谈到谷腾堡技术活动的东方背景时写道:"谷腾堡是否知道从12世纪

---

① 潘吉星. 从元大都到美因茨——谷腾堡技术活动的中国背景. 中国科技史料,1998,19(3):21～30

② Needham J. Dialogue entre l'Europe et l'Asie. Comprendre (Paris), 1954(12); Syntheses (Helsinki), 1958, vol. 143;潘吉星主编. 李约瑟集(Sequel to the Collected Papers of Joseph Needham). 天津:天津人民出版社,1998. 127～143

就已存在的东亚活字印刷的成就?这个问题不易回答……但当人们认识到12~13世纪东亚与欧洲之间的接触程度时,我相信那些取道**丝绸之路**的旅行者会**知道活字**,即令未将这种知识作书面介绍,也会作口头传播。因此我**不能想像谷腾堡从未听说过这种印刷方式**。我认为正是这种思想促使他热衷于找到解决问题的适当方式,以适应他在国内面临的情况。"①

法国巴黎大学印刷史家亨利-让·马丁(Henri-Jean Martin)教授发言中说:"东方印刷技术和亚洲在这一领域内领先的发明,一直是法国和欧洲其他国家印刷史家的兴趣所在。因此四十年前,我请一位中国问题专家吉尼亚尔(Roberte Guignard)女士为我与费夫尔(Lucien Febvre)合著《书籍时代之到来》(L'apparition du Livre)一书执笔论东方印刷史的一章……在试图反对如此长期统治非专业界人士思想的欧洲中心论观点时,我有些冒失地提出,作为传播印刷技术的发明家谷腾堡和瓦尔德福格尔,与东亚伟大的智慧之神一比,就**不再是**此间的造物主了。"②

马丁还在会上转述德国技术史家施特勒默尔教授给他写的一封信并散发德国教授的论文(Von Turfan zum Karlstein, 1997)。信中说:"他(施特勒默尔)**相信西方肯定掌握了东方的技术**。在这方面他强调查理四世皇帝在布拉格的宫廷所起的作用。布拉格当时是东方丝绸到达欧洲的一个主要终点,信息可能在此后从布拉格传到德国工商业城市,如纽伦堡、斯特拉斯堡和美因茨。"③

前已述及,谷腾堡1434~1444年在斯特拉斯堡突然改行,秘密搞起印刷试验,恐非一时心血来潮,必是受到外来因素的激发。因在他以前,瓦尔德福格尔已在阿维尼翁试制过金属活字,而谷腾堡的制镜合伙人汉斯·里费的亲戚瓦尔特·里费(Walter Riffe)是斯特拉斯堡的金匠,与谷腾堡是邻居,又一起共事,在这段时间常去阿维尼翁④。他可能向谷腾堡谈起铸字印书的事,引起谷腾堡的注意。瓦尔德福格尔的"假写技术"已传授给一些人,其产品曾售出,已处于半公开状态,信息是不难传到谷腾堡那里的。他从1444年以前的失败到1450年的成功,应归因于外出旅行中得知其他欧洲先行者所作的工作和面临的问题,使他从中获得教益。

在肯定谷腾堡历史贡献时,不能无视其他欧洲人的早期工作。这些人所赖以工作的活字印刷思想和活字制造、排印技术又是从何而来呢?要回答这个问

---

① Hanebutt-Benz E. Features of Gutenberg printing process: Speech at the International Forum on the Printing Culture. (Ch'ongju, Korea, Oct. 2, 1997)

② Martin H J. The development, spread and impact of printing from movable type in 15th and 16th century Europe: Speech at the International Symposium on Printing History in East and West (Seoul, Sep. 29, 1997)

③ Martin H J. The development, spread and impact of printing from movable type in 15th and 16th century Europe: Speech at the International Symposium on Printing History in East and West (Seoul, Sep. 29, 1997)

④ Martin H J. The History and Power of Printing. Translated from the French edition Histoire et Pouvoirs de l'Écrit (1988). University of Chicago Press, 1994. 220

题,就要像前述德、法学者那样,将源头追溯到那些取道丝绸之路的旅行者从中国带回的金属活字技术信息。谷腾堡及其欧洲先行者直接或间接从旅行者那里获得这类知识,否则很难想像他们怎能突然凭空搞起铸字印书试验。而谷腾堡时代的金属活字印刷所依据的原理、工艺操作程序和活字形体与中国的相同,不是偶然巧合,在双方接触频繁的时代对这种趋同现象(convergence phenomenon)只能用技术传播来解释。

技术史表明,世界某个遥远地方已搞成功某种技术的信息,能鼓励另一民族按其自己方式重新解决同样的问题,做出一连串的发展。李约瑟将这种现象称为"激发性传播"(stimulus diffusion),并以印刷术为例说明:"至于印刷术的传播,我感到高兴的是**谷腾堡知道中国的活字技术,至少听说如此**。"①他只要听说"中国以金属合金铸成活字,字身有孔,以铁线穿之,用于排版印书",就足可按其自己方式做出一连串发展。当代英、美、德、法印刷史家关于中国金属活字技术对欧洲影响的见解,是与早期欧洲学者的论述一致的。16世纪意大利史家焦维奥(Polo Giovio, 1483~1552)1546年在威尼斯用拉丁文出版的《当代史》(*Historia sui Temperis*)一书中写道:

Quod maxime mirandum videtur, ibi (Canton) esse typographos artifices, qui libros historias et sacrorum ceremonias continentes, more nostro imprimant: quorum longissima folia introrsus quadrata serie complicen tur... ut hinc facile credamus cius artis exempla antequam Lusitani in Indiam penetrarint per Scythas et Moscos ad incomparabile litterarum praesitium ad nos pervenisse②.

广州的**金属活字印刷工用与我们相同的方法**,将历史和仪礼等方面的书印刷在长幅对开纸上……因此,可以使我们很容易相信,早在葡萄牙人到印度以前(14世纪),对文化有如此帮助的这种技术,就通过西徐亚和莫斯科公国传到我们欧洲。

文内 Scythas 即西徐亚(Sythia),为里海及黑海间亚欧交界处的古国名,此处指蒙古伊利汗国的亚美尼亚;而 Moscos 为莫斯科公国(Moscovite),指蒙古钦察汗国当时控制的古罗斯(Russ or ancient Russia)。这正是中国活字印刷术西传的南、北两线上靠近西欧的部分。焦维奥所说 typographos artifices 指金属活字印刷工,而 more nostro("我们的方法")指欧洲人通用金属活字印书之法。为

---

① Needham J. Science and China's Influence on the World. In: Dawson D, ed. The Legacy of China, Oxford, 1964. 245;潘吉星主编. 李约瑟文集(Collected Papers of Joseph Needham). 沈阳:辽宁科学技术出版社,1986. 270,注10

② Giovio P (Jovius Paolos). Historia sui Temperis (1546), vol. 1. Venezia, 1558. 161; Carter T F. The Invention of Printing in China and Its Spread Westward(1925). 2nd ed. Revised by Goodrich L C. New York: Ronald, 1955. 159,164~165, note 4

便于读者判断,此处将拉丁文原文和我们的译文一起发表。焦维奥的记载又与同时代西班牙学者胡安·冈萨雷斯·门多萨(Juan Gonzeles de Mendoza, 1540~1620)1585年在罗马用西班牙文发表的《中华大帝国志》(*Historia del Gran Regno de China*)中所述相印证:

> 根据大多数人的意见,欧洲(金属活字)印刷的发明始于1458年,由德国人谷腾堡所完成……然而中国人确信这种印刷术首先在他们的国家开始,他们将发明人尊为圣贤。显然,在中国应用此技术许多年之后,才经由俄罗斯(Ruscia)和莫斯科公国(Moscouia)传到德国,这是肯定的,而且可能经过陆路传来的。而某些商人经红海从阿拉伯半岛(Arabia Felix)来到中国,可能带回书籍。这样,就为谷腾堡这位在历史上被当作发明者的人奠定了最初的基础。看来很明显,(金属活字)印刷术这项发明是中国人传给我们的,他们对此当之无愧。①

在门多萨时代,金属活字印刷已在欧洲居主导地位,因此他所谈到的"印刷术",主要指金属活字印刷。他在这部欧洲人有关中国的第一部综合专著中除参考各种早期记载外,有关原始资料还取自1576年出访中国福建的西班牙人马丁·拉达(Martin de Rada, 1533~1578)写的《福建游记》(*Narrativo de Mision a Fukien*)书稿。马丁·拉达谈到与福建地方官对话时,写道:"当这位中国官员听到我们也有印刷的(金属)**活字**(script),而且我们也和他们一样地印刷书籍时,大为吃惊,因为他们使用这种技术**比我们要早几百年**。"②明代福建有大规模铜活字印刷,印本都标明"铜版活字",拉达买到这些书并送往西班牙,由门多萨过目。二人所说中国活字,均指手书体铜活字。当代中外学者的研究证实了四百多年前焦维奥和门多萨的记载是正确的,即元代金属活字技术通过访华的旅行者传入欧洲。谷腾堡技术活动的中国背景看来越来越清楚了。关于欧洲其他国家金属活字印刷的发展,我们已于另处讨论③。今将中国印刷术外传图(图275)绘制于下:

---

① de Mendoza J G. The History of the Great Empire and Mighty Kingdom of China. Translated from the Spanish by Robert Parke in 1588, edited by Sir George Thomas Staunton, vol. 1. London: Hakluyt Society, 1853. 131~134
② Boxer C R, ed. South China in the 16th Century. London: Hakluyt Society, 1953. 255
③ 潘吉星. 中国金属活字印刷技术史, 第10章. 沈阳: 辽宁科学技术出版社, 2001. 256~262

第九章　中国印刷术的外传

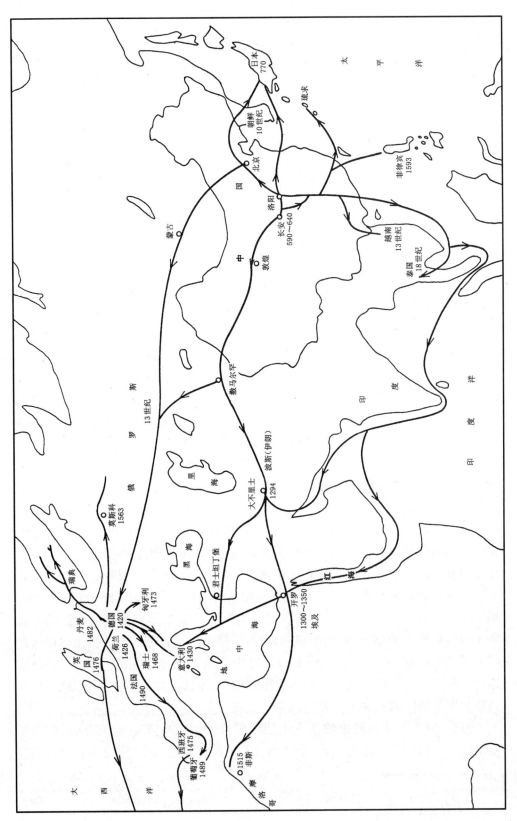

图 275
中国印刷技术外传图，潘吉星绘(1998)

第十章　中国火药技术的外传

第一节　中国火药术在阿拉伯地区的传播

一、阿拉伯人关于硝石和火药的早期记载

7世纪时在阿拉伯半岛兴起的伊斯兰教国，不断向周围扩张其势力，至阿拔斯王朝(Abbasids,750～1258)已将其版图扩大到中亚、西亚和北非的大片土地。在对外征战中，阿拉伯步兵和骑兵部队所使用的武器主要是弓弩、刀矛等古代常规武器。其所配备的重型武器是抛石机，利用机械弹射力量将石块投向敌方，作为攻城武器。这种装置来自波斯，而波斯又是从古希腊学来的。在火攻中则将含沥青等易燃物的纵火球用抛石机发出，使对方阵地着火。阿拉伯首次用纵火箭是712年入侵印度时投射的。他们在与拜占庭的战争中掌握了希腊火(Greek Fire)的技术秘密。在1097及1147年征战中用过由沥青、蜡、油脂和硫的混合物构成的纵火剂。1189～1191年在阿克拉(Acrecl)还用过石脑油纵火弹，1229年又从抛石机掷出纵火管[1]。

根据我们的研究，阿拉伯世界掌握火药和火器知识始于1250～1280年间的阿拔斯王朝后期，像造纸、印刷术一样，是直接从中国传入的。从历史进程来看，火药知识的传播总是在有关实物传播之后发生的，而实物传播可能分几个阶段，经陆路和海路两个途径进行。首先是海路，南宋(1127～1279)以来，中国与阿拉伯海上交通和贸易往来频繁，广州、泉州和扬州等地居住不少阿拉伯人，他们在那里建立了清真寺，其聚居区在宋代称为"蕃坊"。他们肯定看到过中国节日特别是春节时燃放的烟火，听到纸炮的爆炸声，接触过火药制成品。甚至目睹过战场上火药的硝烟，如绍兴三十一年(1161)宋金采石战役中南宋军发射的"霹雳炮"(火箭弹)，就为在场的阿拉伯水手所目睹[2]。阿拉伯人还可在他们的港口看到前来贸易的中国商船上火器手佩带的火器。

最后，蒙古军队在阿拉伯本土上使用了火器。1234年蒙古灭金后，金首都南京(今河南开封)等地的工匠、作坊和火药武器尽归蒙古所有，蒙古将金火药匠

---

[1] Partington J R. A History of Greek Fire and Gunpowder. Cambridge: Heffer & Sons, Ltd., 1960. 189～190

[2] 潘吉星. 中国火箭技术史稿. 北京:科学出版社,1987. 56

及火器手(多是汉人)编入蒙古军中。1235~1244年蒙古军携火器发动第二次西征,除继续经略中亚外,更进攻钦察,以火砲攻陷莫斯科,占领俄罗斯,再以火箭破波兰、匈牙利。在所征服的地区建立蒙古钦察汗国(Kiptchac Khanate,1243~1480),定都于萨莱(Sarai),即今俄罗斯境内伏尔加河下游的阿斯特拉罕(Astrakhan)。至此,伊斯兰教国阿拔斯朝从唐帝国夺取的西域诸国,又归于蒙古汗国统治之下,且直逼阿拔斯朝的腹地。

这种形势使巴格达的阿拉伯统治者十分恐惧,他们注意到善于骑射的蒙古军队有火药武器装备,所向披靡,担心会成为下一个攻击目标,因此千方百计想获得有关火药信息,以改善其军队装备,与蒙古军抗衡。我们知道,制造火药的关键是掌握硝石提纯技术,而阿拉伯地区过去缺乏这方面知识。据现存史料来看,最早记录硝石的阿拉伯作者是药物学家伊本·白塔尔(Abu-Muhâmmâd Abdullāh ibn-Ahmad ibn al-Baytar, 1197~1248)。此人1197年生于受阿拉伯帝国统治的西班牙的马拉加(Malaga),前往希腊、埃及和小亚细亚一带旅行,对阿拉伯、波斯、印度和东方的药物较为熟悉,1248年卒于叙利亚大马士革①。他在1248年用阿拉伯文写成《单药大全》(*Kitāb al-Jami fi al-Adwiya al-Mufradi* or *Treatise of Simple Drugs*),内载药物1 400种。此书写本藏于巴黎国家图书馆,1840~1842年宗特海默(J. von Sontheimer)曾将其译成德文,译本共二卷②。1877年法国东方学家勒克拉尔(Ludovic Leclere)又将该书译成法文③。

德国火药史家罗摩基(S. J. von Romocki)1895年在其《火药史》卷一介绍了白塔尔著作的内容梗概,并附有阿拉伯文原文④。从此《单药大全》在19世纪引起欧洲研究火药史的专家的注意。白塔尔在《单药大全》中对硝石给出了3种不同的阿拉伯语名称:"中国雪"、"亚洲石华"和"巴鲁得"。我们现据勒克拉尔的法文译本,将有关硝石的段落作一介绍,除转录法译文外,还再转译为汉文:

XXIII:71. *Asiyūs*. C'est la neige de Chine (*thalj al-Sīni*) chez les anciens médecins d'Egypte. Le peuple et les médecins du Maghreb lui donnent le nom de *bārūd*.

[亚洲石(*Asiyūs*)。此即先前埃及医生所称之'中国雪'(*thalj al-Sīni*),在北非被百姓和医生称为巴鲁得(*bārūd*)。]

---

① Partington J R. A History of Greek Fire and Gunpowder. Cambridge: Heffer & Sons, Ltd., 1960. 309~313
② Ibn Baytar. Grose Zusammenstellung über die bekannten einfachen Heilund Nahrungsmittel, übers. von Sontheimer J. Bd. 1~2. Stuttgart, 1840~1842
③ Ibn el-Beithar. Traité des Simples. Traduit par Leclere L, tom 1~2. Paris: Imprimemie Nationale, 1877
④ von Romocki S J. Geschichte der Explosivestoffe, Bd. 1. Berlin: Oppenheim, 1895. 37~39

XXIII:200. *Bārūd*. C'est la fleure de la pierre d'Assious.
[巴鲁得。此即亚洲石华。]

XXIII:333. *Thalj Sīni*. C'est la *bārūd*, généralment connu sous le nom de fleure de la pierre d'Assos.
[中国雪。此即巴鲁得，一般以亚洲石华之名而称著]。①

按"亚洲石"一词，首见于罗马帝国著作家普利尼(Pliny the Elder, 23~79)《博物志》(*Historia Naturalis*, 73)，原文为 λιθos Aσιos or Lithos Asios)，本意是石灰。1240年白塔尔借用希腊古老的词来称呼硝石这种新物质，未必恰当，容易造成误解。而中国雪则是阿拉伯人为硝石取的专名，阿拉伯文为 thalj al-Sīni，波斯文为 thelg as-Sīn。由于纯硝石洁白如雪，又来自中国，故得此名。巴鲁得(*bārūd*)则纯是一阿拉伯土语，时而指硝石，时而指火药。罗摩基从白塔尔首次描述硝石这个事实，做出结论说，硝石1225~1250年由中国传入阿拉伯世界，阿拉伯人又将这种知识介绍给欧洲人，使英国学者罗杰·培根(Roger Bacon, 1214~1292)能在1248年知道硝石②。按硝石是宋元时期中国对外贸易的出口商品之一，如1295年访问柬埔寨的周达观在《真腊风土记·欲得唐货》(约1312)条，提到中国出口硫黄和焰消(硝石)③。因此硝石的出口就意味火药术的外传。既然已向柬埔寨出口，也可输入到阿拉伯地区。

14世纪另一阿拉伯医生库图比(Yūsuf ibn Ismā'il al-Kutubī)，将白塔尔的《单药大成》缩编为《行医须知》(*Mā lā Yas'u al-Tabiba Jahluhu*)。库图比通称尤尼(al-Juni)，约1311年生于伊拉克。他关于硝石的叙述比白塔尔有所发挥：

巴鲁得(*bārūd*)是北非(al-Maghrib)使用的亚洲石华之名，在伊拉克通行语中名为墙盐(*miḥ al-ḥāyit* or wall-salt)。这是一种蔓延在老墙上的盐，故得此名。此盐性猛，比一般食盐更强烈，能伤肠子。它需要清除所含杂质而提纯，外观类似硼砂(*būraq*)。他们用这种盐制造**起火**和**走火**(fire which rises and moves)，以增加亮度和可燃性，与治病方面的用途有所不同。④

上述阿拉伯文 *būraq* 或可译为苏打(soda)即碳酸氢钠，实际上应指朴硝，即硫酸钠。19世纪法国东方学家雷诺(Joseph Toussaint Reinaud, 1795~1867)和

---

① Ibn el-Beithar. Traité des Simples. Traduit par Leclere L, tom 1. Paris：Imprimerie Nationale, 1877. 71~73

② von Romocki S J. Geschichte der Explosivestoffe, Bd. 1. Berlin：Oppenheim 1895. 37~39

③ 周达观[元]. 真腊风土记(约1312). 夏鼐校注本. 北京：中华书局，1981. 148

④ Reinaud J T, Favé I. Histoires de l'Artillerie, pt. 1. De Feu Grégeois, des Feux de Guerre et des Origines de la Poudre à Canon, d'après des Textes Nouveaux. Paris：J. Dumaine, 1845. 77~78(à Bibliothèque Nationale MS. Anc. fonds no. 1 072)

炮兵上校法韦(Ildephone Favé)联名发表的论著中认为库图比所说的起火和走火,指的是发射剂和火箭。他们还认为巴鲁得即 13 世纪阿拉伯手稿中的硝石,亦即白塔尔所说的中国雪①。我们同意这两位专家的意见。事实上库图比谈到硝石时,既提到它在医药上的用途,又提到在制造火药和火器方面的用途,与中国相同。他还特别强调制火药的硝石必须**提纯**。而他这些知识显然直接或间接得自于中国,甚至墙盐(miḥ al-ḥāyit)这个名称也有中国方面的来意。因为中国北方古代常从墙壁上扫取天然硝石,提纯后入药或制成火药,叫做地霜或土硝。

13 世纪前半期,阿拉伯从中国获得硝石及火药制法后,就逐渐造出火器。18 世纪在西班牙的基督教徒卡西里(Michael Casiri, 1710~1791)研究阿拉伯文手稿后,认为 1249 年阿拉伯人已制成火药和火器,虽比中国晚了近 300 年,但比欧洲早。卡西里生于今黎巴嫩的特里波利(Tripoli),曾留学意大利罗马,1748 年来到西班牙马德里,后任埃斯科里亚尔(Escorial)城图书馆馆长。他在该馆发现一批古阿拉伯文手稿,并将其译成拉丁文,1750 年写出专题研究,1770 年在马德里以两卷本出版。卡西里最初认为阿拉伯文手稿作者是西巴·本·法德尔(Shebah ben-Fadhl),并将成稿年代断为 1249 年。据后来研究,作者应是西巴·伊本·法德拉拉·乌马里(Shibath ibn Fādlallāh al-'Umarí, 1301~1349),因而手稿年代晚于 1249 年,而应是 14 世纪前期②。

上述阿拉伯文手稿中提到了火药,但人们对有关火药部分的拉丁文译文有不同意见,卡西里把他认为是火药的阿拉伯文原文译为拉丁文 *pulvere nitrato*,哈拉姆(Hallam)认为应改译成 *pulvis nitratus*,此词在当时指火药。通晓阿拉伯文的罗摩基则将原文第一行左起第二词复原为 *bārūd*③,这个词既指硝石,又指火药。法国人拉朗(L. Lalanne, 1815~1898)主张卡西里的译文是正确的,确实手稿中提到火药,但认为手稿年代为 1248 年。英国火药史家帕廷顿(J. R. Partington, 1886~1965)认为阿拉伯文手稿中提到借抛石机投出的是火药弹④。

二、伊利汗国枪手哈桑兵书中的火药知识

如前所述,蒙古第二次西征后已控制了阿拉伯帝国原属中亚、西亚大部分,但未完全征服整个西亚。由中国到欧洲陆上贸易通道的西端仍然受阻,蒙古统

---

① Reinaud J T, Favé I. Histoires de l'Artillerie, pt. 1. De Feu Grégeois, des Feux de Guerre et des Origines de la Poudre à Canon, d'après des Textes Nouveaux. Paris: J. Dumaine, 1845. 13~15, 197

② Partington J R. A History of Greek Fire and Gunpowder. Cambridge: Heffer & Sons, Ltd., 1960. 190~191

③ von Romocki S J. Geschichte der Explosivestoffe, Bd. 1. Berlin: Oppenheim, 1895. 79

④ Partington J R. A History of Greek Fire and Gunpowder. Cambridge: Heffer & Sons, Ltd. 1960. 190~191

治者决定以武力打通东西方丝绸之路。在元宪宗蒙哥(1208~1259)1251 年即位后,即派其弟旭烈兀(1217~1265)领大军于 1253~1259 年进行第三次西征。旭烈兀的军队 1257 年攻陷波斯北部战略要地木剌夷(Mulahiaa)。波斯史家拉施特丁(Rashid al-Din, 1247~1318)记载,1258 年 2 月 15 日蒙古军持火器在郭侃指挥下攻占阿拔斯王朝首都巴格达①,哈里发被迫投降,这样就结束了中世纪盛极一时的阿拉伯帝国的统治。

蒙古远征军在灭亡阿拔斯王朝后,继续西进,攻占米索不达美亚。1259 年征服叙利亚,逼近埃及。因蒙哥汗崩,遂班师。1260 年元世祖忽必烈(1215~1294)即位后,旭烈兀受封,于其所征服的地区建蒙古伊利汗国(Il-Khanate, 1260~1353),定都于波斯境内的大不里士(Tabriz)。汗国包括今伊朗、伊拉克、叙利亚、阿曼、阿富汗等地区,后来又占取土耳其一部分;于是中、欧陆上通道畅通。旭烈兀驻军于巴格达,任命郭侃(唐中书令郭子仪后裔)为巴格达总督。从中国派来工匠、学者、医生等来这里从事经济和文化建设。大不里士成为国际大都市,云集东西方各族人。毫无疑问,火药和火器知识像其他中国科学技术知识一样,向伊利汗国境内的阿拉伯人广为扩散。

1259 年旭烈兀汗在大不里士以南的马拉加(Marāgha)建天文台和图书馆,延请中国学者与当地人共同从事研究,在这里工作的穆黑亚(Mūhyi ibn Muhammad)用阿拉伯文编了《中国与回鹘历法》(*Risālat al-Khitāi wa 'l-Uighū'r*)。拉施特丁 1313 年用波斯文主编《伊利汗国的中国科学宝库》(*Tanksuq-nāmah-i-Ilkhan dar Funūn-i ʿUlūm-i-Khītāi*),介绍中国脉学、医药学、妇科等知识,有些材料取自 Wank-Shu-Khu(晋人王叔和)的著作②。与此同时,也出现了有关火药的阿拉伯文著作,首先应指出 1285 年成书的《马术和战争策略大全》(*Kitāb al-Furūsiya wa al-Munāsab al-Harbiya* or *Treatise on Horsemanship and Strategemes of War*)。巴黎国家图书馆藏有该书的两种阿拉伯文写本,缮写工整,有精美彩绘插图。

《马术与战争策略大全》作者哈桑(Al-Ḥassan al-Rammāh Najm âl-Din al-Ahdab, 1256~1295)通称哈桑或拉马,1265 年生于伊利汗国统治下的叙利亚,早年从军,对武器和战争在行。他的名 al-Rammāh 在阿拉伯文中意思是枪手,不妨可称他为枪手哈桑。他在书中说,本书卷二讨论用于水陆攻守的火器、火枪、飞火或火箭(fusées volantes)、烟火、火药方、硝石的提纯等。书中包括不少来自中国的材料。法国雷诺与法韦、德国罗摩基和英国的帕廷顿等,都曾研究过这部重要兵书。

关于硝石(*bārūd*)的提纯,哈桑指出用草木灰溶液处理粗硝(使其中的钙盐

---

① von Braun W, Ordway F I. History of Rocketry and Space Travel. London-New York: Crowell Co., 1966. 27

② Needham J. Science and Civilization in China, vol. 1. Cambridge University Press, 1954. 218

和镁盐沉淀析出），再对硝石母液用再结晶法纯化①。他写道：

> 取干柳木烧之，并按化灰方将其灰放入水中。复取三份重硝石及三分之一份仔细粉碎的木灰，将混合物放入一坛中，坛用黄铜制更佳。复加入水，并加热，直至木灰与硝石不再粘结一起为止。防止发火。

哈桑所述提纯硝石的方法，与中国传统方法是一致的。他还叙述了火箭、火球和烟火等，药料成分中除硝石、硫黄和木炭外，还有树脂、亚麻子油和某些金属填料。烟火的种类有茉莉花、中国花（flower of China）、月光、日光、黄舌、起轮（wheel）、中国起轮（wheel of China）、流星（stars）、白睡莲（white nenuphar）等，还有五色烟（黄、绿、白、红、蓝）。有趣的是，中国烟火中也有起轮、流星、赛月明、花筒等名目和五色烟。书中列举不少火药配方，所含硝石量略高于近代火药，而与中国传统火药相近。而且药料还含中国红信（雄黄，AsS）、中国铁（铁屑）、白铅、硇（náo）砂（氯化铵）、琥珀和乳香等。帕廷顿对火药方加以归纳，按硝石、硫黄和木炭含量份数的前后顺序排列，外附其他成分，得出下列结果，我们再换算成相应百分比如下：

表 9 哈桑所记阿拉伯火药成分表

	火药名	硝 石		硫 黄		木 炭		其他药料
		份数	%	份数	%	份数	%	
1	飞 火	10	71.43	1	7.14	3	21.43	——
2	中国花	10	72.05	1.88	13.54	2	14.41	中国铁
		10	65.58	2	13.12	3.25	21.30	
3	火箭药	10	68.97	1.5	10.34	3	20.69	——
		10	69.40	2.16	14.99	2.25	15.61	
		10	71.43	1.5	10.71	2.5	17.86	
4	日 光	10	74.73	1.13	8.45	2.25	16.82	
		10	76.16	1.13	8.61	2	15.23	
5	茉莉花	10	66.67	2	13.33	3	20.00	铁屑5或6份
6	Mūraq 花	10	67.80	0.75	5.08	4	27.12	钢3.5份
7	月 花	10	74.07	3	22.22	0.5	3.71	香石（incense stone）0.5份

总共 71 个火药方子中，有 61 个方子含硝石 10 份、硫 0.5～3 份，多数在 1，1.13 及 1.88 份之间。只有 52 个方子中提到木炭，多数在 3 份左右。在上表给出的 7 个方子中，含硝 65.58%～76.16%、硫 5.08%～22.22% 及炭 14.41%～

---

① Partington J R. A History of Greek Fire and Gunpowder. Cambridge: Heffer & Sons, Ltd., 1960. 200～204

27.12%，硫含量变化幅度较大。第 7 方配比是不合理的，可能有字误。巴黎藏《马术和战争策略大全》的另一写本(MS. BN 2825)还列举了中国箭(Chinese arrow)的火药配方：硝 10 份(72.68%)、硫 1.13 份(8.21%)、炭 2.63 份(19.11%)。所述火药方中的其他辅助药料，如铁屑、雄黄和铅白等，也是中国火药中的"从药"。

枪手哈桑还提到火罐(fire-pots)，为陶质，或以玻璃、纸或金属制成，内装火药，外覆以硫黄、沥青、蜡、焦油、石脑油等。将火罐掷出，如果是金属制的，就能起炸弹的作用，很像中国宋金时使用的震天雷。总之，哈桑的《马术和战争策略大全》是部很重要的阿拉伯军事著作，对后世阿拉伯兵书颇有影响。书中叙述了硝石提纯、各种火药配方，还谈到药线(ikrikh)、火箭、火罐、火球和各种烟火。这部在蒙古伊利汗国初期由阿拉伯人执笔的兵书，在火药、火器方面充满着浓厚的中国色彩，有些药料配制与中国的类似，所列举的火药辅助剂，如大漆、靛蓝、雄黄、砒霜和铁粉等，也是中国早先使用的，其中大漆为中国原产，当时阿拉伯和欧洲还没有。帕廷顿认为：The most notable feature of Hassan al-Rammāh's work is the extensive use it makes of Chinese materials, although he does not use the name "Snow of China" (*thalj al-Sīni*) for saltpetre.①["枪手哈桑的这部书最显著的特征，是广泛利用了中国的材料，虽然他没有用'中国雪'(*thalj al-Sīni*)来称呼硝石。"]但他对其他材料则冠以"中国的"字样，如中国花、中国箭、中国红信、中国铁、中国轮等。这说明拉桑关于火药、火器的知识确实来自中国。

三、《焚敌火攻书》和《诸艺大全》中的火药、火器知识

比哈桑的《马术和战争策略大全》稍晚些的阿拉伯文兵书，还有《焚敌火攻书》(*Liber Ignium ad Comburendos Hostes* or *Book on Fire for Burning Enemies*)。巴黎国家图书馆和慕尼黑德国皇家图书馆等处有此书拉丁文写本，标为希腊人马克(Marcus Graecus)所作，曾推定成书于 8 世纪。巴黎藏写本(MS 7 156)年代为 1300 年前后，共 35 个火攻方，16 页。1804 年法人杜泰尔(Du Theil,1742~1815)奉拿破仑一世之命校订并出版拉丁文原本。1893 年法国化学史家贝特罗(Marcellin Berthelot,1827~1907)在其《中世纪化学》(*Chimie au Moyen Âge*)书中收录此本并译成法文②。1895 年罗摩基将其转为德文③，而 1960 年帕廷顿又提供了英译文④。随着研究的深入，人们发现《焚敌火攻书》中夹杂有阿拉伯文，如 *alambic*, *alkitran* 及 *zembac* 等，说明此书作者为阿拉伯人

---

① Partington J R. A History of Greek Fire and Gunpowder. Cambridge: Heffer & Sons, Ltd., 1960. 202

② Berthelot M. Chimie au Moyen Âge, vol. 1. Paris, 1893. 100~120

③ von Romocki S J. Geschichte der Explosivestoffe, Bd. 1. Berlin, 1895. 115~123

④ Partington J R. A History of Greek Fire and Gunpowder. Cambridge: Heffer & Sons, Ltd., 1960. 45~55

或通行阿拉伯语地区的某人隐姓埋名,托名为希腊人马克而写的,其成书年代与巴黎写本年代(1300)相去不远,或属同一时期。

此书结构并不严谨,只将35个火攻方罗列起来,没按时间顺序安排。有的方子年代较早,有的较晚,各方子年代相差几百年。作者只是将不同时期火攻方子收录在一起,似乎是部未完成的手稿。英国炮兵上校海姆(Henry Hime, 1840~a.1920)将这些方子分为3组。第一组是年代最早的火攻方(第1~3,6~10,15~21,23,25及34方),为750年和以后之产物。第二组为1225年前的方子(第4~5,11,22,24,26~31及35方)。第三组(第12~14,32~33方)最晚,年代为1225~1250年①。对第三组断代可能还偏早些,因而该书成书时间为13~14世纪之交。引用火攻方时,要注意各方属于哪个时期的产物。

《焚敌火攻书》中第12~14及32~33五个方子明确提到火药和火器,但年代最晚(13世纪末至14世纪初之间)。我们现将五个方子原文附于此,并参考英、法译文再转译成汉文,加以必要的解说如下:

§12. Nota quod ignis volatilis in aere duplex est compositio. Quorum primus est. R. partem unam colofoniae et tantum sulfuris vivi, partes vero salis petrosi, et in oleo lineoso vel lauri, quod est melius, dissolvantur bene pulverizata et oleo liquefacta. Post in canna, vel ligno concavo reponatur et accendatur. Evolat enim subito ad quemcunque locum volueris et omnia incendio concremabit.

[第12方。注意,有两种飞火(*ignis volatilis in aere* or fire flying in the air)方。此为第一方。取一份松香和同样多的活性硫,六份硝石(sal petrosum)。在仔细粉碎后,溶于亚麻油或月桂油中,后者更好些。再放入筒中或空心木中,并点放之。它会突然飞到你希望的任何地方,并燃着一切。]

贝特罗将第一句话译为 *il y à deux compositions de fusée*("有两种火箭方"),帕廷顿译为 there are two compositions of fire flying in the air("有两种飞火方"),兹从帕廷顿之译法。此方中未提木炭,而谈到松香作为炭的来源。

§13. Secundus modus ignis volatilis hoc modo conficitur. R. Acc. 1. I sulfuris vivi, I. II carbonum tiliae vel cilie, VI 1. salis petrosi, quae tria substilissime terantur in lapide marmoreo. Postea pulverem ad libitum in tunica reponatis volatili vel tonitruum facientem. Nota tunica ad volandum debet esse gracilis et longa et cum praedicto pulvere optime conculato repleta. Tunica vero tonitruum faciens debet esse brevis et grossa et praedicto pulvere semiplena et ab utraque parte fortissime filo ferreo

---

① Hime H. The Origin of Artillery, pt.1. London: Longmans Creen & Co., 1915. 35, 58f bene ligata.

［第 13 方。第二种飞火用此法制成。取一磅活性硫、二磅柳炭及六磅硝石，将三物在大理石上仔细粉碎。按所需之量放入筒中，以制飞火和响雷（tonitruum facientem）。注意，制飞火之筒应细而长，放入压好的药（pulvere）。制响雷之筒应短而粗，装入上述药的一半。两端用铁丝紧紧绑好。］

第 13 方相当重要。雷诺和法韦认为此处讲的飞火（*feu volant*）起源于中国，是随蒙古军队西征时大约于 1250 年传入阿拉伯地区和欧洲的①。他们还认为第 12 和 13 方讲的是原始的火箭（fusée）。在第 13 方中，硝石、硫黄和柳炭的重量比是 6∶1∶2 或 66.7%∶11.1%∶22.2%。这同前述伊利汗国叙利亚人哈桑 1285 年《马术和战争策略大全》中所说的"中国箭"火药配方（68.97%∶10.34%∶21.30%）较为接近。如果原料较纯，用这个配方制成的火药可供发射药用。柳木炭是中国火药通常用的配料成分。雷诺和法韦认为这个方子中讲的飞火是火箭，且来自中国，是很正确的。1258 年郭侃部队攻打巴格达时就使用这种火箭，因而说 1250 年传入阿拉伯和欧洲，可能为时过早。

§14. Nota quod sal petrosum est minera terrae et reperitur in scrophulis contra lapides. Haec terra dissolvatur in aqua bulliente, postea depurata et distila per filtrum et permittatur per diem et noctem integram decoqui, et invenies in fundo laminas salis conjelatas cristallinas.

［第 14 方。注意，硝石是一种土质矿粉，并作为石头上的风化粉而存在。将这种土溶于沸水中，再加以提纯，并通过一个过滤器。将它煮沸一昼夜，并使之凝结，则在器皿的底部会发现透明的盐片。］

这一段比较难译，可能原文有漏误之处。大致是讲硝石的提纯借再结晶法进行。德国学者贝克曼（Johann Beckmann，1739～1811）将"石头上的风化粉"译为"墙上的风化粉"②，这样处理更为正确，否则难以理解。也许拉丁文译文或阿拉伯文原文有误。总之，*contra lapides*（"在石头上"）应改为 on walls（"在墙上"），因为当时阿拉伯人将硝石也称为墙盐（*miḥ al-hāyit* or wall-salt）。

§32. Ignis volantis in aere triplex est compositio: quorum primus fit de sale petroso et sulphure et oleo lini, quibus tribus insimul distemperatis et in canna positis et accensis, protinus in aere sublimetur.

［第 32 方。有三种飞火方。其中第一种由硝石、硫黄和亚麻油制成。将三

---

① Reinaud J T, Favé I. De Feu Grégeois, des feux de guerre et des origines de la poudre à canon chez les Arabes, Persans et les Chinois. Journal Asiatique (Paris), 1849, 14:316

② Beckmann J. History of Inventions. Translated from the German. vol. 2. London: H. G. Bohn, 1846. 505

者混在一起，放入筒中并点放之，它会立即升空。]

贝特罗将最后一句译为 la fusée monte aussitôt en l'air（"火箭立即升空"）。但此方子中除硝石、硫黄外，没有提到木炭，却列举了亚麻子油（oleo lini or linseed oil），故令人费解，疑此处阿拉伯原文或拉丁文译文仍有漏误。然而"它会立即升空"（protinus in aere sublimetur）这个用词明确描述了这是一种类似中国宋代人所说的"起火"装置。因此，法国人贝特罗的理解是正确的，就是说，亚麻油在这里应校改为木炭或柳炭。在此方子中没有给出成分配比。

§33. Alias ignis volans in aere fit ex sale petroso et sulphure vivo et ex carbonibus vitis vel salicis, quibus insimul et in tenta de papyro facta positis et accensis, mox in aerem volat. Et nota quod respectu sulphuris debes ponere tres partes de carbonibus, et respectu carbonum tres partes salis petrosi①.

[第33方。另一种飞火由混在一起的硝石、硫黄和柳炭制成，并将其放入**纸筒**中。点放后，它立即升入空中。注意，一份硫黄应配用三份柳炭，而一份柳炭配用三份硝石。]

这个第33方很重要，而且叙述明确。将此处对火药配方的叙述加以换算，则其中硝、硫、炭的重量比为9∶1∶3，或69.2%∶7.7%∶23.1%，这也是发射药的合理配比。第32方所述飞火，拉丁文为 ignis volanis，法文为 feu volant，英文为 flying fire，与第33方所述为同一物，都是汉文"飞火"一词的准确意译。第32方说飞火有3种火药方，但书中只给出两种具体配比，该方还谈到将火药放入筒中点燃发射，但没有说是什么筒，第33方具体指出是纸筒。结合第13方所述，起燃烧功能的起火，将火药装在细而长的纸筒中。起爆炸功能的响雷，将药装在短而粗的纸筒中，其中含硫量应稍高些。

制火药的硝、硫都必须是纯品，因而第14方专门谈到硝石的提纯。书中将硫称为 sulfuris vivi，我们译为"活性硫"，看来也是一种经加工处理的硫。帕廷顿称为 native sulphur（原产硫），易于误解。纵观5个火攻方，我们同意英、法、德专家的判断，即阿拉伯人写的《焚敌火攻书》中的飞火是一种反作用火箭装置，这使我们立即想到它与中国金元使用的飞火枪相似。而响雷与中国宋元使用的震天雷有异曲同工之妙，也与12世纪中国烟火中的起火和爆仗类似。宋金元制火药常用柳炭，而此书中亦如此。《焚敌火攻书》中的火药知识来自中国，是确切无疑的。正如法国专家雷诺和法韦所说，这种知识是随蒙古军队西征时传过去的。

还有一部用阿拉伯文写成的书，亦值得一提，书名为《诸艺大全》（Collection

---

① Partington J R A History of Greek Fire and Gunpowder. Cambridge: Heffer & Sons, Ltd., 1960. 45～55

Combining the Various Branches of the Art），附有插图。此书原为埃及的马穆鲁克（Mamulūk）王朝或奴隶王朝（1250～1517）的苏丹而编写的。初由波兰贵族扎沃斯基伯爵（Henryk Rzewuski，1791～1866）收藏，后归俄国彼得堡博物馆。雷诺和法韦认为此书编成于1300～1350年间，因为它引用了哈桑的《马术和战争策略大全》，还提到伊利汗国的蒙古统治者合赞汗（Chazan Khan，1295～1304）。雷诺还认为此阿拉伯文书的作者是沙姆丁（Shams al-Din Muhammād），写于1320年，此人1350年卒于叙利亚的大马士革。如果这样，它是在伊利汗国合赞汗在位时完成的，书中也谈到火药和火器。

图 276
1320年阿拉伯文手稿中火箭、烟火及火铳（midfa）图，取自 Partington（1960）
1　起火或火箭
2　烟火
3　midfa 或手铳
4　火罐或炸弹

图 277
1320年阿拉伯文手稿中喷火筒、炸弹及火铳图，取自 Partington（1960）
1　喷火筒
2　引燃物
3　配有防火杆的长矛
4　炸弹
5　火铳

圣彼得堡收藏的阿拉伯文写本《诸艺大全》，将火药称为达瓦（dawā），阿拉伯语中意思是药，与 bārūd 混用。巴黎藏本《焚敌火攻书》也用 dawā，拉丁文译者转为 pulvere，与英、法文中的 powder、poudre 同，俄语称火药为 porach，导源于 poroshok，都含有药粉之意，归根到底都是汉语中"火药"一词的意译。圣彼得堡藏写本内给出一火药方，含硝石（bārūd）10份（74.07%）、硫黄（kibrīt）1.5份（11.11%）及木炭（fahm）2份（14.82%）。还介绍名为"米德发"（midfa）的管形火器和炸弹、火箭、火罐等，而将火箭称为中国箭（sahm al-sīn or arrow from China）[①]，所附火箭图与中国火箭相同。米得发是由木筒制成的火器（图276），日本专家有马成甫认为

---

① Partington J R. A History of Greek Fire and Gunpowder. Cambridge: Heffer & Sons, Ltd., 1960. 200～204

它脱胎于中国南宋(1259)起用的突火枪①,因阿拉伯地区无竹,故竹筒以木筒代之。从圣彼得堡手稿中另一插图中,亦可看到持火器的士兵。值得注意的是,士兵着蒙古服饰、具有蒙古人面孔,当为伊利汗国的蒙古驻军(图277)。

综上所述可以看到,宋元时期中国与阿拉伯地区有频繁的陆上、海上往来和贸易关系,双方人员交流超过以往任何时代。阿拉伯人早在南宋已于中国看到火药在和平和战争方面的应用场面。元代船队上护航人员配备火器停泊在波斯湾各港口,使当地阿拉伯人也能看到,尤其元代中国硝石、硫黄的出口成为传播火药术的标志。蒙古军队13世纪的西征和伊利汗国建立后,更为这种传播创造机会,因汗国内驻军所需火药、火器由当地火药作坊补充,而且征召阿拉伯人从军,也使他们掌握火药知识。因此以阿拉伯文写的前述兵书,正是这种传播的直接后果。由于阿拉伯文地区处于中国与欧洲之间,于是也成为中国火药术西传到欧洲的中介。对此,将在下一节中论述。

第二节　中国火药术在欧洲的传播

一、蒙古军西征导致火药和火器的西传

火攻是古代各民族在战争中通用的一种作战形式。如前所述,公元前5世纪~公元前4世纪希腊人火攻时用海火($πῦρ\ θαλάσσιον$, $pûr\ thalássion$),其成分由硫、松炭、沥青和麻屑组成,即后世所谓的希腊火。7世纪以后,拜占庭帝国对海火加以改进,燃料中除上述成分外,另有石油、树脂、石灰,且以唧筒将流体燃料打出,通过喷火筒喷火。这是中世纪欧洲人所能用的最好的火攻武器。但仍不能与火药武器相匹敌,因为改进后的希腊火不能造成有破坏力的爆炸,且只能近距离使用,其作用是有限的。而且希腊火一般多用于水战,陆上较少使用,即令用,也只能手掷或以机械弹射装置发出。靠希腊火和冷武器武装的部队是抵挡不住拥有火器的马步兵大军的进攻的。

欧洲从12世纪始掌握中国造纸技术,但中国火药技术是13世纪以后随蒙古军西征直接或通过阿拉伯人间接传入欧洲的。元太宗窝阔台(1229~1241)即位后,由于蒙古人屡遭东北欧钦察(Kiptchak)境内突厥部族的攻掠,派拔都(1209~1256)、速不台(1170~1248)率15万大军第二次西征(1236~1242)②。因有元太祖成吉思汗(1162~1227)四子术赤、窝阔台、拖雷及察合台之长子拔都、海都、蒙哥及拜答儿参加,又称长子西征,他们分别带领四路兵马。每路都编有砲手军,携带火铳(图278)、火箭、喷火枪、炸弹(火砲)等火器,配合骑兵攻城

---

① 有馬成甫. 火砲の起源とその伝流. 東京:吉川弘文館,1962.335~336
② 张星烺. 中西交通史料汇编,第二册. 北平:京城印书局,1930.16~25,27~32

和大规模野战。实际上整个作战由大将速不台协助诸王指挥,而以术赤之子拔都为主帅。1236 年秋,蒙古军攻破伏尔加河沿岸的不里阿耳(Bulgares)都城(今俄罗斯喀山南)。1237 年春,攻入钦察,钦察退兵至俄罗斯,与俄军联合抗击蒙古军。速不台领大军北上,追击钦察部,将其击溃,占领伏尔加河一带。蒙古军灭钦察后,攻入俄罗斯腹地,1238 年春,以火炮攻陷俄罗斯重镇莫斯科①。

图 278
蒙古骑兵使用火铳示意图,潘吉星绘(2001)

1239 年,拔都率部长驱直入俄罗斯南方,陷诺夫哥罗德(Novgorod),直逼俄罗斯京城基辅(Kiev)。1240 年,拔都下令在该城四周架设火炮,猛烈攻城,占领基辅后,俄罗斯被征服②。1241 年春,由拜答儿、兀良合台统率的一路军从俄罗斯南下,侵入孛烈儿(Bular,波兰)。海都和速不台部则进入马札尔(Magyars,即匈牙利),蒙古军在其境内的撒岳河(Séjo)战役中使用了火箭,1241 年底占领布达佩斯③。1241 年二月,拜答儿部队涉冰过维斯杜拉(Vistula)河,进兵至波兰境内的克拉科夫(Krakow)。再至西里西亚(Silesia),渡奥得河(Odra),攻西里西亚王亨利二世(Henry Ⅱ)的都城布雷斯劳(Breslau or Wroslaw)。亨利退至莱格尼查(Legnica),集结波兰军、日耳曼军 3 万人抗击蒙古军。

莱格尼查在今波兰西南,靠近德国。1241 年 4 月 9 日,拜答儿指挥的蒙古军与波兰、日耳曼联军在莱格尼查附近的华尔斯塔特(Wahlstatt)大平原上展开激战。15 世纪波兰史家德鲁果斯(Jan Dlugosz,1415~1480)在《波兰史》(Historia Polonica, 12 vols., 1470~1480)中记载,蒙古军在 1241 年莱格尼查战役中使用了火箭(图 199)。据波兰建筑师赛比什(Walenty Sebisch,1577~1657)

---

① Bretschneider E. Medieval Researches from Eastern Sources:Fragments towards the Seventeenth Century, vol.1. London, 1888. 312~314
② 韩儒林主编.元朝史,上册.北京:人民出版社,1986. 159~160
③ von Braun W, Ordway F I. History of Rocketry and Space Travel. London-New York:Crowell Co., 1966. 27

1640年在弗罗茨瓦夫或布雷斯劳城所作的油画和文字说明,在火箭火药筒药柱内有很深的圆锥形凹空。这实际上起着喷管的作用,药筒绑在木杆上。波兰火箭史家盖斯勒(Wladyslaw Geisler)说,在莱格尼查古战场附近一修道院内,有一幅画准确画出蒙古军用火箭。此画相当古老,成为赛比什描写莱格尼查战役组画之所本。

赛比什画中描述的蒙古军用火箭,是从木桶中集束发射的,即一次可发射多枚火箭①。在发射桶上还绘有龙头,因此波兰人称为"中国喷火龙"(Chinese dragon belching fire)。这正如《武备志》(1621)卷一二六中的火笼箭、卷一二七中长蛇破阵箭和一窝蜂火箭那样,每桶一次可发射30枚火箭,射程200~300步(330 m~495 m)②。因蒙古军在数量和装备上占有优势,使波、德联军全军覆没。蒙古兵再过多瑙河,分兵攻波希米亚(今捷克)和奥地利,因窝阔台汗讣闻至,乃班师东归。后拔都受封,于其所征服的地区建钦察汗国(Kiptchac Khanate, 1243~1480),都于萨莱(Sarai),在今俄罗斯境内的阿斯特拉罕(Astrakhan),有蒙古军队在此镇守。

蒙古军队的西征给所到之处的各国带来灾难,但也客观上打通了一度阻塞的东西方陆上通道,中国与欧洲双方的使者、商人、学者、工匠和游客沿此通道在13~14世纪时频频互访,这就为中国和欧洲之间的文化、技术交流创造了条件。13世纪前半叶,欧洲人在本土上亲自体验了来自中国的火药的威力,而且配备火药武器的蒙古军队继续驻扎在离他们很近的钦察汗国,必定千方百计地探求制造火器的技术,这就导致中国火药术直接传入欧洲。另一方面,元宪宗蒙哥(1208~1259)即位后,又派其弟旭烈兀率军第三次西征(1253~1259),1258年以火箭、火砲攻陷阿拉伯帝国首都巴格达,灭阿拔斯王朝,于其地建伊利汗国(1260~1353),定都于波斯境内的大不里士,因而使中国火药术传入阿拉伯地区。已如前述,欧洲还可通过阿拉伯人获得火药技术信息。

二、传播火药知识的欧洲先驱者

最早记载火药的欧洲人是罗杰·培根,此人是13世纪英国著名科学家,早年在牛津大学学习并从事写作,并加入方济各会。1236年左右去巴黎大学讲授亚里士多德哲学,后一度去意大利,约1251年培根从法国返回牛津。他知识渊博,通晓希腊文、拉丁文、法文、意大利文、希伯来文和阿拉伯文等外文。他的主要作品《大论》(*Opus Majus*)、《小论》(*Opus Minus*)和《三论》(*Opus Tertium*)都

---

① Geisler W. History of the development of rocket technology and astronautics in Poland (1972). In: Hall R C, ed. Essays of the History of Rocketry and Astronautics, vol. 1. Washington, D.C.: National Aeronautics and Space Administration, 1977. 102~114

② 茅元仪[明].武备志(1621),卷一二六、一二七.影印本.第6册.沈阳:辽沈书社,1989. 5 376,5 404,5 408

以拉丁文写于 1266~1267 年间[1][2],《大论》是他的代表作,包括他的主要思想。《小论》是前者的补遗,《三论》内容与上述同,补充《小论》中未尽部分。他的作品难以准确断代,因常常多次重写同一作品,又在不同作品中反复使用同一材料。

提到火药的作品有《大论》、《三论》和炼金术方面的著作。培根在 1267 年写的《大论》中谈到希腊火,指出其中含石油,可引燃任何物,以水无法扑灭。接下来介绍新出现的纵火物:

> 某些发明物使人听起来毛骨悚然,如将其在夜间很熟练地突然点放起来,无论城市和军队都将无法抵挡。没有任何雷声能与其巨响相比,某些这类东西是如此可怕,以至连乌云中的闪电都相形见绌,想来盖迪安也应该把这类发明物用在米迪尼特人的兵营。

盖迪安(Gideon Jerubbaal)是《圣经·士师记》中所载犹太人的首领,曾率领 300 人打败米迪尼特人(Midianites),并从其压迫下解放了他的人民。培根引此典故时用了虚拟语气,意思是说假如盖迪安掌握这种武器,就会用来对付米迪尼特人。在谈到上述一段后,培根又给出如下叙述:

> Et experimentum hujus rei capimus ex hoc ludicro puerili, quod fit in multis mundi partibus, scilicet ut instrumento facto ad quantitatem pollicis humani ex violentia illius salis, qui sal petrae vocatur, tam horribilis sonus nascitur in ruptura tam modicae rei, scilicet modici pergameni, quod fortis tonitrui sentiatur excedere rugitum, et coruscationem maximam sui luminis jubar excedit. [3]
>
> [我们通过世界许多地方制成的儿童玩具,看到这类东西的样品,像人的拇指那样大。将这种小东西点燃,靠着称为硝石(sal petrae)的盐的力量,产生如此可怕的巨响,以致我们听到它超过强雷的响声,而闪出的光超过最大的闪电的光亮。]

德国火药史家罗摩基(S. J. von Romocki)认为培根此处所说新发明物是爆炸(sprengträftigen)装置[4]。但此处只谈到硝石,而未提硫黄和木炭。我们不妨可以同意罗摩基的判断,即培根描述的现象与火药爆炸有关。但指头大的儿童

---

[1] Sarton G. Introduction to the History of Science, vol. 2, pt. 2. Baltimore: Williams & Wilkins Co., 1931. 952~967

[2] Partington J R. A History of Greek Fire and Gunpowder. Cambridge: Heffer & Sons, Ltd., 1960. 64~71

[3] Bacon R. Opus Majus (1267). Jebb E, ed. 1733. 474; Bridge, ed. ii. 1897. 217~218; Eng. Banke, tr. ii. 1923. 629; Partington J R. A History of Greek Fire and Gunpowder. Cambridge: Heffer & Sons, Ltd., 1960. 77

[4] von Romocki S J. Geschichte der Explosivestoffe, Bd. 1. Berlin: Oppenheim, 1895. 89

玩具,不是别的,正是在培根100年前12世纪中国南宋时儿童玩的纸砲。宋人王铚(1091~1161在世)《杂纂续》列举许多使人又喜又惧的事时,包括"小儿放纸砲"(见《说郛》卷七十六)。这使人想到,在培根时代中国烟火、爆仗(firecracker)已作为娱乐品输入西方一些地方。至少在钦察汗国和伊利汗国的中国人节日点放过烟火,传到西欧,最后为培根所知。他在《三论》(1267)中再次谈到纸砲,所述内容与《大论》同,但在另一处他写道:

> 由于火的闪光、燃烧及其可怕的巨响,这种新奇物可在我们所希望的任何地方放出,使人难以自卫和招架。有一种发光和发响的儿童玩具,在世界各地用含硝石、硫黄和柳木炭的药粉(*pulvis* or powder)制成。将这种药粉密封在指头大的纸筒中,就因此能产生出声响,尤其当突然遭遇时,会把人的听觉搅乱。当用大型装置时,可怕的闪光更令人恐慌,没有人能经得起这种巨响和闪光的恐吓。如果装置用结实的材料制成,则爆炸的强度还会更大(*quod si fieret instrumentum de solidis corporibus, tunc longe major fieret violentia*)。①

培根所著《炼金术大全》(*De Arte Chymiae Scripta*)拉丁文本,1603年在德国法兰克福首次出版,其中收入他写的《炼金术和人工嬗变中矿物的性质简述》(*De naturis metallorum in ratione alkimica et artificiali transformatione*)或简称《简述》(*Breve breviarium*)一文,提到硝石生长在某种石头上,如遇木炭则立即起火。还指出:提纯硝石时,将其溶于水中,并通过过滤,形成白色光亮的长针状结晶。还说硝石能从土器中渗出,"因为我从实验中看到"②。培根这里提到的用再结晶法提纯硝石的技术,与中国医生马志(约935~1004)《开宝本草》(974)所述"扫取(硝石)以水淋汁后,乃煎炼而成,状如钗脚(针状)",是一致的。但关于硝石生于某种石上之说,则是阿拉伯人的提法。

综上所述,培根确实介绍了有关硝石、火药和纸砲的知识,他将这些知识反复写在几本书中。从《大论》描述纸砲的口气看,在他以前有的地方已有了这种火药制品,因为他强调这种儿童玩具"已在世界许多地方制成"(*quod fit in multis mundi partibus*)。他所说已经制成火药和火药制品的地方,当然应首推在他三百多年前的中国。火药知识决不是从培根开始的,但他敏锐地把他认为是新奇的这项发明较早地介绍给欧洲读者。

那么培根的火药知识又是从何而来呢?从当时历史背景来看,显然是直接或间接来自元代中国。一种可能是他在欧洲大陆文化中心法国和意大利旅居时从旅行者那里听到的。1236~1242及1253~1258年蒙古大军的两次西征,在欧洲

---

① Bacon R. Opus Tertium (1267). In: Little A G, ed. Roger Bacon Essays. Oxford, 1914. 51; Partington J R. A History of Greek Fire and Gunpowder. Cambridge: Heffer & Sons, Ltd., 1960. 78

② Sarton G. Introduction to the History of Science, vol. 2, pt. 2. Baltimore: Williams & Wilkins Co., 1931. 78~79

和其周边地区使用了火器,在战场上欧洲人被震耳的砲声和喷火的火龙所震惊,在培根时代仍心有余悸,害怕再遭袭击。因而教皇和国王多次遣使至蒙古大汗宫廷,显然其使团的来访具有政治、宗教和商业上的多重目的,不排除刺探制造火器的技术秘密。在这段时期内,1245年教皇英诺森四世(Innocent Ⅳ, r. 1243~1254)从法国派遣曾任日耳曼和西班牙教区大主教的意大利方济各会高僧柏朗嘉宾(Jean Plano de Carpini, 1182~1252)出使蒙古,同行者有波兰人本笃(Benedict)和奥地利商人,经钦察汗国都城萨莱东行,1246年到和林(Kharakorum),受元定宗贵由召见,1247年返回法国里昂,柏朗嘉宾写《蒙古简史》记其见闻①。

1247~1248年教皇再派多明我会士阿塞林(Ascelin)、西蒙(Simon de St. Quentin)和盖斯卡德(Guiscard de Cremona)往返于中国与欧洲之间。法国国王路易九世(Louis Ⅸ, 1214~1270)1248~1249年遣法国多明我会士隆如美(André Longjumeau)一行出使和林②,值元定宗崩,使团没有完成使命。路易九世1252年再派法国方济各会士罗柏鲁(Guillaume de Rubrouck, 1215~1270)出使蒙古,随行者有意大利同会会士巴托罗梅奥(Bartolomeo de Cremona)。他们经钦察汗国拜见拔都后,1253年底至和林,次年初受元宪宗蒙哥召见,停留数月后,1255年返回法国。罗柏鲁撰有《威廉·罗柏鲁教友1253年奉旨出访东方游记》(*Itinerarium Fratris Wilhelmi de Rubruk de Ordine Fratrum Minorum, Anno Gratiae 1253 ad Partes Orientales*),简称《东游记》(*Itinerarium ad Orientales*),详细记载其出访见闻,并献给路易九世,国王允许他定居巴黎,这使他在巴黎与培根相识③。而且培根还通读过他的《东游记》,并在《大论》中提起过他④。

罗柏鲁在《东游记》中还说,他在蒙古和林访问时认识在那里工作的日耳曼人、俄罗斯人、法国人、英国人和匈牙利人,其中包括出生巴黎的金银匠布西耶(Guillaume Boucher),正为大汗制金银器,其妻子为洛林(Lorraine)人。法国妇女巴凯特(Paquette de Metz)嫁给俄罗斯建筑师,他们都在和林定居生子。还有通晓多种语言的英国人巴西尔(Basil)也在和林⑤。这些欧洲人都有一技之长,是蒙古西征时被发现并带回和林的。由上所述可以看到,在培根记载火药30年前,他的欧洲教友已有好几批往来于中国和欧洲之间,他们有可能将欧洲人最为关注的火药知识带回欧洲大陆,从而引起培根注意。虽然这些旅行者没留下这

---

① Rockhill W W, tr., ed. The Journey of Rubruck to the Eastern Parts of the World (1253~1255) as Narrated by Himself; with two Accounts of the Earlier Journey of John of Pian de Carpine. London: Hakluyt Society, 1900

② Pelliot P. Les Mongols et la papauté. Revue de l'Orient Chrétien (Paris), 1922, 3 (3ᵉ sér.):3;1923,4(3ᵉ sér.):225,8:3

③ Cordier H. Histoire Générale de la Chine, vol. 2. Paris: Geuthner, 1920. 398

④ Dawson C, ed. The Mongol Mission: Narratives and Letters of the Franciscan Missionaries in Mongolia and China in the 13th and 14th Centuries. London: Sheed & Ward, 1955. 88

⑤ Dawson C, ed. The Mongol Mission: Narratives and Letters of the Franciscan Missionaries in Mongolia and China in the 13th and 14th Centuries. London: Sheed & Ward, 1955. 157,176~177

方面的书面报道，但必定会有口头传述。培根在法国久留，又去过意大利，有机会见到刚从中国访问归来的这些教友，罗柏鲁就是见于著录的一位，而罗柏鲁又与在中国工作的法、德、俄等国技术家有接触，他将火药知识带回欧洲的可能性最大。而他已在游记中公开报道了元代纸币的发行和印刷术。

从培根关于火药和儿童玩具纸砲(firecrackers)的叙述口气观之，必定使人设想他手头就有这类样品。福利(V. Foley)、佩里(K. Perry)[1]、温特(Frank H. Winter)[2]和李约瑟[3]等火器史研究家都得出结论说，1245～1255年间访华归来的培根的教友将带回的一包小型中国纸砲送给他作为样品供他研究，同时还为他提供口头说明，而事实上培根真的据此做起实验。另一方面，培根关于硝石及其提纯的知识，还有可能来自早期阿拉伯人的记载，特别是伊本·白塔尔(Ibn al-Baytar, 1197～1248)1248年用阿拉伯文写的《单药大全》(*Kitāb al-Jami fi al-Adwiya al-Mufradi*)中关于"中国雪"(*thalj al-Sīni*)的论述。因为培根懂阿拉伯文，熟悉阿拉伯文化，读过不少阿拉伯文科技著作，又与将许多阿拉伯作品译成拉丁文的德国翻译家阿勒曼(Hermann Alemann)有密切往来[4]。

与罗杰·培根同时代介绍中国火药知识的另一早期欧洲人，是13世纪德国的大圣阿贝特(Saint Albertus Magnus, c.1200～1280)，他与培根齐名，都被认为是中世纪欧洲最有学问的人。阿贝特出身于巴伐利亚的劳因根(Lauingen, Bavaria)贵族家庭，早年求学于意大利帕多瓦(Padova)，1229年在那里加入多明我教会，后在德国各地教会教书。1245～1248年去巴黎大学深造，获神学博士，1248～1254年在德国科隆教书，1254年任多明我会主持，1256年再去巴黎，1260～1262年任德国雷根斯堡(Regensburg)教区主教[5][6]。著作达300种以上，涉及各学科领域，誉为"万能博士"(Doctor Universalis)或"大圣"，在欧洲有很大影响。他虽不懂阿拉伯文，但读过许多译成拉丁文的阿拉伯人作品，注重收集新知识，不管来自何方。

在阿贝特作品中，我们最感兴趣的是《世界奇妙事物》(*De Mirabilibus Mundi*)，其中谈到火药和飞火。此书成书年代难以考证，现存最早写本藏于德国沃尔芬比特尔(Wolfenbüttel)图书馆，年代为13世纪。威尼斯的圣马克(St. Mark)本为

---

[1] Foley V, Perry K. In defence of Liber Ignium: Arab alchemy, Roger Bacon, and the introduction of gunpowder into the West. Journal for the History of Arabic Science (Syria), 1979, 3(2):207

[2] Winter F H. The genesis of rockets in China and its spread to the East and West. In: Proceedings of the 30th Congress of the International Astronautical Federation. München, 1979.9

[3] Needham J, *et al*. Science and Civilization in China, vol. 5, pt. 7, The Gunpowder Epic. Cambridge University Press, 1986. 49～52,570～572

[4] Sarton G. Introduction to the History of Science, vol. 2, pt. 2. Baltimore: Williams & Wilkins Co., 1931. 952～957,832

[5] Partington J R. A History of Greek Fire and Gunpowder. Cambridge: Heffer & Sons, Ltd., 1960. 64～71

[6] Sarton G. Introduction to the History of Science, vol. 2, pt. 2. Baltimore: Williams & Wilkins Co., 1931. 934～944

14 世纪者,而巴黎、佛罗伦萨藏本年代为 15 世纪。此书拉丁文本最先于 1472 及 1473 年刊于威尼斯。帕廷顿将有关段落译成英文,英文全译本 1973 年在牛津出版。现将阿贝特在书中谈到火药的拉丁文原文和我们的译文转录于下:

Ignis volans. Accipe libran unam sulphuris, libras duas carbonum salis, libras sex salis petrosi, quae tria sabtilissime terantur in lapide marmorei, postes aliquid posterius ad libitum in tunica de papyro volanti, vel tonitruum faciente, ponatur. Tunica ad volandum debet esse longa, gracilis, pulvere illo optime plena, ad faciendum vero tonitruum brevis, grossa et semiplena.

[飞火(*Ignis volans* or flying fire)。取一磅硫黄、二磅柳木炭及六磅硝石,将此三物在大理石上仔细粉碎。然后按所需之量装入纸筒中,以制飞火或响雷。制飞火的筒应长而细,装满药(*pulver* or powder);制响雷的筒应短而粗,装一半的药。]①

可以看到,阿贝特上述记载几乎全部引自阿拉伯人写的兵书《焚敌火攻书》的拉丁文译本(*Liber Ignium ad Comburendos Hostes* or *Book on Fire for Burning Enemies*)的第 13 节。此书这一部分据海姆断代,成于 1225~1250 年②。这有助于对阿贝特《世界奇妙事物》的断代,其成书时间应在 13 世纪后半叶。现将《焚敌火攻书》第 13 节原文及我们的译文转录于下:

Secundus modus ignis volatilis hoc modo conficitur. R. Acc. 1. I sulfuris vivi, 1. II carbonum tiliae vel cilie, VI 1. salis petrosi, quae tria substilissime terantur in lapide marmoreo. Postea pulverem ad libitum in tunica reponatis volatili vel tonitruum facientem. Nota tunica ad volandum debet esse gracilis et longa et cum praedicto pulvere optime conculato repleta. Tunica vero tonitruum faciens debet esse brevis et grossa et praedicto pulvere semiplena et ab utraque parte fortissime filo ferreo bene ligata③.

[第二种飞火用此法制成。取一磅活性硫、二磅柳炭和六磅硝石,将此三物在大理石上仔细粉碎,按所需之量装入筒中,以制飞火或响雷。注意,制飞火的

---

① Albertus Magnus. De Mirabilibus Mundi (a. 1280). Cf. Partington, J. R. A History of Greek Fire and Gunpowder. Cambridge, 1960. 86; Best M R, Brightman F H, tr. The Book of Secrets of Albertus Magnus, of the Virtues of Herbs, Stones and Certain Bests, also a Book of the marvels of the world. Oxford: Clarendon Press, 1973, 111~112

② Hime H. Gunpowder and Ammunition: Their Origin and Progress. London: Longmans Green, 1904. 70, 73f.; The Origin of Artillery, pt. 1. London: Longmans Green & Co., 1915. 35, 58f.

③ Liber ignium ad comburendos hostes, auctore Marco Graeco, §13. Cf. Partington J R. A History of Greek Fire and Gunpowder. Cambridge: Heffer & Sons, Ltd., 1960. 48~49

筒应细而长,并装入压好的药。制响雷的筒应短而粗,装入上述药的一半。两端用铁丝紧紧绑好。]

将上述两段文字对比后,可见逐字逐句相同,只是阿贝特将《焚敌火攻书》第13节首尾两句删去。他关于火药知识来自阿拉伯兵书是显然的,在《世界新奇事物》中还可找到整段转录上述阿拉伯兵书的其他例证。海姆认为上述飞火方讲的是火箭和爆仗(纸砲),后者即培根所说的儿童玩具。贝克曼(Johann Beckmann,1739~1811)《发明史》(Beiträge zur Geschichte der Erfindungen,1780~1805)认为阿拉伯人的《焚敌火攻书》、德国人阿贝特《世界新奇事物》以及英国人培根著作中叙述火药的部分很类似,三者必有同一来源①。正如法国专家雷诺(Joseph Toussaint Reinaud,1795~1867)和法韦(Ildephone Favé)所说,这个共同的来源就是中国,火药知识是1250年前后随蒙古军队西征时传入阿拉伯和欧洲的②。

冯家昇(1911~1970)先生说:"蒙古人征服欧洲用过火药,但没有把火药传入欧洲",理由是火药属军事秘密,蒙古军不肯向别人泄露,他们在战场上一边倒,欧洲人四散逃避,没有机会知道这种机密。当时欧洲人文化水平低,不知道火药是何物③。我们认为上述理由和论断是不能成立的。因为中国火药配方及火器制法早在1044年北宋时已通过《武经总要》等书公之于众,不再是秘密。硝石在宋元时已远销至海外,元代还有武器出口,政府禁而不止。蒙古钦察汗国、伊利汗国与欧洲毗邻,且自行生产火药、火器补充蒙古驻军之需,蒙古还召阿拉伯人和欧洲人从事各行业工作,包括军事工作,如蒙古军中有回回砲手阿老瓦丁('Ala al-Din)、亦思马因(Ismā'il),1274年曾立战功。因此阿拉伯人、欧洲人有足够机会学到中国火药技术。同时不能把13世纪欧洲人笼统说成文化水平不高。

图 279
15世纪欧洲写本中检验火药燃烧图,Vienna Hofmuseum 藏,潘吉星据照片临绘(1987)

总之,蒙古军西征时在欧洲战场上使用火器后30年欧洲思想敏锐的学者已将火器作为最新发明或新奇事物载入其著作中,这正是蒙古军西征的后果。蒙元火器是在宋金的基础上发展的,在火药配制、火器构造和性能上较以前都有很大

---

① Beckmann J. History of Inventions. Translated from the German, vol. 2. London: H. G. Bohn, 1846. 504

② Reinaud J T, Favé I. De Feu Grégeois, de feux de guerre, et des origines de la poudre à canon chez les Arabes, Persans et les Chinois. Journal Asiatique (Paris), 1849, 14: 316

③ 冯家昇. 火药的发明和西传(1954). 2版. 上海:上海人民出版社,1978. 61~64

的改进,特别是金属材料在火器制造中较宋金有更广泛的应用,因而蒙古军队配备的炸弹、火铳、火砲和喷火筒(火枪)有很大的威力,集束火箭的烧伤力提高,且射程远。这些先进火器在战场上应用后,必定会引起欧洲人的注意,并起意仿制,他们有尽快掌握火器的紧迫感。中国不可能长期垄断先进火器的秘密,因此13世纪60~70年代欧洲人就学会了中国火药知识,并加紧进行仿制蒙古军队所用火器的实验研制,而在14世纪欧洲火器已逐步付诸使用(图279)。

三、欧洲早期的火器

欧洲现存年代最早火器图像,是英国牛津大学波德雷安图书馆(Bodleian Library, Oxford)收藏的1326~1327年瓦尔特·德米拉梅特(Walter de Milamete, fl. 1295~1357)的手稿《精明智慧的国王陛下》(*De Nobilitatibus, Sapientiis et Prudentis Regum*)中的两幅插图中所绘的铳炮(bombard)。此作者是英王爱德华三世(Edward Ⅲ, r. 1312~1377)的教诲师和康沃尔(Cornwall)的教会牧师。手稿本身没有提到这种火器,彩色插图出现在手稿第44页背面。绘有一瓶状或鸭梨状火铳,放在桌面上。有一骑士手持赤热铁条点燃火门,从铳的前口有一箭正射向城堡通道的入口。射手头戴护帽,但未披肩铠,赤脚,面部棕色(图280)。帕廷顿观看原件后,认为射手很像摩尔人(Moor)或北非伊斯兰教族人①。另一图所绘火铳有类似外形,除铳手外,另外站着三人,可能是帮助清理铳膛、装药、装箭的助手。

无疑,米拉梅特手稿中所绘出的铳应由金属铸成。只是需要注意,早期的铳都是很小的,只有一拃长(a span long)②,也不重,装上手柄或绑在木杆上是可以手持的,将其画在桌面上,从技术上看似不准确。手稿没有按正确比例绘图,因而铳显得过大,也没有绘出手柄。德国研究者拉特根(Bernhard Rathgen)认为此图取自德国14世纪的《烟火术》(*Feuerwerkbuch*)之类的书,像中国的《火龙经》一样有许多传写本。拉特根还指出,在此铳的火膛内应有一圆木板,才能将箭射出③,这相当于中国火铳中的"木送子"。鉴于原图没有给出其内部结构,我们特作技术复原(图281),并补绘出手柄。欧洲后来的铳开始变大、加重,才安在木架上点放,这同中国是一样的。

1327年的铳虽外形似瓶状,但其内膛则是长筒形。李约瑟疑心西方这类火铳来自中国,因为他的合作者叶山(Robin Yates)1985年6月访问四川大足宋代

---

① Partington J R. A History of Greek Fire and Gunpowder. Cambridge: Heffer & Sons, Ltd., 1960. 98~99

② Partington J R. A History of Greek Fire and Gunpowder. Cambridge: Heffer & Sons, Ltd., 1960. 103

③ Rathgen B. Das Geschütz im Mittelalter. Quellenkritische Untersuchungen von Bernhard Rathgen. Berlin, 1928. 124~125

石窟时,看到石刻中有类似形状的火器①。但因来去匆匆,未能弄清石刻的准确年代。为了查明究竟,1986 年 11 月 21 日,李约瑟、鲁桂珍和笔者去四川大足县北山石窟做了现场考察,我们在第 149 号窟看到南宋建炎二年(1128)知军州事任宗易(1083~1148 在世)发愿刻的观自在如意轮菩萨(Avalokiteśvara)主尊石像的一侧,有两个天神分别手持一手榴弹已冒火,另一个手持瓶状火器正射出弹丸(图 180)。我们认为,这件 1128 年南宋金属火铳正是 1327 年欧洲火铳的鼻祖②。只是需要注意,瓶状铳炮应有手柄或放在架子上使用,因受到石窟现场空间的限制,石匠没法表现出来,只好刻成手持状态。

由于燃烧室过热,所以在其周围有很厚一层金属壁包着,这样使整个武器外

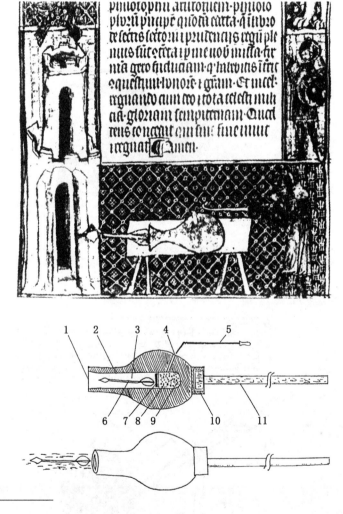

图 280
1327 年德米拉梅特手稿中的瓶状铳炮图,取自 Partington(1960)

图 281
1327 年欧洲最早的铳炮复原图,潘吉星复原(2000)
1　膛口　2　膛壁
3　前膛　4　火门
5　铁锥　6　箭
7　挡板　8　燃烧室
9　火药　10　尾銎
11　木柄

---

① Needham J, Ho Ping-Yu, Lu Gwei-Djen, Wang Ling. Appendix A: The oldest representation of a hand-gun. In: Science and Civilization in China, vol. 5, pt. 7. The Gunpowder Epic. Cambridge University Press, 1986. Fig. 235,580~581

② Lu Gwei-Djen, Needham J, Pan Jixing. The oldest representation of a bombard. Technology and Culture (Washington, D. C.), 1988,29(3):594~605;潘吉星主编.李约瑟集.天津:天津人民出版社,1998.424~433

观呈瓶状,这是中国与欧洲早期铳炮的共同特点。因为燃烧室外壁较厚,可使其承受住压力,能经久耐用,又保证炮手的安全。中国比欧洲领先发展瓶状金属铳炮近200年,这是中国火器西传的合理的时间间隔。当然蒙古军队的西征加速了传播的时间进程,他们在欧洲战场上用过的火器甚至可在三四十年后就传到欧洲。李约瑟1979年在伦敦大学演讲中提出1327年米拉梅特手稿中的瓶状火铳起源于中国的主张,至1986年已由实物资料所证实。

随着火药性能的改进和火器技术的进步,金属筒状火器的球状隆起部分逐渐缩小,最后到通身呈长筒形,大型的架在木架上,小型的可以手持,并可架在马上供骑兵使用。上述变化在蒙元时(13世纪)已完成,并用于实战。14世纪在德、法、意、英等国出现的铜铳,铳筒已不再呈瓶状,而呈长筒形,射出石弹、铁弹和铅弹。有小型手持式;也有较大型的,放在架子上点放。(图282,283)

图282
1396年拉丁文手稿所绘欧洲早期喷火枪,巴黎国家图书馆藏,取自 Reinaud et Favé (1845)

图283
14世纪拉丁文手稿所绘火铳(hand-gun),取自 Hogg(1980)

中国蒙元以来火器技术的新变化,随后在14世纪的欧洲又重新出现在一些文献中。例如德国葛廷根(Göttingen)大学图书馆藏抄写在羊皮板上的拉丁文写本《战争防御》(Bellifortis),专家认为写于1395~1405年间[1],作者凯泽尔(Conrad Kyeser von Eystädt,1366~1405)为德国军事工程师。书中谈到军用纵火箭、烟火、火箭、炸弹和火铳等,这方面知识来自阿拉伯文写本,归根到底来自中国。因为插图中人物穿阿拉伯式服装,火药配方引自《焚敌火攻书》,辅助剂有砒霜、雄黄与石灰,也与中国配方一致。"飞龙"(flying dragon)用绳将火药筒绑在导杆上,"飞鸟"类似中国的神火飞鸦。书中的炸弹(图284)很像中国的蒺藜形硬壳炸弹和震天雷。罗摩基认为,凯泽尔在意大利旅行时得到很多材料。

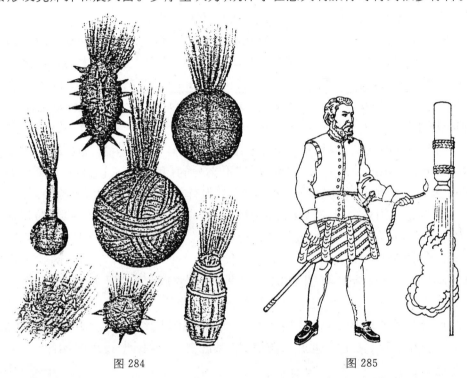

图284　　图285

图284
凯泽尔(Kyeser)手稿中的炸弹,取自Partington(1960)

图285
16世纪哈斯(Haas)手稿中的火箭,取自潘吉星(1987)

文艺复兴策源地和罗马教皇驻在地的意大利,由于其地理位置在13~14世纪隔地中海与北非穆斯林的马穆鲁克(Mameluke)王朝(1250~1517)和西亚的蒙古伊利汗国邻近,威尼斯、热那亚和佛罗伦萨等地的商人热衷于对华贸易,教皇又多次派使节前往中国,因而是获得火药知识较早的欧洲国家之一。欧洲语中"火箭"一词首先以意大利文(rochette)形式出现。据18世纪意大利史家穆拉托里(Ludovico Antonio Muratori,1672~1750)对古意大利文手稿的研究,1379~1380年热那亚和威尼斯两个自由城市为争夺海上贸易垄断权在基奥贾(Chioggia)岛

---

[1] Kyeser C. Bellifortis (MS Göttingen Cod. Phil. 63). 243p; Partington J R. A History of Greek Fire and Gunpowder. Cambridge: Heffer & Sons, Ltd., 1960. 147~151; Sarton G. Introduction to the History of Science. vol. 3. pt. 2. Baltimore: Williams & Wilkins Co., 1947. 1 550

上的要塞附近发生激战,在这次战役中发射了火箭(igne imissio cum rochetis)[①]。西方火器史家认为1379～1380年基奥贾战役中使用的火箭,是欧洲制造火箭的最早记载。基奥贾在意大利北部亚德里亚海滨,位于威尼斯正南方。

今日"火箭"一词在英文中是rocket,法文roquette (or fusée)、德文Rokete、俄文raketa和日文ロケット等,都导源于意大利文rochette。有的作者认为意大利帕维亚(Pavia)城军事技师圭多(Guido da Vigevano, 1280～1350)1330年成书的《兵录》中提到称为una rochette(火箭)的武器,还认为基奥贾以南的艾米利亚(Emilia)附近1281年发生的弗利(Forli)战役中也使用了火箭[②]。如果真是如此,则意大利或欧洲最初使用火箭的时间还可上溯到13世纪末。不管怎样,欧洲早期实战火箭在意大利出现,已为学者们普遍承认。

欧洲烟火技术也在意大利最先出现,佛罗伦萨和锡耶纳(Siena)产品最为著名,许多地方都定期表演大型烟火。从14世纪至17世纪末,意大利在烟火制造中在欧洲居领先地位。德国慕尼黑和威玛(Weimar)图书馆藏有1420年拉丁文写本《兵器录》(*Bellicorum Instrumentorum Liber*),作者为意大利威尼托(Venetia)技师约翰·方塔纳(Giovannic da Fantana, c. 1395～1455),以秘语写成,但附插图。书中谈到火箭、碗口铳、炸弹和火禽等。1463年罗马人瓦尔图里奥(Roberto Valturio, c. 1413～1482)用拉丁文写的《兵书十二卷》(*De re Militari Libri* XII)中,谈到硝石的提纯和火药制造以及炸弹、烟火和飞火、火枪等。

19世纪法国东方学家雷诺(Joseph Toussaint Reinaud, 1795～1867)和炮兵上校法韦(Ildephonse Favé)报道说,巴黎皇家文库(Bibliothèque Royale)藏有一拉丁文写本(MS Bib. Roy. , 7 239),年代约为1396年,其中绘出一骑兵手持火枪(fire-lance)喷火情况[③](图282)。这是中国火枪西传的历史见证,因蒙古掌握了南宋火枪技术后,将喷火筒由竹筒改为金属筒,13世纪西征时用于战场,并将其传入西方。从上述1396年写本插图中还可看到,骑士用喷火枪时,身着防火衣和盔甲,其坐骑也披上防罩,以保证安全,中国士兵也应如此,只是史料漏记而已。

因此,伴随着13世纪蒙古军队的两次西征,在阿拉伯地区和欧洲战场使用各种火器之后,中国火药和火器技术很快西传。14世纪以后,欧洲出现了火铳、火箭、喷火枪、手榴弹、炸弹和烟火等,都是根据中国技术和样器仿制的。在这个基础上,随着欧洲社会经济和技术的发展,欧洲人脱离了仿制阶段,从15～16世纪起

---

① Danduli Chronicum. In: Muratori L A. Rerum Italicarum Scriptores. Milan, 1728. Xii: 448; Milan, 1729. xv: 769; Partington J R. A History of Greek Fire and Gunpowder. Cambridge: Heffer & Sons, Ltd. , 1960. 174

② Winter F H. The genesis of rockets in China and its spread to the East and West. In: Proceedings of the 30th Congress of the International Astronautical Federation. München, 1979. 11

③ Reinaud J T, Favé I. Histoires de l'Artillerie, pt. 1, Du Feu Grégeois, des Feux de Guerre et des Origines de la Poudre à Canon, d'après des Texts Nouveaux. Paris: J. Dumaine, 1845. 213f. , 217～218, 279～280

进入自主开发阶段,对已有火器做了改进。例如,1529~1569 年在锡比乌(Sibiu)兵工厂工作的德国火箭技师哈斯(Conrad Haas)在其用老式德文写的手稿中,提出将几个火箭筒同时绑在一个箭杆上发射,就可增加射程和推力,这与稍早时的中国人万虎想到一起了(图 285)。他还提出造二级、三级火箭的思想①,虽然在这以前中国已经这样做了,但他毕竟是欧洲最早有此思想的人。前述意大利人方塔纳在《兵器录》(1420)中介绍了用反作用原理将四轮车推向前行的喷射车②。

15 世纪中叶以后,欧洲铜铳也像中国一样,逐步大型化,铳筒变长,口径加大,可以射出很重的弹丸,使之成为攻城武器,因而向火炮(cannon)的方向发展。由于重量加大,一般放在炮车上使用。现存较大的火炮实物仍在,如巴黎炮(1404),长 3.65 m,口径 39 cm,重 4 597 kg;比利时根特(Ghent)炮(1450~1452)长 4.96 m,口径 62 cm,重 340 kg③。这样的火炮相当于中国明代的将军炮,但放完后要清理炮筒,重新装药、装弹,需要一定时间才能再次点放。14 世纪后半期欧洲出现一种改进型后膛装(breech loading)火炮,而且可以用铁铸成(图 286)。这种炮在 16 世纪传到明代中国,称为"佛朗机",欧洲人或许将其称为"法兰克长炮"(Frankish culverin),但此名并不恰当。

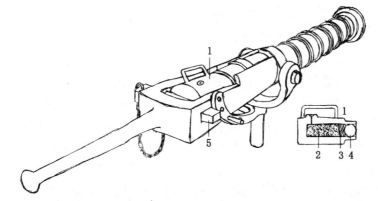

图 286
14 世纪后半叶欧洲出现的后膛装火炮"佛朗机",取自 Needham(1986)
1 装填室
2 火药室
3 弹塞 4 炮弹
5 木或铁制横钉

佛朗机或法兰克长炮实际上是一种后膛装火炮,是欧洲人的发明。它基本上由两部分组成:一是炮身或曰母炮,包括带加固箍的炮筒,在炮身前部,中部有耳轴,以便放在炮架上调整射角,尾部有一空槽,最后是一把柄;二是装填室或曰子铳,是有手柄的短圆筒形物,内装火药及射弹,上有火门。装填室大小与炮身留出的空槽大小相当,将装填室装入炮身空槽后,以横钉固定。炮身前有照星,供瞄准用。平时准备好多个装好火药及弹丸的装填室,用毕可随时更换。佛朗机将固定的燃烧室变成活动的燃烧室,加快射击所需的准备时间。纽约大都会

---

① Carafoli E, Nita M. Romanian rocketry in the 16th century (1969). In: Essays on the History of Rocketry and Astronautics. Washington, 1972,1:3~8

② Partington J R. A History of Greek Fire and Gunpowder. Cambridge: Haffer & Sons, Ltd., 1960. 160~161

③ Partington J R. A History of Greek Fire and Gunpowder. Cambridge: Haffer & Sons, Ltd., 1960. 128

艺术博物馆藏有1475年西班牙海船上用的佛朗机(图286)。长94 cm,炮口径11.7 cm,重50 kg[①]。《武备志》卷一二二介绍了这种火器。

第三节 中国火药术在东亚、东南亚和南亚的传播

一、中国火药术在朝鲜半岛的传播

朝鲜半岛掌握的火药技术,是13世纪高丽王朝(918~1392)后期直接从中国传入的。蒙古崛起中国漠北后,在与宋、金交战中掌握了火箭、炸弹、火筒、铳炮等火器,1231~1232年借口其使节在高丽境内被杀,遂发兵攻入高丽。1231年九月至1232年正月,蒙古军在龟州战役中以火炮攻城,再强占高丽京城(开城),高丽王避难于海岛。蒙古以武力使高丽沦为属国,在那里设达鲁花赤(Darughachi)以监督其内政。元世祖忽必烈在位时(1260~1294),1280年以征倭(日本)为名,在高丽设征东行省,直属大汗节制[②]。1281年元统治者征倭时,从高丽抽调军士10 000人、水手15 000人及战船100艘参战,在这过程中高丽官兵学会了使用火器,但火药和火器主要由元政府调拨。

另一方面,宋元以来中国沿海商船不断前往高丽贸易,运来数以万卷计的中国书籍,其中包括兵书。大批高丽僧人、留学生和使者也频频前往中国。雕版印刷、金属活字印刷以及火药技术都是在双方密切接触过程中从中国传入高丽的。当恭愍王时(1352~1374),倭寇(日本海盗)在沿海滋扰,登陆后掠夺,造成社会不安。用元朝火器装备的高丽军队,因元政权被农民军打得无暇他顾,使高丽自卫所需的军火难以接济。1368年正月,朱元璋即帝位于南京,国号为明(1368~1644),同年八月,明军陷元大都,推翻蒙古统治。明太祖朱元璋即位后,即遣使从海路至开城,与高丽建立正式关系。明政府迅即对高丽抗击倭寇入侵给以军事援助。

郑麟趾(1395~1468)《高丽史》(1454)卷四十四恭愍王二十二年(1373)条云:"十一月,是月移咨(大明)中书省,请赐火药……今欲下海追捕(倭寇),以绝民患。差官打造捕倭船只,其船上合用(火器)器械、火药、硫黄、焰硝等物……议和申达朝廷颁降,以济用度。"[③]洪武七年(1374)五月,明政府一次就向高丽调拨

---

① Needham J, et al. Science and Civilization in China, vol. 5, pt. 7, The Gunpowder Epic. Cambridge University Press, 1986. 366~369
② 蔡美彪主编. 中国通史,第7册,元史. 北京:人民出版社,1983. 153~154
③ 郑麟趾[朝鲜]. 高丽史(1454),卷四十四,恭愍王世家,第1册. 平壤:朝鲜科学院出版社,1957. 659~660

硝石 50 万斤、硫黄 10 万斤和有关火器①。1373 年冬十月,高丽王"观新造战舰,又试火箭、火筒(火铳),晚宿马场"。得明政府火药原料后,就地按方配成火药,做好抗倭部署。高丽王任命全罗道安抚使郑地(1350~1394)为倭人追捕万户,协助海道(海军)元帅罗世(1329~1394 在世)首先扫荡了入侵江华岛的倭军。

1380 年,罗世、郑地又与崔茂宣(约 1325~1395)共同指挥海军,在全罗道海域与 500 艘来犯倭船展开激战。他们以火器在镇浦港口一举全部烧毁敌船,取得大捷②。在这次抗倭海战中立下赫赫战功的舰队主帅罗世,是元代时流亡到高丽的中国人③。他智勇双全,身先士卒,至今仍为朝鲜人民传颂,而使当时倭寇闻之丧胆。副帅崔茂宣为全州人,时任军器监判事,深知火器在战争中的威力,主张自行制造火药和火器,因而是半岛火药技术的奠基人。正好这时中国江南火药匠李元在高丽,受到崔茂宣的礼遇,希望他将煮硝合药之法传授给高丽人。李元满足了崔茂宣的请求,待高丽人学会后,1377 年十月崔氏向王廷奏设火桶都监以专造火药、火器,得准,由茂宣主其事。

《高丽史·百官志》载,辛禑王三年(1377)判事崔茂宣建言置火桶都监,从之④。"火桶"相当于明代的火铳或铜铳。同书列传卷一三三又称:"十月,始置火桶都监,从判事崔茂宣之言也。茂宣与元焰硝匠李元同里闬(同住一巷内),善遇之,窃问其术,令家僮数人习而试之,遂建白置"⑤。《李朝实录·太祖实录》四年(1395)条载检校参赞、门下府事崔茂宣卒于是年,且附其小传。内称:制倭须赖火药,而国人未知。茂宣从江南客商习得火药法,试之皆验。又造大将军、二将军及三将军火炮、火桶(铜铳)、火筒(喷火筒)、火箭、蒺藜炮等。高丽这些早期火器都是模仿明代样器制成,后来在李朝(1392~1910)得到继承⑥。

李朝或朝鲜朝初期执政大臣柳成龙(1542~1602)在其《西崖集》卷十六《记火炮之始》文内,提供了与高丽朝正史相同的记载:"按我国本无火药,前朝(高丽朝)末,有唐商李元者,乘船至开城礼成江,寄寓军器监崔茂宣之奴家,茂宣以奴厚遇之。李元教以煮焰硝之法,我国火药自茂宣始。"自是,倭犯珍岛,郑地载火炮于船上攻之,贼大败去。又云:"国初(李朝初)军器寺只有火药六斤,后递年增之。至壬辰(1352)事变前,军器库火药已至二万七千斤矣。"

辛禑王是高丽朝最后统治者,政治昏庸,人民不堪其苦。于是在抗倭中初露头角的大将军李成桂 1392 年推翻这个朝廷,自立为王,得明太祖承认,改国号为朝鲜,仍奉明代年号。李朝和明朝是两个新兴的封建王朝,双方关系极为密切。

---

① 鄭麟趾. 高麗史(1454),卷四十四,恭愍王世家,第 1 册. 平壤:朝鮮科學院出版社,1957. 658
② 朝鲜科学院历史研究所编. 朝鲜通史,上册. 贺剑城译. 北京:三联书店,1962.150~151
③ 鄭麟趾. 高麗史(1454),卷一一三,羅世傳,第 3 册. 平壤:朝鮮科學院出版社,1958.396~397
④ 鄭麟趾. 高麗史(1454),卷七十七,百官志,第 2 册. 平壤:朝鮮科學院出版社,1958.574
⑤ 鄭麟趾. 高麗史(1454),卷一三三,辛禑王傳,第 3 册. 平壤:朝鮮科學院出版社,1958. 694
⑥ 有馬成甫. 火砲の起原とその伝流. 東京:吉川弘文館,1962.256

明太祖以后的明代皇帝均承祖制,对朝鲜采取亲近、信赖和支持的既定政策,在火药、火器方面继续保持与朝鲜的技术交流。高丽朝的武器生产与调拨归军器监,1377年新设火桶都监后,火药、火器事务从军器监划出,由三品官主其事。李朝除军器监外,另置司炮局,相当于前朝的火桶都监,由王廷内官主持,后又统归军器监。《李朝实录》含有关于火药、烟火、火炮、火箭、火桶等方面的丰富史料和中、朝技术交流史料。

李朝最初诸王像明朝皇帝一样,对火器发展非常重视。如太宗(1400～1417)李芳远1415年令收亡寺钟铸火桶,相当于明初的铜铳,这类实物至今仍存。同年四月,增火桶军400人,加上原有的600人,共千人,以队长、队副摄其事①,这相当于明初的神机营。同年七月,所造火桶已至万余,仍不敷用。1419年,世宗李祹(1418～1449)率两班文武百官亲临江面观看火炮演放②。1426年兵曹(相当明代兵部)官员上奏,因地方官煮焰硝,"恐将火药秘术教习倭人,自是沿海各官煮硝宜禁之"③,从奏。1430年十二月,有的地方虎狼为害,王令调给"发火"五十柄,以除民患。"发火"与下述"走火"、火箭一样,都是以纸制火药筒制成的爆炸或纵火武器。1433年九月,世宗至京城(今汉城)东郊,观放火炮。前命军器监新作火炮箭,一发二箭或四箭,试放后,一次能发四箭④。这种"火炮箭"样器来自明成祖永乐时神机营所用的"神机火箭"。现在看来并非真正火箭,而是将发射药放入筒中,药发后通过"激木"(中国称"木送子")冲力将箭射出。明代一发一箭或三箭,而朝鲜试行一发二箭、四箭。

宣德九年(1434)七月兵曹上启:"今试唐焰硝煮取之法,所出倍于乡焰硝。今秋以唐焰硝例煮取。送焰硝匠于平安、咸吉、江原、黄海等道煮取之法,俾令教习。从之。"⑤可见朝鲜又按从明朝传入的新方法提纯硝石并制造火箭,收事半功倍之效,遂于1434年七月在各道推广使用。1437年五月,根据崔德阔的建议,朝鲜统一各道火桶箭大小、长短之制。同年六月,平安道节制使李藏进《北征策》,献计破赵明干之乱:"至夜半,直捣其穴,每家令善射者伏于四隅,火炮、火箭放于其间,屋舍皆烧。火明如昼,则贼必仓惶失措,莫知所为。"⑥1447年十二月,成宗谕平安、咸吉二道官员云:"走火之利大矣,便于马上用之……

---

① 朝鮮科學院古典研究所編.李朝實錄分類集,第四輯,軍事編之一.平壤:朝鮮科學院出版社,1961.135～137
② 朝鮮科學院古典研究所編.李朝實錄分類集,第四輯,軍事編之一.平壤:朝鮮科學院出版社,1961.180
③ 朝鮮科學院古典研究所編.李朝實錄分類集,第四輯,軍事編之一.平壤:朝鮮科學院出版社,1961.283
④ 朝鮮科學院古典研究所編.李朝實錄分類集,第四輯,軍事編之一.平壤:朝鮮科學院出版社,1961.416
⑤ 朝鮮科學院古典研究所編.李朝實錄分類集,第四輯,軍事編之一.平壤:朝鮮科學院出版社,1961.446
⑥ 朝鮮科學院古典研究所編.李朝實錄分類集,第四輯,軍事編之一.平壤:朝鮮科學院出版社,1961.537,539

然矢行不如铳筒之直也,药费大",故铳筒更佳。同时还提到近日造走火、发火、火箭及蒺藜等火器①。

成宗1447年十一月谕文刚发出,十二月又谕平安道敬差官朴薑云:今送小发火具、中走火866柄、小走火4 666柄。沿边州镇口子宜分置中走火2 000个、小发火2 600个、小走火7 000个,所造表纸100卷、药心纸50卷、火药422斤8两(211.25 kg)下送,依规式制造②。此处的发火即中国的起火,走火即飞火,都是纸制烟火,用火箭原理制成。而且制品有大、中、小三种型号,按统一操作规范制造。

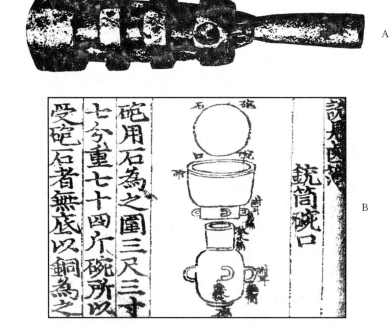

图287 朝鲜朝火铳图
A. 17世纪朝鲜按中国样器铸造的铁壳"三眼铳",取自Needham(1986)
B. 朝鲜《国朝续五礼仪》(1744)所载发射石弹的铳筒碗口铜砲

二、中国火药术在日本的传播

日本是与中国有一海之隔的邻国,两国自古有持续不断的往来。元世祖忽必烈即位(1260)后,从高丽人那里得知可通往日本,遂几次遣使持国书前往,但均未受到理睬。帝怒,1273年决定在灭南宋之际,远征日本。当时正值日本史中的镰仓时代(1190~1335),由幕府将军执政。至元十年(1273)忽必烈命驻守在高丽的凤州经略使忻都和高丽军民总管洪茶丘,率驻守军、女真军及水军15 000人乘300艘战船越海攻日本。另路军由蒙古元帅忽敦和高丽都督金方庆率领,由合浦出发攻对马岛,再转攻北九州附近的壹岐岛。总共30 000之众,占

---

① 朝鮮科學院古典研究所编.李朝實錄分類集,第四輯,軍事編之一.平壤:朝鮮科學院出版社,1961.780

② 朝鮮科學院古典研究所编.李朝實錄分類集,第四輯,軍事編之一.平壤:朝鮮科學院出版社,1961.780

领上述 2 岛后,进军至博多湾。日本出动 100 000 人迎战。元军虽人数上居于劣势,但拥有火炮、火箭和炸弹等火器,将日本守军打败。正欲攻入其内地,因海上征途劳累,又缺乏后勤支援,兵疲器尽,复遇海风,不能冒进,乃仓促撤兵[①]。这一年是日本文永十年,日本史称文永之役。

至元十八年(1281)元世祖又以日本杀元使节为由,再派范文虎率 100 000 南宋新附军航海,第二次东征日本。另路由忻都、洪茶丘领蒙古军、高丽军和汉军 40 000 人从高丽出发,范文虎部则从中国境内的庆元、定海放帆。二路大军期于六月会师于壹岐岛。忻都、洪茶丘部在该岛以猛烈砲火击败日军,但后来军中疫病流行,士气低落,两军会合后再遇海上飓风,战船被毁。范文虎等少数人得以逃生,余众或被日军杀害,或沦为奴隶。在欧亚大陆所向无阻的蒙古远征军本不习水战,而日本又处于大洋之中,两次东征均不成功,给中、朝、日三国人民带来很大损失。忽必烈 1286 年虽有第三次东征计划,终因力不从心,只好作罢。

然而元军在日本作战,使那里的武士阶层受到震动,他们被前所未见的火药爆炸力吓得惊慌失措。他们 1292 年在《蒙古袭来绘词》中,描写 1281 年十月二十日在博多湾百道原的战斗的情景。因这年是日本弘安四年,故称弘安之役。书中写道,盛有火药的铁罐爆炸后,向日本武士飞来,冒出黑烟和闪光,还伴随着震耳欲聋的巨响。一时日本军慌乱,人马死伤甚众,他们将这种武器称为铁砲(てつぱう)。《八幡愚童记》(文明年本)写道:"飞来铁砲,其声响震心肝、鸣耳目,使人难辨东西。"其实这并不是砲,而是铁制炸弹,宋金时称为"震天雷"。《日本国辱史》(约 1300)称,蒙古军东征时还使用火砲、火箭、火铳和火筒。天空硝烟弥漫,人不能相见,箭如雨落,发出海啸声。

荒川秀木在《文永之役中蒙古军是否用火箭》(1960)一文内认为,《蒙古袭来绘词》中描述的 1281 年十月所用火器,应与 1273 年蒙古第一次东征所用的一样。还认为两次战役中,蒙古军可能使用了火箭[②]。其他作者也有类似意见。两次战役后,日本开始侵扰朝鲜沿海,在那里遭到火器还击而败北。于是日本武士多方想了解制造火药和火器的技术秘密,引起朝鲜当局的警惕,下令沿海各道严禁煮硝,以防"将火药秘术教习倭人"。这项禁令在一段时期内收到成效,使日本制造火药、火器晚于欧亚一些国家。

元代统治者意识到,单靠武力不能将东部大洋中的岛国日本征服,遂转而允许与其通商。日本对华出口物中以硫黄为大宗,元明以来日船满载硫黄在庆元等地卸货。只 1403 年一次就卸下硫黄万斤[③]。无疑,这些"倭硫黄"主要成为制造火药的原料,以满足中国各省之需要。明代时从日本进口硫黄量是如此之大,以至当时丘濬(1420~1495)《大学衍义补》(1488)竟误以为"中国本无硫",这当

---

① 蔡美彪主编.中国通史,第 7 册.北京:人民出版社,1983.155
② 荒川秀木.文永の役に蒙古軍はロケットを利用したか? 日本歴史(東京),1960(148):86~89
③ 藤田丰八著.中国古代南海交通丛考.何健民译.上海:商务印书馆,1936.380

然是误断。中国进口硫,主要因它便宜,杂质较少,稍事加工即可合成火药。而内地各省仍用当地所产之硫。

13世纪以后,日本九州和濑户内海沿岸的地方豪强为求得财富,分别来中、朝贸易。他们有时伺机掠夺沿海居民,因而成为海盗,被称为"倭寇"。他们还自称"使者",与中国沿海奸商勾结,从事走私活动。在这过程中,他们已掌握了火器。16世纪以后,中国东南沿海各省成为他们侵袭的目标,引起朝廷不安。据嘉靖年(1522~1566)出使日本的明代官员郑舜功《日本一鉴》所述,1526年福建走私团伙头目郑獠,"诱引番夷私市浙海双屿港"。浙江走私头目王直(一名五峰)还与佛朗机(葡萄牙)人结伙,1545年往市日本,"始诱博多津倭助、才门等三人来市双屿"①。他们都有火器,形成中国东南海面上的国际性武装走私集团,活动于中国、日本沿海以及南海各地,并将火器技术传入日本。

据南浦玄昌《南浦文集》中《铁炮记》(1649)一文所载,天文十二年(1543)八月二十五日,有乘百余人的船在日本九州南部的种子岛靠岸。船上有携带火器的中国人和葡萄牙人,岛上的头人时尧将其火器购入,并从船人习得火药、火器之法,南浦玄昌写道:"隅州之南有一岛,去州一十八里,名曰种子,我祖世世居焉。天文癸卯(1543)秋八月二十五丁酉,我西村小浦有大船,不知自何国来。船客百余人,其形不类,其语不通,见者以为奇怪矣。其内有明大儒生名五峰者,今不知详其姓字。时西村主宰有织部丞者,颇解文字,偶遇五峰,以杖书于沙上云:船中不知何国人也?何其形之异哉?五峰即书曰:此乃西南蛮种之贾胡也……贾胡之长二人,一曰牟良叔舍,一曰喜利志多·陀孟太。手持一物,长二三尺……其旁有一穴,通火之路也……其为也,入妙药于其中,添以小圆铅……而自其一穴放火,则莫不立中。其发也,如挚雷之光。其鸣也,如惊雷之轰,闻者莫不掩其耳。时尧见之,以为稀世之珍矣。……或名为铁炮者,不知明人之所名乎,抑不知我一岛之所名乎?……其妙药之捣筛、和合之法,令小臣篠川小四郎学之。"②③

葡萄牙人伽尔瓦(Antonio Galvaō)对种子岛着陆之事也有记载。他说,1542年有3名葡萄牙人从中国东南港口出发北航,忽遇暴风,在海上漂泊十余日到达北纬32°一个岛上。此岛属于意大利旅行家马可·波罗(Marco Polo, c. 1254~1324)游记中所说的Sipangue(日本国)。日本史料说葡人头目2人,实为3人:牟良叔舍(Francesco Zimoro)、喜利志多(Christovano Perota)和陀孟太(Antonio da Mota)。其所述明朝人五峰,即浙江的王直。虽然东西方记载的年份有异,但所谈的是同一事。传到日本的"铁炮",在明代称为铜铳,这种火器在蒙古军西征以后从中国传到欧洲,已如前述。可以肯定,1543年传到日本的火药、火器技术是通过明代浙江人王直介绍的。日本史家认为这是日本铁炮之始。

---

① 方豪. 中国在日、欧初期交通史上之地位. 见:方豪文集. 北平:上智编译馆,1947. 68~69
② 菅菊太郎. 日欧交通起源史(1897). 日文第二版. 东京:秀英舍,1902. 183~184
③ 有马成甫. 江户时代の铁炮. 见:东京科学博物馆编. 江户时代の科学. 东京:博文馆,1934. 208~209

从1543年以后,火药、火器才在日本逐步发展起来。烟火在日本语中称"花火"(はなび),最初记载见于织田信长(1534～1582)的日记体裁著作《信长公记》卷十四,其中说天正九年辛巳(1581)一月八日幕府放花火。稍后,三浦净心(1635～1716)《北条五代记》卷八提到庆长十三年(1608)八月在北条氏与佐竹作战后,于夜间点花火慰问将士。记录德川幕府早期政事的《骏府政事策》中,叙述了庆长十八年(1613)八月在御前由唐人(明朝人)表演花火。《宫中秘策》也称:是岁(1613)八月,蛮人(明朝南方人)善花火者,自长崎来骏府。六日,太公监看花火。《武德编年集成》亦称,精于花火之大明商人,自长崎参府拜谒,而献上铁炮二及望远镜。六日黄昏,于二之丸神君(德川家康)御前并三公子及大明人三人亦演放花火①。

日本在16世纪掌握火药技术之后,比较注重鸟铳(火枪)和火炮,军用火箭出现较晚。元和、宽永之际(18世纪20年代),播州人制造名为棒火矢的武器,可发射内盛火药的箭头状弹头。它分为二十目、三十目、五十目和一百目4种,最大射程为20町(2 180 m)②。在江户时代(1603～1868)枪炮仍占主导地位,这也反映日本发展火器的特征。

三、中国火药术在东南亚的传播

越南、缅甸等东南亚国家掌握火药技术,也是蒙古军的军事活动的后果。越南当时称安南,陈朝(1225～1398)时受到蒙古军队三次进攻。蒙古军队前两次(1252及1258)因后勤接济不足、安南军奋力抵抗而未成功③。第三次南下发生在1287～1288年,蒙古统治者忽必烈派50万军队分水陆两路合攻安南,携带火箭、火砲、火筒和手榴弹等火器,终于使安南沦为属国。陈朝创立者陈日煚(1218～1277)本福建长乐人,后移居安南以渔为业,安南贵族多汉姓,如陈、黎、丁、李等。陈朝统治者认识到火器的重要性,至迟在陈朝末期(1260～1280),已从中国引进火药技术,制造火砲等火器④。

1368年推翻元朝后建立的明朝(1368～1644),继续与越南保持密切关系。明初洪武四年(1371),明太祖向越南南方的占城王调拨不少火器。永乐四年(1406)明成祖以胡季犛篡夺陈朝大权、侵夺云南七寨为由,派朱能、沐英和张辅为征南将军,率大军进攻安南,兵士随带火炮、火箭等火器,又持火铳神机箭作侧翼进攻,专门对付当地的象阵。《明史》卷八十九《兵志》称,"已征交趾,得火器法,立营肄习"。《武备志》卷一二六神铳条亦载:"此即平安所得者也。箭下有木送子,并置铅弹等物。其妙处在用铁力木,重而有力,一发可以三百步(495 m)。"

---

① 鮭延襄[日].日本の花火のはじめ.工業火薬(東京),1967,28(3):191～193
② 有馬成甫.江戸時代の銃砲.見:東京科学博物館編.江戸時代の科学.東京:博文館,1934.212～213
③ 蔡美彪主编.中国通史,第7册.北京:人民出版社,1983.157～159
④ 越南社會科學委員會編.越南歷史.第一集,第六章.河内:社會科學出版社,1971.250

这种火器为金属筒,下部装发射药,药上置圆形硬木垫,再上置箭及铅弹。点燃后,箭、弹齐发。这种火器元代已用于冲锋陷阵,征安南时则以其配合马步兵和炮兵作侧翼进攻,明代兵书认为火铳神机箭得自安南,并以为神机营之设与此有关,这是不正确的。实际上洪武年间(1368～1398)即有神机营,由于明成祖统治安南,火铳神机箭倒有可能从中国传到安南。

安南黎朝(1428～1526)期间已生产火砲、火铳来装备军队。与此同时还制造烟火和火箭。明人张燮(1574～1640)《东西洋考》(1618)卷二引《吴惠日记》称,吴惠(1401～1461在世)正统六年(1441)奉使占城,王遣头目迎诏,驰至行宫设宴,并于上元(正月十五日)节时玩赏烟火[1]。占城也有在上元(元宵节)放烟火的习俗,这与中国相同。占城在今越南中部,占城王在14世纪从明代得到火器援助,士军装备与明军相差无几。而在北方,则在13世纪末的陈朝应早已在节日放烟火了。

中南半岛上的柬埔寨,在宋代称为真腊,元代称甘孛智,柬埔寨之名从明代启用。元成宗初年(1296～1297)中国旅行家周达观(1270～1348在世)随使节出访柬埔寨,回国后写成《真腊风土记》(约1312),记载当地物产、风土人情和中、柬关系等,是研究中世纪柬埔寨的重要原始资料,已被译成法文、英文,被各国学者广泛引用。该书第十三节《正朔时序》描写了1297年柬历正月节期间,在京城吴哥(Angkor)宫前点放烟火的情况:

每用中国十月为正月,是月也,名为佳得(kātīk or kādak)。当国宫之前,缚一大栅,上可容千余人,尽挂灯球、花朵之属。其对岸远离二十丈(62.2 m)地,则以木接续缚成高栅,如塔扑竿之状,可高二十余丈。每夜设三四座或五六座,装烟火、爆仗于其上,此皆诸属郡及诸府第认直。遇夜则请国王出现,点放烟火、爆仗。烟火离百里之外皆见之。爆仗其大如砲,声震一城。其官属、贵戚每人分以巨烛、槟榔,所费甚伙。国王亦请奉使观焉,如是者半月而后止[2]

法文本在译注中指出,"佳得"即柬语中的kātīk,但后来柬埔寨将正月称为"寨特"(cet),此月相当阳历三四月间。其新年节活动主要以建立沙塔与浴佛像二事为主。节日时所放的烟火用竹绑成高栅,以烟火、爆仗装在其上[3],这使人想起周密《武林旧事》(约1270)中描写的南宋(1127～1279)都城杭州于正月间点放的高架大型烟火。现将1967年据法文本转译的英文本有关段落摘录于下,并附以我们的译文:

Every night, from 3 to 6 of these structures arise rockets and fire-crackers are placed on top of these—all this at great expense to the provinces and the noble families. As night comes on, the King is besought to

---

[1] 张燮[明]. 东西洋考(1618),卷二. 上海:商务印书馆 1937. 14～15
[2] 周达观[元]. 真腊风土记(约1312),夏鼐校注本. 北京:中华书局,1981. 120～121
[3] Pelliot P, tr. Mémoires sur les coustumes de Cambodge de Tcheou Ta-Kouan. Bulletin de l'Ecole Françoise de l'Extrême-Orient (Hanoi), 1902,2:123 et seq.

take part in the spectacle. The rockets are fired, and the crackers touched off. The rockets can be seen at a distance of 13 km①.

[每天晚上都架起3~4个这种架子。火箭和爆仗放在这些架子顶上，所有花费由各省和贵族们分摊。当夜幕降临时，国王被请来观看表演。点燃火箭，放出爆仗。火箭可在13千米（公里）外看到。]

1921年法国学者格鲁斯蒂耶（George Grostier）也沿用法文本有关段落的上述译法："他们点放火箭烟火和纸炮。"②因此，西方学者据此认为13世纪末柬埔寨就有了火药和烟火。我们同意这个结论。尽管《真腊风土记》中的烟火和爆仗二词，如果严格译成法、英文，应分别是 feu d'artifice or fireworks 和 pétard or firecrackers，烟火不应译成火箭（fusée or rocket）。但应指出，古代有的烟火和爆仗确是用火箭原理制成的，如起火、地老鼠等，而在高架上放的大型烟火，必定有这类装置。因此柬埔寨在13世纪已掌握火箭技术是没有疑问的。为制造火药，该国还从中国进口硝石和硫黄。《真腊风土记》在《欲得唐货》节中写道："其地想不出金银，以唐人（中国人）金银为第一。五色轻缣帛次之，其次如真州之锡镴、温州之漆盘、泉州之青瓷器及水银、银朱、纸劄、硫黄、焰硝……"③这说明中国13世纪已将制火药的原料硝石、硫黄作为出口物资远销海外。当然不限于只此一处，还向其他国家运销硝石，甚至包括武器。

与柬埔寨接壤的泰国，元明史书称为暹或暹罗，是中国同印度、阿拉伯海上贸易的必经之地，在柬埔寨的西北方。中世纪泰国在新年时也有点放烟火的习俗。法国东方学家戈代斯（G. Coedès）1933年对法文本《真腊风土记》追加注释时指出，泰国在14~15世纪的速古台王朝（Sukhotai，1238~1419）时，每年正月都在王宫前演放烟火，群众聚集在那里观看④，这种技术无疑来自中国。泰国东北部廊开（Nongkai）地区有传统的火把节，泰语称"本邦菲"（Boun-bong-fei）。我们至今还在那里看到每年正月放烟火，并在春夏之交火把节时点放大型火箭。美国学者温特也看到类似习俗，当地人将一支大火箭装在高架上，导杆有13m长，火药筒外糊着色纸，并画着龙头⑤。点放火箭后，人们在附近载歌载舞，以期得到丰收。

这种习俗是从速古台王朝遗留下来的。但后来将小火箭做得越来越大，由

---

① d'Arcy Paul J G, tr. Chou Ta-Kuan's Notes on the Customs of Cambodia. Translated from the French translation of Paul Pelliot. Bangkok: Social Science Association Press, 1967.29

② Grostier J. Recherches sur les Cambodginese. Paris: Augustin Challamel, 1921.89

③ 周达观[元]. 真腊风土记（约1312），夏鼐校注本. 北京：中华书局，1981.148

④ Coedès G. Notes complémentaire de la Mémoire sur les coutomes de Cambodge de Tcheou Ta-Kouan. T'oung Pao, 1933, 30:227f

⑤ Winter F H. The genesis of rockets in China and its spread to the East and West. In: Proceedings of the 30th Congress of the International Astronautics Federation. München, 1979.12ff

王室娱乐变成民间的集体参与的活动,而且带有民族文化和宗教特点。这种火箭是否用于军事目的?考帕(H. S. Cowper)认为泰国1593年与柬埔寨交战时用过火箭①。因此可以想到,柬埔寨人也会如此。缅甸与中国云南省交界,其火药技术也是14世纪从中国传入的,19世纪缅甸人民以火器抗击过英国军队的入侵②。

印度尼西亚号称千岛之国,宋史中的阇婆即今爪哇。南宋灭亡后,不少宋代遗民渡海来到印尼,将先进的生产技术带来那里,同当地人民共同发展经济。元世祖至元二十九年(1292)二月,爪哇黥元使节孟琪之面,忽必烈命史弼、亦失迷黑率兵二万、舟千艘从泉州出发在爪哇用兵,至1293年三月始撤回泉州③,先后在那里停留一年多。火药技术何时传入印尼,目前还没有足够史料可以断定。但13~14世纪应是适当的时期。明初永乐年郑和舰队七下西洋,都经过这里,他们在岛上见有不少华人定居。16世纪意大利旅行家瓦泰马(Ludovic di Varthema)1502~1507年在东南亚游历时,访问过印尼。1510年用意大利文发表了游记《瓦泰马游记》(*Itinerario di Ludovico di Varthema Bolognese*),1577年译成英文,此后多次再版。

《瓦泰马游记》第七章谈到马六甲和苏门答腊时写道:"这里的人很善于游泳,并且是制造烟火的技术能手。"足见马来西亚和印度尼西亚16世纪烟火技术的发展。其实早在1443年苏门答腊烟火就很兴盛④。17世纪法国旅行家塔弗尼耶(Jean Baptiste Tavenier,1605~1689)在《印度游记》(1676)中也谈到爪哇烟火,讲到西爪哇王班塔姆(Bantam)王时写道:"有五六名船长围坐在屋内,观看一些中国人带来的烟火,有手雷、引线和其他在水上跑的东西。中国人在这方面超过世界上一切民族。"⑤可见那时印尼还引进中国烟火。

四、中国火药术在南亚印度次大陆的传播

印度和中国都是文明古国,从汉代以来两国就不断相互往来,进行多方面的物质文化交流。至蒙元时期,中、印之间在陆上和海上的交通尤为频繁,中国火药技术就是从这时传入印度的。如前所述,印度古代有纵火武器,但火药武器出现较晚。梵文文献中的纵火器,可燃成分中没有硝石,因而不可能是火药武器。有一件事要澄清,据唐代成书的《金石簿五九数诀》(约670)所述,麟德元年甲子(664)据说有从中亚康居(Sogdiana)国来华的婆罗门支法林负梵夹来译佛经,往

---

① Cowper H S. The Art of Attack. Ulverston, 1906. 283
② Winter F H. The genesis of rockets in China and its spread to the East and West. In: Proceedings of the 30th Congress of the International Astronautics Federation. München, 1979. 14
③ 方豪. 中西交通史,第6版,第3册. 台北:华冈出版有限公司,1977. 26
④ Gode P K. The History of Fireworks in India between 1400~1900. Bangalore, 1953. 11
⑤ Tavenier J B. Travels in India. Translated from the French. London, 1887

山西五台山巡礼,见汾州灵石县产硝石后说:何不聚而用之?因发现此处硝石不及乌长国的好,故不适用①。宋代升玄子《造化伏汞图》据此说乌场国出硝石。乌长或乌场(Uddiyana)在今印度河上游和斯瓦特(Swat)地区。然而不能因此说印度在7世纪已知提制硝石并制火药。虽然《金石簿五九数诀》是未署名的唐代作者所写,但支法林是否确有其人是可疑的,所谓乌长国出硝石之事纯属附会。梵文中硝石一词出现得很晚。

印度人接触中国火器始自蒙古第二次西征,1219年成吉思汗以中亚花剌子模国(Khwarizm)杀害蒙古使节和队商为由,率大军西征。1220年蒙古军攻克花剌子模的重镇撒马尔罕(Samarkand),1221年陷其都城玉龙杰赤(Urghendj),国王逃至里海小岛,忧闷而死。其子札兰丁(Djedāl ed-Din)嗣位,于今阿富汗境内伽兹纳(Ghazna)与蒙古军激战,被击溃。蒙古哲别、速不台率部追击札兰丁残军,直抵印度河。1221年冬十二月札兰丁军泅水渡至彼岸,蒙古军亦穷追,进军至今巴基斯坦的木尔坦(Multan)、拉合尔(Lahore)和印度北部。札兰丁再西退至德里,蒙古军到中印度后,因不耐炎热而班师②。

蒙古军西征时,其将领郭宝玉在攻打撒马尔罕后,渡阿姆河。花剌子模筑垒并陈船河中,忽然风涛暴起,郭宝玉军"以火箭射其船,一时延烧。乘胜直前,破护岸兵五万",收马里(Maru)四城③。1221~1222年速不台、哲别和郭宝玉去印度作战,也必携带火器,因而使印度人第一次目睹火器的威力。因蒙古迅即收兵,因而印度掌握火药技术必是在13世纪以后。蒙古3次西征后,建立察合台、钦察(1243~1480)、伊利(1258~1368)3个汗国,与印度西北部接壤。蒙古在陆上通过伊利汗国与印度直接交往,还从泉州、广东发展海上交通。据不完全统计,1273~1295年间元朝派往印度的使团至少有14次,每次随船队来的有携火器的卫兵、技工和医生,人数达数百人,在马八儿(Maabar)、俱蓝(Kaulam or Quilon)和答纳(Tana)等地靠岸,带来大量中国物资④。

与此同时,印度各地也不断通使中国,元代时主要与中国往来的是德里苏丹国(Delhi Sultanate, 1206~1526)。这是信奉伊斯兰教的突厥人、阿富汗人、波斯人组成的军事贵族集团与信奉印度教的本地封建主统治的国家,历经奴隶王朝(1206~1290)、卡尔基王朝(Khalji, 1290~1320)、图格拉王朝(Tughlak, 1320~1414)、赛伊德王朝(Syyids, 1414~1451)及罗第(Lodi, 1451~1526)等5个王朝。据《元史》记载,1279~1314年德里苏丹国至少有13次遣使中国,集中于奴隶王朝。由于人员的互访,导致火药技术的传入。现存印度早期有关火药的梵文或波斯文写本,多属德里苏丹国罗第王朝时的。印度文化研究所的戈代

---

① 无名氏[唐].金石簿五九数诀(670).见:道藏·洞神部·众术类,似下,第589册.上海:涵芬楼景印本,1926
② d'Ohsson C M.蒙古史(1834),上册,卷一.冯承钧译.上海:商务印书馆,1939.85~134
③ 张星烺.中西交通史料汇编,第5册.北平:京城印书局,1930.313
④ 张星烺.中西交通史料汇编,第6册.北平:京城印书局,1930.473~491

(P. K. Gode)考察了本国古代文献后得出结论说,印度关于火药、火器的记载不会早于 1400 年①。

丹约尔写本图书馆(Tanjore MS Library)藏梵文写本 *Ākāśabhairava-kalpa* 中载有供国王娱乐的烟火,成书于印度南方维查耶纳加尔(Vijayanāgar),年代在 1400 年之后。另一写本 *Kautukacintāmani* 大约成于 1500 年,谈到烟火时,火药配方中除硝、硫、炭外,还有铁粉。戈代认为"这可能是 1400 年带到印度来的中国制烟火的方子"②。这时已是明初成祖永乐初年,可见印度制火药始于 14~15 世纪之交。德里苏丹国赛义德王朝时,波斯使者拉扎克(Abdur Razzāq)于 1443 年 4 至 12 月驻节于维查耶纳加尔,正值德瓦拉雅二世(Devarāya Ⅱ)统治时期。拉扎克提到节日时在那里观看了烟火表演③。1336~1567 年这里是印度教徒建立的国家,明初与中国交往密切。三宝太监郑和(1371~1435)永乐年(1403~1425)多次率舰队出使西洋,都在南印度靠岸,与他们有政治和贸易关系。

上述波斯使者说,"不能不详述所有各种烟火和纸砲以及各种娱乐表演……各种烟火或在维查耶纳加尔制造,或从外国进口。总之,在 1443 年已用了,可能还在更早时候就用于节日娱乐"④。这里所说从外国进口,指从中国进口,因为那时中国向印度和东南亚国家出口烟火。印度学者凯克(Ram Chandra Kak)《克什米尔古代遗著》(*Ancient Monuments of Kashmir*, Delhi, 1933)中谈该地区穆斯林国王阿比丁(Zaisi-ul-Abidin, 1421~1472)曾燃烟火。1466 年他还将火器引进克什米尔。戈代 1950 年代发现一批 1497~1539 年的论烟火的梵文手稿,可能是现存最早作品⑤。

1670 年印度东海岸奥里萨人贾查帕蒂(Gajapati Pratāparudradava, 1497~1539)写的梵文书中列出一些烟火方子,成分包括硝、硫、炭(柳炭、松炭、竹炭、桦皮炭等)和铁粉、雄黄、朱砂、竹茹等,多是中国书中所载的。印度化学史家赖伊(Praphulla Chandra Rāy, 1861~1944)引用梵文写本 *Sukrāchārya* 中火药配方,其中硝、硫、碳的比例为 5∶1∶1,换算成百分比为 71.42∶14.29∶14.29,或 4∶1∶1 和 6∶1∶1。还指出,改变三者配比,再加入铁粉、雄黄、雌黄、大漆、靛蓝等,可得不同种类的烟火⑥。上述配方和辅助剂,在中国古书中都可见到。此书将火药称为 *agni-cūrpa*,正是汉文"火药"一词的准确意译。而书中所述大漆是中

---

① Gode P K. The History of Fireworks in India between 1400~1900. Bangalore, 1953. 19~20

② Gode P K. The History of Fireworks in India between 1400~1900. Bangalore, 1953. 14~15

③ Elliot H M. History of India as Told by Its Own Historians. Dowson J, ed. vol. 4. London, 1875. 117~118

④ Saletore B A. Social and Political Life of Vijayanagar, vol. 2. Madras, 1934. 374

⑤ Gode P K. The History of Fireworks in India between 1400~1900. Bangalore, 1953. 6

⑥ Rāy P C. A History of Hindu Chemistry, vol. 1. 2nd ed. London, 1904. 174~178

国特产,不产于印度。这都说明此梵文书取材于中国资料,其年代不会早于 15 世纪。

15~16 世纪以来,印度各地已制造烟火。16 世纪又出现了军用火箭。1565 年 1 月 5 日在塔利科塔(Talikota)战役中,维查耶纳加尔国的军队点燃火箭攻击对方,但未收到战术效果。在莫卧儿王朝(Mogul,1526~1857)初期的著名皇帝阿拜尔(Akbar,1542~1605)在位时(1556~1605),印度军用火箭进一步改进并大量生产①。他 1572 年征古吉拉特时使用了火箭。一支落入树丛中起火,又发出巨响,使对方的战象受惊而遭失败。莫卧儿朝第六个皇帝奥兰格哲布(Aurangzeb,1618~1707)围攻比塔尔(Bitar)坚固堡垒时,以火箭击中垒内火药和手榴弹,引起爆炸,遂攻克堡垒②。莫卧儿舰队 1659 年在多加奇(Dogatchi)附近水面上还用火箭击中穆加尔(Mughal)国大船上的桅杆,将船上水手和士兵压死压伤③。

18 世纪时英、法两国相继入侵印度,争夺土地。英军打败法军后,企图吞并整个印度。英、法侵略军受到印度武装还击。1750 年 9 月,法国侯爵帕蒂西(Charles-Joseph Patissier)军队在南印度受火箭重创。1753 年英国劳伦斯(Lawrence)少校的军队也有同样遭遇。莫卧儿帝国从 17 世纪后半期起衰败,形成小国割据,难以形成统一的力量抗敌,遂被各个击破。只有南方的迈索尔国(Mysore)抗击英军,海达阿里(Haidar Ali)在位时(1759~1782)1766 年有 1 200 人的火箭营。1780 年他向英军发射数百火箭,取得胜利。阿里死后,其子狄波·萨布(Tipu Sahib,1751~1799)继承苏丹位,在位时(1782~1799)将火箭营扩大到 5 000 人,以抗击英军④。

1783~1784 年萨布向英军发射许多大火箭(图 288)。1799 年英军逼近其

图 288
18 世纪时印度的火箭,取自 Winter(1979)

---

① Elliot H M. History of India as Told by Its Own Historians, vol. 4. Dowson J, ed. London, 1875, 117~118

② Partington J R. A History of Greek Fire and Gunpowder. Cambridge: Heffer & Sons, Ltd., 1960. 220

③ Winter F H. The rockets of India from "ancient times" to the 19th century. Journal of the British Interplanetary Society (London), 1979, 32:468

④ von Braun W, Ordway F I. History of Rocketry and Space Travel. London-New York: Crowell Co., 1966. 30~31

首都塞林加帕坦(Seringapatan)城下,他将库藏全部火箭都投向入侵军,使其付出重大代价后才攻入城内,萨布在奋战中壮烈牺牲。迈索尔苏丹的大火箭药筒为铁制,重6磅～12磅(2.7 kg～5.4 kg),绑在10英尺(3 m)竹竿上。但实际上大、中、小型都有。除火箭外,印度还有火铳和炸弹,但似乎未发展火炮。英军将缴获的印度火箭带回伦敦近郊的武尔威治兵工厂(Woolwich Arsenal)和炮兵博物馆(Royal Artillery Museum)。火药筒长25.4 cm,内径5.84 cm,内径与长之比为1∶4.4,导杆长1.16 m,这是小型。另一种铁火药筒长61 cm,内径7.62 cm,内径与长之比为1∶8,竹导杆长6.1 m[①],这是大型。

据当时记载,1792年塞林加帕坦战役中萨布守军火箭营有3.6万人,分为若干分队,每队120～130人。火箭手迂回到英军大营后方发射火箭,印度步兵开始冲锋,火箭射程1 100 m。还有"地火箭",到达地面后又升起,像蛇一样蠕动,直到药力耗尽为止[②]。因英军在印度有痛苦的经历,英国决定发展火箭。炮兵上校威廉·康格里夫(William Congreve,1772～1828)在武尔威治兵工厂以印度样品为参考,加以改进,研制出新式火箭,即所谓康格里夫型火箭,射程达3 657m～4 571 m。火药筒最初为纸制,后改用铁筒,木导杆长为药筒的8倍,有不同型号。19世纪初,英国首次用火箭与丹麦作战,首战告捷。接着法国、普鲁士、奥地利、瑞典、俄国等也加紧制造,揭开火箭近代史的新篇章。与造纸、印刷形成对照的是,火药、火器在其他一些国家的起始时间缺乏明确而可靠记载,即令有,一些文献为后人伪作,研究者的意见又不一致,为我们绘制外传图带来困难。此处只能就管见所及,绘出一张草图(图289)作为尝试,以期随着今后研究的深入再作补充、修正。

---

① Carman W Y. A History of Firearms from Earliest Times to 1914. London, 1955. 192
② von Braun W, Ordway F I. History of Rocketry and Space Travel. London-New York: Crowell Co., 1966. 30～31

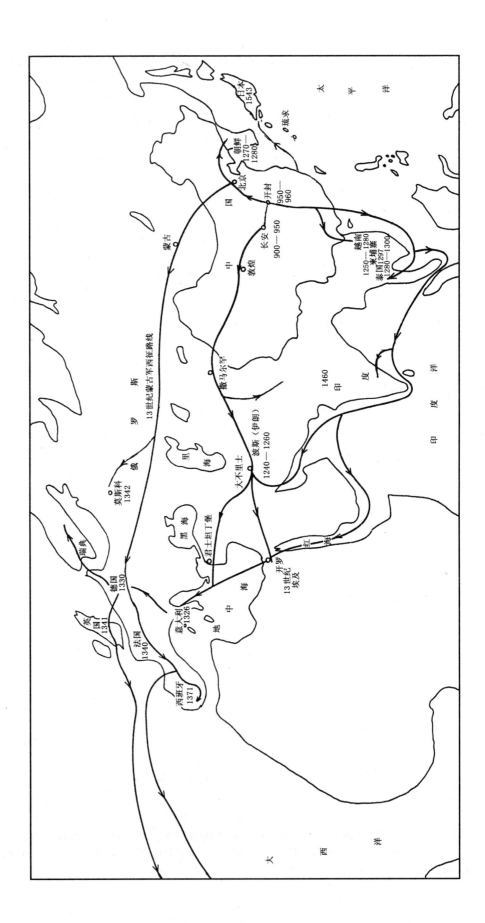

图 289
中国火药及火器技术外传图,潘吉星绘(2002)

第十一章 中国指南针在国外的传播

第一节 中国指南针在阿拉伯世界的传播

一、阿拉伯文献有关磁石的最早记载

本章主要讨论中国指南针在阿拉伯、欧洲和东亚国家的传播。这个课题比起造纸、火药和印刷来说过去人们所作的研究较少,因为相关的早期文献记载和实物遗存不多,可以说这是一个今后仍有待中外学者作进一步开拓性研究的领域。另一方面,过去和现在还有人否定中国对指南针的发明权,主张它是阿拉伯人或欧洲人首先使用的,这就涉及到指南针最初是从中国传到外国,还是从外国传到中国的问题。在这里必须谈一谈我们对这个问题的立场,否则本章的标题就不能名正言顺。在讨论这个问题时,通过对中外有关史料的研究,能很容易找出各地区最早使用指南针的年代,再将此年代与中国对比,就会发现谁先谁后。同时,将国外早期指南针形制、结构与中国同类物相互对照,就会发现哪里是传播的源头。

第七章已证明,中国战国时期(前3世纪)不但发现了磁石的吸铁性,还同时发现了磁石的指极性(directivity and polarity),并根据这一特性以天然磁石制成最早的指示方向的仪器"司南"。再经改进后,至迟在9世纪指南针已出现于唐代,主要用于陆上堪舆测量。10世纪北宋以来,指南针除用于陆上外,还用于海上导航。指南针由人造铁磁体制成针状或鱼形,漂浮在木或铜质二十四方位盘中间的圆形水池("天池")中,可指示南北。12世纪南宋时又出现以枢轴将磁针支承于方位盘中间的旱罗盘。有了指南针后,唐宋人还记载了磁偏角,并据此对指南针方位盘采取了校正措施。

再来看世界其他地区,如下所述,阿拉伯文献关于磁石的最早记载出现于11世纪,晚于中国一千多年,而且只谈到磁石吸铁。有关指南针的记载出现于13世纪前半叶,比中国晚四百多年。阿拉伯早期磁针呈鱼状,浮于方位盘上水池中指南,故也称"指南仪",与中国水罗盘一样。欧洲人认识磁石吸铁大约与中国人同时,但此后长期间不知道磁石的指极性,直到12世纪末欧洲才出现有关指南针的记载,晚于中国三百多年,而最早出现的水罗盘与中国的相同。13世纪后半叶欧洲始用旱罗盘,在中国以后一百年。比较研究证明,水、旱罗盘针都

是在中国最先出现的。当阿拉伯人和欧洲人对磁石的指极性还一无所知时,中国人已在研究磁偏角问题了。显然东西方指南针技术传播的源头在中国,这是因为中国人掌握的磁学知识在中世纪时长期居于世界领先地位。

现在谈阿拉伯地区,这里在掌握指南针以前,阿拉伯民族古代靠观看星辰和日影等天文学方法辨别方向,阿拉伯文献有关指南针的记载从 13 世纪前半叶才出现。谈到磁石的早期阿拉伯文献,是波斯出生的神学家伊本·哈兹姆(Ali ibn-Ahmād ibn-Hazm, 994~1064)在《论爱情之书》(Tanq al-Hamāmà)第二章《爱之花环》中的一首诗。诗中描写一个痴情男人追求女孩子的故事,他对女孩子说:"我的眼睛总是盯着你,就像(铁片)对磁石那样。尽管你转来转去,我也要跟随你,就像形容词离不开名词那样。"①骤然读这段对白,似乎男人将女孩当成磁极,他像磁石那样要转向她。实际上并不是这个意思,正如李约瑟所说,在原作者看来,痴心男人将女孩比作磁石,被她深深吸引,因此他不想离开她,总要追她,就像铁片被磁石所吸,或形容词离不开名词那样。因此哈兹姆谈的是磁石的吸铁性,而不是其指极性②,而磁石的吸铁性,古代很多民族都注意到了。

在哈兹姆以后,其他阿拉伯学者,如著名天文学家和占星师伊本·尤努斯(Ibn Yūnus, ? ~1009)在其《哈基姆星表》(Al-Zij al-Hākimi al-Kabīr)和矿物学家、玉石鉴定专家蒂法西(Al-Tifāshī, ? ~1253)于 1242 年写的《宝石研究精粹》(Kitāb Azhār al-Afkār fi Jawāhir al-Ahjār)中,都没有关于指南针的记载。同样,10 世纪巴格达出生的地理学家穆苏迪(Al-Mūsudī, c. 891~956),915 年离故乡后,在中东、印度和东非等地旅行,以知识博洽称著,也没提到过磁罗盘。而以阿拉伯文写作的波斯百科全书作家卡兹维尼(Al-Qazwinī)在其所著《知识的给予者和关照的破坏者》(Mufīd al-'Ulum wa Mubīd al-Humūm)中,涉猎许多学科的知识,仍未有借磁针导航或在陆上确定方位的记载。19 世纪以来各国学者广泛浏览了 11 世纪以前的阿拉伯文献,在这方面迄今未有任何发现。

二、指南针是阿拉伯人最先使用的吗?

但德国汉学家夏德(Friedrich Hirth, 1845~1927)和美国汉学家柔克义(William Woodwille Rockhill, 1854~1914)在中国宋人著作中找到有关"阿拉伯海船上用指南针"的记载。他们在翻译赵汝适(1195~1260 在世)的《诸蕃志》(约 1242)时,在译注中引北宋人朱彧(1075~1140 在世)《萍洲可谈》(1119)记广州市舶司关于海船的叙述,将其断句为"甲令海舶,大者数百人,小者百余人。以巨商为纲首、副纲首、杂事,市舶司给朱记(钤朱印的证书),许用笞治其徒,有死

---

① Arberry A J, tr. The Ring of the Love. Translated from the Tanq al-Hamāmà of Ali ibn-Ahmād ibn-Hazm. London: Luzac, 1953. 33

② Needham J, Wang Ling, Robinson K G. Science and Civilization in China, vol. 4, pt. 1, Physics. Cambridge University Press, 1962. 248

亡者籍(没收)其财……舟师识地理,夜则观星,昼则观日,阴晦观指南针",并认为甲令是来广东通商的阿拉伯船主的姓氏克林(Kling)①,似乎阿拉伯海船在1119 年前已用指南针导航。美国科学史家萨顿(George Sarton,1884~1956)由此做出结论说,"中国人可能最先发现磁针的指示方向的特性(directing property),他们却未能将其用于任何合理的目的。中国人把最先实际应用磁针的荣誉归之于外国人,最有可能是穆斯林。实际上在东亚与印度、波斯、阿拉伯以及与非洲之间的航海贸易操之于穆斯林之手。这项大发现可能完成于 11 世纪末,如果不是在这以前的话。"②

　　人们不能责怪博学而较为客观研究科学史的萨顿,因为他对中国历史的了解毕竟有限。问题是汉学家向他提供了错误的信息。日本学者桑原骘藏(1870~1931)指出③,夏德将《萍洲可谈》中所述装有指南针的北宋中国海舶误认为阿拉伯海舶④,因此所导出的结论自然全是错误的。英国汉学家伟烈亚力(Alexander Wylie,1815~1887)引北宋人沈括《梦溪笔谈》(1088)卷廿四关于指南针的记载后指出,在 11 世纪后半叶阿拉伯文献中没有关于指南针的记载,因此认为阿拉伯人的磁学知识得自于中国人是近于情理的,说阿拉伯人先于中国人用指南针航海则是没有证据的⑤。现在我们知道,夏德及其合作者柔克义将《萍洲可谈》中"甲令"含义弄错又断错了句,甲令不是外国人名,而是"政府条例",不能音译成 Kling,而应义译成 the government regulations of the Song。

　　实际上中世纪阿拉伯海上贸易船船体较小,没有能载数百人或百余人的大船,他们的船虽然轻快,但抵抗风涛之力不强。当时只有往来于中国南海、印度洋和波斯湾的中国海上贸易船可乘数百人,且阿拉伯商人和游客常搭乘中国商船来往于两地之间。与此同时,宋代中国各港口城市还居住许多阿拉伯人,他们甚至与当地中国人通婚,并在宋政府机构中任职,如阿拉伯人蒲寿庚于南宋末理宗时于 1241~1252 年在福建商港泉州任提举市舶,负责对外贸易事务。宋代与阿拉伯的海上贸易相当频繁,中国开往阿拉伯的大型船队不但以指南针导航,还装配火器,由火器手(其中包括火箭手)保证海上航行安全,因此指南针知识是很容易从中国传到阿拉伯的。

---

　　① Hirth F, Rockhill W W, tr. Chao Ju-Kua: His Work on the Chinese and Arab Trade in the 12th and 13th Centuries, Entitled Chu-Fan-Chi. St. Petersburg: Imp. Acad. Sci., 1911. 30

　　② Sarton G. Introduction to the History of Science, vol. 1. Baltimore: Williams & Wilkins Co., 1927. 764; vol. 2, pt. 2. 1931. 629~630

　　③ 桑原骘藏. 唐宋時代に於けるアラブ人の支那通商の概況殊に宋末の提挙市舶西域人蒲寿庚の事迹. 東洋文庫研究部紀要(東京),1928,卷 2;1935,卷 7;増補改訂版. 東京:岩波書店,1935;陈裕菁译. 蒲寿庚考. 北京:中华书局,1954. 98~99

　　④ Hirth F. Ancient History of China to the End of Chou Dynasty. New York, 1908; 2nd ed., 1923. 136; Origin of the mariner's compass in China. Monist (London), 1906, 16: 321

　　⑤ Wylie A. Chinese Researches. Shanghai, 1897. 156

三、阿拉伯早期的水罗盘

据迄今掌握的材料,最早提到指南针的阿拉伯作者是穆罕默德·奥菲(Muhammad al-'Awfi, fl. 1202~1257)。他在1232年用波斯文写的《奇闻录》(Jami al-Hikāyāt)中指出,他乘船在海上旅行时,亲眼看到船长用一块凹形的鱼状铁片放在水盆中,此浮鱼头部便指向南方(qiblah)。船长向他解释说,以磁石摩擦铁片,铁片就自然具有磁性①②。巴尔默(H. Balmer)对这段话提供了译文③。阿拉伯船长所使用的这种海上导航仪器,与北宋大臣曾公亮1044年在《武经总要》中记载的陆上行军时用的指南鱼(图229)是一样的,阿拉伯人显然是用中国技术制造水浮式指南针的。

阿拉伯玉石学家白拉克·卡巴贾奇(Bailak al-Qabajaqi, fl. 1222~1284)1282年写的《商人有关宝石的知识》(Kitāb kanz al-Tijār fi Māreifal al-Ahjār)一书,是献给埃及马穆鲁克王朝(Mameluke Dynasty, 1250~1517)的苏丹巴里(Bahri, r. 1279~1290)的。卡巴贾奇在书中说,1242年他见过水浮罗盘④⑤;而且还补充说,航行于东地中海上的船长将鱼状的磁化铁片借木片浮在水上,用以导航⑥,因此与不久前(1232)奥菲所介绍的指南鱼是一样的。看来在13世纪前半叶水浮式指南针在阿拉伯海船上已较为普遍地使用了。

德国的阿拉伯语学者魏德曼(E. Wiedemann)还介绍阿拉伯学者密斯里(Al-Zarkhūsi al-Misri)在1399年手稿中也提到将磁化的铁针借木鱼浮在水上的指南仪⑦,这与宋人陈元靓《事林广记》(约1135)中所述是一致的⑧。舒克(K. W. A. Schück)等人对此所做的验证实验是成功的⑨。英国曼彻斯特市赖

---

① Wiedemann E. Zur Geschichte des Kompasses bei den Arabern. Verhandlungen der Deutschen Physikalischen Gesellschaft (Berlin), 1907,9(24):764;1909,11(10~11):262

② Mieli A. La Science Arabe et Son Rôle dans l'Évolution Scientifique Mondiale. Leiden: Brill, 1938.159,263

③ Balmer H. Beiträge zur Geschichte der Erkentnis des Erdmagnetismus. Aarau, 1936. 54

④ Klaproth H J. Lettre à M. le Baron Alexandre de Humboldt sur l'Invention de la Boussole. Paris: Dondey-Dupré, 1834. 517

⑤ Steinschneider M. Arabische Lapidarien. Zeitschrift der Deutschen Morgenländischen Gesellschaft (Berlin), 1895,49:256

⑥ Mieli A. La Science Arabe et Son Rôle dans l'Évolution Scientifique Mondiale. Leiden: Brill, 1938. 159

⑦ Wiedemann E. Zur Geschichte des Kompasses bei den Arabern. Verhandlungen der Deutschen Physikalischen Gesellschaft (Berlin), 1907,9(24):764;1909, 11(10~11): 262

⑧ Needham J, et al. Science and Civilization in China, vol. 4, pt. 1, Physics. Cambridge University Press, 1962. 255

⑨ Schück K W A. Der Kompass, vol. 2, Sagen von der Erfindung des Kompasses; Magnet, Calamita, Bussole, Kompass; Die Vorgänger des Kompasses. Hamburg, 1915. 54

兰兹图书馆(John Lylands Library at Manchester)收藏的塔朱里(Abū Zaid Abd al-Rahmān al-Tājūrī,？～1590)写的《针房知识概论》(Risālah fi Marifah Bait al-Ibrah)虽然成书较晚，但李约瑟认为对这部阿拉伯文手稿值得进一步研究[1]。这里所说的"针房"(house of the needle or bait al-ibrah)又称"针盘"(da'ira al-ibrah)，是指南针的别名。像中国人一样，阿拉伯人将它放在船尾甲板下离舵手不远的地方。

从以上所述可以看到，阿拉伯航海用指南针基本上用的是水浮式磁针，这与中国传统是一致的。萨顿还注意到，大部分阿拉伯文献都强调这种仪器指南(qibla)比指北更重要，又令人想起它源自中国[2]。中国人和阿拉伯人都以南的方位为尊位，这与欧洲人是不同的。波斯文称磁罗盘为"指南"(southpointer or qiblanāma)与中国名有相同含义。从现存文献观之，阿拉伯文献中关于指南针的记载比欧洲(1190)晚40年左右。但是要考虑到，在宋元中国与阿拉伯之间经济往来和人员交流比中国与欧洲之间的往来更加密切和频繁，我们认为阿拉伯人从中国引进指南针的时间应比欧洲要早些，并成为中国指南针传入欧洲的媒介，才合乎情理。

从中国四大发明西传的历史进程来看，阿拉伯人掌握造纸、印刷和火药技术都早于欧洲，指南针恐怕也不会例外。因为宋代以指南针导航的中国大型帆船经常活动于波斯湾、红海和东北非附近海域的阿拉伯沿海口岸，中国货物通过阿拉伯人经地中海运往欧洲。因此阿拉伯人有引进指南针知识的优先条件，他们可能为保守商业秘密，对新型导航技术没有及早公开报道。另一方面，对阿拉伯早期文献的研究和发掘工作仍然还是不够的，随着研究的深入，今后有可能将阿拉伯人使用指南针的时间提前到12世纪。

第二节　中国指南针技术在欧洲的传播

一、指南针在欧洲的起源

历史表明，虽然古希腊、罗马学者在公元前知道磁石吸铁的特性，但欧洲人却长期间不知道磁石的指极性，欧洲最初的指南针是12世纪按中国的技术制造出来的。事过几百年后，某些人忘记了这段历史，拒不承认欧洲在文艺复兴以前磁学领域的落后和中国在这方面对他们的影响，扬言在欧洲以外世界其他地方

---

[1] Needham J, et al. Science and Civilization in China, vol. 4, pt. 1, Physics. Cambridge University Press, 1962. 255

[2] Sarton G. Introduction to the History of Science, vol. 2, pt. 2. Batimore：Williams & Wilkins Co., 1931. 630

不可能有什么重大发明。典型的人物就是19世纪英国科学史家休厄尔（William Whewell，1794～1866），他在谈到磁学发展时傲慢地无视中国古代的成就，认为"无论如何与欧洲科学的发展无关"①。但休厄尔或其他人却举不出12世纪以前欧洲关于磁石指极性知识方面有任何进展的史实。当欧洲人对磁石指极性一无所知时，中国人已在研究磁偏角了，并在磁罗盘上附加校正方位。由于中国指南针和有关磁学知识的引进，才促进欧洲磁学的发展，怎么能说与欧洲科学发展无关呢？

尤有甚者，当《萍洲可谈》（1119）中记载北宋中国海舶以指南针导航的可靠史料英译本发表一百多年后，有人还在1950年断言"指南针肯定是西方的发明"②，而且出于所谓技术史家之口，就不能不令人惊诧。还有人说指南针是意大利人弗拉维奥·焦亚（Flavio Gioja）于1300年发明的。所有这些观点都是没有根据的，因为与近百年来中外学者所揭示的历史事实相矛盾。与这种极端意见相反，另有些学者承认欧洲人只认识磁石的吸铁性，而其指极性是中国人发现的，中国人根据这一发现制成的指南针是意大利旅行家马可·波罗（Maro Polo，c. 1254～1324）从中国带回欧洲的③。这又将指南针西传的时间定得过晚，因为马可·波罗1292年离华返回威尼斯之前一百多年，欧洲人已用上指南针了，而且马可·波罗游记中并未谈到指南针。

还有人将指南针在欧洲起源时间定得稍早，认为12世纪以前斯堪的纳维亚人或北欧海盗从阿拉伯经过俄罗斯获得了指南针并用于航海④，但后来的研究证明其所引用的史料中，有后人窜加的内容，不是原始记载⑤。迄今为止，欧洲有关指南针的最早记载是英国12世纪百科全书作家亚历山大·尼坎姆（Alexander Neckam，1157～1217）1190年用拉丁文写的《论自然界的性质》（De Naturis Rerum）书中的一段话。尼坎姆生于圣阿尔班斯（St. Albans）城，去巴黎学习后，1186年返国，1213年成为西伦赛斯特（Cirencester）修道院院长。他这部书是关于科学知识的通俗小百科全书⑥，共5册，在第二册有下列一段话⑦：

---

① Whewell W. History of Inductive Science, vol. 3. London: Parker, 1847.50

② Forbes R. Man the Maker: A History of Technology and Engineering. New York: Schuman, 1950.101,108,132

③ Purchas S. Purchas His Pilgrimes, pt. 1, bk. 2, ch. 1. London, 1625; Cf. Needham J, et al. Science and Civilization in China, vol. 4, pt. 1. Cambridge University Press, 1962.245

④ Winter H. Die Nautik der Wikinger und ihre Bedeutung für die Entwicklung der europäischen Seefahrt. Hansische Geschichtsblätter (Berlin), 1937,62:173

⑤ von Lippmann E O. Geschichte der Magnet-Nadel bis zur Erfindung des Kompasses. Quellen und Studien zur Geschichte der Naturwissenschaft und der Medizin (Berlin), 1933,3:1

⑥ Sarton G. Introduction to the History of Science, vol. 2, pt. 1. Baltimore: Williams & Wilkins Co., 1931.385

⑦ Neckam A. De Naturis Rerum (1190), II: xcviii; Wright T, ed. Alexander Neckam De Naturis Rerum. London: Her Majesty's Stationery Office, 1863.183

当水手在海上航行,遇到阴天看不到阳光,或夜间世界笼罩一片黑暗时,不知道其船行方向所指,便将针与磁石接触。此时针在盘上旋转,当旋转停止时,针就指向北方①。

尼坎姆的《论自然界的性质》有1863年赖特(T. Wright)提供的拉丁文版,1945年布鲁姆黑德(C. E. N. Bromehead)又将其中有关指南针部分译成英文,我们此处据英文译成汉文。这部书没有年款,据专家考订当成于1190年,多年来这个年代已被各国学者所接受。尼坎姆所谈的,肯定是航海用指南针,所用的磁针是人造磁体,由铁针与磁石摩擦而成,但他没有对其形制和构造作进一步介绍。在他谈到指南针时,没有强调这是新事物,说明在他以前已有人熟悉了,但欧洲人掌握指南针也不可能在12世纪以前,只能在12世纪。

继尼坎姆之后,法国犹太人纳克丹(Berakya ben Natronal ha-Naqdan)也谈过指南针。此人于12世纪末移居英国,1194年在牛津,通阿拉伯文,曾将一些法文作品译成希伯来文。大约在1195年他编写《石头的力量》(*Koah ha-Adanim*),在这部希伯来文作品中叙述73种石头的性能,其中包括磁石和指南针②。据德国学者舒克(K. W. A. Schück)的研究,大约在1200年后不久,意大利北部城市马萨(Massa)附近在开矿时用过指南针③,这使人想起几百年前中国郑人以司南进山采玉的故事,说明欧洲人不但在航海时用指南针,而且在陆上也用以指示方向,因此17世纪英国旅行著作家帕查斯(Samuel Purchas, a. 1575~1626)在其《朝圣者》(*Pilgrimes*, 1625)中将指南针称为"引路石"(lead-stone)或"指路天使"(way-directing merucie),并认为它是"三百多年前从蛮子国(Mangi),我们现在称为中国,传到意大利的"④。"蛮子国"一词出于《马可·波罗游记》(1299),是蒙古军队灭南宋后对江南地区的称呼。

二、中国技术对欧洲航海罗盘的影响

到13世纪初时,指南针已在欧洲较为普及,以致法国诗人居约(Guiot de Provins, 1148~c. 1218)在讽刺诗中谈到磁石和指南针。居约(Guiot or Guyot)生于法国北部塞纳-滨海省(Seine-Maritime)的普罗文(Provins)城,在巴黎东

---

① Bromehead C E N, tr. Alexander Neckam on the compass needle. Geographical Journal (London), 1944, 104: 63; Terrestrial Magnetism and Atmospheric Electricity (London), 1945, 50: 130

② Jacobs J. Jewish Encyclopaedia, vol. 6. London, 1904. 619; Sarton G. Introduction to the History of Science, vol. 2, pt. 1. Baltimore: Williams & Wilkins Co. , 1931. 349

③ Schück K W A. Der Kompass, vol. 2, Sagen von der Erfindung des Kompasses; Magnet, Calamita, Bussole, Kompass; Die Vorgänger des Kompasses. Hamburg, 1915. 30

④ Purchas S. Purchas His Pilgrimes, pt. 1, bk ii, chap. 1. London, 1625

南,后来曾广泛旅行,去过耶路撒冷,在法国南方定居①。1205 年,他晚年时用法文写长篇语体讽刺诗(2 691 行),题为《圣经》(La Bible),用以批评教会当局,是当时社会生活的一面镜子。诗中指出,航海水手用的磁针以铁在磁石上摩擦而成,导航效能胜过北极星。1834 年德国东方学家葛拉堡(Heinrich Julius Klaproth,1783~1835)用法文写给洪堡(Baron Alexander von Humboldt,1767~1859)论指南针的信中,首先对居约的诗做了报道②。1840 年,法国航海考古学家雅尔(A. Jal)对居约诗再次给予很大注意③。李约瑟研究指南针历史时,转引了这段古体法文诗原文④,以其难解,我们试将法文诗的大意译之如下:

我们的教皇像极星,　　　　　置于水面浮动,
高高在上永不动,　　　　　　它就对准北极星。
水手都能看得清。　　　　　　以此导航不会错,
船只来往海中,　　　　　　　水手信心更坚定。
靠极星引路,　　　　　　　　海上一片昏暗时,
沿正确方向航行。　　　　　　不见月又不见星,
其他星体虽移位,　　　　　　水手随即掌灯。
它却原地不动,　　　　　　　细看针的方位,
因此称为北极星。　　　　　　避免在迷途航行。
水手现有奇技术,　　　　　　这种技术真可靠,
取来吸铁黑磁石,　　　　　　胜过明亮的极星,
与针摩擦显神通。　　　　　　应像教皇那样受尊敬。
磁针穿在麦秆上,

　　1190 年尼坎姆虽然谈到指南针在欧洲航海中的应用,但没有对其形制和构造做出介绍。读完 1205 年居约的咏指南针诗句后,这些问题就有答案了。显而易见,12~13 世纪的欧洲早期航海罗盘是中国早就用过的水罗盘。其制造方法与中国一样,将经过磁石感应的铁针横穿在植物光滑的茎秆中,再漂浮在刻有方位的罗盘中间的圆形水槽(中国古称"天池")内,当磁针停止转动时,其两端便分别指向南北。法国人居约描述的方法,与北宋人曾公亮(1044)、沈括(1088)和寇宗奭(1116)所说基本上是一致的。微小差异是刻度方位格数有多有少,欧洲人强调指北,中国人强调指南。北宋人将针横穿在灯心草秆上,增加针在水面上的

---

① Sarton G. Introduction to the History of Science, vol. 2, pt. 2. Baltimore: Williams & Wilkins Co., 1931.589

② von Klaproth H J. Lettre à M. le Baron Alexander de Humboldt sur l'Invention de la Boussole. Paris: Dondey-Dupré, 1834.41

③ Jal A. Archéologie Navale. vol. 1. Paris: Arthus Bertrand, 1840.205

④ Needham J, et al. Science and Civilization in China, vol. 4, pt. 1, Physics. Cambridge University Press, 1962.246~247

浮力,欧洲人将针横插在麦草秆上,原理完全相同。这证明欧洲早期罗盘是利用中国发明的技术制造出来的。

另一值得注意的法国人,是编年史家雅克(Jacques de Vitry, c. 1178～1240),其拉丁文名为雅各布斯(Jacobus de Vitriaco),生于凡尔赛附近的维特里城(Vitry-le-François near Versailles),1216年任阿克(Arce,今以色列境内)教区主教,1219年写成《东方史》(*Historia Orientalis*),又名《耶路撒冷史》(*Historiae Hierosolimitanae*),书中谈到指南罗盘的应用①。同时期的苏格兰星占家迈克尔(Michael Scot, c. 1175～1234)在其《局部论》(*Liber Particularis*, 1227～1236)中说,有两种磁石,一种指南,另一种指北②。如第七章所述,沈括在这以前二百多年也有类似说法。事实上欧洲早期水罗盘磁针标示也是指南,与中国传统相符。泰勒(E. G. R. Taylor)告诉我们,迟至1670年,西方天文学家所用的罗盘还是指南,而不是水手们用的指北罗盘③。1228～1244年间弗兰德人托马斯(Thomas de Cantimpré, fl. 1204～1275)写的通俗百科全书《自然界的性质》(*De Natura Rerum*),分20个门类的知识,其中石类部分叙述了航海用水罗盘④。

当代英国科学史家沃尔夫(Abaraham Wolf)在谈到欧洲12～13世纪的早期罗盘时也指出:"这种早期仪器主要是水罗盘,将磁化铁浮在木制水碗内,人们注视其所指的方向。有时用磁化的铁浮子。"但没有说这种铁浮子是什么,我们认为这就是中国宋代人用过的指南鱼之类,前已述及。沃尔夫承认:"中国人很早就知道磁石在自由放置时有指示南北方向的特性,而直到12世纪欧洲文献中才开始提到航海罗盘这种新的导航仪器,这以前在西方显然不知道这项重要的应用。"但他不清楚这种仪器是通过阿拉伯人还是欧洲水手从东方引进的,还是欧洲独立发现的⑤。

航海罗盘是否为欧洲独立发明,还是受中国技术影响而制造出来的?这正是本节一开始时提出的问题,有重新讨论的必要。为此,需要对中国和欧洲之间做出比较。我们知道,制造磁罗盘的技术前提是,必须认识到磁体的指极性。中国在公元前3世纪已发现磁石的指极性并以天然磁石制成指南装置,名曰司南。9～10世纪以人工磁铁制成堪舆罗盘并发现磁偏角,11世纪水罗盘用于航海,中国船队已远航至波斯湾、红海和东非,与阿拉伯发生频繁的经济和人员往来,阿

---

① de Jacques V. Historia Orientalis (1219), ch. 89; Sarton G. Introduction to the History of Science, vol. 2, pt. 2. Baltimore: Williams & Wilking Co., 1931. 671

② Haskins C H. Studies in the History of Mediaeval Science. Cambridge: Harvard University Press, 1927. 294

③ Taylor E G R. The south-pointing needle. Imago Mundi: Yearbook of Early Cartography, 1951, 8: 1

④ Sarton G. Introduction to the History of Science, vol. 2, pt. 2. Baltimore: Williams & Wilkins Co., 1931. 592～593

⑤ Wolf A. A History of Science, Technology and Philosophy in the 16th and 17th Centuries. London: Allen & Unwin Ltd., 1935. 290

拉伯成为中国与欧洲之间接触的媒介。而阿拉伯水手用的指南针是严格按中国技术制造的,甚至仪器名称的含义都一样。虽然阿拉伯文献关于罗盘的记载略晚于欧洲,但其实际掌握这种技术的时间可能与此相反。

反观欧洲,直到12世纪以前,还不知道磁石的指极性,在该世纪末他们懂得磁石这一特性时,已晚于中国人一千多年,以人造磁铁制成罗盘在中国以后三百多年,以磁罗盘导航则至少晚于中国100年。值得注意的是,欧洲早期的航海罗盘与中国一样是水罗盘,而且形制与制法也与中国罗盘相同。中国与欧洲之间的时间差和趋同现象,在中西海上交通发展的时代,只能用技术传播来解释。根据查特里(H. Chatley)[1]、惠勒(R. E. M. Wheeler)[2]、克罗伯(A. L. Kroeber)[3]和李约瑟[4]所发展的技术传播理论,一种文明能全盘接受另一种文明的思想体系或模式结构,有时只要有一点暗示或受到某种思想的启发,就足以引起一连串的发展。世界上某个遥远地方已完成某种技术的信息,就会鼓励另一民族用他们的方式重新解决同样问题。克罗伯将这种现象称为"激发性传播"(stimulus diffussion)。

中国造纸术、印刷术和火药技术的西传就是这种激发性技术传播的典型事例,本书第八至第十章中作了讨论,指南针的西传也同样如此。中国人从发现磁石指极性到以人造磁针做成罗盘,经历了一千多年的时间酝酿,中间经历以天然磁石制成勺状在铜盘上旋转的司南仪和铁针人工磁化放在水面上浮动等阶段,表示这种技术原创过程的艰辛。而欧洲从对磁石指极性一无所知到12世纪末短时间内一下子跳到直接以水罗盘导航,没有技术原创过程的发展特点,显然是接受外来的现成经验后制造出来的。这外来的经验只能来自中国或阿拉伯水手,后种可能性更大。恩格斯(Friedrich Engels,1820～1895)开列从古代到中世纪的一些发明年表时,认为磁针、印刷、活字和麻纸这些来自中国的发明是欧洲"古代从未想到过的",并且说"磁针从阿拉伯人传到欧洲人,1180年左右"。[5]换言之,中国指南针于1180年左右通过阿拉伯人传到欧洲,这是接近历史实际情况的。

1180～1250年间这60年是欧洲发展指南针的早期阶段,航海时以水罗盘导航,这是对中国宋代造的仪器仿制和试用阶段。实际上水手在海上还要辅之天文导航手段。如尼坎姆和居约等人所说,当天气阴晦或夜间昏暗,既不见日又

---

[1] Chatley H. The Origin and Diffusion of Chinese Culture. London: China Society, 1947
[2] Wheeler R E M. Archaeology and the transmission of ideas. Antiquity (Cambridge, England), 1952,26:180
[3] Kroeber A L. Stimulus diffusion. American Anthropologist (Washington D. C.), 1940,42:1
[4] Needham J. Science and Civilization in China, vol. 1, Introductory Orientations. Cambridge University Press, 1954. 244～245
[5] 恩格斯. 自然辩证法. 北京:人民出版社,1984. 42; Engels F. Dialectics of Nature. Moscow: Foreign Languages Publishing House, 1954. 258

不见星时,指南针才派上用场。在这一时期,法国人特别热衷于此道,留下的记载较多,其次是英国人。从相关记载来看,这时欧洲人无论在理论还是在实践方面似乎没有多大建树,没有提供超过宋代人知识范围的新的东西。

三、13世纪欧洲的旱罗盘和航海图

但从1250年以后,即13世纪后半叶起,情况有所改变,由于法国实验物理学家皮埃尔(Pierre de Maricourt, c. 1224~c. 1279)的一系列研究工作,使欧洲进入对磁现象作科学探讨和对磁罗盘作技术改进的新阶段,对磁罗盘技术进行了本土化开发。

皮埃尔生于法国北部的马里库特(Maricourt)城,其拉丁文名为外乡人佩得鲁斯(Petrus Peregrinus),拉丁文中的Petrus相当于法文中的Pierre或英文中的Peter,而Peregrinus在拉丁文中指在罗马城居住的外来人,可能是绰号,有些人说他姓帕雷格里努斯或马里库特,是出于误解。中世纪欧洲人有时将自己的名与籍贯连在一起而不用姓,因而法文Pierre de Maricourt意思是"马里库特人皮埃尔"。关于其生平,人们知之甚少,只知道他1269年参加过十字军围攻意大利西南卢切拉(Lucera)城的战役。他与英国的罗杰·培根(Roger Bacon, 1214~1292)为同时代人,被培根尊为师长,他们都被视为13世纪欧洲最博学的人。1269年皮埃尔写了著名的《从理论及应用上论磁石之信札》(Epistola ad Sygerum de Foucaucourt Militem de Magnete)①,叙述其研究成果,实际上这是一本小册子。意大利人卡瓦洛(Tiberius Cavallo)1800年版②用起来较为方便。

皮埃尔《论磁石信札》(Epistola de Magnete)分理论与应用两部分,第一部分共10章:(1)写作此著的目的;(2)论实验方法;(3)如何辨认磁石;(4)确定磁极的两种方法;(5)如何区别磁极与子午线地极;(6)磁石如何相互感应;(7)以铁摩擦磁石,使铁磁化的方法;(8)磁石如何吸铁;(9)为什么一个磁极吸引另一磁极;(10)磁石自然效能的由来。第二部分(应用)用三章叙述三种仪器:(1)直接测定星体方位的便携式罗盘和日晷;(2)与上述同类的更好的仪器;(3)试图用磁石制永动机。所有各章都未提供插图。

《论磁石信札》作者皮埃尔在该著作第一部分中指出,研究学问要勤于动手做实验,以验证或改正理论观点。他以天然磁石做成球体进行一系列实验,确定了两极的位置,证明磁石两极表现出朝向正南和正北的倾向,磁极处的磁性最强。他还证明同极相斥,异极相吸。将磁石打破成两块,每块仍有磁性和两极。

---

① Sarton G. Introduction to the History of Science, vol. 2, pt. 2. Baltimore: Williams & Wilkins Company, 1931. 1 030~1 031

② Cavallo T, tr., ed. A Treatise on Magnetism in Theory and Practice with Original Experimence. 3rd ed. with a supplement of Petrus Peregrinus' Epistola de magnete. London, 1800. 较新的版本还有:Thompson S P, ed. Epistola Concerning the Magnet. London, 1902

他还以与天空一起运动的球状磁体来解释宇宙运动。在第二部分应用篇第一章中,皮埃尔叙述了一种改进型的水罗盘,带有准线和360度的刻度盘。他在第二章中所说的更好的罗盘,实际上是一种旱罗盘,将在金属枢轴(metallic pivot)上转动的磁针与刻度盘放在圆盒内,用玻璃盖盖之。这是欧洲有关旱罗盘的最早记载。总之,《论磁石信札》不只是对磁石知识做了总结,还有新的补充。萨顿说这是中世纪欧洲使用实验方法研究磁学的少见的范例。

皮埃尔的这篇作品继承了沈括《梦溪笔谈》中研究磁学问题的实验精神并予发扬光大,又开启了《论磁石》(De Magnete, 1600)的英国作者吉尔伯特(William Gilbert, 1544~1603)类似工作之端绪。至于说到旱罗盘,像水罗盘一样都是在中国发明的。如第七章第三节所述,1197年入葬的旱罗盘实物形象于1985年在江西临川宋代墓葬中出土①。1135年左右成书的《事林广记》中还记载艺人变魔术时使用旱罗盘。这说明12世纪初中国已出现将磁针以枢轴支撑在方位盘上的旱罗盘,后来也传到欧洲。1269年法国人皮埃尔对旱罗盘加以改进,将其放入有玻璃罩的圆盒内,成为便携式仪器。后来旱罗盘被欧洲水手广泛使用。

像中国和阿拉伯舟师一样,欧洲水手航海时要参照航海图来选择航线和航向。中国古称"海簿"、"海图",拉丁文中 portolani 也有同样含义。航海图中一般绘出安全航线、航向、船舶所经海岸港口、岛屿和有标志性的自然或人文景观。这类图都是根据以往航行经验绘制的,有很大实用价值。在没有指南针以前,航向都是靠观星确定的,记出极星出地高度。有了指南针后,则标出针位,或将针位与极星出地高度兼而标之。有时还记出从某地到另一地的里程。舟师靠海图所载航线、航向和航程,就能在茫茫大海中如履平川。明代的郑和航海图典型地代表了中国海图的传统制图方法,但它并非年代最早的,实际上宋元舟师已用过同样的图。欧洲的海图虽晚于中国,但也含有大致相同的内容,并用于航海。

据记载,法国国王路易九世(Saint Louis Ⅸ, 1214~1270)于1270年乘意大利热那亚船从法国南部港口艾格莫特(Aigues-Mortes)启程,跨地中海赴北非的突尼斯。船沿意大利西海岸南行6日后,乘客仍未看到撒丁海岸,国王有些担心。这时船上官员向他出示地图,指出船现在所处的位置,并且说他们正靠近意大利南部的卡利亚里(Cagliari)港。这是欧洲第一次提到在船上使用海图②。此后,西班牙卡塔兰(Catalan)基督教会的学问僧拉蒙(Ramōn Lull, c. 1235~1315)在《科学之树》(Arbor Scientiae or Arbre de Sciencia)中有同样记载。这部百科全书式的著作于1295年以拉丁文写于罗马。拉蒙在解释海员如何在海上识路时,写道:"ad hoc instrumentum habent chartam, compassum, acum et stel-

---

① 陈定荣,徐建昌. 江西临川宋墓. 考古(北京),1988,(4):329~334

② Nordenskjöld A E. An Essay on the Early History of Charts and Sailing Instruction. Stockholm, 1897; Sarton G. Introduction to the History of Science, vol. 2, pt. 2. Baltimore: Williams & Wilkins Co. , 1931. 1 047~1 048 lam maris"①,这句话的意思是,"因为船上带有海图和罗盘针"。图上标明各地针位及观星数据,因而此图又称"针图"(compass charts)。英国编年史家罗杰(Roger of Hoveden, fl. 1174~1201)在《732~1201年间英国编年史》(*Chronica 732~1201*)中也暗示有某种海图或航海手册②。

擅长于海上航行的欧洲人,从中国引进指南针、船尾舵(axial rudder)和水密隔舱(water-tiqht compartment)后,可以安全进行海上贸易,进而作海上探险,不但完成地理发现,还进而以火器开拓殖民地和新的商品市场。欧洲资本主义利用这些发明获得极大的政治利益和经济利益。受西班牙国王委托从事海上探险的意大利航海家哥伦布(Christopher Columbus, 1451~1506),以指南针导航横渡大西洋,在发现美洲新大陆的过程中,1492年还发现了磁偏角(magnetic declination)。这对中国人来说并不新鲜,因为几百年前就注意到了。但对欧洲人而言,则是新鲜事,并不是指南针出了问题,而是因为地球的磁极与子午线南北两极并不重合,为解释这一现象,刺激了磁学在欧洲的发展。

第三节　中国指南针在东亚的传播

一、朝鲜国关于指南针的记载

在中世纪世界,只有中国人、阿拉伯人和欧洲人是从事远洋航海的民族,因而他们比其他民族较早以指南针导航是很自然的。一些亚洲国家虽然也有船队,但主要在周边海域活动,沿早已熟悉的航道和天文导航技术就可以航行了,因此使用指南针的时间较晚。以东亚的朝鲜和日本而言,中世纪时代这两个国家主要在日本海、东海和黄海海域相互间或与中国之间进行海上往来。朝鲜半岛北部与中国陆上相连,陆路交通更为方便,朝鲜半岛又与日本只有对马海峡相隔,开船后很快就容易到达对方。唐及唐以前,虽然中、朝、日三国间有频繁的海上往来,但都主要靠天文导航手段。

宋代是指南针导航发展的时代,但由于对辽、金的持续的战争环境,影响到朝、日商船前来中国的活动,高丽受辽胁迫一度中断与宋交往,而日本藤原氏幕府统治期间奉行闭关锁国政策,严禁私人出海。这使指南针未能及早传入这两个国家,火药技术也同样如此,这和造纸、印刷技术在这里的发展形成了对照。由于这两个国家都是中国的近邻,海上交通虽然受到上述限制,但仍是不间断

---

① 拉蒙《科学之树》中用16棵树叙述一些学科知识,最后三棵树包括4 000个问题及答案,关于海图即包含在这部分。见:Sarton G. Introduction to the History of Science, vol. 2, pt. 2. Baltimore: Williams & Wilkins Co., 1931. 907

② Hunt W. Dictionary of National Biography, vol. 27. London, 1891. 429

的,特别是中国商船运去的货物,其中包括各种书籍,仍受到欢迎,同时也向中国运回了当地的特产。但在15世纪以前这些交往中没见有中国指南针技术东传的迹象。

实际上在朝鲜和日本有关指南针的记载都出现得很晚,而人们对这方面的早期历史研究做得也较少,成为有待今后开拓的一个领域。就朝鲜而言,早在1944年半岛原乐浪遗址墓葬就出土了汉代占卜用的式盘,但这与后来的指南针的发展还有很大一段技术距离。在高丽朝(936~1392)后期(1240~1392)蒙古统治者在半岛统治期间,火药技术已从中国传入,指南针有可能尾随其后,但《高丽史》(1454)中很少有相应记载。不过在朝鲜朝(1392~1910)初期,15世纪时中国式的堪舆罗盘已经成为朝鲜风水家的专用物①,显然是从中国引进的。朝鲜朝中期(1565~1738)御医许浚(1546~1618)《东医宝鉴》(1610)卷九谈到磁石指南时写道:

> 以磁磨针锋,则能指南。其法,取新纩中独缕,以半芥子许蜡缀于针腰,无风处垂之,则针常指南。以针横贯灯心,浮水上,亦指南,常偏丙位,不全南也②。

显然,许浚这段话完全录自宋人寇宗奭《本草衍义》(1116)卷五,而后者又引自沈括《梦溪笔谈》(1088)卷廿四,并加以引申。此外,《东医宝鉴》再没有新的说明。这段话的意思是,将铁制缝纫针的针尖与天然磁石摩擦后,针尖就能指南。有两种方法可实现这一目的,一是将新的丝絮线通过像芥子那样大的蜡黏固在针的中间腰部,在无风处以丝线将针悬起来,则针在转动后,停止在南北方向上。这是一种检验人工磁铁指南的实验方法,用以导航并不切实。

第二种方法是,将已磁化的铁针横穿在灯心草茎秆上,再悬浮于有方位盘的木盘中间的圆形水槽("天池")内,针亦能指南。这实际上就是水罗盘,有实用性。以铁针穿以灯心草茎,是为增加在水上的浮力。但在有的地方测试,则发现针尖并不指向午位(正南),而是偏向丙位,即S15°E或南偏东15°,换言之,不是指向180°,而是偏至165°,这就是磁偏角。接下用五行说解释这一现象,未必妥当。许浚没有对《本草衍义》所述磁针指南及磁偏角之说提出异议,表明他是同意的。他的这一记述对普及半岛有关罗盘的知识是有意义的。

二、朝鲜朝后期的指南针和磁学知识

中国除水罗盘外,还在宋代制成旱罗盘,以枢轴将磁针支承在方位盘中间。

---

① 全相运.韓國科學技術史.朝文版.漢城:科學世界社,1966.139~142;同名书日文版.東京:高麗書林,1978.157~161

② 许浚[朝鲜].东医宝鉴(1610),杂病篇,卷九.上海:校经山房石印本,1890.16

这种旱罗盘在明清以来逐步流行,尤其清初(17世纪)以来更加普及,也传到朝鲜。朝鲜朝后期(1738～1910),堪舆学进一步发展,因为罗盘盘面上有许多标明不同占验内容的同心圆,朝鲜人将其通称为"轮图",将看风水的人称为"地官"或"地相官",所用的罗盘多为旱罗盘。汉城大学博物馆藏有18世纪前半叶以黄铜制造的便携式地平日晷,同时还装配有旱罗盘①,说明它已成为天文学家作科学研究的仪器。《李朝实录·英祖实录》卷五十六载,英祖十八年、清乾隆七年(1742)十一月,从清国引进五层轮图,即有5个同心圆的罗盘,并加以仿制。汉城高丽大学博物馆藏18世纪木制堪舆轮图(旱罗盘),直径35.5 cm(图290),即仿制清代旱罗盘者。道光二十八年戊申(1848)观象监校刊本之风水家轮图含二十四层轮图。这与中国清代堪舆罗盘是一致的,使用同样的术语。

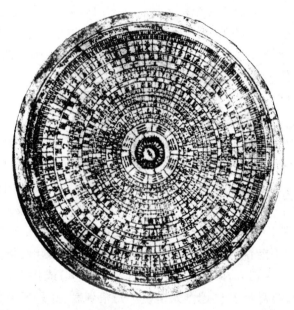

图 290
17～18世纪朝鲜木制罗盘,高丽大学博物馆藏,取自全相運(1978)

19世纪朝鲜科学家李圭景(1788～约1862)在《五洲衍文长笺散稿》(约1862)中有两篇文章专门谈磁石和指南针。他指出:"磁石禀地之正气,故能指南北,然其所指恒在午丙之间(南偏东7.5°)。每天之子午(北南)相左,故术家有三锋(三针)之别,即锋(缝)、正、中三针也。"②这里谈到因有磁偏角现象,使磁针所指不是正南正北,而是偏东或偏西,因此堪舆家在罗盘上设正针、缝针和中针3种针位,以适应不同地点的磁偏角。这里李圭景将中国的缝针称为锋针,对三针做了解释。他还指出,在每年冬至前后或春分、秋分时测日影定出南北正向,再用以校正罗盘方位。

李圭景还指出,"世人以南针为指南之器,愚以为指北……《梦溪笔谈》云磁石亦有指北者。"《梦溪笔谈》(1088)为中国北宋科学家沈括的著作。李圭景还试

---

① 全相運. 韓國科學技術史. 日文版. 東京:高麗書林,1978.59
② 李圭景[朝鲜]. 五洲衍文長箋散稿(約1862),卷廿三,磁石指南北辨證說,上册. 寫本影印本. 漢城:明文堂,1982.669

图用中国传统理论以陈其见。在谈到如何辨别磁石的南北极时,他说"凡分别磁石子午阴阳处,取磁石置指南针之旁,则针之当磁石向北处,必转指北头向南焉。针若当向南处,必转指南之头向北,以此辨磁石之子午处也"。①

三、日本江户时代的指南针

日本江户时代(1603~1868)以前,有关磁学和指南针的知识已出现在传来的中国科技、军事和本草学著作中,如《梦溪笔谈》、《武经总要》、《武备志》、《本草衍义》、《政和本草》、《本草纲目》等。这些著作传到日本后,成为日本学者在这方面的知识来源。但种种迹象表明,日本利用指南针的时间很晚,在江户时代以前的日本古书中很少有这方面的记载。而在江户时代以后,荷兰商船航入日本,带去了欧洲旱罗盘技术,同时中国商船上用的指南针也引起日本人的注意。因而形成中国技术和欧洲技术同时在日本传播的局面,最后达到东西方技术融合。这个时代特点不但表现在指南针方面,还表现在天文历法、数学、医学、本草学、博物学等许多领域。

江户时代的《大和本草》(1729)和《本草纲目启蒙》(1806)等本草学著作中的磁石、指南针知识引自中国本草学书中所载。但《舍密开宗》(1837)中的这类知识则来自荷兰文著作。寺岛良安的《和汉三才图会》(1713)虽按明代人王圻的《三才图会》(1609)体例编成,但有关磁石方面的记载则源自中国和欧洲两方面内容。该书卷六十一像《中华古今注》那样将磁针描写为鱼或蝌蚪,认为磁石的作用似乎像活体那样,有头有尾,头指北,而尾指南,头的力量比尾大。中国早期磁针也做成鱼状,不能说与这种想法无关。受中国思想影响,阿拉伯和欧洲早期指南针也呈鱼状。中国人称磁针为"玄鱼"(黑色的鱼)或指南鱼,阿拉伯人和欧洲人也如此称呼,寺岛良安也是作如是说。归根到底,此思想来自中国。

但《和汉三才图会》接着又说,如果将磁石打破成若干块,则每块都有头有尾,像原来一样。如以铁片喂它,它就变"胖",饿着它,它就变"瘦"。如果在火中烧之,它就"死亡",而不再指南;磁石还忌烟草。制磁针的工匠将磁石的头与针头摩擦,将磁石的尾与针尖摩擦,则针头指北,而针尖指南。如果将针靠近磁石,针就反转,针尖顺着磁石的头,而针头顺着磁石的尾。用此法可辨磁石之头及尾,真是奇妙。这部分内容来自欧洲。

日本掌握指南针以后,在江户时代既用于航海,也用于陆上定位测量。但前者似乎不及后者受到更大重视,因为这时很少有远洋航行活动。日本现存江户时代航船所用的常夜灯有下列题字:"挑一点灯,致万人利,北斗、南针却在第二。宽永二年(1625)乙丑腊月十七日。"②此处北斗星与指南针之所以没有灯塔重

---

① 李圭景[朝鲜].五洲衍文长笺散稿(约1862),卷廿三,磁石辨證说,上册.寫本影印本.漢城:明文堂,1982.667~668

② 矢島祐利,関野克監修.日本科学技術史.日文版.東京:朝日新聞社,1962.313

要,是因为日本航船主要在本国近海作短距离(从伊势到尾张)航行,只要看到陆上标志就可行船。但在大地测量时,靠天文定位毕竟不如罗盘方便易行,相关的记载保留下来的也较多。

像《和汉三才图会》这样糅合中国和欧洲知识的著作,还有村井昌弘(1693～1759)的《量地指南》(1732)。该书分前、后两篇,前篇3卷,刊于享和十三年(1733)。作者在序中写道:世所传量地之术有五,一曰盘针术,二曰量盘术,三曰浑发术,四曰算勘术,五曰机针术。至于其做法及优劣,学者可择而从之。"盘针术为中华先王之正法,属诸术之甲。量盘术及浑发术为红毛国人(荷兰人)之妙法,属径捷之法。算勘术为数家者流之笨法,机针术为工匠木客之法,属乙等(二流)之法。"①这里谈到中、日、欧三地所用的大地测量方法,并做了评述。数家者流所用的算勘术和工匠木客所用的机针术,分别是日本算家和日本工匠使用的方法,作者并不看好,认为是笨法或二流的方法。

测量家村井昌弘看重中国和荷兰传到日本的方法。他将中国的盘针术称为"中华先王之正法",认为是最好的测量方法。他所说的"盘针术",实际上是指清初在康熙大帝指挥下,于1708～1718年在全国范围内进行的以指南针定位的三角测量法(trigonometrical survey)。顾名思义,"盘针"指中国发明的指南针,从唐宋以来一直用于在陆地上测定方位。将盘针定位与三角测量结合起来,在辽阔的国土内进行统一的大地测量以绘制《皇舆全览图》,是康熙大帝指挥的一次世界性创举。测绘成功的消息很快传到日本,引起朝野震动。1726～1727年梅文鼎(1633～1721)《历算全书》(1723年刊本)和徐光启(1562～1633)主编的《崇祯历书》(1634)传入日本,测量家中根元圭(1662～1733)受幕府之命从其中译出《八线表算法解义》(1727),介绍了三角法。1732年中根元圭在伊豆、下田用新引入的方法进行实地测量②。所以村井昌弘在《量地指南》中对中、日、欧方法的比较评述是有实际根据的。

中国1718年完成全国舆图测绘工作的第二年,江户幕府将军德川吉宗(1681～1751)下令数学家关孝和的门人建部贤弘(1664～1739)重修日本舆图,以类似三角测量的交合法进行大地测量,前后4年而于享保八年(1723)完成。所绘出的地图以曲尺六寸合一里,缩尺1/21 600,测绘过程中以罗盘针定方位③。我们知道,将军德川吉宗本人对引进中国科学技术特别热心,他下令在全国测绘地图必是受到中国的影响。在《八线表算法》从汉文译成日文后,1728年他再次下令测量,1732年中根元圭的测量就是受此命进行的。

陆上测量用罗盘与航海罗盘是一样的,江户时代学者对其形制与构造多所介绍。日本造的罗盘是中西合璧式的旱罗盘,盘上方位用十二天干,子午卯酉分

---

① 村井昌弘.量地指南(前编),自序.享保十三年(1733)日本木刻本;矢岛祐利、関野克監修.日本科学技術史.東京:朝日新聞社,1962.289
② 東京科學博物館(秋保安治等)編.江戸時代の科学.東京:博文館,1934.37,61～62
③ 石原純[日].(日本)科学史.日文版.東京:東洋経済新報社,1942.23

别指北南东西,属中国罗盘传统,但将中国由八干、十二支、四卦组成的二十四方位简化了一半。水罗盘与旱罗盘都起源于中国,传入欧洲后,从13世纪后半叶起,欧洲人由使用水罗盘转而偏爱旱罗盘。荷兰人传到日本的也是旱罗盘,日本人在江户时代以后来中国时用中西合璧式旱罗盘。清代人见到欧洲和日本旱罗盘后,也用了这种罗盘。它在世界上转了一圈之后,又回到故乡。但清代人对此少小离家的"海外游子"的回归一度并不认同,以为它是海外生的,这实在是个误会。

最后,不能不简单谈谈古代印度磁罗盘的起源。我们知道,古代印度在数学、天文历法和医药等方面有不少成就,但物理学中的磁学却是个薄弱环节,古书中很少有这方面的相关记载,学者们不清楚印度磁罗盘的早期发展史。有人说,4世纪南印度泰米尔(Tamil)人的航海书中谈到指南针,但进一步的研究表明这种说法缺乏可信的文献证据。加拿大专家儒里安·史密斯(Julian A. Smith)研究后发现,指南针在印度的最早名称是 *maccha-yantra*,意思是"鱼机"(fish machine),这个名称显示了中国的起源。因为印度罗盘磁体呈鱼状,浮在盛有油的碗状罗盘中[①]。这相当北宋《武经总要》中介绍的水罗盘指南鱼,也与阿拉伯、欧洲的同类装置类似,从而决定印度制成指南针并将其用于导航的最早时间大约与阿拉伯同时,即在13世纪。元代时,中西陆海交通畅开,中国船队至波斯湾,要在印度南部靠岸并停泊,阿拉伯商船也常到印度经商或经印度到中国广州、泉州等地,于是导致中国指南针传到印度。

与印刷、火药不同的是,指南针的外传是通过海路进行的,而且早在南宋就已完成了传播。当时中国与印度、阿拉伯世界保持着频繁的海上贸易,大型宋代海船借指南针导航,远航至南海、印度洋、波斯湾和红海各口岸停泊,阿拉伯海船也在广州、泉州等中国港口停留,中外人员交往导致中国指南针技术的外传。阿拉伯人又将指南针传到欧洲,但阿拉伯文献中有关指南针的记载反比欧洲晚些,可能出于技术保密。东亚国家虽距中国很近,但因没有发展远洋航海,所以引进指南针的时间反而晚于离中国远的阿拉伯地区和欧洲。这些情况是在绘制指南针外传图时需要考虑的,现将我们绘制的外传图稿(图291)试绘于下。

---

① Smith J. Precursors to Peregrinus. Journal of Medieval History, 1992, 18: 21~74

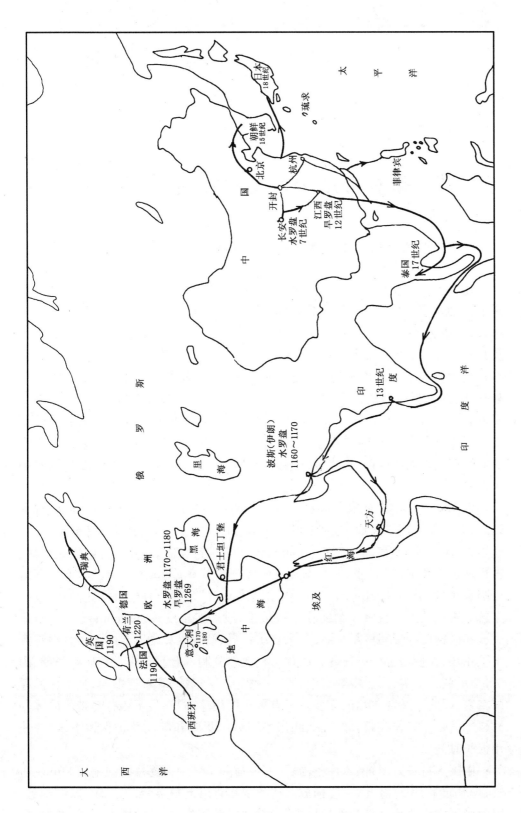

图 291

中国指南针技术外传图,潘吉星绘(2002)

第十二章　纸和印刷术对世界文明发展的影响

第一节　纸在推动中外文化发展中的作用

一、纸的出现是文字载体发展史中的革命

在人类文明发展史中,文字的创造是个重要里程碑。最早的文字是将图画加以抽象简化的文字画,再演变成象形文字。对象形文字再予简化、变形、标音,就成为表意文字和拼音文字,至今已有四五千年的历史了。文字的出现及其不断完善,使人类能充分表达脑中想的和口中要说的一切,将其显示在记事材料中可传至较远距离,更可流传后世,扩展了思想交流、信息传达的空间和时间,使人类活动载入信史。有了文字才能使人类创造典籍,并有了精神文明可言。有了文字的民族才能称得上文明的民族。而人类文明的发展有赖于以不同书面材料记录的典籍之传承,典籍因材料不同而具有不同形式,且因时而变。在纸未出现以前,古代各文明区的文字载体因材料不同而形式各异,且因时而变。

中国商殷时将文字刻在龟甲、兽骨上,再将各片以绳穿在一起。春秋、战国以来,盛行在青铜器上铸字、在石块上刻字和在竹、木片(简牍)和缣帛上写字。亚述人(Assyriarr)和迦勒底人(Chaldeans)则将字刻在黏土坯上,再烧成硬砖。古代埃及人和阿拉伯人则用尼罗河流域盛产的莎草片(papyrus)。印度和东南亚国家用棕榈树叶(palm leaves),中国古称"贝叶",每叶写好字后,扎两孔,以绳穿起。古代欧洲人也将字刻铸在金属板上,或写在羊皮片(parchment)上,有些民族还以树皮为书写材料。总之,来自矿物界、植物界和动物界的各种材料都派上了用场,在使用过程中其各自的优劣也自然分明。金、石、甲骨和砖都坚硬、耐久,但承载的文字较大、字数有限,所占体积大,又很重,既不便书写,又不便贮存与携带,因此不适合典籍的需要。只有可直接用笔书写、便于贮存与携带的体轻材料才适合用来作典籍,如简牍、缣帛、莎草片、贝叶和羊皮片被保留下来,并使用很长时间。

中国人将长方形竹、木片整治后,每片写30字左右,逐片以绳编成2 m左右长,再卷起来,用时打开,一般横放。在丝织品缣帛上写字后,加一轴,以便卷起,因此中国古代典籍呈长筒形,以"卷"为单位。而莎草片、贝叶性脆,不能卷曲,只

能逐片以绳穿连成册页,呈长方体形,羊皮片也如此。中国表意文字从上向下直书,从右向左读,单面书写;西方拼音文字从左向右横书、横读,一般双面书写,这就体现中外典籍形式的不同。莎草片、贝叶耐折性、抗蛀性、抗湿性差,不易长期保存,且表面不平滑,没有简牍、缣帛和羊皮片性能好,又只产于局部地区,不可能成为通用书写材料。

看来,简牍、缣帛和羊皮片是较好的书写材料,但后两者颇为昂贵,只能供少数人使用,无法普及到民间。简牍虽廉价易得,但每片承载的文字很少,势必要用很多片才能写一部书。当书籍篇幅和数量增加时,这3种材料的局限性便凸显出来。例如写一部拉丁文《圣经》需用100张羊皮,写一部汉文《史记》需用2.6万枚木简,一匹缣相当720斤米的价格。因此需要有新的书写材料代替笨重的简牍和昂贵的缣帛,这种材料就是纸。中国在公元前2世纪西汉初发明以破麻布造麻纸,公元2世纪东汉又出现以木本韧皮造皮纸,9世纪唐末又造竹纸;在4世纪,纸已彻底淘汰简牍,成为主要书写材料。

纸与所有古代书写材料相比,其优越性如下:(1)表面平滑、洁白受墨,幅面大、容字多;(2)体轻柔韧、耐折,可舒卷、黏贴,便于携带和存放;(3)物美价廉,原料遍及全球,随处皆可制造;(4)寿命长、用途广泛,可进一步加工,制成工农业、军用和日常用品。纸是所有以往材料无法可比的万能材料,纸的出现是人类文字载体发展史中的划时代革命,二千多年来作为世界各国通用的材料,在推动人类文明发展中起了重大作用,而且在21世纪以后很长一段时间内还会如此。

纸之所以比其他材料优越,因为其他材料都只对原料作简单机械加工,没有改变原料成分、形态和自然本性,而纸则是将原料中有效成分(植物纤维)用化学方法提制成纯品,排除其他杂质,再经一系列机械处理后制成的。原料既经受了外观形态上的物理变化,还经受了组成上的化学变化,纸是对原料深加工的产物。中国发明纸之后,并未垄断专用,而是与全人类共享。魏晋时首先将造纸术传到邻国高句丽、百济、新罗、越南和日本,唐代时传到印度次大陆、中亚、西亚和北非的阿拉伯世界,12世纪通过阿拉伯传到欧洲,16~17世纪又通过欧洲传到美洲,走完了在世界上的千年万里旅程。纸所到之处,立即成为其他古代材料的有力竞争对手,逐一将其取而代之。

不管是信奉佛教,还是信奉伊斯兰教或基督教的地区,人们都喜欢用纸写不同文字,原来写在其他材料上的典籍又重新抄写在纸上,使之永存于世。其他材料的古籍因时间推移而逐渐消失、散佚,但其纸写本却世代传承,纸在保存人类文化遗产、使之继续流传方面有不可磨灭的历史功勋。它使古代文化得以延续、发扬光大,不致中断。中国先秦科学、文化典籍从汉晋以后多以纸本书卷形式保存下来,古希腊、罗马学者的著作、印度梵文典籍和阿拉伯作品也有赖纸抄本保存下来,使人从中吸取其精神启迪,继承其精华,开未来学术之先河。可以说,纸写本是传播人类文明的圣火。

二、纸在推动中国文化发展中的作用

与简牍相比,用纸写字更为迅捷、省力,写一部书所用时间大为缩短,阅读更为方便。纸厂都是规模生产,产量大、价钱低,可进入寻常百姓家。人们可用纸抄书,也可著书立说,而纸写本比简牍和帛书更容易在社会上普及与传播。从汉代以后,到魏晋南北朝(3世纪~6世纪)纸已大行于世,社会上形成抄书之风,书法艺术有很大发展,与此同时为书写迅速,汉字由小篆、隶书向楷书过渡,流行楷隶和行书,出现以王羲之(321~379)父子为代表的书法家,其书法千余年来为人们所效法。纸和纸写本的迅速增加,首先促进了教育和科学、文化的大发展。西汉在京师长安设最高学府太学,被西方人称为 Imperial College,以五经博士为教官向学生讲授《易》、《书》、《诗》、《礼》及《春秋》等儒家经典,考试及格者授官。东汉首都洛阳太学生多至 3 万多人,是当时世界规模最大的高等学府[①]。除中央太学外,汉政府还在各郡县设公立学校广招学生。同时私人教学之风盛行,全国在校学生总数至少以数十万至百万计,所用教材多为纸本经卷,作文亦用纸写,比用简牍更为方便、省时、省力。教育事业的发展为社会造就一支庞大的知识分子队伍,他们除从事经学研究外,还从事科学技术研究和文学艺术创作。各种先秦典籍被仔细注释,大量新作品纷纷问世。朝廷还多次派人至民间访求图书,更组织专家对内府秘籍作系统校订,以提供善本。从汉代起著作数目比先秦显著增加,其所述内容为此后历代学术研究奠定了基础。

《汉书·艺文志》列举当时著作目录有 678 家、14 994 卷,包括研究儒家经典的著作、小学(语言文字)、道家、阴阳家、名家(逻辑)、墨家、纵横(外交)、杂家、农家、兵家、医家、天文历算、刑法、机械、文学和艺术等门类。汉末佛教传入,因而又有了释家著作。古代传统科学体系也在汉代形成,出现《周髀算经》、《九章算术》、《灵宪》(天文学书)、《本草经》、《伤寒论》和《氾胜之书》(农书)等优秀新著。司马迁的《史记》是中国第一部纪传体通史,论断精辟,史料丰富,颇多进步史观,为后世史书楷模。班固《汉书》开纪传体断代史之先河。汉赋和古诗这类文学形式对后世文学有长期影响,它以韵语描写事物和人的情感,并反映社会现实,颇多传世之作。

魏晋南北朝期间南北各地造纸业兴盛促进社会上书籍数目的猛增和科学、文化的进一步发展。刘宋秘书监谢灵运(383~433)造《四部目录》(421),载书有 64 582 卷,与《汉书·艺文志》相较,时过 338 年之后,书籍卷数增加 4.3 倍。梁人沈约(441~513)晚年爱好藏书,仅他一家即藏 2 万卷,超过《汉志》所载之总和,因此梁武帝(502~549)时"四境之内,家有文史",这正是纸写本发展的黄金时期。每隔一段时间典籍的骤增,常伴随一次科学、文化发展高潮的到来,这与造纸业的发展有直接的互动关系。六朝是中国传统科学体系的充实与提高时

---

① 孟宪承等编.中国古代教育史资料.北京:人民教育出版社,1961.144~154

期,问世的典籍种类和数量超过汉代,且颇多知识创新。其作者都在本学科领域取得重大成就,开辟新的研究方向,在许多方面处于世界先进水平,且至今仍未失其学术价值。

后魏农学家贾思勰(473～545在世)总结黄河中下游农业技术经验写成的《齐民要术》(约540),是中国农业经典著作,论述农作物、油料、蔬菜、果树的栽培技术和农具,还涉及畜牧兽医、农产品加工和副业、纸墨制造。书中强调农业因时因地制宜和人工选择思想,介绍果树嫁接、禽兽去势和微生物发酵等方法。19世纪英国生物学家达尔文(Charles Darwin,1809～1882)读到贾思勰的有关论述后给以高度评价,并将《齐民要术》称之为"古代中国百科全书"[1]。此书还在日本和朝鲜广为流传并产生良好影响。

魏晋时的数学家刘徽(220～270在世)《九章算术注》中最大的成就,是用割圆术计算圆周率,算出圆内接正192边形面积,得圆周率π值为159/50,即3.14。据《隋书·律历志》记载,刘宋时科学家祖冲之(429～500)在刘徽的基础上算出π值为355/113或$3.1415926<\pi<3.1415927$,将圆周率数值计算到小数后7位数字准确值,为当时世界之最,故史家将此值称为"祖率"。西方数学家直到16世纪才算出355/113这一数值。祖冲之在《缀术》中还谈到二次、三次方程的解法。他编制的《大明历》(462)最早将岁差引入历法计算,用391年加144闰月的新闰周,提出新的木星周期。他使用回归年长度为365.2428日,与今值只差46秒,朔望月长度29.5309日,与今值相差不到1秒。这部先进的历法因受保守势力反对,直到他死后10年(510)才正式行用[2]。

3世纪制图学家裴秀(224～271)于晋泰始年(268～271)主持绘制《禹贡地域图》18篇,据《晋书·裴秀传》所载,此天下大图用缣80匹,以一寸为百里,其比例尺为1:150万,是一巨型地图集。他在该图序中提出了"制图六体"理论,即绘制地图的六项原则:分率、准望、道里、高下、方斜和迂直,彼此间互相联系与制约。包括比例尺、方位、距离及地形表示方法,基本上符合近代制图的科学原理,对中国后世制图有深远影响,在世界制图史中亦占有重要地位[3]。北魏地理学家郦道元(约469～527)《水经注》(约525)据文献考证和实地调查,对中国境内1252条水道探源究流,详述所经之处的自然面貌和人文景观,是当时系统而全面的地理学巨著。

魏晋时名医王熙(字叔和,约180～265)总结古代脉学成就,写成系统化专著《脉经》(242),提出24种脉象,为脉诊奠定理论基础,被后世奉为准绳,并对日本、朝鲜、阿拉伯和欧洲医界产生影响。皇甫谧(215～282)《针灸甲乙经》(259)是现存最早的针灸学专著,对中医经络和针灸理论发展做出很大贡献。梁人陶弘景(456～536)《本草经集注》(500)总结汉以后本草学成就,新增药物365种,

---

[1] 潘吉星.达尔文与《齐民要术》.农业考古(南昌),1990(2):193～199
[2] 杜石然主编.中国古代科学家传记,上集.北京:科学出版社,1992.221～234
[3] 唐锡仁等编.中国古代地理学史.北京:科学出版社,1984.291～293

对全书730种药打破上、中、下三品分类法,采用自然分类法,分为玉石、草、木、虫鱼、果菜及米食等部,又增添大量新知识,为此后本草学发展打下基础。晋人葛洪(约281~341)《肘后备急方》(341)是一方书,较早记录天花、马鼻疽、肺痨和沙虱病等传染病。他还是一位炼丹家,其《抱朴子·内篇》(约320)中《金丹》、《黄白》篇是中外闻名的炼丹术作品,含有丰富的化学知识。这使中国科学在汉以后长时间居于世界领先地位。

汉魏之际文学出现新的高峰,以曹操父子等为代表的建安文学创立"建安风骨",其诗文"志深而笔长","梗概(慷慨)而多气",反映动乱社会面貌和百姓流离之苦,五言诗成为这时主要诗体;晋代则左思、陶潜最称翘楚。南朝梁人刘勰的《文心雕龙》(500)对各时代作家和作品做了系统评论,提出文学应有益于社会,文质并重,而质尤重,为此他抨击当时追求形式华丽之文风,是最早的文学理论体系的建立者,对后世有深远影响。纸的普遍使用还为书法和绘画创作提供新的天地,晋代著名书法家王羲之和画家顾恺之(345~406)带头以纸挥毫,成为书画宗师,中国书画在海外有广泛国际影响。

佛教在六朝获得很大发展,西域和印度僧人不断来中土传教、译经并招收门徒,也有中国僧人前往印度求法,将带回的佛经介绍给国人。佛教倡导的因果报应、轮回说及死后有公平赏罚的天堂、地狱说,给受苦的人们一种精神寄托,佛教还有深奥的哲学教义,能引起文人的兴趣,因此在中国信徒日广,还受到统治者的支持。法琳(512~640)《辨正论》等书记载,东晋有佛寺1 768所、僧尼2.4万人,至南北朝梁有寺院2 845所、僧尼82 700人,比东晋增加1 000所、僧尼增加3倍。《魏书·释老志》称,北魏太和元年(477)佛寺6 478所、僧尼77 258人;延昌年(512~515)寺院13 727所;东魏末(559)则"僧尼大众200万余,其寺3万有余"。社会上递增的佛经数量与寺院、僧尼数目的增加正好同步进行,敦煌石室及新疆等地发现的这一时期纸写本佛经即可为证。造纸术的发展加速了佛经的流通,佛教中国化以后,与儒、道并列为三教,成为中国传统文化的组成部分,并丰富了其内容。佛教经典的流通还在语言文字、文学艺术、建筑、哲学和工艺等方面产生影响,而且佛教一直是促进造纸和印刷业发展的社会因素。佛教还在魏晋南北朝从中国传到朝鲜和日本。

纸的出现还在政治、经济、军事、日常生活和风俗习惯等方面引起变化。以各种色纸写成的官方文书、法律、布告、证件、户籍、国书、会议记录和档案等,比用其他书写材料更方便使用,大大提高中央到地方各级政府的工作效率、促进政权建设。造纸是低成本、高收入的生产部门,各地纸厂建立后,促进当地经济、工商业和交通运输业的发展,增加国家的税收和出口贸易额。纸本的公私契约、账簿、票据,保证了社会经济秩序的正常而有效运转。纸还是很多商品的理想包装材料,它的使用既方便顾客又易于促销。传递信息的风筝、发出信号的各色灯笼、防水地图、防身纸甲、雨伞和纸制火药筒在军事上的应用,改善了行军、作战的功能。餐纸、便纸和例假纸在卫生保健方面有重大意义,其使用是人类生活习惯的一次革命。秦汉以前多将死者生前所用物包括铜钱随葬墓中,南北朝以后这些实物以纸制品代之,使葬风趋于节俭,减少物资浪费。

三、纸在阿拉伯文化发展中的作用

纸的出现在中国所引起的变化,同样发生于朝鲜、日本和越南等汉字文化圈国家。8世纪造纸术西传后,又对阿拉伯地区文化发展做出重要贡献。阿拉伯人原住于阿拉伯半岛,多是一些游牧民族部落。6~7世纪之际经济发展使社会发生变革,622年(回历纪元元年)伊斯兰教主穆罕默德(Mohammed,570~632)在今沙特阿拉伯西北的麦地那(Medinah)建立政教合一的国家,631年统一半岛各部落,并向外部扩张。教主病故后,贝克尔(Abu Bakr,576~634)选为首领,阿拉伯语称为哈里发(khalifah),是集军政教三权于一体的最高统治者,自倭马亚朝(Ummayads,661~750)起哈里发改为世袭。阿拉伯帝国是多民族国家,伊斯兰教、《古兰经》(Qūrūn)和阿拉伯语是帝国统一的有力工具,阿拉伯文化是境内各族共同创造的,又吸收了希腊、中国和印度文化,经长期融合而成,在中世纪放出异彩。

早期哈里发致力于征服周围地区,武功有余而文治不足。阿拔斯朝(Abbasids,750~1258)起,始注重文化建设,王朝建立第二年(751)从中国引进造纸术,相继建立纸厂,为文化建设提供物质基础。在这以前,书写材料是古埃及人使用的莎草片,只有少数人用得上,绝大多数阿拉伯人是文盲。此时帝国首都从大马士革迁往巴格达,王朝第二任哈里发曼苏尔(al-Mansūr,c.712~775)发展经济、奖励学术,将巴格达建成政治、工商业和文化中心。其继任者拉希德(Harun al-Rashid,c.764~809)和马蒙(al-Mamūm,786~833)继续奉行这一方针,首先从发展教育入手,经过半个世纪的努力终于结出硕果。

倭马亚朝学校很少,只设在清真寺内,主要培养宗教人员。阿拔斯朝起教育制度走上正轨,贵族子弟入宫廷学校,平民入清真寺附属学校,9世纪时这类学校遍及各地。除此,还有初级小学,称为昆塔卜(kuttāb),更有私人在自宅内办学。初级教育从7岁入学,5年间学习阿拉伯文文法、书法、算学、骑射和游泳。继续深造,则在高级学校或麦德赖塞(madrasah)学《古兰经》经学、天文历算、文史和法律等,11世纪以后成为国立学校,结业后任书记和法官等职。这类学校总共有238所[1],集中分布在开罗、巴格达、大马士革和耶路撒冷等城市,在校生数以万计。大马士革、巴格达、开罗还是造纸中心,所产之纸除供应本地使用外,还运往外地,甚至出口,因此阿拉伯各地学校教材都是纸写本。也只有在纸上写字,才能促使书法艺术的出现,纸的使用还引起阿拉伯文字体的变迁,使书写更为便捷。

阿拔斯朝统治者曼苏尔、拉希德和马蒙在位时(8世纪~9世纪),延请各方

---

[1] Totah K A. The Contribution of the Arabs to Education. 2nd ed. New York: Columbia University Press,1926;马坚译. 回教教育史. 上海:商务印书馆,1941

学者和科学家来巴格达从事教学和研究，还发动他们将古希腊、印度著作译成阿拉伯文，又牢记穆罕默德圣训："学问虽远在中国，亦当学之"，力图引进中国科学知识。9世纪初，马蒙在巴格达建立科学馆(Bait al-Hikmah)，是集科学研究、高等教育和学术翻译三种功能于一体的综合性国立机构，具有相当科学院和大学的性质。馆内还有藏书丰富的图书馆和设备齐全的天文观象台。各领域内的一流学者在这里工作，所设学科有医学、天文学、数学、哲学和法学等，所用笔、墨、纸及日用品由政府预算中开支。馆内建筑富丽堂皇，像宫殿一样。

曾任科学馆馆长的胡纳因·伊本·伊斯哈克(Hunayn ibn Ishaq, 808~873)，是伊拉克出生的科学家和翻译家，通晓阿拉伯文、叙利亚文和希腊文，医术精湛，其子阿卜·雅库布(Abu Yaqub Ishaq ibn Hanayn)秉承父学。二人同被派往科学馆，主持翻译希腊医生盖伦(Galen, 130~200)、希波克拉底(Hippocrates, 460~370 BC)、迪奥斯库利德(Dioscorides, b. AD 40)的医学作品，欧几里得(Euclid, 330~275 BC)的《几何原本》(*Elements*)和光学著作，阿基米德(Archimedes, 287~212 BC)的数学著作，托勒密(Ptolemy, 85~165)的《天文学大成》(*Almagest*)、亚里士多德(Aristotle, 384~322 BC)和柏拉图(Plato, 428~327 BC)的哲学著作。这些译本在阿拉伯帝国境内广为传抄，成为学者研究和各学校教学的参考书。

在科学馆任图书馆馆长的花拉子米(Abu Jafar Muhammed ibn-Musa al-Khwarizmi, 780~c. 850)是祖籍为中亚花剌子模(Khwarizm)的波斯数学家和天文学家，马蒙在位时深受器重，所以他的著作多是题为献给马蒙的。他在820年用阿拉伯文写成的《移项与对消算法》(*Kitab fi 'l-Jabr wa 'l-Muquabalah*)，取材于印度古书，主要论述一次和二次方程的解法，但二次方程不见于印度作品。他的另一作品《算术书》(*Kitāb al-Hisāb al-Hindi*)则借印度数学介绍十进位制算法。他的《辛德欣德星表》(*Zij al-Sindhind*)是受托勒密和印度天文学影响的第一个阿拉伯星表，成为后世欧洲《拖莱多星表》(*Toledan Tables*)的基础，包括历法、行星运动和日月食计算等。他817年前后写的《大地形状之书》(*Kitāb Sūrat al-Ard*)是据托勒密《地理学》写成的地理学著作，但有发展，补入准确的阿拉伯地区地图和各地子午线(经纬度)测定数据[①]。在科学馆天文台工作的法尔加尼(al-Farghani, d. 850)参加天体观测并写成《天文学概要》(*Jawāmi*)，对托勒密天文学作综合说明，对后世欧洲有广泛影响[②]。

阿拉伯医学是吸取希腊、印度、波斯和中国医学成就，通过理论与实践结合后形成其特色的。医生需经考试才能开业，10世纪时仅巴格达一地就有开业医生1 000人以上。有的医院兼收学徒，起医学学校的作用。波斯医生和哲学家

---

① Toomer G. Al-Khwarizmi. In: Gillispie C, ed. Dictionary of Scientific Biography, vol. 7. New York: Scribner's Sons, 1973. 358~365

② Sabra A L. Al-Farghani. In: Gillispie C, ed. Dictionary of Scientific Biography, vol. 4. New York: Scribner's Sons, 1981. 541~545

拉兹(Abu Bakr al-Razi, 865～925)是巴格达最大一家医院院长,有理论教养和临床经验,著作达百种以上。其中30册的《医学集成》(Kitāb al-Hawi fi Tibbi)是阿拉伯临床医学的经典著作,而《论天花和麻疹》(Al-Judar wa al-Hashah)是有关天花的珍贵文献,专家们认为他受中国晋人葛洪《肘后急备方》(341)的思想影响,因为他与一位懂阿拉伯语的中国医生相处。拉兹的《医学秘典》(Kitāb al-Mansuri)是对希波克拉底和盖伦等希腊作者医书的汇编,但对这些权威做了理性批判。他还著有《秘中之秘书》(Kitāb sirr al-Asrar, 912),是有关炼丹术著作(图292),包括一些配方,这方面的知识来自中国。

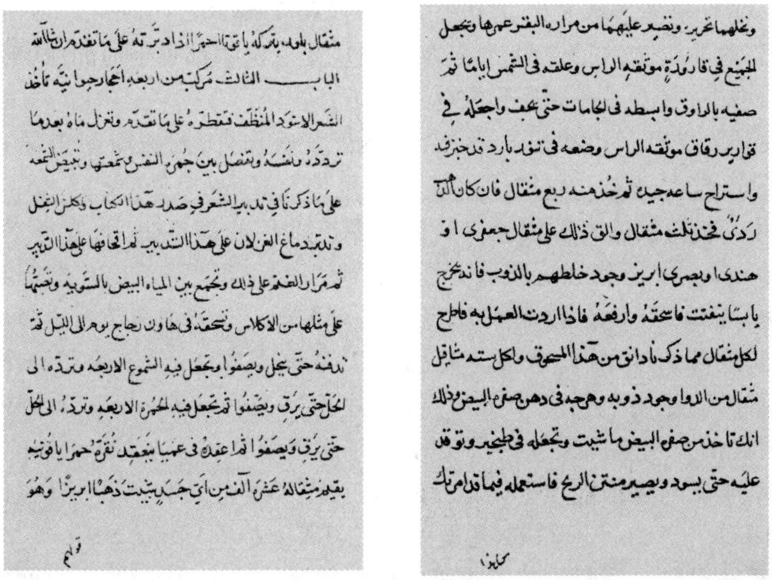

图292 拉兹《秘中之秘书》(912)的阿拉伯文本书页,取自 Karikov (1957)

拉兹在哲学方面是理性的怀疑主义者,不承认任何权威,对盖伦和亚里士多德的学说持批判态度。他认为所有的人根据实践检验和理论思维都能达到正确认识;人无需宗教领袖去引导,事实上宗教是有害的,因为它引起憎恨和战争。他认为无知是被恶魔迷住的人,而来自"无"的创造是没有的,在世界上邪恶已战胜善良。他还坚持彻底的平等主义,这使他成为伊斯兰思想史中独树一帜的思想家。

与拉兹齐名的另一医生和哲学家伊本·西那(Ibn Sina, 980～1037),拉丁名阿维森纳(Avicenna),中亚布哈拉(Bukhara)人,也有作品百多种,涉及各科学领域。最流行的医书为五卷本百多万字的《医典》(Al-Qānūn fi l-Tibb),书中总结了东、西方医学知识,又加上本人的思考和实践心得,涉及解剖、病源、诊断、用药和妇产科,堪称医学百科全书。作为中医重要部分的诊脉术和中草药在书中曾加以介绍。他的主要哲学著作是《对无知的治疗》,简称《治疗》(Kitāb al-Shifa),分4个部分:逻辑学(相当亚里士多德的《工具论》)、物理学、数学(几何学、算术和天文学)及形而上学。他的哲学主要来自亚里士多德学派学说,也有新柏拉图主义因素。他批判占星术,还根据个人实验否定炼丹家关于点石成金的说法。

阿拉伯人在埃及建立的法蒂玛王朝(Fatimid,909~1171),约与阿拔斯朝同时并存,其哈里发哈基姆(Al-Hakim)在位时(996~1021)在开罗也建立了相当科学馆的机构和图书馆。而阿拉伯人在西班牙境内建立的后倭马亚王朝(756~1036),970年在首都哥尔多华(Códova)有了同样机构,都仿照巴格达科学馆模式,因之也兼有大学的功能。在开罗工作的天文学家、数学家伊本·尤努斯(Ibn Yūnus,？~1009)还是诗人,其主要著作是天文学概要和星表,名为《哈基姆星表》(Al-Zij al-Hākimi al-Kabīr),其特点是提供前人和作者本人的观象数据,时跨175年(829~1004),包括日、月食,春分-秋分点,还谈到行星运动理论和测算方法。在哥尔多华天文台工作的扎卡利(Al-Zarqāli,1029~1100)制造很多天文仪器,对其构造做了说明,包括阿拉伯星盘。这些都见于他的《托莱多星表》(1080)一书中,书内对托勒密天文体系做了修正。

阿拉伯人文科学也放出异彩,除前述哲学著作外,阿拔斯朝史学家塔巴里(Al-Tabari,838~923)的《历代使徒及王侯传》(Kitāb Akhbar al-Rasūl w-'al-Mulūk)共13卷,叙述阿拉伯世界从远古到915年的编年史,西方译本简称《编年史》(Annales)。巴格达史家马苏迪(al-Mā'sudi, d.956)的30卷本阿拉伯编年体通史,缩编成《黄金牧场和珍奇宝藏》(Muruj al-Dhahab wa Maādin al-Gawhar),是部历史百科全书。突尼斯出生的伊本·卡尔敦(Ibn-Khaldūn,1332~1406)的通史包括3个部分:(1)《序论》(Muqaddamah),为历史哲学作品;(2)阿拉伯人和周围民族的历史;(3)北非穆斯林和麦加(Mecca)的历史,成书于1382年。阿拉伯地理著作相当丰富,其代表作有伊本·胡尔达兹比赫(Ibn Khordadzbeh, c.820~912)的《道里邦国志》(Kitāb al-Masālik wa 'l-Mamālik,885),记载从巴格达到阿拉伯帝国境内各地和通往印度、中国等国之间的路程和商旅情况。著名文学作品是10世纪成书的《一千零一夜》(Alf Layla wa Layla),又名《天方夜谭》,以6世纪波斯民间故事为蓝本,吸取希腊、印度、埃及和希伯来童话、寓言,反映阿拉伯地区各族社会生活、风俗习惯,表现了其想像力,在世界文坛久负盛名。

7世纪以前,阿拉伯人在世界上还没有引起多大注意,他们隶属于拜占庭和波斯,且各部落间不断内战,在文化上远不如周围的埃及、波斯和巴比伦。自穆罕默德7世纪创立伊斯兰教、统一阿拉伯半岛后,阿拉伯伊斯兰教国逐步强大,趁拜占庭与波斯长年战争、两败俱伤之际,向周围扩张。不到百年伊斯兰教国版图就超过鼎盛时期的罗马帝国,哈里发强迫帝国境内各族改信伊斯兰教、使用阿拉伯语并交纳赋税,但不排斥被征服地区的先进文化,取长补短。阿拔斯朝以后,注重文化建设,除本地区各族文化外,还广泛吸取希腊、印度和中国文化,百年间阿拉伯文化便处于鼎盛时期,到巴格达、开罗和哥尔多华学习各门学问的基督教徒和犹太教徒不绝于途。阿拉伯大城市图书馆有丰富藏书,学校林立,人才辈出。纸在加速文化发展中的作用是显而易见的。各地生产的纸输往欧洲后,使阿拉伯增加其财政收入。阿拉伯文化对中世纪后期尤其11~14世纪欧洲有很大影响,又在东西方文化交流中起了中介作用。

四、纸在中世纪欧洲文化发展中的作用

欧洲历史比阿拉伯古老,但当阿拉伯文化兴盛时,欧洲却进入中世纪的黑暗时代(Dark Ages),随着古罗马的分裂(395)和西罗马帝国的灭亡(476),古希腊文明逐渐消逝,欧洲文化下沉。10世纪基督教国家恢复后,封建制有所发展,但战争频繁,无暇发展文教事业,知识的进步缓慢。粗野和无知是社会上层阶级的共性,骑士通常是不识字的,连自己名字都不会写,很多国王和皇帝并非个个有阅读能力,亨利四世(Henry Ⅳ, 1050～1106)因能看书信而受到赞扬。广大农民和手工业者则全是文盲,没有人关心他们的教育[①]。人民处于贫穷和愚昧无知的状态。知识只掌握在极少数教会神职人员手中,他们使用大众看不懂的拉丁文作为书面语言。旨在培养传教士的学校,让学童死记硬背拉丁文《圣经》。圣杰罗姆(Saint Jerome, 342～420)405年校订的拉丁文版《圣经》(*Vulgata*)和奥古斯丁(Aurelius Augustinus, 354～430)的《上帝之城》(*De Civitate Dei*)成为统治人们思想、进行神学说教的官方哲学,也是教会学校的主要教材。即令接受这种教育,也只是少数人享有的特权,广大群众被排斥在外。

中世纪欧洲学校受教会严格控制,并为教会服务,多设在修道院内,所培养的未来教士需学习"七艺"(seven liberal arts),即拉丁文法、修辞、逻辑、算术、几何、天文和音乐。修辞是训练传教的口才,逻辑是论证神学命题,音乐训练唱赞美诗,天文是推算宗教节日,几何确切地说是地理和动植物知识,为注释《圣经》用的,而算术只是简单的运算,因而这些科目都是宣扬宗教的工具和附属品。教学时采用教条式灌输,不许独立思考。《圣经》和教父的注释是绝对权威,只能信仰,获得知识的目的是为了加深宗教信仰。基督教宣扬来世主义、禁欲主义和蒙昧主义,强化其思想专制,从而扼杀了创造性思维,阻塞了知识进步的道路,与古希腊时代相比,这是一种文化上的大倒退。统治者为培养帝国管理人才,有时设立宫廷学校,但只有少数贵族子弟才能入学,而且所学科目也只限于法律等少数内容。中世纪文学主要是宗教文学,如赞美诗、祈祷文、基督故事和使徒行传等,戏剧充满迷信,荒诞无味,而民间文学则是属于方言故事之类的口头文学,因此社会的精神生活是相当贫乏的。

但在11～14世纪,情况有所变化。由罗马教皇和西欧封建主发动的十字军东侵(1196～1291),使欧洲人看到了比基督教世界更加先进的伊斯兰教徒的阿拉伯文化,并将其介绍到欧洲,又通过阿拉伯人的媒介引进了一些来自中国的科学技术发明,如造纸术、火药与火器、指南针与磁学知识以及炼丹术等。另一方面,由于欧洲城市工商业和海外贸易的发展,出现了从事手工业和商业的市民或资产者(bourgeoisie)阶级,成为封建城市发展经济的新兴阶级,也是

---

① Kosminskii E A. 中世世界史. 第2部. 王易今译. 上海:开明书店,1947

促进科学、文化发展的新的社会力量。欧洲纸厂的建立又为发展科学、文化提供了物质基础。与此相适应,世俗学校纷纷出现,逐步演变成教授学生多学科知识的大学。从教会知识分子中分化出一批以研究学术为己任的离经叛道的学者,他们初步冲破教会当局设置的思想牢笼,以理性知识唤醒群众,在黑暗中点起指示前进方向的明灯,迎接新时代的到来。所有这些新情况都是在欧洲有了造纸业之后发生的,正如我们在东亚和阿拉伯地区所看到的那样,因为纸为这些新变化提供可能性并加速其发展进程。对欧洲社会发展起作用的中国科学发明之所以能通过阿拉伯地区传入,也还由于13世纪蒙古军队的西征打通了东西方之间一度阻塞的通道,为人员、货物往来和文化交流提供了便利条件。

1085年欧洲十字军攻陷穆斯林在西班牙统治的托莱多(Toledo,在马德里南)城时,发现大批阿拉伯文纸写本,其中包括希腊人著作的译本,遂引起注意。雷蒙德(Raimundo de Penafort, 1176~1275)大主教筹办了翻译机构,招请懂阿拉伯文的人将其译出。在1125~1280年间翻译工作达到高潮,只意大利人杰拉德(Gerard da Cremona, 1116~1187)一人就译出80种阿拉伯文著作,其中包括亚里士多德、托勒密著作译本和伊本·西那等阿拉伯学者的著作。西班牙人、意大利西西里人与阿拉伯人、犹太人合作更将欧几里得几何学、阿拉伯代数学、天文学、炼丹术、医学等书译成拉丁文[①]。后来又搜寻拜占庭遗留下来的希腊文手稿,包括《亚里士多德全集》等,直接从希腊文转为拉丁文。这些拉丁文新译本的出现使欧洲人为之震惊,在他们面前突然展现出早已忘却而感到新鲜的古希腊精神文明的世界和不久前还放出异彩的阿拉伯文化宝库,还有隐约出现的中国、印度的科学文明。这些著作辗转传抄后,使人们的知识爆炸性地增长,找到新的研究领域,吸取新的思想灵感,最后促进学术复兴,收古为今用之效。

11世纪以后,为适应新兴市民阶级的需要,世俗的城市学校和大学相继出现,虽仍以拉丁文讲课,但所讲内容不再限于神学,还有法律、医学、文艺等,天文学、数学的内容也比过去更为丰富,教师已有世俗学者。这类大学是公立的,由学生选出的校长管理校务,如意大利的帕多瓦(Padua)、波伦亚(Bologna)等大学。另类大学是教会创办的,如巴黎、牛津和剑桥大学。到14世纪欧洲已有四十多所大学,培养出一批批学者,每个大学都有图书馆,师生在阅读藏书时,从新译出的希腊和阿拉伯著作中获很多哲学和自然科学知识,自然认识到天主教神学的荒谬性,并产生对上帝是否存在的怀疑。这使教会当局惊恐万状,于是德国出生的神学家兼巴黎大学教授大阿贝特(Albertus Magnus, c. 1200~1280),便企图利用新介绍过来的科学知识和亚里士多德学说为神学服务,认为科学不过是信仰的准备。他的学生托马斯·阿奎那(Thomas Aquinas, c. 1225~1274)在

---

① Sarton G. Introduction to the History of Science, vol. 2, pt. 2. Baltimore: William & Wilkins Co., 1931. 832~833. Reprinted in 1950, 1953

《神学大全》(De Summa Theologica)中系统发挥了他的想法。

  阿奎那用哲学方法论证神学命题,认为真理首先在理智中,其次在事物中,而上帝就是理智,是最高真理,对上帝的信仰高于理性。他以天球的运动需要第一推动力来证明上帝的存在。阿奎那等人的这套神学体系在教会经院中被进一步发展与传播,故将其称之为经院哲学(scholasticism)。以阿奎那为代表的经院哲学中的唯实论(realism),是对欧洲中世纪后期通过阿拉伯文文献介绍过的希腊哲学和阿拉伯科学的一种反动和思想倒退,反映封建势力后期在意识形态上的垂死挣扎。[1] 另一方面,我们还看到,阿拉伯和中国科学中的实证精神激励欧洲学者从事科学实验,并由此建立批判经院哲学和教会的理性观念,还有人从哲学上批判阿奎那的谬论。例如巴黎大学的教授阿贝拉尔(Pierre Abélard, 1079～1142)主张信仰必须以知识为基础,提倡自由讨论,反对教会的至高权威。他说"怀疑是研究的道路"、"研究才能达到真理"、"要信仰须先了解"[2],提出与经院哲学主流派观点针锋相对的战斗口号,因此他被教会视为"异端"。

  英国奥铿人威廉(William de Ockham, 1295～1349)掀起一个运动,否定阿奎那关于上帝存在的第一推动力论断。为此以超距作用为例,他说运动的物体无需推动者的连续物质接触,如磁石可使铁棒动起来而无需二者接触。牛津的罗杰·培根(Roger Bacon, 1214～1294)通阿拉伯文,认真研究各门科学知识,包括刚引进的中国火药知识,在其3部主要著作中向读者做了详细介绍。他认为真正学者应当靠实验弄懂自然科学,为此他亲自从事光学和化学实验。他主张证明前人说法是否正确的唯一方法是观察和实验,因此大声疾呼"不要再受教条和权威统治了,看看这个世界吧"。同时代的法国马里库特人皮埃尔或外乡人彼得(Pierre de Maricourt or Peter Peregrinus, fl. 1205～1275)坚持做一系列磁学实验,在《论磁石信札》(Epistola de Magnete, 1269)中说,研究磁学的人必须勤于动手,才能改正认识上的错误。罗杰·培根认为他从实验中懂得自然科学,从中得到智慧和安宁。

  中世纪后期欧洲文学界出现的新变化是意大利人但丁(Dante Alighieri, 1265～1321)《神曲》(Divina Commedia, c.1307)的问世,这部政治哲学诗描写作者在梦中被罗马诗人带领漫游地狱、炼狱和天堂三界的故事。以此隐示现实社会和希望达到理想境界所经历的苦难历程。作者将理想君主安排在天堂,而将教皇放在地狱,作品中求思想解放、追求知识、吸收古典文化、宽待异端,是人文主义思想萌芽。它以意大利中西部托斯坎尼(Tuscany)方言写成,开此后文艺复兴时期欧洲文学以民族语言创作之先河。而阿贝拉尔、威廉等人对教会和经院哲学的批判播下了未来宗教改革的种子,罗杰·培根和皮埃尔等人在自然

---

[1] 洪潜等编. 哲学史简编,第2章. 北京:人民出版社,1957
[2] Danpier (Whetham) W C. A History of Science and its Relation with Philosophy and Religion. 4th ed. Cambridge University Press, 1958. 80,90

科学方面的实验精神和努力追求成了科学革命势将到来的预兆。经过几代人的努力,到15世纪时欧洲已完全摆脱了过去在科学技术和文化方面的停滞状态,以崭新面貌出现,虽然仍有阻止进步的社会因素,但推动社会前进的力量在急骤地聚集和壮大。但丁在《神曲》中说:"Segui il tuo corso e lascia dir le genti."("走自己的路,不管别人说什么。")这句话鼓舞很多人向旧势力挑战,即令遭到非难和迫害也在所不惜。欧洲进步人士正是以这种无畏的精神面对现实和未来的。

第二节　印刷术对世界文明发展的影响

一、印刷术对中国教育和科学发展的影响

纸写本虽比用任何其他材料书写的典籍优越,但却与它们有一个共同的缺点,即每部书都要用手逐字抄写,而且每抄录一次只能得到一份书稿。当书籍数量不断增加时,人们用于抄书所用的时间非常之多,所付劳动非常之大。对使用表意文字的中国人来说,汉字虽美,但字数和笔画多,写起来更费事。而且在传抄过程中常出现"鲁鱼亥豕"之错讹,贻误读者。印刷术的出现免除了千百万人抄书之苦,同一印版一次即可印出千万份内容、字体相同的书稿,因经统一校对,错漏字少,文字清晰易辨,且价格便宜。印本书比写本能更迅速且在更大规模上流通于社会各个角落,成为传播思想、知识和信息的有力媒体,它在过去社会中所起的作用,就像今日世界上的电视和internet那样。印刷术的出现是人类图文传播史中一次划时代的革命。始于隋而盛于唐的印刷术使中国教育、文化和各门学术的发展插上腾飞的翅膀,使文艺复兴在旧大陆的东方提前到来。

早期印刷品多是供民间使用的佛经和佛像,因为中国佛教徒们由于信仰的驱使,热衷于复制大量佛教文献。印本与写本经咒咒文具有相同的法力和功能,他们宁愿用印本,这样就无需几十遍至几百遍抄写经咒了。只有佛祖要求信徒对同一咒文反复写成许多份,以积功德;而儒家祖师孔子要求弟子"学而时习之",每种书抄一份就够了,不必有更多副本。因而中国佛教徒对发展印刷做出特别贡献,是事出有因的,这使佛教在隋唐以后获得更大发展。但出版商发现,用出版佛经的方法刊行其他大众需要的世俗读物,如字典、音韵等语文工具书、算命书、历书等,同样能找到市场,而统治者也很快认识到出版儒家九经、三史颁行于学校,可提供标准教材,用统一的思想体系培养未来的各级官吏,并在全国范围内加强官方哲学的思想统治,因而唐以后的历代王朝都在中央和地方设官方印刷厂,出版各种书籍。印刷术在中国大大促进了唐以后教育的发展和科举制(imperial examination system)的建立与完善。

以宋代为例,学校数目、在校学生和学习内容都超过以前朝代。①五代时期(10世纪)由于中央国子监开板《九经》颁行各地后,各级学校教材及参考书中写本逐渐减少。北宋在此基础上进一步发展,终使雕版印刷大行于世,同时又出现活字印刷,教官和学生手中所用的教材便基本上全是印本,特别是国子监向全国颁发的标准版本,这是教材史上的一次革命,对教育的影响是深远的。师生不必花更多精力与时间用于抄写各种书籍,而是将精力和时间用于教书和学习,效率成倍地提高。对社会广大知识分子而言,同样如此,印本书减轻了他们抄书的体力负担,得以集中精力于研究。

宋代的教育制度总的说继承自唐代,但有新的发展。中央设国子监总管全国教育事务,隶属于其下的高等学府有:京师国子学,收七品以上官员子弟,太学收下层官员及平民子弟,四门学招生对象与太学同,广文馆生员,算学(天文历算),医学、书学(书法)、画学生员也不少。高等学校学生也超过万人,但宋代人口少于唐代,因而宋代大学生相对说多于唐代,且有更多平民子弟入学,这是值得注意的。地方官学有州府学、县学,全国有6.4万人。遍布全国的小学多是私人办的家塾,8岁入学。国子监还兼有出版功能,为全国各级学校提供教材和参考书,其所出版的字典、儒家经典、历史书、医书、诸子著作据不完全统计有256种②。

比私塾教育内容更高深的私人讲学之所盛行于各地,多由学者主讲,教学质量甚至高于官学。但更大规模的书院(college)的兴起是宋代的一大特点,书院初为民办,后来受到官员提倡,又有朝廷赐匾额、学田和图书,委派学官,成为半官半民的学校。著名的四大书院有江州(江西九江)的白鹿洞书院、西京(河南登封)的嵩阳书院、潭州(湖南长沙)的岳麓书院和江宁(今南京)的应天书院。书院有学规,掌教者曰山长或洞主,供学生住宿,学舍数十至百余间,且有丰富藏书,又蒙朝廷颁赐版刻《九经》等书。此后书院遍及全国各地,在级别上相当于官办的府学。书院为国家培养了大量人才,对后世有深远影响,元明清三朝的书院都是按宋代模式建立的。宋代各官办州府学校和书院也有出版的积极性,所刊各种书籍超过300种,比国子监刊本还多,集出版和办学于一体,且相得益彰,形成又一特色。

由于宋代教育高度发达,出现了"五尺童子耻不言文墨"的现象,社会中识字人在总人口中的比例是很大的。例如12世纪全国平均人口3 000万人,这期间就产生了20万名举人;13世纪人口减半,但举人人数竟翻了两番(40万人)。通常以20名考生录取一名举人计算,则12世纪时参与举人应试的人有400万,占人口总数13%,13世纪时这个比例上升到26%。在当时世界上拥有这么多知识分子大军的国家只有中国,因此宋代各学术领域都出现繁荣景象自属必然。以四大发明为骨干的科学技术此时进入新的高潮,从宋人所著和所刊著作中可

---

① 孟宪承等编. 中国古代教育史资料,第二编. 北京:人民教育出版社,1961.
② Needham J. Science and Civilization in China, vol. 5, pt. 1, Paper and Printing Volume by Tsien Tsuen-Hsuin. Cambridge University Press, 1985. 379

知概况。曾公亮(999～1078)等奉敕著《武经总要》40卷(1044刊,1231重刊)是大型军事科学百科全书,书中对各种冷武器、筑城技术、战船战车、火药和火器、指南针和磁学等做了详尽介绍与研究,且有插图说明。沈括的《梦溪笔谈》(1088)是百科全书式学术专著,涉及数学、天文历法、磁学与指南针、活字印刷、光学、地质学和医药学等,均有创见。李约瑟认为这部书是中国科学史中里程碑式的著作。

陈旉(1076～约1154)《农书》(1149)最早总结江南水稻区栽培技术,还讨论土地利用规划,提出只要经营得当、粪田有力,地力常新壮的思想,还创先例将蚕桑技术写入农书之中。韩彦直(1131～约1206)的《橘录》(1178)记录永嘉(浙江温州)柑橘品种、种植、防虫和贮藏等技术,是世界第一部柑橘专著,受到西方学者高度评价。曾任提刑官的宋慈(1186～1247)据检验实践和理论研究写成的《洗冤录》(1247刊),是世界上第一部系统的法医学著作,包括法医学所有内容,对后世有深远影响,被译成多种外文。医官王惟一(987～1067)奉敕总结古代针灸技术,准确确定经穴位置,主持铸造针灸用铜人模型,加以解说,著《铜人腧穴针灸图经》(1027)。铜人与真人大小一样,是重要教具,在当时就视为国宝。宋代本草学大发展,宋初(974)太祖命马志(约935～1004)等人校注《唐本草》写本,加以出版,名曰《开宝本草》,为保存古本草书做出贡献。科学家苏颂(1019～1101)等再奉命增修本草,在全国药物普查基础上撰修《本草图经》(1061),次年出版。书中新增草药103种,且附923幅药物图,科学性强,是最早的插图本本草书刊本,是世界最高水平的药物学专著。唐慎微(1056～1163)对本草书再加增补,完成《证类本草》(1108),也是插图本,囊括北宋前的本草精华。寇宗奭(约1071～1149)的《本草衍义》(1116)刊于1119年,取笔记形式,补旧本草之未备,颇具特色。宋代商业及海外贸易发达,不少域外药材进入本草书中,纵观这个朝代出版的本草书,令人眼花缭乱,不胜枚举。中医古典著作《黄帝内经·素问》、《诸病源候论》、《脉经》、《针灸经》等过去只以写本行世,宋以后都有了刊本,进入千家万户。

宋代是数学的黄金时期,特别在代数学方面取得的成就,在世界上遥遥领先。贾宪(1005～1065在世)的《黄帝九章算法细草》(约1050)中提出"开方作法本源图",以算表形式列出整次幂的二项式系数表,即"贾宪三角"。他提出的"增乘开方法"创造了求任意高次幂的正根法。秦九韶(1202～1261)《数书九章》(1247)提出的"正负开方术"解决了高次方程数值解法,而其"大衍求一术"则提供联立一次同余式的解法①。促成数学发展的原因之一是,反映汉至唐千多年数学成就的10部名著《算经十书》历史上第一次在北宋汇总出版,南宋又一再重刊,使数学知识普及。在天文学方面,1010～1106年进行过5次大规模恒星位置观测,精确度比前代大有提高,在此基础上绘制的星图有1464颗星。这归功于先进天文仪器的研制,苏颂《新仪象法要》(1092)记录了他和工程师韩公廉1086～1092年奉敕建造的开封水运仪象台的结构及47幅设计图。台高35尺

---

① 钱宝琮主编.中国数学史.北京:科学出版社,1964.144～167

(12 m),分3层,上层为观测天体的浑仪,中层为演示天体周日运动的浑象,下层为报时装置。这3部分由传动装置和机轮联接起来,用漏壶水转动机轮,带动浑仪、浑象和报时器一起动作。值得注意的是,近代世界机械钟最重要部件链系擒纵器(linkwork escapement)已装设在报时装置中,因而水运报时器成为世界天文钟的直接祖先[1][2]。中国这项发明幸有刊本流传,才得大白于世(图293)。

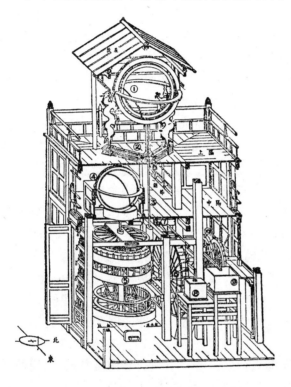

图293

水运仪象台,取自王振铎(1989)

宋代在技术科学方面也取得多方面成就,如建筑学家李诫(约1060～1110)奉旨编撰的《营造法式》(1100),刊于1103年。全书34卷,357篇,3 555条,对历代建筑科技成就和建筑工程管理经验做了系统总结,对该行业13个工种的技术和操作规范以及人工、用料定额做了详细叙述,并附建筑工程图样193幅。该书突出地反映了北宋以来取得的新成就和建筑工匠的技术经验,在内容广泛性、系统性和叙述科学性上实属罕见。与此同时,浙江造塔匠师喻皓著《木经》三卷(1103),也是建筑专著。还有李孝美(1055～1115在世)的《墨谱》(1095)和晁贯之(1050～1120在世)的《墨经》(约1100),这是两部研究制墨技术的专著,前者还是插图本。王灼(1115～1175在世)《糖霜谱》(1154)叙述以甘蔗制糖的技术。宋代"谱录之学"相当发达,很多这类著作与科技有关,除上述外,还有《荔枝谱》、《桐谱》、《菊谱》等。

---

[1] Needham J, Wang Ling, de Price P. Chinese astronomical clockwork. Nature (London), 1956, 117:600

[2] 王振铎. 宋代水运仪象台的复原. 见:科技考古论丛. 北京:文物出版社,1989. 238～273

二、印刷术促进中国儒学和文史的发展

两宋时期，汉魏六朝诸儒对《九经》章句训诂作品均有印本，在社会上广为流传。如果再沿此方向走下去，儒学就难有新的发展。因此宋人注释、研究儒经时，一反汉儒注重文字章句训诂之风，而着力于注释义理，对儒学加以哲学上的诠释。他们以传统儒学伦理为核心，吸取释、道的理论思维，将探讨内容从人理扩大到天理，即宇宙本原和自然界发展方面。为此提出"理"的概念，认为理不但是人类社会的最高原则，还是自然界一切事物的根本。因此将宋人发展的儒学称为"理学"，西方人称之为"新儒学"(Neo-Confucianism)。理学开山鼻祖周敦颐在《太极图说》(1060)中以简洁语言提出宇宙生成及万物化生论，具有辩证思想因素。张载在《正蒙》(1076)中提出"太虚即气"的命题，以气之聚散解释万物化成，发展了周敦颐的理论。至程颢、程颐，理成了最高哲学范畴，提出"万物皆只是一个天理"的命题，世界万物皆从"理"出。在他们看来，上下、尊卑之分是理所当然的，而违反封建等级制度和伦理纲常，就违反天理，是不能允许的。这就完成儒学向哲学化、抽象化的理学过渡。

南宋大儒朱熹总结北宋以来理学各派学说并融会贯通，建立完整而严密的理学思想体系，集理学之大成。朱熹博极群书，自经史、诸子、佛老、天文、地理之学，无不涉猎，尤精于自然科学，且在科学方面有所建树。他的理学思想体系核心是天理论，以理气说为中心内容。天理或理即太极，为宇宙万物根源，但理、气相依，"有是理便有是气，但理是本"，事物千差万别，皆"理一分殊"，即各物各有一理，其理皆为天理之体现。统一于理的万物虽有差异，但彼此间有关联。他认为事物运动形式有"化"与"变"两种，前者指量变，后者为质变。他提倡"格物以致知"，注重知行相须。"论先后，知为先"，"论轻重，行为重"，强调从实践中求知。他的哲学总的说是客观唯心主义，但颇多朴素辩证法内容，而且其中被李约瑟称为"有机论自然哲学"(Natural philosophy of organism)对自然科学发展有正面影响[①]。当朱熹把他的天理论哲学运用于人类社会时，天理就体现为封建秩序和伦理道德。理学大师著作的出版，促进了理学的发展。

朱熹勤于讲学和著述，按其哲学体系注释过《四书》、《周易》和《诗经》，还编撰、出版《资治通鉴纲目》等。朱学在南宋末就被朝廷奉为儒学正宗，宋代理学此后成为御定的官方哲学。理学统治中国思想界长达700年之久，其基本原则渗透到社会各阶层，是判断是非、善恶的标准，在稳定社会秩序方面起了某些作用。理学思想成为元明清三朝学校教育和科举考试作文的主要内容。历代因为有这种高度发达的社会意识形态，才使中国封建制比西方封建制更加强大，持续时间更长，思想影响更为深远，而且还对朝鲜半岛、日本和越南这些汉字文化圈国家

---

① Needham J. Science and Civilization in China, vol. 2, sect. 16. Cambridge University Press, 1956；潘吉星主编. 李约瑟集. 天津：天津人民出版社，1998. 34～52

产生长期思想影响。应当说,传统儒学包括新儒学思想,体系博大精深,其中有精华,也有糟粕,今天既不能全盘肯定,也不能全盘否定,应弘扬精华,摈弃糟粕。还应当指出,当17世纪中国儒学经典通过西方耶稣会士介绍到欧洲以后,对欧洲思想界特别是18世纪启蒙学派学者产生过良好的思想影响。法国思想家和文豪伏尔泰(François-Marie Voltaire,1694～1778)曾在其房间中悬挂孔子像。德国哲学家莱布尼兹(Gottfried Wilhelm Leibniz,1646～1716)发展其有机论自然观观点时,肯定受到朱熹的影响。这也从一个侧面证明宋代理学中有值得吸取的思想精华。

宋代出版事业的发达还促进了史学和文学的繁荣。编年体和纪事本末体的史学作品不断出现,如新、旧《唐书》,新、旧《五代史》,还有《资治通鉴》、《通鉴纪事本末》、《左传事类本末》、《三朝北盟会编》、《通志》等。金石考古著作有《集古录》、《金石录》、《博古图》等。各地地方志的大量出版是从宋代开始的。宋以前历代史书也多有刊本在宋代出版,宋代出版的各种史类著作可能比《汉书·艺文志》所列全部书籍还多。因此各级学校、书院讲史之风盛行,学者通常"经史"并论。宋代讲史的话本也较盛行,话本是供城市中说书的艺人表演时用的底本。讲史的底本又称平话,多以通俗文字写成,是古代白话小说的最初形式,内容是讲述史书上历代兴亡和战争的故事,如《五代史平话》等。

宋代文坛中词的写作达到全盛期,无论在数量、质量或内容方面都超过晚唐和五代。在文学史上宋词与唐诗齐名,早期代表人物有晏殊(991～1055)、欧阳修(1007～1072),语言婉丽;柳永(985～1053)的词反映汴京市民生活,以白描见长,吸收大量口语入词;苏轼(1036～1101)的词题材广泛,有豪迈气势,不受音律束缚,为宋词发展打开新局面;女词人李清照(1084～约1154)经两宋骤变,前期写悠闲情怀,后期怀念故国、感叹身世;南宋辛弃疾(1140～1207)抒发爱国忧时和收复江河之志,称"稼轩体",达到南宋词的最高成就;陈亮(1143～1194)的词受辛弃疾影响,也充满慷慨激昂的爱国之情。今人唐圭璋辑《全宋词》300卷,收宋词人1 330家,共1 990首。文坛巨匠欧阳修倡导唐代韩愈、柳宗元的散文体,主张古雅简淡的文风,反对排偶的骈体,开创新风气。其文不用典故,不尚辞藻,且"通下情",写出人民痛苦,揭露统治阶级的荒唐。他还致力于培养年轻作家,如王安石(1021～1086)、苏轼等人都受过他的提携。①

由于欧阳修、梅尧臣(1002～1060)、王安石和苏轼等人的努力,使散文体这种文学形式在宋代居支配地位。王安石还是杰出的政治家,他在诗文方面的成就与其政治革新主张相表里。苏轼散文亦不重文句雕琢,但洒脱奔放,主张作文应如行云流水,"常行于所当行,常止于不可不止"。他的成就体现北宋文学的进一步发展,使文与道分离。宋诗是在唐诗基础上发展的,但在内容和形式上有开拓。

---

① 陆侃如,冯沅君.中国文学史简编.第四篇,第3～5章,宋代文学.北京:作家出版社,1957

三、印刷术在文艺复兴时期欧洲教育和科学发展中的作用

印刷术对朝鲜半岛历代、日本奈良朝以后和越南陈朝以后教育和科学技术发展的影响大体说与中国相同,此处不再讨论。此处拟讨论印刷术对欧洲教育和科学技术发展的影响。前已述及,到 14~15 世纪时欧洲文艺复兴时期已摆脱了文化和科学方面停滞不前的局面,以崭新面貌出现。这种势头因引进中国印刷术特别是活字印刷术而越发强劲。金属活字很适合欧洲人使用的拼音文字的特点,无需投入太多资金就能出版大量书籍,学校的教材无需用昂贵的手抄本,而以印本代之。早期印刷品除宗教读物外,就是学校教材和语文工具书,其次是人文科学著作,至 16 世纪科技内容的印本猛增。新兴的廉价印本帮助更多人识字、读书,也使人们要更多的书,这就促进教育和科学的发展。正在兴起的城市资产者急于将其子弟送入学校;学者也有可能迅速发表其研究成果;手艺工人也有了识字的必要,以便看懂印本书中的工艺方法和插图说明;上层贵族子弟痛感到无知与自己身份不相称。城市工商业的发展和技术的改进以及新技术(如火药、指南针)的引进,不断提出需要从理论上加以解决的问题,使一些城市还成了学术中心。

11~15 世纪欧洲已出现一些大学,如巴黎、牛津、剑桥、波伦亚、那不勒斯(Napoli)、帕多瓦(Padua)、布拉格(Prague)、克拉科夫(Krakov)、维也纳、萨拉曼加(Salamanca)、费拉拉(Ferrara)和圣安德鲁(Saint Andrews)大学等。至 1500 年全欧洲已有大学 65 所,此后迅速增加,16 世纪时大学已遍及于意大利、德国、法国、比利时、荷兰、瑞士、奥地利、波兰、英国、西班牙、捷克和丹麦等国,拥有大学最多的国家是意大利、德国、法国、英国。德国过去大学很少,日耳曼人要去意大利和法国留学,现在后来居上,几乎追上意大利。值得注意的是,大学所在城市常常是印刷、出版业中心①,德国是欧洲最早发展金属活字印刷的国家,在印刷中心奥格斯堡、纽伦堡、科隆、斯特拉斯堡、法兰克福、慕尼黑和柏林等城都建立了大学。其他国家也大体如此,例如意大利的罗马、威尼斯、佛罗伦萨和法国的巴黎、里昂,瑞士的巴塞尔、苏黎世,比利时的鲁汶(Louvain)、奥地利的维也纳等印刷中心城市都有了大学,在这里聚集了大批学者。

早期的所谓大学(university)是按阿拉伯帝国的麦德来赛(madrasah)模式建立的,是宗教的附属单位,主要以讲授《圣经》为主。所开设的数学、天文学是为宗教服务的,学者从事研究的自由度远不如阿拉伯教师,与今日大学完全不同。15 世纪以后情况有了变化,欧洲大学中数学、天文学和医学的教学内容有所加强,学者的研究有所深入,自然出版的教材和参考书质量也比过去大为提高。由于城市人口不断增加,医生的职业成为追求的目标,很多大学设医学专业,习医成为时尚,这就刺激了人体解剖学和相关学科的发展。专修神学的人也

---

① Martin H J. The French Book: Religion, Absolutism and Readership (1585~1715). Saenger P, Saenger N, tr. Baltimore: John Hopkins University Press, 1996. 4

有了对自然科学的爱好,且身体力行,从事业余研究。这些大学培养出来的人才成为后来科学革命的积极参与者和近代科学的奠基人。

科学革命是从天文学开始的,而天文学研究受到远洋航海和地理大发现的刺激。自从威尼斯旅行家马可·波罗(Marco Polo, c. 1254～1324)的游记(1299)抄本传开后,扩展了欧洲人的眼界,使他们知道万里之外中国的富庶、高度发达的物质文明和印度的丰盈物产,激起远行发财致富的渴望。而中国指南针导航和远洋航船制造技术的传入,又使欧洲人有可能在 15 世纪从事远洋航海。意大利人哥伦布(Christopher Columbus, 1451～1506)读过《马可·波罗游记》,醉心于书中描述的东方财富;意大利天文学家托斯卡内里(Paolo dal Pozzo Toscanelli, 1397～1482)又告诉他,从大西洋一直向西航行可直达东方。1492 年哥伦布在西班牙国王支持下横渡大西洋,开辟从欧洲到美洲新大陆的航线,随之迎来了一系列地理大发现。在航海过程中要辨别方向、确定船在大洋中的位置、了解节气变化和日月朔望盈亏,要编制精确的航海用行星运行表,而在远洋船上的观测又可以提供一些新资料。远洋航海大发展向天文学提出了新问题,而靠过去流行的托勒密天文体系的陈旧译本,是解决不了问题的,天文学需要知识创新。

早在 15 世纪上半叶,维也纳大学的奥地利天文学家普尔巴赫(Georg von Purbach, 1423～1461)基于精确观测和严格理论推算编出的月食表(*Tablae Eclipsium*)于 1459 年出版,此后行用达 200 年之久。1454 年他完成《新的行星理论》(*Theorica Novae Planetarum*),通常称为《天文学手册》,多次再版,被用作教本,书中详细陈述了托勒密学说关于行星运行的模式。他的德国学生约翰·缪勒(Johannes Müller, 1436～1476)又名约翰·雷焦蒙塔努斯(Johann Regiomontanus),也在维也纳大学研究天文学,二人共同致力于托勒密著作新译本的译注。1471～1475 年缪勒在纽伦堡期间,在友人富商瓦尔特(Bernard Walther, 1430～1504)帮助下建立了一座天文台,进行了系统的天文观测;又办了一个印刷厂,专门出版天文、数学著作。1475 年出版的 1475～1505 年航海历书,曾被哥伦布等航海家使用;还完成老师未竟之业,编出《托勒密天文学大成节要》(*Epitoma Almagesti Ptolemaei*)。但他对地心说表示怀疑,还批判了托勒密的月球理论。他是兼营出版业的天文学家和数学家。与此同时,德国哲学家尼古拉(Nicolaus Cusanus, 1401～1464)虽身为红衣主教,却在其所著《愚中之智》(*De Docta Ignonantias*, 1440)一书中,认为地球绕太阳旋转,也绕自己的轴旋转;还提出宇宙是无限的,其中一切都在运动,有超越人的理解力的复杂性;在其他星体上看到的天体运动,与在地球上看到的一样;人们以为地球不动,其实地球与一切其他天体一样在运动。这些议论所缺乏的是天文学上的论证。

观测资料的积累和前人的偶尔思想流露为波兰伟大天文学家哥白尼(Nicolaus Copernicus, 1473～1543)倡导的日心说做了铺垫。哥白尼在克拉科夫大学学天文学,1497 年赴意大利波伦亚、帕多瓦和费拉拉大学留学 10 年,这期间他参加天体观测并留下观测记录。1506 年返回波兰弗龙堡(Frombork)任教职,在教堂屋顶平台上继续观测天体。早在 1502 年他在意大利进修时就对托勒密认为地球是静止不动的宇宙中心、太阳和行星围绕地球转的学说产生怀疑,而主张地球和其他行星沿着以太阳为中心的轨道运动,此即日心说(heliocentric theory)。返回波兰后,他继续思考这个问题,并以前人和自己的观测资料求证,还进行数学推算,1510~1515年他写出其天文体系的最初手稿,题为《关于天体运行假说之简论》(*De Hypothesibus Moturum Coelestium a se Constituti Commentariolus*),只在可信赖的少数友人中传阅。1539年奥地利天文学家乔治·约阿希姆(Georg Joachim von Lauchen,1514~1576)来波兰就教于哥白尼,成为他的忠实追随者,后易姓为雷蒂库斯(Rheticus)。1541年,雷蒂库斯在波兰革但斯克(Gdansk)根据哥白尼的简论稿首先送出版商,刊行题为《哥白尼关于天体运行著作初探》(*De Narratio Prima de Libris Revolutionum Copernici*)的小册子①。

雷蒂库斯此前劝说哥白尼将《简论》稿写成一部书出版,建议被采纳,大约在1530年哥白尼完成《天体运行论》(*De Revolutionibus Orbium Coelestium*,*Libri VI*)的书稿,但为求严密和慎重,他要不断修订,更主要是担心发表后引来教会迫害,迟迟不肯发表。在这种情况下,雷蒂库斯才在1541年将其提要先行出版。哥白尼本人的书直到他晚年才于1543年在德国纽伦堡出版(图294),他在临终前的病床前终于看到印本。北京图书馆藏有此书1566年在巴塞尔刊行的第二版,印以麻纸。哥白尼的《天体运行论》以新眼光观察宇宙,以观测资料和数学推算、严格的逻辑推理推翻了统治西方思想一千多年、被经院哲学纳入其宗教体系中的托勒密地心说,把地球从宇宙中心降到行星之一的地位,引起人们宇宙观的根本改变。这部书从自然事物方面向教会权威挑战,从此自然科学开始从神学中解放出来。科学作品的传播是无声的火炮,敲响了封建思想统治的丧钟,但自然科学在反封建斗争中也经受了火的洗礼。

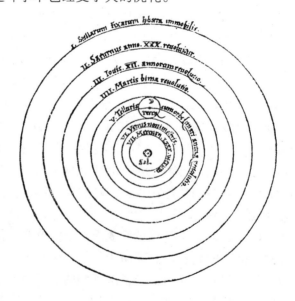

图294
《天体运行论》中的日心说图示,取自1543年纽伦堡原版

① Symposium on Copernicus. Proceedings of the American Philosophical Society (Philadelphia),1973,117(6)

意大利天文学家布鲁诺(Giordano Bruno, c. 1548～1600)1584 年用意大利文发表《灰堆上的华宴》(*Cena de le Ceneri*),宣传哥白尼的日心说。同年还出版《论无限宇宙和世界》(*De l'Infinito Universo e Mondi*),认为宇宙是无限的,星体散布在无尽的空间,反对恒星散布在以太阳为中心的水晶天球说。1593 年因此被罗马教会审判入狱,他宁死不屈,坚信太阳是人所在星系的中心,1600 年被烧死。但科学革命自有后来人,1632 年意大利科学家伽利略(Galileo Galilei, 1564～1642)用意大利文出版《两大世界体系的对话》(*Dialogo dei due Massimi Sisemi del Mondo*),书中描述亚里士多德和哥白尼的信徒进行辩论,但前者不是后者的对手。1633 年伽利略被罗马宗教法庭刑讯逼供,判处终身幽禁,要他放弃科学信仰。但他在判决书上被逼签名后,仍然说:"Eppur si muove"("可是地球仍然在转动")。他的书被偷运出境,在国外传播。1638 年他发表《两种新科学对话集》(*Discorsi a due Nuove Scienza*),介绍他在比萨斜塔的落体实验,用数学形式提出落体定律。他用望远镜观测天体,发现太阳黑子。此后,天文学、物理学、化学和数学等领域完成一系列理论突破,到 17 世纪牛顿(Issac Newton, 1642～1727)《自然哲学的数学原理》(*Philosophiae Naturalis Principia Mathematica*, 1687)问世,终于完成了科学革命,近代科学首先在欧洲兴起。

在医学领域内也出现了突破,弗兰德(Flanders,今比利时)人维萨留斯(Andreas Vesalius, 1514～1564)1533 年在巴黎大学习医时,热衷解剖学,至墓地收集尸骨进行研究;1537 年在帕多瓦大学获医学博士并任解剖学和外科教授,坚持亲自执刀解剖,当场讲课,受到欢迎。他不受古代医学权威学说束缚,以自己解剖所见为依据,对骨、血管、腹及脑部等器官的研究尤为出色,著《人体结构》(*De Humani Corporis Fabrica*),1543 年在巴塞尔出版,书中有精美插图,成为文艺复兴时期医学和解剖学代表作。他指出古代名医盖伦将动物解剖所看到的照搬到人体上,因而出现失误,需要纠正①。接着,在帕多瓦大学习医的英国人哈维(William Harvey, 1576～1657)1628 年发表《动物心脏和血液运动的解剖学研究》(*Exercitatio Anatomica de Motu Cordis et Sanguinis in Animalibus*)。在这部插图本著作中,哈维公布了他的血液循环理论。他证明血液从不断收缩与扩张的心脏流向动脉,经过静脉再流向心脏,如此循环不已。这就否定了盖伦的学说,盖伦认为血从肝流向全身,没有循环。哈维证明此说是错误的,并指出解剖学者"应当以实验为依据,不应单靠书本;应以自然界为师,而不是以哲学家为师",鼓吹一种新的时代精神。他的研究为生理学奠定基础,使医学有了科学的基础理论。②

文艺复兴时技术上的最大成就表现在采矿、冶金、铸造、化工和机械制造等领域,这从意大利画家和工程师列奥纳多·达·芬奇(Leonardo da Vinci, 1452～1519)设计和绘出的大量图稿和说明中反映出来。其中包括火炮、弩机、起重机、抽水机、纺车、自行车、飞行器、碾压机、转动装置等,都有新的构思,均可

---

① Hall A R. The Scientific Revolution. 2nd ed. London, 1962
② Harvey W. 心血运动论. 黄维荣译. 北京:商务印书馆,1962

见于他留下的笔记本中,可惜未能及时出版。他设计的草图,因资金不足,恐未付诸实施。但向他学习过的意大利工程师拉梅利(Agostino Ramelli, 1530~1590)的《精巧的机械装置》(*Le Diverse et Artificiose Machine*)则于 1588 年刊于巴黎,用法文和意大利文解说,附 195 张插图,包括将旋转运动变为直线运动的装置、活塞水泵、螺旋起重机、风车驱动的立式碾谷磨等,这些机器后来用于生产。另一意大利冶金学家毕林古乔(Vannoccio Birringuccio, 1480~1539)1540 年发表《炉火术》(*Pyrotechnica*),以意大利文写成,共 10 卷,是冶金、铸造方面的专著,书中还谈到火药和火器。德国人阿格里柯拉(Georg Agricola, 1490~1555)1556 年在巴塞尔刊行的《矿冶全书》(*De re Metallica Libri XII*)是文艺复兴时技术代表作,涉及寻找金属矿脉、开矿技术和设备、金属冶炼与分离、检验,还谈到强水(aqua valens)即无机酸、玻璃以及各种无机盐的制法,矿山经营管理亦有涉猎,全书插图 295 幅,这部书反映当时欧洲技术的最高水平。

四、印刷术促进欧洲人文主义思想和民族文学的发展

印刷术在欧洲促进了教育的大发展和知识世俗化,打破了教会对知识的垄断,并促进了科学革命的发生,由此又引起思想界、文学界的一些巨大变化,可以说是连锁反应。中世纪基督教主张以神为中心,上帝是宇宙和人的造物主,至高无上,而人生来有罪,无足轻重,只有将一切奉献给神及其代表教会,才能在来世"天国"中享受自由和幸福。教会以神权压制人权,就是要维持封建统治秩序,让人依属于神和教会的权威。但 14~15 世纪西欧资本主义有所发展,新兴的资产阶级要求挣脱封建统治的桎梏并为自身的合理存在与发展寻找理由。于是打着复兴古典文化的旗号,掀起一个新文化运动,他们将这称为 Renaissance("文艺复兴")。然而这个社会运动的真正目的,并不是单纯复兴古希腊、罗马的文化,而是创造一种适应资产阶级需要的反封建的全新文化,因而"文艺复兴"这个词没有把这个时代充分表达出来。应当说,在当时欧洲掀起的这个运动,远不只限于文化范围,接着而来的还有经济和政治、军事行动,最终是为了推翻封建制,建立资本主义制度。[①]

文艺复兴运动的思想体系是 humanism(人文主义),这个词导源于拉丁文 humanus(人的)。人文主义与教会的神学相对立,主张以人为中心,颂扬人性的高贵,提高人的权威,赞扬人的价值和尊严,以人权对抗神权,剥夺教会的权威。意大利是文艺复兴的策源地,早在 14 世纪佛罗伦萨的薄伽丘(Giovanni Boccaccio, 1313~1375)在《十日谈》(*Decameron*, 1353)中就揭露了教会人士和封建贵族的虚伪、贪婪和残忍,批判矛头直指罗马教廷。书中宣扬人类生而平等,反对以出身分贵贱,提倡个性解放。佛罗伦萨诗人彼得拉克(Francesco Petrach, 1304~1374)首先提出人学和神学的对立,揭露教皇统治的罪恶,而且在用意大

---

① 朱寰主编.世界中古史.长春:吉林人民出版社,1981. 528~548

利文写的十四行《抒情诗集》(Conzoniere)中描写爱情,诗中充满人情味,有反封建色彩,还怀念古罗马的光荣,渴望意大利统一。

15~16世纪人文主义思潮以更强劲的势头,在更大的范围内蔓延,已成燎原之火,印刷术成了助燃剂。意大利语言学家瓦拉(Lorenzo Valla, 1406~1451)在《论君士坦丁皇帝让权的杜撰和赠地的捏造》(*De Falso Credita et Ementito Constantini Donatione*, 1440)一书中,通过严格考证揭露8世纪罗马教廷伪造历史文件,谎称罗马帝国皇帝君士坦丁(Constantine Ⅰ, 280~337)曾将罗马以外的四个宗主教区管辖权及帝国西部地区世俗统治权让给罗马教廷,中世纪时教皇据此"君士坦丁赠礼"向其他四个宗主教区和西欧各国国王提出权力要求,成为教皇同世俗政权争斗的武器。瓦拉的考证否定了教皇领地的合法性和世俗统治权的历史依据。他还以语言学知识揭露教会奉为上帝"启示"的信条,原是翻译《圣经》时的错误造成。他的作品撕下了罗马教廷"圣洁"的面纱,在世人面前暴露出其欺人的面目。意大利哲学家蓬波纳齐(Pietro Pomponazzi, 1462~1524)《驳灵魂不朽》(*De Immortalitate Animi*, 1516)驳斥了阿奎那的灵魂不朽说,认为感觉由外界事物所引起而且是理性认识的基础,因此受到迫害,教皇明令焚烧他的著作。

瓦拉的研究表明,教廷在将希腊文《圣经》(*Ta Biblia*)译成拉丁文时做了手脚。为使人了解希腊文经文原貌,尼德兰(今荷兰)人文主义者、精通希腊文、拉丁文等多种语言的伊拉斯谟(Desiderius Erasmus, 1467~1536)1516年在巴塞尔首次刊行希腊文《新约圣经》,并附有自己的拉丁文译文,打破了教廷当局对译经的垄断权。1509年他还在巴塞尔刊行《愚人自夸》(*Encomium Mariae*),通过"愚人"登台说教夸耀自己,揭露封建统治的罪恶和教会对人民的愚弄,将教皇、主教、修士和经院哲学家描绘成一群崇拜愚蠢的贪婪淫荡之徒,对西欧宗教改革起了先行作用。他还在《自由意志论》(*Diatribe de Libero Arbitrio*, 1526)一书中鼓吹个性自由和人性解放,反对教会的禁欲主义。他要求实行世俗统治,反对神权独裁,主张建立合理教会。从15世纪中叶以后,佛罗伦萨、威尼斯、巴塞尔、里昂、巴黎和巴塞罗那(Barcelona)等地的印刷所出版了不少人文主义者的作品。尽管教会颁布禁书令,公布一批批禁书名单,仍阻挡不了新观点在全欧洲的传播。出版商将书放在密闭木桶中,用"偷运"方式通过马车或船运往各地(图295)。

中世纪基督教会仇视希腊、罗马的古典世俗文化,因为其中重视现世生活、追求幸福的理念与教皇的教义不合,因此这时的文学都涂上宗教的色彩,枯燥无味。文艺复兴时期一些人文主义者在发表自己著作的同时,还整理、出版不少古典作品,正如恢复古罗马建筑和雕像那样,这也是对教会意识形态的反抗。为此人们努力搜求古代抄本,以代替中世纪被歪曲的文本。尤其拜占庭帝国首都君士坦丁堡(Constantinople)1453年陷落后,希腊人逃到意大利时带去的手抄本最为珍贵,经过整理,逐步问世。例如古罗马诗人维吉尔(Vergil, 70~19 BC)的田园诗《布科里克斯》(*Bucolics*)和赞美农民生活与忠义的教诲诗《吉奥吉科斯》

(*Georgics*)印于 1470 年,古希腊诗人荷马(Homeros,9c.~8c. BC)的史诗《伊里亚特》(*Iliad*)和《奥德赛》(*Odyssey*)分别刊于 1488 及 1504 年,亚里士多德全集的拉丁文译本印于 1469 年,其希腊文本印于 1495~1498 年,柏拉图全集拉丁文本刊于 1483 年,希腊文本印于 1513 年。欧洲各大学设古代语课程,1530 年巴黎建立"三语学院"(拉丁、希腊和希伯来语),这里成了人文主义另一中心。意大利人文主义历史家布鲁尼(Leonardo Bruni,1369~1444)就是柏拉图和亚里士多德著作的译者,他在翻译过程中发现,经院哲学家的主要理论依据是建立在亚里士多德的被歪曲的文本上的。

图 295
木桶装运书籍,取自 Martin(1996)

另一方面,人文主义的东风也吹到欧洲文学领域,出现了新变化①。法国人皮埃尔·德龙沙(Pierre de Ronsard,1524~1585)习医,编过一些医学教程,又是人文主义抒情诗人,组织七人文艺团体"七星社"(Pléiade),力主恢复使用法语及其在文学创作中的应用,反对用拉丁语和外语创作。他用法语写作《短歌行》(*Odes*,1550)、《卡桑德拉的爱情》(*Amours de Cassandre*,1552)和《赞歌集》(*Hymnes*,1556)等,反映民族意识的觉醒和爱国主义思想的加强。法国讽刺作家拉伯雷(François Rabelais,1494~1553)也有自然科学知识背景,在其法文长篇小说《巨人传》上篇(1533)、下篇(1535)中以民间故事为蓝本,塑造理想君主、巨人卡冈都亚(Gargantua)及其子庞大固埃(Pantagruel)的形象,讽刺封建制,揭露教会的黑暗、经院哲学和中世纪教育的腐朽,宣传人文主义者对政治、教育和道德的主张,提出"Fais ce que voudra"("做你愿做的事")等信条,反映个性解放的要求。

英国在文艺复兴时的莫尔(Thomas More,1476~1535)虽出身贵族且在内阁、议会任要职,却在 1516 年用拉丁文出版的《乌托邦》(*Utopia*)中,从批判天主

---

① Anon. Vozrozhdenie, Bol'shaya Sovetskaya Entsiklopediya, zoe izd., tom8. Moskva, 1952;王以铸译. 文艺复兴. 北京:人民出版社,1955

教会和封建统治进而批判资产阶级本身。此书中的理想国像意大利哲学家康帕内拉(Tommaso Campanella,1568～1639)的《太阳城》(*Civitas Solis*,1623)中的理想国一样,生产资料公有,人人平等,共同劳动。这种空想社会主义是人文主义中最激进的思想,但提出这种思想的英、法两位作者都受到迫害。英国讽刺作家纳什(Thomas Nash,1567～1601)的长篇小说《不幸的旅客》(*The Unfortunate Traveller*,1594)在当时历史事件背景下描写了各种职业和等级的人们的生活,是一部现实主义作品。而拉丁文懂得不多、希腊文知道更少,但有丰富社会阅历的来自下层的莎士比亚(William Shakespeare,1564～1616)却成为文艺复兴时期英国最大的戏剧家和诗人,他使英国人的天才在戏剧方面得到充分体现,这是不屈服古典传统,具有新的时代气息的文学形式。他的戏剧与意大利戏剧不同,具有英国特色。他与其他戏剧家不同的是,他既写剧本,又当演员、导演和剧院老板,是多面手和多产作家,写过 37 部剧本和 154 首十四行诗。

莎士比亚的戏剧塑造许多性格鲜明的典型形象,主要描写英国封建制解体和资本主义兴起时期各种社会力量的冲突,提倡个性解放,反对封建束缚和神权统治,具有明显的人文主义色彩。基本素材取自俚俗生活,以大众易懂的英语写成,剧种包括历史剧、喜剧和悲剧。历史剧有《亨利四世》(*Henry IV*,1597～1598)、《理查三世》(*Richard III*,1592～1593)等,喜剧有《仲夏夜之梦》(*A Midsummer Night's Dream*,1595)、《第十二夜》(*Twelfth Night*,1601)等,悲剧以《罗密欧与朱丽叶》(*Romeo and Juliet*,1595)、《哈姆雷特》(*Hamlet*,1600～1601)、《奥赛罗》(*Othello*,1604)和《李尔王》(*King Lear*,1605～1606)等为代表。莎士比亚在历史剧中赞扬国家统一,反对封建分裂,拥护王权,表现人文主义的政治理想。喜剧则充满乐观情调,赞美友谊、爱情,主张自由平等,表现人文主义社会道德观。他以正义、善良的正面人物的悲剧结局控诉封建势力,也批判处于资本原始积累时的商人的贪婪、残忍和社会上的拜金主义。

西班牙的文艺复兴运动始于 16 世纪,创办大学后,引入意大利新文化,人文主义思想随之传播,涌现出一批欧洲著名的文学家,早期代表人物是米格尔·德萨韦德拉·塞万提斯(Miguel de Saavedra Cervantes,1547～1616)。塞万提斯青年时去意大利闯荡,受尽艰辛,1580 年返回马德里后从事戏剧及小说创作,其主要代表作是 1605 年出版的长篇小说《曼查的才智骑士唐·吉诃德》(*El Ingenfoso hidalgo Don Quijote de la Mancha*),是用西班牙中部的卡斯蒂利亚方言(Castellano)写成的,这种语言后来在全国通用,成为现在的西班牙语。小说描写过了时的游侠骑士唐·吉诃德及侍从桑乔(Sancho)四出游历、行侠仗义,但处处碰壁的故事。他以为到处有妖魔作乱,提枪攻打,闹出许多荒唐事情,临终前才醒悟,否定了自己。塞万提斯在小说中揭露了封建贵族专横、残忍而虚伪的面目,控诉了人民的悲惨处境,同时对美化封建制的中世纪骑士文学做了否定。吉诃德的行为虽滑稽可笑,却有封建道德观,又向往自由幸福和社会平等,是性格矛盾的典型,反映新旧时代交替时的复杂心理。桑乔是农民形象,随主人游历时克服自私思想,后成为海岛总督,实行廉洁公正治理,体现了作者的人文主义政治理念。吉诃德未能实现的理想由桑乔实现了,在他身上看到人民的智慧和战胜黑暗、改变社会现状的力量。

　　文艺复兴时期一些科学和文学作品不是以拉丁文写成,而是以意大利文、法文、西班牙文和英文等各国民族语文写成并出版,具有重大历史意义。中世纪欧洲手抄本使用的文字主要是希腊文和拉丁文这两种古代文字,分别是古代希腊-拜占庭帝国和罗马帝国的官方文字,自从 11 世纪(1054)基督教大分裂之后,拉丁文是罗马天主教廷在西欧国家推行的文字。这时西欧人懂希腊文的非常之少,而使用拉丁文的也只限于少数神职人员和贵族,广大人民是看不懂这种文字的,官方文字与各国绝大多数群众说的母语和语法严重脱节。西罗马帝国 476 年灭亡后,欧洲处于不断分裂的状态。查理曼帝国(Charlemagne Empire, 751～843)解体后,分出现今德、法、意三个民族国家的雏形,进入 11 世纪以后西欧已有了二十多个互不隶属的王国,用不同的语言。各民族国家形成过程中需要发展民族文化,没有文化的民族是没有前途的,这就需要使用适合本民族语言的文字。而当时的拉丁文文献多是宗教作品,是教会专用的,各国人民听不懂也看不懂这些东西,他们被拒于文化领域之外,民族文化是无从谈起的。

　　有了印刷术之后,用本民族语言出版大量大众读物,学者用母语发表其新思想、新发现,肯定易于为大众所接受。作家以民族语言写出文学作品,为民众喜闻乐见。欧洲文学的真正历史是从 14～15 世纪有了印本书之后开始的。各国出版的文学作品提供了用标准的意大利语、法语、英语、西班牙语和德语写作的范本,还可减少因同一国家内使用不同方言带来的语言隔阂,这些书面语言在各自国家便逐步成为统一的文献用语。各国作家和学者对本民族语言予以提炼、规范,再通过印刷品固定并丰富词汇、完善语法和文句结构、拼字法及发音原理等,使用中再不断洗炼,最后像希腊文和拉丁文那样负担哲学讨论的功能,且有过之而无不及。这大有助于提高欧洲各国的国家和民族意识,发展民族文化。有了自己的文献用语后,一个民族才谈得上有自己的文化和文化典籍。在欧洲各民族文献语言形成过程中,印刷术起了 midwife 的作用,拉丁文文艺作品在 16 世纪已不复存在。

第三节　印刷术在东、西方产生的政治和经济效应

一、印刷术对东、西方考试制度所产生的影响

　　科学、哲学、文艺和教育、法律、制度等是社会政治、经济在意识形态上的反映,并为其服务的,又反过来给社会政治、经济以影响,为其发展起推动作用。作为文

献复制技术革命产物的印刷术对政治的影响同样不小。在中国它首先被统治阶级用来巩固封建统治。公元前2世纪,汉武帝"罢黜百家,独尊儒术",儒家思想经过改造成为官方意识形态,从此一直持续二千多年直到清末。五代时朝廷以版刻儒家《九经》颁行天下,正是为了加强官方哲学对臣民的思想统治。宋以后国子监继承五代传统,刊行大量儒家经典和理学家著作,作为各级学校的教材和参考书。

为了替中央和地方各级政府部门提供从政官员,隋代开创由朝廷公开考试之法选拔官吏,不问应试者出身门第,无须州郡推荐,以考试成绩授予功名和官职,此即科举制度。这是对古代选官制度的重大改进,具有进步意义。科举制在唐代得到发展,宋代对科举制做了改革,建立殿试制,即礼部考试后由皇帝在宫内主持最高级考试,第一名为榜首,二、三名称榜眼。南宋改称第一名为状元,第二、三名分称榜眼、探花。殿试后,直接授官。常科分州府试、礼部试和殿试三级,殿试及第得进士功名,朝廷对其待遇优厚,故进士科得人最多,后称将相科。①

宋代印刷术发达,为参与科举考试的读书人提供廉价印本参考读物和课本,有力地帮助了科举制的推行。科举制使民间读书人有机会通过科场考试的竞争取得功名,并被选拔到各级政府中任职。中国的文官士大夫阶层,被西方人称之为mandarinate,是经考试选拔出的有高学位的高级知识分子,是文学文化的产物。科举制是公务员考试制度的一大发明,后来被一些其他国家所效法。李约瑟博士将士大夫阶层称为"非世袭的、几乎是不可多得的社会精英",由文官集团执政的中国封建制看起来似乎是软弱的,但其实比欧洲由军事贵族执政的封建制更强,能更有效地防止封建制受工商业资本主义的危害。这是因为科举制比欧洲贵族封建的选官制更为合理;而后者没有合理的东西,因为贵族世袭后代未必是优秀的,却无需经考试、选拔而就高位②。像欧阳修、王安石和苏轼这些文豪都是中进士后任地方和中央一级官职的,他们不是靠世袭制做官的,而是靠才能通过考试才升迁的,其子孙也需如此。欧洲很少有这种情况。这使文官封建制比军事贵族封建制更先进与强大,能吸收并发展印刷、火药和指南针等重大发明,使自身得到充实与维系,而西方封建制则经受不住这些发明所带来的社会冲击。

统计资料表明,宋代中进士的有4万人以上,12世纪举人总数20万,13世纪增至40万,还有大量拥有同等学历而未及第的人。他们除精通《十三经》、文史外,还有对自然科学和技术的不同爱好,并长期从事观察和研究,这肯定是学术研究高度发展的人才资源和动力。而凡中进士最多的地区正是印刷品生产数量最多和教育最发达的地区。例如宋代两浙(今浙江)、福建、四川、江南(江西)和江南东(今江苏)五路(省)产生24 172名进士,占全部进士总数84%,而同一时期这五省印书1 168种,占全国印书总数(1 303种)的90%。西南贵州省中进

---

① 脱脱[元].宋史(1345),卷一五五,选举志.二十五史缩印本,第7册.上海:上海古籍出版社,1986.5 639

② Needham J. China and the West. In: Dyson A, Tower B, eds. China and the West: Mankind Evolving. New York: Humanistics Press, 1970

士的只有103人,印的书也最少(2种)①。印刷大省又同时是造纸大省,出版书籍与科举考试间的这种比例关系,清楚说明印刷对科举所做的贡献。反之,科举制的推行又促进印刷出版业和教育的发展,形成了互动关系。

从政治角度看,科举制与前代选官制度相比,有下列特点。一是将选官权力从地方集中到中央,加强了中央集权统治,使庶族地主及平民有机会参与政权,从而扩大了统治集团的社会基础。二是将读书、应试和做官联系在一起,使广大知识分子有提高自身社会地位、改善处境的门径,又吸引更多的人加入这个队伍,使他们将精力转移到读书应试上,不致"犯上作乱",这就有助于保持社会稳定。三是改变过去只注重出身门第和品行而忽视知识和才能的弊病,用全国统一的标准选拔一些有才能的人进入政权机构,使各级官员素质得到提高、政权职能得到加强。因此,科举制能在中国持续达一千多年,直到19世纪清末才废止,而为近代考试制度所代替。

唐宋科举考试制度对东、西方都有较大影响,据金富轼(1075～1151)《三国史记》(1145)卷十记载,朝鲜半岛由新罗朝统一后,新罗元圣王四年(788)参考唐科举制设读书三品科制度,进行国家考试,以录用官吏。读《春秋左氏传》、《礼记》、《文选》、《论语》、《孝经》者为上品,读《曲礼》、《论语》、《孝经》者为中品,读《曲礼》、《孝经》者为下品。按所习及考试科目不同对考生分上、中、下三品,再授相应官位,"若博通五经、三史、诸子百家书者,超擢用之"。而新罗留学生在中国学习时,还参加中国考试,取得进士功名。郑麟趾(1395～1468)《高丽史》(1454)卷七十七《选举志》载,高丽朝光宗九年(958)"始设科举,试以诗、赋、颂及时条策,取进士兼取明经、医卜等业",至李朝一仍其旧,前后也推行一千多年。吴士连(1439～1499在世)《大越史记全书》(1479)卷三,载李朝仁宗太宁四年(1075)"诏选明经博学及试儒学三场",是越南实行科举制之始。此后各朝继续开科取士,直到20世纪初越南才废除科举制。日本奈良朝设大学寮,分经、音、法、书、算科,各科规定学儒家经典,算科学《九章算术》、《孙子算经》等,经考试合格授以八位(品)官阶,也类似科举制。

近代欧美公务员考试制度是直接受中国科举制的影响而产生的。首先,1696年在华法国耶稣会士李明(Louis Daniel le Comte,1655～1728)介绍了中国科举考试制度,并指出它有四项好处:一是国家通过考试选用有为的青年,不管其出身如何,只看其钻研学问的结果,驱使他们奋进。二是磨练人们精进学问的精神,使社会上尊重知识。中国青年热心于在国家考试中及第,使其提高文化教养。三是防止贪欲和精神堕落,防止知识空虚和放纵行为的发生。四是皇帝将天下的人才集合在一起,解除有不良行为的官员职务,物色更适合的继任者②。1735年

---

① Needham J. Science and Civilization in China, vol. 5, pt 1, Paper and Printing Volume by Tsien Tsuen-Hsuin. Cambridge University Press, 1985. 379～380

② le Comte L D. Nouveaux Mémoires sur l'État Présent de la Chine, tom1, 3ᵉ éd. Paris, 1698. 61～62

法国耶稣会士杜阿德(Jean Baptiste du Halde,1674～1743)在巴黎发表来自中国的耶稣会士通讯,汇编成书,其中也报道了科举制度,指出中国皇帝设科举制,通过国家考试录用全国优秀人才,授以官职。考试每三年举行一次,最高级考试及第者授以进士称号,入翰林院,翰林院士由皇帝选任各部长官、宰相,还教授皇太子,他们还从事著述,受到世人尊敬①。

18 世纪法国启蒙学派思想家伏尔泰(Voltaire, i. e. François-Marie Arouet, 1694～1778)读到上述有关报道后,在《风俗论》(Essai sur les Moeurs, 1756)中对科举(chapitre 195)制表示赞扬,指出中国政府由吏、户、礼、刑、兵及工部等六部组成,官员分为九个官阶,他们都是由几次严格考试之后才被任命的,因此中国的行政组织是世界上最好的组织。② 法国重农主义经济学家魁奈(François Quesnay, 1694～1774)在本学派机关刊物《公民日志》(Ephéméride du Citoyen)1767 年 3～6 月四期以 A. M. 笔名连续发表题为《中国的专制政体》(Despotisme de la Chine)的长文。文内指出,中国没有像西方那样的世袭贵族,官爵是靠才能、功绩得到的。作者盛赞中国科举考试制度,不管什么出身的考生都可靠本事参加竞争,甚至工匠的子弟通过考试也能当上总督。魁奈认为中国奉行的是开明的君主政治,值得当时的西方效法。1793 年出访中国的英使马戛尔尼(George Macartney, 1737～1803)的副手斯当东(George Thomas Staunton, 1781～1859)也在其《英使访华录》(An Authentic Account of an Embassy from the King of Great Britain to the Emperor of China, 1797)第十二章中介绍中国科举制,加以赞扬。

在中国科举制影响下,法国 1791 年首先建立文官考试制,10 年后(1801)一度停止,但 1840 年又重新恢复。18 世纪时又有些英国人著文称赞中国考试制度,其中有人鼓吹在英国推行类似制度。1806 年英国东印度公司(British East India Company)首先推行文官考试制,此后许多英国人提到中国范例作为在英国建立普遍文官制的论据。如驻华外交官密迪乐(Thomas Taylor Meadows, 1815～1868)1847 年在《中国政府和人民杂谈》(Desultory Notes on the Government and People of China)一书中介绍了中国科举制并指出中华帝国之所以长期存在,是因其政府由有才能和业绩的官员组成。他主张在英国全面建立公开的文官考试制度,以改善行政部门。这些呼吁导致英国政府成立一个委员会研究此事,1853 年向议会提出报告,1855 年英国推行文官考试制度。

英国文官考试制无疑对美国建立类似制度起示范作用,但中国的影响仍然是明显的。例如罗得艾兰州(Rhode Island)参议员詹克斯(Thomas A. Jenckes)1868 年首先向国会提出建立文官考试制的建议,在他的提案中有一章介绍中国科举制。同一年,波士顿著名文化人埃默森(Ralph Waldo Emerson, 1803～

---

① du Halde J B, réd. Description de l'Empire de la Chine, vol. 2. Paris: Le Mercier, 1735. 28

② Voltaire. De la Chine au 17ème Siècle et au Commencement du 18ème Siècle, Essai sur les Moeurs, chapitre 195. Paris, 1756

1882)在波士顿招待大清帝国对外交涉钦差志刚和孙家毂的集会上发表演说,盛赞中国科举制,并敦促美国国会通过詹克斯议员的提案。他在演说中指出:

> 中国的政治制度有一点使我们很感兴趣,我相信在座的各位都还记得罗得艾兰州议员詹克斯先生曾两次提出要国会通过的那项法案,即主张文官必须首先经过考试及格取得学问上的资格,而后才能任职。在纠正陋习方面,中国人确实走在我们前面了,也走在英国和法国的前面了。同样,中国社会非常重视教育,也走在我们前面,这是中国值得荣耀的凭证①。

埃默森在波士顿的演说引起了反响,有人同意,有人反对。正如在英国那样,美国许多从旧制度获取既得利益的人强烈反对这一新思想,其中某些人抗争说,利用考试方法决定行政部门官员的适当人选是中国式的制度、"外国式的"制度,因而是"不合美国式的"(un-American)制度。由于保守派议员的阻挠,詹克斯的立法提案拖到1883年才由美国国会最终通过。当代宾夕法尼亚大学的汉学家卜德(Derk Bodde)教授认为中国科举制有两大好处:第一,它对社会所有的人都是毫无例外地开放的,因此是现代社会以前选拔政府官员的世界上最民主的方式。其次,它确保从政的人必得有高等教育背景。卜德指出:"今天文官考试制度实际上已为所有民主国家所接受,越来越多的人由于个人本事进入政府机构,而不是靠政治徇私。其结果是,一百年前如此普遍的政治腐败不见了。文官考试制度无疑是中国送给西方的一个最珍贵的智慧礼物。"②

明以后科举制弊端凸显,主要表现在考试内容限于按经义作死板教条的八股文,缺乏经世致用之学,学校教育仍限于儒经、文史,缺乏科学技术,从而阻碍了科学、文化的发展,已不合时代需要。西方文官考试制度只吸收了中国科举制中合理的成分,结合自身特点加以变通,并未全盘照搬。西方通过这种制度的建立使资本主义政权建设得到改善和加强,而中国则因这种制度的退化,使封建制更加衰落。

印刷术对宗教的影响和由此产生的政治后果,在中国和西方也有不同的表现。在中国从唐代以来,印刷术一开始就用来刊行佛经,为佛教的发展服务。佛教和儒学一样对封建统治有利而无害,历史上除少数几个皇帝反佛并推崇道教外,大多数统治者是支持佛教的。宋太祖建国后不久,即敕令刊行《大藏经》,此后佛教、道教仍按其自身的轨迹发展,没有发生重大变化,也没有对社会造成动荡,因为它能为社会所包容,又拥有较广泛的群众基础。甚至由少数民族建立的朝代,如辽、金、元、清,情况也是如此。在东亚的朝鲜半岛和日本则略有不同,佛

---

① Teng Ssu-Yu(邓嗣禹). Chinese influence on the Western examination system, Harvard Journal of Asiatic Studies (Boston), 1943, 7:267~312

② Bodde D. Chinese Ideas in the West. Washington, D. C.: American Council on Education, 1948. 23~31

教在高丽朝达到全盛期,李朝以后出现崇儒排佛和佛教衰微的局面;日本江户朝佛教也开始停滞和世俗化。中国佛教一直稳定发展,而且宋朝以后与儒学相互渗透,出现了理学或新儒学,已如前述。

二、印刷术与欧洲宗教改革运动

在欧洲,印刷术对宗教的影响与中国大相径庭,这是因中、西社会背景不同所致。14~15世纪的德国是最早发展印刷,尤其金属活字印刷的欧洲国家,但却是罗马教廷控制最严的地区。14世纪以后,英国和法国形成的民族国家在政治和经济上的实力愈益加强,王权已不能容忍教廷的专横和聚敛,逐渐削弱本国教会与教廷的联系。但德国却处于分裂状态,没有形成统一的强大政权,因而成了罗马教廷的"温顺的乳牛",不但要向罗马交纳苛捐杂税,而且大量土地、农场、森林和牧场都属于教会,教皇、主教和僧侣们都靠剥削市民和农民过活。谷腾堡印刷所的最早出版物,是教廷敕准的哲罗姆(Hieronymus or Jerome, 342~420)版拉丁文《圣经》和1454年教皇尼古拉五世(Nicholas V, 1477~1455)颁发的赎罪券(Indulgence)。教徒花钱买赎罪券后,可获得教皇对"罪罚"的赦免,实际上是向广大人民敛财的一种手段。

因此我们看到,欧洲印刷术最初被教廷用来向群众进行思想统治和经济剥削的目的服务的。在这种情况下,它是允许印本大量发行的。可是当1479年南德意志有力的财团出版第一部供市民阅读的《圣经》时,科隆的教会立即向教皇报警,罗马当局首先向出版者抽以重税,实行经济制裁,同时下令德国各个大城市的出版者必须事先得到教会许可才能出书。1515年5月4日,教皇将书籍出版审查制度扩展应用于整个基督教世界,不合教廷口胃的书被视为"异端",所有出版者、购书者和读者都要受到惩罚[①]。随着反教会的人文主义作品的接连出版,教皇开列的"禁书"名单越来越长,控制和反控制的斗争持续不断。最后,这种斗争终于在比较顺从的德国爆发了,这就是宗教改革运动。这是16世纪欧洲新兴资产阶级在宗教改革旗帜下发动的一次大规模反封建的社会政治运动,斗争矛头直指以罗马教皇为首的天主教会这一封建制度主要支柱。

宗教改革之所以首先在德国发生,是因为德国是赎罪券印制与发行最多的国家,人民受害最深,因此反抗最烈。教皇利用这种方式在德国榨取的巨额钱财超过皇帝,市民认为大量资金流入罗马损害了德意志经济的发展和他们切身的利益,在最下层的农民更是仇恨天主教会。尼德兰人文主义者伊拉斯谟讽刺教皇的作品《愚人自夸》1509年在巴塞尔刊行后,对德国影响最大,流传最广,几年内再版二十多次。德国人文主义者、骑士阶层思想家乌尔里希·冯·胡登(Ul-

---

① Martin H J. Histoire et Pouvoirs de l'Écrit. Paris: Librarie Académique Perrin, 1988. 252~253; Eng, ed. History and Power of Writing. Chicago: University of Chicago Press, 1994. 267

rich von Hutten, 1488～1523)作为《愚人书简》(*Epistolae Obscurorum Virorum*, 1517)的作者之一,猛烈抨击罗马教皇和天主教会,主张建立以骑士阶层为支柱的君主政权。他还翻译意大利人瓦拉揭露教廷伪造文件的作品,而用德文写的诗中也同样表达他的上述思想,希望有朝一日德国能够统一,成为强国。

激起宗教改革的导火线是1517年10月教皇利奥十世(Leo X,1513～1521)以建造圣彼得大教堂募款为名,派遣不学而粗俗的德国神职人员台彻尔(Johannes Tetzel,1465～1519)为特使,在德国兜销大量印刷的赎罪券。他在街上对公众说:"只要你购买赎罪券的钱一敲响钱柜,你的灵魂就会立刻从炼狱升入天堂。"这种骗人伎俩引起人们极大愤怒。当时任维滕贝格(Wittenberg)大学神学教授的马丁·路德(Martin Luther,1483～1546)怒不可遏,遂即写了揭穿赎罪券骗人敛财的《九十五条论纲》(*Ninety Five Theses*),第二天(1517年10月31日)钉在维滕贝格的奥古斯丁会教堂的大门上,要求展开辩论,以明是非。他在论纲中基于宗教的法理指出,教皇除自己施加或法典规定的惩罚外,不能免除其他罪罚。教皇的赦罪只是宣布上帝的仁慈,不适用于炼狱中的灵魂。每一信徒都能得到基督的赦罪,即令没有教皇帮助,也有基督和圣徒为之补过。

马丁·路德以说理的宗教语言推翻了只有教皇和教廷才有赎罪权力的说法,证明了发行赎罪券可使信徒免罪之说并没有法理依据,给罗马教廷沉重一击,对信徒群众来说是一次思想解放。他点燃的这个火把迅即成为反对教皇的燎原大火,他的《论纲》成为大家的共同纲领,整个德意志民族都投入这场运动。《论纲》由印刷厂赶印,两周内就传遍德国,4周内传遍全欧洲,当时人们形容《论纲》的传播犹如天使传达基督福音那样快①。马丁·路德本人也认为"**印刷术是上帝无上而至大的恩典,使福音得以遐迩传播**"②。1519年6月,他与教皇的代表约翰·艾克(Johannes Maier Eck,1486～1543)在莱比锡展开神学辩论时,他已不限于只谈赎罪券,而是将矛头直指教皇。他认为教皇不是上帝的代表,教廷的决议未必都正确,如1414年康斯坦茨(Constanz)会议宣布胡斯(Jan Hus,1372～1415)为异端便是错的,从而否认教皇的无上权威。为系统宣传自己的主张,路德1520年8月出版三本小册子:(1)德文本《致德意志民族的基督徒贵族书》(*An den christlichen Adel der Deutschen Nation*);(2)拉丁文本《试论教会对犹太人在巴比伦的囚禁》(*De Captivitate Babylonica Ecclesiae Praeludium*);(3)德文本《论基督教徒的自由》(*Von der Freiheit eines Christenmenschen*)。

在上述第一本小册子中,路德要德国贵族联合起来,反对教皇,解放德国。要求教皇交还属于德国的自由、权利和财产,让皇权名副其实。不再向教皇交

---

① Snyder L I. Documents of Germany History. New Brunswick, NJ: Rutgers University Press, 1958. 62

② Black M H. The printed Bible. In: Cambridge History of the Bible, vol. 3. Cambridge, 1963. 408

税,剥夺教皇任命德国主教的权力,教皇没有凌驾于皇帝之上的权力。实际上这是路德的政治纲领,是德国脱离罗马控制的独立宣言。第二、三本小册子是路德的宗教纲领,主要内容是反对教皇控制各国教会,反对教会拥有地产,主张在宗教仪式中简化烦琐程序,且以民族语言代替拉丁语,让信徒读德文版《圣经》。路德认为《圣经》是信仰的最高准则,不承认教会有解释教义的绝对权威,强调教徒个人直接与上帝相通,无需经过神父中介,要求建立适合君主制的教会和教义。这些主张成为脱离天主教的新教(Protestantism)的理论依据。为使小册子迅速传播,造成强大舆论,以四开本 (18 cm×22 cm 至 25 cm×33 cm) 形式出版,且加入一些漫画,因此德国印刷厂第一次确保了新教的成功①。

1520 年 6 月 15 日,教皇利奥十世发布训谕,宣布路德学说是异端邪说,下令焚毁他的作品,并开除他的教籍。他在群众支持下,也宣称教皇是怙恶不悛的异教徒,其命令是反基督的。同年 12 月 20 日,他在维滕贝格当众将教皇的训谕烧毁,并支持诸侯没收教会财产。1521 年初,神圣罗马帝国统治者在教皇授意下,下令逮捕路德。他受萨克森选侯庇护,藏于瓦特堡(Watburg),得免于难。1522 年返回维滕贝格,将希腊文版《圣经》,译成德文(图 296),并按自己学说建立新教教会。后来路德的新教(路德宗)在德国和

图 296
马丁·路德从希腊文译成的德文版《圣经》扉页,取自 1533 年 Wittenberg 版

北欧国家得到发展。在他影响下,法国人加尔文(Jean Calvin, 1509~1564)在日内瓦建立激进的教派(加尔文宗),在瑞士、法国、荷兰和苏格兰得到发展,英国出现了圣公宗(Anglicanism)。这使新教与天主教、东正教形成鼎足之势,罗马教廷控制的教区地盘被大大缩小。在宗教改革运动的诱发下,1524~1525 年德国爆发了由下层牧师闵采尔(Thomas Münzer, c.1490~1525)领导的农民战争向封建领主提出《十二条款》作为斗争纲领,而且将其印刷出来,流行于全德国,现在印刷术又为农民战争服务了。宗教改革运动和农民战争的政治后果沉重打击了封建制和罗马天主教教廷在德国的统治,使德意志民族觉醒起来,为日后资产阶级革命和统一民族国家的形成打下初步基础,其影响还扩及其他欧洲国家。

---

① Martin H J. The French Book: Religion, Absolutism and Readership (1585~1715). Saenger P, Saenger N, tr. Baltimore: John Hopkins University Press, 1996. 12

三、印刷术在中外产生的经济效应

印刷术在经济领域中的效应并不亚于它对思想、文化教育、科学、宗教和政治方面的效应,中外都是如此,这里不能不简短叙述一下。宋以后,印刷业一直是国民经济中常盛不衰的产业部门,拥有稳定的市场。它与采矿、冶金、造船、机械等产业不同,其产品(印刷品)的用户极其众多,而且遍及全国,销售量一直居高不下,不受社会其他因素影响,因此印刷厂和经营印刷品的书店商人总是有生意可做。印刷业厂家常常聚集在某些省的特定地区,构成印刷中心,如福建建阳,浙江杭州,四川成都,江苏扬州、南京等地,将产品运销至其他城市。印刷业还刺激造纸业的发展,而且位于产纸区附近,这就促进这些地区经济的繁荣和商业、水陆交通的发展。书店也有时集中在城市的某一街区,形成书店街,便于顾客选购,早在唐代书店就已在长安、洛阳和成都等地出现了。宋以后开封、杭州、洛阳、苏州、泉州、广州等地同样如此。反映北宋开封景象的著名画卷《清明上河图》中就有书店。

唐宋以后,印本书还是中国出口贸易的重要商品之一,出口对象是朝鲜半岛、日本、越南等国,这些国家也遣人前来中国采购,交易量相当之大,如《高丽史》卷三十四载忠肃王元年(1314)遣人至中国江南购书,只在南京一地就以宝钞150锭(6 250万贯)购得经籍10万余卷而还。同书卷五载,显宗十八年(1027)宋代商人李文通至高丽运书597卷。因此在东亚汉字文化圈国家间,一千多年前已形成印刷品贸易的国际市场,一直持续到清代,主要是中国图书出口。商人船运书籍至国外港口后,再从港口运回当地商品,从而促进了对外贸易的发展,也扩大了图书的销售市场。沿海一些书商拥有自己的船队,以族姓为单元利用季风乘船往来于中外港口城市。与中国陆上相连的朝鲜和越南还沿陆上商路进口书籍。

上述情况也发生于欧洲。15世纪德国是欧洲印刷大国,在掌握活字印刷技术以后一度对外保守技术秘密,印刷的拉丁文《圣经》、宗教画、拉丁文文法和纸牌等向其他附近国家大量倾销,赚得不少外国金币。国内各地迅速出现很多印刷中心,也促进造纸业大发展。谷腾堡印刷所一度因纸量不足,只好以部分羊皮付印;各地纸厂建立后,一律以纸付印,减低了生产成本和书价。16世纪以后,意大利、荷兰、法国、瑞士、英国等国印刷业发展也很快,成为支柱产业之一。1450～1500年欧洲250家印刷厂出书2.5万种、500万册。16世纪时产量又增加两倍,一些城市内书店林立,主要集中在商业和文化发达的城市。欧洲出版业从一开始就与银行业有密切联系,从银行取得贷款建立印刷厂,随着印刷出版业的迅速发展,银行的业务也大为扩展。各地报纸的发行为工商业发展提供重要信息,使业主足不出户就能知道国内外市场走向,还能通过报纸推销自己的产品。

各厂家为推销产品,维持信誉,打出品牌,常请人设计商标在社会上流传,并用各种形式印出广告或传单,有助于刺激社会工商业的发展。印制广告和商标是从中国开始的,现存最早实物是中国历史博物馆藏北宋济南府刘家针铺所用的广告用铜印版,其所制缝衣用钢制细针的商标为白兔,此匾牌悬挂在针铺门前,开封和杭州等城其他店铺也当会如此。在宋、元刻本中时常可看到坊家的商标图案和广告文字。欧洲印制的商标、广告始见于15世纪的印本书中,后来发行量更大的报纸和各种杂志更好地起到刊登广告的功能。各厂家产品包装材料上也通常印出品名、商标、产品性能和广告文字,随产品运销各地,以便与其他地方生产的同类产品相区别,而突出自家产品的宣传,借以吸引客户注意。这种经营之道从宋至清一直持续,因此给印刷厂带来新的业务。印刷品以这种方式为工商业服务,在欧洲也从15世纪以后开始。今日世界各国城乡几乎到处充斥的这类印刷品都源于此,其所带来的经济效益是不言而喻的。

在经济史中唐代有两项首创举措对后世有深远影响。一是德宗建中四年(783)官府征收房屋税和所得税时,发给交税人一种统一印成的票证,填写姓名、税项及税款,作为纳税凭证,又称"印纸"。这是第一次将印刷品用于财政管理,提高了工作效率和效能,并使财务工作规范化。其次,宪宗元和年(806~820)初,官府印发统一格式的兑换券,名曰"飞钱",使外地来京贸易的商人将卖出货物得到的铸币可以先换成兑换券,返回本省后再凭券取回铸币,无需在返乡路上携带大量铸币。飞钱的发行便利于商人的贸易,促进商品经济的发展。北宋时继承并发展了这两种制度,仁宗庆历八年(1048)印发"盐钞",商人向官府缴纳现钱后,领取贩盐的凭证(盐钞),即可合法贩盐。神宗熙宁七年(1074)令商人于官府交买茶税,再发给印制的许可证,名曰"茶引",即可去外地贩茶①。北宋时官府还统一印发田宅契纸,供民间买卖田产时填写,作为田产交易和纳税的凭证。为了防止各地县官多印私卖契纸以肥私,还在纸上以活字印出千字文编号,使每纸编号不同,且登记入簿。宋政府因采取这些经济措施,使国库财政收入大增,商人也有利可图。

宋代因商品经济有很大发展,商人外出贸易携带大量铸币很不方便,需要以体积小、重量轻、价值大的币种取而代之。唐代印制的飞钱已为发行纸币提供了思路,因此北宋真宗大中祥符四年(1011)在使用笨重铁钱的四川,由富商发行纸印的兑换券,名曰"交子",成为纸币的前身。仁宗天圣元年(1023)宋政府在四川设益州交子务,印发官营交子,以铁钱为准备金,1039年以后票面内容均印刷而成。1023年官营交子的发行是纸币的滥觞,中国是世界上最早发行纸币的国家。纸币的使用是货币发展史中具有革命性的创举,促进了商品经济的发展,也是后来资本主义金融制度赖以建立的基础,具有深远意义。

宋政府在发行交子时,形成一套比较完整的钞法或纸币制度,包括币面设计与印制、发行与流通、兑换方法、准备金的贮备,等等,为此后历代提供了参考和经验教训。与宋并存的金于1154年仿宋制度发行交钞,改为无限期流通,这是货币史中的一次改革。元代世祖中统元年(1260)发行宝钞,以银为本位;统一全

---

① 脱脱[元].宋史(1345),卷一八一,食货志下三.二十五史缩印本,第8册.上海:上海古籍出版社,1986.5741

国后,政府禁止使用铜钱,宝钞以法律形式规定为全国惟一合法通货。元以前的纸币还多少带有兑换券性质,且只行用于局部地区;到了元朝,宝钞才真正起到不兑换纸币的作用,这在中国和世界都是一件大事。而且元代宝钞通用朝鲜半岛上的高丽朝和帝国控制的中亚等地区,成为一种类似今日美元那样的国际货币。

元代钞法形成更为完善的金融制度,机构设置健全,管理体制和法制较为严密,准备金充足,使人安心,又设立平准库买卖金银以维持钞值,所有这些办法后来为不少国家所仿行。元帝国版图横跨亚、欧两大洲,使东西交通和文化交流进入新的时代,中国各种发明随之西传,其中包括纸币。在中国以西的地区最早印发纸币的是蒙古伊利汗国统治者乞合都汗(Gaykhatu Khan,1240～1295)在位时,1294年下令按元朝宝钞制度印发纸币。纸币印制于汗国首都波斯(今伊朗)的大不里士(Tabriz)城,票面上有蒙古文、汉文和阿拉伯文。

元代发行的宝钞引起欧洲人注意。1253年法国国王路易九世派本国方济各会士罗柏鲁(Guillaume de Rubrouck)出使中国,返国后于1255年在其《东游记》(*Itinerarium ad Orientales*)中记录了元代宝钞。此后,意大利旅行家马可·波罗也在其游记中介绍说:在汗八里城(Khanbalique)即元大都(今北京)宝钞提举司印刷厂里用桑皮纸印刷纸币,呈长方形,有不同面额,上有官印,凡伪造者处死,此纸币流通于全国各地,百姓可用它购买任何物品,包括金银珠宝,任何店铺不得拒绝纸币。又说外国商队持货前来贸易时,大汗召集12名有经验并精通业务的人对货物进行公平估价,再加上一些合理的利润,用宝钞支付给商人,不得反对这种支付方式。如果外商在其本国不能使用这种纸币,他们可在中国用宝钞购买适合其市场需要的其他中国产品运回本国。当所收纸币用久损坏,可付3%费用换取新币。"皇帝陛下的一切军队都用此纸币发饷,他们视此与金银有同样的价值。基于这些理由,可以确切承认大汗对于财宝的命令权比世界上任何君主要广大些。"①马可·波罗据实地见闻较准确地介绍了元代的纸币制度,为欧洲国家推行这种制度提供一个现成的成功模式。

元代时,意大利威尼斯、热那亚和佛罗伦萨商人热衷于对华贸易,促进了这些地区的经济繁荣。1340年佛罗伦萨人佩格罗蒂(Francesco Balducci Pegolotti, fl. 1305～1365)的《通商指南》(*Practica della Mercantura*)设专章(第一～三章)介绍欧洲商人如何进行对华贸易时,指出他们进入中国境内时需将所携银锭换成纸币,名宝钞(balishi),有三种面值,"通行全国上下一体行用。商人可用以购买丝货及其他各种货物。纸钞与银币相等,不因其为纸而需多付出也。"②

---

① 李季译. 马可·波罗游记,卷2,第24章. 上海:亚东图书馆,1936. 159～161;Manuel Komroff, ed. The Travel of Marco Polo, book second, chap. 24. New York: Grosset & Dunlap, 1936. 137～140

② Yule H, ed. Cathay and the Way Thither: Being a Collection of Mediaeval Notices of China. vol. 3. Revised by Cordier H. London: Hakhuyt Society, 1914. 137～171;张星烺. 中西交通史料汇编,第2册. 北平:京城印书局,1930. 327～331

书中还提到以欧洲银两换成宝钞后能买回多少丝绸锦缎,从中可以算出一贯宝钞相当于多少欧洲硬币的兑换比例。

14世纪一些欧洲商人在中国使用纸币,发现面值相当10个拜占(bezant)金币的宝钞重量还不到一枚拜占,用这种轻型而安全的新型货币可在境内任何市场上买到任何商品。纸币信息传到欧洲后,一旦时机成熟,就会被起而效法。15世纪以后,欧洲商品经济和贸易的迅速发展,人们越来越感到使用传统铸币的不便,按中国模式发行的纸币在16世纪以后的一些欧洲国家正式使用,并对欧洲银行业的发展产生重大影响[1]。适应商业资本主义发展、资本原始积累和扩大市场的需要,欧洲各地相继建立一些银行,如威尼斯银行(1580)、阿姆斯特丹银行(1609)、汉堡银行(1619)、伦敦英格兰银行(1694)和巴黎总银行(Banque Générale, 1716)等,成为各国的金融中心。"银行"在意大利语中称为banco,本义是"柜台",因银行的前身是货币经营者在市场上设立的接待客户的柜台。英语bank,法语banque都导源于意大利语banco。银行建立后,一些国家就接着印发纸币(banknote),如瑞典(1661)、美国(1690)、法国(1720)和德国(1806)等国,18~19世纪已遍及很多国家。以纸币为基础的银行和信贷体系的建立是资本主义经济秩序发展的必要一环。西方纸币从票面设计、防伪措施到发行管理、市场流通等程序都是直接吸取了中国所提供的六百多年的宝贵经验,近代各国和国际上的金融体系归根到底都是在这一基础上逐步建立起来的。

从以上所述可知,印刷术在中国、中国周边的亚洲国家和欧洲国家产生的直接后果是大大促进教育的发展和知识的普及。随后产生一代又一代的知识分子队伍,他们在自然科学和人文科学不同领域从事研究和创作,出版具有新思想和新成果的作品,或对古代作品作新的发挥,由此又引起一连串的社会效应。但由于中外社会背景和文化传统不同,产生的效应、表现形式和影响范围随之不同。

在中国,印刷术起于隋唐之际大一统时期,国力强盛,至宋代印刷术大发展。此时封建制已成熟,文物典章齐备,经济繁荣,文化教育发达,文人学士和科学家辈出。唐诗宋词领文坛风骚,散文日臻完善,音乐、美术、戏剧创作进入新的意境,已在世界上提前实现了文艺复兴。宋代刊印前代各种科学典籍和本朝大量新成果,以四大发明为骨干的中国科学技术在当时世界处于领先地位。佛教也获得大发展,但它只是广大群众自愿选择的一种宗教信仰,不是国家的统治思想,佛寺不像罗马天主教廷那样专横暴敛引起人民积怨。中国官方哲学是儒学,宋以后开始哲学化,吸取自然科学成果,发展成理学或新儒学,更有效地维护了封建统治。理学中的有机论自然观对科学发展一直起促进作用。科学、哲学、文学和宗教在中国稳定而有序地发展,没有对社会造成任何冲击,只带来学术繁荣。中国封建制统治经验丰富,有自我调整机制,能消化任何重大发明,使之为帝国所用。宋代商品经济发达,但资本主义萌芽不足以成为挑战封建制的一股

---

[1] Temple R. China—Land of Discovery. Wellingborough, UK: Patrick Stephens, 1986. 117~119

社会力量。

反之,印刷术传到欧洲正值封建制衰落、资本主义迅速发展之际,聚积了大量财富的早期资产阶级不满足于现有社会地位,而是极力投入反封建斗争,最终建立政权。欧洲封建统治的重要支柱是罗马天主教廷和教会,它凌驾于世俗政权之上,在一些国家拥有领地,收取苛捐杂税,教皇作为上帝的代表有绝对的思想权威和解释《圣经》、教义的特权,以中世纪经院哲学统治人们思想,不许有不同声音,否则视为"异端",加以迫害。教会以神权压人权,提倡蒙昧主义、禁欲主义,要人民忍受痛苦,以便死后灵魂升天。教会与封建势力侵犯资产阶级利益,限制其发展。因此任何反封建斗争必然首先将矛头指向教会。

14世纪开始的文艺复兴运动以人文主义为思想旗帜,与教会神学对立。人文主义者主张以人为中心,赞扬人的价值与尊严,要求个性解放、自由平等。他们揭露教会当局伪善、贪婪,标榜理智以代替神启。这是资产阶级用来反对封建束缚、争取自身政治经济地位的思想武器。人文主义作品以印本书形式在社会上广为传播时,就形成可挑战教皇、教会权威并动摇其统治根基的强大社会舆论。反封建斗争进入新的活跃时期,已不再是少数人的呐喊,而是千万人参加的群众运动。人文主义思潮反映在哲学、政治思想、文学、艺术和科学等各个领域,各国作家坚持以其民族语言创作,具有政治意义。他们的作品出版后,有助于提高各国人民的民族和国家意识,发展民族文化,使民族语言像希腊语、拉丁语那样赋有哲学讨论的功能,这对民族国家的形成起了推进作用。

在反封建、反神学斗争中,自然科学领域成了新的战场。中世纪欧洲科学是教会的附庸,14～15世纪随着印刷术的发展,大学数目骤增,增加医学和科学教学内容,古希腊、阿拉伯科学著作和中国发明传入后,打开了欧洲人的科学视野,刺激他们从事研究。为此必须冲破神学的思想樊篱并与其对立。1543年纽伦堡出版哥白尼的《天体运行论》,宣告科学革命的开始。书中以科学证据推翻了统治欧洲思想界达1 000年、被经院哲学纳入其宗教体系中的地心说,把地球从宇宙中心降到围绕太阳转动的普通行星之一,引起人们世界观的根本改变,动摇了神学统治的理论基础,从此自然科学从神学中解放出来。科学与神学斗争激烈,哥白尼学说被教皇宣布为禁书,宣传日心说的布鲁诺被烧死。但革命自有后来人,经伽利略等几代人的努力,至17世纪已在天文学、数学、物理学、化学、解剖学和生理学等学科完成一系列理论突破。以系统实验和自然假说数学化为标志的近代自然科学在欧洲兴起,为18世纪工业革命奠定了理论基础。在科学技术帮助下,资本主义生产迅速发展,资产阶级也取得政权。

最后,16世纪西欧国家又爆发了宗教改革运动,这是来自天主教内部的大规模造反运动,矛头直指教皇。教廷的专横和暴敛早已激起各国世俗政权和人民的愤怨,受教廷控制最严的德国受害最大,反抗也最烈。1517年神学教授马丁·路德在维滕贝格教堂大门钉上《九十五条论纲》,揭露教皇兜售大量印制的赎罪券为欺人的敛财行为,没有法理依据,吹响了宗教改革的号角。《论纲》以印刷传单形式迅即传遍德国和全欧洲,引来大众的群起响应。路德还出版三本小册子宣传其宗教改革纲领,要求德国从教皇控制下独立自主,反对教皇控制各国教会和教会拥有地产,主张简化宗教仪式,且以民族语言代替拉丁语,否认教皇是上帝的代表,主张教徒直接与上帝相通,无需神父中介,不承认教会有解释教义的权威。路德不顾教皇迫害,按自己学说建立新教教会。后来新教在德、法等国发展,缩小了罗马教廷控制的教区范围。在宗教改革运动诱发下德国爆发了农民战争,沉重打击了封建势力和罗马教廷的统治。

文艺复兴、科学革命和宗教改革是为新兴的资产阶级登上历史舞台鸣锣开道的反封建、反神权的思想文化运动,而印刷术正为此提供唤起大众响应、制造舆论的有力手段。群众一旦动员起来,就能化为具体行动。当资产阶级掌握了火药技术后,便有了反对封建制、建立合乎自己意志的政权的武装力量,而火炮的轰鸣则敲响了欧洲封建制的丧钟。16~17世纪一些欧洲国家的资产阶级革命已在文武两条战线上取得成功,这是人类从未经历过的一次具有进步意义的大革命。靠指南针导航完成的地理大发现和由此兴盛的远洋航海事业,又帮助资本主义开拓海外殖民地、世界贸易和世界市场,从而揭开了世界近代史的新篇章。

第十三章　火药和指南针对世界文明发展的影响

第一节　火药和火器对世界文明发展的影响

一、火药和火器在武器、战争中引起的革命

在人类历史上，各种类型武器的出现是以当时社会生产力为基础的。原始社会的武器多为石制，威力不大。随着社会生产力的提高，在商周以来的奴隶社会出现了以青铜制成的长矛、刀、匕首、戈、斧和弓箭等金属兵器，其刃部尖锐，比石坚硬，因此杀伤力更大，这是青铜冶炼和铸造技术发展后的产物。战国至汉以后，冶铁、炼钢技术取得很大成就，生产工具以比青铜坚硬的钢铁制成，兵器也同样如此，成为早期封建社会的时代标志。以弩机代弓射出的箭射程加大，操作起来却较为省力，而且有瞄准部件。这时重型武器有抛石机，古称"礮"(pào)或"砲"，以杠杆原理抛出石块。火攻武器以易燃材料与硫黄、油脂等组成，用箭射出，引起敌方易燃物起燃。五代前后，又出现将石油放入铜管中借唧筒原理喷火的猛火油机，其燃烧力更大，且难以用水扑灭。

在中世纪封建统治下的欧洲和阿拉伯地区，在武器演变方面也大体经历了石器、青铜器到铁器的发展阶段，武器类型也与中国类似。8～9世纪时铁制武器已占支配地位，普遍使用重型抛石机；以石油为主要喷火材料的"希腊火"在拜占庭成为对付阿拉伯人的有力火攻武器，阿拉伯人后来也掌握这种技术。因此在文艺复兴以前，东西方各国在武器使用方面基本上处于同一技术水平。但欧洲封建骑士不但手持金属长矛，还全身披着沉重的铠甲，连坐骑也如此，因此行动起来颇为不便，但可防止受到伤害。走进西方各大博物馆，至今还可看到骑士形象。中国和阿拉伯的骑兵只披轻铠甲，不像欧洲人那样全身从上到下被铁片包着，但行动方便，在战场上也未必吃亏。

在火药出现前，东西方各国主要的兵种有骑兵、步兵和水兵，他们在陆上野战、城市攻防战及水面战争中，以不同阵形使用刀、矛等有金属刃部的武器进行面对面的格斗，靠士兵力气、勇敢和战术对敌方有生力量造成机械伤亡，来决定战役的胜负。猛火油机、希腊火主要用于水战，以火势焚烧对方战船，然后再跳到船上乘敌军混乱时厮杀，仍是近距离作战，而且是否有效取决于是否有风和风向如何，因为纵火剂需有空气助燃才能燃烧。遇有坚固设防的城池，攻城一方士

兵需借云梯爬到城墙上与守城敌兵格斗,或对城市进行长期包围,切断城市粮草及武器供应,再行强攻。两种场合下,攻守双方都要付出重大伤亡代价。

为减少伤亡,避免面对面格斗,可将弓箭、弩箭或抛石机向敌方射击。但弩箭的最大杀伤射程为 200 m~300 m,虽然还可射得远点,但杀伤力减少,即成了强弩之末。抛石机可将约 10 斤~20 斤(5 kg~10 kg)石块投至 50 步(82 m)远的距离①,如果在城下攻城,石块可投至城墙上或城内。但需几十人牵引砲梢的绳索,较为费事。而且抛石机梢(梃杆)长 1 丈~2 丈(3 m~6 m),加上支架,不但所占体积大,且重量也大,不易运输。其命中率不一定准确,还要有多个抛石机同时抛石,才能收到效果。欧洲人和阿拉伯人有特重型抛石机,能将更大的石块抛出去,但其笨重性的缺点也随之突出。总之,不管是陆战还是海战,最后胜负都取决于近距离器械格斗的机械性杀伤效果。从理论和实战结果来看,老式的武器在战争中的局限性是越来越明显的,而其在经济上的支出及物资耗费则越来越大,中世纪各国连年不断的战争给广大人民带来沉重的经济负担。

中国所发明的火药和以火药制造的武器——火器(firearms),是与所有先前各民族使用的武器根本不同的新型武器。其他武器如刀、矛、戈等本身由金属材料制成,配上木柄,或金属箭头配上木杆,用人力操纵。抛石机则以木制机械装置将石块投出,仍由人力控制。人力成为这些武器工作的惟一能源,人力大小成为武器威力的决定性因素。而人力是有限的,因而抛石机需由众人之合力才能操作。同时,这些由金属和木、石材料做成的武器只能产生穿刺、撞击等机械杀伤、破坏作用。

火药是由硝石、硫黄和木炭为主要原料制的混合物,点燃后产生剧烈化学反应,释放出大量气体和热以及化学能。金属、木、石和其他材料是承载火药的载体,载体与火药合在一起成为火器。火药成分中还可以配入毒药、烟雾剂、石灰、碎铁刺、碎瓷片等。火器工作的能源不再是人的自然力,而是人工造成的化学力,其能量大大超过人力。火器不但能产生机械杀伤、破坏作用,还能产生化学杀伤和破坏作用。这是以前的古典武器不可能具备的。火器能产生声、光和热三种效应,古典武器没有这些效应,因而又通称"冷武器"(cold weapons),以与火器相区别。

火器的杀伤、破坏威力和所扩及的范围大大超过冷武器。一个士兵持长矛一次能用力刺死一个敌人或一匹马,但如果他投出一枚手榴弹,就能轻易炸死数倍于此的人马。长矛或刀能伤人马,而不能给敌人营房、工事或仓库造成破坏,但一枚炸弹或炮弹足以连人带物一同被炸毁或引起焚烧。弩机射手可将箭射至百步之外的敌人,如果对方有全副铠甲保护,则不能造成任何伤害,但对方如受炮弹袭击,则立刻被炸得粉碎,而炮弹射程远远大于弩箭。用重型抛石机充其量能击破城墙上局部角落,而以火炮攻城,则能炸开大部缺口,一拥而进,攻下城

---

① 吉田光邦.宋元の軍事技術.見:藪内清編.宋元時代の科學技術史.京都:京都大學人文科學研究所刊,1967.219,233

池。海战时,希腊火或猛火油机只能在靠近敌船时起作用,且需有风相助。而以火箭可在距敌很远的地方焚烧其船,且不管是否有风,因为火药是自行燃烧的,无需空气助燃。

手榴弹、火箭、火铳、喷火筒等火器都较轻,士兵足可携多枚,甚至可以在马上发射,当然也可在船上用之。火炮虽重,但有轮子,可由马拉,比抛石机更易于运送至任何地方。火器另一特点是制造成本并不高,以制造一个骑士的全副铠甲所费的人工、费用和材料,可以造出足以炸死几十名骑士的手榴弹。发展火器的经济支出不一定比冷武器系统多花多少钱,但所产生的军事效应却大许多倍。另一方面,将以往的传统冷武器装上火药,也能增强其威力,不必皆弃之不用。如将抛石机所抛的石块易之以火药包,将纵火箭上的纵火剂易之以火药,则武器形态未变,其威力却大为增加。

综上所述可以看到,由黑火药制成的火器,较前此所用的冷武器具有无比的技术优越性。回顾从公元前30世纪到公元10世纪这段时间内,人类所使用的武器经历了石器、青铜器、铁器和火器四个发展阶段,武器的性能在逐渐完善,但发展的速度较为缓慢,前三个阶段一般都持续达千年之久,而且武器工作动力都直接来自人力。前三个阶段分别反映原始社会、奴隶社会和早期封建社会的生产力和技术水平。第四个阶段的火器,工作动力来自火药产生的化学能,即通过人工与天工互补发挥出来的自然力,从而在历史上第一次将人力从武器驱动中解放出来。任何人,哪怕是身无缚鸡之力的儿童,只要轻轻以引线将火药点燃,火器迅即发动,其杀伤部就由火药产生的巨大能量发射出去。这是与前三个阶段的武器根本不同的,它反映人类认识与利用自然已进入一个崭新的阶段。

火器虽可毫不费力地发动,但其杀伤、破坏和燃烧的威力和有效作用范围却大大超过以往所有武器。因此,火器的出现和使用是人类武器发展史中划时代的革命。火器始于10世纪中国封建社会高度发展时期,是当时社会生产力和科学技术高度发达的产物。火药和火器出现后,又不断在技术上革新,与冷武器阶段不同,火器阶段(10世纪～19世纪)从未在某一技术水平上停滞不前,而是日新月异,因此能逐渐将中外其他旧式武器取而代之,成为近千年间人类在战场上通用的作战武器,这是历史的必然。火药和火器的历史作用在于它掀起了人类武器技术史中的一场革命,开启了化学武器的新阶段,又引发了此后一系列武器技术的革命。

二、火药、火器对社会政治、经济的影响

前面从武器发展史角度谈到了火药和火器所起的历史作用,这个问题还可进一步展开,同时更应讨论火药对东西方各国产生的社会影响和在推动人类文明发展中所起的作用。中国在唐末,炼丹家已经在做化学实验中发现了火药混合物的燃烧爆炸作用,但还没来得及对这种作用加以控制并制成火器,大唐帝国便由盛而衰,由衰而亡。接下便出现了五代十国(907～960)为期53年的分裂割

据局面。打开历史地图会发现,实际上中国境内割据的政权还不止十个,这就妨碍了全国经济的发展和国力的增强。因为原来一体化的经济协作,现在被政治上对立的一些政权所分割,各国之间又相互交战。这显然是时代的倒退,历史发展的趋势是结束分裂,实现统一,而火药和火器正是在这方面起了积极的社会作用。

五代时的后周世宗在位(954~959)时,已消灭一些割据政权,为全国统一开了路。在后周握有兵权的赵匡胤(927~976)取周而代之,即帝位,国号宋,此即宋太祖(960~976)。就在他在位时火药武器开始发展,利用火器对付没有火药的对手,处于永远不败的地位。960~979年,北宋统治者凭借其军队拥有火器的军事优势,迅速铲平南方割据势力,实现了中国大半江山的统一。只有北方的辽(916~1125)与之对峙,辽是契丹族建立的政权,社会制度和经济落后,北宋本可乘势灭之,完成全国统一。因宋统治者重文轻武,对辽采取防御、妥协方针,留下北方边患。但北宋统治的166年间,在中国大部分最发达的地区,得以发展经济、文化和科学技术,造纸、印刷、火药和指南针这四大发明在这时获得全面发展,对后世和国外产生深远影响。

12~13世纪,宋、金、蒙元并存期间由于火药技术的扩散,这三者之间互相以火器交战,又互相牵制。由汉族、女真族和蒙古族建立的这三个政权凭借其军事实力都想在全国建立统治,实现一统天下,因而阻止了新的割据分裂的可能,经过较量,最后由蒙古统一全国,建立元朝,从此统一局面一直延续下去。五代十国那样的大分裂局面未能重演,对中国来说是个好事。除其他因素外,以火器为后盾的军事力量是防止分裂的重要因素之一。众所周知,明清时期中国曾多次出现分裂割据倾向,但最后都被以武力制止,这就看出火器的作用。此外,火器不但帮助统治者巩固其封建王朝统治,还帮助被统治的群众用来打击甚至推翻封建统治,成了社会各阶级或集团实现其政治、军事和经济目的的强有力的手段。但中国古代从没有用火器实现某种宗教目的,这是与西方不同的。

宋金元之间互相军事交锋归根到底都是各自一方为推翻对方,实现统一的政治目的而战。因宋统治区经济、文化发达,物产丰盈,于是成为金、元逐鹿中原的争夺对象。这迫使宋代注重火药和火器的发展和技术革新,但这些技术被金元掌握后,又用来对付宋,或金元之间交战,三方展开了一场军备竞赛,且各有新的技术创新。宋代也利用金元的创新来武装自己的军队,结果总的来说提高了整个中国的火器技术水平,在世界上居于遥遥领先的地位。元代中国实现统一后,利用了所有先前的技术成果,用来东征西伐,建立了历史上前所未有的大帝国,改变了世界政治格局,仍靠的是火药的力量。推翻元代而建立的明代,又将火器技术推向新的高峰。火药和火器的发展在中国和全世界引来了一连串的发明和变化,以至改变了世界的面貌,具有深远的历史影响。

首先,从12~13世纪起,中国国民经济中建立起一个庞大的新兴产业部门,即火药和火器生产部门,用来装备上百万的常备军。因为这涉及国家防务,所以军火工业生产一直由中央和地方政府部门主管,禁止私商兴办。生产火药和各种火器的兵工厂、火药库和武器库，集中了大量各行业的工匠、技师，需要动用不同的原材料，以不同生产工序加工处理，而火器生产量又相当大，因此也刺激了整个经济和各种相关技术的发展。军火生产成了一个支柱产业，像造船一样受到政府部门高度重视，而且给以人力、财力和物资方面的支持。中国从宋以后，历代统治者都注重火器，认为火器乃中国之长技，他们懂得这是提高军队作战力和巩固政权的物质保证。

但北宋火药含硝量少，且制成膏状，只能燃烧、爆炸，不能成为发射剂，且多装入非金属材料中。这种火器虽然胜过冷武器，但火药的功能仍未充分发挥出来。北宋末至南宋初之际(12世纪初)，研制出硝石含量高的粒状火药，使其发射力和爆炸力大增，并能造出新型火器，这是火药技术的一次革命。元、明两代又在这基础上再予技术创新，使火药、火器日新月异。由此我们看到火药与造纸、印刷术的一个最大不同点是，技术革新频率极大，产品更新换代周期甚短，产品品种不断增加，成为中世纪最具有创造活力的技术部门。不但在中国是如此，当火药技术传到东西方其他国家之后，同样如此。火药和火器是具有无数魔力的善变之物，在改变世界面貌的同时，还不断改变自己的面貌。正是由于这一特性，激发了人类世代学者、技术专家和工匠的永不停顿的创造灵感，完成一个接一个的创新。

从12世纪起至15世纪，即从宋代到明中叶以前，中国已在世界上最先用火药制成炸弹、手榴弹、金属火铳、喷火筒(火焰喷射器)、反作用火箭(rockets)、集束火箭、多级火箭、火箭弹、往复式火箭、火炮、地雷、水雷、定时炸弹、信号弹、烟雾弹等火器家族中的一系列成员，品种齐全，用途各异。这些火器投入生产后，与冷武器并用于战场上。随着时间的推移和军事技术的进步，火器的用量逐步增加，冷武器数量逐步渐少。至明代火器比例已占军用武器总量的50%，清代时达到六成以上[1]。因此，在军队编制中除传统的骑兵、步兵和水军三军外，又加上了操纵火器的特种部队。火器兵最初与马步兵及水军混合编制，起着打先锋的特殊作用(图297)。后因人数增多而成为独立兵种，元代称为炮手军，明代称神机营，清代称火器营，主要包括铳炮兵和火箭兵。骑兵在军队中的战略地位逐渐被火器兵所取代，这是军队编制中发生的重大变化。

火药和火器的扩大使用，是武器技术的变革，它大大提高了军队的战斗力和作战的质量。历史上有不少掌握火器的军队在与没有火器的军队作战时以寡胜众的战例。火药和火器的使用还使整个作战方式发生了革命。在以冷武器为惟一武器的时代，作战时主要靠兵对兵、将对将的面对面单个较量，凭的是力气和使用器械的武艺，基本上未脱出体力作战范畴。为此，以密集阵形从不同方向冲向敌军，进行近距离格斗。有了火器以后，情况发生变化，由于火箭、火铳和火炮可在距敌较远之处发射，在对方阵地引起燃烧、爆炸和杀伤，因而未经交锋，就已消灭对方有生力量并摧毁其军事设施，然后再扩大战果。因此，进攻的一方需先

---

[1] 韦镇福等.中国军事史,卷1,兵器.北京:解放军出版社,1983.198～205

以火器向对方密集发射,实行火力压制,摧毁敌军及其防护工事或营寨,然后再以疏散的较小阵形进行冲锋,因为密集阵形易受到对方火力还击。冲锋时以轻型火器如喷火筒、炸弹、手榴弹、火铳、火枪辅之以冷武器,最后由步兵向纵深前进。

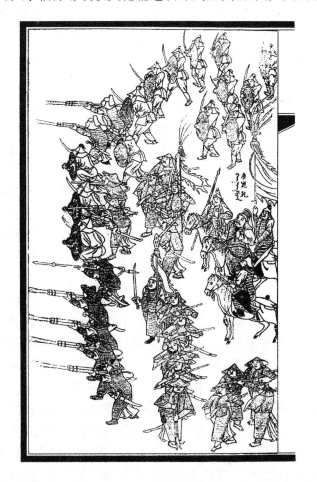

图 297
17世纪初明将领康迪乾与清兵交战时火器营布阵图,取自清《太祖实录图》

对防守的一方而言,士兵也需疏散布置,依据地形筑构掩体工事,且将火器兵布置在前沿进行阻击。同时加强城市和战船的防护,配备轻重型火器。火器的使用要求将士提高其技术素质,通晓火药、火器性能和用法。作战方式的改变,也结束了以往的指挥方式,为将者不一定要亲临战场横刀跃马,而是根据战场情况变化在士兵后面从容指挥。在冷武器时代,兵家认为攻城为不得已之下策,因为会造成更大伤亡和耗费。即令攻城,也采取围困、挖地道或计取等方法。有了火药以后,再坚固的城池也阻挡不住火炮的轰击,因此有可能借火力对城市进行强攻,历史上有不少这方面的成功战例。在火器面前,穿铠甲不能防身,因此重型铠甲改为硬质头盔和肩膝部的轻型护甲。

当中国火药和火器技术随蒙古军队传到东西方其他国家后,也像在中国那样产生社会影响,在欧洲产生的影响甚至更大。1206年蒙古在漠北崛起后迅即南下,1234年灭金,控制黄河以北大片土地,接收境内生产火药和火器的各大兵工厂,将汉族火器手编入其军中组建炮手军,与南宋对峙,同时又引进南宋火器新技术。为扩大其势力范围、掠夺物质财富，1235～1244及1253～1258年蒙古统治者派几十万至百万大军携各种火器进行两次西征，征服中亚各国，1237年蒙哥部进入钦察(Kiptchak，今俄罗斯境内)，继而以火砲攻陷莫斯科城。1238年拔都率部陷基辅(今乌克兰首都)，海都领兵逼近波希米亚(Bohemia，今捷克)。1241年蒙古军与波兰、德意志联军会战于莱格尼查(Legnica，今波兰境内)附近的大草原。全身披挂铠甲的欧洲骑士团，第一次遭受火箭、集束火箭、喷火筒和金属火铳的袭击，被彻底歼灭。

蒙古大军挟拥有火器的战略优势和快速骑兵的机动性，在欧洲腹地长驱直入，所向披靡，其铁蹄已踏进中欧。如果不是因元太宗窝阔台(1186～1241)驾崩，令各部班师回朝的话，基督教世界的中心西欧各国有可能都臣服于蒙古大汗。1251年元宪宗蒙哥即位后，再派大军西征，1258年旭烈兀率部以火箭、火砲攻陷阿拉伯帝国阿拔斯王朝(Abbasids，750～1258)首都巴格达，结束了中世纪盛极一时的阿拉伯帝国的统治。蒙古统治者于其所征服的地区建立钦察汗国(1243～1480)，都于萨莱(Sarai，今俄罗斯境内的Astrakhan)；伊利汗国(1260～1353)，定都大不里士(Tabriz，今伊朗境内)；察合台汗国(1225～1242)，设帐于阿力麻里(今新疆境内)。

蒙古在西征之后，忽必烈即汗位(1260～1294)，1263年迁都燕京(今北京)，1271年改国号为元，1279年灭南宋，统一全中国，西域各汗国都受北京大汗节制。这使元帝国势力范围从东亚扩及到中亚、西亚和东欧的辽阔地区，成为人类有史以来最庞大的帝国，帝国的西部已贴近西欧国家。蒙古军队的西征给所经之处带来严重破坏和灾难，但在各汗国建立后，为巩固其统治，又致力于经济恢复和建设。例如旭烈兀从中国内地调来大批工匠、技师和学者，在伊利汗国境内兴修水利，建立城池、寺院和学术研究机构。蒙古在西征同时，还东征朝鲜半岛，将高丽沦为属国，更东征日本、南征越南和印度尼西亚。蒙古军队在世界范围内的大规模军事活动之所以能进行，是因为拥有世界上独一无二的火器技术和中国大陆的雄厚经济力量，这些活动是产生深远社会影响的中世纪后期的世界重大事件。

蒙古军队西征的直接后果是以武力打通了一度阻塞的亚欧陆上商业通道，即古所谓丝绸之路，在中国与欧洲之间建起了**直接**进行经济、物资、信息和人员交流的安全走廊。在欧洲一端以东至北京的这段漫长陆上大通道完全在元帝国控制之下，沿途设驿站并有驻兵把守，以保护来往行人的安全，提供旅行上的方便，这就大大促进了东西方之间的贸易、经济往来和科学文化的交流。火药和火器技术、印刷术、指南针等中国技术发明就是在这一时期沿陆上或海上丝绸之路传到欧洲去的。13世纪时中国火器已用于欧洲战场，实践证明欧洲贵族封建势力所拥有的城堡、身穿铠甲的骑士团和冷武器是不堪火器一击的，因此反封建的市民阶级看到了对付封建主的有力武器。蒙古西征导致火药的西传，而火药的西传又导致欧洲封建制的崩溃。

14～16世纪，在意大利、法、德、英与荷兰等欧洲国家的一些城市，由于商品经济的发展，在封建社会内部逐步形成资本主义的生产关系，然而封建制妨碍了这种新式生产关系的进一步发展,工厂主、钱庄主和商人这些正在形成中的资产阶级的利益受到侵犯,他们拥有财富,却没有权位。他们要求开放国内市场,却到处面临封建壁垒。而广大农民更对奴役、压榨他们的封建领主积满仇恨。封建割据、国家的分裂引起普遍不满,要求民族统一的呼声越来越高。国王和教皇争权夺势的斗争又持续不停,贵族中又分裂出一批主张改革的新贵,其中包括国王。旧的社会秩序需要打破,已是大势所趋。资产阶级为达到这一目的,利用了社会上的这些矛盾,靠其所控制的金属资源铸造出火炮,炮口当然是对准封建势力及其所盘踞的城堡。因此14世纪火炮在欧洲的第一次轰鸣,已敲响了城堡的丧钟,因而也敲响了欧洲军事贵族封建制的丧钟。

欧洲贵族封建制存在着内部不稳定性,像海中的群岛那样,被无数大大小小的城邦所分割,不能形成一个强大的整体,远没有中央集权的中国官僚封建社会那样牢固。在冷武器时代,欧洲封建主凭借其石砌城堡、全副铠甲的骑士和地中海上由奴隶驱动的多桨战船,还可维持其统治,但在火器登上历史舞台后,所有这些都被炸得粉碎(图298)。由此我们看到,火药使用后在欧洲社会引起了革命性的变化,终于在16～17世纪导致封建制度的崩溃和资本主义制度的建立,随之而来的是社会生产力、经济建设以及整个社会面貌的一系列变化,将人类引向了一个新的历史时代。

图 298
1537年欧洲壁画上描述以火炮攻城的场面,取自 Needham(1986)

14世纪后半叶,火器技术在德、法、意大利等国发展并进一步改进,将中国式前膛装铳炮改造成后膛装长筒炮(breech-loading artillery),即明代人所谓的佛朗机炮(Frankish culverin),并装在有轮子的炮架上,作野战及攻城用①。15世纪又出现了前膛装轻型火绳枪(muzzle-loading matchlock)②,或将后膛装长

---

① Needham J, Ho Ping-Yü, Lu Gwei-Djen, Wang Ling. Science and Civilization in China, vol. 5, pt. 7, The Gunpowder Epic. Cambridge University Press, 1986. 366

② Needham J, Ho Ping-Yü, Lu Gwei-Djen, Wang Ling. Science and Civilization in China, vol. 5, pt. 7, The Gunpowder Epic. Cambridge University Press, 1986. 425; Hogg I V. An Illustrated History of Firearms. New York: Quarto Publishing House, 1980. 20

筒炮小型化,作冲锋陷阵用。同时又造出炸弹、手榴弹和火箭等,与冷武器并用,因火炮威力大、射程远,被特别重视。像中国一样,火器的使用在欧洲也引起军事上的变革。以法国为例,1450年组建了欧洲第一支专业炮兵部队,将攻城火炮调到前方,将炮身掩护起来,并筑起堑壕工事。法国国王查理七世(Charles Ⅶ, r. 1422～1461)为收复其西北部被英国占据的诺曼底(Normandie)大片地区,以火炮轰城,以一个月连下五个城堡的速度在1450年接连攻下该地区所有城堡①,将英军赶出。法国发展火炮的军事战略,在其他国家也同样贯彻(图299)。

图299
17世纪欧洲使用火器的战争中挖掘地壕工事图,取自Hogg(1980)瑞典国王阿道弗斯(Gustavus Adolphus, 1594～1632)视察前线,图前有火炮、炮弹、滑膛枪和火药筒。右边有士兵挖战壕

英国戏剧家莎士比亚(1564～1616)曾抱怨说,"人们从地下掘出可恶的硝石,是何等遗憾。它使林肯草原上十分之一穿铠甲的骑士和弓弩手被杀死"。用火药进行的战争,的确比冷武器更残酷,然而如果骑士团不消失、封建城堡不攻破,资本主义社会就无法取代封建社会,而这种取代毕竟是一种进步的社会现象,它有助于提高社会生产力、发展科学技术和创造近代文明。当然人类也要为此付出代价。当资本主义在一些欧洲国家发展后,又利用火器对非洲、美洲新大陆和亚洲进行殖民扩张并掠夺财富,建立海上霸权。有了资本积累后,再来资助工业革命,导致资本主义世界的经济繁荣。

然而火药除用于战争外,其和平应用还有建设性的一面,并非十恶不赦。中国人用火药制成烟火,在各种节日中给人们带来欢乐,再将其用于采矿、开山筑路,又有裨于经济建设,欧洲和世界各地都是如此(图300)。据载,欧洲人最早以炸药开矿是1403年在意大利进行的②,意大利人还以制造烟火著名。此后,火药用于开采金、银、铁矿和开凿隧道、运河及建设铁路、交通线等。没有这些,

---

① Oman C W C. A History of the Art of War in Middle Ages. vol. 2. Ithaca, N. Y.: Cornell University Press, 1953. 226, 404

② Partington J R. A History of Greek Fire and Gunpowder. Cambridge: Heffer & Sons, Ltd., 1960. 172

就不能创造近代物质文明。从这个意义上说,火药本身就是生产力。火炮和火箭还被用于人工防雹,为农业生产服务。在中国,火药还被本草学家用作药物。

图 300
18 世纪欧洲浮雕上描绘以火药开矿情况,取自 Needham(1986)

三、火药和火器对近代科学技术发展的影响

火药和火器对科学技术发展所产生的影响,和对社会政治、经济和军事方面的影响一样的大。火药和火器不但破坏了中世纪封建经济和政治统治并为资本主义制度的到来开了路,还摧毁了中世纪陈腐的思想体系,并为新科学和新技术的产生起了催生作用。因此,17 世纪英国化学家梅奥(John Mayow, 1640～1679)写道:Nitre has made as much noise in philosophy as it has in war.①(**硝石在哲学中造成的喧嚣,像在战争中那样厉害。**)首先,火药和火器是中国人为世界所提供的新东西,其他国家的人古代都不知道它们,在传入这种技术后,需要了解和研究,以加深认识。其次,制造火药、火药爆炸、炮弹从炮筒射出、在空中飞行及中的,都提出一系列问题需要解决,也是过去未曾遇到过的新问题,在实际解决这些问题的过程中,导致某些新的科学学科的创立和新技术的出现。

火药是中国古代炼丹家、本草学家和军事技术家的研究对象,他们在研究火药制造、原料配比、燃烧爆炸以及火器发射方面总结出不少技术经验,散见于各种有关军事技术的著作中。这些经验是用血的代价取得的,现在看来其中大部分是正确的,符合现代科学原理。例如火药成分中硝石含量必须高于硫黄和木炭,而且三者必须是纯品。在分辨硝石与其他盐类(钠盐、钙盐、镁盐)时提出火焰鉴定法,在物质命名上做出区分,等等,都曾在生产中起过指导作用。这实际上已涉及溶解、结晶等物理学问题和分析化验等化学问题。而在铸炮时又触及冶金、铸造、金属加工、机械等技术问题。至 14～15 世纪,已为后人留下一些宝贵的知识遗产和科学资料,以便在新的基础上继续深入研究。

火药、火器生产和使用是个综合性多工种的技术部门,涉及知识门类较多,

---

① Bernal J D. Science in History. London: Watts & Co., 1954. 238

因而在中国和其他国家发展过程中,曾经带动、促进一些技术知识和相关生产的发展,对提高社会生产力、繁荣经济和巩固国防都有促进作用。这也表现出破坏性的炸药,还有其建设性的一面。中国古人除在火药生产领域内总结出一些具有规律性的技术经验外,还力图将其用理论思维模式加以概括,最典型的就是古代的燃烧爆炸理论,详见本书第五章第二节。这种理论以传统的阴阳、五行学说为思维模式,力图对爆炸起因给出理论解释,没有借助于神怪的力量说明这种现象。但由于当时科学水平的局限,随着时间的推移,古典燃烧理论的弱点就暴露出来了,需要代之以新的理论。

火药和火器传入欧洲时,正值文艺复兴时期,其社会和军事效应很快就得以发挥,但其科学技术效应还要拖后一段时间才能显现。因为这个时期人文科学和自然科学中的天文学、力学发展较快,而化学仍然滞后,与中国阴阳、五行说处于同一认识水平的亚里士多德四元素说,虽已不再得人心,但还没有新的理论取代它,欧洲炼金术士的理论也并不高明多少。欧洲人能制成火药,但它为什么会产生爆炸,却大大难住了当时的化学和物理学。他们虽知道火药的主要成分是硝石,火药的爆炸显然是火的作用,但与地球上所有其他的火不同,并不需要空气。欧洲化学家已用实验证明,火药可在真空中燃烧。为什么火药有这种奇异的特性,硝石在其中到底起什么作用?可以说,中国火药和火器的西传,给欧洲科学界带来极大的理论上的挑战,现在该轮到他们对这些问题做出回答了。

对这些问题做出满意的答案,对文艺复兴后的欧洲各国化学家来说,并非一件轻松的事,为此他们付出了 4 个世纪的时间代价。其中有近 200 年(17 世纪～18 世纪)间集中攻克燃烧问题,这成为化学发展的首要研究方向。有人推测说,硝石能提供空气,或反之,空气中含有硝的精气(spiritus nitro-aereus),又有人说燃烧是因可燃物中含有燃素(phlogiston)。经过人们长期实验和学术观点的论争,或如梅奥所说的由于硝石和火药引起的哲学上的喧嚣,终于在 18 世纪后半期导致氧气的发现,从而爆发了一场化学革命[1],使化学走上了近代轨道。从此人们知道,硝石是氧化剂,在火药中起供应氧的作用,它之所以能爆炸是因为在有限空间内突然产生大量高温高压的气体,从而清除了从中世纪以来数百年间的许多错误观念。

火药在学术领域内引起的喧嚣和骚动,不但表现在化学中,还表现在物理学中,特别是在力学领域内。由于火炮、火箭的发展,促使人们关注炮弹在空中的运动或弹道学(图 301),而这就促进对动力学的新研究。古代科学主要研究静止物体,其所受到的力多在直线方向上发生作用。现在要求研究抛射物体的运动,而这是发射力和地心引力的共同产物,两种力的作用结果很少是直线的或平行的。同时要求以此研究为基础,建立新而详细的力学。中世纪时亚里士多德

---

[1] Partington J R. A Short History of Chemistry, chap. 5～7. 3rd ed. London: Macmillan, 1957; Leicester H M. The Historical Background of Chemistry, chap. 13～15. New York: John Willey & Sons, Inc., 1956

学派的观点被经院哲学视为神圣的教条,这派观点已成为力学发展的思想障碍,因此要发展新科学,还要有勇气摆脱亚里士多德学派的束缚。

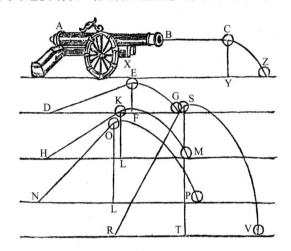

图 301
研究弹道学的欧洲科学著作(1606)插图,从不同仰角发射的炮弹轨道,取自 Bernal (1954)

火炮不但轰击了欧洲的旧社会,还轰击了欧洲旧的科学思想。按照亚里士多德学派的观点,抛射体沿倾斜的直线上升,然后垂直下落于地。他们并不把两种力合并起来研究抛射体的运动,而是认为这种力一先一后发生作用①,因而其轨迹似乎是一锐角线。但炮手点燃火药后,从火炮筒中射出的炮弹弹道却呈曲线形,总是无情地偏离亚里士多德学派规定的轨道。意大利人塔尔塔利亚(Niccolo Tartaglia,1500~1557)在论兵法、火药和射击术的著作②中,明确表述炮弹的冲力和地心引力在其整个射程中都共同发生作用,因此其弹道始终是曲线,因"总有引力把炮弹拉离其运动路线"。他还提出一条经验法则,即炮身倾斜 45°角时,射程最远。大于或小于这个倾角,射程就会缩短。

伽利略(Galileo Galilei,1564~1642)1638 年用意大利文发表的《关于力学和位置运动的两种新科学的数学证明和对话》(*Discorsi e Dimonstrazioni Matematiche Intorno a due Nuove Scienze Attenenti alla Mecanica ed i Movimenti Locali*)中,以严密的实验和数学推导证明炮弹发射后的飞行轨迹是抛物线,这取决于发射力和引力的合力作用,当炮身仰角为 45°时合力最大,因此射程最远。这样一来,塔尔塔利亚和在他以前的中国炮手的经验得到了理论上的解释。伽利略将经验提升为科学定律,将亚里士多德学说投入历史垃圾堆中。伽利略的理论经过荷兰人惠更斯(Christian Huygens,1629~1695)等人的发展和牛顿(1642~1727)的综合,力学科学已成为完善的科学体系,以至被称为经典力学。这种新力学与古代力学的重要区别是,它依靠数学和严密的实验,其定律以数学语言表述,因而是定量的。而在古代中国和欧洲中世纪直到达·芬奇(1452~1519)时代,还一直停留在定性阶段。经典力学统治科学界达 300 年后,直到 20

---

① Mason S F. A History of the Sciences, chap. 14. rev. ed. New York: Collier Books, 1962

② Tataglia N. Quesiti et Inventioni Diverso. Venezia, 1554. 38v.

世纪初才受到爱因斯坦相对论的挑战。

火药和火器不但科学含量大,技术含量也很大。火炮给技术家的最大启示是,通过炮筒中产生的高温气体可以做功,由此产生的力可将炮弹射至很远的距离。这一工作原理可将火药从战争转向于和平应用,由制造火炮转向制造动力机。这样,火药便成为民用机器的能源。这一思想激发文艺复兴时好几代技术家对动力机的发明。因而除了工程爆破以外,火药又有了意义更大的和平用途。当代法国学者瓦拉尼亚克(A. Varagnac)将人类发现和利用的能源归为七种,前三种是火、农业和金属工艺,接下来是火药、蒸汽、电和原子能①。但后四种才是现代意义上的能源,前三种属于古代范畴。李约瑟在其《火药的史诗》(*The Gunpowder Epic*)一书中设专门章节详细论述了火药作为人类发现和利用的第四种力在热机起源中所发挥的作用②。这是火药在促进技术革命中做出的重大贡献。

从机械工程角度来看,蒸汽机的气缸与金属炮膛基本上是相同的,而活塞和活塞杆可以看成是带把儿的炮弹;后者变成前者不存在技术上的困难,因为工作原理相同,而工作原理是首先由火炮提供的。以火药为能源制造动力机的最初尝试,从文艺复兴时的达·芬奇时代即已开始。达·芬奇本人就有以火药为燃料,将炮膛改成气缸,以活塞代替炮弹制造动力机的设想。惠更斯1673年设计了以火药膨胀力为动力的机器(图302A),将重物从低处提起③。但以火药为燃料的动力机虽然在理论上是可行的,而实际上较难控制,因此法国人帕潘(Denis Papin,1647～1712)对荷兰人惠更斯的火药动力机加以改进,以蒸汽代替火药,因为蒸汽冷凝后可产生真空。他制成第一台有活塞的蒸汽机(图302B),可在矿井中用以提水④。

18世纪初,帕潘的蒸汽机又经一系列改进,成为工业上实用的动力机⑤,从此用于纺织工业和其他工业中,出现了轮船和火车,最终引发了工业革命,改变了欧洲和世界面貌。可以说蒸汽机是一项真正的国际性的发明,有着东西方文化的历史来源,内燃机也是如此。19世纪中叶以后,人们又想到拜占庭的希腊火和中国的猛火油机所用的石油可代替蒸汽,作为动力机的新的能源,于是制成内燃机,接着便出现了汽车、飞机、机车、轮船、拖拉机及发电机等,引发了又一次

---

① Varagnac A. La Conquéte des Énergies: Les Sept Révolutions Énergétiques. Paris: Hachette, 1972

② Needham J, Ho Ping-Yü, Lu Gwei-Djen, Wang Ling. Science and Civilization in China, vol. 5, pt. 7, The Gunpowder Epic. Cambridge University Press, 1986. 544 ff

③ Wolf A. A History of Science, Technology and Philosophy in the 16th and 17th Centuries. London: Allen & Unwin Ltd., 1935. 547～548;周昌忠等译.16～17世纪科学技术和哲学史.北京:商务印书馆,1985.609～610

④ Wolf A. A History of Science, Technology and Philosophy in the 16th and 17th Centuries. London: Allen & Unwin Ltd., 1935. 548～550

⑤ Wolf A. A History of Science, Technology and Philosophy in the 18th Century. 2nd ed. London: Allen & Unwin Ltd., 1952. 612～624

技术革命,使世界面貌发生新的变化。

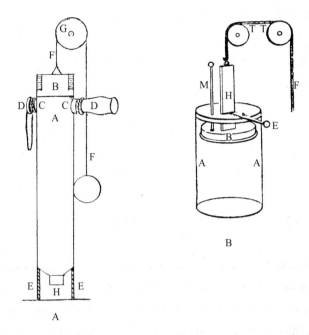

图 302
动力机的早期形式,
取自 Wolf(1935)
A 惠更斯设计,以火药为能源
A 汽缸　　B 活塞
C 排气管　E 机筒
F 绳索　　G 滑轮
H 火药燃室
B 帕潘设计,以蒸汽为动力
A 汽缸　　B 活塞
E 阀　　　F 绳索
H 活塞杆　T 滑轮

回顾蒸汽机和内燃机的早期历史可以看出,中国人发明的金属筒形铳炮本身就是用于战争的动力机,是单缸蒸汽机和内燃机的最早发展形式,只不过它以火药为能源,做功方式是从炮膛中射出炮弹。火炮是将热能转化成机械功的有效装置,当火药和火炮从中国传到欧洲后,就激励欧洲人按火炮工作模式制造民用的动力机。最初他们仍拘泥于火炮传统,以火药为能源,但因火药释出热能过于猛烈,无法控制,所以走了一段弯路。后来才发现将能源由火药易为蒸汽或石油,便成功制成蒸汽机和内燃机。而铸造火炮、镗光炮膛的技术保证制出精确的气缸,使热力机得以顺利工作。很多欧洲学者都承认蒸汽机是中国火炮和西方抽水机的直系后代,是东西方技术文化融合的产物。英国学者贝尔纳(John Desmond Bernal,1901~1971)写道:

> 蒸汽机确实有混合的血统,其生身父母可以说是火炮和抽水机。当人们意识到火药的潜能时,会继续想到可以找出它在战争以外方面的用途,而一旦证明它难以控制,自然就倾向于用较少剧烈的火的力量和蒸汽①。

贝尔纳又写道:

> 在中世纪崩溃时随着火药的传入,出现了科学与战争之间的新的和重要的联系,火药本身是对硝石混合物的半技术与半科学研究的产物……火药爆炸现象的自然特征带动了对气体膨胀的研究,并因此带动了对蒸汽机的研究。将火

---

① Bernal J D. The Social Function of Science. London: Routledge, 1939. 24

炮中射出炮弹的猛烈力量变成制造有用的民用机器的不太剧烈的动力,这种想法甚至更直接地提出制造蒸汽机。①

意大利汉学家瓦卡(Giovanni Vacca,1872～1933)1946年在罗马举行的有关欧洲近代科学起源的讨论会上说道：

> 火器这项发明进一步推动人们开发用蒸汽膨胀力为动力的机器,随着逐步熟悉诸如火器中发生的爆炸的力学,诱导出几乎无休止的利用其动力的尝试,从帕潘的最初的努力一直到近代内燃机的制造。②

英国史学家林恩·怀特(Lynn White)1962年写道：

> 火炮之所以重要,不只因为它本身是用于战争的动力机,它还是单缸内燃机,而所有我们更现代化的这种类型的发动机都是火炮的嫡传后代。达·芬奇最初努力以活塞代替炮弹,是以火药为燃料的,还有莫兰(Sir Samuel Morland,1625～1695)1661年的专利、1673年惠更斯的实验用活塞动力机和巴黎人1674年的抽气机,都是这样行事的。的确,有意从火炮引申出这些装置,继续妨碍内燃机的发展,直到19世纪才以液体燃料代替火药。③

1977年,英国历史家怀特再次转向这个题目,写道：

> 弗朗西斯·培根(Francis Bacon,1561～1626)或许有比他所意识到的更多的理由,因火炮而感到兴奋。火炮构成一部单缸内燃机,是最早的一种内燃机……可悲的是,沿着这一技术发展路线走的一些发明家,陷入了培根提醒他们防备的圈套；他们把焦点集中于传统,而不是自然界的性质上。他们如此自觉地将火炮和火药当成其工作的惯例,以致直到19世纪中叶以前还没有最终认识到来自中国的这种化学爆炸混合物……本来是不便于给出继续开发的动力机的动力的。只是从那以后,他们才以极大的技术上的成功转向中世纪拜占庭、伊斯兰(和中国)炼丹家发展"希腊火"(和猛火油机)所用的石油轻质馏分。两个最显著的成果就是汽车和活塞发动机驱动的飞机。④

---

① Bernal J D. The Social Function of Science. London: Routledge, 1939. 166
② Vacca G. Origini della scienza. I. Perché non si é sviluppata la scienza in Cina. Quaderni di Sintesi. Blanc A G, ed. no. 1. Roma: Partenia, 1946. 11
③ White L. Mediaeval Technology and Social Change. Oxford, 1962. 100
④ White L. The Eurasian context of mediaeval Europe. In: Heartey D, Wade B, eds. Proceedings of the 12th Congress of the International Musicological Society. Berkeley, Calif., 1977. Kassel: Bärenreiter, 1982. 3

但当时火药发动机的失败,却直接导致蒸汽机的成功和后来内燃机的出现。我们对火炮已经谈了不少,还应当谈谈火箭。火箭构造和工作原理与火炮不同,火箭是靠燃烧室内产生的高温高压气体,利用直接反作用原理,使这些气体以高速喷出,借由此产生的推力而发射出去的飞行器。因其自载燃料和氧化剂,所以不仅在大气中工作,还可在没有大气的太空中工作。它由有效负载、装有燃料动力的发动装置和稳定机构等部分组成,古今火箭在性能、燃料和结构复杂程度上有很大不同,但工作原理是相同的,结构基本组成部分大体相似,不过现代火箭还有控制系统。毫无疑问,现代火箭是逐步从古代火箭演变的,其演变的历程通过历史研究已揭示得清清楚楚[①]。

今天,人类以火箭为运载工具,可以发射各种导弹,是国防领域中强大的战略武器。还可用火箭将各种人造卫星、载人宇宙飞船和航天飞机发射到太空,成为征服自然、认识宇宙奥秘的最新手段,具有不同用途的卫星在军事、经济和科学研究中正发挥越来越大的作用。人类利用火箭装置已进入星际航行的新时代,从而有史以来第一次将自己的活动范围扩展到地球大气层以外的外层空间并在其他星球上着陆,使古人多少世代以来飞向宇宙的科学幻想成为现实。宇宙航行今后会商业化,把更多乘客送往空间站和别的星球。如果今后有朝一日太阳冷却或地球环境不适合生活时,人类就得从地球转移到别的星球,实现这一目的还得求助于火箭。火箭技术还带动一系列新兴科学和新技术的发展,由此所引起的变化是巨大的。

给人类生活和科学技术带来如此巨大变化的火箭技术,是在中国起源的。12世纪初南宋人以固体火药利用火箭原理首先制成娱乐用的烟火,接着在1161年宋军以军用火箭在与金军的水战中取得以寡胜众的战绩。火箭技术的早期发展也是在中国完成的。为提高单个火箭兵的战斗力,给敌方以密集的火力打击,13世纪时出现了集束火箭(multiple rockets launchers),古称"火笼箭",即在一个发射筒内将许多火箭放在一起,以总药线(fuse)串联,由一个士兵操纵,点燃后众箭齐放。蒙古军队西征时将这种火箭用于欧洲战场,火箭技术随后于14世纪传入欧洲。今天看来,中国的火笼箭或古时波兰人所说的"中国龙喷火箭"(Chinese dragon belching-fire),应是二战期间苏军对德作战时以固体燃料发射的"喀秋莎"(katyusha)火箭的始祖。

14世纪明初技术家为增加火箭的射程,又制造出多级火箭(mutiple-stage rocket)用之于水战。以二级火箭为例,其技术构思是,将一级火箭与二级火箭放在一起,以总药线串联,点燃一级火箭后迅即升空,飞至一定距离后,药线又自动点燃二级火箭继续飞行。如装药量大,可在水上飞行2~3里(1 km~1.5 km)[②]。李约瑟认为 This was a cardinal invention, foreshadowing the

---

① von Braun W, Ordway F I. History of Rocketry and Space Travel. London-New York: Crowell Co., 1966

② 潘吉星. 中国火箭技术史稿. 北京:科学出版社,1987. 70~72

Apolla space-craft, and the exploration of the extraterrestrial universe.[①]("这是预示阿波罗宇宙飞船和探索大气层外的宇宙的一项基本的发明。")除此,明代人万虎(1450~1500在世)还在1500年用47支大火箭制成的飞行器,在世界上第一次做了以火箭为载人工具的飞行试验[②],他的这一壮举受到现在国际航天界的尊敬。

火箭和火炮从中国传入欧洲后,火炮获得很大发展,火箭发展缓慢。1380年在意大利战场上第一次用了火箭,16~17世纪的欧洲著作中提到二级及三级火箭,但看来没有实用过。18世纪以前,火炮的得宠使火箭受到冷遇。18世纪英-法入侵印度时遭火箭袭击,受重大伤亡,这才重视发展火箭。19世纪欧洲一些国家有了火箭营,成为独立于炮兵的新兵种。但火箭的真正发展是在20世纪以后,这时对火箭飞行做了物理学和数学上的论证,美国人以液体燃料代替火药为发射剂的新式火箭于1926年发射成功。20世纪50~60年代苏、美分别以多级火箭发射人造卫星并实现宇宙飞行,迎来了空间时代;60年代,在火箭的故乡中国也成功发展了近代火箭,而中国载人航天飞行也将在21世纪初实现。

第二节 指南针对世界文明发展的影响

一、指南针引起航海技术革命和地理大发现

在古代世界各国人民的社会活动和日常生活中,例如建设城市、建造房屋、划定行政区域、采矿、行军作战、水陆旅行和地图测绘,等等,都需要辨明方向。迷失方向,这些活动都不能正确进行。从事科学技术研究,更需测定方位。各个民族都不约而同地先确定了东、西、南、北四个正向,再确定四个正向之间的方向。人类确定方向的方法,因社会生产力和科学技术发展水平的不同而有所变化,这种变化也反映了人对自然界认识的不断加深。而测向方法的改善又给人类从事各种社会活动带来更大的方便,对社会经济、军事、政治和科学、文化等都产生影响。因此,中国古代将测定方向看作是国家的一件大事,设专门官员掌管此事,其重要性不亚于天象观测。

据古史记载,有时统治者还亲自主持测定方位工作。如《诗经·大雅·公刘》载周公旦于公元前17世纪~前16世纪在位时,在豳(今陕西旬邑)的山冈上立木竿测日影,以正四方。战国时成书的《书经·禹贡》称,"禹别九州,随山浚

---

① Needham J, et al. Science and Civilization in China vol. 5, pt. 7. The Gunpowder Epic. Cambridge University Press, 1986. 13

② Zim H S. Rockets and Jets. New York: Harcourt Brace & Co., 1945. 31~32

川,任土作贡"①。意思是说,夏朝的禹王在位时(前 21 世纪),划定所属九州之疆界,顺山砍木为标,疏通河川,再按各地所产定其贡赋。只有各区域相互之间的疆界划分清楚,才不致引起政治和经济上的纠纷。为此,就要确定疆界的走向,这是测定方位的工作为什么是国家大事之一的原因。在其他国家,情况也是如此。疆界勘定后,还要设界标,再据此绘制地图,以示昭守。城市规划和建筑施工也是在地址选定后,经过方位测定,然后破土动工。地下考古发掘证明,安阳殷代宫殿遗址的建筑地基排列整齐有序,显然是经过方位测定后规划的。

古代在没有指南针以前,以圭表测日影之法确定方位;秦汉时又用圭仪,比前法更简便。与此同时,还在夜间观看北极星出地高度来确定方位。即所谓"昼参诸日中之影,夜考之极星"。宋代还发展了牵星术,以牵星板测极星出地高度,以定东西。东、西方其他地区的一些民族,包括欧洲人、阿拉伯人和亚非、拉丁美洲人也基本上靠观测日影和极星来确定方位的。这是因为太阳的出没是有规律的循环过程,很容易被人们观察到,并以日影定位。同样,北天区恒星周日运动中,只有北极星处于天球北天极而固定不动,也容易被人观察到,并用以确定南北。虽然北极星位置也有微小变动,但不易为古人发觉。

因此,各民族都可以其所观察到的同样自然现象,用来确定方位。所用的工具大同小异,或有精粗、繁简之分,但所依据的工作原理是相同的。就是在指南针通行很久之后,有时人们还用上述古法,甚至在 19～20 世纪也如此,例如印度尼西亚有的岛上与外界隔绝的土著部落人仍用土圭测定日影②。这实际上也是古代其他民族通用的方法,只是后来才弃而不用。应当说,靠日影和极星观测是能够准确确定方位的,特别是经过改进后的方法。这是它能在指南针出现后,还能与之并存一段时间的原因,正如在纸出现以后,简牍还能与纸并存一段时间那样。但与指南针一比较,便显出古代定位方法的不便和局限性了,最后终于难逃被取代的命运。

古代测定方位技术的最大局限性在于,它要依靠地球以外的别的遥远的天体,即太阳和极星;而人们能否观察到这些天体,还要受地球本身的自转和大气层气象变化的影响。日影只能白天测定,北极星只能夜间看到,两种方法在 24 小时之内,都只有一半时间可以使用。遇有阴晦天气,则既不见日,又不见星。在这种情况下,人们处于无能为力的被动状态,只能消极等待适于观测机会的到来。如果在陆上活动,遇到这种情况可使活动停止,再在适当时间测定方位。如果黑夜里在茫茫大海中航行,更显被动,只能任从风吹浪打,随波逐流,听天由命,结果往往偏离预定航向,或者遇到意外危险。

由于以上原因,古代东、西方各国航船多在旧大陆海岸线近海区域航行,且续航时间较短,航程不大。夜幕降临或天气恶劣时则靠岸,或依岸上灯塔指引缓慢前进。因此,古代航海区域主要在亚洲、非洲和欧洲大陆周边不远的海区,这

---

① 尚书正义,卷六,禹贡.十三经注疏,上册.上海:世界书局,1935.146
② Needham J, Wang Ling. Science and Civilization in China, vol. 3, Mathematics and the Sciences of the Heavens and the Earth. Cambridge University Press, 1959. 286, plate 30

就使人类活动的范围被局限在地球1/2的地区内,地球的另一半虽然也有人类,但东、西两半球很难沟通,因为长期间人们没有掌握远洋航海技术。古代天文导航不能保证远洋航海的安全,造船技术也不能提供续航能力大的船只。古人的世界地理知识还很欠缺,就是在陆上还有很多地方有待发现。打开一下古代的地图就会发现,对一些地区的描绘是不准确的,且有不少空白。

中国发明的指南针,与以往所有指示方向的装置有根本不同,它是一种磁体定向装置,磁针在地球磁场作用下自由旋转时,其两端总是停留在南北方向。这种新型定向装置的优越性在于,它不再依靠地球以外的任何天体而工作,而是靠地球本身的磁场和磁体的指极性。因为地球磁场不受地球自转和大气层气象变化的影响,所以指南针原则上可在每天24小时不分昼夜地工作,阴天与晴天给出同样的结果。其另一特点是既灵敏又轻便,既可用在陆上,也可用在船上,甚至还可用于空中,不受地域限制。由于它有刻度盘,观察者能快捷地定出所在地的方位。黑夜时,守候在指南针旁的舟师只要点上灯就能随时查明航向。指南针将人从过去单纯依赖天体和天气变化的被动状态中解脱出来,人真正成了确定方位的主人。因此,可以说指南针的出现是人类定向技术中的一次有划时代意义的革命。

早期指南针由人造磁铁针和刻度盘构成,将针悬浮在刻度盘中间的水池中,故名"浮针",俗称水罗盘。不用时,将水放出,针放在装有磁石的盒中。南宋以后加以改进,将针放在刻度盘中间的枢轴(pivot)上,因无需注水,故名"旱针",俗称旱罗盘。指南针是堪舆学家对磁学现象长期研究的结果,因此最初被堪舆师用于宅基地及墓穴的方位选定上,后来才用于航海。古代有些民族都注意到磁石的吸铁性,但这还不足以发展指南针。中国之所以是指南针的起源地,是因为中国人不但注意到磁石的吸铁性,还同时发现了磁石的指极性,并有意识地将这种特性用于测定南北方位,这才导致指南针的发明。

以指南针导航是保证远洋航行得以实现的首要条件。除此以外,还要有续航能力大的远洋航船。中国在设计、制造适合远洋航行的船舶方面,有几项基本的技术发明,后来传到东西方国家,从而为世界航海事业作出重要贡献。首先,因为远洋船船体较大、载重量大,必须有机动灵活的操纵装置,以便根据情况变化,能随时调整航向和航线,避开风险。中国从汉代(1世纪~2世纪)以来在船尾安装的轴转舵(axial rudder),有几个人之高,可左右摇摆、上下升降,就是为此目的而设计的。宋代(11世纪)又发展了平衡舵,既方便操作,又能很快使大船调转方向。其次,中国船在船头或两侧装有比桨更强有力的摇橹(sculling oar)作为推进装置,宋代又使用桨轮。中国人还从3世纪以来,在船上装有支撑长方形帆的多桅杆(multiple masts),船帆以竹片编成,像百叶窗帘那样可以拉上拉下,有抵抗风力大小的应变能力。最后,船底空间由若干个水密船舱(water-tight compartments)互相隔离[①]。一个舱内进水,其他舱仍完好,不致使全船沉没。

---

① Needham J, Wang Ling, Lu Gwei-Djen. Science and Civilization in China, vol. 4, pt. 3, Civil Engineering and Nautics. Cambridge University Press, 1971. 695~697

在上述中国先进的帆船上再设一针房(compass room)，以指南针导航，就完成了世界航海技术史中的一次革命，而这场革命是公元后第二个千年开始之际在中国宋朝开始的。这使宋朝庞大的远洋船队在葡萄牙人瓦斯科·达伽马(Vasco da Gama, c.1469～1524)之前三百多年就到达东非、中非和南非的莫桑比克①，揭开了地理大发现的序幕，只是航行路线与欧洲人相反。第一个发现大洋洲澳大利亚的也是中国人，其登陆地点是现在的达尔文港②。中国远洋航海技术长时间在世界上遥遥领先，美国人维利尔斯(Alan Villiers)写道：

> 我认为中国人是所有亚洲人中最大的水手，而他们的帆船是最奇妙的船。在几百年前航海帆船所体现的各种进步，在欧洲船舶中只是在相对近代时期才能看得出来，这包括用来隔离航壳破损部分以保持船续航的水密船舱、使尾舵更易操纵的平衡舵以及以长方形条板张开的帆。③

据中国和阿拉伯史书所载，宋代远洋帆船大者载重 360 吨，长 99 m，高 30 m，宽 35 m。除货物外，载人 1 000 名，400 人为携火器的护航兵勇，600 人为水手，带足一年用粮。推进装置橹有 8～20 支，每支由 4～30 人摇动。尾舵高 16.5 m，多桅杆，大者高 33 m，张竹席帆 50 幅。铁锚重几百斤，船用大铁钉长达 15 cm。船上有公共及私人用厅室、浴室、厕所等一应俱全，甚至还可养猪、种菜、酿酒。船底壳有水密船舱十几个④。船尾有舵房与针房，是舵师及针师掌舵、看管指南针的神经中枢。这种当时世界超级巨船在波斯湾甚至无法入港，只好停泊在海上，另随带 3 只小船将货物运至码头卸之。明代郑和 1405～1433 年率庞大舰队七下西洋，其规模又超过宋代。郑和船队最多由 62 艘船组成，可载 2.7 万人及大量物资。其中最大的宝船长 151.8 m、宽 61.6 m，甲板面积比现在的足球场还大，船上有 9 桅、12 帆，吨位达 1 500～2 000 吨，是当时世界上最大的船，比 1905 年美国造当年世界最大商船"明尼苏达号"("Minnesota")长仅短 40 m，但宽度则多出 39 m。为想像宝船外貌，这里将比宝船小的明代北直隶的五桅货船(图 303B)转载于下。⑤

正如美国人维利尔斯所说，过去中国这种续航能力大、装备先进的远洋巨船，在欧洲只能在近代才会出现。因此，李约瑟赞成他的这一判断，但将"亚洲最大的水手"改为"世界上最大的水手"，在李约瑟看来，中世纪中国是世界上远洋

---

① 孙光圻. 中国古代航海史. 北京：海洋出版社，1989. 390～404
② Needham J. China and Australia. In: Science and Civilization in China, vol. 4, pt. 3, Cambridge University Press, 1991. 536～640
③ Villiers A. Ships through the ages: a saga of the sea. National Geographic Magazine (Washington, D. C.), 1963, 123: 494
④ 孙光圻. 中国古代航海史. 北京：海洋出版社，1989. 352～354. 书中度量衡数据此处引用时，已换算成公制
⑤ 范中义，王振华. 郑和下西洋. 北京：海洋出版社，1982. 21～22, 57

航海技术最发达的国家。因为中世纪欧洲靠多人驱动的多桨船只能在地中海内活动，一进大西洋深海就会被巨浪所掀翻。而欧洲无舵的单桅帆船在大海中只能听任风浪的摆布，不可能有续航能力而行至较远距离。只有船尾轴转舵、具有长方形帆的多桅杆、水密船舱和指南针这几项中国发明传到欧洲并被应用之后，才使欧洲人有能力离开近海而进行远洋航行。

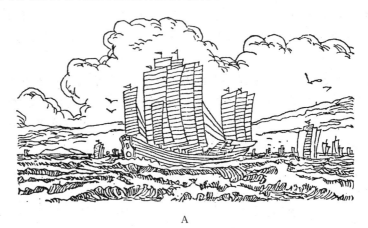

图 303
1405～1433 年郑和率领的远洋船队
A 郑和率领的远洋船队，取自金秋鹏(1985)
B 明代北直隶的五桅货船（Landström绘），与郑和宝船为同类型，但比宝船小些，取自 Needham(1971)

二、指南针与航海技术引出的政治、经济后果

宋代以后，中国首先用指南针将自己的先进远洋船驶往日本海、东海、南海和孟加拉湾（Bay of Bengal）、阿拉伯海、红海、莫桑比克湾（Gulf of Mozambique）等太平洋和印度洋两大海域内的亚、非、欧和大洋洲四大洲三十多个国家，与这些国家建立经济贸易关系，促进了丝绸、瓷器、纸张、漆器、铜铁器、药材、花布、鼓乐、糖类、朱砂及日用品的出口和香料、象牙、金银、棉花、苏木、硫黄、玳瑁、黄蜡、宝石、鹦鹉及水果的进口，扩大了对外贸易和物资交流和域外地理知识。许多商

人至各国设店铺,成为海外华侨,对发展当地工商业作出贡献。在西太平洋至印度洋之间,由亚非人民为主体的占世界一半的贸易市场已经形成,亚非各国人民之间的来往频繁。

宋代以来对外贸易的发展,使市舶的收入在政府财政收入中的地位有所提高,也同时使财政支出有了新的保证。其负面影响是引起铜钱的大量外流,造成纸币贬值。但另一方面,却大大促进某些行业如制瓷业、丝绸业、造船业、制糖业和铜铁业的发展,使其生产规模迅速扩大,生产技术有所提高。一些物资如硫黄、黄蜡和苏木的大量进口,也补充了国内发展的火药、火器和染织业所需的原料。沿海地区和内地一些城市的商品经济在这种刺激下也比过去有进一步发展,出现许多贩卖外国货物的商店和经营进出口贸易的致富商人。工商业、商品经济的发展和城市的繁荣,使工厂主雇用更多的工人,因此导致宋代已出现了资本主义的萌芽[①]。

宋政府为促进对外贸易、打开商品销售市场,不断向东南亚、印度、阿拉伯、非洲和日本、高丽等国家和地区派出使节和商贸团,以加强政府间亲善关系,扩大政治影响。同时还礼遇各国来华"贡使",为外商在华贸易提供方便条件,在广州、泉州等港口设"蕃坊",供客商居住;中国商人也在外国侨居,这就为中外科学技术交流提供了机会。指南针和造船技术就是在这一背景下,在宋代传到阿拉伯,再由此传到欧洲去的。从阿拉伯和非洲传到中国的药材和香料也成为中国人爱用的产品,丰富了中国本草学的内容,助长中国人在宗教或祭祀活动中烧香的习惯。由于中国封建社会虽处于后期,还没有到崩溃的阶段,所以海外贸易和市场的开拓对整个社会没有带来根本性的变化。

13世纪以前,欧洲没有引进中国指南针、造船和航海技术,因此其航船只能在靠陆地不远的近海活动。当欧洲船上安装尾舵、多桅帆、橹和指南针后,才具有远洋航行的能力,由此引起与中国根本不同的巨变,以至影响到整个世界历史进程的改观。15世纪以后,资本主义在一些欧洲国家进一步发展,工厂主和商人不但要求打破封建割据,以发展国内市场,还要求打开国外市场、开辟新的原料来源。但当时欧洲与东方的贸易受到居于欧、亚之间的阿拉伯人和建立奥斯曼帝国(Ottoman Empire)的土耳其人的垄断。他们向欧洲转卖的中国、印度货物价格数倍于其收购价格,欧洲人一直想找到摆脱阿拉伯媒介、直接通往印度和中国的新航线。

15世纪以后,黄金是欧洲各国和欧亚间贸易的惟一支付手段,而欧陆金银产量较少,且不断外流。欧洲人从意大利旅行家马可·波罗(Marco Polo, c.1254~1324)的游记(1299)中了解到中国和印度等亚洲国家的繁荣富庶,似乎遍地是黄金珠宝,对贪婪的欧洲上层分子是个诱惑,激发他们到东方寻找黄金的热情。另一方面,意大利天文学家托斯卡内利(Paolo dal Pozzo Toscanelli, 1397~1482)根据希腊地理学家托勒密(Ptolemy, 85~165)关于地圆说的观点,

---

① 陈高华,吴泰.宋元时期的海外贸易,第6章.天津:天津人民出版社,1981

推断从欧洲向西航行可以到达亚洲,并为此绘出世界地图,将印度画在大西洋对岸,显然他不知道欧、亚两洲之间还有美洲大陆相隔。所有这一切,给探险家提供了思想冲动。经济情况较差的沿海国家如葡萄牙和西班牙对此举特别积极,认为由此可发意外之财。

最早在大海中远航的是葡萄牙人,例如迪亚斯(Bartholomeu Diaz, c. 1450～1500)1486年从里斯本出发,沿非洲西海岸南下1万km直到非洲最南端,即现在的好望角(Cabo da Bōa Esperança or Cape of Good Hope),认为这个发现为通过海路到达印度带来希望。他还要继续前进,因船员过于疲劳而被迫返航,带回了沿途绘制的地图。另一葡萄牙人瓦斯科·达加马在此基础上,于1498年完成了绕道非洲南端通往印度的航行。从此,葡萄牙控制了非洲的"黄金海岸",并从印度掠回昂贵的香料、金砂、象牙、宝石和丝织品,进而将阿拉伯商人逐出印度,在那里建立其殖民地。欧洲"探险者"不但在船上装有指南针,还装有从中国学来的火炮和轻型火器,对付所到之处没有火器的各个民族,进行野蛮的杀戮和掠夺。

在迪亚斯找到绕过非洲南端通往亚洲的新航路之际,意大利人克里斯托弗·哥伦布(Christopher Columbus, 1451～1506)受本国人托斯卡内利的思想影响,认为从欧洲一直向西行即可到达中国,这是无需绕道非洲的近路。但他这项建议在葡萄牙和英、法等国均遭拒绝,最后在商人鼓动下被西班牙国王采纳。1492年,他率3只轻快帆船到达北美洲巴哈马群岛(Bahama Is.),又发现古巴和海地岛(Hatti)。后来,又到达牙买加(Jamaica)和南美洲北岸。哥伦布发现的这些新的土地,成了西班牙国王的领土。哥伦布临死前还认为这些地方为亚洲东部,将当地居民当成印度人。直到佛罗伦萨人阿梅里戈·韦斯普奇(Amerigo Vespucci, 1454～1512)1501年考察南美洲东北海岸、绘出最新地图,断定这地方不是印度,而是新大陆。后人用他的名字命名此新大陆,于是有了今日亚美利加洲(America)的名称。

此后,葡萄牙人麦哲伦(Ferdinand Magellan, 1480～1521)认为从欧洲沿西南针位航行,绕过南美洲南端,也可到达亚洲,但在国内没有得到支持,便投奔西班牙国王。1519年麦哲伦率5只帆船和265人,首次作环绕地球的航行。他们到南美东海岸,再南行。1520年越过南端海峡,即后来称为麦哲伦海峡,找到接通两大海洋的通道。由此西行,船员看到另一风平浪静的大海,因名之为太平洋(Pacific Ocean)。他们横渡太平洋,1521年到达菲律宾群岛。麦哲伦企图征服各岛,与当地部落发生冲突而被杀。其同伙经印度洋,绕过非洲南端好望角,1522年返回西班牙时只剩一只船和18名船员,人类首次环球航行获得成功[①]。

在地理大发现以后,随着欧亚新航路的开辟和美洲新大陆的发现,欧洲处于

---

① 关于地理大发现,参见:Magidovich J P. Ocherki po Istorii Geographicheskikh Otkrytii, chast' Ⅲ. Moskva: Gosudal'stvennoe Uchebno-pedagogicheskoe Izdal'stvo, 1957;屈端,云海译. 世界探险史,第三部分. 北京:世界知识出版社,1988. 260～274

资本原始积累时期的新兴资产者、商人和没落贵族在各国君王支持下,纷纷涌向非洲、美洲和亚洲进行残暴的殖民扩张和掠夺。葡萄牙和西班牙在这方面比西欧其他国家先行一步,将其探险队最先到达的地方宣布为本国属地,因此葡萄牙将亚、非一些地区视为其势力范围,而西班牙则将美洲一些地区划入其版图,在世界史中第一次进行殖民地瓜分①。殖民者在所征服的地区掠夺金银,又驱使奴隶为他们开矿和种植,再将黄金和其他产品运回。这两个经济上并不富裕的欧洲国家突然间成了暴发户,不久,其他国家如荷兰、英国和法国也加入了与西、葡争夺殖民地的斗争,并将其取而代之。亚、非、美大片地区成了西欧列强瓜分殖民地的战场。殖民地和附属国的大量物质财富源源流入一些西欧国家,使其大发横财。

随之而来的变化是,欧洲通商航路和商业重心从地中海沿岸转移到大西洋沿岸,因此意大利商业城市逐步丧失其原有的地位,而大西洋沿岸的一些城市日益显示出其重要性。对殖民地的掠夺,刺激了一些殖民国家工商业的发展,西欧经济重心也从意大利转移到英、法、荷等新兴国家。西、葡两国虽然在经济上并不发达,但拥有大量黄金和从美洲、非洲、亚洲掠来的香料、珠宝、农产品等,国内消耗不完,便向其他国家销售。16世纪中叶,荷兰的安特卫普(Antwerp)成了买卖这些物品的贸易中心。各国富商云集于此,于是具有资本主义特征的交易所(图304)建立起来了,随后银行、金融信贷行业和贸易公司也兴盛起来,其经营规模和范围也逐步扩大。继安特卫普之后,阿姆斯特丹、伦敦等地的交易所办得更大,金融体系更加完备。

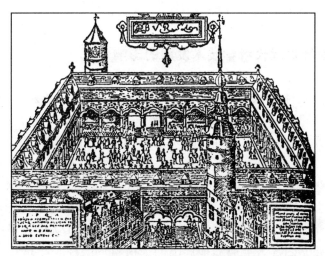

图 304

16 世纪尼德兰的安特卫普交易所,取自《中世世界史》(1947)

在西欧封建主义处于崩溃之际,资本主义则得到进一步发展。从殖民交易中获得巨额利润的资产阶级,投资于纺织、造船、铸炮、采矿冶金、机器制造、造纸和印刷等产业,工场的规模越来越大,内部劳动分工更细。为提高产品竞争力,工厂主还鼓励科学技术研究。商人则极力将产品出口到国外,积极发展海外贸易。新航路的开辟,打开了广泛的世界市场。原来世界上一度对外隔绝的部分,

---

① 朱寰主编.世界中古史,第七章.长春:吉林人民出版社,1981. 463~475

现在都被几条主要的商路联接起来,世界成为一个有机的整体。

由此可以看到,因指南针和航海新技术(还要加上火药)所引起的地理发现的直接政治和经济后果在当时就立刻显示出来,首先是海外殖民地的建立。一些大西洋沿岸的小国,将其政治统治和经济统治扩展到比其本土大许多倍的非洲、美洲和亚洲地区,为新兴资产阶级提供了新的活动场所。他们利用殖民地的资源、财富和人力来发展、壮大自身,实现了资本的原始积累。西方殖民者打破了被他们所征服的地区的自给自足的经济,使其为西方商品经济服务并纳入其市场范围,从而形成了世界市场,重新建立了世界政治和经济的新秩序,使地球上的人间面貌大为改观。

地理发现还引起了所谓"价格革命"。欧洲迅速出现了在美洲、非洲由被征服的印第安人或奴隶的廉价强制劳动开采出来的大量贵金属,黄金和白银的数量成倍地增加,供大于求,导致金银价格跌落,而农产品和日用必需品价格则成倍地上涨。这使靠工资收入的劳动者更加依附于工厂主和农场主,而收取货币地租的封建主也受到伤害,只有资产阶级的地位得到加强。总之,新航路的开辟和美洲的"发现",促进了西欧封建制度的解体和资本主义的成长。在资本发展的道路上,欧洲从此超越了亚、非、美许多国家。以资本主义代替封建主义,在人类历史上是个进步。但资本来到世间,从头到脚,每个毛孔都滴着血和肮脏的东西。古希腊物理学家阿基米德曾说:"给我以支点,我能将地球撬起",此话未免太夸张了,是绝对做不到的。但小小的磁针一转动,却给地球上的人类社会带来巨大变化,这倒是事实。

三、指南针对近代科学技术发展的影响

指南针对科学技术发展的影响是多方面的,不但在西传后立即显示出来,而且影响后世很长时间。指南针的应用,首先立即引起航海技术的革命,已如前述,由此又导致地理大发现,从而其影响直接波及地理学和制图学。古代和中世纪地理知识存在很多空白,人类虽然对天体的观测有悠久历史,但对自己所生活的星球的了解,应当说长时间仍处于肤浅的水平上。东、西两半球的人彼此相知甚少,中国古书中所谓"扶桑国",可能指美洲,但欧洲人对此则茫无所知。古人的地理知识,充其量只限于地球的1/2范围内,就连这1/2的许多地区还是不完全认知的,主要原因是人类被陆地周围的大海所局限住了。只有走出大海作远洋周游,才能开阔视野,增长见识。

14~15世纪以来,以指南针导航为人类走出大海提供了可能,中国人和欧洲人从不同方向出发,先后揭开了远洋航行的新篇章,但欧洲人走得更远,在这个地理大发现时期,使地理知识出现了爆炸性的增长,过去未知的陆地、岛屿、海洋被逐一发现。麦哲伦的环球航行,证实了地圆说,世界的海洋是统一的相通的海洋,五大洲的较为清晰的轮廓第一次出现在人们的眼帘。以往所有的世界地图都显得过时,而新的地图又不得不随时改绘,知识更新的速度大大加快。新的

地理知识已超过以往几千年知识的总和,随之而来的是古代和中世纪某些地理观念被彻底推翻,地理学以崭新的面貌发展。

为了使探险家的航路可重复航行,需要绘制海图、测定船在海中位置和绘制广大地区的地图,这就涉及测定地面上各地相对位置和将圆形地球表示在一平面上。要测定船在海中位置和新发现的陆地方位,需用天文学方法测出各地经纬度。为此,荷兰人弗里修斯(Gemma Frisius,1508～1555)于1533年公布三角测量法。他的学生麦卡托(Gerhardus Mercator,1512～1594)利用经纬度数据以投影法于1569年绘制适于航海用的世界地图。他将经度子午线画成等距平行线,将纬度画成和子午线垂直的平行线。纬度线之间的距离接近两极地区逐渐加宽,于是纬度弧度与经度弧度完全以同等比率加大。这使测绘航道工作大为简化,因此在麦卡托地图上,船沿一固定罗盘针位航行,看上去总是一直线,而不是像别的设计那样,成为复杂的曲线。用这种方法解决了将球形画在平面地图上的问题,从此定量制图学获得长足发展。我们现在的地图就是在这一基础上演变的。

美洲新大陆的"发现",又将印第安人种植的玉蜀黍、落花生、西红柿、甘薯和烟草等引进其余各大洲,丰富了农作物品种,促进了农业的发展。大量稀奇的动物、植物和岩石标本的发现,为博物学家提供了新的研究对象。例如大量非欧洲植物标本的采集,促进了对植物分类的研究。美洲出产的一些药草,也丰富了药物学的宝库,例如南美洲原产的金鸡纳树(*Cinchona succirubra* Pav.)的树皮,加工后制成的药材是治疗疟疾的良药,为各国医生所看重。

现在谈指南针本身,它由圆形标度盘和可旋转的指针构成,标度盘上有方位读数,指针摆动后,即可自动指出读数。中国人对这种仪器的设计思想在科学技术史中具有深远的意义和影响。当指南针西传并被仿制、应用之后,就会使各国科学家在这一设计思想诱导下,发明出一系列新的科学仪器。实际上,文艺复兴以后的西方一些早期仪器就是按指南针模式制造出来的,尽管工作原理不同。时至今日,当我们走进科学实验室、工厂车间,登上飞机、船舰或汽车的驾驶处,就会看到许多圆形仪表上的指针在摆动,也像指南针那样。因此,可以说指南针是人类一切具有圆形标度盘和指针、能自动指出读数的科学仪器的始祖。

近代科学技术的发展在很大程度上取决于各种科学仪器的发明和使用。各种仪器的功能不尽相同,但都能对所观察的现象作精密的定量测量。有的仪器可使观察者改进用感官所作的观察或测出察觉不到之物或现象,还可在控制的条件下研究某一现象,使所做出的结论可靠。很难设想没有科学仪器的帮助,近代科学能够发展。因此,李约瑟博士指出:

> 磁罗盘是在近代科学观测中起如此重大作用的一切有标度盘和指针读数的仪器中第一个和最古老的一种。[1]

---

[1] Needham J, *et al*. Science and Civilization in China, Vol. 4, pt. 1, Physics. Cambridge University Press, 1962. 239

人类最早的科学仪器日晷,虽然也有指针和标度盘,但使用时只有日影在移动,而指针是固定不动的,没有指南针那样精巧,不能与指南针同日而语。浑天仪窥管也可移动其位置,从标度圈上指示读数,但要靠手动,仪器不能自行记录,也不能与指南针相比。因此,指南针确实是有标度盘、自行摆动的指针和自动指示读数的最早的一种科学仪器。在欧洲由于对指南针和其他航海仪器的日益增加的需要,出现了制作航海罗盘等仪器的新型精巧行业,从事这一行业的人后来对科学产生重大影响[1]。许多科学家都是仪器制造者,例如1581年发表地磁学专著《新引力论》(*New Attractive*)的诺曼(Robert Norman),就是英国的海员兼罗盘制造者。

最后,指南针在哲学上引起的喧嚣,并不亚于火药。欧洲在13世纪法国佩雷格里吕·德·马里库尔(Peregrinus de Maricourt, Petrus)他在1269年前后继沈括之后对磁石做过实验研究以来,经过一段时间的沉默。随着15世纪地理发现而广泛使用指南针以后,对磁学现象的研究又活跃起来。1492年哥伦布在去美洲的航行探险中,注意到指南针有时不指向正北方,而是略向天文子午线倾斜一个角度,因此欧洲人在中国人以后600年观察到磁偏角。从此,各国海员在广大地区对磁偏角做了实际测定,取得很多数据,发现磁偏角因地、因时而有缓慢变化。前述诺曼的《新引力论》也谈到磁偏角问题,这标志欧洲在磁学领域的研究已有了新的拓展。

到15世纪末,由于英国学者威廉·吉尔伯特(William Gilbert, 1544～1603)的实验研究,又把磁学知识推向一个新的发展阶段。1600年他将研究成果发表在用拉丁文写成的《论磁石、磁体和地球这个大磁石;一种新生理学》(*De Magnete , Magneticisque Corporibus , et de Magno Magnete Tellure ; Physiologia Nova*,简称《论磁石》*De Magnete*)一书中。吉尔伯特首先以天然磁石做成球状(图305-1),名为"微地球"(terrella),作为实验对象,提出测定磁极的方法。他又将磁石做成棒状,将其切成两段(图305-2),注意到每段仍保持原来的极性,由此推测地球使磁石具有指极性。当铁制指针在球形天然磁石两极的磁赤道上的任何一点时,指针与磁球表面平行。指针在两极时,则与表面垂直(图305-3)。这使吉尔伯特认为地球是个巨大的球形磁石,而他实验用的球形磁石(terrella)是缩小的地球。根据指针在球形磁石磁极附近的表现,他得出结论说,地球北极的磁偏角比伦敦的磁偏角大。

图305
1600年吉尔伯特试验磁石两极及小磁石对球形磁石的反应,取自Wolf(1935)
1 带指向针的球形天然磁石
2 细长天然磁石分为两类
3 小磁针对微地球的反应

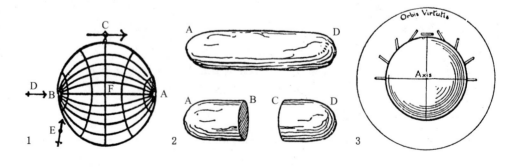

在解释磁偏角产生的原因时,吉尔伯特认为是地球表面凹凸不平所致,但后来的资料证明这种解释是不正确的。他提出,"磁的效能从一个磁体向周围四面八方扩散"。正如磁石的磁力能通过其周围空气向外扩散一样,地球的磁效能也能扩展到周围空间。由此他推而广之,认为其他天体,特别是太阳和月球,也像地球一样有磁性。这个观念后来对开普勒产生影响,用以解释行星运动。吉尔伯特关于磁学的著作有很大意义,贝尔纳写道:

> 从《论磁石》这部书本身和其中所阐明的新的科学态度来看,它是一部巨著。吉尔伯特并不限于实验,他还从实验中导出新的普遍思想。他的最能打动当时人想像力的一个思想是,主张维持行星在轨道上运动的,是磁的**引力**。因之天体的秩序第一次得到了物理学上说得通的又完全是非神秘性的解释。这肯定使牛顿更轻易地反驳那些只借物体接触中的推力才能想到力的靠物理学思维的科学家。①

自然科学革命是从天文学首开其端的,1543 年波兰天文学家哥白尼(Nicolaus Copernicus,1473～1543)以其《天体运行论》(*De Revolutionibus Orbium Coelestium*,*Libri Ⅵ*)吹起了革命的号角,在这部书中提出与中世纪长期占统治地位的地心说相对抗的日心说,地球作为宇宙中心的主宰地位被剥夺了,从而动摇了由教会和封建势力奉为金科玉律的旧宇宙观。宣传和发展哥白尼学说的布鲁诺和伽利略都受到了迫害,但这阻挡不了革命学说的进一步传播。继此之后,德国天文学家开普勒(Johannes Kepler,1571～1630)又挺身而出,他根据自己和丹麦天文观测家第谷·布拉赫(Tycho Brahe,1546～1601)的长期观测资料和理论研究,在其《宇宙奥秘》(*Prodromus Dissertationum Cosmographicarum Continens Mysterium Cosmographicum*,1596)和《世界的和谐》(*Harmonics mundi*,1619)等书中,再次捍卫和发展了哥白尼学说,给予天体力学上的论证,并对哥白尼还没有弄清的行星运动给予新的解释,总结出行星运动三定律。

开普勒在解释行星为什么不是沿圆形而是沿椭圆形轨道运行时,受到吉尔伯特的思想影响,以磁力概念作为解释物体相互间作用的通用思维方式,这在当时地理大发现时期最能打动人心,因为航海家靠磁石的磁力为人类提供了一个新的地球,人们正因此而激动不已。开普勒认为,各个行星像地球一样,都是巨大的磁体。在转动过程中,磁体的轴在空间始终保持不变的方向,两个磁极交替对着太阳,太阳吸引其中一极,而排斥另一极。由于太阳交替吸引和排斥整个行星的结果,使得其矢径长度发生变动,而这就决定了其运行轨道是椭圆形轨道②。开普勒还思考过重力的本性问题,认为重力是"趋于结合或合并的同类物

---

① Bernal J D. Science in History. London: Watts & Co., 1954. 301
② Wolf A. A History of Science, Technology and Philosophy in the 16th and 17th Centuries. London: Allen & Unwin Ltd., 1935. 142

体之间的相互作用,类似磁"。这就是说,引力类似磁力。因此在开普勒看来,在行星之间和地球上有一种普遍的力在起作用,也许正是磁力。

开普勒等人的工作为牛顿(1642~1727)的理论综合奠定了基础。在牛顿时代,前人对天体力学的研究已取得很大成就,需要以新的方式对行星运动给以力学解释,特别是说明为什么行星绕太阳作封闭曲线运动,而不是作直线运动跑到轨道外的空间。牛顿的贡献是将在地球上行之有效的动力学应用于地球以外的太阳系。他在1687年发表的《自然哲学的数学原理》(*Philosophiae Naturalis Principia Mathematica*)一书中,总结出运动三定律,并证明这些定律像开普勒行星定律一样,在太阳系天体中同样有效。

牛顿用万有引力(universal gravitation)来解释行星沿椭圆形轨道绕太阳的运动,地球的重力不过是万有引力的一种表现形式。而开普勒提出的在地球上和行星之间普遍存在的磁性引力概念,在牛顿这里换成了万有引力,实现这一转换并不存在哲学上的困难。牛顿的力学体系或经典力学成为近代自然科学的重要支柱,在这一科学体系的建立过程中可清楚看到沈括→马里库特人皮埃尔→吉尔伯特→开普勒→牛顿的磁学思维的世系谱,这一世系谱的始祖就是指南针的中国发明人。磁学的影响已扩及力学和天文学。

简短的结论

本书以中国四大发明及其世界影响为研究对象。以上各章所列举的大量文献记载和出土实物资料业已证明，纸、印刷术、火药和指南针这四项重大科学技术发明都完成于中国。造纸术起源于西汉初期（公元前2世纪），最初的纸是麻纸，东汉（公元105年）出现了以楮皮纤维为原料的皮纸。魏晋南北朝（3世纪～6世纪）造纸术有了进一步发展，晋代（3世纪）出现桑皮纸、藤皮纸、纸的施胶和涂布技术，普遍使用活动帘床抄纸器。剪纸、雨伞、风筝等纸制品也出现于这一时期。唐代（618～907）是造纸术大发展时期，造纸原料继续扩大，出现瑞香皮纸、竹纸、混合原料纸，并以植物粘液掺入纸浆中抄纸。砑花纸、花帘纸、蜡笺、金花纸、糊窗纸、纸衣、纸扇、纸牌、名片、纸灯笼、纸冠等纸制品和长一丈（3.11 m，唐制）的巨型匹纸，都是唐代产物。书中讨论了造纸的科学原理，对汉代麻纸和唐代皮纸的制造工艺过程做了复原研究。由于中国比世界其余地区率先用纸为书写材料，为印刷品的出现提供了所需的物质载体。

以机械复制代替手抄劳动生产书籍的木版印刷，起源于隋（6世纪），至唐初（7世纪初）获得早期发展。在木版印刷的基础上，又引出铜版印刷和非金属活字印刷。铜铸整版印刷始于盛唐（8世纪前半叶），木活字印刷起于五代末（10世纪），至北宋初（10世纪～11世纪之交）用于契约和票据印刷。以黏土烧制成的泥活字或黑陶活字始于北宋庆历年间（1041～1048）。在铜版印刷和非金属活字印刷的基础上，又在北宋（11世纪后半叶）出现了金属活字印刷，用于大规模印制纸币。大规模印制的艺术插图或版画，与木版印刷相始终，单版多色印刷在北宋（11世纪）已处于实用阶段，多版多色印刷或套色印刷不晚于元代（13世纪）即已出现，至明代（16世纪）获得大发展。书中对木版印刷、非金属活字和金属活字印刷的技术做了探讨。

火药的制造以硝石的利用和提纯为前提，至迟在公元前3世纪秦汉之际，硝石已被用作药物服用，因而必须提纯。梁朝（502～557）出现以火焰颜色辨别硝石的分析方法。唐代晚期（9世纪）的炼丹家以硝石、硫黄和炭源混在一起做实验，还将硝石、硫黄、雄黄和蜜共烧，结果产生爆燃，因而发现了火药混合物。唐、五代之际（10世纪前半叶）是军用火药的实验研制时期，北宋初（10世纪后半叶）军用火药已出现于战场，早期的火器是火药箭、"火球"（炸药包）和"火蒺藜"（带刺的炸弹），火药箭以弓弩射出，后两者以抛石机（"砲"）发出。1044年的《武经总要》记载了现存最早的3种军用火药配方，平均含硝、硫、炭之比为60.7∶30.9∶8.4，呈膏状，只能做炸药，不能做发射药。

北宋哲宗末年至徽宗初年(11世纪末至12世纪初)制成高硝粒状火药,用于烟火和爆仗,火药可做发射药。南宋初(1128)出现瓶状金属铳炮(bombard),1132年出现以竹筒制成的火枪(喷火筒)。1259年制成焰、弹齐发的"突火枪"(erupter),1161年火箭弹和火箭(rocket)升空。12~13世纪硬壳炸弹和手榴弹用于战场。元代(13世纪)金属火铳(hand-gun)和金属铸火炮得到发展,14世纪明初以后被改进。明代(1368~1644)火箭在元代基础上又有发展,制成各种集束火箭、火箭弹,而且还出现军用二级火箭及往复火箭。1500年万虎乘47支大火箭制成的装置,第一次从事载人火箭飞行的试验。明代还有地雷、定时炸弹和水雷。我们对宋以来各种火器构造做了复原研究,以揭示其工作原理。同时讨论了火药的燃烧理论、硝石提纯技术和火药的配制。

指南针是中国古代磁学研究的必然产物,战国(前5世纪~前3世纪)时期中国人不但发现磁石的吸铁性,还同时发现其指极性,并据这一发现利用天然磁石制成最早的磁性指南仪器司南仪(south-pointer)。汉代时司南仪进一步发展,仪器盘上标出由八干、十二支和四卦组成的二十四方位,成为后来指南针标度盘的基础。因司南磁勺不便使用,晋唐期间(4世纪~9世纪)不断被改进,将勺状磁石易为人工磁化的铁针(磁针),将其悬浮于刻度盘上的水池中,从而制成水浮式指南针。由司南勺到指南针的这一转变发生于唐末(9世纪后半叶),因为此时发现了磁偏角(magnetic declination)。北宋(11世纪初)还制成呈鱼状的永久磁铁片指南仪,称为"指南鱼"。南宋(12世纪)又出现旱罗盘。本书对各种类型的指南针结构重新做了技术复原,论述了宋、元、明三朝指南针在航海中的应用和航海图的绘制。

在研究四大发明时,我们除论述其起源和早期发展外,还解释了为什么它们起源于中国,而非其他国家或地区。同时,对过去和现在提出这些发明起源于其他国家或地区的主张进行评析,指出其何以不能成立的理由。在接下一些章节中,以证据说明中国四大发明在东亚、东南亚、南亚、中亚、西亚、北非和欧洲各国的传播和影响。从这里可以看到,造纸、印刷术、火药和火器、指南针这四大发明,在8~18世纪的1000年间推动了中国、中国周边的亚洲国家、非洲、欧美国家乃至全世界文明的发展,而在欧洲所产生的震撼作用尤为强烈,甚至超过中国和其他亚非国家。其影响范围之广、持续时间之长,是人类有史以来任何帝国、教派和英雄人物都不能相比的,这就显示了重大发明的力量。四大发明的广泛应用,使世界发生根本的变化,特别是促进了近代科学技术的兴起和近代社会即资本主义社会的到来,由此又引来无数的变化,以致改变了世界的面貌。

17世纪英国学者弗朗西斯·培根(Francis Bacon,1561~1626)1620年在《新工具》(*Novum Organum*)中写道:

> 首先要说,完成著名的发现,是人类一切活动中最为高尚的活动,这是历代前人所作的评判。历代对于发明家们都给以神圣的尊荣;而对有功于国家的人,如城市和帝国的创建者、立法者、拯救国家于长期祸患的人、铲除暴君者等类人,不过给以英雄的尊号。如果正确地将这两类人加以比较,无疑会看到古

人的评判是公平的。因为发现有利于整个人类,而人事之功只及于个别地区。后者持续不过几代,而前者则永垂千古。①

培根在这里所谈的有益于全人类的发现,实际上正指的是中国的四大发明。他本人写书时,还不知道这些发明来自中国,但他清楚认识到其世界意义,并给以高度评价。他接下说:

其次,发明的力量、效能和后果,是会充分看得到的,这从古人所不知、且来源不明的俨然是较近的三项发明中表现得再明显不过了,这就是(造纸和)印刷术、火药和磁针。因为这三项发明已经改变了整个世界的面貌和事物的状态:第一项发明表现在学术方面,第二项在战争方面,第三项在航海方面。从这里又引起无数的变化,以致任何帝国、任何教派、任何名人对人类事务方面似乎都不及这些机械发明更有力量和影响。②

培根这里谈到印刷术、火药和指南针三项,实际上还应包括造纸术,因为印刷离不开纸,而造纸术传入欧洲时间较早(12 世纪)。19 世纪时,马克思(Karl Marx, 1818～1883)在《机器,自然力和科学的应用》(*Die Maschinen. Die Anwendung der naturlichen Kraft und die Wissenschaften*, 1863)中指出:

火药、指南针、印刷术——这是预告资产阶级社会到来的三大发明。火药把骑士阶层炸得粉碎,指南针打开了世界市场并建立了殖民地,而印刷术则变成新教的工具,总的来说变成科学复兴的手段,变成对精神发展创造必要前提的最强大的杠杆。③

最后,20 世纪的英国科学史家贝尔纳写道:

中国许多世纪以来,一直是人类文明和科学的巨大中心之一……已经可以看出,在西方文艺复兴时期从希腊的抽象数理科学转变为近代机械的、物理的科学的过程中,中国在技术上的贡献——指南针、火药、纸和印刷术——曾起了作用,而且也许是有决定意义的作用……我确信,中国过去对技术的这样伟大贡献,将为其将来的贡献所超过。④

---

① Bacon F. Novum Organum (1620), bk 1, Aphorisin 129. In: Ellis, Spedding, eds. Bacon's Philosophical Works. London: Routledge, 1905
② Bacon F. Novum Organum (1620), bk 1, Aphorisin 129. In: Ellis, Spedding, eds. Bacon's Philosophical Works. London: Routledge, 1905
③ 马克思. 机器·自然力和科学的应用(1863). 汉译本. 北京:人民出版社,1978. 67
④ Bernal J D 为 Science in History 中文译本写的序(1959). 见:伍况甫等译. 历史上的科学. 北京:科学出版社,1959. 书首

大量的历史事实证明,包括亚、非、欧三大洲在内的旧大陆,应当被看成是一个整体,其中各个地区之间不时通过各种管道在经济、文化、科学技术和人员方面,保持着直接或间接的相互交流,从而在东、西方各民族和文化区之间架起相互沟通的桥梁。而自汉代以来开通的东、西方陆上和海上丝绸之路或纸张之路,一直是进行这种交流的主要管道,四大发明就是沿丝绸之路或纸张之路西传的。但这条商路时而畅通,时而受阻,因而东、西方交流也时断时续。

造纸术在唐代(751)首先传到阿拉伯地区,12世纪通过阿拉伯人的媒介传入欧洲。宋代时,中国科技高度发达,但东、西陆上大通道受阻。13世纪蒙古军队西征,以武力重新打通亚欧陆上通道后,印刷术、火药和指南针相继传入阿拉伯地区和欧洲。与此同时,一系列其他中国发明,如铸铁技术、活塞鼓风机、深井钻探、远洋船制造技术、纺丝车、机械钟、赤道天文坐标、旋转运动与直线运动相互转变技术、蒸汽机原型等都一股脑儿地涌向文艺复兴时的欧洲[①]。在东西交通大开放时期(13世纪~14世纪),亚、欧两大洲科学技术交流中,欧洲受惠于中国,从中国传到欧洲的重要发明和发现有20~30项,远比弗朗西斯·培根所知道的还要多。而从欧洲传到中国的技术不足五项,包括螺旋、水泵、曲轴等[②],其重要性和影响当然不能与中国四大发明相比。

四大发明传到欧洲后产生的直接后果是为近代科学的兴起创造了必要的前提,为近代社会的建成起了重要的促进作用。这两大事件的发生改变了世界史的发展进程,使世界面貌发生根本的变化。因此,论述四大发明的世界意义时,必须着重从这里谈起。前已援引培根、马克思和贝尔纳在这方面言简意赅的论述,似乎还有必要作适当的诠释。中国四大发明在欧洲推广后产生的后果,可以从以下两个层面来分析。

第一,四大发明作为科学技术研究成果,包括相关科技思想、工具和设备构造原理以及全套制造工艺,引入欧洲后产生的直接后果是提供了新的研究内容、研究方向和研究手段,导致一系列与中世纪科学相抗的新兴学科的建立,最后终于促成科学技术革命。第二,它们作为社会生产力,能立即转化成新兴产业部门的新产品,在社会经济、军事和政治、对外事务等领域内发挥前所未有的作用,并被新兴资产阶级用作推翻封建制、建立资本主义的物质手段。换言之,四大发明的精神力量和物质力量结合后的综合效应,促使欧洲告别中世纪,向建立新科学和新社会的方向上迈进,从而揭开近代史的序幕。

造纸和印刷术的引进帮助欧洲人掌握以廉价破布造纸并生产印本书的技术,刺激他们发明打浆机、压印机,以铅合金铸造活字,以机械复制代替手抄的印本书,引起文字载体革命。其直接后果是使科学信息、研究成果和科学家的新观

---

① Needham J. Science and China's influence on the world. In: Dawson D, ed. The Legacy of China. Oxford, 1964. 234~308

② Needham J., Wang Ling. Science and Civilization in China, vol. 1. Cambridge University Press, 1954. 242~244

点迅即传遍各地,加速自然科学的发展。各种科学著作的出版和在社会上的广泛传播,冲击了被教会奉为权威的中世纪自然观。科学家以新发现揭示了自然界的秘密,自然科学开始脱离神学而宣告独立。科学复兴运动如燎原之火燃遍欧洲大陆,而纸和印刷术正是这种燎原之火的火种,是近代自然科学发展的必要物质前提。

随火药和指南针技术而来的是相关的化学、磁学和机械、铸造、精密仪器制造知识。为研究火药燃烧机理、硝石的性能、火炮发射弹丸后炮弹的飞行轨迹、磁石指极性特征和磁偏角现象等,欧洲人充分利用了中国人在这方面积累的相关知识,并在此基础上继续从事实验研究和理论探讨,结果在化学、物理学、力学等领域内出现新的研究方向,而燃素理论、磁学和动力学这些新兴学科相继建立起来。磁学的进一步发展又影响到天文学,以磁性概念解释天体运行及其运行轨道。动力学的发展最终导致经典力学的建立。燃素理论的发展导致氧气的发现,氧学说又引起化学革命。数学在新学科建立过程中得到广泛应用。可以说,没有动力学和磁学这些新兴学科,近代自然科学是无从兴起的,而这两门学科都是火药和指南针引入欧洲后的直接产物。

欧洲很幸运,成为近代科学的起源地,但是应当指出,单靠古代希腊的科学遗产和中世纪黑暗时代欧洲零散的技术资料,是构筑不起近代科学技术大厦的。恩格斯(Friedrich Engels,1820～1895)1875 年在《自然辩证法》(*Die Naturdialektik*)手稿中谈到近代科学出现前的科技背景时,列举了大约 34 项中世纪(300～1453)发明[1],自然还漏掉一些项目,但从这个不完全统计中已可看到,其中 50% 以上不是在欧洲完成的,实际上都来自中国。只有向欧洲注入以四大发明为主体的中国科技发明和思想,近代科学技术大厦才能建成。

因此可以说,东、西方各民族和文化区的科学有如江河,最后都汇合在一起,流归近代科学的大海,而非分道扬镳。东、西方各民族和文化区在奠定近代科学的过程中,都各自做出应有的贡献。然而入海口在欧洲,这是因为当时欧洲有融合全人类科学技术智慧、发展新科学的适宜的社会条件。但不能否认传统中国科学技术是流归近代科学大海的一个巨流。在文艺复兴时期从古希腊抽象的数理科学转变为近代机械的、物理的科学的过程中,中国以指南针、火药、造纸和印刷术为主体的技术上的贡献,曾起过有决定性意义的作用。那种认为近代科学的发展完全是欧洲人的事,似乎世界其余地区与此无关、没有卷入这场科学复兴运动的观点,并不符合历史实际,因而是错误的。这种欧洲中心主义(Europocentrism)观点,现已受到很多正直的欧洲学者的摒弃。

其次,我们看到,四大发明引入欧洲后,导致造纸、出版、印刷、火药和火器制造、烟火、仪器制造等新兴产业的出现和迅速发展,又由此刺激了制墨、精细铸造、金属冶炼、采矿、造船、机械制造、交通运输等工业的发展、革新和生产规模的扩大,制图学、测量学、远洋航海技术、弹道学、铸炮术等技术科学新学科也相应

---

[1] 恩格斯.自然辩证法.北京:人民出版社,1984.41～42

建立起来。火药作为新的能源、火炮作为将热能转变成机械功的装置,启发欧洲技术家对新型动力机的研究,导致早期蒸汽动力机的出现,为后来的工业革命奠定了最初的基础。与此同时,中国铸铁技术、生熟铁合炼成钢的技术、深井钻探、机械钟等技术的引进,使欧洲技术面貌为之一新。因此同样可以说,以四大发明为主体的中国技术的引进,在近代技术和工业体系形成过程中起了关键作用。

四大发明在世界范围内所造成的社会影响,甚至比对科学技术发展的影响还要大。以欧洲为例,造纸和印刷业发展后的直接后果是促进了社会教育和文化的发展,各种学校相继建立,读书识字的人迅速增加。印本书冲破了教会对知识的垄断,具有反封建意识的人文主义作品在社会大众中传播。新教徒出版的圣经对教义予以新的解释,向剥削广大教徒的教会宣战,终于爆发宗教改革运动。出版商向大众提供用各民族语言写成的圣经和文学作品,唤起了各国的民族意识,拉丁文不再是唯一的书面语言。作家使用的标准意大利文、英文、法文和德文等同样可充当学术讨论和文学创作的语文工具。反封建、反教会思想和民族意识一旦在广大市民和农民中深入人心,就会成为动摇封建统治的物质力量。按中国制度印发的纸币和金融票据,在经济领域内影响深远,刺激商品经济发展,导致银行、信贷等资本主义经济秩序的建立,而印制的商标、广告等又促进工商业发展、各国厂家产品的竞争和对市场的争夺。

火药和火器传入后,引起欧洲武器的革命,火器的射程、破坏力和杀伤力大大超过任何冷武器。封建势力借以维持其统治的坚固城堡、身披重铠甲的骑士团和由奴隶驱动的多桨战船,都抵挡不住火器的袭击,因此资产阶级利用其掌握的金属资源铸出威力强大的臼炮,向封建势力发起进攻。14世纪臼炮的首次轰鸣,敲响了城堡的丧钟,并因而敲响了西方军事贵族封建制的丧钟。印本书提供了向封建制进行思想批判的武器,火炮又对封建制做了致命的武器的批判。火器的使用又在军事上引起了变革,使战争方式、布阵、攻防战术和军队构成等方面发生了新的变化。火器还被用于海外扩张,对殖民地、附属国财富进行武力掠夺,完成资本的原始积累。火药的和平用途是促进开采金银铁矿、开凿运河与建桥、铺设铁路等,对提高社会生产力、资源开发和经济建设做出重要贡献。

指南针和中国远洋航船制造技术引进欧洲后,使欧洲船队得以离开地中海和大陆周边近海海域,深入大西洋、印度洋和太平洋从事远洋航行、探险,导致美洲新大陆和绕过非洲南端通向亚洲的新航路的发现。一些欧洲国家凭借武力在非洲、美洲和亚洲开辟其产品的新市场、建立比其本土大许多倍的殖民地和附属国,对这些地区的资源和财富进行疯狂掠夺。这使资助地理大发现和向海外扩张的资产阶级的活动范围扩及全世界,使其聚敛的资本和财力骤然膨胀,对国务活动的影响力进一步扩大。各有关国家适应资产阶级的要求建立了资本主义的政治和经济制度。

因此我们看到,在欧洲发生的文艺复兴、宗教改革和科学革命的直接后果是军事贵族封建制的崩溃,随之而来的是近代自然科学和资本主义制度的兴起。这自然有其深刻的社会内在原因,但不能否认以造纸、印刷术、火药和指南针四大发明为主体的中国科技发明的输入是促成这些事件发生的重要外在原因,外因通过内因起作用。到17~18世纪出现由蒸汽机带动的工业革命时,我们再次看到中国技术的背景。此时,随着封建制的瓦解,资本主义制度已在欧洲居主导地位,并进一步发展、巩固。近代自然科学是经历了反封建、反对宗教势力的学术斗争烈火而最终形成的,和近代社会是同一运动的产物。没有资本主义,就没有近代科学。因为资本主义生产方式有意识地与广泛地使科学为经济目的服务并将其变成生产力,随后出现近代的物质文明,世界发生一连串的变化。这就是四大发明的国际意义。

反观四大发明的故乡中国,虽然在中世纪漫长岁月里发出了灿烂的科技之光,成为许多重要发明、发现的起源地,为欧洲望尘莫及,但却未能产生近代科学并建立近代社会,反而从16世纪明中叶以后落后于欧洲。基本原因是明代资本主义萌芽未能成长壮大到足以与老大的中央集权的官僚封建制相抗争并取而代之。清王朝建立后,又一度使衰落的封建制获得加强,因此中国再次失去出现科学革命的社会条件。详细讨论这些问题已非本书研究范围。

近三百多年来,中国在社会和科技发展方面落后于西方先进国家,但我们也有过光荣的历史,在封建社会初期和中期的汉唐盛世完成了震撼世界的四大发明,说明我们这个民族并非不善于发展科学技术。在蹉跎了三个多世纪后,中华民族又重新觉醒与崛起,决心奋起直追,以科学、教育兴国,力争在世界先进科学技术中占有一席之地。中国人有自信,能继承先民科技创新精神在21世纪新千年到来以后,在科学技术方面完成更多更大的发明和发现,重振昔日辉煌,为人类再次做出伟大贡献。四大发明已成过去,更大的突破有待未来。风景这边独好,数风流人物还看今朝。

附　　录

一、本书使用的西文缩略语说明

缩略语	语种	西文	释文
a.	英文	about	约
b.	英文	born	生于
c.	拉丁文	circa	约
chap.	英文	chapter	章
cf.	英文	confer	参见
cm.	法文	centimètre	公分、厘米
d.	英文	died	卒于
E	英文	East	东
ed.	英文	edition	版本
		edited	编写
éd.	法文	édition	版本
et al.	拉丁文	et alii	等人
et seq.	拉丁文	et sequor	以下
etc.	拉丁文	et cetera	等(指事物)
ff.	英文	following(pages)	以下各页
fl.	英文	flourished	在世
i. e.	拉丁文	id est	即
kcal.	法文	kilocalorie	千卡
kg	法文	kilogramme	公斤,千克
km	法文	kilomètre	公里,千米
m	法文	mètre	米、公尺
mm	法文	milimètre	毫米
N	英文	North	北
p.	英文	page	页
pt.	英文	part	册
r.	英文	reigned	在位
S	英文	South	南
tr.	英文	translation	译本
		translated	译
vol.	英文	volume	卷
W.	英文	West	西

二、主要参考文献

(一) 1911 年以前的中国、日本、朝鲜、韩国和越南古书

[说明] 以作者姓名汉语拼音顺序排列,以括号标出作者所属朝代及成书时间。日本、朝鲜、韩国和越南古书中汉字用日文汉字或汉字繁体字。

B

班固[汉]. 汉书(83). 二十五史缩印本,第 1 册. 上海:上海古籍出版社,1986
卞季良[朝鲜朝]. 春亭集. 見:徐居正主編. 東文選(1478),卷十七. 漢城:慶熙出版社,1966

C

晁贯之[宋]. 墨经(约 1160). 明人毛晋汲古阁刊本,17 世纪
朝鮮春秋館編. 李朝實録. 東京:日本學習院東洋文化研究所影印本,1967
陈规,汤璹[宋]. 守城录(1132). 墨海金壶·子部. 上海:博古斋影印本,1922
陈寿[晋]. 三国志(290). 二十五史缩印本,第 2 册. 上海:上海古籍出版社,1986
陈槱[宋]. 负暄野录(约 1210). 丛书集成第 1552 册. 上海:商务印书馆,1960
陈元靓[宋]. 事林广记(1135~1150). 元泰定二年(1325)刊本之日本元禄十二年(1699)重刻本,京都大学人文科学研究所藏
成俔(朝鮮朝). 慵齋叢話(约 1495). 見:大東野乘,第 1 册. 漢城:朝鮮古書刊行會,1909
崔豹[晋]. 古今注(约 300). 北京:中华书局,1960
村井昌弘[江戸朝]. 量地指南. 享保十三年刻本,1733

D

杜佑[唐]. 通典(801). 王文锦等校点本,全五册. 北京:中华书局,1988

F

法藏[唐]. 华严经传记(702). 見:高楠順次郎主編. 大正新修大藏経,第 5 册. 東京:大正一切経刊行會,1926
法藏[唐]. 华严经探玄记(687~692). 見:高楠順次郎主編. 大正新修大藏経,第 35 册. 東京:大正一切経刊行會,1926
法藏[唐]. 华严五教章(约 677). 見:高楠順次郎主編大正新修大藏経,第 42 册. 東京:大正一切経

刊行會,1926

范晔[刘宋].后汉书(445).二十五史缩印本,第2册.上海:上海古籍出版社,1986

方以智[明].物理小识(1643).万有文库本.上海:商务印书馆,1937

房玄龄[唐].晋书(646).二十五史缩印本,第2册.上海:上海古籍出版社,1986

费长房[隋].历代三宝记(597).见:高楠顺次郎主编.大正新修大藏経本,第49冊.東京:大正一切経刊行會,1924

费著[元].楮币谱(约1360).又名钱币谱.见:闾丘辨囿,清康熙中顾氏秀野草堂刊本

费著[元].蜀笺谱(约1360).丛书集成本.北京:商务印书馆,1960

冯贽[五代].云(雲)仙散录(926).丛书集成本,第2 836册.北京:商务印书馆,1960;文澜阁四库全书景印本,1 355册.台北:商务印书馆,1983

傅野山房辑.祝融佐治真诠(约1845).清道光年刻本

G

葛洪[晋].抱朴子(约324).丛书集成本.上海:商务印书馆,1936

巩珍[明].西洋番国志(1434).向达校注本.北京:中华书局,1961

谷应泰[清].明史纪事本末(1658).北京:中华书局,1977

顾观光[清]辑.神农本草经(1844).北京:人民卫生出版社,1956

鬼谷子(3世纪).百子全书本,第5册.杭州:浙江人民出版社,1984

郭若虚[宋].图画见闻志(约1075).四部丛刊续编·子部.上海:商务印书馆,1934

H

韩非[战国].韩非子(约前255).百子全书本,第3册.杭州:浙江人民出版社,1984

忽思慧[元].饮膳正要(1331).原刊本影印本.北京:中国书店,1985

胡应麟[明].少室山房笔丛(约1598).上海:中华书局上海编辑所,1958

黄溍[元].金华黄先生文集.四部丛刊景元刊本.上海:商务印书馆,1929

黄省曾[明].西洋朝贡典录(约1520).谢方校注本.北京:中华书局,1987

慧立,彦悰[唐].大慈恩寺三藏法师传(688).见:高楠顺次郎主编.大正新修大藏経,第50冊.東京:大正一切経刊行會,1927

J

稷下学者[战国].管子(前4世纪).百子全书本,第3册.杭州:浙江人民出版社,1984

贾思勰[北魏].齐民要术(约540),石声汉选读本.北京:农业出版社,1961

焦勖[明].火攻挈要(1643).丛书集成本.上海:商务印书馆,1936

焦玉[明].火龙经(1311~1375).清代抄本.北京中国科学院自然科学史研究所藏.此书有清咸丰七年(1857)抱朴山房刻本,旧题焦玉著

金富轼[高麗].三國史記(1145).漢城:朝鮮史學會,1941;井上秀雄譯注本.東京:平凡社,1980

金简[清].武英殿聚珍版程式(1776).乾隆四十一年刊木活字本,1776

K

寇宗奭[宋].本草衍义(1116).北京:商务印书馆,1957

L

李焘[宋].续资治通鉴长编(1183).景印本.上海:上海古籍出版社,1986

李昉[宋].太平御览(983).北京:中华书局,1960

李圭景[朝鲜].五洲衍文長箋散稿(約1862).寫本影印本.漢城:明文堂,1982

李靖[唐].李卫公兵法(7世纪).见:李昉[宋].太平御览(983),卷三二一.北京:中华书局,1960

李奎報[高麗].東國李相國後集.漢城:朝鮮古書刊行會,1913

李盘[明].金汤借箸十二筹(约1630).北京:国家图书馆藏清抄本(18世纪).此书有明崇祯十五年(1642)刊本,但稀见

李时珍[明].本草纲目(1596).刘衡如校点本.北京:人民卫生出版社,1982

李诩[明].戒庵老人漫笔(1590).藏说小萃本.明万历三十四年(1606)李铨前书楼刻本

李延寿[唐].北史(659).二十五史缩印本,第4册.海:上海古籍出版社,1986

李攸[宋].宋朝事实(约1130).北京:中华书局,1955

李肇[唐].国史补(约829).笔记小说大观本,第31册.扬州:广陵古籍刻印社,1984

刘安[汉]门客编.淮南子(前120),百子全书本,第5册.杭州:浙江人民出版社,1984

刘基[明].火龙神器阵法(14世纪),又名火龙经,清抄本,旧题刘基著于至正七年(1347),中国科学院自然科学史研究所、国家图书馆及李约瑟研究所藏

刘祁[金].归潜志(1235).笔记小说大观本,第10册.扬州:广陵古籍刻印社,1982

刘肃[唐].大唐新语(807).笔记小说大观本,第1册.扬州:广陵古籍刻印社,1983

刘昫[五代].旧唐书(945).二十五史缩印本,第5册.上海:上海古籍出版社,1986

陆玑[吴].毛诗草木鸟兽虫鱼疏(约245).丛书集成本.上海:商务印书馆,1935

陆容[明].菽园杂记(1475).北京:中华书局,1985

陆深[明].金台纪闻(1508).丛书集成本.上海:商务印书馆,1936

陆游[宋].老学庵笔记(1190).北京:中华书局,1979

路振[宋].九国志(1064).笔记小说大观本,第10册.扬州:广陵古籍刻印社,1983

吕不韦[战国].吕氏春秋(前239),高诱[汉]注本.上海:上海古籍出版社,1989

M

马端临[宋].文献通考(1309).影印本.北京:中华书局,1986

马令[宋].南唐书(1105).丛书集成初编·史地类.上海:商务印书馆,1935

茅元仪[明].武备志(1621).明天启元年原刻本景印.沈阳:辽沈书社,1989

孟元老[宋].东京梦华录(1147).北京:中华书局,1982

米芾[宋].书史(1100).丛书集成本.上海:商务印书馆,1937

墨翟[战国].墨子(前4世纪).百子全书本,第5册.杭州:浙江人民出版社,1984

O

欧阳修[宋].新唐书(1061).二十五史缩印本,第6册.上海:上海古籍出版社,1986

P

潘清簡[阮朝].欽定越史通鑒綱目(1859).阮朝(1884)刊本

Q

钱俨[宋].吴越备史(995).四部丛刊续集·史部.上海:商务印书馆,1934

清虚子[唐].伏火矾法(808).见:铅汞甲辰至宝集成,卷二,道藏.洞神部·众术类,第595册.上海:涵芬楼影印本,1926

權近[朝鮮朝].陽村集.漢城:亞細亞文化社,1974

S

舍人親王[奈良朝].日本書紀(720).坂本太郎等校注本.東京:岩波書店,2000

沈榜[明].宛署杂记(1593).北京:北京出版社,1961

沈德符[明].飞凫语略(约1600).丛书集成本,第1559册.上海:商务印书馆,1937

沈括[宋].梦溪笔谈(1088).元刊本(1305)景印本.北京:文物出版社,1975

施宿[宋].嘉泰会稽志(1202).清嘉庆戊辰年采鞠轩重刻本,1808

史弥坚[宋]修.卢宪[宋]纂.嘉定镇江志(1213).清道光二十二年(1842)重刊本

司马光[宋].资治通鉴(1084).上海:上海古籍出版社,1987

司马迁[汉].史记(前90).二十五史缩印本,第1册.上海:上海古籍出版社,1986

宋濂[明].元史(1370).二十五史缩印本,第9册.上海:上海古籍出版社,1986

宋绶[宋]著.徐松[清]辑.宋会要辑稿(1808).北平:国立北平图书馆影印,1936

宋应星[明].天工开物(1637).潘吉星译注.上海:上海古籍出版社,1992

苏敬[唐].新修本草(659).唐抄卷子本景印本.上海:上海科学技术出版社,1959

苏易简[宋].文房四谱(986).丛书集成本,第1493册.北京:商务印书馆,1960

孙从添[清].藏书纪要(1805).清嘉庆十年黄丕烈士礼居刊本,1805

孙武[春秋].孙子兵法(前5世纪).百子全书本,第2册.杭州:浙江人民出版社,1984

T

太安萬呂[奈良朝].古事記(712).倉野憲司校注本.東京:岩波書店,1999

唐末人著.九天玄女青囊海角经(约900).见:古今图书集成·艺术典(1726),卷六五一,汇考一.上海:中华书局影印本,1934

唐慎微[宋].证类本草(1108).1205年刻本景印本.北京:人民卫生出版社,1957

陶榖[五代].清异录(约950).说郛卷一一九,顺治三年宛委山堂刊本,1646

屠隆[明].考槃馀事(约1600).丛书集成,第1559册.上海:商务印书馆,1936

脱脱[元].金史(1345).二十五史缩印本,第9册.上海:上海古籍出版社,1986

脱脱[元].辽史(1344).二十五史缩印本,第9册.上海:上海古籍出版社,1986

脱脱[元].宋史(1345).二十五史缩印本,第8册.上海:上海古籍出版社,1986

W

晚唐人编.管氏地理指蒙(9世纪).见:古今图书集成·艺术典(1726),卷六五五.上海:中华书局影印本,1934.18

汪大渊[元].岛夷志略(1349).苏继庼校注本.北京:中华书局,1981

汪舜民[明].弘治徽州府志(1502).明弘治十五年徽州刻本,1502

王弼[魏]注.孔颖达[唐]疏.周易正义.十三经注疏本(1816),上册.上海:世界书局,1935

王充[汉].论衡(83).百子全书本,第6册.杭州:浙江人民出版社,1984

王大海[清].海岛逸志(1791).见:小方壶斋舆地丛抄(1871),第十帙.上海:著易堂重刊本,1897

王谠[宋].唐语林(约1107).上海:上海古籍出版社,1978

王伋[宋].针法诗(1030).见:古今图书集成·艺术典(1726),卷六五五.上海:中华书局影印本,1934.18

王仁俊[清].格致精华录(1896).上海石印本,1896

王应麟[元].玉海(1267).清光绪五年(1879)刊本;又影印本.扬州:广陵古籍刻印社,1985

王祯[元].农书(1313).缪启愉译注.上海:上海古籍出版社,1994

王宗沐[明]著.陆万垓[明]补.江西省大志重刊本(1597).南昌:明万历廿五年木刻本,1597

魏收[北齐].魏书(554).二十五史缩印本第3册.上海:上海古籍出版社,1986

魏徵[唐].隋书(636).二十五史缩印本,第5册.上海:上海古籍出版社,1986

無名氏[江戶朝].枯杭集(1668).日本寛文八年日文原刊本,1668

吴长元[清].宸垣识略(1788).北京:北京古籍出版社,1983

吴处厚[宋].青箱杂记(1070).笔记小说大观本,第2册.扬州:广陵古籍刻印社,1983

吴嘉猷.白飞升图.见:点石斋画报.上海,1890

吴士連[後黎朝].大越史記全書(1479).越南後黎朝刻本

吴振域[清].养吉斋丛录(约1863).北京:北京古籍出版社,1983

吴自牧[宋].梦粱录(1274).北京:中国商业出版社,1982

X

徐葆光[清].中山传信录(1720).见:小方壶斋舆地丛钞(1871),第十帙.上海:著易堂,1897

徐继畲[清].瀛寰志略(1848).上海:扫叶山房石印本,1898

徐兢[宋].宣和奉使高丽图经(1124).笔记小说大观本,第9册.扬州:广陵古籍刻印社,1984

徐勉之[元].保越录(1359).丛书集成·史地类.上海:商务印书馆,1935

许洞[宋].虎钤经(约1004).丛书集成初编本.上海:商务印书馆,1935

许浚[朝鲜].东医宝鉴(1610).上海:校经山房石印本,1890

许慎[汉].说文解字(100).段玉裁(清)注本.上海:文盛书局,1914

玄烨[清].康熙几暇格物编.盛昱[清]手写体石印本,1889

玄奘[唐].大唐西域记(646),章巽校点本.上海:上海人民出版社,1977

荀况[战国].荀子(约前240),章诗同简注本.上海:上海人民出版社,1974

Y

严可均[清]编.全上古三代秦汉三国六朝文(1835).北京:中华书局,1958

严如熤[清].三省边防备览(1822).道光十年来鹿堂重刊本,1830

杨万里[宋].诚斋集,卷四十四,海鰌赋后序(1170).四部丛刊本.上海:商务印书馆,1936

杨维祯[元].铁厓诗逸编注,卷二,铜将军(1367).四部备要·集部.上海:商务印书馆,1936

姚思廉[唐].梁书(635).二十五史缩印本,第3册.上海:上海古籍出版社,1986

姚燧[元].牧庵集(约1310).四部丛刊本.上海:商务印书馆,1929

叶泰[清].罗经解,吴天洪(清)注本.北京:康熙卅二年经纶堂刻本,1693

义净[唐].大唐西域求法高僧传.见:高楠顺次郎主編.大正新修大藏經,第51册.東京:大正一切経刊行會,1927

义净[唐].南海寄归内法传(约689).见:高楠顺次郎主編.大正新修大藏經,第54册.東京:大正一切経刊行會,1928

虞世南[唐].北堂书抄(630).北京:中国书店,1989

元好问[金].续夷坚志(1225).笔记小说大观本,第10册.扬州:广陵古籍刻印社,1983

Z

曾公亮[宋].武经总要(1044).明弘治年(约1505)覆宋刻本影本.见:中国古代版画丛刊,第1册.上海:上海古籍出版社,1988

曾三异[宋].因话录(1189).见:说郛,卷廿三,涵芬楼本.上海:商务印书馆,1927

翟金生[清].泥版试印初编(1844).道光廿四年泾县泥活字本,1844

张尔岐[清].周易说略(1667).泰安徐志定康熙五十八年刊白陶活字本,1719
张机[汉]著,王渭川注.金匮心释.成都:四川人民出版社,1982
张世南[宋].游宦纪闻(1237).笔记小说大观,第7册.扬州:广陵古籍刻印社,1984
张廷玉[清].明史(1736).二十五史缩印本,第10册.上海:上海古籍出版社,1986
张彦远[唐].历代名画记(847).丛书集成本,第1493册.上海:商务印书馆,1935
赵汝适[宋].诸蕃志(约1242).丛书集成·史地类.上海:商务印书馆,1935
赵万年[宋].襄阳守城录(1207).笔记小说大观本,第10册.扬州:广陵古籍刻印社,1983
赵与旹[宋].辛巳泣蕲录(约1230).丛书集成本.上海:商务印书馆,1936
真元妙道要略(9世纪~10世纪之际).不录作者,正统道藏·洞神部·众术类,第596册.上海:涵芬楼影印本,1926
鄭麟趾[朝鮮].高麗史(1454).平壤:朝鲜科學院出版社,1957~1958
郑玄[汉]注.贾公彦[唐]疏.周礼注疏,十三经注疏本(1816),上册.上海:世界书局,1935
郑玄[汉]注.孔颖达[唐]疏.毛诗正义,十三经注疏本(1816).上海:世界书局,1935
智昇[唐].开元释教录(730).见:高楠順次郎主編.大正新修大藏經,第55册.東京:大正一切經刊行會,1928
周必大[宋].与程元成给事书(1193).周益国文忠公全集,卷一九八,书稿十三,清人欧阳棨木刻重刊本,第49册,1851
周达观[元].真腊风土记(约1312).夏鼐校注本.北京:中华书局,1981
周密[元].癸辛杂识(约1290).津逮秘书本,第十四集.上海:博古斋影印本,1922;旧小说本,丁集,第12册.上海:商务印书馆,1935
周密[元].齐东野语(1290).北京:中华书局,1983
周密[元].武林旧事(约1270).杭州:西湖书社,1981
周应和[宋].景定建康志(1261).清嘉庆六年(1801)重刻本
朱熹[宋]注.诗经集传(1177).宋元人注四书五经影印本,中册.北京:中国书店,1985
朱彧[宋].萍洲可谈(1119).丛书集成本.上海:商务印务馆,1935
庄周[战国].庄子(约前290).百子全书本,第8册.杭州:浙江人民出版社,1984

(二) 1911年以后的中国、日本、朝鲜、韩国和越南书籍、论文、译著

[说明] 以作者姓名汉语拼音顺序排列,与中国姓名易混淆的日、朝、韩、越姓名,以括号标出其国籍。日文文献给出原文,汉字用日文汉字;朝、韩文献名因其字母不易排印,一律译成汉文,用汉字繁体字。

A

安春根[韓].新羅時代之印刷出版問題——關於推定751年印刷的陀羅尼經(朝文).古書研究(漢城),1990(7):42~51
安徽省文物工作队.阜阳双古堆西汉汝阴侯墓发掘简报.文物,1978(8)

奥斯瓦爾德(Oswald).西洋印刷文化史(日文版).玉城肇譯.東京:鮎書房,1943

B

北京图书馆(赵万里执笔)编.中国版刻图录.北京:文物出版社,1961
薄树人主编.中国天文学史.北京:科学出版社,1981

C

蔡美彪主编.中国通史,第7册,元史.北京:人民出版社,1983
蔡运章.洛阳北窑西周墓墨书文字略论.文物,1994(7):64～69
曹亨均[韩].韓國造紙技術史的回顧與前瞻(朝文).韓國文化(漢城),1996(12)
曹炯镇[韩].中、韩两国古活字印刷技术之比较研究.台北:学海出版社,1986
長沢規矩也.和漢書の印刷とその歴史.東京:吉川弘文館,1952
長沢規矩也.圖解和漢印刷史.日文版.東京:汲古書院,1976
晁华山.西安出土的元代手铳与黑火药.考古与文物(西安),1981(3):73～75
朝鮮科學院古典研究所編.李朝實錄分類集,第四輯,軍事編.平壤:朝鮮科學院出版社,1961
朝鲜科学院历史研究所编.朝鲜通史.贺剑城译.北京:三联书店,1962
朝鮮社會科學院歷史研究所.朝鮮文化史.平壤:外文出版社,1966
陈定荣,徐建昌.江西临川县宋墓.考古(北京),1988(4):329～334
陈国符.道藏中的外丹黄白法经诀出世朝代考.见:李国豪等主编.中国科技史探索.上海:上海古籍出版社,1986
陈国符等.植物纤维化学.北京:中国财政经济出版社,1961
陈美东.一行传.见:中国古代科学家,上册.北京:科学出版社,1992.370
陈维稷主编.中国纺织科学技术史.北京:科学出版社,1984
陈直.汉书新证.天津:天津人民出版社,1979
陈直.两汉经济史料论丛.西安:陕西人民出版社,1958
池田温[日].新羅、高麗時代東亞地域紙の國際流通について.大東文化研究,1989(23):213～232
初师宾,任步云.居延汉代遗址和新出土的简册文物.文物,1979(1):6

D

戴念祖.中国力学史.石家庄:河北教育出版社,1988
党寿山执笔.武威汉代医简.北京:文物出版社,1975
迭朗善(Loiseleur-Deslongchamps)译.摩奴法典,马香雪译自法文.北京:商务印书馆,1982
董作宾.殷历谱,下编,卷九.宜宾:中央研究院历史语言研究所,1945
渡邊明義[日].水墨畫の鑒賞基礎知識.東京:至文堂,1997
杜石然主编.中国古代科学家传记.北京:科学出版社,1992
多桑(d'Ohsson).蒙古史(1834),冯承钧译.上海:商务印书馆,1939

E

恩格斯(Engels).自然辩证法.北京:人民出版社,1984

F

方豪.方豪六十自定稿.台北:学生书局,1969

方豪.方豪文集.北平:上智编译馆,1947
方诗铭.中国历史纪年表.上海:上海辞书出版社,1980
冯家昇.火药的发明和西传.上海:上海人民出版社,1954;2版,1978

G

甘肃省博物馆.武威磨嘴子三座汉墓发掘简报.文物,1972(12):9～19
高次若.宝鸡市博物馆收藏铜造像介绍.考古与文物(西安),1986(4):71～73
高楠顺次郎主編.大正新修大藏経,計160卷(冊).東京:大正一切経刊行会,1924～1934
葛治伦.1949年以前的中泰文化交流.见:中外文化交流史.郑州:河南人民出版社,1987.487～521
谷祖英.铜活字和瓢活字的问题.光明日报,1953-09-25
鮭延襄[日].日本の花火のはじめ.工業火薬(東京),1967,28(3):191～193
関義城.手漉紙史の研究.東京:木耳社,1976

H

韩保全.世界最早的印刷品——西安唐墓出土印本陀罗尼经咒.见:石兴邦主编.中国考古学研究论集.西安:三秦出版社,1987
韩振华.中国古代航海用的量天尺.文物集刊,1980(2)
何双全.甘肃天水放马滩秦汉墓群的发掘.文物,1989(2):1～11,31
何双全.甘肃悬泉置遗址的发掘简报.文物,2000(5):4～20
河北轻工学院化工系制浆造纸教研室.制浆造纸工艺学,上册.北京:轻工业出版社,1961
洪潜等编.哲学史简编.北京:人民出版社,1957
胡振祺.明代火炮.山西文物(太原),1982(1):57
荒川秀木.文永の役に蒙古軍はロケットを利用したが? 日本歴史(東京),1960(148):86～89
黄善必[韓].世界最古木版印刷本發見(朝文).東亞日報(漢城),1966-10-15(1)
黄文弼.罗布淖尔考古记.北平,1948

J

吉田光邦.宋元の軍事技術.見:藪内清編.宋元時代の科學技術史.京都:中村印刷株式會社,1969
季羡林.中国纸和造纸法输入印度的时间和地点问题.历史研究,1954(4):25
季羡林.中印文化关系史论文集.北京:三联书店,1982
加藤晴治.敦煌出土寫経とその用紙について.紙パ技協誌(東京),1963,17(9):28～34
菅菊太郎.日歐交通起源史(1897).日文第二版.東京:秀英舍,1902
江洪.烟花炮竹生产与安全.北京:轻工业出版社,1980
蒋元卿.中国书籍装订技术的发展.图书馆学通讯,1957(6):20～25
金柏东.温州市白象塔出土北宋佛经残页介绍.文物,1987(5):15～18
金柏东.现存最早的锡印版.东方博物(杭州),1996(1):157～160
金蔘述[韓].世界最古木版印刷物發見(朝文).朝鮮日報(漢城),1966-10-16(7)
金秋鹏.中国古代的造船和航海.北京:中国青年出版社,1985
金元龍[韓].韓國古活字概要.朝文版.漢城:乙酉文化社,1954
久米康生.出土紙が證言する前漢造紙.百萬塔(東京),1988(70):1～5
久米康生.和紙の文化史.東京:木耳社,1977

K

卡特(Carter).中国印刷术的发明和它的西传(1925).吴泽炎译.北京:商务印书馆,1957
卡约里(Cajori).物理学史,戴念祖译.呼和浩特:内蒙古人民出版社,1981
库斯明斯基(Kosminski).中世世界史.王易今译.上海:开明书店,1947

L

拉施特丁(Rashid-alDin).史集.余大均译.北京:商务印书馆,1986
劳榦.论中国造纸术之原始.历史语言研究所集刊,1948(19):489~498
李崇洲.中国明代的水雷.中国科技史料,1985,6(2):32~34
李鉴澄.晷仪——现存中国最古老的天文仪器之一.科技史文集,第1辑.上海:上海科学技术出版社,1978
林贻俊.造纸史话.上海:上海科学技术出版社,1983
刘长久,胡文和,李永翘.大足石刻研究.成都:四川社会科学院出版社,1985
刘国钧.中国古代书籍史话.北京:中华书局,1962
刘国钧.中国书史简编.北京:高等教育出版社,1958
刘南威,李竞等.中国古代航海天文资料辑录.科技史文集(上海),第10辑.上海:上海科学技术出版社,1983.170~187
刘森.宋金纸币史.北京:中国金融出版社,1993
刘仙洲.中国古代慢炮、地雷和水雷自动发火装置的发明.文物,1973(11):46~51
刘仙洲.中国机械工程发明史.北京:科学出版社,1962
刘旭.中国古代火炮史.上海:上海人民出版社,1989
隆言泉等.制浆造纸工艺学.北京:中国财政经济出版社,1961
卢前.书林别话(1949).见:张静庐编.中国现代出版史料,丁编,上卷.北京:中华书局,1959
鲁桂珍,李约瑟,潘吉星.铳炮的最早实物形象.见:李约瑟集.天津:天津人民出版社,1998.424~433
陆侃如,冯沅君.中国文学史简编.北京:作家出版社,1957
吕建福.中国密教史.北京:中国社会科学出版社,1995
罗西章.陕西扶风县中颜村发现西汉窖藏铜器和古纸.文物,1978(9):17~20
罗振玉.四朝钞币图录.永慕园丛书本.北京:上虞罗氏景印本,1914

M

马吉多维奇(Magidovich).世界探险史,屈端,云海译本.北京:世界知识出版社,1988
马继兴,李学勤.五十二病方.北京:文物出版社,1979
马可·波罗(Marco Polo).马可·波罗游记.李季译.上海:亚东图书馆,1936
马克思(Marx).机器·自然力和科学的应用(1863).汉译本.北京:人民出版社,1978
麦英豪,黄展岳.西汉南越王墓.北京:文物出版社,1991
梅原末治.慶州皇福寺塔発見の捨利容器.美術研究(東京).1944(156)
孟宪承等编.中国古代教育史资料.北京:人民教育出版社,1961
木宫泰彦.日本古印刷文化史.日文版.東京:富山房,1932
木宫泰彦.日中文化交流史.胡锡年译.北京:商务印书馆,1980
慕阿德(Moule).1550年以前的中国基督教史.郝镇华译.北京:中华书局,1984

N

涅克拉索夫(Nekrasov).普通化学教程.张青莲等译.上海:商务印书馆,1954

牛达生.中国最早的木活字印刷品——西夏文佛经《吉祥遍至口和本续》.中国印刷(北京),1994,12(2):38~46

P

潘吉星.1974年西安发现的唐初梵文陀罗尼印本研究.广东印刷(广州),2000(6):56~58;2001(1):63~64

潘吉星.巴尔扎克笔下的《天工开物》.大自然探索(成都),1992,11(3):121~123

潘吉星.从模拟实验看汉代造麻纸技术.文物,1977(1):51~58

潘吉星.从元大都到美因茨——谷腾堡技术活动的中国背景.中国科技史料,1998,19(3):21~30

潘吉星.从圆筒侧理纸的制造到圆网造纸机的发明.文物,1994(7):91~93

潘吉星.从造纸史看传统文化与近代化的接轨.传统文化与现代化(北京),1996(1):74~83

潘吉星.敦煌石室写经纸研究.文物,1966(3):39~47

潘吉星.历史上有絮纸吗?见:技术史丛谈.北京:科学出版社,1987.80~87

潘吉星.论1232年开封府战役中的飞火枪.见:陈智超主编.宋辽金史论丛,第2册.北京:中华书局,1991.224~239

潘吉星.论韩国发现的印本无垢净光大陀罗尼经.科学通报(北京),1997,42(10):1 009~1 028

潘吉星.论金属活字技术的起源.科学通报(北京),1998,43(15):1 583~1 594

潘吉星.论南宋发展的几种新式筒形火器.台北:纪念李约瑟百年诞辰学术研讨会,2000年12月

潘吉星.论日本造纸及印刷之始.传统文化与现代化(北京),1995(3):67~76

潘吉星.论中国古代火药的发明及其制造技术.科技史文集,第15辑.上海:上海科学技术出版社,1989.31~48

潘吉星.日本における製紙と印刷の始まりについて.百萬塔(東京),1995(92):17~28;1996(93):19~29

潘吉星.世界上最早的植物纤维纸.文物,1964(11):48~49;化学通报,1974(5):45~47

潘吉星.世界上最早使用的火箭武器——谈1161年采石战役中的霹雳砲.文史哲(济南),1984,(6):29~33;论火箭的起源.自然科学史研究(北京),1985,4(1):64~79

潘吉星.王仁事迹与世系考.国学研究(北京大学),2001,8:177~207

潘吉星,魏志刚.金属活字印刷发明于韩国吗?中国印刷,1999(1):55~59

潘吉星.新疆出土古纸研究.文物,1973(10):52~60

潘吉星.印刷术的起源地:中国还是韩国?中国文物报,1996-11-17(3)

潘吉星.中国古代加工纸十种.文物,1979(2):38~48

潘吉星.中国、韩国与欧洲早期印刷术的比较.北京:科学出版社,1997

潘吉星.中国火箭技术史稿.北京:科学出版社,1987

潘吉星.中国金属活字印刷技术史.沈阳:辽宁科学技术出版社,2001

潘吉星.中国科学技术史·造纸与印刷卷.北京:科学出版社,1998

潘吉星.中国造纸技术史稿.北京:文物出版社,1979

潘吉星.中国造纸史话.济南:山东教育出版社,1991

潘吉星主编.李约瑟集(Sequel to the Collected Papers of Joseph Needham).天津:天津人民出版社,1998

潘吉星主编.李约瑟文集(Collected Papers of Joseph Needham).沈阳:辽宁科学技术出版社,1986

Q

千惠鳳[韓].韓國典籍印刷史.朝文版.漢城:泛友社,1990
千惠鳳[韓].韓國書誌學.朝文版.漢城:民音社,1997
钱宝琮主编.中国数学史.北京:科学出版社,1964
钱存训.造纸与印刷.刘祖慰译.见:李约瑟.中国科学技术史,卷5,第1册.科学出版社-上海古籍出版社,1990
钱存训.中国古代书史.周宁森译.香港:中文大学出版,1975
钱存训.中国书籍、纸墨及印刷史论文集.香港:中文大学出版社,1992
秋保安治等編.江戸時代の科学.東京:博文館,1934
全相運[韓].韓國科學技術史.日文版.東京:高麗書林,1978
全相運[韓].韓國科學技術史.朝文版.漢城:科學世界社,1966

R

任正赫[韓].韓國の科學と技術.東京:明石書店,1993

S

桑原隲藏.蒲壽庚考,陳裕菁譯.北京:中華書局,1954
桑原隲藏.唐宋時代に於けるアラブ人の支那通商の概況殊に宋末の提挙市舶西域人蒲寿庚の事迹.東京:岩波書店,1935
桑原鷺藏.唐宋元時代中西通商史.冯攸译.上海:商务印书馆,1930
神田喜一郎.中国における印刷術の起源について.日本学士院紀要,1981,34(2):89~102
沈文倬.清代学者的书简.文物,1961(10):61~65
石田幹之助.文永役に蒙古軍の使用せるてつほうについて.東洋学報(東京),1916,7(2)
石原純[日].(日本)科學史.日文版.東京:東洋経済新報社,1942
史金波.现存世界上最早的活字印刷品——西夏活字印本考.北京图书馆馆刊,1997(1):67~80
矢島祐利,関野克監修.日本科学技術史.日文版.東京:朝日新聞社,1962
宋越伦.中日民族文化交流史.台北:正中书局,1969
宿白.五代宋辽金元时代的中、朝友好关系.见:五千年来的中朝友好关系.北京:三联书店,1951
壽岳文章.和紙の旅.東京:芸草堂,1973
孫寶基[韓].韓國印刷技術史.朝文版.見:韓國文化史大系,第6卷.漢城:高麗大學民族文化研究所,1981
孙宝明,李钟凯.中国造纸植物原料志.北京:轻工业出版社,1959
孙光圻.中国古代航海史.北京:海洋出版社,1989
孙寿龄.西夏泥活字版佛经.中国文物报,1994-03-27

T

唐锡仁等编.中国古代地理学史.北京:科学出版社,1984
陶湘.武英殿聚珍版丛书目录.图书馆学季刊(北平),1929,1(2):205~217
田野(程学华).陕西省灞桥发现西汉的纸.文物参考资料,1957(7):78~81
町田誠之.和紙の風土.京都:駸駸堂,1981
町田誠之.紙と日本文化.東京:NHKブックス,1989
禿氏祐祥.東洋印刷史研究.日文版.東京:青裳堂書店,1981

托太(Totah).回教教育史.马坚译.上海:商务印书馆,1941

W

汪本初.安徽东至县发现南宋关子钞版的调查研究.安徽史学·钱币增刊(合肥).1987(4)

王伯敏.中国版画史.上海:上海人民美术出版社,1961

王化邦,王菊华.中国造纸原料纤维图谱.北京:轻工业出版社,1965

王琎等.中国古代金属化学及金丹术.上海:上海科学技术出版社,1955

王锦光,洪震寰.中国古代物理学史略.石家庄:河北科学技术出版社,1990

王静如.西夏文木活字版佛经与铜牌.文物,1972(11):8～18

王荣.元明火铳的装置复原.文物,1962(3):41～43

王振铎.科技考古论丛.北京:文物出版社,1989

王志敏,闪淑华.中国的印章与篆刻.北京:商务印书馆,1991

韦尔斯(Wells).世界史纲.吴文藻等译.北京:人民出版社,1982

韦镇福等.中国军事史.北京:解放军出版社,1983

卫月望,乔晓金等编.中国古钞图辑(1986).2版.北京:中国金融出版社,1992

魏国忠.黑龙江阿城县半拉子城出土的铜火铳.文物,1973(11):52～54

温少峰,袁庭栋.殷墟卜辞研究——科学技术篇.成都:四川社会科学院出版社,1983

文明太[韓].新羅華嚴經과그變相圖의研究(Ⅰ)(朝文).韓國學報(漢城),1979(14):81

乌尔班斯基(Urbanski).火炸药的化学与工艺学.欧育湘,秦宝实译.北京:国防工业出版社,1976

吾守尔.敦煌出土回鹘文活字及其在活字技术西传中的意义.见:出版史研究,1998(6):1～12

吴承洛著.程理浚订.中国度量衡史.北京:商务印书馆.1957

X

夏德(Hirth).大秦国全录.朱杰勤译.北京:商务印书馆,1964

夏鼐.扬州拉丁文墓碑和广州威尼斯银币.考古,1979(6):552

向达校注.郑和航海图.北京:中华书局,1961

新疆博物馆编.新疆出土文物.北京:文物出版社,1975

徐苹芳.居延考古发掘的新收获.文物,1978(1):26

许鸣岐.中国古代造纸起源史研究.上海:上海交通大学出版社,1991

Y

严敦杰.牵星术——中国明代航海天文知识一瞥.科学史集刊(北京),1966(9):77～88

姚士鳌.中国造纸术输入欧洲考.辅仁学志(北平),1928,1(1):1～85

叶德辉.书林清话(1920).重印本.北京:北京古籍出版社,1957

伊林(Ilin M).书的故事.张允和译.上海:中华书局,1936

殷涤非.西汉汝阴侯墓出土的占盘和天文仪器.考古(北京),1978(5):338～343

尹炳泰[韓].高麗活字本的起源(朝文).圖協月報(漢城),1973(3):8～12

有馬成甫.火砲の起源とその伝流.東京:吉川弘文館,1962

有馬成甫.江戸時代の鉄砲.見:東京科学博物館編.江戸時代の科学.東京:博文館,1934

原田淑人,田沢金吾.楽浪——五官橡王肝の墳墓.東京:刀江書院,1930

岳邦湖,吴礽骧.敦煌马圈湾汉代烽燧遗址发掘简报.文物,1981(10):1～8

越南社會科學委員會编.越南歷史.河内:社會科學出版社,1971;北京:人民出版社,1977

Z

增田勝彦. 灞橋紙の化驗結果に關する討論. 見:樓蘭文書紙と紙の歷史. 東京,1988.3;潘吉星への書信(1980-12-08,東京)

增尾信之. 印刷インキ工業史. 東京:日本印刷インキ工業連合会,1955

张星烺. 中西交通史料汇编,全六册. 北平:京城印书局,1930

张秀民. 明代徽派版画黄姓刻工考. 图书馆,1964(1):61~65

张秀民. 五代吴越国的印刷. 文物,1978(12):74

张秀民. 中国印刷史. 上海:上海人民出版社,1989

张秀民. 中国印刷术的发明及其影响. 北京:人民出版社,1958

章鸿钊. 石雅(1921). 2版. 北平:中央地质调查所重刊,1927

赵尔巽. 清史稿(1927). 二十五史缩印本,第11册. 上海:上海古籍出版社,1986

郑诵先. 各种书体源流浅说. 北京:人民美术出版社,1962

中村不折. 新疆と甘肅出土の寫經. 東京:雄山閣,1934

中国科学院植物研究所主编. 中国高等植物图鉴,全六册. 北京:科学出版社,1987

中山久四郎. 世界印刷通史(日文版),第一册,日本篇;第二册,中國、朝鮮篇. 東京:三秀舍.1930

中央古物保存会编. 六朝陵墓调查报告. 南京,1935

周一良. 纸与印刷术. 见:李光璧,钱君晔编. 中国科技发明和科技人物论集. 北京:三联书店,1955

周一良主编. 中外文化交流史. 郑州:河南人民出版社,1987

朱寰主编. 世界中古史. 长春:吉林人民出版社,1981

朱偰. 郑和传. 北京:三联书店,1956

庄司淺水. 世界印刷史年表. 日文版. 東京:ブックドム社,1936

庄葳. 唐开元心经铜范系铜版辨. 社会科学(上海),1979(4):151~153

(三) 西文书籍和论文

[说明] 以作者姓名拼音顺序排列,俄文则按其发音以拉丁字母拼写。华人、朝鲜人、韩人作者以括号标出汉名。西文刊物有时以括号标出所在地。文献所用缩略语参见本书附录一。

A

Albertus Magnus. De Mirabilibus Mundi (a. 1280). Cf. Best M R, Brightman F H, tr. The Book of Secrets of Albertus Magnus. Oxford: Clarendon Press, 1973

Al-Biruni's India, ed. Edward Sachau. London, 1914

al-Tha'alibi. The Book of Curious and Entertaining Information. Bosworth C E, tr. Edinburgh, 1968

Anon. Vozrozhdenie, Bol'shaya Sovetskaya Entsiklopediya, zoe izd., t. 8. Moskva, 1952

Anonymous Arabian author. Liber Ignium ad Comburendos Hostes (a. 1300). Collected in

Bibliothèque Nationale. Paris(MS 7156)

Arberry A J, tr. The Ring of the Love. Translated from the Tanq al-Hamāmā of Ali ibn-Ahamd ibn-Hazm. London: Luzac, 1953

B

Bacon F. Novum Organum(1620). In: Ellis, Spedding, eds. Bacon's Philosophical Works. London: Routledge, 1905

Bacon R. Opus Tertium (1267). In: Little A G, ed. Roger Bacon Essays. Oxford, 1914

Bailey K C. The Elder Pliny's Chapters on Chemical Subjects. London, 1932

Balmer H. Beiträge zur Geschichte der Erkentnis des Erdmagnetismus. Aarau, 1936

de Balzac H. Les Illusions Perdues (1843). Moscou: Édition en Langues Etrangées, 1952

Beaujouan G, Poulle E. Les origines de la navigation astronomique aux 14e et 15e siècles. In: Mollat M, de Paris D, eds. Proceedings of the First International Colloquium of Maritime History. Paris, 1956

Beckmann J. Beiträge zur Geschichte der Erfindungen, 5 vols. Berlin, 1780~1805; History of Inventions. Translated from the German, 5 vols. London: H. G. Bohn, 1845

Benedettin-Pichler A. Microchemical analysis of pigments used in the fossae of the incisions of Chinese oracle bones. Industrial and Engineering Chemistry: Analytical Edition, 1937, 9: 149~152

Bernal J D. Science in History. London: Watts & Co., 1954

Bernal J D. The Social Function of Science. London: Routledge, 1939

Bernard-Maitre H. Deux Chinois du 18ème siècle à l'école des physiocrates Français. Bulletin de l'Université l'Aurore, 1949, 3e sér., 19: 151~197

Bernard-Maitre H. Les origines Chinoises de l'imprimerie aux Philippine. Monumenta Serica (Shanghai), 1942, 7:312

Berthelot M. Revue des Deux Mondes. Paris, 1891

Berthelot M. Chimie au Moyen Âge. Paris, 1893

Black M H. The printed Bible. In: Cambridge History of the Bible, vol. 3. Cambridge, 1963

Blum A. Les origines du papier. Revue Historique (Paris), 1932, 170: 435; On the Origin of Paper. Lydenberg H M, tr. New York: Bowker, 1935

Bodde D. Chinese Ideas in the West. Washington, D. C.: American Council on Education, 1948

Boxer C R, ed. South China in the 16th Century. London: Hakluyt Society, 1953

von Braun W, Ordway F I. History of Rocketry and Space Travel. London-New York: Crowell Co., 1966

Bromehead C E N, tr. Alexander Neckam on the compass needle. Geographical Journal (London), 1944, 104: 63

Browne E G. Persian Literature under the Tartar Dominion. Cambridge, 1920

C

Cajori F. A History of Physics. 5th ed. London-New York: Macmillon, 1928

Carafoli E, Nita M. Romanian rocketry in the 16th century (1969). In: Essays on the History of Rocketry and Astronautis. Washington, 1972. 3~8

Carlson J. Lodestone compass: China or Olmec primacy? Science (London), 1975, 189: 753~

760

Carman W Y. A History of Firearms from Earliest Times to 1914. London, 1955

Carter T F. The Invention of Printing in China and Its Spread Westward (1925). 2nd ed. Revised by Goodrich L C. New York: Ronald Press Co. , 1955

Cavallo T, tr. , ed. A Treatise on Magnetism in Theory and Practice with Original Experience. 3rd ed. with a supplement of Petrus Peregrinus' Epistola de magnete. London, 1800

Chatley H. The Origin and Diffussion of Chinese Culture. London: China Society, 1947

Chavannes E. Les Documents Chinois Decouverts par Aurel Stein dans les Sables du Turkestan Oriental. Oxford, 1913

Chon Hye-bong (千惠鳳). Development process of movable metal-type printing in Korea: Speech at the International Symposium on Printing History in the East and West (Seoul. Korea, Sep. 30, 1997)

Clephan. The ordnance of the 14th and 15th centuries. Archaeological Journal, 1909, 66: 49ff

Coedès G. Notes complémentaire de la Mémoire sur les coutumes de Cambodge de Tcheou Ta-Kouan, traduit par Paul Pelliot. T'oung Pao, 1933, 30:227f.

le Comte L D. Nouveaux Mémoires sur l'État Présent de la Chine, 2 vols. 3ᵉ éd. Paris, 1698

Cordier H. Histoire Générale de la Chine, 2 vols. Paris: Geuthner, 1920

Courant M. Supplément à la Bibliographie Coréene. tom 1. Paris: Imprimerie Nationale, 1901

Cowper H S. The Art of Attack. Ulverston, 1906

Curzon R. A short account of libraries in Italy. Philobiblon Society Miscellanies (London), 1854, 1:6

Curzon R. The history of printing in China and Europe. Philobiblon Society Miscellanies (London), 1860, 6(1):23

D

Danpier W C. A History of Science and Its Relation with Philosophy and Religion. 4th ed. Cambridge University Press, 1958

Davis T L. Early Chinese rockets. The Technology Review(Poston), 1948,51:122

Dawson C, ed. The Mongol Mission: Narratives and Letters of the Franciscan Missionaries in Mongolia and China in the 13th and 14th Centuries. London: Sheed & Ward, 1955

Dozy R, de Goeji J, tr. Description de l'Afrique et de l'Espagne par Idrisi. Leiden: Brill, 1866

Dubois J A. Description of the Character, Manner and Customs of the People of India. Translated from the French. Philadelphia, 1818

E

Edkins J. Note on the magnetic compass in China. China Review (Hong Kong), 1889, 18: 197

Egerton W. An Illustrated Handbook of Indian Arms. London, 1880

Engels F. Dialectics of Nature. Moscow: Foreign Languages Publishing House, 1954

F

Feodos'ev V I, Siniarev G B. Vvedenie v Rekatnuyu Techniku. Moskva, 1956

Fernandez P. History of the Church in the Philippines (1521~1878). Manila, 1979

Forbes R. Man the Maker: A History of Technology and Engineering. New York : Schuman,

1950

Franklin B. Description of the process to be observed in making large sheets of paper in the Chinese manner, with one smooth surface. Transactions of the American Philosophical Society (Philadelphia), 1793. 8~10

Frye R N. Tarxùn-Türxun and Central Asia history. Harvard Journal of Asiatic Studies, 1951, 14:123

G

Geisler W. History of the development of rocket technology and astronautics in Poland (1972). In: Hall R C, ed. Essays of the History of Rocketry and Astronautics, vol. 1. Washington, D. C. : National Aeronautics and Space Administration, 1977, 102~114

Giles L. An Alphabetical Index to the Chinese Encyclopaedia. London: British Museum, 1911

Giles L. Dated Chinese manuscripts in the Stein Collection. Bulletin of the London School of Oriental and African Studies, 1933~1935, 7:1 030~1 031

Gillispie C, ed. Dictionary of Scientific Biography, 16 vols. New York: Scribner's Sons, 1970~1978

Gilman d'Arcy Paul, tr. Chou Ta-Kuan's Notes on the Customs of Cambodia. Translated from the French of Paul Pelliot. Bangkok: Social Science Association Press, 1967

Giovio P(Jovius, Paolos). Historia sui Temperis (1546). Venezia, 1558

Gode P K. The History of Fireworks in India between 1400~1900. Bangalore, 1953

Gode P K. Migration of paper from China to India. In: Joshi's Papermaking, 4th ed. Wardh: Kamarappe, 1947

Goodrich L C. Printing: Preliminary report of a new discovery. Technology and Culture (Washington, D. C.), 1969,8 (3) :376~378

Grostier J. Recherches sur les Cambodginese. Paris: Augustin Challamel, 1921

Gusman P. Le Gravure sur Bois et l'Épagne sur Métal. Paris, 1916

H

du Halde J B, réd. Description Géographique, Historique, Chronologique, Politique et Physique de l'Empire de la Chine et de la Tartarie Chinoise, 4 vols. Paris, 1735

Halhed N B, tr. A Code of Gentoo (India) Laws. London, 1776

Hall A R. The Scientific Revolution. 2nd ed. London, 1962

Hanebutt-Benz E. Features of Gutenberg printing process: Speech at the International Forum on the Printing Culture. (Ch'ongju, Korea, Oct. 2, 1997)

Hansjakob H. Der Schwarze Berthold, der Erfinder des Schiesspulvers und der Feuerwaffen. Freiburg im Breisgau, 1891

Haskins C H. Studies in the History of Mediaeval Science. Cambridge, Mass: Harvard University Press, 1927

Henning W B. The date of the Sogdian ancient letters. Bulletin of the School of Oriental and African Studies, University of London, 1948, 12:601~605

Hime H. Gunpowder and Ammunition: Their Origin and Process. London: Longmans Green & Co. , 1904

Hime H. The Origin of Artillery. London: Longmans Green & Co. , 1915

Hirth F. Die Erfindung der Papier in China. T'oung Pao, 1890, 1:1~14

Hirth F. Ancient History of China to the End of the Chou Dynasty. New York, 1908; 2nd ed. 1923

Hirth F, Rockhill W, tr. Chao Ju-Kua: His Work on the Chinese and Arab Trade in the 12th and 13th Centuries, Entitled Chu-Fan-Chi. St. Petersburg: Imp. Acad. Sci., 1911

Hirth F. Origin of the mariner's compass in China, Monist(London), 1906, 16:321

Hitti P K. History of the Arabs. 10th ed. London, 1970

Hoernle A F R. Who was the inventor of rag-paper? Journal of the Royal Asiatic Society (London), 1903, Arts 22: 663~684

Hogg I V. An Illustrated History of Firearms. New York: Quarto Publishing House, 1980

Hummel A W. Movable type printing in China. The Library of Congress Quarterly Journal of Current Acquisition, 1944, 1(2): 13

Hunter D. Papermaking: The History and Technique of an Ancient Craft (1947). 2nd ed. New York: Dover, 1978

I

Ibn el-Beithar. Traité des Simples. Traduit par Leclere L. Paris: Imprimerie Nationale, 1877

Ibn-Khaldūn. The Magaddimah: An Introduction to History. Rosenthal F, tr. New York: Bollingen, 1958

J

Jal A. Archéologie Navale. Paris: Arthus Bertrand, 1840

Julien S. Documents sur l'art d'imprime, à l'aide des planches au bois, des planches au pierre et des types mobiles. Journal Asiatique (Paris), 1847, 4e ser., 9: 508

Julien S, tr. Description des procédés Chinois pour la fabrication du papier. Traduit de l'ouvrage Chinois intitulé Thien-Kong Kai-Wu(天工开物)en Français. Comptes Rendus Hebdomadaires des Seances de l'Académie des Sciences (Paris), 1840, 10: 697~703

K

Karabacek J. Das arabische Papier: Ein historis che-antiquarische Untersuchung. Mittelunger aus der Sammlung der Papyrus Erzherzog Rainer. Wien, 1887

Klaproth H J. Lettre à M. le Baron Alexandre de Humboldt sur l'Invention de la Boussole. Paris: Dondey-Dupré, 1834

L

Labarre E J. Dictionary and Encyclopaedia of Paper and Papermaking. 2nd ed. Amsterdam: Swets & Zeitlinger, 1952

Lalane L. Recherches sur le Feu Grégeois et sur l'Introduction de Poudre à Canon en Europe. Paris: J. Corread, 1845

Lalane L. Recherches sur le Feu Grégeois. Paris, 1845; Essai sur le Feu Grégeois et sur le poudre à canon. Annales de Chimie et de Phsysique, 1842, 3 sér.: 445~447

Laufer B. Sino-Iranica. Chinese Contributions to the History of Civilization in Ancient Iran. Chicago, 1919

Leicester H M. The Historical Background of Chemistry. New York: John Willey & Sons, Inc., 1956

Levey M. Chemical technology in medieval Arabic bookmaking. Transactions of American Philosophical Society, 1962, 52 (4): 1~55

Ley W. Rockets, Missiles and Space Travel. New York : Vikling Press, 1958

von Lippmann E O. Geschichte der Magnet-Nadel bis zur Erfindung des Kompasses. Quellen und Studien zur Geschichte der Naturwissenschaft und der Medizin (Berlin), 1933, 3:1

Loehr M. Chinese Landscape Woodcuts from an Imperial Commentary to a 10th Century Printed Edition of the Buddhist Canon (the Tripitaka). Cambridge, Mass., 1968

Loiseleur-Deslongchamps, tr. Mānava-Dharma-Sâstra. Lois de Manou. Paris, 1832~1836

Lu Gwei-Djen, Needham J, Pan Jixing. The oldest representation of a bombard. Technology and Culture (Washington D. C.), 1988, 29(3): 594~605

M

Martin H J. The History and Power of Writing. Cochrane L G, tr. Chicago: University of Chicago Press, 1994

Martin H J. Histoire et Pouvoirs de l'Écrit. Paris: Libraire Académique Perrin, 1988

Martin H J. The development, spread and impact of printing from movable type in 15th and 16th century Europe: Speech at the International Symposium on Printing History in East and West (Seoul, Sep. 29, 1997)

Martin H J. The French Book: Religion, Absolutism and Readership (1585~1715). Saenger P, Saenger N, tr. Baltimore: John Hopkins University Press, 1996

Maxwell W R. Early history of rocketry. Journal of the British Interplanetary Society(London). 1982, 35(4): 176

Mayers F W. The introduction and use of gunpowder and firearms among the Chinese. Journal of the North China Branch of the Royal Asiatic Society (Shanghai), 1870, 6:83

McCulloch J. Conjectures respecting the Greek Fire of the middle age. The Quaterly Journal of Science, Literature and Arts (London), 1823, 16: 29

de Mendoza J G. The History of the Great Empire and Mighty Kingdom of China. Translated from the Spanish by Robert Parke in 1588, edited by Sir George Thomas Staunton. London: Hakluyt Society, 1853

Mieli A. La science Arabe et Son Rôle dans l'Évolution Scientifique Mondiale. Leiden: Brill, 1938

Minorsky V. Tamin ibn-Bahr's journey to the Uyghurs. Bulletin of the School of Oriental and African Studies (London), 1948, 12(2): 258

Motteley P F. Bibliographical History of Electricity and Magnetism. London, 1922

Moule A C. Christians in China before the Year 1550. New York, 1936

N

Neckam A. De Naturis Rerum (1190), II: xcviii; Wright T, ed. Alexander Neckam De naturis rerum. London: Her Majesty's Stationery Office, 1863. 183

Needham J. China and the West. In: Dyson A, Tower B, eds. China and the West: Mankind Evolving. New York: Humanistics Press, 1970

Needham J. Dialogue entre l'Europe et l'Asie. Comprendre (Paris), 1954(12)

Needham J. Guns of Kaifeng-fu: China's development of man's first chemical explosive. The Times Literary Supplement(London), 1980,(4 007):39

Needham J. Science and Civilization in China, vol. 5, pt. 1, Paper and Printing Volume by Tsien Tsuen-Hsuin. Cambridge University Press, 1985

Needham J, Ts'ao T'ien-Ch'in, Ho Ping-Yu. An early mediaeval Chinese alchemical text on aqueous solutions. Ambix (Leicester, England), 1959,7(3): 122 ff

Needham J. Science and China's influence on the world. In: Dawson D, ed. The Legacy of China. Oxford, 1964

Needham J. Science and Civilization in China, vol. 1. Introductory Orientations. Cambridge University Press, 1954

Needham J. Science in Traditional China. Harvard University Press, 1981

Needham J, et al. Chinese astronomical clockwork, Nature (London), 1956, 117: 600

Needham J, et al. Science and Civilization in China, vol. 4, pt. 1, Physics. Cambridge University Press, 1962

Needham J, et al. Science and Civilization in China, vol. 5, pt. 4, Spagyrical Discovery and Inventions. Cambridge University Press, 1980

Needham J, et al. Science and Civilization in China, vol. 5, pt. 7. The Gunpowder Epic. Cambridge University Press, 1986

Needham J, Wang Ling. Science and Civilization in China, vol. 3, Mathematics and the Sciences of the heavens and the earth. Cambridge Unversity Press, 1959

Needham J, Wang Ling. Science and Civilization in China. vol. 4. pt. 2, Mechanical Engineering. Cambridge University Press, 1965

Needham J, Wang Ling, Lu Gwei-Djen. Science and Civilization in China, vol 4, pt. 3, Civil Engineering and Nautics. Cambridge University Press, 1971

Nordenskjöld A E. An Essay on the Early History of Charts and Sailing Instruction. Stockholm, 1897

O

Oman C W C. A History of the Art of War in Middle Ages. Ithaca, N. Y.: Cornell University Press, 1953

Oswald J C. A History of Printing: Its Development through 500 Years. New York, 1928

P

Pan Jixing (潘吉星). A comparative research of early printing technique in China, Korea and Europe. Speech at the International Symposium on Printing History in the East and West (Seoul, Korea, Sep. 29, 1997); Gutenberg-Jahrbuch, 73. Jahrgang. Mainz: Gutenberg-Gesellschaft, 1998. 36~41

Pan Jixing (潘吉星). Die Herstellung von Bambuspapier in China. Eine geschichtliche und verfahrens technische Untersuchung. In: Chinesische Bambuspapierherstellung. Ein Bilderalbum aus dem 18. Jahrhurdert. Berlin: Akademie Verlag, 1993, 11~17

Pan Jixing(潘吉星). On the origin of movable metal-type technique. Chinese Science Bulletin(Beijing), 1998, 43(20): 1 681~1 692

Pan Jixing(潘吉星). On the origin of papermaking in the light of newest archaeological discoveries. Bulletin of the International Association of Paper Historians(Basel), 1981, 15 (2): 38~47

Pan Jixing(潘吉星). On the origin of rockets. T'oung Pao(Leiden), 1987, 73: 2~15

Pan Jixing(潘吉星). On the origin of printing in the light of new archaeological discoveries. Chinese Science Bulletin (Beijing), 1997, 42(12): 976~981

Pan Jixing(潘吉星). Ten kinds of modified paper in ancient China. Bulletin of the International Association of Paper Historians (Basel), 1983 (4): 151~155

Partington J R. A History of Greek Fire and Gunpowder. Cambridge: Heffer & Sons, Ltd. , 1960

Partington J R. A Short History of Chemistry. 3rd ed. London: Macmillan, 1957

Pelliot P. Une bibliothèque médiévale retrouvée au Kansou. Bulletin de l'Ecole Française d'Extrême-Orient (Hanoi), 1908, 8: 525~527

Pelliot P. Notes sur quelques livres ou documents conserés en Espagne. T'oung Pao, 1929, 26: 48

Pelliot P, tr. Mémoires sur les coustumes de Cambodge de Tcheou Ta-Kouan. Bulletin de l'Ecole Françoise de l'Extrême-Orient (Hanoi), 1902,2: 213 et seq.

Polo M. The Trarel of Marco Polo. Komroff M, ed. New York: Grosset & Danlap, 1936

Prinsep J. Note on the nautical instrument of the Arabs. Journal of the Royal Asiatic Society of Bengal (Calcutta), 1836,5:784

Purchas S. Purchas His Pilgrimes. London, 1625

R

Rathgen B. Das Geschütz im Mittelalter. Quellenkritische Untersuchungen von Bernhard Rathgen. Berlin, 1928

Reichwein A. China and Europe: Intellectual and Cultural Contacts in the 18th Century. Powell J C, tr. New York, 1925

Reinaud J T, Favé I. De Feu Grégeois, des feux de guerre et des origines de la poudre à canon chez les Arabes, Persans et les Chinois. Journal Asiatique (Paris), 1849, 14:316

Reinaud J T, Favé I. Histoire de l'Artilerie, pt. 1, Du Feu Grégeois, des Feux de Guerre et des Origines de la Poudre à Canon, d'après des Textes Nouveaux. Paris: J. Dumaine, 1845

Requin P H. Documents inédits sur les origines de la typographie. Bulletin de Philologie et d'Histoire du Ministère de l'Instruction Publique (Paris), 1890. 328~350

Retana W E. Origines de la Imprenta Filipina. Madrid, 1911

von Romocki S J. Geschichte der Explosivestoffe. Berlin: Oppenheim, 1895

Routledge T. Bamboo as a Papermaking Material. London, 1875

Rāy P C. A History of Hindu Chemistry. 2nd ed. London, 1904

S

Sachs H, Amann J. Eygentliche Beschreibung aller Stände auff Erden, hoher und niedriger, geistlicher und weltlicher, aller Künsten, Handwercken und Händeln, Bild 18. Frankfurt a/M. , 1568; A True Description of all Trades. New York: Brooklyn, 1930

Sandermann W. Die Kulturgeschichte des Papiers. Berlin: Springer-Verlag, 1988

Sarton G. Introduction to the History of Science, 3 vols. Baltimore: Williams & Wilkins Co. vol. 1, 1927; vol. 2(2pts), 1931; vol. 3(2pts), 1947

Schück K W A. Der Kompass. Hamburg, 1915

Sindall R W. Paper Technology: An Elementary Manual on the Manufacture, Physical Qualities and Chemical Constituents of Paper and of Papermaking Fibres. 3rd ed. London: Griffin, 1920

Siry J W. The early history of rocket research. Scientific Monthly, 1950, 71: 236

Sivin N. Chinese Alchemy; Preliminary Studies. Harvard University Press, 1968

Smith J. Precursors to Peregrinus. Journal of Medieval History, 1992, 18:21~74

Snyder L I. Documents of Germany History. New Brunswick, NJ: Rutgers University Press, 1958

Sohn Pow-key(孫寶基). Invention of movable metal-type printing in Korea: Its role and impact on human cultural evolution. In: Korea's Printing and Publishing Culture in the World. Ch'ongju: Korean Publishing Science Society. 1995. 143

Sohn Pow-key (孫寶基). Early Korean Typography, new edition. Seoul: Po-chin-chai Co. Ltd., 1982

Sohn Pow-key (孫寶基). Invention of movable metal-type printing in Korea: Speech at the International Symposium on Printing History in the East and West (Sep. 29, 1997, Seoul, Korea)

Stein A. Preliminary Report on a Journey of Archaeological and Topographical Exploration in Chinese Turkestan. London, 1901

Stein A. Serindia. Detailed Report of Exploration in Central Asia and Westernmost China. Oxford: Clarenden, 1921

Steinschneider M. Arabische Lapidarien. Zeitschrift der Deutschen Morgenländischen Gesellschaft (Berlin), 1895, 49: 256

Strechlneek E A. Chinese Pictorial Art. Shanghai: Commercial Press, 1914

von Strömer W. Hans Friedel von Seckingten, der Banker de Strassbourger Gutenberg-Gesellschaften. Gutenberg-Jahrbuch(Mainz), 1983. 45~48

Sulivan W. Korea finds "oldest" printed text. The New York Times, February 4, 1967

T

Taylor E G R. The south-pointing needle. Imago Mundi: Yearbook of Early Cartography, 1951, 8:1

Temple R. China— Land of Discovery. Wellingborough, UK: Patrick Stephens, 1986

Teng Ssu-Yu(邓嗣禹). Chinese influence on the Western examination system. Harvard Journal of Asiatic Studies (Boston), 1943, 7:267~312

Thompson S P, ed. Epistola Concerning the Magnet. London, 1902

Totah K A. The Contribution of the Arabs to Education. 2nd. ed. New York: Columbia University Press, 1926

Tsien Tsuen-Hsuin (钱存训). Written on Bamboo and Silk. Chicago: Univesity of Chicago Press, 1962

Turgot A R J. Oeuvres Complètes de Turgot, tome deuxieme. de Gustave Schelle, éd. Paris, 1914. 523~533.

U

Urbanshi T. Chemistry and Technology of Explosive. Oxford: Pergamon, 1967

V

Van der Loon P. The Manila Incanabula and early Hokkeins studies. Asia Major, 1966, 12(1): 2～8

Varagnac A. La Conquéte des Énergies: Les Sept Révolutions Énergétiques. Paris: Hachette, 1972

Villiers A. Ships through the ages: a saga of the sea. National Geographic Magazine (Washington, D. C.),1963, 123: 494

de Vinne T L. The Invention of Printing. New York : F. Hart, 1876

W

Wei Yue-wang (卫月望), et al., ed. A Compilation of Pictures of Chinese Ancient Paper-money, Cai Mingxin(蔡明信),tr. Beijing: China Finance Publishing House, 1992

Whewell W. History of Inductive Science. London: Parker, 1847

White L. Mediaeval Technology and Social Change. Oxford, 1962

White L. The Eurasian context of mediaeval Europe. In: Heartey D, Wade D,eds. Proceedings of the 12th Congress of the International Musicological Society. Berkeley, Calif., 1977. Kassel: Bärenreiter, 1982,3

White W C, Miliman P M. An ancient Chinese sundial. Journal of the Royal Astronomical Society of Canada (Ottawa), 1938, 32: 417

Wiedemann E. Zur Geschichte des Kompasses bei den Arabern. Verhandlungen der Deutschen Physikalischen Gesellschaft (Berlin), 1907, 9(24): 764; 1909, 11(10～11): 262

von Wiesner J. Die Faiyum und Ushmuneiner Papiere: eine naturwissenschaftliche, mit rücksichtliche auf die Erkennung alter und modernen Papiere und auf die Entwicklung der Papierbereitung durch geführte Untersuchung. Mitteilungen aus der Sammlung der Papyrus Erzherog Rainer(Wien), 1887, 1～2: 179ff

von Wiesner J. Mikroskopische Untersuchung alter Osturkestanischer und anderer asiatischer Papiere nebst histologischen Beiträgen zur mikroskopischen Papieruntersuchung. Denkschriften der Kaiserlichen Akademie der Wissenschaften. Mathematisch-Naturwissenschaftliche Klasse: 1902, Bd. 72; Ein neuer Beiträg zur Geschichte der Papiere. Wien: Carl Gerolds Soho, 1904. 26pp

von Wiesner J. Mikroskopische Untersuchung der Papier von el-Faiyum. Mittelungen aus der Sammlung der Papyrus Erzherog Rainer(Wien), 1886, 1: 45ff

von Wiesner J. Ueber die altesten bis jetzt aufgefundenen Handerpapiere. Sitzungsberichte der Kaiserlichen Akademie der Wissenschaften Wien. Philosophischen und Historischen Klasse, 1911, 168(5)

Wild H W. Black powder in mining, its introduction, early use, and diffusion over Europe. In: Buchanan B J, ed. Gunpowder: The History of an International Technology. Bath, UK: Bath University Press. 1996. 205～218

Williams S W. Movable metallic-types in China. The Chinese Repository (Canton), 1850, 19: 247～249

Winter F H. The genesis of rockets in China and its spread to the East and West. In: Proceedings of the 30th Congress of the International Astronautical Federation. München. New York: Pergamon Press:1979

Winter F H. The rockets of India from "ancient time" to the 19th century. Journal of the British Interplanetary Society (London),1979,32: 467~471

Winter H. Die Nautik der Wikinger und ihre Bedeutung für die Entwicklung der europäischen Seefahrt. Hansische Geschichtsblätter (Berlin), 1937, 62:172

Winter J. Preliminary investigation on Chinese ink in Far Eastern paintings. Advances in Chemistry, Series 138. Washington: American Chemical Society, 1975

Wolf A. A History of Science, Technology and Philosophy in the 16th and 17th Centuries. London: Allen & Unwin Ltd., 1935

Wylie A. Chinese Researches. Shanghai, 1897

Y

Yule H, ed. The Book of Ser Marco Polo the Venetian, Concerning the Kingdom and Marvels of the East. 3rd ed. Revised by Cordier H. London: Murry, 1903

Yule H, tr., ed. Cathay and the Way Thither: Being a Collection of Mediaeval Notices of China (1866). Revised by Cordier H. London: Hakhuyt Society, vol. 1~2, 1913; vol. 3, 1914; vol. 4, 1915

Yun Byong-tae (尹炳泰). Significance of the invention of movable metal-type printing: Speech at the International Forum on the Printing Culture (October 2, 1997, Ch'ongju, Korea)

Z

Zim H S. Rockets and Jets. New York: Harcourt Brace & Co., 1945

三、英文提要 (ABSTRACT)

Science and technology in ancient China had long been well-developed. There were more than one hundred China's important discoveries and inventions which had great influence in the world. Therefore, during a long-term period China held the safe lead in the aspect of science in the world. Among them, papermaking, printing, gunpowder and the compass should be the super and revolutionary inventions shaking the world since two millennia according to their influence on the social-historical course and the development of science and culture. The famous British scholar Francis Bacon (1561~1626) said that these mechanical inventions have changed the whole face and the state of things throughout the world, because the consequance of such inventions affected not some parts of an area but the whole world; their influence lasted not a short period of time but several hundred years. This could not been done by any empire, religion and great man in the history.

In the past, treatises on the history of papermaking, printing, gunpowder and the compass were published by Chinese and foreign scholars, but such kind of books were only limited to study one or at most two of them. The book systematically and profoundly studying the history of the four great inventions together has not appeared yet in China and abroad. In view of this, University of Science and Technology of China Press (中国科学技术大学出版社) planned to publish such a book in 1998, and asked me to write it. This is a good subject selection of publication which is full of creativeness, so the author was willing to undertake the writing task. After effort of two years, its preliminary draft was finished in 2000, and through a series of revisions the final text was finished in 2002. It is entitled *Zhongguo gudai si-da-faming: yuanliu, waichuan ji shijie yingxiang* (《中国古代四大发明——源流、外传及世界影响》, *The Four Great Inventions of Ancient China: Their Origin, Development, Spread and Influence in the World*).

This book consists of three parts and 13 chapters. Part Ⅰ containing seven chapters (chap. 1 to 7) investigates the origin and early development of papermaking, printing, gunpowder and the compass techniques in China, traces back to their historical source and course, analyses the social and scientific background of accomplishing these inventions, probes into that why China but not other countries could complete such inventions, brings to light the working principles on which these inventions depended to achieve, and makes a series of technical restoration of various ancient technical processes and related utensils. Part Ⅱ containing four chapters (chap. 8 to 11) deals with the course of when and how the four great inventions were transmitted from China to other countries or areas in the East and West, and talks about the early development of such inventions in various countries, also refutes the wrong views that the four great inventions originated in other countries by means of presenting the facts and reasoning things out. Part Ⅲ containing two chapters (chap. 12 to 13), as a sequel to Part Ⅱ, investigates that how the four great inventions promoted the development of the world civilization and how they changed the face of the world. The whole book was written in Chinese with about one million characters and 305 illustrations.

In the process of research and writing, we try hard to use a comprehensive research method combining together the following six aspects: textual exploration of sources in sino-foreign languages, study of unearthed ancient materials, investigation of workshops preserving the traditional technique, scientific explanation of ancient things with the knowledge of modern science and the comparison between the Chinese and foreign techniques. We try to absorb the newest results of research done in China and abroad and the newest materials of archaeological discoveries in order to reflex the newest academic level in the 21st century. Of course, to do such a complicated research relating to many disciplines of social and natural sciences is a new attempt for us, the author would like to express his thanks to readers in China and abroad for their correction and comments on this book. Let us summarize the important results of research in this book as follows.

According to the record of the *Hou-han-shu* (《后汉书》, *History of the Later Han*, 445), paper was invented by an eunuch Cai Lun (蔡伦, c. 61~121) in the year 105, however, a series of archaeological discoveries since the 20th century in China and microscopic analysis of unearthed paper made before the time of Cai Lun proved that papermaking originated in the Western Han (西汉, −206~+24) in the 2nd century B. C. The earliest paper was made of hemp fibres from waste rags. Although Cai Lun was not the inventor of paper, but he summed up the technical experience of papermaking in the Western Han, organized to make hemp paper of high quality and promoted the development of papermaking, so he also made contribution in the history of paper. Bark paper from paper mulberry bark was first made in Cai Lun's time. During the Six Dynasties (六朝) (the 3rd to 6th centuries) papermaking was further developed, the quality of hemp paper was improved, its output greatly increased, and hemp paper became the most important writing material in China from the 4th century. Mulberry bark paper, rottan bark paper, sizing and coating technique also appeared in the same time. Paper was also used for making umbrella, kite, paper-cuts, artificial flower and others.

During the Tang (唐) and Five Dynasties (五代) (6th to 10th centuries), in addition to the above mentioned raw materials, bamboo and bark of Daphne and Hibiscus trees were also used for making paper. More kinds of processed paper appeared, such as wax-coated paper, powder-and wax-coated paper, sprinkled gold-silver paper, water mark paper, embossed paper, coloured paper and gelatin-sized paper. Apart from writing paper and art paper, paper was also used for making clothing, armour, lantern, playing cards, visiting cards, commercial documents and paper money burnt for funeral ("fire-paper"). Another achievement in this period was to produce large-size paper of more than 3 m long for publishing the list of successful candidates in the imperial examination.

China first used paper as writing material in a large-scale in the world and already entered the golden age of hand-written copy during the 4th to 6th centuries. However, with increasing works people had to expend a lot of time and labour for copying everyday. The further development of religions (especially Buddhism) and the social culture showed that hand-written copy could not satisfy the necessity from the society. This promoted the appearance of printing technique which finally replaced hand-writing labour with the mechanical replication method. Newly found textual records and archaeological findings proved that such replacement happened in the Sui (隋) (6th century), and in the early Tang (7th century) wood-block printing, the earliest form of printing, obtained its early development.

Printing first originated among the people and was related to their religious belief and activities, so the extant earliest prints are Buddhist sutras. In the Five Dynasties (907~960) the government started to print the *Jiujing* (《九经》, *Nine Kinds of the Confucianist Classics*), namely, this art entered the elegant hall and was accepted by every stratum in the society. After block printing was developed, copper-plate printing appeared in the Tang from the 8th century, it was usually made by casting and used to print single page or short work. In the Northern Song (北宋, 960~1126) printing was all-roundly developed. Apart from block printing and copper-plate printing, movable type printing was invented. The earliest type was wooden type which was directly derived from wood block. Between the 10th and 11th centuries wooden types were used to print contracts and bills, the so-called *yanyin* (盐引) and *chayin* (茶引) (licence for sale of salt and tea). Earthenware or pottery type printing was invented during 1041 to 1048. Non-metal-type printing then was transmitted to the minority nationality areas Xixia (西夏) and Uygur in northwest during the 12th to 13th centuries.

Movable metal-type printing appeared in the Northern Song (11th century) on the basis of copper-plate and non-metal-type printing. Early metal type made by casting of bronze was used for paper money printing by the Song government. Many specimens of plates and printed paper money issued in the Song, Jin (金, 1115~1234) and the Yuan (元) in the 12th to 14th centuries were unearthed in China since the 20th century. Apart from bronze type tin-alloy type was also founded for book printing in the Southern Song (南宋) (12th to 13th centuries) for lack of copper. Metal-type printing was greatly developed in the Ming (明) and Qing (清) (14th to 19th centuries).

The *banhua* (版画) or printed pictures has existed with block printing from the beginning to the end. On early printed pictures the colours were filled in artificially. Then multi-colour mono-block printing appeared in the Northern Song (11th century), multi-colour multi-block printing or *douban* (饾版, "assembled blocks") printing started no later than the Yuan (13th century), and was greatly developed in the late Ming (16th century). The technological processes of block printing, non-metal type printing and metal type printing are described in detail in this book.

The manufacture of gunpowder presupposes the practical use and purification of saltpetre. Saltpetre was used as a medicine to be drunk between the Qin (秦) and Han (−3rd century), so it must have been purified. Natural saltpetre was easily confused with *puxiao* (朴硝, sodium sulphate, Na_2SO_4) in outward appearance, so the alchemist Tao Hongjing (陶弘景, 456~536) put forward a method for identifing saltpetre by its flame colour (violet) in 500. Saltpetre was carefully studied by Chinese alchemists and pharmaceutists. When alchemists did their experiments in the late Tang (9th century), they mixed saltpetre with sulphur, realgar and honey together and let them burn. As a result, deflagration happened, gunpowder mixture was thus discovered. Military gunpowder developed during the late Tang to the Five Dynasties (the first half of the 10th century) was used in the battlefield in the early Song (the second half of the 10th century).

The *Wujing Zongyao* (《武经总要》, *Collection of Most Important Military Techniques*, 1044) written by Zeng Gonglian (曾公亮, 999~1078) described three kinds of the earliest recipes of military gunpowder. Its average contents were: saltpetre 60.7; sulphur 30.9; charcoal 8.4. Because it was made in the paste form for safety, it could only be used as explosive and could not be used as propellant powder, so early firearms were made of gunpowder package launched by bow, catapult and by hand. During the end of the 11th century to the early 12th century, solid gunpowder of high nitrate was successfully made and used for making fireworks and firecrackers including the *qihuo* (起火, flying fire) of reaction device. In this case, the function of gunpowder was fully played.

The war between the Song and Jin promoted the improvement of firearms. In the early Southern Song (1128) metal bombard of bottle shape appeared, in 1132 the *huoqiang* (火枪, fire lance or flame thrower) made of large bamboo tube was used for city defence. The two kinds of firearms became the ancesters of all tube-type firearms in the later time. As a hybridization product of early bombard and fire lance, the *tuhuoqiang* (突火枪, flame-spurting lance) was used in 1259. It was made of a bamboo tube and shot forth a kind of bullet (stone or metal ball) and flame together. Dr. Joseph Needham (1900~1995) coined a special name for it — erupter. In 1161, the Song soldiers launched the *pilipao* (霹雳砲, thunderbolt missile or rocket-propelled bomb) and *huojian* (火箭, rocket) to attack the Jin troops. The manufacture of solid powder of high nitrate and the new types of firearms led to the second technical revolution in the history of gunpowder and firearms and had a deep influence on the future in China and abroad.

During the 12th to the 13th centuries, bomb and grenade of hard shell, the *huochong* (火铳, hand-gun) and cannon were developed. Multi-rocket launcher, two-stage rocket and two-stage reciprocating rocket were made and used in the Ming (14th to 16th centuries). At the same time, mine, time bomb and submarine mine were also developed. It is worthy to point out that an adventurer of the early Ming, Wan Hu (万虎, fl. 1450~1500) made a bold attempt of rocket-flight with the help of 47 large rockets and sacrificed himself for this. In addition to historical description, we also discuss the combustion theory of gunpowder, bring to light the working principles and internal construction of various firearms, and make a series of technical restoration of them.

The compass was a product of long-term magnetic research in ancient China. As early as the Warring States (战国) period (−5th to −3th centuries) the Chinese not only discovered lodestone's property of attracting iron, but also simultaneously discovered its property of directivity and polarity, and used natural lodestone to make the earliest instrument for determining the directions, the *si-nan-yi* (司南仪, south-pointer). The si-nan or south-pointer was further developed in the Han, on its board the 24 directions were marked, which became the foundation of dial of the later compass. The early si-nan consisted of two parts: a square earth plate of diviner's board and lodestone of spoon shape (Fig. 225). Although the south-pointer could point the directions, but its sensitivity of polarity was not good, because the shape of spoon was not reasonable and the friction resistance between lodestone and bronze board was not avoidable. Therefore, a lot of efforts for changing its shape and operation method have been made since the 4th century.

Owing to the development of geomancy and foreign trade, it was necessary to do accurate survey of directions and look for an effective navigation method, which promoted the improvement of south-pointer. During the 4th to 9th centuries, the following improvements were achieved: 1) natural spoon-shaped lodestone was replaced by the artificially magnetized iron needle or fish-shaped iron leaf, hence the technical transition from the spoon to the needle was finished; 2) the square dial of the south-pointer was changed into a round dial board of 24 or 12 directions, hence the shape of dial board cast off the influence of diviner's board; 3) the magnetized needle was hung with silk thread on the round dial board, and it could point the south; 4) the needle was put into a small "water pool" on the round dial board, and it also could point the south. However, the "suspending needle" usually flickered owing to the influence of the surrounding airstream. The "floating needle" seemed to be the better. The two kinds of south-pointing needles were actually different from the south-pointer, and the floating needle was alike to the wet compass.

The earliest form of the magnetic compass, the *kanyu luopan* (堪舆罗盘, geomancer's compass), had already been used by geomancers in the late Tang (the 9th century), because the *Guanshi dili zhimeng* (《管氏地理指蒙》, Master Guan's Geomantic Instructor) compiled in the 9th century recorded that the magnetic needle did not point the due south-north but south by west or north by east. Therefore, it talked about the magnetic declination which could not be found with the si-nan or south-pointer used before Tang. The origin of the compass should thus be traced back to 9th century China. In the Northern Song (11th century) there were more records and descriptions on the wet compass: the *zhinanzhen* (指南针, south-pointing needle) and *zhinanyu* (指南鱼, south-pointing fish). The newest archaeological discovery shows that the dry-pivoted compass was made and used in the Southern Song (12th century). We have made new technical restoration of the various wet and dry compasses and talked about the application of the compass in navigation from Song to Qing (11th to 18th centuries).

A great quantity of historical facts proved that the Old World including Asia, Africa and Europe should be regarded as a whole, its various areas usually kept direct or indirect mutual exchange in the aspects of economy, culture and science and personnel through different channels in the past, a bridge of mutual communication among peoples in different cultural areas was thus built in the East and West. The famous Silk Road on land and on the sea has been the important channel for such exchange since the Han, and China's four great inventions were just transmitted westward to other countries along the Silk Road. The Chinese people never monopolized such inventions, but shared them as a gift with the whole world, and thus made a great contribution to the mankind.

According to our research, China's papermaking technique was first introduced to Korea (4th to 5th centuries), Japan (early 5th century) and Viet Nam (3rd century), then to India (the second half of the 7th century). Chinese paper was exported to Myanmar, Thailand,

Cambodia, and Indonesia as early as the Tang and Song-Yuan, but such countries established their own paper mills in the 13th century, in the Philippines even later (15th century). China's papermaking technique found its way westward from the Tang. In 751 in the battle of Talas (now Dzhambul, Kazakhstan) between the Tang army and Arabian troops, some Chinese soldiers having papermaking background were captured in Central Asia, they were asked to teach this technique, so the first paper mill was built with the Chinese method in Samarkand, then in Baghdad (794) and Damascus (10th century) in the Arabian world. The Arabs also built new paper mills in Cairo, Egypt (900) and Fez, Morocco (1100) in North Africa. Arabian paper was greatly exported to European countries in the medieval age, and through Arabia papermaking art was afterwards introduced into Europe.

The first European country to set up paper mills was Spain in 1150 in Xatrva, then the Spanish themselves had a new paper mill in Vidalon in 1157. In South Europe, the first paper mills were built in Montefano (1276) and Bologna (1293) in Italy. France started making paper in Troyes from 1340, Germany introduced the art from Italy and built earliest paper mill in Nürnberg in 1390. Germany locating in Central Europe hence became the transfer station of transmiting papermaking art to other European countries: Basel, Switzerland (1433), Vienna, Austria (1498), Dordrecht, Holland (1586), Crakow, Poland (1491) and Moscow, Russia (1576). England began to produce paper from 1495 in Hertford. Till the end of the 17th century various European countries had already built paper mills. In the American New World, the first paper mills were built in Mexico (1575) by the Spanish and in Philadelphia, USA (1690) by Englishmen. In Canada the early paper mill was built in Andreas (1803) with the help of the Americans. In the early 19th century China's papermaking art had gone its long spread route of thousand years and ten thousand kilometres throughout the world, paper became a commonly used material in the international society.

Wood-block printing technique was first introduced into Japan from Tang China during 764 to 770, but movable wooden-type and metal-type printing were introduced into Japan in the 16th century through Korea. Korea developed block printing with the technique from Song China at the end of the 10th century, and introduced China's wooden-type and metal-type technique at the late 14th century earlier than Japan. Viet Nam introduced block printing art in the 13th century and issued paper money in the late 14th century using movable type technique from China. The Philippines started block printing and metal-type printing in the 16th century owing to the effort of the oversea Chinese Gong Rong (龚容, c. 1538~1603), a native of Fujian (福建), in Manila. Block printing found its way to Thailand in the 16th century. However, India did not develop printing before the coming of the Europeans, and the Arabian empire too.

After the Mongol overthrew the Arabian domination in Central Asia and West Asia, printing began to develop there. The Mongol Il-Khanate (1250~1356) issued paper money in Tabriz, Persia, in 1292 with the Chinese way, and thus introduced printing technique from China. Persian scholar Rashid al-Din (1247~1318) described the course of issuing paper money and China's printing technique in his work written in Persian in 1311. Although the issuance of paper money failed in Persia, printing technique was successfully used in West Asia, and was transmitted from there to Egypt, North Africa, during 1300 to 1350 under the domination of the Mameluke Dynasty (1250~1517). This was proved by many unearthed printed matters in Arabian language in Egypt since the 19th century. The Jews living between Persia and Egypt also learned the art of printing and printed religious works in Hebrew at the end of the 14th century.

During the 12th to 13th centuries, medieval Europe introduced papermaking art through Arabia, but did not introduce China's printing art in time, various reading matters still depended on handwriting. Block printing was transmitted into Europe from China during the Renaissence period (1350 to 1400). Germany, Italy and Nederland (now Holland) seemed to be the early European countries to develop printing. The extant earliest printed matters are religious pictures and playing cards introduced from China by the Mongol army. Later, printed books appeared. Because block printing was not quite suitable to European alphabetical languages, so China's movable type printing was soon transmitted there. The Italian technician Pamfilo Castaldi (1398~1490) tried to print books with wooden type of large size in Feltre in 1426, the Dutch Laurens Janszoon (fl. 1395~1465) did the same work in Haarlem in 1440 and printed Latin grammer and other books with large wooden types. But the Europeans met technical difficulty when they tried to make wooden type of small size, because such type could not be used for lack of enough strength.

In view of the above-mentioned facts, the German Prokop Waldfoghel (fl. 1367~1444) once living in Prague of the Holy Roman Empire developed the so-called *"ars scribandi artificialiter"* (art for writing articially) in Avignon during 1441 to 1446. The key of his art lied in casting of metal type for printing. Ten years later, another German Johannes Gutenberg (1400~1468) successfully cast metal type and printed the Latin edition of the Bible, indulgence and other books in Mainz from 1450. Since then, his technique was soon transmitted to other parts of Germany and even whole Europe: Rome, Italy (1465), Basel, Switzerland (1468), Vienna, Austria (1469), Paris, France (1470), Valencia, Spain (1475), Brugges, Belgium (1475), London, England (1476), Delft, Holland (1477), and Moscow, Russia (1476). Metal-type printing was also introduced to American New World: Mexico (1539), Boston (1638) and Philadelphia (1690) of the United States.

The comparative research between the Chinese and Gutenberg's technique shows that both sides used the same working principles and foundamental technical processes, even the outward appearance of metal type was also the same, but there was a time difference of 300 to 400 years between them. Of course, Gutenberg developed metal-type printing suiting measures to his local conditions. For instance, he made oil-based ink and a special press of screw device for impression. Because European paper has been thicker than Chinese paper, it could not be printed with the brush by hand, the special measures thus must be taken, which should be regarded as his invention. Metal-type printing as a whole was invented in China earlier than Europe by 3 to 4 centuries, so Gutenberg was not the inventor of typography, but his contribution to the development of printing must be recognized. Many ancient and modern western scholars thought that Gutenberg must have heard of the idea that metal-alloy could be cast into type used for book printing directly or indirectly from travellers going along the Silk Road from China. In this book we investigated the Chinese background of Gutenberg's technical activities.

During the 12th to 13th centuries the Mongol army carried various firearms to go on doubling westward expeditions in Moslem world and Europe. As a result, China's gunpowder and firearm techniques were transmited to Arabian Area during 1250~1260 and to Europe during 1260~1270. Before this, Chinese saltpetre as a medicine and fireworks as children's toys might have been brought or exported to the West by travellers and merchants. The extant ancient manuscripts on military topic written in Arabian and Latin languages during the 13th to 14th centuries talked about the purification of saltpetre, "flying fire" (firecrackers), fireworks, rocket, "fire-hots" (bomb), grenade, hand-gun, fire-lance, bombard, also described the manufacture of gunpowder and different recipes. In this period some parts of Arabian area, such as Persia, Syria, Iraq in West Asia and Egypt in North Africa, had already made gunpowder and firearms.

In Europe, the British scholar Roger Bacon (1214~1292) and the German bishop Albert Magnus (c. 1200~1280) were the first to introduce the knowledge of gunpowder, which came from Arabian sources, in their works; Since then, European technicians did a series of experiments to model on Chinese firearms in the 13th century. From the first half of the 14th century gunpowder and practical firearms were made and used in European countries: Italy (1326~1331), Germany (1330~1340), France and England (1340~1347), Poland and Russia (1342~1348) and Spain (1371). Early European firearms still looked like Chinese ones, but from the second half of the 14th century some kinds of improved firearms appeared in Europe, for example, breech-loading cannon was cast of iron and introduced to China by the Portuguese in the 16th century, the Chinese called it *folangji* (佛朗机, Frankish culverin). After the Renaissance European firearms were greatly improved and gradually surpassed those of China. In this case, it was once thought that gunpowder was invented by a German called "Bacthold Schwartz" during the 13th to 14th centuries, but through further research it was found that there was not such a person in the history, the view was groundless.

As to the spread of China's gunpowder technique in Asian countries, it was transmitted to Korea in its Koryo Dynasty during 1270~1280 under the domination of the Mongol-Yuan. Mongol rulers allotted large quantity of gunpowder and firearms to Koryo to equip Korean army with the new weapons every year. In the early Ming the Chinese Emperor Taizu (明太祖) ordered to allot a lot of saltpetre, sulphur, rockets, hand-guns and other firearms to Koryo for defending the attack from *wokou* (倭寇, Japanese pirates) in 1374, saltpetre and sulphur were then compounded into gunpowder in Koryo according to the Chinese recipes. In 1377 a special office of firearms was established in Korea under the control by Koryo kings. Viet Nam introduced gunpowder technique from China during 1250~1280, this technique found its way to India after 1400, the Indian developed a kind of large rocket and striked greatly at the British-French aggressors in the 18th century. Thailand, Cambodia and Indonesia introduced gunpowder technique in the 14th century. Although Japan was attacked by firearms of the Mongol troops in the 13th century, but Japan introduced gunpowder technique in the 16th century, later than other Asian countries.

The history of the spread of China's compass in foreign countries remains to be further studied. Accumulated materials are insufficient, so here we can only provide a preliminary research. The textual record shows that the earliest use of the compass in Arabian area appeared in 1232, a Persian author Muhammad al-Awfi (fl. 1202~1257) in his *Jami al-hikāyāt* (*Collection of anecdotes*) talked about Arabian sailors finding their way by means of a fish-shaped piece of iron rubbed with a magnet. It should be identical with the *zhinanyu* (south-pointing fish) or the wet compass invented in China. In fact, Arabian sailors beginning to use the compass should be earlier than the year 1232 by at least 50 years. Through Arabia China's wet compass was introduced to Europe in 1180 or so. An Englishman Alexander Neckam (1157~1217) described it in 1190. England, France and Italy used the wet compass earlier than other European countries. The dry compass was first recorded by a French scientist Pierre de Maricourt (c. 1224~1279) in 1250, later than that of China by more than 100 years. China's compass was also transmitted to other Asian countries: India (c. 13th century), Korea (15th century) and Japan (17th century).

In short, till the 17th century China's four great inventions were already transmitted to many important Asian, European, African and American countries in the world and exerted a tremendous influence on the development of the mankind civilization, arose a series of changes which finally changed the whole face of the world. Firstly, the appearance of paper in the East and West immediately led to a revolution in the history of the development of scripts carrier and soon replaced other ancient writing materials. Although ancient books written on wooden-bamboo slips, papyrus, palm leaves, silk, parchment and so on were gradually lost, their paper transcripts could be spread from generation to generation, so paper had a great exploit in preservation of historical-cultural heritage. The popularization of paper transcripts spured the rapid spread of knowledge, information, research results and scholars' new view points, hence promoted the great development of education and culture including literature, art, history, philosophy, religions and science, made the society more progressive than before. We illustrated this circumstance with examples of China, Arabian empire and Europe in the medieval age.

However, people had to spend a lot of time and labour on writing everyday. With further development of the culture, hand-written copy had already not suited the necessity from the society. In this case, printing was invented in China, it provided a great quantity of books with mechanical replication method, so people were liberated from hand-writing labour. The social function of printing was fully embodied in the Song Dynasty, almost all books written before and after Song in various fields were printed and widely popular in the society. Unprecedented academic prosperity appeared and the Chinese-style Renaissance arrived in advance. Printing also promoted the development of the Neo-Confucianism and the imperial examination system in the Song. Neo-Confucianism, as an official philosophy in the feudal society, its ideological influence lasted in China for more than one thousand years. The imperial examination system ensured the admission of highly educated men to government service on the basis of knowledge and ability rather than class origin. Scholars came from common families thus had a chance through examination to be selected as officials at various levels, so the quality of officials were improved and the feudal rule was consolidated. The Chinese examination system was then introduced to the West, and became the basis of Europe-Amerian civil service system in the modern time. From the Song China first issued paper money in the world. The new financial system strongly propelled the commodity economy forward. After this system was modelled in the West, the capitalist financial order was at last established.

It was sorry that the Arabian empire did not introduce China's printing technique, so its further development was limited, the Arabian civilization flashed only for a short period and soon lost its brilliance and was surpassed by Europe. After the Europeans introduced China's printing technique, its social effect expressed in Europe during the Renaissance period even more intensely than China and other East Asian countries. Printing promoted the development of education in Europe, soon afterwards educated readers and scholars creating the spiritual wealth doubled and redoubled. Printed books provided for progressive scholars a new place to publish their own views on the nature and society according to their independent research, thus the monopoly on knowledge and the truth by the Church and Pope was broken through. The medieval world outlook and scientific system upheld by the Church were overthrown by new facts observed in this period. Humanist writings of anti-feudalism exposed and criticized the dark aspect of the Vatican and feudal system, aroused the masses to struggle with the feudal forces. Protestants printed new editions of the Bible, reexplained the Christian doctrine and put forward their propositions of religious reform. At the same time, writers upheld to publish literary works in national languages and thus waked up the national consciousness in various countries. The Latin was no more the sole official written language, because the standard Italian, English, French and German used by writers could equally play the part of tool of language and literature for philosophical discussion and literary creation. European countries from then started to have their own national culture. In the process of forming national languages, printing played the role of midwife. The result of the all above-mentioned led to the emergence of the Renaissance, Scientific Revolution and Reformation Movements in Europe.

The use of gunpowder and firearms led to the revolution in the history of war and weapons in the world, and hence also to the transformation of the mode of operations, offensive and defensive tactics and the composition of the army. The range, destructive and antipersonnel force of firearms greatly surpassed any kind of cold weapons, solid castles and the knight group armed with heavy armour on which the feudal forces depended to maintain their rule could not keep out the attack from firearms, so the newly rising bourgeosie used the resouces of metals they controlled to cast powerful bombards or cannon and launched attack to feudal forces. The first salvoes of the fourteenth-century bombards spelled the death-knell of the castle, and hence of the Western military aristocratic feudalism. Then gunpowder and firearms were used by the bourgeosie to oversea aggrandizement and armed plunder of the wealth from colonies and dependencies to fulfil the primitive accumulation of the capital. Meanwhile, the Western countries also dumped their industrial goods to these areas and brought back gold, silver and raw materials for reproduction, so the world market was formed. On the other hand, the peaceful use of gunpowder also promoted the exploitation of the mine, canal-cutting, bridge and railway building. Therefore, gunpowder as a social productive force made the important contribution to the exploitation of resources and economical construction.

Gunpowder did not only destroy the medieval feudal economy and political rule, but also smashed the medieval outworn ideology. It played a midwife role for emergence of new science and technology. So the British chemist John Mayow (1640~1679) said: "Nitre (saltpetre) has made as much noise in philosophy as it has in war. " To Europeans' surprise that the combustion of gunpowder could be accomplished even in vacuum without the help of the air or wind, this could not be explained by European theory of four elements nor phlogiston theory. Through efforts of generations the theory of oxygen was established, which led to the chemical revolution in the 18th century. The next, European technicians found that the flight locus of shell always mercilessly departed from the orbit determined by Aristotle (i. e. parabola rather than acute-angle line), the ballistics research finally led to the establishment of dynamics, a new discipline of mechanics. Gunpowder was also thought to be a new kind of energy source, and cannon — a device converting heat source into mechanical work. This thought arouse European scientists to exploit a new type of power machines which afterwards led to the appearance of early steam engine and laid the initial basis for the future Industrial Revolution. Therefore, gunpowder and firearms exerted a good influence on the development of modern science and technology too.

The appearance of the compass opened a new chapter in the history of determination of directions by the mankind. It was made on the basis of magnetic principle and could work in 24 hours everyday in fair weather or foul on land or on the sea. What the Chinese first fitted their oceangoing ships with the magnetic compass led to a revolution in the history of navigation in the world. This made the Chinese fleet possible to leave far from coastal waters and sail to oceans in order to open new trade routes on the sea since the early Song (10th century), the oceangoing voyage reached a high tide by Zheng He's (郑和) fleet in the early Ming (the first half of the 15th century). After the Europeans introduced China's magnetic compass and the Chinese oceangoing-ship-building technique they began to leave from the Mediterranean Sea and offshore seas around the continent in the late 15th century. They continuously sailed into the Atlantic Ocean, Indian Ocean and Pacific Ocean and finally discovered the American New World. They also opened the new sea-route rounding the southern end of Africa (the Cape of Good Hope) and sailing into Asia from Europe. Without the help of the compass the Europeans could not sail so far and hence set up colonies and new markets in Africa, America and Asia along newly found sea routes. The bourgeoisie expended the scope of their activities to the whole world, they all got rich from such activities, their influence on state affairs thus became more and more great. In related European countries the capitalist political and economical system was gradually established according to the necessity of the bourgeoisie.

The use of the compass in navigation directly led to the great geographical discovery. Geographical knowledge explosively increased, which promoted the development of quantitative cartography. A new globe was given us by the navigators in this period. Navigators also discovered magnetic declination in vast areas, which led to the development of a new discipline — magnetics. Although the Chinese had been familiar with it in ancient time, it was really new to the Europeans, and they positively have done much work in this field. Navigation and astronomy obtained more achievements to which a great attention was paid by people. Magnetics just served as a bridge between the two ones. During the age of great navigations the compass and magnetics deeply struck root in the hearts of the people that the magnetic concept was used to explain the celestial motion and its orbit by astronomers, as the German Johannes Kepler (1571~1630) and the Englishman William Gilbert (1544~1603) did. Their work provided the basis for Issac Newton's (1642~1727) synthesization. Secondly, the compass should be regarded as the oldest instrument of magnetic and electrical science. It was also the ancestor of all instruments with dial and pointer readings, without which it was difficult to imagine how the modern science could be developed. The ancients have never thought of that the turn of a small magnetic needle brought the world so many changes.

To sum up the above-mentioned we can see that China's paper, printing, gunpowder and the compass spread in Europe provided the necessary material premise for the rise of modern science and the formation of modern society. Europe was fortunate to be the place where modern science was born, but the edifice of modern science could not be built up only on the basis of ancient Greek science and the few scattered materials left from medieval Europe. In fact, more than 50% of basic inventions and discoveries forming the basis of modern science came from China. The Chinese technical contribution composed mainly of the four great inventions played a decisive role in the process of transformation from the ancient Greek science into the mechanical physical modern science. Science developed in various cultural areas in the East and West like rivers which joined together and flowed into the sea of modern science, so every nation and cultural area had made respective contribution to the formation of modern science. However, Europe was the entrance to the sea, because Europe had the social condition suitable to absorb the technical wisdom of all mankind and develop the new science at that time. It should not be denied that the traditional Chinese science was a mighty current which flowed into the sea of modern science. The view that the development of modern science was only the European's affair and had nothing to do with other parts of the world is certainly wrong. Such kind of Europocentrist view had been abandoned by honest European and American scholars of our time.

The Renaissance, Scientific Revolution and Reformation happened in Europe had gone through the baptism of the fire of anti-feudal struggle. They were the three forms of expression of the same social movement. Its final subsquance led to the collapse of the feudalist system and the rise of the capitalist system. This was then a progressive social phenomena and conformed to the law of the historical development. On the other hand, medieval China, the birthplace of the four great inventions, had once given out the brilliant light of science, but at last could not develop the modern science and modern society, conversely, lagged behind the West since the middle Ming (16th century). To analyse why Europe and China were so different is outside the range of this book. After wasting the time of more than 400 years, the Chinese nation have been awoke and risen abruptly nowadays. They decided to develop the country with science and education and strive to hold a certain position in the advanced science and technology in the world. The Chinese people are full of confidence to make a new great contribution to the mankind in the 21st century.

四、综合索引

[说明] 本索引以各词条的汉语拼音字母顺序编排,如各词第一字发音相同,则依第二、三字拼音字母顺序排之。词条包括正文及脚注中提及者。外国人名按汉译拼音顺序编排,中国、日本、朝鲜、韩国、越南古人在括号内标出其生活的朝代,西文人名在括号内给出原文,并标明其国籍。

A

a 阿拔斯(王)朝 382~384,386,424,447,511,514,552
阿贝拉尔(P. Abélard)[法] 517
阿贝里(A. J. Arberry)[英] 334,488
阿贝特(Albertus Magnus)[德] 463~465,516
阿城出土元代金属铳 289,294
阿格里柯拉(G. Agricola)[德] 528
阿奎那(T. Aquinas)[意] 516~517,529
阿拉伯地区造纸之始 383~385
阿拉伯1230年手稿中的火箭、烟火和火铳图 456
阿拉伯火药成分 451
阿拉伯火药成分表 451
阿拉伯人1240年首载硝石 448
阿拉伯人翻译的希腊著作 512,516
阿拉伯人关于硝石和火药的早期记载 446~449
阿拉伯人用的希腊火 221,222,446,546
阿拉伯数学 512
阿拉伯水手在13世纪前半用水罗盘 496

阿拉伯文1230年手稿中的喷火筒、炸弹及火铳图 456
阿拉伯文《古兰经》印本 428
阿拉伯医学 512
阿拉伯有关指南针记载出现于13世纪 488,489
阿拉伯早期水罗盘 496
阿拉伯造纸法 385
阿老瓦丁('Ala al-Din)[阿拉伯] 465
阿杜阿尔特(Aduarte)[西班牙] 420,422
阿曼(J. Amann)[德] 389,390,392,450
阿曼所绘欧洲最早的造纸图 389
阿知使主(渡日汉人) 367~371

ai (埃及)莎草片 5~7,10,11,21,37,51~53,105,155,156,383,384,386,506,507,511
埃及印刷之始 427,428
埃默森(R. W. Emerson)[美] 535,536
埃默森论科举制 536
艾德里西(al-Idrisi)[阿拉伯] 386
艾约瑟(J. Edkins)[英] 51

an 安贝尔迪(J. Imberdi)[法] 67,393
安春根[韩国] 160
安德烈斯(J. Andrés)[西班牙] 50,

	51		版画的起源和发展 139~149
	安国[明]刊铜活字本 198		半岛印刷起于高丽朝 160，409~
	《安南志原》 376		411
	安特卫普 569		半岛最早木活字本 413
ao	奥地利造纸之始 381		半坡彩陶上纪事符号 1
	奥菲(al-'Awfi)[阿拉伯] 334，490		半纤维素结构式 16
	奥铿人威廉(William de Ockham)[英]	bang	棒火矢 478
	517	bao	包背装 138，139
	奥斯瓦尔德(J. C. Oswald)[美]		包世臣[清] 180，200
	332，433，434，436，439，440		宝鸡出土千佛像唐代铜印版 120
	《澳门月报》(Chinese Repository)		《宝箧印陀罗尼经》五代印本 120，
	206		128，129
			《宝石研究精粹》 488
	B		宝思惟[唐代僧人] 121
ba	巴迪斯(Ibn-Bādis)[阿拉伯] 385		《保越录》 293
	巴豆 251，252		《抱朴子》 106，240，324
	拔都[元] 424，457~459，462，552		鲍如安(G. Beaujouan)[法] 320
	《八幡愚童记》 476		爆仗与爆竹之区分 270
	《八万板大藏经》 409		爆竹 244，269~271
	巴尔默(H. Balmer)[德] 490	bei	《悲刻溪古藤文》 71
	巴尔扎克(H. de Balzac)[法] 395~		碑文拓印 104
	397，399		《北户录》 72，75
	巴尔扎克笔下的《天工开物》 395		北极星 310~312，314~320，324，
	巴格达的胡尔万图书馆 384		494，563
	巴赫尔(Tamim ibn-Bahr)[阿拉伯]		北宋汴京火药作坊 251
	383		北宋印发田契以千字文编号 163，
	巴鲁得(bārūd) 245，447~449		541
	巴琐马(Bar Sauma)[元] 431		北宋济南刘家针铺广告用铜版 184，
	灞桥纸 27，31，32，34~39，44		540，541
bai	白居易[唐] 71，78，84		北宋泥活字技术 174~176
	《白氏长庆集》铜活字本 198		北宋水罗盘的构造和复原 340
	白塔尔(al-Baytar)[阿拉伯] 244，		北宋宣和年烟火 270，271，273
	447~449，463		贝多罗叶 377
	《白岳凝烟图》 147		贝尔纳(J. D. Bernal)[英] 555，
	《百职图咏》 389		557，559，573，577，578
	百万塔 44，369~371，404，405		贝格曼(F. Bergman)[瑞典] 26
	《百万塔陀罗尼》 371，405		贝克曼(J. Beckmann)[德] 454，465
	百万塔陀罗尼的出版 371		贝勒(E. Bretschneider)[俄] 458
	柏朗嘉宾(J. P. de Carpini)[意]		贝特罗(M. Berthelot)[法] 229，
	429，462		265，452，453，455
	拜住[元] 195		贝歇尔(J. Becher)[德] 391
ban	《般若波罗蜜多心经》唐代铜印版		贝叶经 4，53，137，155，377
	120	ben	《本草纲目》 72，146，232，502

	《本草纲目启蒙》 502		《博物志》(张华著) 47
	《本草经集注》 227,236,237,246,		《博物志》(Pliny the Elder 著) 6,
	331,509		22,244,333,448
	《本草图经》 141,520		薄伽丘(G. Boccaccio)[意] 528
	本草学中的硝石 232~240		薄树人 311,313,316
	《本草衍义》 129,271,343,344,	bu	《不空羂索毗遮那佛大灌顶光真言》
	500,502,520		202
	《本草衍义》北宋(1119)刻本 129		卜德(D. Bodde)[美] 536
	《本草植物撮要》 418		不空[唐] 121,410
	本·格尔森(L. ben Gerson)(犹太人)		布赫曼(T. Buchmann)[瑞士] 435~
	320		437
	本·马基德(Ibn Mājid)[阿拉伯]		布莱克(M. H. Black)[英] 538
	321		布莱克伍德(J. D. Blackwood)[英]
bi	比鲁尼(al-Biruni)[波斯] 377,383		230
	彼得拉克(F. Petrach)[意] 528		布朗内(E. G. Browne)[英] 426
	毕林古乔(V. Birringuccio)[意] 528		布劳恩(W. von Braun)[德] 261,
	毕昇[宋] 174~182,204,208,		263,298,450,458,484,485,561
	209,411~413,415		布勒尔(J. G. Bühler)[德] 256~258
	毕昇泥活字版复制件 176		布鲁姆(A. Blum)[法] 386,387
	毕昇泥活字技术 174		布鲁姆黑德(C. E. N. Bromehead)
	《避戎夜话》 254		[英] 334,493
bian	编帘操作图 56		布鲁尼(L. Bruni)[意] 530
	卞季良[朝鲜朝] 415		布鲁诺(G. Bruno)[意] 527,544,
	《便民图纂》 146		573
	《辨正论》 510		
bing	《兵器录》 470,471		**C**
	《兵器录》中的火器 471	cai	彩色砑花纸 84,85
	《兵书十二卷》 261,470		蔡伦[汉] 9,24~26,32~35,43~
bo	《波兰史》 298,458		50,60,362
	波兰史家论中国火箭 561		蔡伦的历史作用 45~48
	波兰造纸之始 391		蔡伦发明纸之说难以成立 43~45
	波斯文、粟特文及回鹘文中的"纸"字		蔡伦前用纸记载 32~34
	382		蔡伦造纸说之由来 48~50
	波斯印刷术之始 423~427		蔡美彪 472,476,478
	波希米亚 424,430,436,438,459,		蔡邕[汉] 107,109,110
	552		蔡运章 131
	伯希和(P. Pelliot)[法] 167,379,	can	"蚕茧纸" 9,51,71
	380,419,422,436,462,479,480	cang	仓颉[史前] 1
	《驳灵魂不朽》 529		《藏书纪要》 188
	驳造纸起于埃及说 51,52	cao	曹亨均[韩国] 361
	驳造纸起于中美洲说 52,53		曹炯镇[韩国] 178,208,210,211
	驳造纸起于印度说 53,54		曹雪芹[清] 95
	《博古叶子》 144		曹元忠[五代] 127,140

	曹元忠主持的印刷 127
	草乌头 251，252
ce	《册府元龟》 126
cen	岑彭[汉] 215
cha	茶引 87，164，187，541
	查科尔帖纸 26，31
	查理四世(Charles Ⅳ)[德] 437，442
	查特里(H. Chatley)[英] 496
	察合台汗国 426，427，436，482，552
chang	长网造纸机 400
	《长物志》 92
	长泽规矩也[日本] 117，160
chao	晁贯之[宋] 131，521
	晁华山 290
	《朝圣者》 493
	朝鲜半岛活字印刷之始 411
	朝鲜半岛造纸起源 360～363
	朝鲜朝纸 364～366
	朝鲜朝纸特点 365
	朝鲜从清代引进堪舆旱罗盘 501
	朝鲜堪舆罗盘 500，501
	《朝鲜通史》 473
	《朝鲜文化史》 361
	朝鲜有关指南针的记载 500
	朝鲜铸字技术 414，415
	朝鲜铸字所 212，413
chen	沉香树 73
	沉香皮纸 72，75，376
	陈朝发行纸币 418
	陈朝印户籍 417
	陈朝造纸 376
	陈定荣 345，498
	陈旉《农书》 520
	陈规[宋] 276，277，283
	陈国符 13，234，242
	陈洪绶[明] 144，147
	陈集金(西夏汉人刻工) 165
	陈竞 64
	陈亮[宋] 523
	陈梦雷[清] 200，336
	陈高华 567
	陈美东 316
	陈友谅[元] 293
	陈榈[宋] 24，364，380
	陈玉龙 376
	陈裕菁 489
	陈元靓[宋] 345～347，490
	陈振孙[宋] 332
	陈直 3，7，32
	《宸垣识略》 200
cheng	称德女皇[奈良朝] 404
	成架烟火 270～272
	成倪[朝鲜朝] 366，414～416
	成纸的化学机理 13～15
	《诚斋集》 280
	程大约[明] 145，152
	程颢[宋] 522
	《程氏墨苑》 145，146，152
	程棨[宋] 343
	程学华 27
	程颐[宋] 522
	澄心堂纸 85，92，95，98，129
chi	《池北偶谈》 180
	池田温[日本] 374
	持明密宗 118
	赤道天文坐标 578
	赤星佐七 207
	赤盏合喜[金] 282，283，285
chong	《崇宁万寿大藏》 137
	《崇祯历书》 503
chu	出土东汉书信纸 47
	出土汉简中的硝石方 235
	出土晋写本 59，60，68
	出土西汉纸的分析化验结果 34～39
	出土西汉纸纤维显微照片 36，38，39
	出现天然硝石之处 232
	初师宾 28
	楮国公 71
	楮(皮)纸 47，48，51，60～63，69，71，79，87，92，95～98，109，158，362～366，368，370，372，374～376，395，398，404
	楮皮纸起源 47，48
	楮树 47，71，363，365，368，370

	处石(方位石) 331		《大慈恩寺三藏法师传》 115
chuan	传入日本的唐四川印本 126		《大汉舆服志》 47
chui	吹绘纸 374		《大和本草》 502
	吹藜阁铜活字版 201		《大论》 459～462
chun	《春秋谷梁传》南宋(1191)刊本 129		大马士革纸 51,387
	《春秋左氏传》 33,126,151,534		大马士革纸厂 384
	淳于意[战国]以硝石治病 233		大明宝钞壹贯铜印版 196
ci	磁畴 330,331,340,341		《大明律直解》 413
	磁偏角 333,334,336～340,342,343,487,488,492,495,499～501,572,573,576,579		大明通行宝钞 195,418
			《大南会典事例》木活字本 418
	磁石初见于《山海经》 322		《大秦国全录》 376
	磁石古名慈石 322		《大圣文殊师利菩萨像》五代印本 127
	磁石入药 323		大食(Tazc) 219,382
	磁石吸铁性的发现 322,323,576		《大随求陀罗尼》唐印本 121
	磁石指极性的发现 321～323,576		《大唐西域记》 54,377
	磁石引针 331		《大唐新语》 115
	《磁石赞》 331		大碗口铳 293～295
	磁性微地球 572		《大学衍义补》 240,292,476
	磁学定位的优越性 564		《大元海运记》 353
	磁学对力学和天文学的影响 573,574		《大圆满陀罗尼》南宋锡印版 203
			《大越史记全书》 376,417,418,534
	磁学思维的世系谱 574		
cong	从磁勺到磁针的过渡 331,332,339		大足石刻铳炮复原图 275
	从式盘向司南的转变 328	dai	袋缀本(线装) 406
cui	崔豹[晋] 332		戴念祖 221,222,307,333
	崔茂宣[高丽] 473		戴仁(J. P. Drège)[法] 48
	崔茂宣从李元习火药术 473		戴维斯(T. L. Davis)[美] 302,303
	崔怡[高丽] 209～212		戴维斯论中国火箭成就 302,303
	崔忠献[高丽] 209	dan	丹皮尔(W. C. Danpier)[英] 517
cun	村井昌弘[江户朝] 503		《丹铅总录》 84
			丹书 3
	D		《单药大全》 244,447,463
da	达尔文(C. Darwin)[英] 509		但丁(Dante Alighieri)[意] 517,518
	达·芬奇(L. da Vinci)[意] 527,557,558,560	dang	《当代史》 443
			党寿山 235
	达伽马(V. da Gama)[葡] 321,565,568	dao	《岛夷志略》 353
			道家大木印 106
	达乌德(A. Daud'd)[波斯] 425,426		道镜[日本奈良朝] 403,404
			《道里邦国志》(al-Jayhanni 著) 383
	怛逻斯之役 51,382,383,392		《道里邦国志》(Khordadzbeh 著) 514
	打浆效果 18		道森(C. Dawson) 429,430,462
	《大宝积经》日本写本 371	de	德布斯(H. Debus) 230

	德川家康[江户时代] 408,478		《东国李相国后集》 210
	德国农民战争 439,454		东晋设色人物画 60
	德国木版印刷之始 433,434		东晋写本《三国志》 59,60,68
	德国造纸之始 387~390		《东京记》 250
	德里策恩(A. Drizehn)[德] 438		《东京(洛阳)赋》 323
	德里苏丹国 259,482,483		《东京梦华录》 271
	德龙沙(P. de Ronsard)[法] 530		《东西洋考》 358,381,479
	德鲁果斯(J. Dlugosz)[波兰] 298, 458		《东医宝鉴》 500
			东印度公司推行考试制 535
	德米拉梅特(W. de Milamete)[英] 466,467		《东游记》 430,462,542
			董巴[魏] 47
	德米拉梅特手稿中的铳炮图 467		董作宾 2
	《德行集》西夏文木活字本 166		动力机的早期形式图 559
deng	邓皇后[汉] 45,46,49,107	dou	饾版 152,153
	邓嗣禹 536	du	杜阿德(J. B. du Halde)[法] 394, 395,535
di	迪金森(J. Dickinson)[英] 102,400		
	迪亚斯(B. Diaz)[葡] 568		杜布瓦(J. A. Dubois)[法] 255, 258,259
	地老鼠 271~273,480		
	地老鼠构造 273		杜尔阁(A. R. J. Turgot)[法] 395, 396
	地理大发现 525,545,562,565, 568,570,573,580		
			杜尔阁与访法中国二青年 395
	地理纬度测定 316,318		《杜工部集》清代六色印本 153
	地罗 342		杜牧[唐] 76,84
	地心说 525,526,544,573		杜石然 316,509
	地圆说 419,567,570	duan	段成式[唐] 84
	《帝学》 168		段玉裁[清] 9,22
	第谷·布拉赫(Tycho Brahe)[丹麦] 573	dui	对非洲的殖民扩张 554,569
			对火药燃烧的研究导致氧的发现 556,579
	蒂法西(al-Tifāshi)[阿拉伯] 488		
diao	奝然[日本平安朝] 405		对金属活字的技术要求 182,207
	雕版印刷术定义 103	duo	多级火箭 300,550,561,562
	雕版印刷起源 112,113		
	《钓矶立谈》 219		**E**
die	迭朗善(Deslongchamps)[法] 257, 258	e	俄国造纸之始 391
			俄罗斯通用元代纸钞 431
ding	丁度[宋] 251,340		厄费(F. Hoefer)[法] 262
	丁云鹏[明] 145,152	en	恩格斯(F. Engels)[德] 496,579
dong	《东大寺要录》 405	er	二级、三级火箭构想 471
	《东方史》或《耶路撒冷史》 495		二十四方位的形成 325,326,328
	东方朔[汉] 3		二十四方位与近代指南针360度刻度对照图 329
	《东方朔偷桃图》 151		
	《东观汉记》 49,50		**F**
	《东光县志》 198	fa	发机飞火 217,218,248

《发明史》 465
法藏[唐] 71,116,158,159,363
法常[宋]《写生蔬菜图》 92
法国金属活字印刷之始 438
法国1450年组建欧洲第一支炮兵部队 554
法国1791年建立文官考试制 535
法国引种中国楮树 398,399
法国造纸之始 385
《法书要录》 70
法韦(I. Favé)[法] 262,449,450,454~456,465,470

fan　幡纸 9,10,49
翻砂铸法 415,440
范礼安(A. Valignani)[意] 407
范文虎[元] 476
范晔[刘宋] 10,24,25,33,34,45,46,49,50,107,215,235
梵夹装 86,137
梵文陀罗尼唐初刻本 118
梵文写本中火药方 483
梵文关于火器的正确译文与错误译文对比 258
梵文中"纸"字 53
《梵语千字文》 378

fang　方豪 419,422,477,481
《方氏墨谱》 146
方于鲁[明] 146
《方舆便览》 389
防虫椒纸 92
房士良[高丽] 212,412
纺丝车 578
放马滩纸 31,32,44

fei　《飞凫语略》 365
飞火 217,270,284,288,450,453~455,463~465,470,475
飞火枪 282~284
飞炬 215,216
飞空砂筒(往复火箭) 300~302
飞钱 80,123,184,541
飞枪箭 283
飞云霹雳砲 296,297
菲律宾印刷之始 419~423

菲律宾造纸 380,381
斐化行(H. Bernard-Maitre)[法] 395,419,420
斐纸 371,372,374
费奥多西耶夫(V. I. Feodos'ev)[俄] 301
费长房[隋] 113,114
费著[元] 90,91,150,187,188

fen　《分甘余话》 93
《焚敌火攻书》 263,264,452,453,455,456,464,465,469
《焚敌火攻书》写于1300年 264
《焚敌火攻书》中火药方 453~455
《焚敌火攻书》中火药知识来自中国 455

feng　《风俗通义》 33,49
风筝 64,78,88,95,301,302,510,575
封泥 33,105,106,131,155,158
《封氏闻见记》 80
冯承素[唐] 76,77
冯道[五代] 113,126,129
冯·胡登(U. von Hutten)[德] 537
冯继昇[宋] 248,249,252,254
冯家昇 247,278,283,465
冯贽[五代] 75,78,115
缝针 337~339,342,501

fo　《佛国寺古今历代记》 159
佛朗机 471,472,477
佛朗机炮 471,553
《佛说无量寿经》宋泥活字本 168
《佛祖直指心体要节》 413
弗朗西斯·培根(F. Bacon)[英] 560,576,578
弗朗西斯·培根论四大发明 577
弗劳登伯格(K. Freudenberg)[德] 17
弗里修斯(G. Frisius)[荷兰] 571

fu　伏尔泰(P. M. Voltaire)[法] 523,535
伏火法 241,242
伏火矾法 241~243
伏火硫黄法 242,243,247

芙蓉皮纸　72
服虔[汉]　9
浮针方气图　339
浮针　333，339，350，351，564
《福建游记》　444
《负暄野录》　24，364，380
阜阳出土式盘　327
复原司南的技术原则　320
傅咸[晋]　57
傅振伦　163
富德里尼尔(H. Fourdrinier)[英]　400
富兰克林(B. Franklin)[美]　392，396
富兰克林论中国纸　396
富录特(L. C. Goodrich)[美]　51，106，124，159，160，175，427，443
富斯特(J. Fust)[德]　439，440
"複"字铜字块　208
覆矩仪　316，317

G

ga　伽利略(G. Galilei)[意]　527，544，557，573
伽利略证明炮弹轨迹为抛物线　557
gai　盖吕萨克(J. L. Gay-Lussac)[法]　229
盖伦(Galen)[希腊]　512，513，527
盖斯勒(W. Geisler)[波兰]　298，299，459
gan　感应磁针　331，343，494
gang　钢轮发火机(起爆器)　307，308
gao　高次若　120
高第(H. Cordier)[法]　272，425，430，436，462，542
高类思[清]　395，396
高丽1377年始自制火药　473
高丽发(髮)笺　366
高丽版《大藏经》　411
高丽版《大藏经》之刊刻　410～411
高丽对日本的火器封锁　476
高丽鹅青纸　364
高丽火器种类　473
高丽流通元代宝钞　194
高丽派留学生到北宋　409
《高丽史》　195，209，210，212，409，411，412，413，415，472，473，500，534，540
《高丽史·百官志》　473
《高丽史·崔怡传》　210
《高丽史节要》　209
《高丽史·食货志》　209，412，415
高丽印发楮币　212，412
高丽铸钱之始　412，413
高丽最早铜活字本　413
高母羡(J. Cobo)[西班牙]　419，422
高仙芝[唐]　382
高硝粒状火药出现于两宋之际(11世纪～12世纪之交)　269，576
高诱[汉]　322
ge　戈代(P. K. Gode)[印度]　224，260，379，481～483
戈代斯(G. Coedès)[法]　379，480
戈索伊(P. P. Gosaui)[印度]　53，54
哥白尼(N. Copernicus)[波兰]　525～527，544，573
哥伦布(Ch. Columbus)[意]　499，525，568，572
哥特体　389，439
格龙　339
格鲁伯(J. Gruber)[德]　50
格鲁斯蒂耶(G. Grostier)[法]　480
葛洪[晋]　106，240，242，510，513
葛拉堡(H. J. Klaproth)[德]　332，426，490，494
葛治伦　423
各种武器的出现以当时社会生产力为基础　546
gong　工业革命　544，554，558，580，581
弓火药箭　249
弓火药箭用于10世纪中国战场　249
弓月君(秦人)　367～369
公刘(前17世纪～前16世纪)　311，312，562
公刘测日影定方位　311，562
龚容(明代在菲华侨)　419～423

	龚容铸铜活字 420		475
	巩珍[明] 357		国东治兵卫[江户朝] 375
	拱花 84，152，153		《国史补》 74，75，84
gu	古代火攻之法 213		果胶结构式 16
	古代印章外形 104		过洋牵星图 318，319，355
	古代与现代火箭工作原理相同 561		
	古恒(M. Courant)[法] 212，413		**H**
	《古今图书集成》 147，149，172，	ha	哈尔海德(N. B. Halhed)[英] 255～
	199～201，205，336		258
	《古今图书集成》铜活字本 200		《哈基姆星表》 488，514
	《古今注》 332		哈内布特-本茨(E. Hanebutt-Benz)
	《古今字诂》 49，50		[德] 441，442
	《古兰经》 423，424，426～428，511		哈桑·拉马(Hassan al-Rammāh)[阿
	古人对磁石吸铁的理论解释 322，		拉伯] 244，288，452
	331		哈桑书中广泛用中国材料 245
	《古事记》 367，369，371		哈斯(C. Haas)[德] 469，471
	古斯曼(P. Gusman)[法] 436		哈斯手稿中的火箭 469
	《古文孝经》 407		哈斯金斯(C. H. Haskins)[英] 495
	谷腾堡(J. Gutenberg)[德] 436，		哈维(W. Harvey)[英] 527
	438～444，540		哈兹姆(Ibn-Hazm)[波斯] 334，488
	谷腾堡技术与中国的比较 440，441	hai	《海鳅赋后序》 280
	谷腾堡时代活字形体 439，440		《海岛逸志》 348
	谷祖英 195		海东通宝 207，209，412，415
	顾炳[明] 146		海默林(F. Hemmerlin)[瑞士] 264
	顾恺之[晋] 60，510		海姆(H. Hime)[英] 263，266，
guan	関野克[日本] 502，503		267，453，464，465
	関義城[日本] 362，366，368，369，		海上丝绸之路 316，552，578
	373		《海上医宗心领全帙》 418
	观极星定位之古法 314～317		《海外诸蕃图》 352
	管辂[三国·魏] 336		《海洋》(Mabit) 321
	《管氏地理指蒙》 335，336	han	韩保全 118，121，122
	贯休[五代] 128		韩非[战国] 323
gui	《归潜志》 285		《韩非子·有度》 323
	圭表 310～313，563		《韩国古活字概要》 210
	《鬼谷子·谋篇》 323		韩滉[唐] 71，72，76
	癸未字 414，415		韩驹[宋] 364
	《癸辛杂识》 81		韩袭芳[明] 199
	晷仪 313，314，316		韩振华 319
guo	郭宝[元] 482		汉代抄纸槽 42
	郭侃[元] 450，454		汉代抄纸帘 42
	郭璞[晋] 331，339		汉代捣纸料设备 41
	郭若虚[宋] 149		汉代麻纸制造技术 39～43
	《国朝续五礼仪》中所载碗口铜砲		汉代式盘的出土 326，327

	汉代四门方镜 327	hou	洪瀹[高丽] 195
	汉代铜制式盘 327,328		侯景[东魏] 64,216
	汉代造麻纸工艺图 43		《后汉纪》 45,46,49
	汉代蒸煮锅 41		《后汉书·百官志》 33,131
	《汉官仪》 131		《后汉书·蔡伦传》 25,43,48,49
	汉光武帝(刘秀) 215		《后汉书·蔡邕传》 107
	《汉记》 10		《后汉书·礼仪志》 235
	《汉书·地理志》 360,367		后黎朝刊《五经大全》 418
	《汉书·律历志》所载晷仪 313		后唐明宗 126
	《汉书·王莽传》 324,325		后膛装长筒炮 553
	《汉书·艺文志》载图书数量 508		后膛装火炮 471
	汉熹平石经 110	hu	胡赛因(Ibn Husain)[土耳其] 321
	汉纸尺寸 31		胡斯(J. Hus)[波希米亚] 538
	旱罗盘 344～349,355,358,487,		胡应麟[明] 113,114,119,126,
	497,498,500～504,564,576		151
	旱罗盘的起源 347		胡正言[明] 152,153
	《翰林志》 70,84		蝴蝶装 138,152,165,166
hao	好望角 568		《虎钤经》 217
he	合火药图 287	hua	花拉子米(al-Khwarizmi)[波斯] 512
	何双全 29		花梨木 206
	和迩吉师(渡日汉人) 367,369		花帘纸 20,84,85,92,101,575
	《和汉三才图会》 502,503		《花史》 152
	《和汉三才图会》论磁石 502		华珵[明]刊铜活字本 198
	和凝[五代]刊书 127		华坚[明]刊铜活字本 198
	《河汾燕闲录》 113		华燧[明] 197,198
	纥干众[唐] 125		华燧[明]铸字刊书 198
	荷兰打浆机 18,390		《华严经传记》 71,363
	荷兰造纸之始 390,391		《华严经探玄记》 116
	荷兰早期印刷 437		《华严经》西夏文木活字本 166
	荷马(Homeros)[希腊] 530		《华严五教章》 116
	赫蹏纸 32,33	huai	怀特(L. White)[英] 560
hei	黑田源次 294		怀特(W. C. White)[加] 314
heng	亨宁(W. B. Henning)[英] 381		《淮南子·览冥训》论磁性 322
	亨特(D. Hunter)[美] 5,8,57,		《淮南子·齐俗训》论观星定位 315
	67,68,75,85,95,378,379,		《淮南子·天文训》中立表定向记载
	384,387,388,391,392,400		312,313
	亨特论中国纸帘对近代造纸机的贡献	huan	还魂纸 87
	400		桓玄[晋] 69
hong	弘安之役 476		《宦游纪闻》 82
	弘治《徽州府志》 95,97,98	huang	荒川秀木 476
	洪堡(B. A. von Humboldt)[德]		《皇朝礼器图式》 147
	332,426,490,494		《皇朝事实类苑》 176
	洪潜 517		皇甫谧[晋] 324,509

	《皇华四达记》 316	火箭弹 280～282，288，446，550，576
	《皇舆全览图》 503	火箭（火药纵火箭） 53，223，224，226，231，255～257，259～263，265，276，277，279～284，287，292～294，299～303，320，447，449～459，465，466，470～482，484，485，548，550，552，554，555，556，561，562，576
	黄檗（黄柏） 69，373	
	黄建中[明] 144，145	
	《黄金牧场和珍奇宝藏》 514	
	黄溍[元] 194，195	
	黄蜡笺 71，82	
	黄辚[明] 145	
	黄善必[韩国] 158	
	黄省曾[明] 357，379，380	火箭营 484，485，562
	黄文弼 25～27	火箭于16世纪出现于印度 484
	黄兴三[清] 100	火箭载人飞行 301，302，562，576
	黄一凤[明] 145	火箭在元初的应用 298，458，459
	黄一楷[明] 144，145	火炬 215，222，225
	黄应泰[明] 145	《火龙经》 227，296，299，300，303，305，306，466
	黄应祖[明] 144	
	黄展岳 131，241	《火龙神器阵法》 296，303，304
	黄蜀葵 19，81，82，90	火牛 217，276
	黄珍知奈麻[新罗] 363	火炮是单缸内燃机 560
hui	灰砲 284，285	火器兵从元代起成为独立兵种 550
	《挥麈后录》 149	火器的出现是武器史中的革命 226，548
	《挥麈馀话》 128	
	《回鹘旅行记》 383	火器的动力是化学力 547
	回鹘文木活字 167，427，435，436	火器对军队编制的影响 550
	会通馆刊铜活字本 198	火器技术革新频率大 550
	会子 87，143，150，185～187，189～191，209，412	火器使作战方式发生变革 550，551
		火器引起欧洲军事上变革 553，554
	惠更斯（Ch. Huygens）[荷兰] 557～560	火器与冷武器的比较 547，548，580
	惠勒（R. E. M. Wheeler）[英] 496	火器在欧洲的使用导致新学科的出现 555，579
huo	活动帘床 42，55，56，373，399，575	
		火枪复原图 277，279
	活塞鼓风机 578	火禽 215，217，470
	活字适于拼音文字 524	火球（火药纵火球） 225，226，248～250，252～254，284，451，452，575
	火龙出水（二级火箭） 300	
	火长 351，352，357	
	火铳神机箭 296，297，478，479	火兽 215，217，218，222
	"火铳"一词的出现 292	火桶都监 473，474
	火铳与火炮区别 292，293	火桶（火铳） 473，474
	《火攻挈要》 270	火筒（火铳）在元明之际的应用 293，294
	火罐（fire-pots） 222，225，260，263，284，285，452，456	
		火药鞭箭及发射法 254
	火蒺藜 248～250，254，286，575	火药出现前的东西方武器 546

火药出现前的各国兵种　546
火药的定义　223～225
火药的和平利用　554，555
火药的敏感度　231，269
火药的西传导致欧洲封建制的崩溃　552，553，580
火药发明于10世纪　248
火药发现与发明的关系　246
火药、火器的使用促进中国统一　549
火药、火器对近代技术发展的影响　558～561
火药、火器对近代科学发展的影响　555～558
火药、火器对中国的经济影响　549
火药、火器对中国的社会政治影响　549
火药、火器在战争史中引起革命　546～548
火药开矿图　555
火药燃烧产物　229，223
火药燃烧反应式　228～231
《火药史》　447
火药为何发明于中国　231～246
火药性能的技术数据　231
火药用于开矿　554，555
火药于13～14世纪传入印尼　481
火药与古代纵火剂的区别　225，226
火药在1250年随蒙古军西征传入阿拉伯和欧洲　457～459，465
火药作为新的能源　580
霍恩勒(A. F. R. Hoernle)[英]　51，384
霍沃思(W. N. Haworth)[英]　14

J

ji　《机器·自然力和科学的应用》　577
机械钟　521，578，580
基姆(H. S. Zim)[美]　283，301，302，562
激发性传播　443，496
吉本(E. Gibbon)[英]　266
吉尔伯特(W. Gilbert)[英]　498，572～574
吉尔伯特的磁学试验用材　572
吉尔蒙德(S. Girmond)[德]　396
吉里斯皮(C. Gillispie)[美]　512
吉利支丹版　407
吉田光邦　249，250，309，547
《吉祥遍至口和本续》西夏文木活字本　164，165
极星出地高度　316，318，320，498，563
集束火箭　298，299，303，466，550，552，561，576
计量航海　317
《记火炮之始》　473
技术传播理论　496
季羡林　53，157，259，378
《祭侄季明稿》　76，77

jia　加尔文宗　539
加工纸种类　21，84，85
加拿大造纸之始　392
加藤晴治　71
佳得节　479
嘉定《镇江志》　254
嘉泰《会稽志》　86，271
甲骨文　2，23，131，311，312
甲骨文黑字以炭黑写成　131
甲骨文中立竿测影记录　311，312
甲令　350，488，489
甲寅字　416，417
贾耽[唐]　316
贾逵[汉]　33，49
贾思勰[北魏]　23，62，69，509
贾似道[宋]　202，203
贾宪三角　520
假名字母刻本《徒草子》　408
"假写技术"　438，442

jian　菅菊太郎　477
柬埔寨13世纪末有火药和烟火　479，480
柬埔寨造纸起于吴哥王朝　380
剪纸　63～66，78，88，89，95，575
剪字　95
简牍　3，6，7，11，21，33，47，57～

	59，105，131，506～508，563		金富轼[高丽] 362，534
	建安文学 510		《金刚抵命真言》 120，121
	鉴真[唐] 405		《金刚顶经》 121
jiang	江洪 269，272，273		《金刚经注》双色印本 151
	江户时代印刷 408		金关纸 28，31，35，37，38，44
	江户时代造纸 374，375		《金光明经》 159
	江少虞[宋] 176		金花五色绫纸 84
	江西出土的南宋旱罗盘 345，376		金花纸 20，83，92，575
	《江西省大志》 19，95，97		《金华黄先生文集》 194
	《江西省大志·楮书》 95		金庠基[韩国] 158
	蒋廷锡[清] 200		金简[清] 168，169，172～174
	蒋元卿 136，139		《金匮要略》中的"大黄消石汤" 233
	蒋友仁（M. Benoist）[法] 396		金履祥[宋]海图 352
jiao	交易所 569		金梦述[韩国] 158
	交州造楮纸 62		《金瓶梅词话》 145，146，271，272
	交子 80，87，150，184～189，191，412，541		《金石簿五九数诀》 245，481，482
	胶矾纸 20		《金史·蒲察官奴传》 283
	焦秉贞[清] 147		《金史·食货志》 188，189
	焦维奥（P. Giovio）[意] 443，444		《金台纪闻》 199
	焦亚（F. Gioja）[意] 492		《金汤借箸十二筹》 239
	教皇的书籍出版审查制 537		金元龙[韩国] 210
	教皇禁书令 529		金属铳 273，288，289，468，576
	校正方位 333，338，340，492		金属活字的技术源头 183
jie	节节花 132		金属活字起于北宋 182～188
	杰拉德（G. da Cremona）[意] 516		《锦绣万花谷》 197
	结绳纪事遗物 1		近代火药燃烧理论 228
	解释万有引力的磁学思维模式 574		晋代桑皮纸 61
	《戒庵老人漫笔》 317		《晋书·江逌传》 216
	《芥子园画谱》 153，154		《晋书·刘汴传》 69
jin	《巾厢说》 181		晋唐对司南的改进 330～335
	金安国[朝鲜朝] 366		《晋中兴书》 216
	金柏东 177，202，203		浸草木灰水设备 40
	金代飞火枪（大火箭） 282～284，455	jing	泾县宣纸 92，98，100
	金代交钞 188～192		经典力学的建立 579
	金代交钞票面 192		经院哲学 517，526，529，530，544，557
	金代交钞铜印版 192		经折装 137，138，164，178，406
	金代陶壳蒺藜炸弹 285		《荆楚岁时记》 224，270
	金代铁壳炸弹 285		《旌德县志》 166，168
	金代铜活字尺寸 191		《精明智慧的国王陛下》 466
	金代铜活字印刷 188～192		景定《建康志》 286
	金代贞祐宝券五贯铜印版 190		靖康之变促进南宋火器更新 274
		jiu	《九国志》 217

	九龙箭 299		387,423,426~428,431~433,
	《九十五条论纲》 538,544		435,440,443
	《九天玄女青囊海角经》 339		卡瓦洛(T. Cavallo)[意] 497
	《九章算术》 508,534		卡西里(M. Casiri)[西班牙] 449
	《九章算术注》 509		卡兹维尼(al-Qazwini)[波斯] 488
	久米康生 44,370	kai	《开宝本草》 237~239,246,461,
	《旧唐书·食货志》 116,122		520
	《旧五代史·和凝传》 127		《开宝藏》 87,143,406,409
	《救荒本草》 146		《开宝藏》传入高丽 409
ju	居里点 340		开封府战役中的飞火枪 283
	《居易录》 114		开封水运仪象台 520,521
	居约(Guiot de Provins)[法] 493,		《开国原从功臣录券》 413
	494,496		开罗造纸始于900年 384
	居约咏指南针诗 496		开普勒(J. Kepler)[德] 573,574
	《局部论》 495		《开元释教录》 158,159
	《橘录》 520		《开元占经》 319
	《巨人传》 530		凯克(R. Ch. Kak)[印度] 483
juan	卷轴装 58,117,124,129,130,		凯林尼科斯(Killinikos)[拜占庭]
	136,137,158,355,406,410		222,223,260,261
jun	《军中医方备要》 202		凯泽尔(C. Kyeser)[德] 266,469
	君臣佐使用药说 226,227		凯泽尔手稿中的炸弹 469
	君士坦丁四世(ConstantineⅣ)[拜占	kan	《刊谬补缺切韵卷》唐写本 81,83
	庭] 261		堪舆术 331,335,338
	"君士坦丁赠礼" 529	kang	康格里夫(W. Congreve)[英] 261,
	骏府版铜活字 408		485
	骏府版铜活字本《群书治要》 408		康格里夫火箭 485
			康帕内拉(T. Campanella)[意] 531
	K		康熙帝[清] 51,93,101,147,200
ka	喀秋莎 298,561		《康熙字典》 114,173
	卡巴贾奇(al-Qabajaqi)[阿拉伯] 490	kao	《考工记·匠人》论测日影以正朝夕
	卡尔敦(Ibn-Khaldūn)[阿拉伯] 384,		312
	514		考克斯顿(W. Coxton)[英] 391
	卡尔曼(W. Y. Carman)[英] 260~		考帕(H. S. Cowper)[英] 481
	262,485		《考槃馀事》 101,365
	卡拉巴塞克(J. Karabacek)[奥地利]	ke	柯梅纳(A. Commena)[拜占庭]
	51,53,383~385,427		262~264
	卡洛克(J. McCulloch)[英] 263		柯曾(R. Curzon)[英] 435,436
	卡明斯(G. Cumings)[英] 67,68		科举制对朝鲜的影响 534
	卡斯塔尔迪(P. Castaldi)[意] 436,		科举制对日本的影响 534
	437		科举制对越南的影响 534
	卡斯特(H. Kast)[德] 230		科斯特(Koster,杨松的别名) 437
	卡特(T. F. Carter)[美] 10,51,		科学的磁学研究 572~574
	106,107,124,155,167,175,		科学馆 512,514

	《科学之树》 498，499		赖纳大公藏纸 384，427
	科兹洛夫(P. K. Kozlov)[俄] 142，165，166，178，194		赖文俊[宋] 338
	克罗伯(A. L. Kroeber)[美] 496		赖伊(P. C. Rāy)[印度] 256，257，259，483
	刻版技术 122，123	lan	《兰亭叙》唐临本 77
	刻版用工具 134	lang	狼毒 251，252
kong	空想社会主义 531	lao	劳弗(B. Laufer)[德] 378
	孔子[春秋] 3，315，518，523		劳榦 26，27
kou	寇宗奭[宋] 271，343，494，500，520		劳特利奇(T. Routledge)[英] 399
			老人星(船底座 α) 316，319
ku	《枯杭集》 368，369		《老学庵笔记》 284
	苦参纸 372	le	勒尔(M. Loehr) 143
	库伦(C. A. de Coulumb)[法] 332		勒克拉尔(L. Leclere)[法] 447，448
	库斯明斯基(E. A. Kosminskii)[俄] 515	lei	雷金(P. H. Requin)[法] 438
	库图比(al-Kutubī)[阿拉伯] 245，448，449		雷诺(J. T. Reinaud)[法] 261，448～450，454～456，465，468，470
kuang	《矿冶全书》 528		雷延美(五代刻工) 127，140
kui	魁奈(F. Quesnay)[法] 535		雷塔纳(W. E. Retana)[西班牙] 421，422
kun	昆塔卜(阿拉伯学校名) 511	leng	冷武器的局限性 546，547
	L		冷武器动力是人力 547，548
la	拉伯雷(F. Rabelais)[法] 530	li	梨花枪 276，277
	拉达(M. de Rada)[西班牙] 419，423，444		梨木 130
	《拉丁文文法》 434，437		黎朝烟火 479
	拉朗(L. Lalanne)[法] 261，263，449		李宝[宋] 281，282
			李葴[朝鲜朝] 415
	拉梅利(A. Ramelli)[意] 528		李朝按中国样器制造的铁壳三眼铳 475
	拉纳尔(J. Larner)[英] 430		李朝火器种类 473，475
	拉施特丁(Rashid al-Din)[波斯] 424～426，429，450		李朝火药制造情况 472，473
	拉施特丁论中国印刷术 426		李朝排版技术的改良 414
	拉特多尔特(E. Ratdolt)[意] 332		《李朝实录分类集·军事编》 474，475
	拉特根(B. Rathgen)[德] 466		《李朝实录·太宗实录》 366
	拉兹(al-Razi)[波斯] 513		《李朝实录·太祖实录》 473
lai	莱布尼兹(G. W. Leibniz)[德] 523		《李朝实录·英祖实录》 501
	莱格尼查(Liegnitz)战役 298，458，459		李朝纸种类 366
			李崇洲 306，307
	莱塞斯特尔(H. M. Leicester)[美] 260，556		李焘[宋] 248，352
			李昉[宋] 9，47，66，215～217，323，335
	赖纳大公(Erzherog Rainer)[奥地利] 384，427		李公麟[宋] 90
			李圭景[朝鲜朝] 201，208，209，

212,365,366,409,411,501,502
李圭景论三针之说 501
李吉甫[唐] 70,75,82,218
李鉴澄 313
李靖[唐] 215,216
李克恭[明] 153
李奎报[高丽朝] 209,210,410
李明(L. D. le Comte)[法] 50,51,534
李明论科举制 534
李盘[明] 239,240
李普曼(E. O. von Lippmann)[德] 492
李全[宋] 276
李容瑾[元]绘《汉宛图》 88
李商隐[唐] 66,84,89
李睟光[朝鲜朝] 366
李庭[元] 288,289
《李卫公兵法》 216,217
李鸣皋 13
李翊[明] 171
李攸[宋] 150,184,185
李渔[清] 94,153
李豫亨[明] 348
李元(明代火药匠) 164,473
李约瑟(J. Needham)[英] 48,64,89,106,128,135,156,221,222,234,243,245,247,254,268,274,275,277,278,289,291,292,296,300,303,309,311,317,319～321,332,335～337,339,344,345,349,351,377,428,441,443,450,463,466～468,471～475,488,490～492,494,496,519～522,533,534,553,555,558,561～566,571,578
李约瑟论中国火箭 303
李肇[唐] 70,74,75,84
李征 79
李钟凯 11,15,72
理学 406,522,523,533,537,543
理学在中国的思想影响 522,523

《历代名公画谱》插图 146
《历代名画记》 60,67,82
《历代三宝记》 113,114
《历代使徒及王侯传》 514
历代统治者视火器为中国长技 550
历代中国军火工业皆官营 549,550
《历算全书》 503
立司南以端朝夕(东西) 323
吏读文 362
利用火炮原理制造动力机 558～560,580
《笠翁偶寄》 94

lian 连机水碓 90
连三纸抄纸帘 91
镰仓时代印刷 406
炼丹家发现火药混合物 240～243

liang 梁代反体字石刻 111
《两大世界体系的对话》 527
《量地指南》 503
量天尺 319～321

liao 《辽史》 218
料号 164,189,191,196
料例 150,164,185,187,189,203

lie 《列女传》 142
《列仙全传》明刊本 145

lin 林春祺[清] 202
林罗山[江户时代] 408
林五官(旅日的明代人) 408
林邑(占城)纸 376

ling 《岭表录异》 72
凌纯声 8
凌蒙初[明] 151
《令义解》 372,373

liu 刘安[汉] 234,312,322
刘国钧 136,138,170
刘森 185,189,203
刘肃[唐] 115,116
刘昫[五代] 76,122,123,316
刘熙[汉] 68
刘仙洲 89,302,305,308,309,335
刘心源[清] 327,328
刘旭 291,292

	刘恂[唐] 72		《论自然界的性质》 334，492，493
	刘永锡[宋] 248，250，284	luo	罗柏鲁(G. de Rubrouck)[法] 429，
	刘最长 151		430，462，542
	《留青日札》 93		罗伯特(N. L. Robert)[法] 400
	《流沙坠简》 47		《罗布淖尔考古记》 25
	硫黄的性质 247		罗布淖尔纸 31
	硫黄在火药中的作用 228，229		《罗经解》 337，338
	柳成龙[朝鲜朝] 473		罗盘导航 348，351，496
	柳玭[唐] 126		罗盘实物形象 347，498
	《柳氏家训》 126		《罗马帝国衰亡史》 266
	柳叶纸 366		罗马人以磁石吸铁 491
	六朝科学成就 509，510		罗马铜板刻字 4，5
	《六朝陵墓调查报告》 111		罗明敖·黎尼妈(D. de Nieba)[西班
long	龙彼得(P. Van der Loon)[瑞典]		牙] 421，422
	420，422		罗摩基(S. J. von Romocki)[德]
lou	镂空版 112		283，447~450，452，460，469
lu	卢前 134		《罗摩衍那》 255，259
	卢太翼[隋] 114,115		罗世[元] 473
	《炉火术》 528		罗西章 28
	鲁桂珍 274，467		罗杰(Roger of Hoveden)[英] 499
	鲁特利奇(T. Routledge)[英] 75，		罗杰·培根(R. Bacon)[英] 244，
	399		266~268，448，459，463，497，
	陆玑[吴] 61，62，375，376		517
	陆机[晋] 107		罗杰·培根火药知识来自中国 461~
	陆容[明] 93，94，96		463
	陆深[明] 113，114，199		罗杰·培根论中国烟火 460，461
	陆万垓[明] 19，95，96		罗振玉 47，163，190，353
	路振[宋] 217		《萝轩变古笺谱》 153
	吕建福 118		螺旋压印器 441
	《吕氏春秋》 322		洛阳出土汉晷仪石板 313
	《吕氏春秋》论磁石 322		《洛阳记》 107
	吕珍[元] 293		
	《律藏初分》416年写本 67		**M**
lun	伦斯(H. Lenz)[墨西哥] 52	ma	马丁(H. J. Martin)[法] 419，442
	《论爱情之书》 334，488		马丁·拉达(Martin de Rada)[西班
	《论磁石》 498，572，573		牙] 444
	《论磁石信札》 497，498，517		马丁·路德(Martin Luther)[德]
	《论航海科学原理》 321		538，539，544
	《论衡·乱龙》 331		马丁·路德的政治、宗教主张 538，
	《论衡·是应》 324		539
	《论无限宇宙和世界》 527		马丁·路德译《圣经》德文版 539
	《论语》 107，109，367~369，406，		马端临[元] 87，163，186，205
	416，534		马缟[五代] 332

马光祖[宋] 286
马忽思[元] 431
马怀德[宋] 317, 319, 320
马吉多维奇(J. P. Magidovich)[俄] 568
马戛尔尼(G. Macartney)[英] 535
马可·波罗(Marco Polo)[意] 430, 436, 477, 492, 525, 542, 567
《马可·波罗游记》 430, 493, 525
马克思(K. Marx)[德] 577, 578
马里库特人皮埃尔(Pierre de Maricourt)[法] 342, 497, 498, 517, 574
马林(G. Marin)[墨西哥] 419
马蒙(al-Mamūm)[阿拉伯] 511, 512
马圈湾纸 31, 33, 35~37, 39, 44
《马术和战争策略大全》 245, 450, 452, 454, 456
马苏迪(al-Mā'sudi)[阿拉伯] 514
马王堆三号汉墓帛书 29, 233, 319
马志[宋] 237~239, 245, 246, 461, 520

mai 迈克尔(Michael Scot)[苏格兰] 495
麦德赖塞(阿拉伯学校名) 511
麦卡托(G. Mercator)[荷兰] 571
麦卡托地图 571
麦克斯韦尔(W. R. Maxwell)[英] 301, 302
麦克唐纳(J. MacDonald)[美] 302
麦英豪 131, 241
麦哲伦(F. Magellan)[葡] 568, 570
麦哲伦海峡 568

man 曼苏尔(al-Mansūr)[阿拉伯] 511

mao 毛春翔 168
《毛诗草木鸟兽虫鱼疏》 61, 375
茅元仪[明] 146, 227, 239, 276, 277, 279, 283, 296, 299, 300, 301, 303~309, 318, 355, 459

mei 梅辉立(W. F. Mayers)[英] 266
梅森(S. F. Mason)[英] 557
梅原末治 159
美国1883年推行文官考试制 536
美国造纸之始 392
美洲新大陆的发现 568
美洲原产药材引入各洲 571

men 门多萨(J. G. de Mendoza)[西班牙] 419, 444

meng 猛火油 218~223, 225, 248, 250, 546
猛火油机 220~222, 225, 548, 558, 560
猛火油机产于中国 222
猛火油机工作原理图 221
蒙古兵征倭所用铁炸弹 476
蒙古第二次西征 449, 482
蒙古军第三次西征 424, 450, 459
蒙古军在欧洲使用火器 457
蒙古骑兵使用火铳示意图 458
《蒙古袭来绘词》 303, 476
蒙军在莱格尼查使用火箭 298, 458, 459
蒙军在印度使用火器 482
孟高维诺(da Monte Corvino)[意] 431~433
孟高维诺在北京刊印的宗教画 432
孟加拉造纸 379
孟列夫(L. N. Menshikov)[俄] 138
《梦梁录》 88, 271, 351
《梦溪笔谈》 87, 174, 175, 209, 340, 342~344, 411, 489, 498, 500~502, 520

mi 弥陀山(Mitrasanda)[吐火罗] 158, 159
米得发(midfa) 456
米芾[宋] 82, 83, 86, 89, 90
米诺尔斯基(V. Minorsky)[俄] 383
密迪乐(T. Meadows)[英] 535
密斯里(al-Misri)[阿拉伯] 490

mian 棉纸 10, 51, 430
缅甸造纸 379

miao 《妙法莲华经》武周刊本 158, 405
缪荃孙[清] 168

min 闵采尔(Th. Münzer)[德] 539
闵齐伋[明] 151

ming 名刺(名片) 78, 79, 88, 575

明宝钞印版上的铜活字　196
明代版画　143
明代常州金属活字　199
明代地雷　304～309，576
明代定时炸弹(慢雷)　305，309，576
明代多版多色(套色)印刷　151，152
明代福建铜活字本　199
明代糊墙纸　93，94
明代徽州刻工版画用具　110
明代集束火箭　299
明代金属活字印刷　195～199
明代铅山官办厂造楮纸　95～96
明代松烟窑　132，133
明代铜制水罗盘　348
明代无锡华氏刊书集团　197，198
明代向高丽调拨火药及火器　472，473
明代造竹纸技术　98～100
明代浙江常山造楮纸技术　96
明洪武年平阳铁火炮　296
明洪武年铜铳　294，295
明洪武年铜活字形制　196
明刊木活字本　171
明清交战时火器营布阵图　551
明人论高丽纸　364，365
《明史·兵志》　297，299，302，478
《明史纪事本末》　293
《明史·吕宋传》　381，419
《明史·食货志》　196
明晓(新罗僧)　158
明宣德纸　92，95，98，100，365

mo　摩洛哥造纸始于1100年　384
《摩奴法典》　53，255～258
莫尔(Th. More)[英]　530
莫霍夫(Morhof)[英]　266
莫兰(S. Morland)[英]　560
《墨经》(制墨专著)　131，132，521
《墨谱》　521
墨西哥造纸之始　391
《墨庄漫录》　137
《墨子》　199
《墨子》明刊铜活字本　199
《默示录》　434

mu　牟良叔舍(F. Zimoro)[葡]　477
木版印花　154
木版印刷各工序　135，136
木版印刷起于隋　112～115
木村青竹[江户朝]　375
木宫泰彦　126，370，405
木活字本《孔子家语》　408
木活字印刷起于北宋　163～165
木桶装运书籍图　530
木指南龟　345～347
木指南鱼　345～347
木指南鱼的复原　346，347
沐英[明]　297，478
《牧庵集》　179
慕阿德(A. C. Moule)[英]　431
慕恒义(A. Hummel)[美]　168
穆尔(E. Moor)[英]　256，259
穆罕默德(Mohammad)[阿拉伯]　511，512，514
穆拉托里(L. A. Muratori)[意]　261，469，470

N

nai　奈良朝造纸　371～374
nan　南北朝藏书　58，508
南北朝楮纸　62
南北朝佛教发展　510
南北朝经生写经图　59
南北朝拓本　109
南北朝五色纸　69
南北朝纸厚度　55，80
南北朝纸纸幅　56
《南方草木状》　376
《南海寄归内法传》　157，378
《南明证道歌》　210，211
《南明证道歌跋》　210
南奈·万达(Nanai Vandak)[粟特]　381
南浦玄昌(17世纪日本人)　477
南宋初大足石刻铳炮　275
南宋时发明的旱罗盘　344～347
南宋旱罗盘复原图　346
南宋会子铜版　186

	南宋火箭 282
	南宋金银见钱关子 203
	南宋陶壳烟雾炸弹(灰砲) 285
	南宋锡活字 202～205
	南宋锡活字形制 205
	《南唐书》 219
	南唐印刷 129
	《南巡盛典》 147
	《南鹞北鸢考工志》 95
nei	内蒙出土汉代晷仪 313
	内燃机 558～561
	内印印纸 115,116
ni	尼坎姆(A. Neckam)[英] 333,334, 492～494,496
	《泥版试印初编》 180
	泥活字(陶活字)的发明 174～176
	泥活字未能在高丽发展 412
nian	碾、磨皮料图 96
niao	鸟子纸 371
niu	牛达生 165
	牛顿(I. Newton)[英] 273,527, 557,573,574
	纽伦堡纸场 388
nong	《农书》 23,89,90,166,168～170, 204,205,390,416,435,520
nuo	挪威造纸之始 391
	诺曼(R. Norman)[英] 572

O

ou	欧美公务员考试制度受科举制的影响 534～536
	欧亚新航路的发现 568
	欧阳修[宋] 80,85,123,316,336, 382,523,533
	欧洲1327年最早的铳炮复原图 467
	欧洲13世纪旱罗盘 497,498
	欧洲1537年以火炮攻城图 553
	欧洲大学的兴起 524
	欧洲的出版中心 524
	欧洲的科学革命 525～527
	欧洲的竹纸制造 397～399
	欧洲国家印发纸币 543
	欧洲旱罗盘的最早记载起于1269年 497
	欧洲木版技术与中国的比较 434～435
	欧洲木版印刷之始 429～435
	欧洲木活字印刷之始 435～437
	欧洲人对磁偏角的测定 572
	欧洲人对中国纸币的早期记载 430
	欧洲人翻译的阿拉伯著作 516
	欧洲人关于元代印发纸币的记载 542
	欧洲人试验火药图 465
	欧洲水纹纸 387
	欧洲水纹纸之始 387
	欧洲提纯硝石始于13世纪 461
	欧洲有关指南针记载出现于12世纪末 492
	欧洲早期航海图 498,499
	欧洲早期火铳 466～468
	欧洲早期喷火枪 468
	欧洲早期水罗盘 493～497
	欧洲早期银行 543
	欧洲早期指南针形制 493,494
	欧洲造麻纸技术 486,397
	沤麻 23,372

P

pa	帕潘(D. Papin)[法] 558～560
	帕廷顿(J. R. Partington)[英] 222, 223,225,231,244,245,257, 259,261,263～267,288,321, 446,447,449～453,455,456, 460,461,463,464,466,467, 469～471,484,554,556
pan	潘吉星 6,9,19～21,27,33,36～44,53,54,56,61,67,68,71, 73～75,81～83,91,95～98,100, 119,134,135,137,151,154, 158,159,179,182,184,191, 192,196,205,207,214,226, 228,229,239,244,249,260, 270,274,275,277,279,281～285,287,289～292,295～302, 304,318,328～330,341,345～

	347，368～370，378，393，395，397，398，401，402，404～406，408，440，441，443，445，446，458，465，467，469，486，505，509，522，561		评印第安人发明指南针说　334
			评印度发明火药说　255～260
			评印刷起于印度说　157，158
			《萍洲可谈》　350，488，489，492
		po	珀查斯(S. Purchas)[英]　493
	潘清简[阮朝]　418		《破灭的幻想》　395
	潘天祯　198	pu	菩提流志(唐僧)　202
pao	抛石机　217，218，222～224，248，250～252，254，255，259，269，275，280，282，284～286，288，293，446，449，546～548，575		蒲察官奴[金]　282，283
			蒲寿庚(入宋的阿拉伯人)　489
			普尔巴赫(G. von Purbach)[奥地利]　525
			普菲斯特(A. Pfister)[德]　439
	炮弹弹道图　557		普利尼(Pliny the Elder)[罗马]　6，23，222，244，333，448
	"砲"、"火砲"与火炮之区别　251		
pei	裴化行(H. Bernard-Maitre)[法]　395，419		普林塞甫(J. Prinsep)[英]　321
			普贤菩萨像　115
	裴秀[晋]　509		**Q**
	佩德罗·维拉(Petro de Vera,龚容之弟)　421	qi	七星社　530
			七艺　515
	佩格罗蒂(F.B. Pegolotti)[意]　430，542		《齐东野语》　271
			《齐民要术》　23，62，69，132，133，509
	配火药技术		《奇觚室吉金文述》　327
pen	喷火枪　276，278，283，288，457，468，470		《奇闻录》　334，490
			《碛砂藏》　137
	蓬波纳齐(P. Pomponazzi)[意]　529		乞合都汗[伊利汗国]　424，425，542
pi	砒霜　227，251，252，266，282，452，469	qian	千惠凤[韩国]　205，208，211，410，413，414
			《千手观音陀罗尼经》　118
	霹雳砲复原图　281		《千叟宴诗》木活字本　172
	霹雳砲(火箭弹)　280，281，288，446		《千字文》　25，87，92，163，190，194，367～369
	《毗庐大藏》　137		千字文编号　164，192，541
	《譬喻经》　58，59		牵星板　317～321，563
piao	漂絮　22～24		牵星板操作图　318
	《瓢赋》　330		牵星术　317～319，321，358，563
ping	平安朝印刷　405		牵星图　318，319，355
	平衡舵　564，565		《前尘梦影录》　101
	平壤出土西汉麻纸　361		钱存训(Tsien Tsuen-Hsain)　27，48，52，105，106，108，109，128，135，139，150，157，159，177，178，197，198，377，428，519，534
	评拜占庭发明火药说　260～264		
	评韩国发明金属活字说　206～212		
	评早罗盘欧洲发明说　344，345		
	评木版印刷起于韩国说　158～161		
	评欧洲发明火药说　264～268		
	评培根发明火药说　266～268		

	钱陆灿[清] 201，202		庆州出土的新罗纸 362
	钱引 87，149，150，185～188，191	qiu	丘濬[明] 240，292，476
	钱引票面 187，188		丘延翰[唐] 338
	乾隆帝 101，396	qu	曲轴 578
qiang	墙盐(硝石) 245，448，449，454	quan	权近[朝鲜朝] 414
qiao	乔宇[明] 197		《全唐诗》 78，84，374
	《乔庄简公集》 197		全相运[韩国] 158
qie	切麻工具 40		
	《切韵》唐刻本 126		**R**
qin	钦察汗国 424，428，430，443，447，459，461，462，465，552	ran	燃烧的技术分类 225，226
			染黄纸 69，373
	《钦定越史通鉴纲目》 418	rao	饶世仁[明] 199
	秦阿房宫以磁石为门 322，323	ren	人工取火 213
	秦公簋 163		《人镜阳秋》 144
	秦汉已提纯硝石 235		人类武器发展史的几个阶段 548
	秦始皇[秦] 3，21，110，156，163，322，323，367		《人日诗》 66
			《人体结构》 527
qing	青檀 11，13，15，92，98		人文主义 517，528～532，537，544，580
	《青箱杂记》 219		
	氢键缔合 8，15，19，45		人造纸花 66
	清朝与朝鲜朝铜活字形制比较 201		任步云 28
	清初内府铸铜活字 200，201		任正赫[韩国] 208
	清初内府铸铜活字形制 201	ri	日本楮皮纸制造技术 375
	清大内糊墙纸 95		日本楮纸 374
	清代版画 147～149		日本国三角测量 503
	清代旱罗盘 501		日本花火之始 478
	清代航海旱罗盘 348，349，358，359		日本活字印刷之始 407，408
			日本江户时代的指南针 502～504
	清代糊墙纸 94，95		日本木活字本《劝学文》 407
	清代金属活字印刷 199～202，205，206		《日本书纪》 367～369，371
			日本铜活字本《六臣注文选》 408
	清代木活字操作图 173		日本印刷之始 371，403
	清代木活字技术 173，174		日本造纸起源 369
	清代陕南造竹纸技术 100		日本正平年(1364)版书
	清代套色印刷 153，154		日本中西合璧式罗盘 503，504
	清代远洋航船 359		日心说 525～527，544，573
	清佛山唐氏铸锡活字 205，206	ro	rochette(火箭)一词起于意大利 469
	清福建铜活字本 202	rong	《容春堂后集》 197
	清人徐继畬否认施瓦茨传说 265		容庚 163
	《清史稿·职官志》 172		《容斋随笔》铜活字本 198
	清虚子[唐] 241～243	rou	柔克义(W. W. Rockhill)[美] 488，489
	《清异录》 81，84		
	《庆元条法事实》 164	ru	儒莲(S. Julien)[法] 175，397，398

ruan	阮朝印刷 418		桑树 61
rui	瑞典造纸之始 391		桑原骘藏 350,489
	瑞士造纸之始 391	seng	《僧史略》 114
	瑞香皮纸 72,73,575	sha	沙保(J. B. Chabot)[法] 431

S

sa	撒金纸 83		沙利(Ziyad ibn Calih)[波斯] 382, 383
	撒马尔罕造纸始于751年 383		沙利文(W. Sulivan) 160
	萨阿利比(al-Thaʿalibi)[波斯] 383		沙姆丁(Shams al-Din)[阿拉伯] 456
	萨布(T. Sahib)[印度] 484,485		莎士比亚(W. Shakespeare)[英] 531,554
	萨顿(G. Sarton)[美] 244,267, 460,461,463,469,489,491~ 495,497~499,516	shan	《山海经·北山经》载磁石 322
			《珊瑚帖》竹纸本 86
	萨格莱书铺 421,422	shang	商代立竿测影 311,312
	萨克斯(H. Sachs)[德] 382,389, 390,426		《商人有关宝石的知识》 490
			上村六郎 45
sai	塞尔尼(J. Černy)[英] 52		《上帝之城》 515
	塞万提斯(Cervantes)[西班牙] 531	shao	烧取松烟图 132
	赛比什(W. Sabisch)[波兰] 298, 458,459		《少室山房笔丛》 113,126,151
			邵宝[明] 197
san	《三才图会》 147,502		绍兴二年(1132)火枪(喷火枪) 277
	《三朝北盟会编》 254,523	she	舍弗(P. Schöffer)[德] 439,440
	《三朝训鉴图》 149		《舍密开宗》 502
	《三代相照言集文》 165		舍人亲王[奈良朝] 367,368
	《三都赋·吴都赋》 323	shen	深井钻镘 578,580
	《三峰集》 212,412		神火飞鸦(火箭飞弹) 299,300,469
	《三辅旧事》 32,322		《神农本草经》 226,235~237,240, 246,323
	三国楮皮纸 62		
	《三国史记》 534		《神曲》 517,518
	《三国志》 59,60,68,214,215, 247		《神学大全》 517
			神舟 351,352
	《三国志·魏志》 215		沈榜[明] 94
	三角测量法 503,571		沈德符[明] 364,365
	《三礼图》 142		沈括[宋] 174~176,178,179, 209,340,342,343,411,412, 489,494,495,498,500,501, 520,572,574
	《三柳轩杂记》 343		
	《三论》 460,461		
	《三省边防备览》 95,100		
	《三十六水法》 234,236		沈括试验指南针的四种方法 342
	《三十六行圣经》 439		沈文倬 201
	三针图 338		沈因初[清] 153,154
	三针之说 337~339		沈约[梁]藏书二万卷 508
sang	桑德曼(W. Sandermann)[德] 5,6, 48,388,389,391,393		慎修(在高丽的宋人) 415
		sheng	圣彼得堡手稿中的火药方 226,251~ 253,450,451,452,455,456

	圣德太子[推古朝] 368，370		《石头的力量》 493
	《圣经》 4，243，429，507，515，		《石雅》 218
	524，537，539，540，544		石油在6世纪用于火攻 218
	《圣经》(La Bible) 494		时尧(17世纪日本人) 477
	《圣经》(Ta Biblia) 243，529，539		史弼[元] 481
	《圣克里斯托夫与基督渡水图》 433		《史集》 424～426，429
	《圣诗篇》铅活字本 440		《史记·扁鹊仓公列传》 233
shi	失蜡铸造法 415		《史记·货殖列传》 8
	《诗经·陈风》 23		《史记·秦始皇本纪》 3
	《诗经·大雅·公刘》 311，562		《史记·日者列传》论式的用法 325
	《诗经集传》 311		《史记·殷本纪》 47
	施胶效果 82		史金波 165，166，178，179
	施胶纸 20，54，67，82，396		史密斯(B. F. Smyth)[英] 64
	施奈德(L. L. Snyder)[德] 538		史绳祖[宋] 24
	施宿[宋] 86，271		矢岛祐利 502，503
	施特勒默尔(W. von Strömer)[德]		士燮[三国] 375，417
	438，442		《世界的和谐》 573
	"施瓦茨"(B. Schwartz)[德] 264～		《世界名珠》 383
	266，268		《世界奇妙事物》 463，464
	施瓦茨为虚构人物 265		《世界中古史》 528，569
	十八世纪法国纸厂内景 393		《世庙识馀录》明刊木活字本 171
	十八世纪流入欧洲的中国造竹纸画册		式盘的形制及用法 325～328
	396，397		式盘盘面内容 325，326
	十八世纪欧洲造纸原料危机 394		《事林广记》 86，87，345～347，
	十八世纪中国造纸技术在欧洲的影响		490，498
	394～397		《释名》 68
	十九世纪欧洲造纸原料多样化 398，	shou	手榴弹 224，250，259，274，284～
	399		286，288，289，467，470，478，
	十九世纪中国向欧洲提供的十项造纸		484，547，548，550，551，554，576
	技术 398		手砲 248，284，285
	十九世纪中国造纸术在欧洲 397～		《守城录》 276，277
	400，402		首次环球航行 568
	《十七史纂古今通要》 414		寿岳文章 370，371
	《十日谈》 528		《授时通考》 149
	《十一家注孙子》 414	shu	《书断》 24
	《十纸说》 82，90		《书林别话》 134
	《十竹斋画谱》 152，153		《书林清话》 197
	十字测高仪 320，321		《书史》 83
	《石湖居士集》 199		《菽园杂记》 94～98
	石虎[后赵] 69		舒克(K. W. A. Schück)[德] 490，
	石灰水浸皮料图 97		493
	《石林燕语》 87		《蔬果争奇》 147
	石普[宋] 248～250，252		赎罪券 439，537，538，544

	《蜀笺谱》 90	宋初以猛火油机作战 219
	《蜀中广记》 188	宋词 523,543
	树皮毡(tapa) 6,8,9,11,37,52,53	宋词人 523
shua	刷印操作图 135	宋代版画 140~142
shuang	双响(二踢脚) 270,272	宋代爆仗 269~271,273,576
shui	水泵 528,578	宋代单版多色印刷 149~151
	《水经注》 49,509	宋代稻麦秆纸 86
	水雷(水底龙王砲) 303,305~309,550,576	宋代旱罗盘复原图 346
	水罗盘 333~335,340~344,347,348,487,490,494~496,498,500,504,564	宋代航海水罗盘 350~352
		宋代航海图 352
		宋代教育制度 519
		宋代科学成就 519~521
	水罗盘的复原 341,344	宋代皮纸 87,88
	水密船舱 564~566	宋代匹纸 92
shun	《顺风相送》 318,358	宋代起火 270
shuo	《说文解字》 7,9,10,32,156	宋代起火示意图 270
si	司空图[唐] 125	宋代散文 523
	寺岛良安[江户朝] 502	宋代烧松烟用窑 131,132
	司南的形制和用法 324	宋代史学 523
	司南为指示方向的仪器 322,323,328	宋代书院 519
		宋代铜活字印刷 187,188
	司南形状似勺 324	宋代文学 523
	司南仪的新复原图 330	宋代烟火 271
	司南仪起于战国 322,323	宋代烟火记载 270~272
	司南又称指南 323	宋代印刷概况 129
	《司南、指南针与罗经盘》 325,328,337,343	宋代竹纸 75
		宋徽宗书《千字文》 87,92
	斯当东(G. T. Staunton)[英] 535	《宋会要辑稿》 248,320
	斯坦因(A. Stein)[英] 47,51,67,73,78,124,381	《宋会要·食货》 164
		宋金元发行的纸币 185~194
	斯特拉本(Strabon)[希腊] 244	《宋金纸币史》 185,189,203
	斯特罗姆(U. Stromer)[德] 387~389	宋刊盐钞茶引 164,541
		宋人评高丽纸 364
	《四部目录》载书数量 508	宋人唐福研制的三种火器:火药箭、火球、火蒺藜 248,249
	《四朝钞币图录》 190	《宋史·兵志》 248,284
	《四分律疏》 125	《宋史·陈规传》 276
	《四美人图》金刻本 142	《宋史·贾似道传》 203
	《四十二行圣经》 439	《宋史·马怀德传》 319
	《嗣德御制文集》 418	《宋史·食货志》 185,186
song	《松窗杂录》 374	《宋史·太祖纪》 249
	松皮纸 374	《宋史·魏胜传》 255
	《宋朝事实》 150,184	宋应星[明] 73,98,100,132,147,

	227，228，239，390，397		199，215～217，323，332，335
	宋元画幅面 87		《太平御览》明刊铜活字本 199
	宋元火药成分 251，252		《太上圣祖金丹秘诀》 241
	宋越伦 403		《太阳城》 531
	《宋诸臣奏议》铜活字本 197		泰国1593年向柬埔寨发射火箭 481
	《送子天王图》 76，140		泰国火把节放火箭 480
sou	薮内清 48，249，250，309		泰国速古台王朝放烟火 480
su	苏格拉底(Soctates)[希腊] 333		泰国印刷之始 423
	苏轼[宋] 86，87，364，523，533		泰国造纸起于速古台朝 379，380
	苏轼法书 87		泰克蒂卡斯(A. Tacticus)[希腊] 260
	苏易简[宋] 60，81，84，86，88，91，394		泰勒(E. G. R. Taylor)[英] 495
	苏易简《纸谱》的法文摘译 394，395	tan	昙征(渡日汉人) 368～370
	宿白 364		谭如波(R. Temple)[美] 543
	粟特文书信 381		檀纸 374
suan	《算经十书》 520		炭黑 131，132，134，440，441
sui	《隋书·经籍志》 156，324		炭黑与胶配比 133
	《隋书·卢太翼传》 114	tang	汤复[清] 147
	隋唐版画 140		《汤液本草》 227，241
	隋唐楮皮纸 71		唐十五娘[宋] 202
	隋唐桑皮纸 71，72		唐初硬黄纸写本《妙法莲华经》 71，83
	隋文帝 110，113，114，119		唐初有关印刷记载 115，116
sun	孙宝基[韩国] 158，180，207～210，408，415，416		唐代教育制度 518
	孙宝明 11，15，72		唐代科举制度 533
	孙从添[清] 188		唐代皮纸制造工艺 73，74
	孙放[晋] 66		唐代硬黄纸 82，83
	孙光圻 319，354，565		唐代纸产地 75
	孙寿龄 178		唐代纸工向阿拉伯人传授造纸技术图 392
	孙思邈[唐] 242，247		唐代纸帘帘纹分类 81
	孙思邈不是火药发明人 247		唐代纸纸幅 76，81
	孙武[春秋] 213		唐代纸制品种类 78～80
	《孙子兵法》 213，214		唐代竹纸 74，75
	T		唐德宗颁布的印纸 116，122，541
ta	塔尔塔利亚(N. Tartaglia)[意] 557		唐福[宋] 248，249，252
	塔朱里(al-Tājūri)[阿拉伯] 491		《唐·吉诃德》 531
tai	台彻尔(J. Tetzel)[德] 538		《唐柳先生集》 417
	台湾清代铜活字本 201		唐末水浮式堪舆罗盘的发明 335～340
	太安万吕 367		唐内府用纸量 76
	《太极图说》 522		唐乾符年刊历书 123
	《太平府山水图》版画 148		唐人抄造巨型匹纸图 82
	《太平御览》 9，46，47，66，69，		

	《唐诗类苑》 171			涂布纸 20,68,83,92
	唐宋科举制特点 533			涂布纸切面图 68
	唐太宗[唐] 70,109,381			屠隆[明] 101,365
	唐、五代巨型匹纸 81,82		tui	《推篷寤语》 348
	唐锡仁 509		tuo	托哈(K. A. Totah)[埃及] 511
	唐咸通九年刻《金刚经》 124			托勒密(Ptolemy)[希腊] 512,514,
	《唐语林》 124			516,525,526,567
	唐纸厚度 73,80			托马斯(Thomas de Cantimpré)[尼德
tao	陶宝成 181			兰] 495
	陶榖[五代] 81,84			托斯卡内利(Toscanelli)[意] 567,
	陶弘景[梁] 227,236,237,246,			568
	331,509			拓印向印刷的过渡 110～112,155
te	特文尼(T. L. de Vinne)[美] 434,			
	435			**W**
teng	藤皮纸 48,62,63,575		wa	瓦尔德福格尔(P. Waldfoghel)[德]
	藤田丰八 157,476			437,438,442
tian	《天工开物》 73,84,95,97～100,			瓦尔德福格尔的金属活字 438
	132,133,147,227,239,306,			瓦尔特·里费(Walter Riffe)[德]
	375,390,395,397,398			442
	《天工开物·杀青》之法译 397			瓦尔图里奥(R. Valturio)[意] 261,
	《天工开物》造竹纸图 399			470
	《天工开物·朱墨》 132			瓦卡(G. Vacca)[意] 560
	《天体运行论》插图 526			瓦拉(Lorenzo Valla)[意] 529,538
	《天体运行论》出版 526,544			瓦拉尼亚克(A. Varagnac)[法] 558
	天文导航 315～321,496,499,564			瓦泰马(L. di Varthema)[意] 481
	天文学革命 573			《瓦泰马游记》 481
	田敏[五代] 126		wan	《宛署杂记》 94
	田野(程学华) 27			《晚笑堂画传》 148
	田泽金吾 325,326			万安亲王[奈良朝] 367
	《铁砲记》 477			万虎[明] 301,302,471,562,576
ting	町田诚之 8,19,370,374			万虎在15世纪的火箭飞行试验
tong	《通典》 106,222			301,562,576
	《通商指南》 430,542			《万寿盛典》 147
	《通书类聚克择大全》 199			《万叶集》 371
	《通俗文》 9			万叶假名 363,369
	铜版印刷起于唐 182		wang	汪本初 203,204
	铜将军(铜火铳) 294			汪大渊[元] 353～355
tou	投影法制地图 571			汪耕[明] 144
tu	秃氏祐祥 117,405			汪云鹏[明] 145
	突火枪 277～279,293,457,576			王充[汉] 324,325,328,331
	突火枪复原图 279			王大海[清] 348
	《图画见闻志》 149			王说[宋] 124
	图书寮 372			王玠[唐] 125

王玢 207
王静如 166
王菊华 44
王浚[晋] 215
王莽[汉] 33，324，325
王莽令以磁石作威斗 324
王莽威斗于宋代出土 324
王楙[宋] 324
王明清[宋] 128，149
王圻[明] 147，203，423，502
王钦若[宋] 126
王庆之[唐] 115
王仁(渡日汉人) 367～371
王仁俊[清] 114，115
王荣 290，292，295
王汝舟[越南陈朝] 418
王士禛[清] 180～182
《王叔和脉经》 509
王树楠[清] 117，194
王伋[宋] 336，337
王羲之[晋] 57，59，60，508，510
王盱墓出土式盘的复原 326
王应麟[元] 248
王振铎 325，328，329，337，339，341，343，344，346～348，521
王振铎对司南的复原图 329
王祯[元] 23，24，89，90，166～170，174，179，180，201，204，205，390，416，435
王祯所述木活字技术 169，170
王祯与金简木活字技术比较 174
王祯造木活字 168
王直[明] 477
王宗沐[明] 19，95，96
《往生之道》 434
望斗 320

wei 威利·李(Willy Ley)[德] 301
威斯纳(J. von Wiesner)[奥地利] 10，51，61，67，68，73，82，385
韦斯普奇(A. Vespucci)[意] 568
韦尔斯(H. G. Wells)[英] 70
韦肇[唐] 330
韦镇福 278，550

为何印刷术起于中国 154～157
为何造纸起于中国 21～24
为何宗教改革发生于德国 537
维利尔斯(A. Villiers)[美] 565
《维摩诘所说经》西夏文泥活字本 178，179
《维摩演教图》 90
维萨留斯(A. Vesalius)[弗兰德] 527
卫夫人字 416，417
卫三畏(S. W. Williams)[美] 206
卫生纸 13，63，66，86，88
卫太子刘据[汉] 32
卫月望 190～192，194，196
伟烈亚力(A. Wylie)[英] 489
《渭南文集》 198
魏德曼(E. Wiedemann)[德] 334，490
魏国忠 289
魏晋纸纸幅 56
《魏略》 214
魏胜[宋] 254，255，281
《魏书》 63，247，381
魏隐儒 202
魏志刚 207

wen 《温泉铭》唐拓本 110
温特(F. H. Winter)[美] 260，463，480，481，484，492
温特(J. Winter)[英] 132
温庭筠[唐] 84
《文房四谱》 60，81，84，86，88，91
文明太[韩国] 362
《文献通考》 87，163，186，205
《文献通考》清代锡活字本 205
《文心雕龙》 510
文艺复兴 50，70，261，386，390，394，426，429，433，469，491，517，518，524，527～532，543～546，556，558，571，577～580
文艺复兴时的欧洲大学 524，525
文艺复兴运动的真正目的 528
文永之役 476
《文苑英华律赋选》 201，202

wo	《文苑英华》宋刻本 87,138		《五十二病方》中的硝石 233
	文震亨[明] 92		《五星占》 319
	《我的家世和闯荡经历》 388		《五洲衍文长笺散稿》 201,209,
	沃尔夫(A. Wolf)[英] 495,558,		365,366,409,411,501,502
	559,572,573		《武备志》 146,227,239,276,279,
wu	乌尔班斯基(T. Urbanski)[波兰]		283,296～301,303～309,318,
	225,228,230,231		355,358,459,472,478,502
	《乌托邦》 530		《武经总要》 140,141,216,217,
	无敌竹将军 279		220～222,225,226,250～254,
	无端环状旋转式纸帘 398		269,277,340～342,465,490,
	《无垢净光大陀罗尼经》 76,78,		502,504,520,575
	117,136,158～160,403,409		《武经总要》宋刻本插图 220,250,
	《无垢净光大陀罗尼经》印本 78		251
	《无极天主正教真传实录》 420,422		《武经总要》中的火药配方 251～
	《无上秘要》唐写本 71		253,575
	毋昭裔[五代] 113,128		《武林旧事》 89,271,272,479
	吾守尔 167		武隆阿[清] 201
	吴长元[清] 200		武威出土式盘 326,327
	吴承洛 251		《武英殿聚珍版程式》 168,172,173
	吴道子[唐] 76,151		《武英殿聚珍版丛书》 172
	吴德[唐] 117,118		《武英殿聚珍版丛书目录》 172
	《吴都赋》 323		武英殿修书处 172,200,201
	吴哥朝烟火 380,479		武则天[唐] 115,117,382,403
	吴国镇[韩国] 415		武章[宋] 202
	吴惠[明] 479		武周制字 117,159,405
	《吴惠日记》 479		《物理小识》 232
	吴嘉猷[清] 22,65		《物原》 247
	吴普《本草》 236,240		
	吴士连[越南黎朝] 376,417,534		**X**
	吴礽骧 29	xi	西安出土唐初刻本 118
	吴印禅 26		西安出土元代铜铳 290
	《吴越备史》 219		西班牙造纸之始 386
	吴越印刷 128,129		西方古代纵火武器 222,223,260,
	吴振域[清] 101		262,457
	《吴中水利通志》明刊铜活字本 198		西汉炼丹家与硝石 234
	吴自牧[宋] 88,271,351,352		西汉墨 131
	《梧桐雨》明刊本插图 145		西汉南越王墓中的硫黄 241
	五代版画 140,149		西汉造纸说 24
	五代版刻《九经》 126,519,533		西汉纸麻纤维纵横切面 36
	五代猛火油机用于战争		西汉纸之出土 24～32
	五代填色印本 149		《西寺铭》 66
	《五牛图》 71,72,76		西夏蝶装印本 165,166
	五山版 406		西夏文之创制 164

	《西厢记》明刊本 144	xie	楔形文字 4,5,155
	《西崖集》 473		写字样图 134
	《西洋朝贡典录》 357,380		《写生蛱蝶图》 90
	《西洋番国志》 357		谢弗(Schäffer)[德] 399
	希腊火(Greek Fire) 221~223,225, 259~264,446,457,460,546, 548,558,560		谢灵运[刘宋] 508
			谢深甫[宋] 164
		xin	辛达尔(R. W. Sindall)[英] 35,102
	希腊火中无硝石 263		辛弃疾[宋] 523
	希腊人的海火 260,457		《辛巳泣蕲录》 285
	"希腊人马克"(Marcus Graecus) 263,264,452,453		忻都[元] 475,476
			《新工具》 576
	希腊文手抄本的翻译 516		新疆出土的元代纸牌 432
	席文(N. Sivin)[美] 247		新疆出土唐代花鸟图 76
	《洗冤录》 520		新疆出土唐代武周刻本 117
	喜利志多(Christovano Perota)[葡] 477		新教(路德宗) 539,545,577,580
			《新刊僚氏正教便览》 421
xia	夏德(F. Hirth)[德] 51,53,206, 350,376,378,488,489		新罗写本《华严经》 362
			新罗有关楮纸最早记载 362
	夏鼐 353,354,377,380,430, 448,479,480		新儒学 522,523,537,543
			《新唐书·地理志》 70,75,316
xian	线装 138,139,406,435		《新唐书·食货志》 80,123
xiang	《详定礼文》 209,210		《新唐书·艺文志》 333,336
	襄阳砲(巨型抛石机) 293		《新修本草》 72,237~239,331
	《襄阳守城录》 254		《新仪象法要》 520
	《享金簿》 101		《新引力论》 572
	向达 318,355~358		《新印详定礼文跋》 209,210
xiao	萧诚[唐] 70		《新撰姓氏录》 367,368
	萧良琼 312		信药成分 270
	萧云从[清] 147,148	xing	兴能[奈良朝] 374
	硝石的性质 232		《行医须知》 448
	硝石、硫黄混合炼丹 241	xiu	休厄尔(W. Whewell)[英] 492
	硝石、硫黄配合制药 241	xu	徐葆光[清] 349,358
	硝石一词14世纪始见于西方 243		徐达[明] 293
	硝石一词在印度始见于1400年后 483		徐兢[宋] 350~352,364
			徐康[清] 101
	硝石与朴硝之混淆 236		徐商[唐] 79
	硝石与朴硝之鉴别 236~238		徐赞[朝鲜朝] 411,413
	硝石在火药中的作用 228		徐志定[清] 181,182
	硝石在战国时已入药 233		许洞[宋] 217
	硝石之传统提纯法 235,239,240		许浚[朝鲜朝] 500
	硝石之火焰定性法 237		许慎[汉] 7,9
	小栗舍藏 19		《续文献通考》 203,423
	《孝顺事实》 416		《续夷坚志》 284

xuan 《续资治通鉴长编》 248, 352
"絮纸" 9, 33, 51
《宣和博古图》 142
《宣和奉使高丽图经》 350, 352
萱草簧(纸帘) 56
玄觉[宋僧] 210
玄石 235, 331, 332
玄奘[唐] 54, 115, 119, 120, 140, 158, 377, 378
悬泉纸 31, 37
悬针 332, 333, 342
悬针图 332
旋风装 137
旋转运动与直线运动相互转换 89, 390, 528, 578

xue 薛稷[唐] 71
薛涛[唐] 73, 84
薛涛笺 92
《学斋占毕》 24
血液循环论 527

xun 荀况[战国] 1
荀悦[汉] 10
《荀子》 1
训点本 406

Y

ya 雅尔(A. Jal)[法] 494
雅克(J. de Vitry)[法] 495
雅可布仪(Jacob's staff) 320
亚里士多德关于抛射体轨道的理论 557
亚美利加洲的发现 568
亚洲石 244, 447, 448
砑光纸操作 42
砑花纸 20, 84, 85, 92, 152, 575

yan 延笃[汉] 46
《延喜格式》 372
严敦杰 317, 318
烟火的起源 269~274
颜继祖[明] 153
《颜氏家训》 66
颜真卿[唐] 76, 77
颜之推[南齐] 66
衍波笺 84
彦悰[唐] 115
晏殊[宋] 523
雁皮纸 374
焰硝 251, 252, 380, 472~474, 480
燕尾炬 215, 216

yang 羊皮板 5~7, 11, 105, 155, 156, 427, 469
杨德望[清] 395, 396
杨古[元]泥活字本 179
杨筠松[唐] 338, 340
杨松(L. Janszoon)[荷兰] 437
杨桃藤 19, 81, 82, 90, 96, 98, 100, 398
杨万里[宋] 88, 280, 281
杨之礼 13
《养吉斋丛录》 101
《养老律令》 372

yao 姚士鳌 51, 384
姚枢[元] 178, 179
姚燧[元] 178, 179
姚顗[五代] 85
姚莹[清] 201
药线(引线) 88, 269~273, 275~277, 279, 284, 285, 292, 296, 298~301, 304~308, 452, 561

ye 《野客丛书》 324
野利仁荣[西夏] 164
野生麻造纸 70
叶昌炽[清] 120
叶德辉 197
叶山(R. Yates)[美] 274, 466
叶泰[清] 337
叶子戏 79

yi 《一千零一夜》 514
《一切经》 370
《一切如来尊胜佛顶陀罗尼》唐末刻本 125
一窝蜂火箭 459
一行(唐僧) 316, 317, 572
伊本·西那(Ibn-Sina)[阿拉伯] 513, 516
伊拉斯谟(D. Erasmus)[荷兰] 529,

537
伊里奥特(H. M. Elliot)[英] 483,484
伊利汗国 264,288,424,425～431,443,449,450,452,454,456,457,459,461,465,469,482,542,552
《伊利汗国的中国科学宝库》 450
伊利汗国在波斯印发纸币 424,425
伊林(M. Ilin)[俄] 1
伊斯哈克(Hunayn ibn-Ishaq)[阿拉伯] 512
《医典》 513
《壹是纪始》 202
《仪礼要义》宋刊本 168
《怡情少女颂》 440
以圭表测日影的定位方法 310
以南为尊的思想 310
以香水种楮 71,362,363
以硝、硫炼丹引起燃烧 241～243
义净(唐僧) 54,157,378,380
《艺风堂藏书续记》 168
《艺文类聚》明刊铜活字本 198
亦失迷黑[元] 481
《异国风土记》 386
意大利和德国印的纸牌 432,433
意大利、尼德兰的木活字印刷 436
意大利在欧洲最早使用火箭 469,470
意大利造纸之始 387
《意林》 33
薏苡纸 366

yin 《因话录》 342
《音学五书》 202
殷涤非 327
银花纸 83
尹炳泰[韩国] 175,206,210
尹达礼麻识里[元] 292
引路石(lead-stone) 493
《饮膳正要》元刻本插图 142
印版尺寸及预处理 133
印本比写本的优越性 103,113,156,518

印本书装订技术 136～139
印第安农作物引入欧洲 571
印度16世纪出现火箭 484
印度18世纪军用火箭 484
印度的抄纸帘 379
《印度化学史》 256
印度火器起于1400年后 260,483
印度火药始于1400年后 260,483
印度罗第王朝有火药记载 482
印度造纸之始 378,379
印度指南针 504
《印度志》 377,383
印度制火药始于14～15世纪之交 483
印尼造纸 380
印刷工每人一天印数 103,135
印刷术帮助欧洲科学革命 525～527
印刷术促进中国科举制的发展 533,534
印刷术促进欧洲各国民族文学的产生 530～532
印刷术促进欧洲教育 524
印刷术促进欧洲人文主义思想发展 528～530
印刷术促进欧洲文艺复兴 528～532
印刷术促进中国儒学和文史发展
印刷术对东西方考试制度的影响 532～537
印刷术对中国教育和科学发展的贡献 518～521
印刷术与欧洲宗教改革 537
印刷术与宋代科举制 533,534
印刷术在欧洲产生的经济效应 540～543
印刷术在中国产生的经济效应 540～542
印刷术在中西发展引来的不同社会后果 543～545
印刷用版材的技术要求 130
印刷用版材梓木 130
印刷用纸的技术要求 130
印刷与佛教之关系 112,113,518
印章印文 105

ying	英国1855年推行文官考试制 535		元代火药技术传入高丽 472
	英国造纸之始 391		元代集束火箭(火笼箭) 298,299
	《英使访华录》 535		元代金属铳(火筒) 286~293
	《营造法式》 140,521		元代金属活字印刷 192~195
	《瀛寰志略》 265		元代时的中、意人员交往 429~432
	《瀛涯胜览》 379		元代扬州火药库爆炸 287
	硬白纸 82,83		元代以铜活字印《大藏经》的记载 194,195
	硬筒形火器起于南宋初 274		
yong	《雍正朱批谕旨》 153		元代纸币是国际货币 542
	《慵斋丛话》 414		元代中国传入欧洲的科技发明 578
	《永乐大典》用纸 95		元代中国向柬埔寨出口硝石 480
	用民族语文刊书的历史意义 532		元好问[金] 284,285
you	尤尼乌斯(H. Junius)[荷兰] 437		《元和郡县志》 218
	尤努斯(Ibn-Yūnus)[阿拉伯] 488,514		元黄头[东魏] 64
			《元史·李庭传》 289
	犹太人的印刷活动 428,438		《元史·纳速剌丁传》 292
	《犹太周刊》 428		《元史·食货志》 193
	《游宦纪闻》 364		《元史·英宗纪》 195,431
	游榕[明] 199		元英宗[元] 195
	有机论自然哲学 522		元稹[唐] 79,84
	有马成甫 266,291,294,456,457,473,477,478		元至顺(1332)铜铳 290
			元至顺铜铳使用方式 291
yu	鱼子笺 84		元中统钞铜印版上的铜活字 193,194
	俞良甫(旅日的元代刻工) 406,407		
	俞良甫刊《柳文集》 407		袁宏[晋] 45,46
	《馀冬绪录摘钞》 286		原田淑人 325
	隃糜墨 131		圆筒侧理纸 19,101,102,398
	虞允文[宋] 280,282		圆网造纸机 19,102,398,400
	《愚人书简》 538		圆形方位刻度盘 331,341
	《愚人自夸》 529,537		圆载(奈良朝僧人) 126,374
	《宇宙奥秘》 573		远洋船制造技术 578
	雨伞 63,64,78,348,510,575	yue	约翰·方塔纳(G. da Fantana)[意大利] 470
	《语石》 120		
	玉尔(H. Yule)[英] 272,425,430,436,452		约阿希姆(G. Joachim)[奥地利] 526
	《玉海》 248		岳邦湖 29
	《玉堂杂记》 178		岳义方[宋] 248,249
	育蚕纸 88		越南火器起于陈朝 478
	《御制耕织图》 147,148		《越南历史》 376
	《御制秘藏诠》宋刻版画 143		越南铜活字印刷 418
yuan	元代版画 140,144		越南印刷术的早期发展 417~419
	元代单版多色印刷 150		越南造纸之始 375
	元代《海道指南图》 353~355	yun	云蓝纸 84

云梦出土的战国墨 131
《云仙散录》 75,78,115

Z

zan 赞宁[宋] 114
zao 早期火药呈膏状 226,254,575
早期火药引燃法 270
早期译者将梵文纵火器误译为火箭 260
枣木 106,130,172,173
《造活字印书法》 166,168,169,205
造纸术传入阿拉伯之始 382,383
《造纸说》 95,100
造纸原料化学成分 15
造纸原料纤维长宽 13
造纸植物原料纤维图谱 12
《造竹纸图谱》 95
zeng 曾公亮[宋] 216,217,219~221,226,251,252,340,342,490,494,520
曾三异[宋] 342
曾铣[明] 305
增田胜彦 44
zha 扎卡利(al-Zarqālī)[阿拉伯] 514
扎沃斯基(H. Rzewuski)[波兰] 456
札兰丁(Djedāl ed-Din)[花剌子模] 482
札尼(V. Zani)[意] 433
zhai 翟金生[清]泥活字 180
翟林奈(L. Giles)[英] 124,200
翟世琪[清] 181,182
zhan 詹克斯(A. Jenckes)[美] 535,536
占卜用式 328
战国墨 131
《战争防御》中的火器 469
zhang 张邦基[宋] 137
张贵[宋] 288
张衡[汉] 323
张华[晋] 47,60,61
张怀瓘[唐] 24
张机[汉] 233,234,236
张季琦 203

张荐明[五代] 127
张士诚[元] 292~294
张士信[元] 293,294
张世南[宋] 82,364
张燮[明] 358,381,479
张星烺 23,94,219,382,430,457,482,542
张秀民 114,129,144,159,168,171,181,199,200,202,418,422
张彦远[唐] 60,67,70,82
张揖[三国·魏] 9,10,24,34,45,49
张永惠 13
张载[宋] 522
zhao 昭武九姓国 382
赵昌[宋] 90
赵汝适[宋] 351,352,488
赵万里 130,171,197
zhen 针簿 352
《针法诗》 337
针房 358,359,491,565
《针房知识概论》 491
《针路簿》 319
《真腊风土记》 353,377,379,380,448,479,480
《真元妙道要略》 243,244,246
震天雷 282,285,286,452,455,469,476
zheng 蒸汽机 558~561,578,581
蒸汽机原型 558
蒸煮机理 16~18
蒸煮图 97,99
正仓院文书纸 371
正始三体石经 108
正统《道藏》 234
正针 337~339,342,348,501
《证类本草》 62,141,237,520
《证类本草》宋刻本插图 141
郑道传[高丽] 212,412
郑道传奏设书籍铺 212,412
郑璠[唐] 217
郑和[明] 318,355~358,379,481,483,498,565,566

《郑和航海图》 318,355,357
郑和下西洋航海路线图 238
郑和远洋船队图 566
郑麟趾[朝鲜朝] 210,409,412,413,415,472,534
郑玄[汉] 23,214,310~312,368
郑隐[晋] 243

zhi 芝城铜活字本 199
《芝峰类说》 366
《知识的给予者和关照的破坏者》 488
织田信长(16世纪日本人) 478
《直斋书录解题》 332,350
《植物名实图考》 149
植物粘液 575
纸被 62,88
纸出现前的文字载体 1~7
纸传入印度的途径 378,379
纸促使书籍猛增 58,508
纸的出现是文字载体发展中的革命 506,507
纸的定义 7~10,34,49
纸的优越性 7,507
《纸赋》 57
纸冠 79,88,575
《纸或造纸技术》 67,393
纸甲 78,88,95,510
《纸漉必用》 375
《纸漉重宝记》 374,375
《纸漉重宝记》中的抄纸图 374
纸牌 79,88,95,145,432,433,540,575
纸牌在元代传入欧洲 432
纸砲 224,247,269,271,280,281,461,463
纸屏风 78,88
《纸谱》 375,394
纸扇 78,88,95,364,376,575
纸上钤印 103
纸屋院 370,372,373,404
纸箫 93
纸砚 93
纸药 19,81,96,98,394,398

纸衣 78,79,88,575
纸与其他书写材料的比较 7,507
纸鸢 63~65
纸在中世纪欧洲文化发展中的作用 515~518
纸在推动中国文化发展中的作用 508~511
纸张之路 381,578
纸枕 88
纸织画 93
指、角(牵星板单位) 317,318
指南车 324,335,340,348
指南车与指南针之区别 335
指南鱼 340~342,345~347,490,495,502,504,576
指南鱼的复原 346,347
指南针对近代科学技术发展的影响 570~574
指南针诱导出其他仪器 572
指南针与航海技术在中国引起的政治经济后果 566,567
指南针与航海在欧洲引起的政治、经济后果 567~570
指南针在欧洲的起源 491~493
指南针在欧洲的最早名称 332
《指南正法》 358
至元通行宝钞 193,194
制图六体 509
智昇[唐] 158
《智者之园》 426

zhong 中村不折 58,117
中村长一 67
中根元圭[江户朝] 503
《中国版刻图录》 130,171,197
中国传统造纸术与近代造纸术的接轨 400,402
中国磁学领先欧洲一千年 333,496
《中国的专制政体》 535
《中国度量衡史》 251
中国发明的火器种类 575,576
中国发展印刷的技术路线 162
《中国古钞图辑》 190,191,194,196

中国古代火药燃烧理论 226～228
"中国花"(烟火) 451,452
中国火药理论遗产 555
中国火药、火器技术外传图 486
中国技术对欧洲航海罗盘的影响 493
"中国箭" 288,454
中国金属活字铸造技术 163,182,200
"中国龙喷火箭" 561
"中国轮" 272
《中国密教史》 118
中国起轮 451
中国人最早提纯硝石 231,232
中国雪(硝石) 244,245,447～449,452,463
《中国艺术、技术与文化图说》 396
中国印刷术外传图 444
中国用十字测高仪比欧洲早三百年 320
中国与欧洲磁罗盘对比 498
中国远洋航海技术长期领先 565
中国造纸技术外传图 401
《中国造纸植物原料志》 11,15,72
中国远洋航船 580
中国纸与欧洲纸比较 393,394
中国指南针记载出现于9世纪 336,487
中国指南针技术外传图 505
《中华大帝国志》 419,444
《中华帝国通志》 394
中、欧金属活字形体一致 440
《中山传信录》 349,358,359
中山茂 44
《中世纪化学》 452
中世纪欧洲文化下沉 515
中统元宝交钞 193,194
中晚唐印刷 121～126
中颜纸 28,31,35,37,44
中印间古代通道 377
中针 337～339,501

zhou 周必大[宋] 178
《周髀算经》论晷仪用法 314
周达观[元] 353,354,377,380,448,479,480
周达观航海路线图 354
周敦颐[宋] 522
《周礼·天官·冢宰》论辨方正位 310
《周礼·夏官·司弓矢》 214
周密[元] 81,82,89,90,271,272,286～288,479
《周书·多士》 2
周纬 296
周无专鼎 2
周一良 125,375,376
《周易说略》白陶活字本 181
轴转舵 564,566
《肘后备急方》 510

zhu 朱棣[明](明成祖) 297,355,366,376,380,474,478
朱圭(清刻工) 147
朱寰 528,569
朱济南[宋] 344
朱家濂 181
朱熹[宋] 88,130,179,311,522,523
朱偰 357
朱彧[宋] 350,488
《诸蕃志》 351,352,488
《诸葛孔明心书》铜活字本 199
诸葛亮[三国] 214,309
《诸家神品丹法》 242,247
《诸艺大全》 452,455,456
竹木填空之术 416
贮字转盘 169
贮字转盘操作法 169,170
祝况[宋] 210
《祝融佐治真诠》 228,287
铸钱都监 415
铸钱技术 209,412,415
《铸字跋》 414,415

zhuang 庄司浅水 155,432,437
庄葳 120
庄周[战国] 11,131
《庄子·田子方》 131

	《庄子·逍遥游》 22		宗睿[日本平安朝] 125，126
zi	《资治通鉴》 116，218，523		总持寺刊《宝箧印陀罗尼经》 160，
	子窦 278		410
	子午线长度测定 316	zou	走火 448，449，474，475
	《自然辩证法》 579		走马灯 89
	《自然哲学的数学原理》 527，574	zu	祖冲之[刘宋] 509
	字料 164，186，189~191，193，194	zui	最早的动力机 558
	字喃 376，418		最早军用火药方出现于10世纪 252
	字样转移到印版上图示 170，173	zuo	左思[晋] 323，510
zong	纵火箭 213~215，217，222，223，		
	225，249，259，446，469，548		